P9-CJI-671

OBRAS COMPLETAS
DE EDUARDO BARRIOS

Compuesto con Linotype Ionic 7/10 e impreso en los talleres gráficos de la Empresa Editora Zig-Zag, S. A., en Santiago de Chile, Avda. Santa María 076.

OBRAS COMPLETAS

de

Eduardo Barrios

TOMO II

ZIG-ZAG

INDICE DE LAS OBRAS COMPLETAS DE EDUARDO BARRIOS

TOMO I

CUENTOS

NOVELAS CORTAS

NOVELAS

TOMO II

EL HERMANO ASNO

Sobre la primera página de este manuscrito, en una esquina, con una tinta muy aguada y en caracteres diminutos, como si Fray Lázaro lo hubiese querido decir al oído, había estos versos de Nervo:

"¡Oh soñado convento
donde no hubiera dogmas
sino mucho silencio!..."

—Fray Lázaro, en la última festividad de Nuestro Padre San Francisco hizo siete años que entró usted en el convento —me recordó esta mañana el Provincial.

Sí, siete años. Y como ya estamos en noviembre, llevo ahora siete años y un mes de franciscano. Sin embargo, aún no me siento un buen fraile menor.

¿Debería, Señor, colgar este sayal?

Pero..., ¿cómo, si conozco el desencanto hastiado a que conducen todos los caminos del mundo? Para el hombre que mucho vivió, Señor, toda senda se repite, y de antemano cansa.

¿Y adónde ir entonces, si tan rendido estoy?

¡Ah! y yo sé además que existe la amargura desconocida, la inesperada, en el mañana de todos los caminos. Este solo pensamiento me angustia, Señor. Acobardado, sólo quiero el albergue donde mejor reposa el corazón y más denso se hace el ensueño.

Aquí he de permanecer, pues. Amo la humilde casa de Nuestro Padre... y amo, con no sé qué debilidad, esta hora en el huerto.

Vengo diariamente, mientras duermen la siesta mis pacíficos hermanos, y me tiendo sobre la tierra áspera, bajo el cielo suave. Así es, Señor, suave tu reino, áspero el suelo de los hombres.

Hoy el calor nos agobia en el refectorio. A Fray Pedro, a quien le tocó ser el lector, la voz se le apagaba en el sueño. A ratos alzábala su esfuerzo; pero luego caía otra vez semejante al surtidor de una fuente cuando le va faltando la presión.

También aquí, en este pequeño huerto encajonado entre claustros, el aire se detiene, se ablandan de calor las hojas y la hierba se tiende lacia. Hasta la mirada se afloja. En aquellas plantas de tuna centellea el sol: deben de estar calientes los carnosos medallones y resecas sus espinas. El claustro encalado refulge, solitario; y aun las palomas y los pájaros se han escondido.

Veo la fila de puertas de las celdas herméticas e imagino a los frailes durmiendo una siesta sofocada.

¡Soledad bajo el sol! De los viejos claustros sale a esta hora caliente un efluvio antiguo, pasa bajo las arquerías, entre los pilares panzudos, y se une a la atmósfera del huerto, que sube como el vaho de un gran bostezo.

Y heme aquí, Señor, como todos los días, mal contento de mí. Indudablemente, no soy un buen franciscano. Y empiezo a temer que nunca lo sea. Tarde vine acaso a esta santa morada. El mundo, las gentes, aquel descalabro..., ¡sobre todo aquel descalabro!..., asentaron en mí excesiva experiencia; y no puedo ser simple como un buen fraile menor debe ser. No soy inocente, no soy ingenuo. La inocencia es un vacío defendido por el velo de la ingenuidad; y las vicisitudes rasgan ese velo, nos hacen receptivos, y el vacío se llena de conocimiento. El conocimiento conduce a la claridad; pero a la plenitud franciscana, a la Gracia, nunca.

Ya deben ser casi las tres. El aire refresca. Sueltan el agua, que corre por ese pequeño lecho de piedrecillas limpias. Los pájaros han vuelto, cantando frenéticos; y una flor blanca, que no había visto yo antes, ha abierto cerca.

He de irme a mis oficios y dejar esta paz, esta espontánea actividad silvestre que envidio.

¡Arroyo transparente, ancha flor blanca que te abres en la tarde, pajarillo hirviente de música, rogad por el hermano Lázaro, que os envidia! Dais vuestro perfume lento, vuestro humilde canto de agua clara, vuestra alegría sin dirección, y no os inquietáis por el provecho de vuestros dones. Sois indiferentes, y la indiferencia os entona en la imperturbable serenidad natural. Ignoráis, y vuestra ignorancia alcanza la perfecta sabiduría. Por vuestra falta de interés entráis en Dios. ¡Rogad por mí!

No sé si me oís. Pero me levanto del suelo y, a medida que sacudo las briznas prendidas a mi sayal, siento una gratitud pura en el ambiente y esta gratitud me penetra.

Hay olor a tierra que se moja, a retoños que se refrescan... Allá pasa el hermano Juan, con los hábitos arremangados y las piernas velludas despeinando el herbazal. Lleva una cacerola blanca, como su alma.

Hermano Juan, tú que tienes un alma de cacerola blanca, ruega también por mí.

* * *

A la madrugada, de noche aún, me han despertado unos golpes suaves, muy discretos, dados en la puerta de mi celda.

Era el Padre Guardián.

Habían venido a llamarle del Hospital de San Juan de Dios, para confesar a un moribundo, y buscaba mi compañía.

El hospital está a media cuadra de nuestro convento. Pero al Padre Guardián le agradaba sobremanera salir siempre a estos pasos con un fraile a su izquierda.

Me he levantado a prisa, a la luz de mi lamparilla de aceite, que ilumina el costado herido de mi Señor Crucificado, y hemos ido al hospital.

Mientras el Guardián confesaba al enfermo, allá en el fondo distante de una sala sin fin, yo me he paseado por el parque obscuro. Hacía frío; el cielo estaba encapotado, negro, compacto; faltaba mucho aún para que abriese el día, y el mundo se me antojaba oculto dentro de una flor cerrada.

Recé allí, de memoria, mis horas canónicas de la mañana, desde la prima hasta la nona.

Luego hemos vuelto. No he querido acostarme otra vez, pues faltan apenas dos horas para el coro, y me he puesto a reflexionar acerca del Guardián y de mis otros hermanos.

Reflexiono y veo que no los amo.

¿Y cómo, Señor, sin amarlos podré decir que os amo a Vos?

No debía conocerlos tanto. Sin el análisis, los amaría; y amándolos, me vería menos solo. El conocimiento eleva, Señor, pero las cumbres se hallan siempre solitarias.

Hasta hoy, cada vez que he conocido muy a fondo a las personas, las he sentido desprenderse de mí. Bien pudieron haberme inspirado respeto o aprecio después de su pleno conocimiento; pero siempre este pleno conocimiento mató el interés y sólo me quedó el despego de las cosas muy conocidas.

Espero amor, Dios mío, porque me siento muy solo y el amor es la Gracia.

Bajo hasta las gentes. Perdono con el alma conmiserada. Y nada más. Aún no tiembla de amor mi alma por tus criaturas.

Hay aquí algunos frailes buenos, de corazón humilde y alma ardiente, pero con una inteligencia sumisa que no satisface a quien precisa también admirarlos. No viven en tu Divina Gracia, Señor, porque no inflamaste sus mentes en el fuego sacro y carecen de intuición para ganar las cimas del espíritu. Hablo de Fray Luis, de Fray Bernardo y aun de Fray Rufino...

¡Fray Rufino! En éste sí, por momentos, al mirar sus ojos perdidos en una nebulosidad sin fondo, creo distinguir cierta visión anticipada de los hechos significativos, alguna primitiva y sutil sensibilidad para las cosas eternas. Unicamente a él veo cerca de aquellos doloridos y bienaventurados de los campos de Asís y de Perusa, los seráficos frailecillos menores.

Otros..., ¿cuántos?..., ¡oh, demasiados!..., llenan una comunidad de frailes sin fervor, atareados en sus oficios con celo funcionario. Son joviales; ríen, placenteros y amables, con las visitas, a las que atienden con esmero, más aún, con alegría, con esa alegría que suele causar todo cuanto a la vida vulgar trae alguna novedad entretenida. Trabajan sin descanso; aunque a menudo se quejan del mucho afán, echando de menos la servidumbre, cada día más escasa, de legos y donados.

¡Esos hermanos legos, Señor, que no logro acercar a mí, con su fea humildad de inferiores y su familiaridad un tanto descomedida!

Suelen hacerme gracia estos hermanos legos. Una gracia incómoda. En el coro, rezan entre suspiros y bufidos, se suenan a todo pulmón, tosen, sudan, resoplan. Diríase que funcionan a vapor.

Prefiero mirar las manos ociosas del Guardián, blandas, pálidas, regordetas.

Yo le digo siempre:

—Usted, Fray Luis, tiene manos de señor obispo, hechas para bendecir saliendo de los pliegues rígidos del brocado, para colorearse de reflejos entre la pedrería de los indumentos, para poner una interrupción de marfil en el oro del báculo.

El me clava el correctivo de una mirada muy seria; pero sonríe por dentro.

Y desde que le dije esto por primera vez, se cuida mucho las manos; y cuando viene hacia mí, ellas le preceden.

Sin embargo, hay bajo esa suavidad de fortaleza...

Voces... Interrumpamos...

¡Ah, deben de ser los dos legos viejos que rondan al amanecer, apagando los mecheros!

Pero el tono es de alarma, de alarma y de hallazgo.

Entreabro mi ventana.

Allí están. Veo sus cabezas gordas y morenas, metidas en los capuces; sus hábitos castaños, cortados en la cintura por la línea blanca del cordón. Pintan dos manchas densas en la gris sucesión de las columnas del claustro, que al entonarse en la transparencia lila del alba toman un diáfano azul de bruma.

—Eso no es santidad ni es nada —exclama el más viejo.

Comprendo. Han cogido a Fray Rufino en alguna inverosímil mortificación de la carne. ¡De su carne ya tan flaca, Señor!

¡Oh, *sine mente caput, vigiliis et inedia multa exhaustum*!

No le veo a él. Se halla tras el pilar, al parecer. Ni distingo sus palabras. Suena su voz apenas, como un gemido lejano y bisbiseante.

Los legos continúan con enfado:

—Levántese de ahí.

—Aunque sea verano, hermanito. ¡María Santísima! El tiempo amanece estos días muy malo.

—Hay mucha humedad, Fray Rufino. ¡Acostarse así en el barro! Y apuesto a que ha pasado aquí todo la noche.

—¡Miren! Morado está, entumecido.

—Y con estos fríos anda mucho mal de tripas. Todos estamos sufriendo retortijones y aprietos de carrera en las madrugadas.

Se lo llevan. Le suben el capuz. No alcancé a ver su rostro. Entre los dos corpachones, va él, como un sayal vacío.

La verdad es que en presencia de estos actos de Fray Rufino quedo atónito. Me paraliza el asombro. Peor: quedo como un estúpido.

Y al reconocer, Señor, que le has elegido, llego a considerar tu Gracia como algo no deseable.

¡Oh, cabeza sin juicio y enflaquecida por el ayuno!

* * *

Vuelvo de dar mi clase de Historia Franciscana a los novicios y encuentro aseada mi celda.

No me sorprende: Fray Rufino me tiene habituado a este regalo matinal. Se siente unido a mí como a nadie en el Convento, porque ambos permanecemos sin recibir las órdenes. Nos quedamos diáconos; yo, por los escrúpulos acerca de mi pasado mundano y pecador y por la vacilante depuración de mi alma; él, porque a causa de su vivir penitente no pudo concluir los estudios.

La mañana está fresca, centelleante y pura, como la voz de un pájaro. He abierto mi ventana y mis puertas de par en par, y entran olores jóvenes que aspiro hasta el fondo de mis entrañas.

No tengo nada que hacer, ningún asunto pendiente, ningún sentimiento en el pecho. En nada pienso. Nada deseo. Veo limpio el aire..., los aires, hasta el azul; limpio el jardín, donde todo luce niño y ligero; limpia mi celda; y están limpios mis sentidos, mi conciencia y mi sensibilidad.

De modo que soy feliz.

Esto es la felicidad, Señor, una limpieza de fuera y dentro, y sentir el alma fresca y transparente, hecha un cristal muy fino al cual llegan suavemente sensaciones suaves, semejantes a seres simpáticos que se nos aparecen sin que los esperemos y con el rostro sonriente y claro.

Me voy. El huerto llama en momentos así. Quiero andar, cubrirme de luz bajo este sol benigno, y llevar pegada a mis sandalias tierra obscura y esponjada, y asomarme al pozo y ver su fondo que copia el cielo como un alma inocente, humilde y silenciosa.

Fui.

No hay olor a flores en el huerto; hay un olor verde, a legumbres vivas.

Metiéndome por la hortaliza, me he sentado entre las coles y he acariciado largo rato un repollo gris y luciente, como si le hubiesen plateado; un repollo duro, hinchado, con la vida de un cuerpo.

Todo entraba nuevo por mis sentidos limpios y ávidos.

Fray Bernardo ha colgado en el marco de su puerta una jaula de cañas donde un jilguero salta.

Una paloma muy blanca bajó del olivo viejo, se posó en el brocal del pozo y se puso a beber el agua estancada en los maderos carcomidos, sin cuidarse de que el hermano Juan subía el cubo para llenar una escudilla de greda.

Por fin, me pongo de pie, abro las manos, cierro los ojos y levanto al cielo la cara; y el sol resbala su tibieza entre mis dedos, la derrama por mis facciones inmóviles, pasa a través de mis párpados y toma posesión de mis venas como una divinidad del bienestar.

Comprendo, Señor, el placer que tu Divina Clemencia reservó a los ciegos.

De pronto he abierto instintivamente los ojos, y he visto a mi lado al hermano Juan. Traía el cántaro de greda lleno y le he pedido de beber.

Señor, el agua delgada y casta entró por mi boca, bañó mi pecho y llegó hasta mi corazón.

—¿No sabe, Padre Lázaro? —me ha dicho después el hermano Juan—. Un milagro. ¡Un verdadero milagro! Fray Rufino..., lo acabamos de ver..., pone un plato de sobras en su celda, y se juntan a comer allí, como grandes amigos, los gatos y los ratones.

—¿De veras? ¡Alabado sea Dios, hermano!

He debido exagerar mi asombro. Con perentorio pestañeo y cándido enarcamiento de cejas, los ojillos celestes del buen hermano Juan me lo exigían.

—De veras, Padre. ¿Y qué se imagina usted que dijo al vernos tan edificados y temblando? Que no era nada, que hacía un siglo, en Lima, lo había conseguido ya un beato dominico, y que él sólo había pedido al beato su intercesión, a fin de obtener para nuestro Convento igual merced. ¡Mire que decir que no era nada!... ¡Un milagro! Así lo porfiábamos nosotros. ¡Un milagro! Y él entonces se ha confundido y nos ha recomendado mucho que nos callemos.

—Pero ustedes ya se lo tendrán contado a la comunidad entera, seguramente.

—En alabanza de Nuestro Señor Jesucristo, se han de contar siempre estas cosas. Que las sepa el siglo. ¡Ah!, pero hay más todavía: les hablaba, mientras ellos comían. ¡Les hablaba a los ratones y a los gatos, Padre Lázaro! Si me parecía estar oyendo leer las *Florecillas* cuando Nuestro Padre San Francisco les habló a los pájaros. "En adelante, les decía, no van a ser enemigos, que es contrario al amor de Dios, el que sus criaturas se odien y se devoren las unas a las otras." ¿No es un santo? Y con las plantas tiene la misma piedad. ¿Ve, Padre, ese vástago que apuntala el jazmín? Pues, señor, él vio el otro día que brotaba y que medio lo habían tronchado, y le amarró esas tablillas y le pegó esas champitas de barro para que se curase. Sabe Dios qué milagro nos resultará de ahí también.

Sí, hermano Juan, toda esta mañana fue un milagro.

* * *

Los donados han cogido una lechuza en la torre y la tienen ahora encaramada sobre una viga del claustrillo. Esta tarde acudimos varios frailes a verla.

Y he aquí que en medio del regocijo y la broma, Fray Elías me lanza una sandez.

Como es un fraile sin ensueños, sin pasado, sin escrúpulos, ignora cómo se languidece por ansias del alma, qué durable tortura dejan algunos actos en la conciencia y cuántas horas hay durante las cuales quema el sayal como un nuevo error cometido.

De suerte que ha podido comparar la lechuza con "las almas que se roen a sí mismas en la sombra"; y ha podido también, cuando le he replicado, decirme con airecillo de aburrida sorna:

—Déjese de tonterías, hermano. Se entra en el sayal en definitiva, y se canta misa, y se sirve a Dios con sencillez, con alegría, con fuerza, como un hombre.

Luego se ha puesto a recordar a Nuestro Padre. Que si la parábola de la alegría perfecta, que si llamó a la melancolía "la enfermedad de Babilonia"...

Y esto me ha enfadado. No era para tanto, sin duda. Pero es que al hablarme bajaba sus ojos irónicos, fijándolos en los dedos de mis pies, cosa que me pone siempre muy nervioso, y acaso por esto tuve poca paciencia y lo traté mal.

¡En fin! Como en todas partes, no falta en el Convento algún mal rato. Pero Dios también rompe el suelo antes de arrojar la semilla, y así, es en los malos ratos cuando a menudo siembra sus mejores enseñanzas; ¿no me ha servido este disgusto para descubrir a Fray Bernardo el aspecto más angélico de su alma?

Al ver mi violencia, le ha citado a Fray Elías, muy dulcemente, estas palabras de Nuestro Padre de Asís: "A nadie, sin ser probado por tentaciones y tormentos, le será dable llamarse verdadero siervo de Dios; pues las tentaciones y los tormentos vencidos funden el anillo con que se desposa

Nuestro Señor con el alma de su siervo". Y luego, cogiéndome por la manga, me ha llevado consigo, hasta el claustro de San Diego, donde hemos hablado del amor a nuestros hermanos en Jesucristo.

Fray Bernardo tiene un rostro de sesenta años apacibles, todo sonrosado por venillas, y un cerquillo muy blanco en torno a la tonsura calva, y unos ojos claros que esconden su bondad temblorosa tras unas gafas azules.

Y este dulce viejecito ama a los hombres. ¿Cómo, por qué los ama? Porque los ve niños. Usa para ello un procedimiento: mira sus rostros con la imaginación, no con los ojos; evoca los semblantes que a los diez años debieron tener; y las facciones, retrotraídas a la infancia, para él se refrescan entonces, se hacen de nuevo tiernas, débiles y mueven al amor.

¡Caritas infantiles, buenas caritas de diez años, cuán inofensivas debéis aparecer al otro lado de las gafas azules con que el dulce viejecito os mira! Todas. Porque todas, aun la vuestra, mujer pervertida, y la tuya, hombre amargado e irascible, mostraréis entonces, superpuesto al semblante adulto de hoy, aquel otro de ayer, aquel que las manos de una madre acariciaron y que seguramente más de una vez castigó también alguna palma endurecida e injusta.

De este modo, Fray Bernardo siente hacia los hombres un amor casi maternal. Fray Bernardo es un corazón que comprende, lo cual es más que un cerebro que comprende, y un corazón que mide cuán indefensos permanecemos durante la vida entera en medio de la gran Naturaleza.

Por eso, además, habla este viejecito como habla, henchiéndose de una ternura aguda, de una de esas ternuras que llegan a sentirse como un dolor.

Evoco sus palabras:

—Sí, maravilla, Fray Lázaro, la infinita candidez de los hombres. Las más de las veces actúan como criaturas inocentes, tan irresponsables de sus faltas como de sus buenas acciones. Obsérvelos. No precisan siquiera el esfuerzo mental de cambiar sus rostros. Continúan niños en sus afanes. Caminan de aquí para allá, sin cesar se mueven, realizan mil cosas encantadoramente inútiles; muchos se suponen trabajando, y no hacen sino jugar al trabajo, o, a lo más, satisfacer necesidades superfluas, que ellos mismos se crearon; y todo esto por un exceso de vida que Dios les dio y ellos necesitan gastar. Hablan del día a la noche, repitiendo ideas caseras, pequeñitas, vestidas con palabras igualmente reducidas y domésticas, ideas y palabras que aprendieron de otros que a su vez las adoptaron por simple espíritu de imitación. O bien, analizan, con la misma seriedad ingenua y curiosa con que desarmábamos cuando chicos el reloj de nuestro abuelo..., para no saber reconstruirlo después. En ocasiones, ¡cómo inventan!, ¡cuántas tonterías inventan!, a las cuales dan hasta trascendencia filosófica en sus sueños pueriles. Yo recuerdo las maquinillas que inventaba en mi niñez, con lápices de pizarra, carretes de hilo, cajas de fósforos. ¡Oh, podían servir para muchas cosas! Y para nada servían. Y a cada paso pelean, por futilezas y caprichos, y se pegan, y se reconcilian como colegiales, como lo que son. Por último, en las noches se acuestan cansados: los ha rendido una ineficacia que no entienden. Pero Dios les envía la noche. La noche, como la penumbra de un regazo, los acoge, los cubre y los aduerme. Tienen, además, lo triste: se enferman y padecen desgracias que no sé por qué hayan merecido; y algunos las sufren con tanta debilidad, que nos arrancan las más conmovidas plegarias. ¿Cómo, Señor, a Vos, Todopoderoso, ellos tan pequeñitos pueden haberos ofendido? Este hombre, esta mujer, aquel otro, aquel niño enfermo, ¿qué han podido haceros? Y esos pobres que por las mañanas mendigan en nuestra portería: se acaban de levantar y ya están cansados. ¿Por qué la existencia para ellos se arrastra como un cansancio largo? *Fiat voluntas tua*!... Pues, ¿y cuándo ejecutan algo bueno? Tan poca responsabilidad suele haber entonces de su parte, que nuestra exclamación lleva mucho de lástima: ¡Pobre, qué bueno es!, decimos.

—Cierto —he agregado yo aquí—. Porque los compañeros del Pobrecillo de Asís, y él mismo, ¿qué eran sino niños en la más pura simplicidad?

Pero Fray Bernardo ha sabido responderme. Ha levantado un índice hasta la altura de sus gafas, me ha mirado por encima de los cristales, y, blandiendo el dedo en advertencia, me ha dicho:

—Sí, niños simples; pero lea bien las *Florecillas*: hacen una simpleza, o la dicen, y se siente en sus corazones al Cristo vivo.

¡El Cristo vivo! Sentí ganas de gritar.

Fue un instante. Después...

¡Dios mío, se analiza! Se analiza..., y al cabo lleva la razón Fray Bernardo: analizamos con la misma curiosidad ingenua con que desarmábamos cuando niños el reloj de nuestro abuelo..., para no saber reconstruir luego nada.

Líbrame, Señor, del análisis: él mata la instintividad de las acciones. Hazme claro y simplifícame. Dame la simplicidad que nos liberta de las limitaciones personales.

Sé que os amo, Señor, Sé que os amo, porque os reconozco en lo más interno, obscuro y originario de mí; pero necesito descubriros asimismo en todas las almas, donde también debéis hallaros.

Para esto, avienta de mí el análisis; torna aformes mi juicio y mi sentimiento, y deja que pueda en todo instante adaptarme a todas tus criaturas. La adaptación destruye el error de diferenciarse y determina la identificación, que es la larva del amor perfecto.

Analizando, Señor, nada sabe al fin tu humilde siervo. En el bien y el mal, acaso no haya sino la manifestación opuesta de tu Designio total en lo creado.

Analizando, Señor, los moralistas, doctos en orgullo, pretenden interpretarte, sin ver que fragmentan tu total Designio, que individualizan lo universal y apenas consiguen al fin erigir en ley el engendro de su ética. Poseen apenas un concepto humano del bien, un concepto humano del mal..., y unas cuantas pasiones que gobiernan el juego.

Tiene razón Fray Bernardo, Señor. Son niños los hombres, y siempre se quedan con las piezas sueltas del reloj entre las manos desencantadas o ineptas.

Has de hacerme, Señor, impersonal e ingenuo, identificado y humilde. Actuaré entonces sin concepto y con el corazón libre. No amaré en Ti a los hombres, como hoy me figuro amarlos; en ellos te amaré a Ti. Como los simples de Asís, tendré al Cristo vivo en mi alma simplificada. Habrás enviado así a tu siervo la Gracia; y como el aire en los tubos del órgano de nuestra iglesia, adaptado a todas sus formas, cantaré siempre la nota justa que te glorifique.

* * *

Buena te la han jugado los hermanos ratonzuelos, Fray Rufino. Tenemos ya una invasión de ellos en el Convento.

Y el Padre Procurador, el hermano guardadespensa, el Padre Sacristán y aun los cocineros entablan a estas horas reclamación ante el Guardián, porque los gatos no cazan desde que les enseñaste a comer con los ratones en el mismo plato.

—¡Es insoportable! —protestaban airados—. En pocos días, esos bichos lo han invadido todo. Hay ya una plaga, ¡una verdadera plaga!

—La procura está hecha una lástima.

—¿Y mis víveres?

—Pues, ¿y la cera, y las hostias, y el aceite?

—Hasta la carne amanece roída y sucia. La leche, llena de cagarrutas.

Agitadísimos, tratando de revestirse de la mayor indignación posible, entraban hace un momento en la Guardianía. Uno propuso que también el Provincial interviniese.

No sé, no sé, Señor, en qué pararán estas misas. El hermano Juan, la otra mañana, bajo el júbilo de este "milagro", comentaba la curación de Fray Rufino, al vástago que apuntala el jazmín, y decía: "¡Sabe Dios qué prodigio resultará de ahí también!" Me atrevería yo a pronosticar hoy que por tan inmoderada conducta de los hermanos ratonzuelos, va Fray Rufino a pasar un rato amargo...

* * *

¿Cómo pueden parecerse tanto dos criaturas?

Porque no era ella, no. Demasiadas veces la he visto después de mi descalabro. Está muy cambiada; el matrimonio, los ocho años transcurridos. No, ésta es otra.

Esta que me ha mirado en la iglesia es ella misma, pero a los veinte años, cuando yo puse mi corazón indefenso en su regazo, y ella, a la menor seducción exterior, convertida de pronto por aquel pianista en niña fascinada que corre tras una brillante quimera, lo dejó caer.

Pero es idéntica, maravillosamente igual. ¿Quién es, Señor, quién es? Fray Rufino y yo íbamos a comulgar. Salimos juntos de la sacristía en dirección a la santa mesa. En esto, miro hacia los fieles, y un fluido —su mirada— coge la mía que vaga y la sujeta, fija en esas pupilas de un rubio tostado, ¡en aquellas, Dios mío, que yo solía comparar con dos abejas ardientes!

¡Cómo se ha turbado mi espíritu entonces!

Fue una resurrección de mi tragedia, una resurrección cual jamás antes la hubo en mí. No, nunca. Y es que de los dolores horribles, de aquellos que se alzaron espantables en un momento único de nuestra vida, no nos acordamos siempre bien, y precisa una nueva lanzada, cuyo golpe destelle un relámpago para que por unos instantes se ilumine la memoria brumosa y la tragedia resurja íntegra y repentinamente rediviva. Lo que sucedió esta mañana.

¡Oh, cuánto sufrí!

Ya en el comulgatorio, de espaldas a esa niña, vine a comprender: mi alma, llena de su turbulento pasado, tan mundana de súbito, Señor, no podía recibirte.

Huí hasta la puerta de la sacristía, donde no sé por qué me detuve.

¿Qué hice allí después, atónito, oprimiendo con toda la fuerza de mis dedos inquietos las cuentas de mi rosario? Preguntarme como ahora: "¿Quién es, Señor, quién es?..." Como ahora, buscar en el recuerdo y en la imaginación una rendija de luz, tan inútilmente como el preso da vueltas a su calabozo y no halla sino el muro gris, compacto, impenetrable; y mirar a Fray Rufino: él os aguardaba, Señor, con la faz sonriente, los ojos cerrados, hundidos, en interna visión de beatitud.

Aún me parece ver, Fray Rufino, tu cabeza de un tono aceituna verde, inclinada sobre el lino del santo mantel que tus dedos toscos y ennegrecidos sostenían. La tonsura mal rapada, el cerquillo ralo y negro, la cara un poco deforme, con hondas cuencas y huesos filudos, alumbraban, cubiertos de una extraña y espiritualizada belleza; y al entrar la Forma blanca en tu boca y cerrarse con amorosa reverencia tus labios prietos, ocurrió algo augusto, impresionante de piedad.

Tú, Fray Rufino, aprobarás siempre al hermano Lázaro. No estoy perdido, no. Ya ni siquiera he de inquirir más quién es esa criatura. Todo mi ayer ha muerto. Aquellas ilusiones no son ya sino fantasmas sin vida que apenas oscilan en mi recuerdo, y toda mi vieja esperanza yace hoy entre los sentimientos humanos que me ataban al mundo, como un cadáver entre cadáveres.

* * *

Por muchos días me ha faltado el ánimo para escribir. Pero ya Dios ha querido calmar aquellos fondos revueltos, y me hallo al fin tranquilo.

Tuvimos, en cambio, dos novedades esta semana: la venta de medio convento —empezará en breve la demolición— y el cumplimiento de mi pronóstico sobre Fray Rufino.

Esto, en particular, sirvió para distraerme.

Esperaba yo una tarde en mi celda que los demás se recogiesen a dormir la siesta para ir a pasar mi hora cotidiana en el huerto, cuando diviso varios frailes arremolinados en el claustro de enfrente. Los jardines del patio dejan un gran claro por el cual me permiten ver desde mi ventana buen trecho de ese claustro, su parte central, donde ahueca su bocaza enarcada en el muro gris una vetusta escalera que sube al otro piso.

Algo sucedía, pues era inusitado aquel agitarse. Miro bien y los reconozco a todos. Puedo decir que los tengo muy próximos.

Allí están Fray Pedro, el Sacristán Mayor, flaco y largo, con el sayal demasiado corto y el cerquillo recortado muy en lo alto de la cabeza, y el Padre Procurador, repantigado dentro de sus hábitos abundantes, bajo los cuales se le ocultan los pies, y el hermano guardadespensa, cuya cabeza sale hacia adelante y cuya nariz gorda y formidable avanza erguida como un puño que amenaza, y también el hermano cocinero, el de la carota fofa sentada encima del enorme tronco y en la que los párpados son dos bolsitas que se entreabren apenas.

Todos se aglomeran, rebullen, se inquieren. Sí; ventilan algo a la vez deseado e intranquilizador. Rodean nerviosos a Fray Pedro, quien de rato en rato separa del abdomen los brazos, como cuando al oficiar gangosea su *Dominus vobiscum*.

Pronto se les agrega Fray Elías; va de uno a otro, averigua, y sonríe siempre. ¡Cómo si lo viera! ¡Oh su eterna sonrisa, agresiva y doble, de irónico simulando inocencia! Se me representan aquellas cejas de asombro y aquellos ojos que parecen poner suspensivos a continuación de sus miradas, y aquel labio trompudo y aquel aplastado mentón.

Esto, unido a mi sospecha de lo que sobrevendrá, me impele a ir, al menos a observar desde más cerca.

Y salgo.

Rondo por el jardín, giro en torno a la imagen de Nuestro Padre. Los minutos se alargan. ¿Me habré engañado? ¿No vendrá Fray Rufino? Finjo revisar las plantas, pero mi atención sigue allá.

La luz del sol baja oblicua sobre el claustro y estampa contra el suelo y el muro la sombra de los pilares y de la arquería. En el amplio descanso de la escalera hay un viejísimo lienzo, y entre la tiniebla trágica de su fondo renegrido amarillean las carnes de Nuestro Señor atado a la columna.

Fray Luis, el Guardián, se pasea frente a la sala capitular. Está en el secreto; pero él desea esperar solo, aparte, investido así de un mayor gobierno. Por un instante, coloca un dedo como señal entre las páginas del breviario; se suena con el gran pañuelo que surge y se vuelve a meter por las honduras de la manga; las manos —sus manos— abren de nuevo el libro, y en tanto no han cesado los labios de mascullar. Yo lo miro... Tiene tan blancos los pies como las manos... ¡Con qué simpatía lo miro! Y ello me libra siquiera unos minutos de la torpe vibración que me viene del grupo.

Al cabo aparece Fray Rufino por el recodo de la escalera. Baja los anchos peldaños enladrillados, y su raído sayal y su cordón de nudos cuelgan dulces y píos cubriendo su pobre esqueleto.

Los frailes le ceden paso, le dirigen hacia Fray Luis; luego tornan a reunirse y le siguen.

Una oleada interna me ahoga.

Ya están allí todos. El Guardián levanta la cara. Su ceño, que tan pulcramente pellizcan de ordinario los lentes, ahora es duro, reprensivo, severísimo.

Los frailes se han colocado en semicírculo. Son los colegiales que acusaron y presencian el castigo tras el maestro vengador, habría dicho Fray Bernardo sonriendo.

Yo no podía sonreir. Tuve piedad, y tuve cólera; y al advertir la violencia del Guardián, tuve además estupor. Su palabra es por lo común grave y enérgica, pero llena de suavidad; se hace imposible no acatarla; y así la Obediencia, administrada por él, jamás azota. ¿Por qué azotaba esta vez, y al más sumiso?

¡Oh!, fue duro, cruel con Fray Rufino. Golpeaba; golpeaban su voz, su gesto, sus ademanes perentorios.

Y el simple frailecillo recibía manso la reprimenda, solo, a pocos pasos, inmóvil, las manos cruzadas sobre el pecho y ocultas en las bocamangas, abatidos los párpados, las facciones cubiertas de silencio.

Prefiero no haber distinguido aquellas frases.

Cuando, acercándome paulatinamente, llevado por mis nervios, me junté al grupo, ya Fray Luis concluía:

—La vez anterior, creí bastante la protesta directa de los padres. Hoy se lo prohibo yo, en nombre de la santa Obediencia. Conque ahora, ipso facto, tira usted lejos ese plato, esas sobras, esas... porquerías, y pone fin a este disturbio de nuestros servicios. Ya se habrá convencido de que los "hermanos ratonzuelos" resultan insoportables.

—El dice que soportándolos cumplimos con la Humildad, y no poniendo interés en lo que atesoramos cumplimos con la Pobreza. ¡Caramba, cumplan con la Pobreza los ratones!, digo yo.

—N...o. No he dicho eso precisamente, hermano.

—En último caso —terminó el Guardián—, no ignora Fray Rufino que las virtudes franciscanas son tres: ésas y la Obediencia. Lo sabe usted, supongo. Pues obedezca. Son muy incómodos, demasiado incómodos esos milagritos, por milagros que sean. ¿Estamos? Perturban la marcha regular de nuestra Casa, perjudican a la comunidad discreta, alteran el orden establecido...

—Son revolucionarios —insinuó con su perenne risilla Fray Elías.

Y yo, sin poderme contener:

—Los ratones deben esperar a que, por evolución, los gatos no se los coman...

—Por lo menos, para realizar estas domesticaciones, debemos esperar nosotros a que los ratones no se coman los víveres —añadió el Guardián, sin caer en la cuenta—. Debería Fray Rufino haber empezado por instruir a los "hermanos ratonzuelos", por enseñarles a..., a...

—A respetar los víveres sagrados de las jerarquías en que Dios estableció a los superiores en la creación...

Al oírme esto, Fray Luis me miró severo. Había comprendido ya, y salvaba el peligro llamándome a la estrictez de la Regla.

Sobrevino un silencio.

Fray Rufino, cuyo pecho se había ido cargando de un peso fatigante y cuya simplicidad teníale los ojos arrasados, parecía querer hablar.

Su emoción se impuso a todos, y anhelamos su voz.

—Considero —dijo al fin— mi insuficiencia y poca virtud, y lloro por merecer tan poco favor de Dios, que aun persiguiendo el amor entre las criaturas incurro en pecado.

—El error acogido sin tener conciencia de él, con deseo sincero y puro del buen camino, es inocente delante de Dios, hermano —repuso el Guardián—. Váyase tranquilo.

Fray Rufino se humilló en un mudo deseo de obediencia y se marchó.

También el Guardián, dichas sus últimas palabras, volvió la espalda y se metió en la sala capitular. Es su procedimiento favorito ante las rencillas de los frailes; para ellos, esta manera de retirarse, sin un gesto, resulta impor ente. Refieren que más de un fraile, de veras humilde, ha ido a disciplinarse en su celda cuando ha merecido uno de estos silencios hostiles.

Todos se dispersaron, pues, cabizbajos.

Yo alcancé a Fray Rufino. Sin aludir a lo sucedido, le di las gracias por el aseo de mi celda.

Y lo he dejado poco después partiendo la leña a los cocineros.

* * *

Pues bien, he aquí el epílogo de la reprimenda a Fray Rufino. Comprendo su franciscana esencia, me conmueve su aroma de humildad y candor; pero..., ¿seré yo algún día...?

No soy un buen fraile menor, no.

Lo anotaré sin comentario, reconociendo tan sólo que hay en el Padre Guardián, escondida bajo el gobernante, un alma probada, un alma que por anhelo de fortaleza y perfección no rebulle en la superficie y se cubre con su propia llama.

Ayer le acompañé a La Granja. Volvimos ya muy avanzada la noche. Y al regreso, cuando nos hallábamos a unas cuadras del Convento, me decidí a realizar mi propósito de tantos días. Quería descubrir qué pudo moverle a tanta dureza con el pobre frailecillo; y le dije, como quien toca al azar un asunto sin importancia:

—¿Sabe, Padre? Fray Rufino ha pasado estas mañanas partiendo leña para los cocineros, arreglando la procura, barriendo a Fray Pedro la sacristía y cambiándole aun el aceite de las lámparas.

Bastó. En el acto he notado que resucitaba en él un serio disgusto y que le subía del corazón una exasperada tristeza.

—Sí, Padre Lázaro —me ha respondido—. No necesita contármelo. También advertí la piedad y el cariño con que usted le alcanzó aquella tarde. Y esto, créame, se lo agradecí mucho, mucho.

—¡Pse! Lo hice...

—Porque debió hacerlo. Bien mirado, debí hacerlo yo. Había sido injusto con él. Pero es que ciertos hermanos, Padre Lázaro, poseen la especial facultad de sacarme de quicio. Tanta queja, tanta rencilla... ¡Señor! ¡Señor! Me enturbian, y olvido que la verdadera pobreza del fraile menor ha de residir en el espíritu.

Yo entonces, arrepentido de haber escarbado en su tribulación oculta, le he querido distraer y me he puesto a definirle a Fray Rufino, uniéndole al recuerdo de los seráficos de Asís y al juicio de Fray Bernardo: hacen una simpleza, o la dicen y, sin embargo, sentimos que en sus corazones está el Cristo vivo.

Pero en vez de calma, le produje la misma quemadura mística recibida por mí, al oir estas palabras. Su pecho estranguló sin duda el mismo grito. Lo sentí exaltado repentinamente; y aunque no supimos hablar más, durante todo el camino me llegó indudable la certeza de que su exaltación crecía.

¿Procedí mal despertando por mera curiosidad una pesadumbre acaso vencida ya en él? Tuve un súbito arrepentimiento, lo confieso.

Al fin, llegamos. Temblaba la luz, de la calle y la escasa y humilde clavazón de nuestra vieja puerta se iluminaba y desaparecía. Di tres golpes con la aldaba y esperé.

A poco percibí los pasos del hermano portero. El palmetear de las sandalias se detuvo junto a la puerta; por la rendija inferior salió un resplandor amarillo y se tendió en las losas; luego chirrió en la cerradura la gran llave y el negro zaguán nos acogió en su sombra.

El lego nos fue alumbrando con el farol hasta fuera del locutorio. Allí nos entregó una linterna y desapareció.

—Apague la linterna, Fray Lázaro; no es necesaria —me pide el Guardián.

Yo la apago. Y no sé por qué sigo a su lado, en lugar de quedarme en el patio grande, donde está mi celda; él, sumergido en su emoción, tampoco me despide. Cruzamos, siempre en silencio, un claustro. Al abocar el primer pasillo, la obscuridad es tal, que nos exige medir los pasos y avanzar a tientas. Y de pronto algo nos detiene.

—¿Ha sentido usted, Padre?

—Sí. Como el aire movido por una puerta que se abre y se cierra...

—Encienda usted ahora.

Enciendo y..., nadie.

—Ha sido aquí, la despensa.

La puerta de la despensa está, en efecto, sólo entornada. La abrimos, y el cono de la linterna se proyecta sobre Fray Rufino.

—¡Usted!

—¡Sí, Padre!

—Pero, ¿aquí a estas horas?

—No. Sí. Es decir, yo les diré... Es que los ratones... Es que, como han venido tantos, la verdad, el hermano Ignacio se molesta con razón... Y yo, un rato los espanto; luego, exhortándolos, pidiendo a Nuestro Señor..., puedo, se me figura, remediar mi...

—¿Y vela usted toda la noche?

Fray Rufino, confuso, no sabe si reir, si llorar, si pedir perdón, como un niño cogido en falta. Y cuando yo he creído encontrar una excusa para él, Fray Luis me ordena recogerme y dice a Fray Rufino:

—Dios ha querido, hermano, que venga yo a compartir con usted la penitencia. Soy un indigno guardián de frailes, pues no supe tener contentos a los más sin sacrificar a los mejores.

Y ha caído de rodillas.

No logré presenciar el resto; pero esta mañana lo averigüé con Fray Rufino.

—¡Ah, Fray Lázaro! —me ha dicho—. Ejemplo, modelo, espejo de virtud es nuestro Guardián. Ya lo vio usted anoche, ya lo vio usted. Ha velado conmigo, lleno de tribulación. Le parecía mucha su inepcia, ya que no conseguía satisfacer a todos los frailes. Luego, al amanecer, a mí me ha rendido el cansancio y me he quedado traspuesto. Pero entonces tuve un sueño. Veía caminar a Fray Luis por el bosquecillo de La Granja, y, de improviso, las resinas de un pino comienzan a inflamarse, irradian un resplandor y forman una nube dorada y olorosa como el incienso. En medio de esta pompa, Nuestro Señor Jesucristo se aparece a Fray Luis. "¡Padre y Salvador mío, Pastor amantísimo, socórreme! —le implora nuestro Guardián entonces, sobrecogido y postrándose en tierra—. ¡Sin tu ayuda sólo hay tinieblas y angustias, confusión, ceguedad y vergüenza para esta pobre ovejuela tuya, aunque indigna de Ti!" Nuestro Señor nada le responde. Unicamente le mira, le mira, muy triste. Los divinos ojos lloran, las mejillas venerandas se bañan de lágrimas, el sacratísimo cuerpo se dobla y gime. Por tres veces, Fray Luis ruega y se humilla. "Divino Maestro, ilumíname; ignoro cómo debo gobernar a mis frailes para que todos vivan en armonía y amor, unidos y sin queja los unos de los otros. Necesito de Ti el consejo, la palabra de Verdad. ¡La palabra de Verdad! ¡La palabra de Verdad!" Por tres veces, Padre, como le digo, insistió en la súplica. Y al cabo habló El: "Sí; ya sé que padeces, hijo; ya sé que te martiriza muchos días el no poder contentarlos a todos. Pero..., en esto, la palabra de Verdad es de amargura. Ni yo, que bajé al mundo a morir en una cruz por la felicidad de los hombres, logré contentarlos a todos. Hube de volverme con mi sufrimiento, y este sufrimiento aún mantiene la lanza en mi corazón y la esponja de hiel en mis labios. Ya lo ves. Tu dolor es también el mío. Yo sufro como tú. Sufro tanto, hijo, que me llego a preguntar con frecuencia: ¿Vale la pena ser Dios, cuando nuestro poder no basta para contentar a todas las criaturas? He aquí la palabra de Verdad. ¿Vale así la pena ser Dios?..." Y no quiso decir más. Sus lágrimas fluyeron con mayor abundancia, y repitiendo: "¿Vale la pena?... ¿Vale la pena?...", se fue alejando hasta perderse en las alturas.

—Y usted, hermano, ahora piensa que...

—¡Ah! Yo no pienso. En religión, mientras menos se piensa más se sabe. En todo caso, para pensar tiene la Iglesia sus doctores. Yo, Fray Lázaro, un pobre frailecillo, no puedo hacer otra cosa que abrir mi corazón al Corazón de Jesús, y obedecer ciego, con la humildad de Nuestro Seráfico Patriarca. Nada más. Y mi corazón me dice ahora que Nuestro Señor Jesucristo, anoche, ha querido significarnos que sirviendo precisamente a esos descontentos es como lograremos curar sus heridas. Así lo entendió también el Padre Guardián cuando le conté mi sueño. Sí, Fray Lázaro; cerrar los ojos y servir, servir. ¿No le parece? ¿O vamos a tolerar que El sangre eternamente por la soberbia de sus hijos, y hasta el extremo de preguntarse si vale o no la pena ser Dios? ¡Que no vale la pena ser Dios!

* * *

Dos semanas de afán, y hemos vaciado media casa, toda la sección vendida. Nos falta sólo descolgar los grandes cuadros, únicos habitantes ya en esos claustros de tres siglos. Los coristas, con sus padres maestros, se han ido a nuestro convento de La Granja; los novicios, a la Recoleta. Apenas permanecerán con nosotros en este Convento Máximo los niños del postulado seráfico.

Y todo está hecho. Pueden venir los obreros a demoler. El lunes, mañana. "Cuanto antes", opina el comprador.

Yo, durante el crepúsculo, he recorrido esos claustros vacíos.

El silencio que hay ahora en ellos no es fácil definirlo. Es una quietud externa y una agitación interior. Oprime, intranquiliza. Los pasos resuenan demasiado; dan tumbos sus ecos por las galerías. Ya no acompañan los cuadros; lúgubres, suelen parecer una amenaza entre las sombras. Los patios, como agrandados, no amparan; impulsan a correr hasta la celda, para sentir la protección de las cuatro paredes reunidas y la compañía de las cosas familiares.

¡Y cómo crece el misterio en los jardines agrestes! Ese misterio de la vida recóndita, que penetra, frío, y muerde las entrañas.

Nada me desasosiega tanto como la tierra húmeda y la fronda inmóvil cuando está obscureciendo. Por esto me refugio en el claustro de San Diego. Se me antoja más seguro.

Pero tampoco allí me detengo. Pasa un vientecillo arrastrándose, arremolina el polvo a lo largo del corredor, y, como un duende, va a esconderse allá..., ¿dónde?..., no se ve. Sin moverme, no resistiría la angustia que fluye de todo esto, y camino.

Camino para animar la soledad y el silencio, sobre las losas vetustas por donde fueron paseados tantos místicos dolores, entre las arcadas bajas y los muros seculares, bajo las pequeñas vigas retorcidas por los años, como los huesos de los viejos, bajo las grandes vigas labradas en que tantos gemidos penitentes se enredaron.

Y en todas partes silencio y soledad.

Sólo en las pinturas quedan formas humanas: rostros orantes y contemplativos, imágenes de monjes que inmovilizan sobre la tela el fervor atormentado o la paz seráfica. Allá, un cielo turbulento, una cruz borrosa, unos miembros lívidos y unas llagas obscuras. Más lejos, en trofeo, los instrumentos del martirio: la lanza, la escala y la caña con la esponja de hiel y vinagre. Donde se mire, lienzos, lienzos en profusión, antiguos lienzos de mano cándida, que representan un milagro y tienen, tras los personajes principales del cuadro, una multitud que presencia, pintada sin relieve y amontonándose en una perspectiva equivocada. Y todo entre tonos que fueron brillantes e ingenuos y son hoy púrpuras opacas, negros cenicientos, blancos de rancia cera.

Dejo esta vacuidad helada, envolvente y angustiadora, para desembocar en el huerto. A él iba, por despedirme de él he venido. Pero lo miro apenas un instante, bajo las estrellas que ya empiezan a temblar en el cielo desteñido, y me voy.

Me ha ocurrido con el huerto lo que con las personas muy amadas cuando se nos van de viaje: rondar en su proximidad y ocultarnos después, sin fuerzas para una despedida.

* * *

El Padre Guardián opina que no fue sueño el de Fray Rufino en la despensa la otra noche, sino visión de éxtasis.

—Porque no estaba traspuesto —explica—. No. Más bien parecía en elevación o en trance...

Luego, con la cabeza baja, se queda mirando a un lado, como si buscara en el suelo la claridad del recuerdo; y al fin, entornando los párpados por un instante como si se le fuera la cabeza, concluye:

—¡Pse! A estas horas, entre aquel hacinamiento de cosas, sin más luz que la linterna escondida tras un barril, ¿quién se convence de nada?... No obstante, yo juraría...

Sea como fuere, lo cierto es que la especie ha corrido, esparciéndose con la rapidez de un perfume violento, y que el frailecillo, a quien muchos tenían por un ente demasiado simple, se cubre de prestigio. Hay ya quien le observa de lejos, como guardándole cierta distancia reverencial. Se divulgan ahora sus rarezas entre los hermanos terceros y en las conversaciones de los frailes con las damas en el locutorio. Cuando pasa entre los fieles, en la iglesia, deja tras de sí este murmurio que es el rastro de los santos. Y esta mañana, el buen hermano Juan decíales a unas viejas en la portería:

—Será otro santo de nuestra Casa, un nuevo Fray Andrés Filomeno García.

Las beatas se volvían unas hacia otras y, entre cabeceos de asombro, se repetían: "Otro Fray Andresito. ¿Ajá? ¡Otro Fray Andresito!"

Yo me he dado el gusto de referírselo a Fray Elías, de ponderárselo y..., ¡Dios me perdone!..., de refregárselo en las narices...

* * *

¡Otra vez, Dios mío!

Estábamos en el coro, a la hora de la meditación. El sol, un sol caliente de atardecer, caía tendido por el vitral policromo, y nuestros sayales castaños se teñían de reflejos violetas, anaranjados, azules. Yo sentía el color sobre mi brazo, sobre mi nuca. Los frailes, en fila delante de la baranda, permanecíamos inmóviles, saturados de unción. Poco a poco, nuestros pechos habíanse ido vaciando de conciencia, aligerándose en una dulzura que nos elevaba. Allá, abajo, lejos, desde la tarima del altar mayor, el humo del incensario, puesto ante el Santísimo, empinábase quieto, delgado, recto hasta lo alto; empinábanse las llamas de los cirios, y nuestros cuerpos, ingrávidos, diríase que adelgazados, como las llamas de los cirios y como el humo votivo, empinábanse también hacia Dios. Era todo una oración armónica, que subía en el grave recogimiento del templo cerrado, inmenso y hueco, lleno de silencio, de penumbra y de santidad.

La columna de humo, ya en la altura, se torcía en ancha comba, para venir hacia el coro atravesando el vacío. Una golondrina se había metido en la nave y cortaba en vuelos violentos la senda de humo, para ir a chocar desatentada contra las filas de canes retorcidos que sostienen la gran techumbre plana de la iglesia.

Yo era feliz, blandamente feliz; tanto, que luego dejé marcharse a mis hermanos y quedé solo allí, hasta que abajo abrieron la puerta de la iglesia, hasta que llegaron al coro los legos, para rezar su *Pater Noster*.

Los bancos, abajo, se fueron poblando. Pronto se oyó, en la nave izquierda, invisible para mí, un murmullo coreado: el rosario que dirige Fray Bernardo a los fieles.

Y de repente...

¡Dios mío! Esa que volvía la cara a cada instante, para mirar al coro, ¿era ella?

¿Y quién es esa criatura, Señor? ¿Por qué me persigue? ¿Por qué mira siempre adonde yo estoy?

* * *

Entrábamos al coro de media tarde, y ocupábamos ya la vieja sillería tallada, cuando Fray Rufino descendió a prisa de su sitial.

Repentinamente se detuvo y se acercó a Fray Elías, para decirle algunas palabras. Luego volvió a bajar hasta el órgano, y cambió del lado derecho al izquierdo la tablilla *Hic est chorum.*

A Fray Elías corresponde saber que esta semana el coro es a la izquierda, e indicarlo con la tablilla. Pero se había descuidado; y, precisamente por esto, la diligencia del frailecillo lo enfadó.

No sé qué dijo. Sólo noté su mal gesto y oí que Fray Rufino entonces, con voz dolorida y ojos de piedad, le contestaba:

—No, Padre; lo hago por cortesía, porque Nuestro Señor San Francisco nos manda ser corteses.

No hubo más. Rezamos. Vísperas, completas, maitines y laudes. Fray Rufino, muy atribulado, rezó con un fervor que sólo en él se ve.

¡Oh, a veces, con qué intensidad reza este hermano! Se demacra. Siente uno impulsos de prevenirle con ternura que aquello le hará daño.

Después, concluido el oficio, como inconsolable por haber dado una lección de humildad a un fraile, fue a rogar aún en el altarcillo de la Inmaculada que tenemos arrimado al órgano; y con tal maña hincó sus rodillas, que sus tibias sonaron contra el canto filudo de la tarima.

Lo hizo a propósito, por humillación y penitencia. Y yo sufrí aquella lastimadura con un dolor agudo en mis entrañas conmiseradas..., y con un rencor ácido contra Fray Elías.

Este hermano me molesta demasiado, Señor.

* * *

A menudo, cuando me hallo en el refectorio, me figuro estar encerrado dentro de un viejísimo arcón de tablas carcomidas y resecas, olorosas a pan añejo, a menestras y a cecinas.

Todo allí es rancio y pardo. Pardos se han vuelto con la edad los ladrillos del piso, y la cal de las paredes, y el techo de pesada vigazón; pardas son las mesas de pino desnudo —y toscas y con sólo dos patas que se clavan en el suelo—; pardo el púlpito flaco y desvencijado —que ya se inclina mucho, Señor, como el esqueleto de un anciano—, y aun parda se tamiza la luz por las ventanas de vidrios polvorientos.

No hay en el Convento estancia que con mayor y más obligada minuciosidad miremos los frailes. Doce mesas corren a lo largo de los cuatro muros, arrimándose a los escaños; en ellas jamás sentáronse comensales sino a un lado sólo, pues durante las comidas la Regla nos vedó el hablar; y así, los ojos mejor actúan y mejor registran.

Siempre uno de nuestros hermanos lee, mientras los demás comemos en silencio. Baja desde el púlpito su voz para recordarnos el santo del día y el martirologio. Aquel son untuoso y de ritmo austero debe caer como seráfico alimento para las almas que pudieran en tales instantes ser dominadas por la gula.

Oyendo cómo los menores que acompañaron al Esposo de Madama Pobreza mezclaban ceniza y estiércol a sus potajes, nuestros platos han de parecernos excesivo regalo, a fin de que lejos de anhelarlos más finos, lamentemos con dolor su limpieza y suculencia.

Para Fray Rufino han sido siempre manantial de inspiración estas lecturas. Sé que al escuchar cómo San Cristóbal, aquel mozo cándido de corazón y de fuerza muscular extraordinaria, desuncía los cansados bueyes de las carretas para tirar él de la carga, cómo relevaba en sus menesteres a los sirvientes valetudinarios y cómo llegó en ocasiones a tomar a los asnos en sus brazos potentes para evitarles la fatiga de los largos caminos, Fray Rufino se iluminó de proyectos aliviadores para los oficios de los frailes, los legos y los gañanes.

¿No propuso cierto día, a imitación de Fray Junípero, guisar el puchero una vez para toda la semana, aunque no ya cociendo gallinas con tripas y plumas, sino en la forma aseada "que por desgracia exige —según dice él— este siglo de las bulas, de la molicie y del microbio"?

Pero..., sin necesidad, y sin habérmelo propuesto, me he deslizado a narrar. Aunque... lo celebro. Inconscientemente quería resbalar otra vez por el plano inclinado, ya muy semejante al chisme, en que vengo vaciando mi negación de amor a Fray Elías. Y no está bien.

¡Ah Señor, soy un pasional! Siempre lo sentí cuando mundano. Y ahora, en este ambiente de reposo y elevación, en lugar de exaltar y dirigir mi fuerza de corazón hacia esa feliz subconsciencia donde se realizan los contactos místicos con Dios, me veo a punto de rebasar en pasioncillas feas.

Basta. Olvidaré lo que pensaba escribir.

Evocaré tan sólo, para sojuzgar mi soberbia y poca piedad, el inocente, angélico, inefable rasgo que Fray Rufino supo hallar, como explicación y desagravio a ese malhadado fraile, por su mal recibida obsequiosidad de ayer en el coro.

No fue sino esto:

Habíale tocado ser el lector durante el almuerzo, y como concluyera demasiado pronto añadió la anécdota de la vida de San Francisco, según la cual visitó el Santo con uno de sus compañeros a un hidalgo muy cortés, y por cortés hízole fraile, y por cortés alcanzó éste la perfección.

Leyó con sencillez; pero su voz tomó una encantadora entonación de himno jubiloso al llegar a estas palabras de Nuestro Padre:

"—Sabe, hermano amadísimo, que la cortesía es una de las cualidades de Dios, quien da el sol y la lluvia a los justos y a los injustos por cortesía."

¡Señor, si yo aprendiese de él, sin sonreir interna y profanamente cuando su franciscano candor me conmueve!

* * *

—¡Eh! ¡Pst! ¡Padre! ¿Qué hace usted?

No me oye.

Hará media hora que lo veo en trajines. Ha sacado al patio una gran imagen de talla, la de Nuestra Señora del Rosario, que antes de la demolición estaba en la enfermería. Y primero la ha remecido, como para que cayese algo metido en ella; y aquello, que deben ser muchas cosas muy pequeñas, ha caído; y entonces él se ha quedado como pensativo un rato, y ha vuelto a introducir muy cuidadosamente todo eso dentro de la imagen. Luego ha corrido no sé adónde, para reaparecer con la alcuza del petróleo; pero tampoco ha resuelto nada con esto.

No entiendo.

Ahora examina el suelo musgoso del patio; busca, sin duda, restos de eso que antes cayera de la imagen. No encuentra más. Permanece dubitativo. Por fin, vuelve a coger en brazos a la Virgen, como quien coge un cadáver, y se marcha con ella.

Voy a ver.

Tuve que seguirle hasta la parte demolida. ¡Oh, cómo está aquello!

Al llegar me hallé con la Virgen sola, sobre unos grandes terrones. Sin embargo, pronto regresó él. Traía una brazada de tablas nuevas.

—¿Qué hace usted, Fray Rufino? ¿Se puede saber?

—Vea, Padre Lázaro. ¿Se acuerda de esta Virgen? Pues ¡mire cómo estaba de polillas! Perforada entera, hecha un colador. Lo noté ahora, pasando por la sacristía, donde la hemos colocado mientras tanto. Y, naturalmente, me dije: Voy a sacarle estos gusanos. Cogí este punzón, llevé petróleo, sacudí la imagen. Cayeron, Padre Lázaro, cientos de gusanillos. Unos gusanillos blancos, vivísimos, muy graciosos. ¡Pobres! Se estiraban y se encogían en el suelo, como unos locos...

—Y le dieron pena.

—Así fue, Padre. Y ahí tiene que me ha faltado el valor para rociarlos o para pincharlos y reventarlos con el punzón, hasta para abandonarlos en el suelo húmedo y frío del patio. ¡Pobrecitos!

—¡Los hermanos gusanillos!

—Así los habría llamado Nuestro Padre y como a tales debemos tratarlos.

—Pero se van a comer la imagen, se van a comer a la Santísima Virgen. ¿A ellos los echaba usted hace un momento dentro de la imagen otra vez?

—¡Ah! Sólo provisionalmente. ¿No ve? Aquí he conseguido estas tablas, nuevas, olorosas... Sabrosísimas deben ser. Vaciaré a Nuestra Señora hasta del último pobrecito inconsciente de éstos, y a ellos los dejaré sobre estas maderas. Las horadarán muy pronto y tendrán alimento, casa, abrigo en ellas.

Lo he mirado trabajar en su obra largo rato. Con un amor, una ternura, un temblor de alma elegida, que me maravillo aún.

Me he traído una emoción muy bella en el espíritu.

Tanto es así, que no he sufrido al ver cómo ha quedado en un mes aquello que constituyó medio Convento. Ya ni escombros hay. Del huerto, apenas resta la palmera vieja, la enorme, la de cien codos: se alza flaca y solitaria en la gran pampa arrasada, y la cercan de lejos murallas traseras de las casas vecinas. Está sola bajo el sol.

Hace una tarde luminosa. En el cielo, muy azul y muy lejano, vagaba la luna, esa blanquísima luna diurna, delgada, transparente e incompleta, como una hostia desgastada.

¡Ah!, y allá, sobre la trasera de una casa, en un corredor alto con baranda, completando el conjunto de la pampa vacía, de la palmera y del cielo, se divisaba una muchacha. Su traje blanco flameaba. Y era una visión leve, leve y diáfana como la luna en el día.

* * *

Debí acertar antes. Un olvido así apenas se concibe. Aunque, la verdad, como ella dice, nos veríamos en total unas seis u ocho veces.

Bien. Ya sé al menos a qué atenerme. Y esto, algo significa.

Vagaba yo por la parte demolida. Me había explicado poco antes el Padre Guardián las dificultades surgidas con el comprador, a quien, según parece, el conflicto europeo arruina; y considerando el peligro que corre nuestra venta y la circunstancia de suspenderse desde luego las nuevas edificaciones en estos terrenos, me provocó asomarme al solar abandonado.

Era mi antigua hora del huerto, por lo demás. Un sol tórrido, africano, caía sobre la tierra y producíase allí una armonía amarilla, con un bello encanto de fortaleza dormida. Atado a la palmera solitaria y altísima estaba el asno de la limosna, pequeñito, agobiado por el calor. De raro en raro, tendía las orejas contra el suelo y rebuznaba de sed, y al estrépito de los rebuznos, alzábase del suelo una parvada de palomas e iba a cruzar en un vuelo claro el cielo encendido de sol.

Me acerqué al pozo. No lo han cegado y conserva su brocal. Di de beber al borriquillo con el cubo de la noria. Luego, al distinguir que junto a una pared ha quedado una mata de jazmín, quise regarla. Lo hice, y en esto me hallaba cuando oigo que de arriba me llaman, por mi nombre del mundo:

—Mario... ¡Mario!...

Alzo la cara. Un breve instante, el necesario para fijar la vista sobre una figura de mujer apoyada contra la baranda que limita el muro, tardo en reconocer a la joven que siempre me mira en la iglesia.

Todo mi ser tembló de súbito. La sangre se me detuvo en las venas, dejándome flojos los miembros, saltante el corazón, el cerebro obscurecido. Aquella lanzada, cuyo golpe relampaguea para iluminar repentinamente la memoria del dolor, despertó una vez aún mi tragedia. Y balbucí algo, confuso, sin poder, no obstante, articular una palabra completa.

Ella insistió, afable y natural:

—¿Cómo está, Mario? ¿No se acuerda de mí?... Mario... ¡Por Dios, Mario!...

—Le ruego —logré decir— que no me llame de ese modo. Mario no existe ya.

—¿Cómo?

—Fray Lázaro. Padre Lázaro. Este es hoy mi nombre.

—¡Ah! Cambian ustedes...

—Aunque no se acostumbre entre los franciscanos, yo he debido cambiar.

—Bien. Pero ¿me conoce?

—Ciertamente no recuerdo.

—¡Quién creyera! Míreme bien. A ver. Y ahora, ¿se acuerda?

Siguió preguntándome, con infantil empeño. Trataba de hacérseme muy visible. Tan pronto erguíase como descolgaba el busto por encima del barandal.

—¿Nada? ¿No acierta?

¡Oh! ¿Cómo decirle que su rostro vive dentro de mí, imborrable, martirizador, eternizado? Porque es idéntica. Si yo no atendía casi a lo que me hablaba; tal emoción me causó el parecido asombroso. Aquel óvalo puro y prolongado en punta de almendra; aquel mismo pelo, broncíneo y a ondas, y su misma garganta, suave, alta y llena, rítmica en los movimientos; y aun el color de nardo y las cálidas ojeras que envuelven los ojos pesados de pestañas. Todo igual, Señor. La poca altura de ese

una chica

corredor me permitió verla muy bien. Todo exacto. Pequeñita, con no sé qué de íntimo, reunido y caricioso en la silueta, y en la carnación, a la vez fina y rolliza, la tierna morbidez de esas italianas del Renacimiento que el Veronés solía pintar.

¡Pero, Señor, si también descubro en ésta repetido el afán por escotarse!

Para vencer mi trastorno, preciso que ella me repusiera en la realidad presente.

—Responda. Mario, Padre Lázaro, diga: ¿se acuerda o no ahora?

—Sí, quiero hacer memoria. Su semblante me es conocido, diría yo que familiar. Sin embargo...

—Mal fisonomista. ¿Y cómo yo, apenas lo vi una mañana en la iglesia, lo reconocí? En el acto me dije: ¡Bah, Mario! No vacilé, a pesar de esa cabeza rapada y ese aspecto tan..., tan así..., tan distinto al que tenía.

Me sonrojé. Por primera vez en estos siete años me ruborizó mi aspecto. ¿Por qué, Dios mío? ¿Por qué sufría una impresión de ridículo? Perdóname, Padre mío San Francisco. Frente a todos sabrá tu siervo, con orgullo, levantar esta cabeza desfigurada por amor de la santa humildad.

—¿No cae? No cae.

—En efecto, no caigo —declaré, algo molesto por la observación sobre mi tonsura.

Poco debía durar esta actitud, que al fin y al cabo me daba una posición espiritual. Se me reservaba la más recia sacudida:

—De la calle B... no se habrá olvidado.

¡La calle donde fracasó mi vida mundana!

Ignoro cómo, con el corazón en la garganta y un frío de vértigo en el cuerpo y en las sienes un violento latido, resistí cuanto esa niña quiso rememorar. Hubo un momento en el cual temí que mi turbación delatase todo mi dolor redivivo. Pero reflexioné a tiempo que nada pone tan impenetrable nuestra fisonomía como el gesto de la beatitud, y lo adopté.

—¡Ah! Va sospechando —continuó ella—. ¡Claro! Fíjese bien. ¡María Mercedes!, la hermana de Gracia. No me reconoce, porque yo entonces tenía sólo doce años, y como estaba interna en las monjas, me veía un rato cada mes. Y eso, la noche que usted no se atrasaba en su visita, porque a las nueve me recogía yo al colegio. Además... Aquello... fue cosa de nueve o diez meses a lo sumo. Nos encontramos, pues, muy poco.

—Muy poco. Es natural entonces que...

—Natural: me borré de su memoria. Yo, en cambio, no me olvidé. Es que lo quería mucho, Mario. ¡Oh, cómo lo quería! ¿Creerá que lloré a mares al saber que eso había concluido? ¡Pobre Mario! ¡Y pobre Gracia! La pobre no ha hecho su felicidad con el matrimonio. Ahora le pesa su conducta con usted. Yo lo sé, porque dos o tres semanas atrás hablamos largo. Comprende que a su lado la vida sería hoy muy diferente.

—Tiene sus hijos...

—En fin, tiene siquiera sus hijos. Vendimos nuestra casa para darle a ella, o al marido, su parte. Por eso vivimos aquí ahora, en la calle Serrano. Cuando nos mudamos, el mes pasado, y caí en la cuenta de que frecuentaría la iglesia de ustedes, tuve una cierta alegría. Veré a Mario, pensé. Lo distinguí una mañana. Usted me miró. Parece que iba a comulgar, pero se fue de repente. Y desde ese día me dieron unos deseos de hablarle... Voy muy a menudo a la iglesia. Lo busco en los oficios. Averigüé si confesaba. Me dijeron que no. ¿Es cierto?

—Cierto. No confieso. Aún no canto misa.

—Una tarde lo divisé en el coro. Y luego, viendo esto devastado, me he puesto a espiar el sitio. ¡Qué ganas de verlo! Hasta que hoy vengo a encontrarlo. Gracia me pregunta siempre: "¿No lo has visto?"

Quise irme. Se me ocurrió en este punto que un peligro me cercaba. ¿Qué deseaban conmigo? ¡Pse! Tonterías. Seguramente, una mera curiosidad. Pero en ese momento me entró un desasosiego tal, que hilvané cuatro vulgaridades corteses y me despedí.

—No se vaya todavía —me suplicó—. ¿Y cómo le va en su nueva vida? Será muy estricto el Convento, leerá mucho. ¿Siempre escribe? Le gustaba tanto la literatura... ¿Recuerda que me regaló *El niño que enloqueció de amor*? Sí. Y lo conservo con su dedicatoria. ¡Qué divertida me resulta hoy esa dedicatoria a una chicuela "colegiala que ojalá no sea tan romántica como su hermana". Así me puso. ¿Se acuerda? Y a Gracia, ¿no la ha divisado nunca?...

Durante minutos interminables acribilló aún mi pobre alma con interrogaciones. Y no estaba yo para enredarme en peligrosas charlas. Imploraba sólo a Dios una oportunidad para retirarme. El me oyó.

Suena de pronto una campana, pretexto que me llaman a oficios y me voy, huyo más bien.

La noche fue horrible, llena de torturas, dudas, figuraciones, temores. Llegué a imaginar que esa niña era enviada por la otra, quien, arrepentida, me requería. Después, soñé que ésta me... ¡Bah!... ¡Locuras! que hoy me dan risa. ¿Cómo podría ya pensar aquélla en mí? Ni yo en ella. Y esta ingenua María Mercedes, ¿qué más tendrá sino una simple curiosidad de niña? Que me tuvo cariño, dice. ¡Afectos infantiles! ¡Cosas de chiquillas! Que Gracia no es feliz. Rogaré por sus vicisitudes.

Sí. Por suerte, con el día la lucidez y la paz han vuelto.

Y en último término, pese a Fray Elías, yo he vestido este sayal en definitiva; y el mundo ha muerto para mí; y sólo amo esta santa Casa, donde Nuestro Padre reduce los peligros, donde todo anhelo se purifica y donde mejor reposa el corazón.

* * *

En realidad, era una niñería tomar por lo trágico el encuentro. Carece de importancia en absoluto. Aquello pasó y su recuerdo no debe ya dominarme.

Para vencer esa ridícula zozobra, para fortalecer mi espíritu y afirmarlo en el renunciamiento, volví hoy al solar. Y he hablado con ella otra vez, alegremente, naturalmente, como corresponde.

¡Qué niña es! ¡Y qué bien se veía! Tan clara, tan diáfana, de pie tras la baranda; tan fina y ligera sobre el muro pesado y áspero. Con aquellas ropas de verano, contra el cielo fulgurante de luz, ponía un destello rosa en el aire. Hablaba, y su voz también era un destello. Y eran pequeños destellos blancos los jazmines que desde la mata miraban a la altura.

Es muy niña. Me acerqué hasta quedar debajo de ella y la saludé sonriente. Ella se recogió entonces con gracia las faldas, apretándolas entre sus piernas, cual si temiera que el viento se las moviese y yo desde abajo pudiera ver algo.

Yo me he reído entonces. Y ella se ha encendido, pero riendo siempre, con infantil picardía. Y por esto nuestra conversación fue risueña.

Una coquetería espontánea e inocente le retozaba en todo el cuerpo, en los piececillos que le asomaban entre la reja, en los antebrazos desnudos, en los rizos que el viento le agitaba, en los dientes luminosos.

Charlamos. Por largos minutos se empeñó en arrastrarme al tema de mi vieja pasión, insinuándolo con inteligencia. Supo compadecerme de una manera digna.

Yo le dije:

—No vale la pena resucitar eso. Historia antigua, antigua y archivada. Mi vida vaciló, casi me pierdo, cierto. La injusticia y la traición nos hacen malos. Es preciso cuidarse después de sufrir una traición o una injusticia. Pero, con el favor de Dios y dirigiendo el alma hacia la humildad y la mansedumbre, el dolor se torna en placer de fortaleza, y uno se salva.

Lo dije sin lamentarme, con sencillez y buen humor. Y pasé a otra cosa, a recuerdos diversos.

Algo sugestivo: tras de repetirme que siempre me había querido mucho, que fui uno de los seres simpáticos en su infancia, agregó:

—Y cuando supe su entrada al Convento creció mi interés. Creció mucho. No se ría. Mucho. Pensaba en usted con insistencia, con inquietud. Hasta sueños tuve.

Temí... Pero, no; en seguida, con esa astucia instintiva de las mujeres, volvió al tema de Gracia. Buscó un hecho que tenía que llegarme al corazón y escocerme sobre la carne viva, y no sé por qué, en este punto, me asaltó una sospecha clara de que Gracia la enviaba.

"Te luces —pensé—. Demasiado experto soy para caer en lazos de niña." Y de nuevo cubrí mi semblante con la máscara de la beatitud; más: me di ahora una expresión simple, cándida, la expresión de Fray Rufino, a quien jamás le cruzaría por la mente que alguien le llevara propósitos encubiertos.

Ella me miró con ojos curiosos, desconcertada. ¿Cómo —cavilaría— un hombre que tanto ha vivido puede llegar a un candor tan ciego?

Triunfo. Me lleno de regocijo. Y hablamos, hablamos...

Quedé muy contento. Toda la tarde me han movido ánimos de trabajar, de ser útil, alegremente. He ido a la procuraduría y he ayudado a contar y distribuir en los armarios una remesa de aceite, hostias y cerillas. Luego, he pasado a la cocina y he parloteado con los legos. Probé la sopa de la olla.

Comí muy bien.

En fin, ahora tengo una amistad. No estoy tan solo. Cada fraile cultiva sus relaciones, relaciones de locutorio, de confesionario, aun de visitas a ciertas familias. Yo, con mi madre tan distante y reñido con el resto del mundo, bien puedo hacerlo también.

* * *

Cumplidos mis oficios y menesteres de la mañana, me vine a la celda, abrí esta carpeta, ya gruesa de carillas, por mi manía de escribir, y me dispuse a vaciar en una página confiada y alegre mi estado espiritual. Reúno mis emociones, las reviso, les doy un orden; luego, para coger bien el tono que han de tener mis palabras, compongo *in mente* las primeras frases:

"Siento —exclamo— el corazón esponjado por una feliz simpatía, por un gozoso impulso de amor a mis hermanos. ¿Qué importa descubrirles una inteligencia sumisa, cuando sus caracteres están llenos de conmovedor encanto?"

Mas apenas comienzo, asoma la cabeza de Fray Bernardo a mi puerta. Las canas puras del dulce viejecito, sus mejillas sonrosadas y sus ojos claros e ingenuos, recogidos tras las gafas azules, concluyen de iluminar mis sentimientos.

—Adelante, Padre.

—No. Venga usted. Pronto. Deseo que usted vea eso.

Acudo, y el viejecito me conduce hasta la portería.

Es la hora de los pobres. El lego ha repartido ya la comida; regresa con la enorme olla vacía y a cuestas. Ahora comen las madres, acuclilladas contra las paredes, y los niños que hartaron ya sus vientrecillos hinchados, rodean a Fray Rufino y juegan con él.

Dan realmente un espectáculo que conmueve. Asaltan al fraile, tiran de sus hábitos, gritan y huyen luego, para volver en seguida y trepar a su cuerpo, y reir y contorsionarse entre sus brazos. Los besa él, sobre las manitas y los hociquillos pringosos, y con ternura tal, que ni el hedor de los andrajos ni el betún que las narices le dejan en la cara siente.

Parece sólo escuchar sus voces de pájaro, mirar sus carrillos estrujados por la risa; y si algún olor percibe, de seguro que le penetra y le invade un bienestar como el que fluyen los nardos puestos en los establos de Navidad. Todo en él es dulzura y paciencia.

Tan obediente a los antojos de los chicos se muestra, que algunos le cogen por el cordón y le arrean cual si fuera el asno de la limosna. Y él entonces toma un trotecillo picado, y rebuzna y cocea; ya imita al burro, ya musita lastimero como el lego, de esquina en esquina del zaguán: "Una limosnita para los pobrecitos de Dios".

Dan realmente un conmovedor espectáculo.

Miramos aquello paseándonos; y entre tanto, Fray Bernardo lo comenta.

Es verdad. Con razón se va extendiendo el aura de santidad en que a Fray Rufino han envuelto sus actos de amor y penitencia. Legítimo considero yo también que la comunidad entera testifique esos actos y los propague como una gloria del Convento.

Pero he aquí que, sin advertirlo, el viejecito ha recaído en su tema.

—¿Ve usted esa mujer? —me ha dicho de repente—. Mírela bien. Mire a su hijo ahora, aquel de los calzones doblados. ¿No conserva ella el mismo rostro infantil? Salta a la vista. Debe ser buena. En cambio, observe a esa otra... Nada tiene de niño. ¡Ah, es la excepción, una de las excepciones! Yo no sé bien, Padre Lázaro, por qué hay estas excepciones. Tal vez no existan, llego a pensar, y todo sea que yo no sepa distinguir en ellas el rostro de la niñez. ¡Ojalá! Sin embargo, desconfío. Desconfío al no hallarles ningún rasgo permanente; porque si nada permanece en esos seres, nada de sus primeros años, nada de su pureza original, bien puede haber ocurrido que la vida, con sus vicios y la corrupción de los pecados, les haya empedernido el alma. Esto resulta frecuente. Usted lo sabrá. Usted habrá observado muchas fisonomías que nada conservan de la niñez.

—Justo —corroboro con seriedad—. Yo suelo encontrar por ahí algún amigo del colegio y no reconocerlo.

—¿No ve usted? Pues esté seguro de que si no lo reconoce es porque la vida le abolió el niño que fue. Sí; en general, desconfíe de esos rostros que no se pueden restituir a la infancia. Pero hay otra excepción, Padre Lázaro, más mortificante aún. Suelen no ser los padres los parecidos a los hijos, sino los hijos los parecidos a los padres.

Me sorprendo:

—Eso me parece lo natural.

—No. No me expresé bien. Quiero decir que los grandes, en tales casos, no tienen ninguna expresión de niños, y, a la inversa, los niños la tienen de adultos, marcadísima, horrible. Niños con caras de viejos, ¿comprende? Usted habrá visto esos semblantes desagradables... Pues bien, esto me desconsuela de veras, profundamente. Preferiría equivocarme, claro está. No obstante, Padre Lázaro, ¿y si a ésos los engendran los perdidos, o aun los endemoniados?, me pregunto. "Los hijos pagarán las culpas de los padres", dice el Evangelio... En fin, no sé, no sé. Prefiero equivocarme; porque me torturo, créame. Si en ocasiones sufro por esas criaturas e imploro para ellas la Divina Clemencia, otras veces las esquivo y hasta me dan ganas de prevenir a los demás chicos a fin de que se aparten de ellos y eviten la contaminación. Nacen con caras adultas, Padre; son malas almas *ab origine*...

No alcancé a responderle. Giramos al finalizar un paseo y vimos a Fray Rufino metiendo su tropel de niños puertas adentro.

El propio Fray Bernardo se detuvo entonces para decirme:

—Sigámosle. Ahora van a rezar. Verá usted. El les enseña una oración admirable que ha compuesto. Una oración que en estos tiempos de socialismo y locuras haría mucho bien. ¡Ah, una oración lindísima!

Cuando entramos a la sala obscura contigua al locutorio, ya el santo fraile había reunido a los rapazuelos ante Nuestro Señor de la Agonía. Veíanse muy pequeñitos al pie de la enorme tela quiteña, brillante de barniz, donde el Hijo de Dios muere en la Cruz, entre María y Magdalena y entre la luna y el sol que asoman en el cielo convulsionado. La herida del divino flanco mana un chorro de sangre, y un angelillo, con el sexo cubierto por un cendal verde, lo recibe en un cáliz.

Pero de pronto empiezan las vocecitas a corear la oración:

"Nada más bendito que la pobreza nos ofrecisteis, Dios y Señor de los hombres, en vuestra visita redentora. Gracias os tributamos por ello. Gracias por habernos concedido vuestra merced en la pobreza y con ella la alegría de no gozarnos en la opulencia de los mundanos, pecadores de la holganza y de la carne. Os agradecemos, Señor, especialmente, el habernos hecho mendigos; pues si bendita y perfumada por el cielo es la mano que da, más lo es la que recibe. Amén."

"Amén... Amén... Amén...", va repitiendo el sonsonete infantil. Y se arma en el acto una algarabía. La pollada, por una de esas inopinadas voliciones de los niños, quiere marcharse. Fray Rufino la retiene para bendecirla; su mano enflaquecida se alza, pero sus labios han de murmurar a solas su *Benedico te in nomine Patris et Filii et Spiritus Sancti,* porque todos, incontenibles, han corrido al zaguán.

El ríe. Reímos Fray Bernardo y yo. Nos reunimos los tres. Y el viejecito, edificado y tembloroso, aplaude aquel amor.

—¡Oh! —agrega por último—. Y la felicidad que le producirán a usted. ¡Amor! ¡Felicidad!...

Fray Rufino cambia su sonrisa por un gesto melancólico.

—Amor, sí —responde—. Felicidad... La felicidad no es completa para el pecador.

—¡Cómo!

—Suele remorderme la conciencia después de estos recreos, Padre; y es que hay uno de los chicos por el cual mi corazón siente un cariño predilecto. Y no está bien la preferencia. Nos manda Dios hallar iguales en el amor a todas sus criaturas. ¡En fin! ¿Vamos andando?

—Vamos.

Yo no encuentro qué decir. Pasamos el claustro. Ellos reanudan el distingo, discuten...

Son encantadores. Sí. ¿Qué importa descubrirles una inteligencia sumisa, cuando sus caracteres están llenos de conmovedor encanto?

Sin embargo, yo, poco después, los dejo. No sé conversar con ellos largamente. Pero... cada cual puede servir y glorificar a Dios desde su personal temperamento y unirse así a los demás en el amor.

La vida es buena, sobre todo en esta santa Casa.

* * *

Al atardecer me anunciaron que una señorita me aguardaba en el locutorio.

A mí, a quien jamás busca nadie...

No podía ser sino María Mercedes.

—He venido a molestarlo —me dijo—. ¿Muy ocupado estaba?

—No, nada de eso. Tome asiento.

—¿Pero le interrumpo? —insistió, aún de pie.

—Al contrario. En las mañanas tengo algún quehacer: mis clases a los novicios, diaconar alguna misa cantada... Pero a esta hora no, nada, nunca. Tome asiento.

—Bien. Me sentaré. Oiga, Mario... Perdón, Padre Lázaro —se corrigió, echándose a reir.

Siempre halla motivo para marcar un tono risueño a la conversación.

Se sienta en una butaca y, sin preámbulo, me pide:

—Mire, deseo conocer al santo.

—¿Qué santo?

—¿Cómo qué santo? El Padre Rufino. Dicen que hace milagros...

—¡Ah!, Fray Rufino. ¿Tanta es ya su fama?

—¡Viera usted! No se habla por ahí de otra cosa. A la salida de misa, en los salones, por todas partes. A una señora reumática, con los pies ya torcidos, la sanó dándole aceite de la lámpara del Santísimo para que se untara. A otra viejecita, hermana de la Orden Tercera, que llevaba nueve años ciega, le hizo recuperar la vista. Iba él en persona, todas las tardes, a leerle la novena de San Francisco; y el último día, ella leyó la novena por sus propios ojos. Aseguran que se trata de un verdadero santo. ¿O no es cierto?

—Sí, sí, es cierto. Es un verdadero santo.

—¡Ay! Yo lo quiero conocer. Si usted me hiciera el favor...

—Con el mayor gusto. Yo se lo presentaré. Pero no ahora. Cabalmente, ha salido.

—Ha salido. ¡Qué lástima!

—Cualquier día de éstos, viene usted y yo se lo invito aquí.

—¿Sabe? —me dice entonces, sin transición alguna—. Le conté a Gracia que nos habíamos visto. Se alegró mucho. Le mandó... No, no le mandó saludos. "¿Cómo no le mandas un saludo siquiera?", le pregunté yo. "No, no sería discreto", me contestó ella. ¿Ha visto?

—¡Pse!

—Una tontería. ¿Por qué no podrían ser amigos, simples amigos?...

Decidí enmudecer. Ese olvido repentino del "santo", del eco de sus milagros, de lo que tan intrigada la traía, para inmiscuir en cambio a Gracia en su charla, y así, de buenas a primeras, sin nexo ni pretexto algunos, me resultó sospechoso. Y resolví que hablara sola.

Por lo demás, no era difícil. Ella no callaba un instante. Y esto, que supuse al principio fruto de sus nervios agitados por la osadía que debía significar para ella su visita, luego se me antojó premeditado, una táctica para sondearme. Mi suspicacia redobló. A medida que me dirigía frases envolventes, llenas de alusiones, sus ojos me observaban con vehemencia, como esperando ver algo en mi corazón.

La dejé concluir, agotarse, tranquilo. Sólo cuando al fin me repitió: "Lo de Gracia es una tontería; el día menos pensado me aparezco aquí con ella", tuve un sobresalto. Sin embargo, pasé a otro punto con naturalidad. Volví a Fray Rufino. Le narré diversos episodios, el de los ratones, la lección a Fray Elías, el paso de las polillas, cuanto a la memoria me vino.

Ella, ignoro si por maña o por justa curiosidad, puso atención. Maravillada, reía. Todo aquello la sorprendió y la movió a risa. Juzgué oportuno el caso para ostentar un misticismo que fuese a desengañar a Gracia, si algún propósito encubierto existía; y adquiriendo un pío continente, le revelé la significación franciscana de que la simplicidad de nuestro santo está impregnada.

¿Comprendió? Tal vez.

La visita se había prolongado mucho, y ella necesitaba irse. Nos despedimos.

Ya me volvía la espalda, cuando la llamé de nuevo.

—Eso de aparecerse aquí con Gracia —le quise advertir— me parece muy mal. Supongo que lo diría usted en broma.

—¿Por qué? No tema.

—No, si no hablo por mí. Ya para mí aquello..., muerto y sepultado. Créame. Puedo estar delante de Gracia tan sereno e indiferente como ante cualquiera.

—¿Y entonces?

—Es por la comunidad. Todos saben mi historia. Por esto y nada más. Porque aquello, repito, ya está muerto y sepultado.

—¡Hem! ¿Y no resucitará al tercero día entre los muertos?...

—¡Oh! Imposible. Si hoy lo veo hasta ridículo, se lo aseguro.

—¿De veras?

—De veras —repuse con firmeza.

No me replicó una palabra. Pero... ¡qué inesperada expresión tuvieron sus ojos! Hubo primero en ellos algo agitado, que les hacía cambiante el color de las pupilas; y luego, en ellos y en toda la cara, algo como un alivio; más, como un descanso y una alegría. ¡Muy raro!

¿Qué averiguación perseguía? ¿Quién la manda? ¿La propia hermana? ¿Otra persona de la familia? ¿Y por qué? ¿Temerán, ahora que Gracia no es feliz...?

Espionaje hay. Inquisición interesada. Evidente. Por suerte lo voy salvando, y en una forma que para todos conjura los peligros.

Y, al fin, paso buenos ratos. Porque esta chiquilla es simpática, llena de viveza, de risueño atractivo.

Ahora estoy solo, en uno de los corredores del piso alto, con mi carpeta sobre la balaustrada. El día declina mansamente. Las copas de algunos arbolillos quedan bajo mi vista; suben otras, sobrepasan los tejados y diríase que allá, en el espacio libre, despiertan, se sacuden y conversan.

A ratos anoto algo en estas carillas y a ratos divago sin escribir.

El silencio tiene hoy una seducción especial. Habla al espíritu, lo desenvuelve y lo extiende como un manto de ensueño hasta lo infinito. Por momentos, lo excita; pero él hace por calmarse, y aquietándose responde al silencio silenciosamente. No hay palabras, tampoco ideas precisas; ondas informes de emoción.

Y así, pienso con suavidad, con mansedumbre de hierbecilla, vago, muy vago. O recuerdo, repaso mis actos de poco atrás, todos estos actos amables y sin trascendencia, que si alguna vez me inquietaron fue por contraste, a causa del absoluto sosiego de mi retiro.

Sí; María Mercedes, aparte su escondida intención, a la cual ya no temo, es muy agradable; una chiquilla con cierta picardía, pero sana y buena. Fray Bernardo no precisaría mayor esfuerzo para restituir su semblante a la niñez.

Su belleza... Su belleza no turba. Me alteró al principio por el parecido. Ya no. Hoy da sólo una fiesta a mis retinas, una fiesta inocente a cuanto de puro conserva el alma en sus relaciones con lo creado.

Fray Lázaro, venciste. ¡Venciste a Mario, a ese famoso Mario mundano e inflamable que agonizaba de amor!

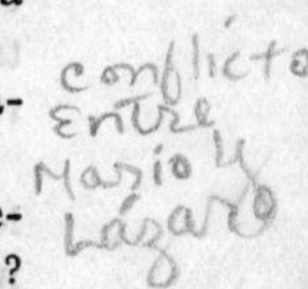

El sol debe ya estar próximo a caer. ¿Cómo será el horizonte? Apenas lo presiento en este encierro gris. Los árboles, allá arriba, ¿lo verán?

Yo, en cambio, me diluyo en dulce melancolía entre mis viejas paredes.

Mis ojos se posan en el césped del patio. Es verde y suave. Parece que lo hubieran alisado acariciándolo. Se me ocurre que si yo bajara y lo acariciase, él gozaría, como una cabeza amada, y se adormiría.

Pero me faltan alientos para moverme. El misterio de la tarde ha ido invadiéndome poco a poco, hasta desvanecer mis pensamientos y mi voluntad, hasta desvanecer mis pupilas en un destello lento...

La otra tarde, María Mercedes era un destello rosa en el aire y destellaba fresca su voz infantil. Fray Bernardo la hubiera bendecido...

¡Oh, todo el azul del cielo se va tiñendo de rosa!

* * *

Fray Rufino ha devuelto la salud al asno de la limosna.

El borriquillo no pertenece a este Convento Máximo. Aquí ya no mendigamos de puerta en puerta. Nos lo habían traído de La Granja, por enfermo.

Todos allá decían: "No sanará. ¿Cómo esperar que sane, si su mal es vencimiento de vejez?" El Padre Maestro de Coristas lo envió, sin embargo, a nuestra Casa, confiado en que Fray Rufino, por intercesión de sus dones, podría salvarlo. Y he aquí que ha recobrado su vigor el borriquillo.

Se lo llevarán muy pronto. Por muchos años quizá recogerá las dádivas para los pobres en la aldea.

Es un milagro...

Este milagro ha hecho venir al Guardián de la Recoleta en busca de curación para uno de sus frailes.

Se trata de un padre a quien corroe la tiña, y, al decir de sus compañeros, "también un mal entendido misticismo". Yo lo conozco. Tiene dudas, cuitas y tormentos interiores. Por penitencia, no desea curarse. Lo han aislado sus hermanos; y él vive ahora en un patio ruinoso y abandonado de su convento, asceta solitario, quemándose en la llama de su fervor penitente, abrazado al padecimiento como a la Cruz del Salvador. Se ha erigido un altar en la celda, donde oficia su misa cotidiana, asistido por un demente, un muchacho recogido allí por seráfica piedad. Este niño, que vaga por claustros y jardines el día entero, ensabanado en un ancho delantal, con unos calzoncillos asomándole bajo los pantalones, en la mano el palo de una escoba a guisa de bastón y siempre un trozo de pan y un jarrito para beber atados a una cuerda de su cintura, sirve además al enfermo la comida.

Nada pasaría de aquí si los demás frailes no temiesen el contagio. Pero lo temen: el miedo les domina ya y se han puesto muy aprensivos; de modo que su Guardián ha recurrido a nuestro santo para obtener la curación del místico.

Días y días ha estado Fray Rufino visitándole, sin conseguir vencer su resistencia obstinada. Y ha debido volver al fin resuelto a dejarlo en paz.

—Dios no me oye —ha declarado—, y El sólo conoce su designio.

—Pero esto es una enormidad. No tiene derecho ese padre a exponer a los otros —han dicho algunos.

Fray Elías sentenciaba, mirándome:

—A eso conducen los escrúpulos excesivos, a una verdadera enfermedad mental.

—Mándele usted en nombre de la Obediencia —ha ordenado el Provincial a Fray Rufino—. Dígale que se deje asistir.

Pero aquí ha respondido nuestro santo con decisión:

—No, Padre. Dejémosle. Ya hice lo que usted me pide y él me objetó muy sabiamente: "Obedezco la Voz de Dios, que habla en mi conciencia, hermano. Desobedecerles a ustedes en este caso es obediencia a mi Creador, y es librarles del error por mal consejo".

Todos los frailes allí agrupados se han ido retirando entonces, entre muecas, sonrisas y encogimientos de hombros.

Acaso Fray Elías lleve razón, una antipática razón, pero jamás convencerán a ese místico torturado. Yo lo conozco. Una vez conversamos, y lo comprendí. Nuestras cuitas eran semejantes, sólo que a él, más vehemente y menos equilibrado, lo exasperan y obscurecen. A fuerza de penitencia supone alcanzar la Gracia. ¿Lo has determinado Tú, Señor?

¿Y yo? ¿Qué camino debería yo adoptar?... No sé, no sé...

¡Ah!, fruto del árbol de la ciencia, cada día comprueba mi alma tu amargura. Sintetizas los escrúpulos de ese fraile y también los míos; a mí, refractario a la mortificación, me impides además llegar a la ingenua plenitud franciscana.

Cuando la inocencia está perdida y los principios éticos reemplazan la instintividad de las acciones, no sabemos ya conducirnos, por dócil que nuestro corazón se entregue. Una voluntad individual ha nacido de las ideas en nosotros, y pugna con la Divina Voluntad del Universo, que legisla y gobierna sin ideas. Hemos partido del Paraíso, y nuestro yo desnudo nos confunde. Nos hemos desprendido de Dios, ansiamos volver a entrar en El; pero ello no depende ya de nuestro deseo, sino de que la Gracia baje a vendarnos los ojos nuevamente.

* * *

A veces, cuando está delgado el aire, los ecos de la calle vienen hasta nuestros patios sumergidos.

Yo escucho, divago, sueño...

Campanilleo del tranvía, chirriar de ruedas en las curvas, pregones que una ráfaga deshace, o gritos, gritos dislocados y sueltos, cuyo motivo nunca se adivina... Y a cada instante, un automóvil trompetea, en fuga; se atenúan sus toques con rapidez inopinada siempre: imagino una línea de puntos arrojados al espacio, y que se van achicando, achicando y destiñendo en la distancia. Desaparecen al fin, y yo siento que se llevaron una prisa, un anhelo, una vehemencia...

Oigo todo ese rebullir afanoso y vivo, y mi alma involuntariamente se excita.

Digo involuntariamente. Claro está. Es mi deseo más firme no volver a mezclarme con el mundo.

Pero al recapacitar sujetando mis impulsos involuntarios, noto que mi espíritu se había empinado, que se habían levantado sus brazos, alargándose, alargándose hacia lo alto, como si por encima de los muros otros brazos les ofrecieran suspenderlos, y llevarme a..., ¿adónde?... No sé adónde...

¡Y adónde me iban a llevar!

Nada. Ansias. Cuando niño tenía yo estas ansias...

* * *

No ha vuelto para conocer a Fray Rufino. En muchos días no la he visto, ni por la iglesia, ni sobre su muralla. No querrá venir. Se convenció tal vez de que Gracia ya no me inquieta, y perdí el interés para ellas.

Eso estaría bien.

Aunque..., lo siento, porque, dominados mis nervios, habían comenzado a gustarme su conversación ágil y su reidora juventud: reflejaban sobre mí un casto placer de ternura, semejante al que deben producir a nuestro frailecillo los niños en la portería.

Hoy he ido al solar. Llegué hasta los pies del muro. Y tampoco estaba.

Me puse a regar entonces el jazmín. Siempre lo hago, maquinalmente. Luego percibí el quejido del antiguo portón que da a la calle y distinguí al hermano Juan abriéndolo. Era para llevarse a La Granja el borriquillo.

Al fondo extremo del sitio, montando en una mula blanca, un lego tiraba el asno del ronzal. Seguíales un perro negro que tampoco nos pertenece.

Pasaron cerca de mí. Aún me parece verlos... Pica el lego los ijares a su bestia, con el talón de la sandalia; el grueso pulgar de su pie levántase crispado, mientras los dedos pequeños se prenden al canto de la suela, y los codos, en afanoso aleteo, quieren impulsar al animal lerdo y testarudo. A la zaga trota el perro, lacias las orejas, en arco el rabo, y acezando, con la lengua fuera, colgante y goteante como una pulpa que sangra.

Pronto los tuve otra vez lejos. Sobre la tierra parda, lucían el color de la mula blanca, el sayal castaño y el perro negro; borrábase el pollino ceniciento, y tres nubes de polvo iban estelando el aire.

Al fin se fueron. El hermano Juan cerró de nuevo el portón y regresó a los claustros.

Yo no quise irme. Descubrí el lugar del huerto donde antes me sentaba, y allí, en los terrones duros y calientes, permanecí hasta que hubo fresco y las sombras de las casas, tendidas ya sobre todo el solar, se confundieron con el velo del crepúsculo.

Ha caído entonces sobre las cosas un manto de recogimiento que reduce a la meditación el alma.

Pero yo no puedo meditar. Me va enviciando, Señor, este goce de disolverme entre las sensaciones apacibles.

Luego empieza el temblor de las estrellas a glorificar al Creador, y desde la tierra los grillos le responden. El cristal de una ventana prende un lampo verdoso allá en una fachada.

Sólo en el tejado de esa niña se mueve algo: la chimenea exhala un humo veloz y encendido.

Es la única actividad que recuerda, Señor, a tus criaturas sobre la tierra.

* * *

Domingo. Misa de once. La nave central está densa de fieles. Muchas flores y mucho incienso acumulado azucaran el aire.

Entro en la iglesia por la puerta del claustro; y he avanzado unos pasos apenas cuando veo a María Mercedes. Ha venido con su madre, la señora Justina, la suave y hermosa señora Justina. Visten ambas de negro, velo a la cabeza y rosario de cristal envuelto a la muñeca enguantada. La niña me parece así más seria, y más pálida, casi triste, *muy Gracia.*

¡Qué bien se conserva la señora Justina!

Me quedo en la nave derecha, vacía; junto al primer altar, al de San Buenaventura.

De pronto, la señora me divisa, y al punto me quita la cara. ¿Por qué? Se ha turbado, se ha puesto roja, se ha contraído a su libro... ¿Evita reanudar mi amistad? Y yo que anoche, cabalmente anoche, hacía recuerdos suyos, y con tanto cariño... Ella fue buena, muy buena conmigo en aquel tiempo. ¿Y entonces por qué?... No entiendo.

Luego, María Mercedes también alza la cara y se encuentra con mis ojos. Nueva turbación: su mirada vacila, viene a mí, se retira, sale otra vez y a medio camino vuelve a recogerse, metiéndose al fin pupilas adentro, como un fluido que se amedrenta y se niega.

Pero esto duró breves segundos. En seguida una sonrisa amiga me pedía excusas y aclaraba su semblante un esfuerzo amable. Yo le apoyé los ojos, repentinamente olvidado de su madre. Quise decirle con la mirada: "Hablaría con usted, aquí, ahora mismo". Lo comprendió, azorada; observó fugaz y con disimulo a la señora, y no me miró más.

¡Qué raro es todo esto! Y después de tantos días de ausencia...

description

Me hacen a un lado, me rehusan, quieren mantenerme a una distancia discreta. Flaquezas humanas. Las gentes, el qué dirán... Me lo figuro.

Bien. Después de todo, me felicito. Durante ocho años mi deseo ha sido no saber más de ellas.

Pero duele, lastima, esto. Encierra una injusticia, una falta de piedad. Podían comprender lo solo que me han dejado, y que hay un fondo sensible en las almas delicadas, que no muere aunque se renuncie a los afectos humanos para siempre.

* * *

Acabo de abandonarles.

Almorzamos con el ingeniero que hizo la demolición. Vino a tratar del embrollado negocio y le dejaron a almorzar. Están ahora en nuestra sala de recreo. Les acompañé buen rato. ¿Para qué más? ¿De qué servía yo allí?

Fray Elías era el más entretenido. Lo reconozco. Es un jugador de billar muy fuerte y ha ganado al ingeniero todas las partidas. Luego ha tocado el piano, y el ingeniero ha cantado unas canciones epigramáticas, ¡muy epigramáticas!, pero que han divertido a los frailes. Reían como chiquillos. Fray Bernardo lloraba de risa, todo ruborizado, el viejecito.

Entre aquellas paredes blancas y aquellos muebles coloniales de lustrosa caoba y tapices de crin, retozaba una ráfaga mundana y chusca, inocente, sin embargo, por el candor de los religiosos.

El ingeniero se ha reído de todos interiormente. Sólo yo lo comprendí. Es un mocetón cortés y algo cínico; un librepensador regocijado, sin ese agresivo fanatismo radical; en suma, un agradable demonio. Se complacía escandalizando a mis cándidos hermanos con relatos de la corrupción que hay en el gran mundo. Soltó unas patrañas... y unas carcajadas... Mentía por divertirse con nosotros. Debe saber algo de mi vida, porque me dirigía, entre cuento y cuento, guiños de inteligencia, como diciéndome: "Siga la broma. Disfrutemos, amigo".

Los frailes, con espíritu pueril y curiosidad de beatas, le tiraban de la lengua. Contó que se había instalado en Santiago una casa con tarifa impresa de las grandes damas adúlteras. Y le creían. ¿Habrá embustero? Es el mismísimo diablo. Sus ojos, un poco separados, encienden dos chispas verdes bajo la frente enorme, con las sienes prematuramente calvas. Tiene un cuello macizo; un tórax atlético, pero algo contrahecho, y en la solapa conservaba un boleto del tranvía.

¡Pintoresco tipo!

Después hablaron de Fray Rufino. Se quiso lucir al santo.

—Pero ¿están seguros de tener un santo? —dijo él—. Aunque..., sí, un santo resulta más bien una creación de nuestro juicio. En resumidas cuentas, la santidad no parece algo propio del místico a quien juzgamos, sino el reflejo de sus actos en nosotros. Nuestra conciencia forma entonces una imagen refleja y la canoniza.

—¡Oh!

—¡Eh, señor racionalista!

—¿Y los milagros?

¡Cómo se burlaron del infeliz! Les llegó el turno a los frailecitos.

—Entendámonos, entendámonos... —murmuraba él, ya confuso.

Nada. Lo abrumaban. Menos mal que todo era reírse y que gastaba él mejor humor que nadie.

Recuerdo que preguntó:

—¿Y por qué los santos, ellos, quienes mejor se conocen, se consideran siempre míseros pecadores?

—Porque..., ¡sabe Dios!..., por costumbre —le repuso alguien.

Y ahí fueron las mayores carcajadas.

Pero Fray Bernardo apuntó:

—Porque son como niños, mansos, humildes, simples.

—¡Ah! ¡Pse! Un simple, un niño...

El viejecito, repitiendo su ademán predilecto, levantó el dedo hasta el nivel de sus gafas azules, miró al ingeniero por encima de los cristales y, emocionado, le sentenció:

—*Quicumque non acceperit regnum Dei sicut parvulus, non intrabit in illud.* —Y le tradujo—: Quien no llame al reino de Dios con el corazón de los niños, no entrará en él.

Aunque siempre risueña, la discusión rodó entonces teológica, doctoral, sectaria, cansada. Me aburrí. He oído tanto eso... El racionalista se defendía: que si no creemos con la fuerza de nuestra inteligencia, sino con su debilidad, con la flaqueza que le infunden los sentimientos; que si la fe radica en el corazón y se afirma en el miedo, durante las aflicciones, hacia la última vejez, a la hora de la muerte...

—Así, ustedes, los de cerebro poderoso, los científicos matemáticos, ¿lo saben todo? ¿No se le ocurre a usted, señor mío, que hay verdades del corazón, como las hay del cerebro?

—¿Y por qué un órgano valdría más que el otro?

—En fin —concedió el físico—, el Enigma ese permanece siempre recóndito.

—Recóndita o manifiesta —dijo el padre Guardián—, todos sienten a su rededor una Verdad formidable.

Bien. Me retiré.

Yo no hablaba. No pude conversar una sola vez en la tertulia.

Me va enviciando también el aislamiento.

¿Será que mi retiro me pone incivil? Sufro perenne la impresión de tener algo suspenso, pendiente, que necesito resolver..., o al menos proseguir, para calmarme; algo que la presencia de la gente me interrumpe;

más aún, algo que a cada paso me exige preguntarme: "¿Qué iba yo a hacer? ¿Qué iba yo a decir? ¿Qué estaba yo pensando?" Y luego veo que no era nada, sino continuar mi soledad, mi abandono a las sensaciones suaves y vagas...

¡Señor, Señor!

* * *

A medida que avanza la cuaresma, las confesiones se multiplican. A veces, hasta el anochecer pueblan el templo bultos negros y suspirantes; un bisbiseo continuo enrédase a los bancos, salpica las losas, agita como una efervescencia la penumbra; y a pesar de la hora, los frailes, en especial los penitenciarios de mujeres, no acaban de confesar.

Hoy pude medir la tarea de mis hermanos. Estuve un rato en el altar de San Antonio, rogando por Gracia, cuyas vicisitudes tanto me apenan; y aunque ya serían bien las seis cuando salí a la plazoleta que sirve de atrio a nuestra iglesia, todavía quedaban fieles.

Fray Jacobo, que venía tras de mí, me pidió el brazo para sostenerse.

—¿Qué hay, Padre?

—¡Uf! Cansado, hijo. Muerto. A mi edad, esto rinde.

Fray Jacobo, como Fray Bernardo y dos ancianos más, forma entre las reliquias vivas cuyos últimos días prolonga nuestra seráfica Regla. De sus ochenta y cinco años, ha pasado setenta largos en la Orden. Y está hoy casi chocho, de una chochez gruñona que por todo se impacienta. Sobre sus hombros tiembla una cabeza sin pelo, de colgantes gorduras, picuda nariz y ojos miopes, saltones y desteñidos que desmayan en ese color terroso común a los octogenarios. Ahora, exceptuando su misa y las confesiones, ningún cargo desempeña. Y ocupa el tiempo en regañar. El día entero gruñe, solo, en su celda o por claustros y jardines.

No estorba; nos cruzamos con él, oímos un fragmento de su monólogo y seguimos nuestro camino sonriendo.

—Pero sus confesadas —le observé hoy, mientras lo conducía del brazo— poco trabajo le darán.

—¿Por qué? ¿Porque son viejas?

—Y porque tanto conoce usted sus almas.

—¡Fíese usted! A la mayoría las confieso medio siglo. Eran jóvenes, y yo también, cuando empezamos la tareíta.

—Pues por eso...

—Pues por eso mismo, hijo, me revientan. ¡Virgen Santísima, qué criaturas! Exasperan. ¡La misma tonada siempre! "Tráiganme pecados nuevos —les digo—. Estoy harto de verlas reincidir en las mismas culpas. Nada hay más odioso a Nuestro Señor que la reincidencia. Aun El se aburre."

—Sin embargo..., pecados nuevos, padre...

—¡Qué sé yo! Al menos, sería otra cosa. Porque esta confesión igual, eternamente igual, por cincuenta años, hasta pecado resulta, una majadería sin eficacia, un desprestigio para el sacramento. Nada. No entienden. Lloran. No saben más. Lágrimas. Lágrimas de beata. "Tienen ustedes —les advierto— una vida mansa, insípida, muerta, sin dudas, ya sin pasiones ni catástrofes que las empujen a pecar; y en vez de aprovechar estas ventajas para conseguir una santa conducta, vuelven a las mismas pequeñeces, dale y dale con la misma mugrecilla." No hay perdón, padre Lázaro. "¡Lárgate! —llegué a decirle a una en cierta ocasión, a punto de soltarle un revés. Y creo que lo di contra la rejilla—. ¡Lárgate, majadera! Por mentecata merecías más pena que un malvado."

Una aparición súbita de María Mercedes me contuvo la carcajada en el pecho. ¿De dónde surgió la chica? Me paré sorprendido. Acaso viniera de confesarse. No se lo pregunté. No hubo tiempo. Apenas logré dejar cuidadosamente a Fray Jacobo en el umbral de la portería, suplicándole que me aguardase unos instantes. Cuando regresé dos pasos atrás, ya ella me envolvía en una charla presurosa.

Y... ¡Señor, la encontré como nunca igual a Gracia! Sobre todo en los ojos. Ese calor, ese vaho seco y ardiente que gira sobre las pupilas acarameladas, y las tuesta, convirtiéndolas en dos topacios que se queman... Me costó reponerme.

Pensé averiguar, además, qué les ocurría el domingo en misa, por qué me quitaban la cara, por qué la señora Justina no me saludó. Pero tampoco hubo lugar. Su viveza, mi nerviosidad y el apuro crearon una situación de torbellino. Y si hablamos algo... ¿De qué hablamos, en suma? Nada. Fruslerías; risueñas y nerviosas futilidades, tal vez inconvenientes algunas para un fraile, por su tono frívolo... Es algo coqueta la chica... Recuerdo haberle dicho... Sí. Pero..., ¡también yo!... ¡Seré imbécil! Estuve ridículo. No, no quiero recordar las trivialidades que le dije. Repasarlas me irrita. Me ha creído tonto, no cabe duda. Luego debí enmendar mis palabras, mis desairadas réplicas de bobalicón. Lo malo es que se marchó tan ligera, en forma tan inesperada. Vio de repente que varias amigas suyas se retiraban de la iglesia, convidándola, y se me fugó. No me extrañaría un temor de que la viesen conmigo... El hecho es que se fue.

Tomaron el centro de la Alameda. Yo permanecí un minuto largo mirándola perderse entre los árboles. De trecho en trecho volvía la cabeza y se me ocurre que me dirigía un adiós con los ojos.

Al cabo me junté a Fray Jacobo.

Cruzamos el zaguán lóbrego, el locutorio en tinieblas a esa hora, salimos al claustro y, por la escalera más inmediata, subimos lentamente, peldaño por peldaño, porque a Fray Jacobo le pesan ya demasiado los huesos.

Los árboles del patio recibían cientos de gorriones que se recogían a sus nidos y llenaban la fronda con su piar desmigajado.

—Estos pájaros —gruñó Fray Jacobo— molestan mucho.

—¿No le gustan, Padre?

—¡A quién le pueden gustar! Chillan con verdadera insolencia. Desde el alba hasta la noche, el patio parece una olla de grillos.

—Pero eso es un encanto.

—Sí, sí. ¡Una delicia! Además, son unos cochinos. Lo ensucian todo y, peor aún, se reproducen con furor. No viven sino para... eso, los muy caballeretes... ¿Quién era esa niña? —me preguntó al separarnos—. Parece muy ardiente.

—¿Ardiente?

—Sí. Tiene un mirar diabólico la criatura. Pertenece a las que tientan, a las que aman con fuerza de invencible seducción el papel de arrastrar al infierno a los hombres.

—Es... hermana mía —le respondí colérico.

Y lo abandoné.

¡Cómo amarga la chochez algunas existencias declinantes! Llaman al refectorio. Me voy. Por escribir, he perdido el crepúsculo.

Pues bien, heme de nuevo en la celda. Había que recogerse.

Me he fijado mucho en la lectura durante la comida; y ahora, en esta soledad, recurro a mis papeles. ¡Todo para no pensar! El ritornelo de mis ligerezas con María Mercedes quiere sobreponerse y la impresión de ridículo me persigue.

Y encima, esa observación de Fray Jacobo me fastidia más, complicando mis involuntarios pensamientos. En fin, olvidemos, olvidemos aquello.

Porque..., a ver... ¿Cómo fue?... No, no lo escribo. Basta.

Pero tampoco deseo acostarme. ¿Y qué hago, entonces? ¿Rezar? Oraciones sin fervor...

Me iré afuera.

Sin embargo, temo también salir. Estas últimas noches de verano hablan a los corazones sensibles, llaman, nos miran, se despiden, y a la vez que un adiós, son un prólogo inquietante. Algo que comenzará en cuanto ellas se hayan ido parece agazapado tras sus tibiezas en fuga. Y uno tiembla sin querer, porque el instinto, ese viejo sabio, que se nutre en la obscuridad con las experiencias asimiladas en lo subconsciente, aprendió a temer al mañana.

Tampoco saldré, pues.

Pero aquí, desocupado, no sé qué me entra. Una melancolía, una pesadumbre, un miedo, un desasosiego incómodo que me impide además acostarme. Se me figura que tan pronto me acueste comenzaré a obscurecerme. Siento un ansia inexplicable de huir, de huir de mí, de esquivar la presencia de este yo recóndito que diríase que va a acusarme en cuanto nos encaremos...

¡A acusarme en cuanto nos encaremos! ¡Dios mío! ¿Cómo escribí esta frase? Chispas sorpresivas, de sospecha, relampaguean en mi mente... Debo coger las disciplinas, debo azotarme. ¡Sí! ¡Hay que matar a Mario! ¡Ampárame, Señor; mi alma se llena de desorden!

* * *

Tres días de ayuno, mortificaciones y plegarias... ¿para luego caer como una virgen cándida en el primer cepo del Tentador?

¡No, Dios mío! ¿Puedo acaso enamorarme a estas alturas, a mi edad, cuando todavía sangra mi extenuante herida, y abrazado como estoy a tu Salvadora Cruz? ¡Imposible! Suplantaría Mario a este Fray Lázaro que durante ocho años vengo edificando sobre las ruinas de mi catástrofe. ¡Qué aberración!

No, yo no puedo enamorarme ahora.

¿Qué pasó esta mañana, entonces? Un fenómeno muy explicable. Diste, Señor, a lo circunstancial una fuerza resurrectora de los viejos hábitos de nuestra sensibilidad. Y mi corazón, repitiendo sin saberlo una pretérita costumbre, se dejó envolver por las circunstancias, arrastrar por la emoción, y llegó al canto del abismo.

Pero yo dominaré al espectro que ronda para entrometerse en mi presente. Nada como tomar plena conciencia de lo que nos sucede, para defendernos contra el impulso. No permitiré ya que el corazón se me suba solapadamente al cerebro y lo desarme. Ordenando los hechos, escribiéndolos, distinguiré los valores. Ya noté algo, al revisar mis últimas páginas. Comprendo ese vicio por las sensaciones vagas, y aquellas ansias, y tanto amor a la naturaleza callada y solitaria: la pasión busca siempre la soledad y el silencio.

Basta.

Hecho mi examen, afianzaré posiciones y triunfaré. Habrá lucha, lo preveo, y muy cruda quizá. Mario representa mi juventud, aún tan remisa en irse; este Fray Lázaro, mi madurez, mi vejez ya próxima; y las ramas de un árbol joven, aunque más blandas y sensibles que las de uno viejo, son más resistentes. Pero Dios sabrá secarme por completo, si ello fuere preciso, y hacer duros mis nervios, duros como la pica de un cruzado.

¡Enamorarme, traer el tormento a mi dulce reclusión, el huracán a este remanso donde Nuestro Seráfico Padre acoge y abriga mi pobre alma cansada! ¡Y por la propia hermana de Gracia! ¡Qué absurdo! ¡Con el Divino Favor, venceré!

Aún es tiempo.

Veamos, empecemos a tomar conciencia. ¿Qué ha ocurrido en justicia esta mañana?

Regreso de mi clase a los novicios en la Recoleta, cuando de improviso por la calle del Estado, frente a San Agustín, una nota verde atrae mi vista. Se fijan un breve instante mis ojos en ella y reconocen el cuello de un abrigo azul marino que ha venido haciéndoseme familiar, el gabán que suele ahora usar María Mercedes por las mañanas.

De un modo violento, irreflexivo, aprieto el paso. Como ella me lleva buena ventaja, sobra espacio para reflexionar. A raíz de mis sospechas, mis tribulaciones y mis penitencias de tres días, bien sé cuán poco me conviene alcanzarla. Además, recapacito, con sus actitudes aquel domingo en misa y su apremiada fuga la otra tarde me ha significado un claro deseo de mantenerme a distancia, al menos cuando hay gente. Todo me prohibe, pues, acercarme a ella por la calle.

Sin embargo, seguí andando, a prisa. Sorprendí en mí este impulso involuntario, quise corregirlo, pensé aun cambiar de acera. Y bien, fue un mero pensamiento. Mi cuerpo, como desconectado de la voluntad, continuó. Parecía que un puño gigante, irresistible, me había cogido por el corazón y, empujándome, me conducía en vilo. Tal era mi apuro, que mis piernas se entorpecían por momentos, cual si las dos a un tiempo pretendiesen avanzar.

Y he aquí que, en medio de la alternativa, me veo a su lado, y ella exclama:

—¡Usted!

—¡Bah! ¡Usted por aquí también!

Nos sorprendíamos. Sin duda juzgábamos insólito el andar ambos por la calle...

Y luego un silencio, agitado de temblores.

—¡Vaya! ¡Qué encuentro! —dijo al fin ella, nerviosa. Después miró a los lados, como temiendo que alguien nos observase.

Intenté despedirme. Era una ocasión.

Pero:

—¿Por qué se va? —me sujetó rápida—. ¿No iba usted al Convento? Llevamos el mismo rumbo. ¿O se les impide a ustedes caminar con una mujer por las calles céntricas?

—¡Oh, no! Ni por las céntricas ni por las apartadas. Yo lo hacía por usted.

—¿Por mí?

Con subrayado reproche, sus pupilas se quejaban: "No cree usted en mi adhesión".

Sumiso, desfalleciente, me quedé.

Nuevo silencio, embarazoso. Yo no atiné a romperlo.

—Dígame —preguntó ella, con su instinto social—. Tengo desde aquel día una curiosidad. ¿Y los ratones? ¿Qué hacen los "hermanos ratonzuelos" ahora?

—Los hermanos ratonzuelos... No sé. Ya no nos preocupan.

—¿No molestan ya?

—Créame que los había olvidado. Parece que hoy no perjudican. Tal vez con la demolición hayan huido.

—O habrá otro milagro.

—¿Que Fray Rufino lograse contenerlos? No sería raro. El hecho es que nadie se queja.

—¡Ah!, mire —me dijo de pronto, abriendo su maletín—. ¿Conoce usted este libro? —Había extraído un gastado volumen de *El niño que enloqueció de amor*—. El que me regaló usted. ¿Recuerda que le conté una tarde que lo conservaba? Convénzase.

—No lo dudé nunca. No necesita, pues, probármelo.

—Tampoco lo tengo aquí por esto. No podía sospechar que nos encontraríamos. Es que ahora me acompaña siempre.

En este punto me cegué. Una ola de emoción enturbió mi entendimiento. Súbitamente esponjado por un regocijo inenarrable, rodé al abismo.

Revisamos la dedicatoria, con la alegría un poco estúpida de dos adolescentes que se insinúan.

—En efecto, mi letra.

—¡Y qué letra tan bonita! —comentó. Y en seguida, recalcando al leer mis antiguas palabras—: *"que ojalá no sea tan romántica como su hermana"*. ¡Ay!, no sabía usted que yo era una gran romántica. ¡Tremenda! ¡Oh! Sueños, melancolías, llantos a solas; mi corazón gemía durante los atardeceres. Hoy mismo, todos los crepúsculos... ¡Si supiera usted cómo soy! ¡Y cómo me urgía ser mayor entonces! Usted y... la otra romántica me contagiaban. No veía las horas de hacerme una mujer y tener yo también mi Mario... Porque un Mario, ¡qué divertido!, un Mario colmaba mi ideal. Era un envidiar a Gracia... Las chiquillas resultamos muy cómicas. ¿Creerá usted que, en mis sueños, a mi príncipe azul le llamaba Mario?... ¡Qué cosas! ¡Dan risa! Cosas de niña.

—Cosas de niña.

—Así es.

Calló. Parecía triste de repente. Yo también me puse triste.

—Hablemos de otro asunto.

Pero no hablamos de nada. Marchábamos sin conseguir animar el silencio. Y esto me fue turbando más.

Aun después de vadeada la Alameda, y en el punto en que debía entrar ella por la calle Serrano y doblar yo hacia el Convento, estábamos mudos.

Nos detuvimos. Un momento cara a cara. Al toparme con sus ojos, la sangre se me agolpó a la cabeza. Hube de sufrir que su vista recorriese mi figura, y no porque lo hiciera con gran disimulo evité un mayor bochorno. Sentía las orejas hinchadas y mi tonsura se me representó roja, horrible. Pensé en mi "aspecto", en ese "aspecto tan..., tan así", como ella lo calificara una vez. Y escondí bajo el sayal los pies descalzos. Todo dentro de fugaces segundos, en ese vértigo de la imaginación azorada.

—Bien, bien. Es tarde, es tarde. Hasta luego.

—Hasta luego.

Y eso fue todo.

A medio trayecto hacia el Convento, no obstante mi seguridad de que ella se había internado por la calle Serrano, miré una vez atrás.

Señor, esto concluye aquí. Acabará, Señor. Tú lo querrás. ¡Sálvame y sálvala! Fray Jacobo no tiene razón en su juicio. No es ella como él supone. Sin embargo..., es peor. Y Mario, como ella.

Pero no suplantará Mario a este Padre Lázaro que durante ocho años vengo edificando sobre las ruinas de mi catástrofe. Si ésta es la prueba a que me sometes para concederme al fin la gracia de ser un buen fraile menor, la acepto, Dios y Señor mío. Yo dominaré el espectro del pasado; aunque mucho haya de sangrar, enclavado entre tus Pies a la Cruz, este corazón que ya sólo a Ti pertenece.

* * *

—¡Cómo! ¿Va usted a escribir?

Es Fray Rufino. Bruscamente ha suspendido su trajín de aseo por mi celda, y frunce contristado las cejas al verme sacar este legajo y abrir el tintero.

—¡Válgame Dios! ¡Escribir así, tan débil!

Con la escoba en la mano, enflaqueciéndole de susto el verde semblante, coronado por su ralo cerquillo negro y los pies rematando el esqueleto mal liado por los hábitos que ata el cordón en cien pliegues a su cintura, me provocaría risa, la risa que da la indignación de los inocentes, si no fuese tan bueno y tan tierno, y si no estuviera mi ánimo tan decaído.

—No, Fray Rufino —le calmo—. Sólo quiero refrescar un poco en la memoria, y por mera distracción, estos apuntes para mis clases.

—Pero entinta usted la pluma.

—¡Oh! Siempre alguna enmienda se ofrece.

—Malo, malo. Le han prohibido el trabajo.

—Sin cansarme. No me cansaré, no tema.

Me juzga muy enfermo, y ha vuelto a su auxilio de limpiar mi celda todas las mañanas. Ignora que sólo he preferido encerrarme unos días y defenderme así contra el peligro de los encuentros y las visitas posibles.

—Usted no está bien —me dijo, después de aquella espantosa noche, el Padre Guardián; y adelantando sus manos episcopales me tomó el pulso, me palpó la frente—. Sí. Febril. Llamaré al médico.

—No, Padre —resistí—. He tenido torturas, escrúpulos, malas resurrecciones..., y mi alma conturbada necesitó penitencia.

Fray Luis olvidó entonces sus manos y, discreto, respetuoso, con cariño, me aconsejó:

—Descanse ahora, de todas maneras. Avisaré que paraliza su enseñanza y sus oficios por una semana. Recójase a la oración, y cuídese, cuídese mucho.

Sin salir a la calle, ni a la iglesia, ni al locutorio, calculé, evitaré mejor las sorpresas del azar y la paz llegará primero.

Acepté. Y van corriendo los días, unidos, iguales, como uno solo. Ya son cuatro.

Esto me tranquiliza. Ahora cojo mis papeles, que tanto me sirvieron; sigo la manía, como un reposo; y, también, así abro compases de espera entre mis oraciones, que no conviene hacer maquinales a fuerza de repetidas.

Sin embargo, no sé qué poner aquí. Aquello..., ni pensarlo. Escarbar en las emociones resulta duro tras de tantas horas de examen, y enervante, y peligroso. Escribo por escribir, sin esmero. Mato el tiempo.

Ahí regresa Fray Rufino, con aguas limpias. Coloca el jarro y el recipiente sobre mi lavatorio de hierro. Extiende la toalla.

¡Pobre hermano! Yo debía cuidarle a él, y no él a mí. Pisa con dificultad, encogiéndose. Seguro que otra vez, a ejemplo de San Francisco y en recuerdo de los Santos Clavos, ha puesto dos guijarros filudos en las plantillas de sus sandalias. ¡Pobre! O feliz. No puedo calificarlo. En realidad, su vida no difiere mucho de aquella observada por los pobrecitos de Asís, ni su pobreza. Añádenle aún semejanza las emanaciones corporales, sensibles cada vez que una ráfaga bate sus harapos. Pero no repugna. Hay un resplandor preso en su exterior mísero. Esa carne de martirio emana una especie de majestad modesta, cándida y profunda, y sus ojos tienen el santo ardor de los visionarios, iluminados por la Secreta Verdad.

—Fray Rufino.

—¿Hermano?

¡Qué bien me causa su costumbre de usar el dulce nombre de hermano!

—Mire usted cómo entra el "hermano Sol" por la ventana. Desenvuelve una estera de oro en el suelo. ¿Ve usted? Cuadrada y perfecta. No; es más bien un tapiz, y esas sombras fugaces que afuera dibujan los pájaros en el aire ponen los arabescos.

—Ya está usted haciendo poesía. Descanse.

Luego se acerca y agrega:

—O escriba usted que todo este lujo nuestro, este tapiz y esos dibujos, bajan del cielo. No los podemos mirar sin volver arriba la cara. De allá cae el sol, allá dibujan los pájaros. Todo aquí es sombra o proyección.

—Así es. Alabado sea Dios. ¿Qué ha hecho usted estos días, Fray Rufino?

—Al menos hoy, nada todavía. Luego me aguardan en el hospital.

—Como siempre.

—Como siempre.

Diariamente acude al Hospital de San Juan de Dios para curar luéticos, impúdicos para las hermanas de caridad, y cumplir como el Seráfico, sonriente y deleitado, la misión de servir sintiendo regocijo entre las hediondeces y lacerias.

—¿Intentó usted el año pasado ir a la Isla de Pascua y dedicarse allí a los leprosos?

—Pero no fue posible.

—¿Lo acompaño al hospital?

—No. Cuídese. Descanse. Me quedaría más con usted, hermano. Pero..., mi torpeza y poca suficiencia me impiden curar las llagas de Cristo en las almas atribuladas...

¡Santo Fray Rufino!

¿Y cómo sabe que mi sufrimiento es del alma? Carece de malicia... Fuerza es reconocerle videncia.

Tampoco debía confesarme con ese fraile.

Pero no me resolví a confiar mi secreto a ninguno de esta Casa ni de la Recoleta: vivimos demasiado juntos. Y así, viendo llegar a uno de La Granja, quise aprovecharlo.

Fue un error encomendarme a él. Negó a mis cuitas toda importancia. Con su voz robusta de campesino me aconsejó no abatirme, sumar fuerzas, que me riese de las alarmas. "Todos caemos en tentación y nunca nos asustamos así", me dijo. Y concluyó que podía comulgar sin recelo.

Yo lo conocía. Sin embargo, no sé qué vaga esperanza tenía de que me comunicara su sana despreocupación, su fe de buen hombre bien parado sobre la tierra.

En el fondo, pertenece a los felices, a los pequeños felices que se apiadan por un instante de quien está en desgracia, y luego comparan ese destino con el propio, y al fin, contentos con el resultado de la comparación, dichosos de hallarse sin padecimientos entre tantos afligidos, bendicen a Dios por la suerte que les cupo, olvidan al otro, y tras de cuatro consejos triviales se van, satisfechos de su ministerio.

Yo te perdono, hermano. Gastas el tiempo en rutinas pías, ruegas a Dios por ti en particular y sólo en general por el daño ajeno; cuando llega la noche, bien cumplidos tus oficios, te acuestas, cansado, pero sin dolor; y la vida de cuantos entramos al servicio eclesiástico te parece la más envidiable: reúne todas las ventajas de la indiferencia, sin ser indiferente del todo.

Yo te perdono, hermano.

Afortunadamente, sólo te hablé en abstracto. Ni di pormenores, ni personalicé.

Tu santidad, Fray Rufino, a pesar de la mucha ufanía y los muchos bienes que a la Orden está causando, ha vuelto a resultar incómoda para tus hermanos.

Risas aparte, el suceso de hoy produjo molestia, contrariedad, fastidio.

El Provincial dispone la Semana Santa para San Francisco de Mostazal. Proyecta mandar al pueblecito un fraile que la haga; y entre los preparativos figuraba un terno adquirido con el fin de vestir el Judas que se quemará en la plaza de la aldea.

Pues, señor, hoy buscan el traje y no lo encuentran. ¿Quién lo tomó? ¿Dónde lo han puesto? ¿Qué tiene nadie, Señor, que meterse en la Guardianía?... ¡Registros y cavilaciones! ¡Cuánta pregunta de celda en celda!

Poco antes del coro todos se han agrupado.

—¿Pareció al fin esa ropa?

—Nada. Se ha hecho humo.

En esto ven llegar a Fray Rufino del hospital, corriendo al Oficio Divino. Le interrogan; y él, bañado en júbilo el simple rostro, como el niño que revelara una feliz ocurrencia, contesta:

—Yo se lo di a un pobre. Andaba casi desnudo, y el otoño empieza. ¡Hubieran visto el gustazo del infeliz! ¡Con qué vehemencia se lo puso! Porque el traje era espléndido, flamante...

Unos ríen. Gruñe Fray Jacobo. El Provincial, mordido el labio y los ojos midiendo al frailecillo, balancea la cabeza. Sólo Fray Luis, Fray Bernardo y yo sentimos, en medio de nuestro risueño asombro, una invencible ternura.

—¡Pero he guardado, en cambio, para Judas, las tirillas del mendigo! Allí, en ese arcón.

Entra en la Guardianía y regresa con ellas. Son unos trapos inmundos. Hay un silencio palpitante.

—Judas —insinúa irónico Fray Elías— fue casi rico, el más adinerado entre los apóstoles. Lo supondremos bien vestido en nuestras solemnidades...

—¡Ave María Purísima! Y esto no sirve para nada. Esto es una porquería infecta —concluye, dando con el pie a las prendas astrosas, Fray Eugenio, el Provincial.

No se habló más.

Pero aunque nada le increpasen, aunque gracias a unas palabras del Guardián comprendieran la caridad evangélica, una reprimenda flotaba tácita, como un azote, para el fraile.

Y él lo entendió. Al menos sintió su alma la presión hostil. Fue poco a poco apagándose su alegría.

Al subir al coro se allegó a mí, confuso, y me dijo:

—¡Qué torpe soy, hermano! Jamás aprenderé a conciliar los intereses del Convento con las necesidades de los pobres.

¡Qué turbada está mi alma todavía!

Vino hace un rato el hermano portero.

—Una carta, Padre Lázaro —me anunció desde el umbral. Y temblé. Apenas tuve aliento para responderle:

—Adelante, hermano.

¡Qué turbada está mi alma todavía!

Era de mi madre la carta.

Carta de mi madre y... ¡qué ineficaz! He recordado mucho a mi pobre viejecita en todas estas horas. A ella volvíase mi corazón dolorido. "¡Si estuvieras aquí! —suspiraba—. ¡Si te resolvieras a dejar al fin tu provincia y acudieses a mi lado! Acaso juntos..."

Pero tengo ahora conmigo sus palabras, y veo que su amor no me consuela.

Cuando pequeño, mi madre me conducía de la mano, me guiaba por todos los caminos. Un día partí, a estudiar lejos, varios años, y hube de valerme ya solo. Sin embargo, durante aquella separación, Señor, aún pensaba yo en mi madre como un niño; mis cartas llamábanla "mamá", "mamacita", y las suyas me acariciaban, cubrían de besos a su muchachuelo. Pasó tiempo, otros años pasaron, y la vida tornó a reunirnos. Fue allá en una ciudad del Norte, donde ciertas ambiciones me llevaron en busca de fortuna, y en la cual ella se sentía extranjera entre las gentes y las costumbres. Entonces, de repente, nos hallamos con que había llegado un camino por el cual debía conducirla yo a ella. Esa mañana trémula y dorada hubo en mi corazón una fiesta, bella de orgullo: dirigía yo a mi madre ahora; yo la imponía de cuanto era discreto y conveniente hacer, porque además de no conocer aquella tierra, parecía ignorar la marcha de los tiempos nuevos; yo, el fuerte, la guiaba, y ella, la débil y remisa, entregábase a mi saber y mi prudencia.

Un día llega siempre, Señor, en nuestra vida, a partir del cual, como empieza el árbol a dar sombra y abrigo a sus raíces, los hijos comenzamos a cobijar a nuestra madre. Esa mañana trémula y dorada, siempre hay una fiesta en nuestro corazón, bella de orgullo; pero también perdemos el supremo bien de una madre que nos besa, nos cubre y nos protege cuando estamos desarmados.

Desde entonces mi viejecita es una criatura que yo conduzco de la mano.

Y ahora no sé, madre, qué dicha vale más: si aquella de cuando tú me amparabas porque yo permanecía el más débil o esta en que mi alma pone un brazo alrededor de tus hombros y te lleva como a una hija.

No lo distingo, madre. Apenas veo que aquella fiesta es hoy un duelo, porque me ha dejado solo.

Madre mía, ¿qué te has hecho? Viuda y huérfano, mucho nos quisimos siempre, y tu amor fue mi felicidad más segura.

¿Y hoy?

¡Ah, desearía ser de nuevo yo el niño! Necesito de ti; decirte no madre, sino mamá, y entibiar mi corazón en tu regazo.

¿No puede ya ser?

Releo tus palabras. Me pides consejo. Me miras ahora más arriba todavía. Soy el sacerdote; para ti, casi la omnisciencia, el ministro de Dios...

¡No, ya no puede ser!

Me resta sólo hacer silencio en mi espíritu, sentir allí la presencia del Señor y a El ofrecerme.

¡Deja, Señor, que también a Ti te vea!

Anoche, por un instante, había logrado cierta exaltación de la subconsciencia. Me vi a punto de alcanzar el místico contacto. ¿Por qué mi alma se derrumbó de nuevo?

Yo esperaba, Señor. Anoche, yo esperaba...

Aún después seguí yo esperando, tenaz, con toda la fuerza de mi devoto anhelo. Procuré reconstituir el mismo estado en que un rato antes casi me arrebatara encendido a tu reino. Quise reconstruir la misma escena, acompañándome de los objetos y circunstancias que momentos antes me rodeaban propicios. Puse la vela en forma que la luz quedase a mi espalda; me arrodillé con fervorosa lentitud sobre mi reclinatorio, en idéntica postura, y atenuando la respiración, fija la vista en la cruz sin efigie y negra, colgada sobre el muro blanco a mi cabecera, repetí plegarias iguales, iguales pensamientos de súplica y elevación.

Pero..., nada, Señor. Mis nervios se habían enfriado nuevamente. Yerta la emoción, nada pude obtener. Sólo conseguí atención para los detalles. Murmuraba las preces como menesteres, las ideas empeñábanse en hacerse racionales y no volvía la divina llamarada.

Luego, Dios mío, Tú lo sabes, me gasté; caí en un vacío cansado y estúpido. Hasta que, doblado por la fatiga, me tendí en mi camastro para reflexionar bien al menos. Pensé mucho. Me aclaraba y me obscurecía otra vez.

Y había llegado, también por esta vía del discernimiento, a la esterilidad estúpida, cuando la mecha de mi vela ya consumida empezó a chisporrotear y a cubrir con aleteos de sombras las paredes.

Esto me trajo del mundo de las ideaciones al de la realidad presente, a la hora; y..., Señor, la fatiga y el sueño fueron tu única clemencia.

Dormí larga, pesadamente. Cuando Fray Rufino arregló mi celda esta mañana yo aún dormía. El santo hermano supo descalzarse para no interrumpir mi sueño.

Ahora, en pie, reviso todo esto con el cerebro entontecido.

El Padre Guardián me cita en su escritorio para corregir pruebas de nuestra *Revista Seráfica*. Vamos allá. ¿Qué le contestaré cuando me pregunte cómo me siento?... Bien, le diré.

Sí, muy bien estoy... Sin esperanza de todo pío encendimiento, sin fe ya en las consultas de confesión, sin consuelo posible de mi madre, sin un amigo íntimo siquiera en el Convento, sin poderme sentir al menos en comunión con Fray Rufino, a quien entiendo, pero en cuyo tono espiritual jamás nuestros temperamentos hallarán un acorde...

Y mañana cumple mi retiro, mañana saldré otra vez a mis clases y mis oficios... Tengo miedo, Señor. La encontraré. Toda lógica lo dice... ¡A ella la veo, Señor! ¡Deja que también te vea a Ti!

* * *

No reanudé hoy mis clases. Vi seguro el encuentro con María Mercedes, y me invadió repentinamente un miedo invencible.

De muchos males acusan por ahí al miedo. Le achacan la paternidad de la superstición y de otras flaquezas humanas. Tal vez haya cierta base para ello: no resulta fácil distinguir dónde termina el miedo y la cobardía empieza. Pero el miedo no implica inferioridad. Nadie presiente mejor que un miedoso; y es que el buen miedo, o nace de una clara y enriquecida conciencia, o emana de no sé qué ancestral experiencia hecha instinto. Puede así decirse que es la prudencia de la sabiduría.

Esta mañana él me salvó. Por lo menos me permite ahora ganar tiempo, lo cual importa mucho. ¿Quién asegura que después el encuentro no se produzca exento de peligro? El curso de toda emoción traza en el tiempo una parábola. Aun algunos sentimientos que juzgamos eternos no son sino parábolas cuya línea, interrumpida por la muerte, desciende más allá de la vida. Y si hay parábolas descritas en un espacio demasiado vasto, siempre cabe más esperanza, mientras mayor es el tiempo que se gana.

¿Acaso mi pasión por Gracia no acabó?

En fin, me alegro de haber sufrido ese miedo.

Luego de ayudar a Fray Luis una misa en el altar del Rosario, me había quitado a prisa el roquete y, puesto de nuevo el pechero con el capuz, apresurábame hacia mi clase.

Salí al patio por la puerta de la sacristía, orgullo de tres siglos, asombro de anticuarios y artistas, baja y ancha, rica de jambas y dinteles historiados, tallada en obscuro nogal como un retablo. Al trasponerla experimenta uno la sensación de pasar por un mueble oloroso, estático y sumido en arcaico sopor.

Bajé los tramos y seguí al claustro colindante con la iglesia. Hemos cegado allí la columnata por medio de una muralla, para impedir a los curiosos registrar desde las naves el Convento, y hay una suave luz que sosiega y recoge.

Pero no bien hube dado unos pasos, cuando vi asomar por el portón lateral de la iglesia la cabeza de María Mercedes. En el acto, rápido, me oculté. Ella miraba en dirección opuesta, y, antes de que se volviese, yo había logrado meterme en uno de los confesionarios recortados en el muro. Son dos nichos angostos, con poyal, dos huecos en la forma de dos frailes sentados; tienen ventanillas a la nave y, hace medio siglo, todavía confesaban por ellos los penitenciarios en la cuaresma, cuando hasta de los campos afluían los fieles en muchedumbre tal, que apenas conseguíase respirar en el templo.

Allí, tragado por el muro, apretándome a su mampostería, agazapado, inmóvil, permanecí un largo cuarto de hora. Roncaba el órgano dentro; la pared..., el edificio entero temblaba de música, y yo, incrustado en él, era también un trémulo sillar, incorporábame a esas piedras que las ondas acordes impregnaron durante varias edades y que hoy son ya un arca sonora, tremolante y viva.

Una disputa en voz baja llegó a mis oídos. Quienes la sostenían hallábanse sin duda en el portón de la iglesia. No percibí una palabra. Pero de pronto sonó un portazo, y comprendí: podía salir ya.

En efecto, el lego portero había cerrado.

—¿Qué hay, hermano?

—Y usted, Padre, ¿qué hacía metido ahí?

—Tuve un vahído. Pasó ya, con el favor de Dios. ¿Qué ocurría? ¿Con quién discutía usted?

—Con una señorita. Le hacía yo saber que aquí las mujeres no deben ni asomarse. Y a usted lo buscaba. Era esa parienta suya. Le rogué que lo esperase en el locutorio.

—Sí, ¿ah?

—Sí. Todos los días ha preguntado por usted. Hoy le dije que ya estaba sano y que iría luego a su clase.

—No, hermano. Que se vaya. No salgo ahora tampoco. No me siento bien. Ese vahído... En fin, no salgo. Y conteste que no recibo a nadie.

En seguida busqué al Guardián y excusé mi nueva postergación de las clases. Por comodidad para mi salud, convinimos además en cambiar nuestros horarios del noviciado: él, que enseña griego por la tarde, lo hará por la mañana, y yo tomaré sus horas.

Ha sido una idea. La mano de Dios, la obra del miedo. Ignorando ella este cambio, acaso no me detenga muy pronto en el camino. Y ganaré tiempo, y me repondré más, y tal vez, cuando caiga la línea de esta parábola, habré recobrado mi serenidad.

* * *

Hemos tenido la primera lluvia. La primera lluvia cae siempre de sorpresa y deja su encanto sencillo en el corazón. Es como una égloga que oímos por primera vez. Cuando ambas terminan, el sol nos parece una cosa nueva.

Yo hice mi camino al noviciado bajo la nubada joven, que se desmenuzaba con brío encima de mi ancho paraguas de algodón y sobre las calles gozosamente alborotadas. No encontré, por supuesto, a María Mercedes en ese viaje. Tampoco la he visto después en parte alguna. Mi precaución rindió su fruto, y nada turbó mi blanda alegría.

Pero luego por dos días ha estado cayendo el agua en hilos grises, del cielo gris al Convento gris, y ya esta noche, aunque había escampado, no sé qué tenía yo. No lograba dormir. Figuraciones enemigas empezaron a excitar mi cerebro, y como no ignoro de qué manera la semifiebre del insomnio agiganta esas imágenes en la obscuridad, decidí vestirme y escapar a tiempo al aire libre, que despeja y calma.

No hallé, sin embargo, agradables el patio y los claustros. La atmósfera, húmeda y espesa, confundía los árboles en una sola masa, y en las galerías la sombra parecía caer de las bóvedas como un manto penitenciario.

Por esto me encaminé al solar.

Y ahora te agradezco, Señor, el haber guiado allá mis pasos. No sólo tranquilo vuelvo a mi celda, sino esponjado también por la más seráfica y ejemplar ternura.

¿Puede alguien imaginar en el mundo lo que yo acabo de ver allí?

No bien pongo en el solar los pies, débiles ladridos, aullantes y cariñosos, mezclándose a una voz humana que a su vez acaricia, llegan a mis oídos. Todo lo encapota la niebla. Nada se divisa. Pero yo pienso en el acto en nuestro viejo mastín, que hace años guarda el portón de la huerta y está enfermo desde ayer, y con él supongo a Fray Rufino, su médico. Sé que temprano le dio unas cucharadas de aceite y que después el animal ha seguido sufriendo, y respira corto, y tiembla de fiebre. ¡Pobre *Mariscal*! Vamos a ver eso, me digo.

Y avanzo por las tinieblas, junto a la tapia. Es difícil por allí el camino, a causa de los pedrones y los charcos; pero más a la derecha, a donde la luz de la calle alcanza por sobre la pared y convierte la bruma en claro vapor azul, me descubrirían. Y yo no lo quiero.

Sigo, pues, a tientas. La neblina, muy fría y licuable, me moja las pestañas y cubre de gotas mi sayal.

Poco a poco se aproximan las voces. Ya siento a *Mariscal* acezando. Ya distingo los cuerpos, dos manchas compactas entre la bruma. Unos pasos aún, bien pegado a los adobes y pisando leve para que no suenen mis sandalias en el barro, y los veo claramente. Me detengo, me oculto, me repliego, atenúo la respiración..., no sea que su vaho me delate.

Fray Rufino está en cuclillas. Tiene delante al perro y con amoroso afán le fricciona el lomo, los flancos, el pecho. Usa para ello algo que saca de una marmita.

—Así... Así... —va diciéndole fraternal—. ¿Sientes ya el calor? Pica, ¿no es verdad, viejo? ¡Ah, pobre *Mariscalote*! ¡Mi buen *Mariscalote*! Sí, pica mucho. Pero Dios nos ha dado la mostaza para esto cabalmente..., cabalmente para esto... Bien... Acabamos... ¿Qué tal?... ¿Estornudas? ¡Qué cómico!

Y se levanta. Se me ocurre que, observando el resultado de su obra, sonríe.

La bestia se huele y estornuda más fuerte. Luego se sacude, azotando con flojedad las orejas contra su pobre cabezota doblegada.

—¡Oh! No te sacudas tanto. Basta. ¡No!

Mariscal obedece.

Ambos se miran. Ignoro qué significa la mirada del mastín. Pero Fray Rufino lo sabe, porque le responde:

—Tampoco, mi viejo, tampoco. Eso, por nada.

Se entienden como dos semejantes, porque Dios ha querido reservar para los humildes y los animales la perfecta inteligencia de la sencillez integral.

Fray Rufino se agacha frente a la caseta del perro, introduce los brazos y arregla las cobijas.

—Ven —ordena en seguida—. Aquí, abrigarse ahora.

La bestia le mira una vez más. Tan decaída, ni mover el rabo puede. Mucho menos saltarle encima y, entre aullidos de alborozo, lamerle la cara, como acostumbra. Sólo sus ojos agradecen, sus ojos tristes y buenos que yo veo fosforescer en la sombra.

—Ya, *Mariscal*; entra.

El perro camina entonces lerdo, agachado. Todo su cuerpo cuelga sobre las patazas debilitadas. A poco andar hace un alto. Nuevos estornudos. Alarga el pescuezo. ¡Tiene unas ganas de sacudirse!... Pero ve a Fray Rufino y las aguanta. Al fin, resignado, se cuela en la casucha.

Y Fray Rufino coge la escudilla con la mostaza, busca no sé qué por el suelo y se dispone a retirarse, cuando alguien, sin duda un borracho que pasa por la calle, descarga en un tumbo todo el peso de su persona contra el portón.

Violento, salta el perro fuera de su guarida y se pone a ladrar. Está furioso. Es el terrible *Mariscal* de siempre. Ha despertado súbita su bravura ante el peligro. A pesar de la postración, halla fuerzas para cuidar su puerta.

—¡Eh! ¡Quieto! —le tiene que atajar Fray Rufino.

El fraile ha sido rápido también ante el peligro de su bestia enferma. Vivo y lleno de contrariedad, se ha quitado el manto y lo ha tendido sobre el animal.

—Tienes pulmonía. Y si ahora, con el cuerpo caliente por la fricción, te destapas y sales al aire helado, te morirás. No, no, pobre *Mariscal*, no. Sé juicioso...

Le cuesta mucho sosegarlo.

—¿No comprendes que se trata de un borracho inofensivo? Vamos, calla. Vuelve adentro. Además, eres cándido, pobre de espíritu y fanático. Te figuras ladrones a todos los hombres. Y no, mi viejo, no lo son; ni se toma el deber con exageración tampoco. Eso se llama fanatismo, ¿sabes?... Bien... A dormir ahora, quietecito. Aunque..., espera...

Lo arropa, lo enfardela por completo en el manto.

—Así. Estás con pulmonía, ¿comprendes?

Aplacado y envuelto como un duende, regresa *Mariscal* a su caseta. Pero aún allí gruñe. Se teme que salga, pues no quedó conforme.

—¡Eh! ¡Calla! ¿O no me dejarás recogerme a mi celda?

Contesta el rabo cariñoso dentro, a golpes contra las maderas. Pero al menor ruido tornan los gruñidos roncos.

—¡Hum! Basta, simple. Yo estoy aquí, en todo caso.

Otros golpes de cola responden, aprueban.

—Eso te gusta, ¿no? Que te acompañe. ¡Habráse visto! ¿Me vas a obligar a vigilar por ti?

El coleo se repite.

—Tonto, retonto... ¡Qué majadería! Sólo faltaba que te substituyera toda la noche, y con el tiempo que hace...

Sin embargo, no se marcha. Vacila, regaña entre dientes, busca si habría dónde sentarse. Y concluye haciéndolo en el fuste de una columna truncada que asoma entre los escombros.

En realidad, *Mariscal* quedó muy excitado. Es guardián celosísimo. Además, un humor de enfermo le irrita. De modo que le alarma y enfurece cualquier cosa, un rumor, el distante aullido de otro perro, dos trasnochadores que conversan fuera, un automóvil que irrumpe como una exhalación estrepitosa por la calle vecina y se aleja todo.

—Bien. Yo vigilaré. ¡Paciencia! Pero no salgas. Te mueres si sales ahora.

Yo siento deseos de aparecerme a este nuevo siervo del amor, y hablarle con ternura, y cederle mi capa. Si permanece allí toda la noche le calará la bruma, lo recogeremos yerto mañana. ¿Por qué no ejecuto el impulso? Acaso porque apenas inicio un ademán la sensibilidad vigilante de *Mariscal* me presiente en la sombra, y la inquietud renace y aflijo al santo. Acaso Tú, Señor, dispones que al menos allí, en ese mundo secreto, mientras duermen los demás, vele sin atenuantes ni tibieza tu Evangelio, y lo practiquen dos seres que te aman y sirven obscuros, insignificantes e inflamados. Lo cierto es que algo superior a mi piedad me impide mezclarme.

Y sigo inmóvil y atento.

Una ráfaga viene a estrellarse contra el suelo, rebrinca entre los terrones y, arrastrándose, va y choca en la caseta. Luego caen unas gotas frías. Ladra *Mariscal*.

—¡Chist! Es la lluvia. La lluvia que amenaza, ¿entiendes? Mayor motivo para no moverse...

Y tras una pausa:

—Hace frío, *Mariscal*. Te aseguro que a no ser por la Divina Misericordia, que me va insensibilizando, no sé cómo te cumpliría mi promesa. Pero estoy perfectamente. Comenzó la insensibilidad por los pies, y ha subido. Me siento a ratos como elevado en el aire. Pero estoy perfectamente. Y al cabo, si esto resultara excesivo, aquí están las disciplinas para entrar en calor.

Yo pienso, esta vez sí, auxiliarle. Y no puedo: lo evita una fuerza. Ya no lo dudo.

El tiempo transcurre.

A intervalos, escucho los toques de la cola que agradece. El fraile, como si fuera menester al perro saberle allí para estar tranquilo, advierte de minuto en minuto:

—Aquí me tienes, sí. No temas, tontonazo. Duerme.

Entonces flota en la noche un sentimiento de amor y de piedad, algo que hace estremecido el ambiente y a los dos hermanos iguala. Hombre y perro son dos corazones limpios que se hallan contentos, porque se aman y se sienten muy unidos.

Pienso dejarlos en paz, irme. Es la voluntad de Dios.

En esto se arma en la calle un tumulto. Riñen. Ha parado un coche. Grita una mujer. Dos hombres se insultan. Y *Mariscal* asoma de nuevo iracundo. Pero Fray Rufino, más listo que él, se le ha puesto en la boca de su vivienda y le contiene.

—¡Calla! ¡No sigas! ¡No! ¡No ladres tampoco! El pulmón se maltrata...

Forcejean.

—No salgas. ¡No! Yo vigilo. ¿No ves que yo vigilo? Y calla. Se maltrata el pulmón, te digo..., el pulmón... ¡Imprudente!...

Mientras afuera las blasfemias azotan el aire, y el policía llama con el pito, y chilla la mujerzuela, ambos luchan jadeantes en la puerta de la caseta.

Por fin se calma todo. Aquella mala gente se ha ido.

Pero tan excitado pusieron a *Mariscal,* que ahora ladra sin descanso. Se cree de veras que sus pulmones se desgarrarán.

—¡Chist! *Mariscal,* hijo, ladrar también te hace mucho daño, ya te lo he dicho —ruega Fray Rufino—. ¡Válgame la Santísima Virgen! Calla, viejo. Mi viejo, calla. Que reposen tus pulmones. Calla. Estoy yo aquí. ¿No me ves? Nadie se meterá por nuestra puerta. ¡Oh! Silencio. Por último, ¿de qué sirven los ladridos? ¿O los crees indispensables? ¿O crees que yo deberé también ladrar por ti, para que duermas tranquilo?... Bien, sea. Ladraré. ¡Guau! ¡Guau, guau!...

Yo, que aproveché la bulla para retirarme sin que me sintieran, me detengo estupefacto.

Hay paz ya. Pero de rato en rato, por miedo, seguramente, a que se alarme de nuevo el perro y hiera sus pulmones enfermos, lanza el fraile sus ladridos en la noche:

—¡Guau! ¡Guau, guau!...

Y cuando me interno en los claustros aún me llegan al corazón, lejanos, atenuados y sin embargo penetrantes como una voz dulce y terrible del misterio de la santidad, aquellos ladridos que de nosotros, los tibios y racionales a quienes empequeñeció esa menguada noción del ridículo, nunca el cielo ha de oir.

—¡Guau!... ¡Guau!... ¡Guau, guau!...

* * *

Dos horas, tres horas..., sabe Dios cuántas horas llevo consumidas. Toda una noche de fatiga baldía me derrumba; y ahora, con el espíritu ya pesado y como quien se tumba de bruces, vengo a dar con mi pena en este mi único refugio material: mi carpeta de papeles. En ella la disciplina de la forma ordenó tantas veces mis pensamientos confundidos...

No. Ya no debo esforzarme más por escalar un ponderado misticismo.

Presencié la escena de Fray Rufino y el mastín, y tan edificado por su piedad llegué a mi celda, que mi exaltación se resolvió en un ávido, alocado anhelo de obtener el místico contacto. Pero en el vano empeño la noche ha ido transcurriendo, como la otra vez, y sólo he conseguido este cansancio, y este caer encharcado en el desaliento, y el sufrir viendo cómo, al meditar, mi fe vacila, y se achica en la razón.

No debo esforzarme así. Basta. Cada cual tiene su talla espiritual y de nada valen los empinamientos excesivos.

Al contrario, quien demasiado se empina, por hallarse parado únicamente sobre las puntas de los pies, está muy expuesto a la caída.

Y noto ahora que en los momentos en que más deseo ser místico es cuando peligra más mi fe.

Me reservarás, Señor, otro camino. Hágase tu santa voluntad.

¿O será que, sucio el vaso, cuanto en él viertes se agria?... *Sincerum est nisi vas, quodcumque infundis, acescit...*

¿Tiene, Señor, ella la culpa entonces?

Recuerdo aquella tarde, la segunda vez que la vi. Me hallaba en el coro, solo, después de la meditación. Mis hermanos habíanse ya retirado y yo quise avanzar hasta la baranda. Elevábase a Ti mi alma en el recogimiento del templo cerrado, inmenso y hueco, lleno de silencio, de penumbra y de santidad. Allá, abajo, lejos, desde la tarima del altar mayor, el humo del incensario puesto ante el Santísimo subía quieto, delgado, hasta lo alto. Ya en la altura, se torcía en ancha comba, para venir hacia el coro, hacia mí. Y entonces una golondrina que se había metido en la nave comenzó a romper en vuelos violentos la senda del humo, yendo a chocar desatentada contra las filas de canes retorcidos que sostienen la gran techumbre plana de la iglesia. Minutos después se abrió el templo para el rosario, los bancos se fueron poblando, y la vi.

¿Tiene, Señor, ella la culpa? ¿Ha venido a cortar ella la blanca senda de tu gracia cuando a mí venía?

Pero si hasta hoy la pobre niña, como la golondrina, no hace sino chocar desatentada contra los muros de tu casa.

En fin, estoy enfermo, Señor. Mírame. Ten piedad de tu siervo. Dime si no lograré alcanzarte, como Fray Rufino, por la vía de la beatitud. Si más baja es mi ruta, indícamela. Yo la sabré seguir. Sufro, estoy enfermo y sufro...

¿Ya tocan al coro? Era natural. Ha llegado el día.

Y llaman a mi puerta.

Voy.

Era el Padre Guardián.

¡Discreto Fray Luis! Al verme se ha quedado al pronto unos segundos observándome. Le causó extrañeza mi semblante, sin duda mi palidez de insomne. Pero yo debo haber hecho un gesto de tristeza importunada, ese gesto que anticipa el tedio de las explicaciones, porque, comedido y humilde, se ha limitado entonces al fin que le traía.

—Un conflicto, Fray Lázaro —me ha dicho con dulzura—. Y no sé si llego en buena hora donde usted.

—Diga, Padre.

—Que Fray Bernardo amaneció indispuesto y, usted sabe, debía salir hoy a las nueve para San Francisco de Mostazal a cumplir allá los oficios de Semana Santa.

—Con Fray Elías.

—Con Fray Elías. Exacto. Pero he venido a verlo a usted porque no hay otro. Todos tienen asignados ya sus servicios para la Semana en nuestra iglesia. ¿Comprende?

Comprendí. Comprendí que Dios me señalaba ya un camino, y:

—Bien, Padre —le repuse confortado—. Yo debo ir. Y sabré ayudar a Fray Elías, porque también él sabrá dirigirme.

—Y..., ¿tampoco su salud sufrirá, hermano?

—*Tampoco.*

He subrayado este "tampoco"; pero ajeno a toda irónica intención, pues he continuado sin pausa y con humildad sincera:

—Iré, Padre, por la santa Obediencia, y además, créame, porque en Fray Elías quiero servir hoy especialmente a Dios Nuestro Señor.

—El lo bendiga, hermano.

—El dé la salud a mi alma.

Y luego nos hemos separado.

Así es que voy a ponerme a las órdenes de Fray Elías.

¡Y loándote, Señor, que no bien alcé a Ti mi súplica, me has indicado la ceniza en que tu siervo ha de humillarse para que le salve tu perdón!

¡Pecador sentimiento de última hora!

Todo está pronto. Salgo dentro de pocos minutos. Iré a ese pueblo, lo he querido. Sin embargo, cuando aquí venía para cerrar mi celda mi corazón lloraba: "Ocho días permaneceré allá..., ¡y diez llevo ya sin verla!"

Pecador sentimiento. Bien lo sé. Y por esto, antes de guardar estos papeles, debo confesarlo. Castigo así mi insuficiencia e imploro fortaleza para mi débil corazón.

* * *

Pues bien, heme aquí de regreso.

Partí atribulado, complicándome; llevaba para con Fray Elías propósitos de una humildad exaltada y algo..., ¿cómo diré?..., algo untuosa, y he aquí que, a pesar de no haberse cumplido seráficamente mi esperanza, y aunque se ha burlado una vez más de mi romanticismo esta vida sobre la tierra, vuelvo contento. Aun se me ocurre que vuelvo más sencillo.

Sí, me alegro de haber ido.

Pero..., ¡bendito sea Dios!..., nunca sabemos de antemano qué nos guardan las horas. Ni una sola situación ejemplar de las que premedité se produjo. Nada.

Cierto es también que tuvimos gran tarea. En ese convento abandonado, cuyas puertas sólo de tarde en tarde abrimos, todo hubo de improvisarse. Y en el afán volaron los días, y el quehacer de la liturgia encerró en un fanal recóndito el espíritu con sus torturas.

Apenas si por las noches tuve algunos minutos de quietud. Me acodaba entonces un rato sobre unos viejos balaustres y miraba la noche, la noche abierta en despoblado. Sin luna, la noche abierta en despoblado nada ofrece que ver: las tinieblas ahuecan el campo y no hay movimiento sino allá en lo alto, en las estrellas de latir silencioso.

Sin embargo, sólo entonces perciben los sentidos algo tangible de lo infinito.

Pero yo no podía pensar ni sufrir. La fatiga del cuerpo, y también la ausencia que nos aleja de nuestro peligro, rebajan a un tono apaciguado el alma. Así mi dolor parecía derivado en una sensual melancolía, eco vago de una ensoñación desvaída y dulce.

Entretanto..., bien lo sabes Tú, Señor..., roncaba Fray Elías a mi espalda, dentro de nuestra celda común.

En fin, "se sirve a Dios como un hombre", ha opinado él siempre. Y acaso no sea yo sino un romántico.

El hecho es que, aunque nos reconciliamos, las cosas tramáronse en cierto modo al revés. Atisbé yo minuto a minuto la ocasión de un fervoroso rasgo franciscano que, humillándome a Fray Elías, lo edificara y nos uniese en el amor; pero transcurrió el tiempo, y sólo prudencia y tacto para no rozar nuestro viejo rencor había entre nosotros.

Hasta que llegó el jueves, y después de su sermón de tres horas, rojo aún de congestión, se me acercó él sonriente:

—¿Y? ¿Qué tal, Fray Lázaro? —me preguntó—. ¿Habrá llorado la gente?

—Sí. Claro. Yo he visto algunas mujeres...

—¡Ah, lloraron! Entonces está bien. Y yo que me encuentro frío. ¿No?... Pero soy difícil de palabra; no me sé adornar; me falta brillo, llamarada oratoria... ¿No?

—Fray Elías, la palabra fácil y brillante cautiva y deslumbra; la mesurada es majestuosa.

—¡Oh Fray Lázaro! ¡Oh! ¿Majestuosa mi palabra? ¡Bah, bah, bah!

¡Qué contento se puso! Así quisiste obrar Tú el milagro, Señor. *Non nobis, Domine, nos nobis, sed nomini tuo da gloriam.* La gloria es tuya. ¡Qué contento se puso! Discutimos de oratoria todo el resto del día; él, apocándose, con razones que deliberadamente su adulada satisfacción debilitaba; yo, arguyendo recio en su favor. Y quedamos muy unidos. Retozaba en nuestros pechos ese placer de los niños cuando se reconcilian, y tanto, que hasta el Viernes Santo resultó alegre para nuestras almas infantilmente encendidas.

Tú sabes, Señor, por qué lo has hecho así. Yo estaré un poco desencantado; pero Tú sabrás por qué lo has hecho así.

De manera que siempre me alegra el haber ido.

Desde luego, al volver a Santiago venía como en brazos de una loca alegría. Largo se me hacía el camino.

¡Ah!, y de vuelta de la estación pasamos por la esquina de María Mercedes y pude mirar muy sereno su casa. Era media tarde; un coche había detenido a la puerta —el de sus dos tías viejecitas— y una sirvienta sacaba en una bandeja una taza de té para el cochero.

Las cinco. Nada tengo que hacer hasta mañana. Y no entro en sosiego.

Después de un trabajo largo y urgido, el verse así de pronto, desocupado, más bien intranquiliza. Las primeras horas del descanso se parecen al estado tenso y vibrante de una interrupción. Es como si algo esperásemos. Hay que acomodarse de nuevo en el ocio.

Por esto salgo a cada rato al claustro, a cada rato vuelvo a entrar en mi celda, y ando de aquí para allá. Suena el silencio. He barrido, he sacudido, y siempre huele a polvo. Mi sayal huele a campo todavía, a humo, al humo de aquel potrero.

No se va esta sensación de espera. Pienso que cuanto en mi celda tengo me ha esperado y esperándome continúa, y me dice: Aquí estamos, pues. ¿Vamos a reanudar nuestra vida, hermano?

Desde mi sillón de vaqueta lo reviso todo.

Es pura mi celda, grata su austeridad monacal. Un cuarto alargado y alto, blanco y negro. Cuatro muros de cal sin un cuadro, siete vigas desnudas, y el enladrillado, que los años han puesto gris. Sobre la blancura de la pared pende a mi cabecera la cruz de pino, negra y sin efigie, y con ella mi palma bendita, mi rama de olivo y mi cirio de la buena muerte. Luego unos trastos muy pobres.

Pero poseo además mi mesa, con mi Señor Crucificado y mis papeles —mi vida— siempre a sus pies. Voy a encender su lámpara. Después me iré al coro, y al refectorio en seguida. Y mañana..., mañana lo que Tú dispongas, Señor.

Y, sin embargo, da pena.

¡Pobre Fray Rufino!

Tanto ha cambiado en estos ocho días, que al verlo ahora en el refectorio me estremecí. Alarma la maceración de su semblante, sobre todo porque no alumbra en sus ojos esa celeste alegría que dignifica siempre sus actos más singulares.

¡Con qué extravío estará mortificando su carne!

Pero, Señor, cualquier cosa me habría figurado como explicación, menos lo que me ha dicho. Eso... es grotesco en él.

—Penas sucias, hermano —me ha dicho cuando, al terminar la comida, le di el encuentro en el patio—. Bajezas del "hermano asno", Fray Lázaro.

Llama Nuestro Padre San Francisco al cuerpo "el hermano asno" por la mucha grosería con que a él y a sus compañeros solía perjudicarles en la vida.

—¿Y a usted, Fray Rufino..., ¡a usted!..., le tienta "el hermano asno"?

—Me avergüenzo de mí. ¡Envilecido, grosero me tiene! Se me sube a la mente, me persigue con visiones. Ya no sé dormir. Y si sueño... ¡Oh, basta, basta!

Perdóname, Señor; pero aun sintiéndolo de todo corazón, la sorpresa me hizo reir.

Por suerte pasó en ese momento Fray Jacobo gruñendo. Nos hizo un guiño, mostró el breviario y rezongó:

—¡A la suegra! ¡A la suegra hasta morir!

Y he podido reírme francamente entonces.

—¿Qué dice? —me preguntó Fray Rufino.

—Protesta del breviario.

—¡Cómo!

—Usted conoce la broma del Convento: al breviario, por la tiranía que impone, ya que hay que rezarlo íntegro todos los días, solemos llamarle "la suegra".

He podido reírme así a mis anchas, pues reímos ya los dos.

Y, sin embargo, da pena. ¡Pobre Fray Rufino!

* * *

No sé qué me indujo a seguir por esas calles. Había supuesto ya que por ahí la encontraría. No sé qué me indujo.

Aunque, sí, ahora lo comprendo: muchas veces, bajo el miedo amoroso, hay una escondida avidez de peligro.

Pero... ¿a qué ponerme a escribir, si no podré calmar hoy mis nervios escribiendo? El encuentro me ha removido demasiado, y el amor y el remordimiento son como dos planchas que oprimen y harán estallar mi corazón.

Me voy afuera, al aire.

Andaré, andaré, andaré hasta rendirme, porque me entregaré de seguro aquí a mi sufrimiento y se sufre en la medida que nos entregamos al dolor.

Sí, ¡afuera! ¡A ver si consigo salirme de mí, Dios mío!

* * *

Incurrí en todas las torpezas y en todas las debilidades. Lo reconozco. ¿Y por qué? Por apocamiento. Por apocamiento y porque, ya lo dije, hay a menudo bajo el miedo amoroso una escondida avidez de peligro. Sí, con una especie de tino invertido, fui procediendo cabalmente al revés de como debía.

Hoy distingo íntegro el proceso. ¡Claro, no es difícil ver un proceso cuando su fin se ha consumado.

Porque, además, ya la buscaba yo. Esas salidas sin objeto constituían una inconfesada manera de buscarla.

Y recuerdo también ciertas divagaciones de iluso entretenido en el trayecto a mis clases. Eran sólo arabescos de la imaginación, meros imposibles, como los proyectos que uno forja en el mundo cuando sueña verse de improviso dueño de una gran fortuna; imposibles de esos en los cuales la conciencia real no participa, sino más bien se vuelve de espaldas, para dejarlos del lado de los absurdos que ni se temen, ni siquiera se recuerdan poco después.

Al pisar de nuevo esta casa, en cambio, era siempre yo, Fray Lázaro, abrazado a tus plantas llagadas, Divino Jesús en definitiva.

No podría precisar cuántas tardes divagué así. No se guardan en la memoria consciente esas divagaciones. Ellas sólo esperan, sumisas y como ignoradas, la vuelta del instante ilusorio, y entonces mecen, mecen solapadas el corazón. Porque resurgen, resurgen siempre. Y un minuto llega, en el cual, si no traicionan, si no desplazan la conciencia, desarman y doblegan nuestras fuerzas y no sabemos ya defendernos.

El hecho es que me topé con ella de improviso. Más de un sobresalto, perfectamente dominable, no hubo en mí; el cómodo continente de la beatitud me mantuvo digno. La saludé fino y hasta natural, pero dentro de la línea de humildad y sencillez que Nuestro Padre nos impuso.

Pero ella, como si el ensueño de los muchos días en que no nos vimos la hubiera hecho suponer que ambos anhelábamos definir nuestra situación, se condujo vehemente. Había en ella como un apuro por decir cosas mucho tiempo alistadas, y una excesiva claridad, si no de palabra, de intención, que anulábame por instantes la máscara de beatitud. Me ponía rojo, y revelaba a mi pesar hasta dónde reconocía yo el alcance de sus frases.

Comenzó hablándome de cuando estuve enfermo, de sus preguntas diarias por mi salud al hermano portero, de cuánto me había buscado en mi camino a la Recoleta. Sabía mi viaje, todos mis pasos los conocía.

Y de pronto, con ese su modo de abordar las cosas sin preámbulos, me dijo, deteniendo con un ademán nuestra marcha:

—Mire, yo le recuerdo a otra persona. Sí, no lo niegue —y frunció el ceño como una chica mimada—. Bien; esto es horriblemente fastidioso. Se le mira a una, y entonces una descubre que no estaba sola como creía, sino como enfundada en otra persona. Eso es. Y ya una desaparece, puesta a un lado. Y no, yo no resisto eso. Me exaspera.

—Pero... ¿de dónde saca usted que...?

—¡Hem!... No precisemos; mejor no personalicemos. Yo me entiendo, y usted me entiende también. Así es que... dígame: ¿Yo le recuerdo a alguien? ¿Sí o no?

Creí forzoso negarlo.

—No —dije—, a nadie.

Y fue mi primer error.

—Luego, ¿me mira usted a mí, sólo a mí, y a mí sola me ve cuando me está mirando?

—Naturalmente.

—¿Cierto?

—Cierto.

—¿Lo jura?

—Olvida usted cómo se peca citando el nombre de Dios por una futileza, sin que sea menester...

—Sí es menester. Sí es menester. O... ¿no es menester?...

Puso tal imperio amoroso en la pregunta y tal significación de peligro previó en la respuesta mi ilusión, que temblé. Me pareció que, según fuesen mis palabras, la sentiría volverme la espalda para siempre o entregarme confiada su afecto. Lo sentí rápido, en ese relámpago de la sensibilidad, más veloz que el pensamiento mismo; y lleno de susto le asegure:

—Lo juro.

Pero en el acto comprendí que había debilitado mi defensa. Entonces, en un repentino esfuerzo por corregir mi nuevo error, le dije:

—Bien. Me voy. Despidámonos.

—¡Cómo!

—Puedo perjudicarla. Despidámonos ya.

—¿Perjudicarme? ¿Por qué dice eso, Mario?

¡Tampoco, Señor, supe resistir a que me llamase Mario!

—¿Por qué dice eso, Mario?

—Porque sí; porque... un domingo, en la iglesia, me di cuenta de que nuestras relaciones ante la gente no les agradaban a ustedes.

—¡Oh! No. Usted sabe, me parece, el lugar que ocupa en mi estimación.

—En fin, la señora Justina entonces. Ella ni me saludó. ¿Ve usted?

—No lo reconocería. Esa vez no lo reconocería.

—No, María Mercedes. Eso no. Callemos, pero sin engañarnos. No olvide que he sido un hombre de mundo.

Callamos. Resucitó en mí todo el sentimiento herido de aquella misa de once. Las palabras que lo desenterraron emocionáronme de nuevo. Y tuve aún no sé qué pueriles ganas de llorar. Por suerte, ya íbamos otra vez caminando y ella no veía mi semblante.

—Después de todo —murmuró ella al cabo de unos segundos—. Después de todo..., ya que tocamos el punto... Es mejor, sí. Oiga. Mario, no se ofenda... Usted es muy comprensivo, ha sido un hombre de mundo... No se ofenda ni me averigüe nada; pero... oiga: Vale más que mi mamá no sepa que nos vemos, porque..., porque no. Se ha puesto muy odiosa con la edad, llena de antiguallas, de severidades, de miedos tontos...

Buena la hice por no calcular las consecuencias de una emoción no reprimida a tiempo. Esta vez había sellado además un pacto, un convenio secreto, una complicidad, el pase que franquearía un porvenir, todo un porvenir.

¡Ayúdame, Dios mío, que la suerte de tu siervo en ese porvenir dependerá de la conducta que le inspires!

* * *

¡Cómo llueve, Dios mío!

Por cierto que nadie sale hoy a la calle. Sólo por alguna obligación puede alguien salir con este tiempo. Sin eso, nadie.

Y es natural. Ni yo saldría, si no fuera por mis clases.

¡En fin!

No es del todo triste el Convento bajo la lluvia.

Yo miro por mi ventana el patio enorme y los claustros sombríos. Una luz cenicienta lo suaviza todo: el verde frío de los arbustos, el tono de las pinturas y el oro envejecido de sus marcos. Aun el castaño de los sayales se vela suavemente de gris.

Allá, con Fray Rufino, dos legos, arremangados los hábitos, se han puesto a cavar una pequeña acequia para desaguar el jardín anegado. En los vanos del aguacero siento chapotear las azadas en el barro y un olor acre y sano me llega.

Como acaba de concluir el almuerzo, los frailes van y vienen masculLando los rezos del breviario en la sombra helada de las galerías. El frío les obligó a echarse encima el capuz, les ha encendido los carrillos.

Ahora, uno a uno, los breviarios se cierran. Unos frailes se marchan, frioleros; se arremolinan otros un instante y forman grupos entre las rechonchas columnas de las arquerías, para consultar las nubes y predecir el sol.

No escampará, hermanos. Para todo el día tenemos.

Cuando escampa, llena el aire un abierto silencio, gotea la palmera y se oyen a lo lejos los ladridos de *Mariscal*. Pero esto, si ocurre, es hoy muy corto: no tarda el cielo en nutrirse de nuevo, más espeso, y vuelve a obscurecer, y ya no permite oir nada el agua innumerable.

Aquel corro que tiene en su centro al Guardián sonríe deleitado al observar a Fray Rufino. Comentan de seguro ese gozarse eterno en el peligro de sus pobres huesos. A medida que pasean la vista por los árboles desnudos, por el cucurucho negro del ciprés o por el inmenso tejado de la iglesia, que sin cesar estría la lluvia, les presiento alabar la santidad del frailecillo. Ellos, con los antebrazos sobre el vientre y embutidas las manos en las mangas de frisa compacta y tibia, limítanse a contemplar la santidad; pero la glorifican y, día a día, les conmueven más las bendiciones que derrama ella sobre nuestro Convento.

Es verdad, no se habla de otra cosa ya entre la grey de nuestra iglesia. Cada cual posee un hecho, un rasgo, algo milagroso que contar.

No, hoy no escampa.

Ni yo saldría, si no fuera por mis clases.

* * *

Es preciso ser un santo para tener tal videncia.

¿Cómo ha podido penetrar en mi secreto?

¿O es que me hablas, Señor, por boca de ese monje iluminado?

Fue en la sacristía. El iba de prisa. Pero al cruzarse conmigo se me ha quedado mirando, lleno de piedad y dulzura, y me ha dicho:

—Cuidado, hermano. Ha reincidido. Yo ruego, yo ruego... y usted vacila en su esperanza. Cuidado...

Es preciso ser un santo para tener tal videncia...

Pero yo no vacilo en mi esperanza, Divino Maestro; espero en Ti.

No obstante, si me hablas por boca de ese santo, arreglaré aún mi conducta, seré frío y duro con ella; si Tú lo mandas, la alejaré de mí.

Pero no vacilo en mi esperanza. Desde luego, sé que de esta santa morada nadie me podrá sacar.

* * *

No puedo, Señor, tratarla fríamente, y menos con dureza. Guardaré silencio; esconderé yo mi emoción como una culpa —y bien sé que es una culpa—; ella jamás verá lo que pasa en mi corazón; pero no puedo tratarla con dureza o frialdad.

Hoy conversamos en la plazoleta de la iglesia. Hasta la manera de comenzar tenía yo pensada: "No conviene, María Mercedes, seguir viéndonos a ocultas de la señora Justina..."

Y no pude.

Se recapacita a solas, se proyecta... Luego advertimos que el plano de los pensamientos cambia cuando los corazones se hallan frente a frente. Porque nace el sentimiento, Señor, y es como si un hijo hubiera ya nacido. Hablamos, aun reñimos, y el hijo, allí sujeto por los brazos invisibles con que los corazones se han cogido; el hijo que se cae, llora, gime, sufre, y hemos de sostenerlo fatalmente.

Además, Señor, dime: ¿No he vivido más de ocho años con aquel otro sentimiento y, sin embargo, en la austeridad de tu obediencia? Que aquel otro era triste... Triste será también éste, Señor, porque también ella se irá.

Hoy, con este sol tan luminoso, no hay clima para las torturas.

Ha salido el sol, el hermano sol, después de varios días de aguaceros, y baja de los tejados al jardín como una pendiente de oro y despreocupación.

Salgo, vago entre las plantas.

Con las lluvias, los senderos se han cubierto de musgo. La sandalia pisa en una alfombra verde y resbalosa.

El hermano sol me abraza, penetra mi sayal desgastado y calienta mi carne entristecida. Un sayal desgastado y muy alegre de sol viste al franciscano con su verdadera dignidad.

Pero yo..., ¿pecaré, Señor, en esto?... Yo quisiera estar hoy allí desnudo bajo el sol, vestido sólo de juventud..., ¡vestido de mucha juventud!...

¡Bendito hermano sol, suave y robusto, que haces brotar el lirio en torno a la fuente y le encrespas de ardor los pétalos!

* * *

A Fray Rufino algo le sucede. No son las tentaciones del "hermano asno" ahora. Me dijo ayer que le habían dejado al fin tranquilo. Es algo nuevo. Sufre. Lo leo en sus ojos, que por instantes se extravían.

La santidad, Señor, es una dura y a veces trágica merced.

En eso he reflexionado esta noche largo rato.

Como suelo tener insomnios, y en la sombra de mi celda está siempre despierto el murciélago del remordimiento, me recojo tarde, vago primero mucho por afuera.

Eso calma y distrae. Duerme todo el Convento; duermen los monjes, las bóvedas y la fronda; duermen la iglesia y los jardines, y el pozo y la campana; duerme la tierra, y en estas noches de otoño, cuando ya con el crepúsculo la bruma se levanta, duerme también el cielo. Apenas en algún crucero, entre dos patios dormidos, vela el ojo amarillo de una lámpara; pero aun su mirada es un sopor, reflejo que sobre un marco desdorado se aletarga y se apaga en la tiniebla de una tela antigua.

Hoy anduve mucho por los corredores altos. Hasta que el reloj del campanario dio la una. La campanada única pasó a través de la niebla, por sobre los tejados, como un alma, y como otra alma que penara inmóvil flotaba la torre entre la bruma que luces de la calle emblanquecían.

Tuve frío y bajé.

Abajo todo cambia: palpita la obscuridad, entibia el aire, se hacen más medrosos los sonidos. Y sobre todo predominan los olores. La sala que fue de los terceros y hoy hemos llenado con los trastos en desuso, a cada ráfaga evoca las vitelas miniadas de los viejos salterios polvorientos, y facistoles, arcas y credencias penetrados de aceite y de polillas, y brocados deshechos que el hilo de oro oxida.

Se sigue por allí de prisa. En la noche este perfume oprime.

Así pasé también hoy. Pero hoy, al desembocar en el claustro de San Diego, una sombra compacta se arrastraba entre la sombra hueca, y me detuvo. Quedé suspenso. Poco a poco acallé mis latidos. Y cuando mis pupilas habituáronse a la obscuridad reconocí a nuestro santo. Con una gran cruz a cuestas, marchaba de rodillas, rezando el Vía Crucis ante los cuadros de la Pasión allí colgados. En aquella soledad negra y en aquel silencio, el murmurio gimiente de sus preces y el sordo arrastrarse de su cuerpo y del madero contra el piso dañaban el corazón como un anuncio de tragedia. Contuve el aliento, y sin que me sintiese, lleno el pecho de opresión y con un dolor algo irritado, he vuelto a mi celda.

No, hermano; eso no está bien. ¿Y por qué sufres ahora? Los excesos en la penitencia llegan a enflaquecer el juicio...

Yo hablaré contigo.

* * *

Esta mañana los hermanos, cuando han ido a barrer el claustro de San Diego, han hallado sangre en los ladrillos.

Y, según dicen, no es la primera vez en estos últimos días.

Yo debo hablar a ese hermano enloquecido. Debí haberlo hecho ya.

Pero es que yo también tengo el juicio en peligro, y luchas y cuidados ante Dios.

Ha venido ella a la misa de siete. Está viniendo hace días a la misa de siete. Y me advierte que será por algún tiempo. "En acción de gracias —me explicó— por una merced que Nuestra Señora del Rosario me ha concedido..."

Yo no vacilo, Señor, en mi esperanza. Pero... ella sale a mi encuentro, y mi alma cambia de color como el follaje de un árbol con la brisa.

* * *

Muy pobre cosa soy, Señor, si me abandonas. Tengo un gran desaliento... Sólo por este tiempo gris, tal vez, que enerva...

No. ¡A qué cegarse! El día comenzó ya mal, para quebrar el ánimo.

Mientras conversábamos en el zaguán de la portería —palabras inocentes— un joven la estuvo contemplando desde la plazoleta. La miraba, la miraba, la miraba; no perdía uno solo de sus gestos. Pues bien, me fue faltando poco a poco el tino. Y cuando supuse, por una simple idea, que ese joven la esperaba a ella, ha surgido en mí, presto, en pie, violento, Mario. ¡Aquel Mario, Señor, de las fierezas y de las arrogancias!

Perdóname, Dios mío Jesucristo. Olvidado de tu mansedumbre, he clavado en ese hermano mío los ojos. ¡Con qué fuerza! Como dos golpes debió sentir que le caían. Porque se ha turbado entonces por completo y se ha vuelto de espaldas.

Y no había, Señor, razón. A poco salió de nuestro locutorio una señora y él se ha marchado con ella, indiferente.

Sin embargo, a partir de aquel momento ha empezado mi virtud a decaer.

Primero, mundano sin quererlo, he comparado. La juventud de ese hombre, sus grandes ojos pardos, llenos de brío, como los de ella, y sus cabellos brunos, y su aspecto de salud y amable..., con mi frescura ya rendida, mis sienes tonsuradas, mi aspecto "tan así"... He visto, con dolor, cómo ya mi color cede y se mancha. La madurez pone a la piel un polvo de ceniza, y a este cambio del color sigue otro de facciones pronto...

Ella me mira no obstante enamorada, he pensado, pecador aún, después. Pero una infinita melancolía cayó siempre sobre mi corazón. Y se ha quedado allí, suspendida, como un susto que aguardase.

Muy pobre cosa soy, Señor, si me abandonas.

Fue corriendo el día así. De pronto me vino a la memoria cierta respuesta de María Mercedes a una amiga, aquella tarde, al salir de la iglesia. "¿Te figuras que yo, por una buena cara, por el brillo social o por la estirpe, me puedo alguna vez enamorar?"

Y bien, no la virtud, este recuerdo fue mi apoyo todo el día.

¡Triste apoyo! Tengo, Señor, un gran desaliento.

Mas debo confesarte aquí, Dios mío.

Ahora mismo, durante la comida, en lugar de atender a la lectura del martirologio, averiguaba mi razón qué clase de sentimiento acerca a mí a esa niña.

Y no creo que sea el amor, y me entristezco.

Ella y Gracia son ambas dos románticas. A la una, el pianista, con su ambiente de aplauso, la sedujo. Yo fui entonces preterido: era un hombre vulgar, sin historia, sin novela. Para ésta, en la sociedad están los vulgares, y yo..., yo soy el héroe. Cuando niña pequeña vio en mí al Mario enamorado y sufriente; en los sueños de la adolescencia lloró a su oído la historia de mi descalabro, poetizada por la toma de hábitos, y tuve para ella una novela.

He ahí todo. No hay un amor vivo y directo, que de fijo ha de aparecer mañana.

Ya ves, Señor, que todo pasará. Ya ves cómo llega la tortura, cómo también este sentimiento será triste, cómo también ella se irá...

Al menos, Señor, sálvala de un mal destino.

¿Y no hay otras fuerzas en su alma?

¡Ah, tengo un gran desaliento!

Pero estoy contigo, Señor, no me abandones.

* * *

No asistió a su misa, pero estuvo en el locutorio a media tarde. Nos traía un caballero anciano, senador, según sus propias advertencias, y muy devoto. El buen señor, atraído por la fama de nuestro santo, deseaba implorar por su beato conducto no sé qué favor de Dios.

Hube de ir, pues, en busca de Fray Rufino a su *porciúncula*. Llamamos así seráficamente, por lo misérrima y diminuta, a su celda, un cuartucho arrinconado en el patiecillo de los dos naranjos, donde ahora viven los hermanos legos.

En seguida, presentados, les dejamos a ellos hablar libres al fondo, y cerca de la puerta, discretos, nos quedamos nosotros conversando.

¡Hay, Señor, otras fuerzas en su alma!

Y hay, se me ocurre, cierta base de mística exaltación en sus hiperestesias. Ese ponderado ardor de la sensibilidad a muchas almas lleva, Divino Jesús, a desposarse contigo.

Hice bien en sondearla. He aquí dos rasgos suyos que conmueven.

—¡Ah!, no resulta bendición ser tan sensible —repuso a unas palabras mías.

—¿Por qué?

—Porque se sufre. Una se va quemando, se mata. Pero he sido así desde muy chica. Si yo le contara...

—A ver, cuente.

—Cuando mi confirmación, por ejemplo. Escuche. Me prepararon, por supuesto, con gran celo religioso, para recibir el sacramento, explicándome sobre todo su significación. Pero tanto me repitieron que aquello era como renacer a una vida nueva, que esta idea me inquietó. Y me fui poco a poco encendiendo, alucinando en mi obsesión, hasta imaginar desatinos. "Nacer de nuevo, Dios mío. ¿Cómo será eso?", me preguntaba... No, no es para reírse, Mario. Verá. Una chiquilla muy sensible reviste fácilmente de caracteres sobrenaturales un sacramento. Yo esperaba, segura, un prodigio, un milagro, una transfiguración..., ¡qué sé yo!..., algo de lo cual renacería otra. Y llegó aquel domingo. Me parece que lo veo todo. Y entré en la iglesia, trémula, sin fuerzas, como un espíritu, mística, mística, con ese misticismo cándido, imaginativo, de las criaturas. Y ahí tiene usted: el señor Obispo que me da la palmada, y yo que exhalo un grito y caigo exánime, sin sentido, como una muertecita. Un mes estuve enferma. Por la sensibilidad. ¿Ve usted? Otro caso: En el colegio de las monjas, cuando usted me conoció, tenía yo una compañera. Estábamos juntas en el banco, en clase, vecinas de cama en el dormitorio; todo nos acercaba. Pero ella era una chiquilla dura, déspota, malévola, descariñada. Me hacía sufrir mucho. Porque yo, la tonta sensible, la adoraba. Jamás tenía ella conmigo una actitud dulce, un gesto cariñoso, un rasgo sentimental, nada. Sin embargo, yo, a buscarla siempre, a mimarla, a quererla. Un día la Madre Genoveva me regaló una medallita que a ella le gustó mucho. La vi envidiármela, probársela, y todo fue para mí reconocer eso y ocurrírseme la idea: "Tómala, para ti", le dije. Entonces ella, por primera vez en su vida, me abrazó y me besó en los labios, efusiva. Salió en seguida al corredor, feliz, a lucir mi obsequio. Pero yo no podía moverme. Con los ojos llenos de lágrimas, en una alegría loca, oscilaba sobre mis pies, iba a desplomarme, y me dejé caer de bruces en el banco, llorando a mares. "¿Qué le pasa, niña?", me decían. Nada. Entre sollozos, yo sólo podía exclamar, con una dicha inmensa, como en un espasmo del pecho, que me hacía gemir: "¡Me ha besado! ¡Me quiere, me quiere! ¡Me ha besado!" Esa soy yo, Mario. ¿Ve? Esas somos las sensibles.

Cuando el alma descubre, Señor, estas fuerzas de amor en una criatura, se esponja y tiembla, se abre como una copa, recibe el suave corazón y con él quiere vivir ya siempre.

Màs yo me vuelvo a Ti, Señor, y te lo ofrezco.

¡Bendícela, Señor, y aparta todo mal de su camino!

* * *

Pero ahora caigo en la cuenta de que, con estas emociones, transcurrirá la semana y yo no habré hablado a Fray Rufino. Y sin duda necesita auxilio.

Es bien extraño lo que sucede.

Hace rato, a mi regreso de la clase, me salió al paso el hermano portero para decirme, entre aspavientos de aflicción y aspavientos de alarma:

—Padre Lázaro, Fray Rufino está perdiendo la cabeza, creo yo. ¿Sabe usted lo que acaba de hacer? Parece que andaba en la iglesia, por la nave de este lado, cuando terminó el rosario, y lo han visto las mujeres y se le han acercado a rodearlo, y a pedirle bendiciones, y a besarle los hábitos, como siempre. Pues, señor, él se ha soltado entonces a correr, huyendo de ellas y llorando, hecho un loco, un verdadero loco. Hasta que ha llegado ahí, al mamparón de la puerta, y ahí se ha puesto de rodillas, con los brazos en cruz, atajando a esa gente; y en medio de su llanto les ha pedido a grandes voces que lo dejen, que se vayan, que no le induzcan más al pecado con semejante conducta. "¡Porque jamás, jamás —les gritaba— ha obrado por mi intermedio milagros el cielo!" ¿Se explica usted esto, Fray Lázaro? Hasta falta a la verdad negando los milagros. Para mí, ya le digo, no le anda bien el juicio.

También recuerdo yo ahora que al hablar con el caballero de esta tarde parecía lleno de contrariedad y de tristeza.

Resulta bien extraño todo esto.

Ahora me veré con él. Es decir, será esta noche. Ahora no conseguiría moverme. Estoy arriba, en un escaño de los corredores; he escrito media hora, sobre mis rodillas; y aquella emoción y la paz de la tarde me dominan.

Cedo al encanto que desciende del cielo y al encanto que sube de la tierra.

Abajo, en el patio, Fray Bernardo y dos monjes más, tan viejecitos como él, han salido en busca de calor y se han parado al centro del cuadrilátero de sol que resta en una esquina. Ese rincón dorado en el patio enorme y opaco se me figura el cuartel de un escudo cuyo centro los tres frailes reunidos decoran con una flor de lis. Y me finjo que el Heraldo de Madama Pobreza mira muy tierno, desde lo alto, su blasón de siete siglos.

* * *

Loco no, naturalmente. Es un visionario y, como tal, sobre todo cuando sufre, se alucina. Pero no está loco. La historia de los místicos ofrece mil casos como el suyo.

Sin embargo, se concibe el temor de que su juicio pueda perturbarse... ¿Por qué, Señor, pueblas de terrores el misterio de la santidad y tanto se asemeja a la locura la tribulación que esos terrores causan?

Aguardé a que todos los frailes se hubiesen recogido a las celdas para salir yo en su busca. Lo descubrí en el ancho pasaje abovedado que une el claustro con el patiecillo de los legos.

Estaba solo e inmóvil, en un claro de luna, puesto el capuz, la cara al cielo y con los párpados caídos, las manos en cruz y sobre el pecho. La luz de la luna torcía contra el muro la sombra de la arcada, descubría en la negrura de un cuadro dos piernas con llagas, un cráneo mondo y una paloma entre rayos, y a él lo revestía de cielo. Todo era estático y silente como en una visión.

Pisé recio entonces. Al ruido de mis sandalias abrió los ojos bruscamente, exhaló un ¡ah! de angustia y cayó de rodillas.

—Soy yo, Fray Rufino.

—Ah Fray Lázaro. Creí que fuera él.

—¿Quién?

—El capuchino.

La discreción me advirtió que no debía preguntarle todavía quién era "el capuchino". Y me limité a levantarle de los ladrillos con solicitud y suavidad.

—Pues no, hermano —le dije, cuidando que hubiera bastante cariño en mi voz—. Soy yo, que vengo en su busca porque sé que padece, porque... a ningún hermano debe faltarle nuestra misericordia en su aflicción. ¿Qué tiene, Fray Rufino?...

La sorpresa, sin duda, no le permitía hablar aún. Dio un paso hacia mí y me abrazó en silencio. Ha permanecido unos instantes con el rostro apoyado sobre mi hombro, y he creído tener entre mis brazos uno de esos pájaros enflaquecidos que solemos recoger en el invierno y cuyo pecho se abulta y se deshincha a cada latido formidable de su corazón agobiado y enfermo.

Percibí también bajo sus hábitos la dureza de una cadena.

—¿Qué tiene, hermano? ¿Otra vez el "hermano asno"?

—No, Fray Lázaro.

—¿Qué cosa entonces? Insisto por obediencia a nuestra Regla, que me ordena insistir.

—Que soy un insensato. Cuanto hago me conduce al mal. Por multiplicar las buenas acciones he perdido la humildad, la más preciosa de las imitaciones de Jesús Dios Nuestro Señor. He provocado que me llamen santo, hermano, y como a tal me traten. ¡Yo, un vil fraile como yo! Y esto, si bien no estuvo en mi intención..., ¡El me lo tome en cuenta!..., si bien no estuvo en mi intención, lo está en mi torpeza. No esa veneración de que me hago rodear, sino el desprecio y la mofa deben ser las retribuciones para un mal pobre de Jesucristo que así se aparta de los Evangelios.

Había dejado ya mis brazos y lloraba como un niño contrito.

—Pero..., vamos a ver, hermano... Cálmese. No veo yo tal pérdida.

—Sí, Fray Lázaro, sí. Bien se me ha significado por aviso del Señor. Hago que me llamen santo, y abro así paso a la inmodestia y a la soberbia. Todo iba bien mientras merecí sólo el elogio que Nuestro Padre nos preconizó en su Regla: pobre de espíritu. Después, hermano, todos se han perturbado por mi escasa luz. Ya los fieles pretenden venerarme. Ya mis hermanos de la Orden ni me juzgan ni humillan mis errores.

También me suponen santo y a poco más se inclinarían a mi paso, cuando... hollar mi pecho debían bajo sus sandalias. Ya no soy el simple para ellos.

—No hicieron sino enmendar su débil caridad. Usted les ha edificado.

—Los induje a engaño. Pequé.

—Supongamos que pecó. "Si algún fraile se hallare en pecado, ha dicho Nuestro Padre, que ninguno se le burle ni le injurie, sino tenga para él misericordia."

—Yo he reincidido y he agregado culpas peores.

—"Y si después compareciere mil veces ante tus ojos con pecados nuevos, ámale más que a mí."

—Usted es un sabio, Padre, y yo no soy digno de usted. No le desmiento. Pero el capuchino, para demostrar mi culpa, me abrió al azar la Regla, como hacía Nuestro Seráfico Padre con los Evangelios cuando su intención vacilaba, y me ha leído estas palabras: "Lo mejor que pueda voy a decirte mi opinión, y es que debes considerar como un don que tanto los frailes como los seglares te sean adversos. Has de desear que así y no de otra manera sea. Sé de cierto que en ello estriban la verdadera obediencia y la humildad".

—Todo está bien. Pero..., veamos, conversemos. ¿Quién es ese capuchino?

—No pertenece ya a este mundo. Es un alma que pena por este mismo error mío y a la cual me envía la Divina Clemencia para llamarme a salvación.

—¿Ha tenido visiones, hermano? El ayuno enflaquece la mente, muchas veces, y una alucinación engaña y...

—Dos noches ha venido, antes del alba. Por ahí. Sale de junto a la escalera, como usted hace un momento, y avanza y me habla.

—¿Y se ha prevenido usted, hermano?

—Sí, en vida fue primero menor capuchino y después eremita. Su solo aspecto impone. Del capuz le sale una barba crespa y negra que le cuelga sobre el hábito; los nudos de su cordón echan lumbre y él dice que llevan el fuego del Purgatorio, y bajo el sayal sus pies tienen ese vello áspero y venerable de los anacoretas.

—Hermano, yo no sé qué decirle. No obstante, en nombre de la santa Obediencia le pido que, al menos por hoy, se abstenga de las mortificaciones y recurra mañana a su Guardián. Repose, duerma. No vaya hoy a salir con esa cruz a medianoche... ¿Y para qué esa cruz?

—Para crucificar mi alma pecadora.

—Pero el cuerpo...

Busqué argumentos, ensayé la persuasión. Ignoro si logré reconfortarle. Siquiera conseguí recluirlo en su porciúncula, y que me prometiese solicitar mañana consejo a nuestro Guardián.

Yo hablaré también con Fray Luis.

¡Ah, Señor!, la historia de los místicos ofrecerá mil casos como el de este santo fraile; no estará trastornado su juicio hasta la locura; pero... ¿por qué pueblas de terrores el misterio de la santidad y tanto se asemeja a la locura la tribulación que esos terrores causan?

* * *

Allá va, a prisa, en su trajín de todas las mañanas. Lleva la escudilla de comida para el perro. El Guardián sale a su encuentro, parece... Sí. ¡Lástima! Yo quería prevenirle antes. No lo hice; me distrajo esa novedad en la venida de María Mercedes, y es tarde ahora. Hablan ya bajo el pórtico.

Pobre hermano Rufino. Cada día es más escuálida su silueta. Y ahora esa turbulencia interna que le ha prendido en los ojos el fulgor del extravío le agita entero mientras se explica con su Guardián.

Fray Luis escucha sereno. Nada le sorprende. Posee una comprensión admirable —que yo no alcanzo, Señor— para estos casos de misticismo y de aparecidos. Con una dulzura que sus manos blancas acentúan añadiendo el color al movimiento, consuela a su fraile y le dirige.

¿Qué le dirá? Conozco la levedad de su gobierno. A pesar de ello me gustaría oir.

Voy a rondar cerca.

No estoy conforme del todo. Debió Fray Luis constreñirle más a la continencia en las mortificaciones, tal vez. Pero... él sabe más que yo. Duele, según él, inmiscuirse con autoridad en prácticas que al alma de cada cual incumben, por cuanto con la propia salvación se relacionan. Ha de ser así.

—Además —me ha explicado Fray Luis después—, un Guardián tiene que dejar libres a sus frailes en su misticismo.

De acuerdo.

—Y a mí, Fray Lázaro —me agregó—, me duelen más aún las intromisiones autoritarias frente a hermanos que me son superiores en simplicidad y elevación, y a los cuales ya he mortificado antes sin justicia.

—No obstante, Fray Luis —me atreví a observarle entonces—, Nuestro Seráfico Padre en varias ocasiones se vio en el caso de usar de autoridad con algunos de sus frailes por lo mucho que abusaban del castigo corporal.

—Exacto. Y en eso me apoyé. "Usted recuerda, Fray Rufino —le dije—, que en el Capítulo de las Esteras, Nuestro Padre de Asís hubo de confiscar a cientos los cilicios, las cadenas, los rallos, las mallas filudas. Yo no le pido a usted, hermano, entregarme sus instrumentos de martirio, pero sí que se contenga. Justamente, mientras hay desorden interior para juzgar nuestra propia conducta, es cuando no conviene debilitar con exceso nuestro cuerpo. Para poder hacer silencio en nuestro espíritu, a fin de sentir si habla en él la Voz de Dios, todo nuestro ser ha menester de paz."

—¿Y le trazó usted alguna norma?

—Sí, sí; ya lo creo. Sólo que, dado su misticismo, no me ha parecido justo, por ejemplo, eso de que a la hora de queda se recluya en su celda como los demás. Le fijé la medianoche como término para sus andadas. "A las doce en punto se pondrá usted a dormir", le he prescrito. "Si no le viene el sueño, haga porque le venga; y si no lo consigue, rece; pero no se mortifique ni se mueva ya." A más no me atreví. Se trata de un alma predilecta de Nuestro Señor, todos creemos que de un santo. ¿Cómo no ser respetuoso con él y confiar en que habrá de velar por su alivio la Suprema Misericordia?

Tiene razón. Tampoco sabría yo qué más hacer.

Sin embargo, no quedé conforme del todo.

Antes de volver aquí, un impulso de interés me condujo aún a la entrada del solar, para divisarlo en su visita al perro.

Eran siempre los dos hermanos que se entienden. Pero *Mariscal,* varias veces, al brincarle cariñoso al cuerpo, le derribó...

Pobre hermano Rufino.

Bien. Vamos al suceso nuevo, a lo que deseaba yo anotar cuando me senté.

Gracia vino a la misa con ella. ¡Gracia! Y no es un hecho casual, estoy seguro. María Mercedes se portó demasiado circunspecta, sin duda por advertírmelo. Yo saludé apenas, con una ligera venia, entre correcto y distraído. María Mercedes ha sonreído entonces imperceptiblemente, y yo he comprendido que me aprobaba, que ésa era la justa actitud que ella me pedía que adoptase. ¿Qué ocurre? Sabe Dios. Pero esta venida de Gracia no es casual, no. En diversos detalles se notaba.

Lo digo porque dos veces crucé por la nave próxima, simulando buscar algo en los confesonarios, y a la segunda comprendí que a ella le inquietaban estos viajes. Dobló su circunspección y el azoramiento fluía de ella como una atmósfera que me lo hacía sensible.

Algo pasa. Algo teme ella.

Sobre esto, me ha parecido vislumbrar en ella una intranquilidad más... Como si la presencia de Gracia le despertase también viejos resquemores...

Mal hecho. Ya le previne que todo aquello está en mi pasado como un cadáver entre cadáveres.

En fin, se convencerá luego, cuando nos veamos.

Pero... ¿qué sucede?

* * *

Y pensar que ya empezaba yo a desatentarme, a no hallar ánimo ni para ordenar mis emociones registrándolas en estos papeles...

¡Para esto, Gracia, acompañas diariamente a María Mercedes a la iglesia!

Me apenas. He sufrido mucho todos estos días; pero no sé ahora qué resulta peor, si el haber comprendido o el que hubiese caído en el juego...

Es triste, triste y lamentable lo que haces. Da pena, una pena mezclada con vergüenza, con un rubor que a mi pesar me enciende la cara cuando evoco los detalles.

Hoy usaste de coqueterías conmigo. Y yo conozco tu temperamento: no es para esas cosas. Me mirabas, iniciaste aun sonrisas al mirarme; más: hubo un momento en el cual, cuando se han encontrado nuestros ojos, tú has bajado los tuyos con turbación... Pero no logras fingir lo bastante, y yo siento que lo haces en frío, con cerebro, con un cerebro que trae cálculos hechos. Como nunca fuiste coqueta, no puede haber concierto entre tu intención y tu poder. Mientras la una impele, el otro desvirtúa, y sólo la sospecha hiere.

Además, Gracia, no hay razón. Yo no soy peligroso. Aunque María Mercedes estuviese enamorada.

Por último, el sentimiento que yo puedo tener está en manos de Dios, y sólo El dispone ya de mí.

Da pena esto, Gracia, mucha pena.

También da pena Fray Rufino. Una pena más pura, pena por inocencia, que enternece.

Estas noches, sin sosiego para escribir, he seguido sus pasos. Los donados habían vuelto a descubrir sangre en los ladrillos, y esto me movió a espiarlo. Temí que no hubiese obedecido a su Guardián.

Y no. Sí le obedece.

Sale siempre de noche al claustro de San Diego, a rezar su Vía Crucis, con la enorme cruz a cuestas. Pero al toque de medianoche, con la última campanada de la torre, donde se encuentra se detiene.

Le ha ocurrido que la hora fijada le coja en el claustro. Entonces, obediente, se ha recostado contra un pilar y, en la postura en que se hallaba, de pie o de rodillas, "sin moverse ya", como le ordenaron, se ha puesto a "dormir", o "a hacer por que le venga el sueño", o "a rezar", hasta el día.

* * *

Hace dos días que no vienen. ¿Qué pasará? Hoy, como ayer, transcurren las misas una tras otra; ya entramos a la de diez, cantada, gran misa solemne por..., en fin, no recuerdo al pronto por qué..., y a ellas no se les divisa. Me asomo de rato en rato, escudriño las naves y... nada.

No cabe duda, tampoco vendrán hoy. ¿Qué será?

Y está hermosísima la iglesia, Señor. Les hubiera gustado. Hinchada de música y de incienso, trémula de lirios y de gente. El altar mayor, su retablo hasta arriba, y ante él todo el estrado, fulguran de luces, raso blanco y orfebrería de oro. Los oficiantes parecen joyas enormes que rutilan: se hunden sus cabezas entre los indumentos rígidos e incandescentes, que bajan en pliegues acampanados; giran sus siluetas cónicas, y a cada giro fosforecen mil carbunclos sobre el tisú.

Lástima. Les habría gustado.

Volví a la iglesia una vez más. No llegan. Ya no llegarán.

Está predicando Fray Elías. El sermón cae desde el púlpito a grandes golpes de voz. Me impresionó grotescamente. A los gritos tiemblan las llamas de las lámparas humildes que vigilan en los altares pequeños. Yo quise rezar, recogido en un extremo solitario; pero eso me turbaba. Además, hoy me falta unción. Y en ese altar apagado, algo me oprimía... Las llamas negruzcas de la imagen, quizá, o los terciopelos viejos, tan silenciosos y tan crueles...

Tuve que salir.

Vagué por el patio. Las techumbres recortan hoy un cuadrado de cielo desteñido y frío. El canto poderoso del órgano sale de la iglesia, llena los claustros y muere gimiendo en los rincones tristes. En los conventos, los sonidos más potentes desfallecen por fuerza en ecos moribundos. Tan sólo arriba, en los aires, la algazara de las campanas suele volar como algo vivo...

No. Es que..., no sé qué tengo yo hoy, Señor. Sí. Sí, Señor; sí lo sé. *Nemo in sese tentat descendere,* dirían los latinos; pero no es verdad siempre. Yo sí, yo intento descender hasta mí mismo.

Y me confieso a Vos, Señor. Veo la llaga de vuestro costado abierta, como una boca con sed. Yo también tengo una herida sedienta en el costado.

* * *

A la misa del domingo no podía faltar. De suerte que hoy vino. Siempre con Gracia, eso sí. Pero no importa. Es como si hubiésemos conversado. Una frase indirecta, pero bien definida, suele valer por largas explicaciones.

Yo estaba en el pequeño bazar de baratijas pías que hay junto al Convento, cuando la gente salió de misa. De pronto, muchas voces de mujer, todas a un tiempo, en algarabía. Y eran ellas. Con varias amigas, invadían el bazar.

Saludé correcto, más serio que nunca tal vez.

Una de las amigas buscaba un rosario. El grupo, en la estrechez de la tienda, me cerraba el paso. No habría yo conseguido huir, aun queriéndolo. Me puse, pues, a examinar unas estampas.

En tanto, las observaba.

Gracia tornó a sus coqueterías. ¡Pobre Gracia! Buen rato disimulé. Pero una mirada me dañó tanto, exasperó en tal forma mi dolor y mi vergüenza, que algún gesto muy elocuente debí hacer, porque sentí despertar en ella la noción del ridículo. Se abochornó. Ya no volvió a mirarme. Al hablar se le deformaban las comisuras en una mueca temblante, de pesar colérico.

Tuve una gran piedad, y, contraído a mis láminas, fingí no haber advertido nada.

Pero en esto María Mercedes, que había maniobrado, no hay duda, se halló de pronto muy cerca de mí. Y prosiguiendo su diálogo con una de las compañeras, dijo:

—¡Pse! Yo, en tu lugar, estaría tranquila. Porque una amistad fiel para un alma fiel, no acaba por tonterías, sobre todo por tonterías ajenas, de gente que a una no la entiende.

Nada más. Pero mientras la otra hilvanó quejas y quejas, ella, recalcando las palabras, imprimiéndoles una clara dirección que yo sabía distinguir, insistía como en un estribillo: "Una amistad fiel, para un alma fiel, tiene siempre toda una vida por delante..."

Hasta que se fueron.

No hubo sino eso.

Al salir, ni me saludó. Aun: demostró más prisa que nadie por marcharse.

Sin embargo, Gracia se ha ido suspicaz como nunca.

Apostaría que oyó la frase.

"Una amistad fiel, para un alma fiel, tiene siempre toda una vida por delante..."

Y es una amistad. No puede ser sino una amistad fiel, entre dos almas fieles... ¡Yo te lo juro, Señor!

* * *

Deseo hablar nuevamente a Fray Rufino. Lo veo sufrir demasiado y me preocupa.

Además, esta tarde clara de domingo el invierno parece detenido. Sólo es en el aire una transparencia azul y un blando bienestar en el silencio. Y conforme el Convento se ha ido aquietando, ha empezado a bajar sobre mi corazón la piedad de Dios y a encender mi ternura por el hermano conturbado.

Aquí me estoy, pues, a la espera suya. Por los hospitales anda, en su visita a los enfermos Yo le aguardo. No tengo clases ni quehacer alguno. Llegará, lo divisaré a su entrada por el claustro, y le saldré al paso y hablaremos.

Cuesta mucho cogerlo a solas ahora. Ese afán de humillación, que raya hoy día en desenfreno, le multiplica los trabajos. Legos, frailes y sirvientes le veneran; pero se han ido habituando poco a poco a utilizarlo como siervo, y pesan ya sobre él los más duros menesteres. Cargar los galones de aceite y las menestras hacia la bodega, barrer patios e iglesia, distribuir la limosna a los mendigos y darles de comer, partir leña para los cocineros y aun llevarles una parte a los frailes viejecitos, a quienes prende además, en los patiecillos de sus celdas, hogares con que desentumirse y secar sus hábitos humedecidos por lluvias y neblinas; cuanta labor algo ruda recae sobre la vida monacal rinde a toda hora hoy sus miembros. Y en ellos, bien se supone, a cada esfuerzo se encarnan más las ligaduras que los estrangulan.

Buen hermano, ¿hasta cuándo? Sudas por debilidad, no obstante el frío; te amoratan las heladas y los aguaceros te mojan; te oculta y te asfixia la polvareda de las escobas, ¿y seguiremos todos mirando sin alarma el continuo trajín de tu cuerpo escuálido, sufriente y como enloquecido dentro de un sayal que apelmazan el barro y la sangre? No es posible, hermano.

Ni entiendo yo este desenfreno, Señor.

Agostado suelo verlo, y soportar la sed. A lo lejos, muy a lo lejos, lo descubro bebiendo; pero elige el agua del pozo, porque es turbia y es menor regalo. Y muchas veces enjuaga sólo su garganta y su paladar, donde el cansancio puso liga y sabor de ceniza.

También cuentan los donados cuyas celdas quedan vecinas a su porciúncula que pasa las noches agitado sobre su tarima. Le imaginan revolviendo los ojos en la obscuridad. Y a menudo escuchan sus lamentos: "Padre, ¿por qué me has abandonado? Padre, ¿por qué me has abandonado?" Porque la queja evangélica no se aparta de sus labios desde que las apariciones de ese "capuchino" le obsesionan.

Si yo estuviera componiendo aquí una novela suya, cuántos estados de conciencia enferma debería describir. Un alma simple y buena que se embrolla, se espanta y clama. "¡Oh, si el Señor descargara sobre mí un rayo de castigo que a la vez envolviese la palabra de salvación eterna!", exclamaba la otra noche.

¿Por qué, Dios mío, le privaste de aquella cándida llama que antes iluminaba sus días ecuánimes y seráficamente alegres?

Ahora, en esta turbulencia y esta duda, también yo temo por su juicio.

Ahí llega. Corro a su encuentro.

Y bien, hemos hablado. Pero mi emoción de horas antes se ha vuelto asombro y suspicacia.

Sí, suspicacia también, pues me resulta cada vez más extraño todo eso del aparecido.

O ese pobre hermano desvaría, Señor, o mi comprensión no penetra ni vislumbrará jamás tales misterios.

Y no sólo el singular personaje, sino el propio Fray Rufino me desconcierta ahora. Ha cambiado mucho. El, que siempre fue tan espontáneo y comunicativo, tan diáfano en su simplicidad de niño, parece hoy lleno de reservas. Al principio, cuando le interrogué, me quedó mirando, como ausente, como si no comprendiese. Y, he debido insistir, valerme de la astucia, sonsacarle, para que hablara.

Estoy perplejo.

He aquí algunos razonamientos y advertencias del "capuchino". Porque no podría relatar toda nuestra conversación, mis rodeos, sus silencios.

—Cuidado, Rufino —le dijo la primera vez—. Cuidado. Te figuras ser humilde y paras en soberbia y vanidad. Te llaman santo y lo aceptas; te honran, te veneran y no sólo escuchas impasible, sino te halagas. ¿Eso es humildad? Cuidado. Luego vienen a ti, engañadas, las almas a pedirte dirección y tú asumes el papel y las diriges y gobiernas. ¿Qué significa esto? ¿Gobiernan los humildes? Quien gobierna, domina, y el dominio es el orgullo. El Pobrecillo de Asís a nadie se mostró sino como pecador abominable. En tanto, alardeas tú de santidad y aun te encargas de milagros... No me repliques. Sé lo que vas a responder. Pero te ciegas. Recuerda bien, examina en tu memoria y tu conciencia.

Y a la noche siguiente, sin dejar a Fray Rufino adelantar una palabra, le adivinó así el resultado de sus averiguaciones y descubrimientos:

—...Ya sé que te has examinado. Pero yo quiero decirte lo que has visto en el recuerdo. Que perseguías el milagro y, cuando creías haberlo realizado, tu espíritu anhelaba, secretamente, sin que tú lo advirtieses como en una imaginación sin importancia, la notoriedad del hecho. ¿Verdad? Cuando aquella vieja recuperó la vista y leyó por sí misma la novena el último día, lamentaste inconfesadamente la falta de un testigo —¡oh flaqueza de un santo!— y te causó alegría que después ella lo contara. ¿Ves? ¿Ves como tengo razón? Pues voy a hacerte otro recuerdo. Has soñado también, has soñado. Imaginabas una noche que tus dedos recorrían las piernas de un baldado y el mal en el acto desaparecía; y en tu ensueño ambicioso, el Señor Nuncio hallábase presente y prometía ir luego a Roma para iniciar el proceso de tu canonización. ¡Ah!, esto lo habías olvidado. Pues yo te lo recuerdo. El ensueño, Rufino, es traidor, y callando, callando, se cuela.

—¡Y todo esto era verdad, hermano; todo esto era verdad! —me ha confesado llorando el frailecillo—. No me daba yo cuenta, ¡y ocurría así!

En la otra aparición le ha exigido reflexionar sobre este punto:

—Si Aquél a sus elegidos para redimir les ordena que amen al prójimo más que a ellos mismos, y se le humillen, y por superior le tomen, ¿cómo podrías tú cumplirlo sin tenerte en menosprecio y antes bien arrogándote su dirección? ¡Ah!, es que te diste por elegido y te lanzaste a ejemplarizar. Por una culpa semejante se perdió Luzbel, por creerse dueño de una perfección que no le dieron. Reflexiona. No ignoro que hay en ti amor a tus hermanos de la tierra, que tu error no estuvo en tu intención, sino sólo en tu torpeza, como tú dices siempre. Pero reflexiona, pues debes repararlo.

Y cuando el frailecillo había recapacitado y, convencido, seguro de su falta, preparábase a pedirle consejo, él se le apareció de nuevo, y siempre anticipándose, le indicó:

—Humillación, humillación y humillación. Te humillarás ante ellos con actos visibles, castigarás tu orgullo, negarás la santidad que les mintió tu insuficiencia. Un ejemplo has de dar, por el cual sufras crudelísima tortura y gran menosprecio de tus engañados y aun de todos tus hermanos de la Orden. ¿Conservas en la memoria la parábola de la perfecta alegría? Enseña en ella Francisco: "Y cuando encolerizados nos rechacen como a bribones con injurias y golpes, y nos hayan apaleado y revolcado en la nieve, y nosotros lo hayamos sufrido con júbilo y buen amor, entonces di que aquí, en esto, reside la perfecta alegría".

Yo me figuraba lejos de este siglo, o escuchando una lectura de refectorio. Es indudable, no me desprendo por completo aún del criterio mundano. Fray Bernardo, a quien lo referí poco después, me decía santiguándose:

—Como cosa del Maligno, Fray Lázaro. ¿No será cosa del Maligno? Ese capuchino cruel, esa barba crespa y negra, esos pies velludos y ese cordón cuyos nudos echan lumbre... El Señor nos libre, hermano.

Cosa del Maligno, aviso del Cielo, desvarío; lo que sea, no lo entiendo.

Incrédulo ya en su buen juicio, he querido aprovechar la ocasión para conducirlo a la prudencia, y al cerciorarme de su inclinación hacia el consejo del singular capuchino, le indiqué a mi vez que si una humillación ostensible, un ejemplo o acaso un pecado buscaba, incurriese en la gula y la pereza. Con ello, pensé, recibirá "crudelísima tortura" y puede ser que más salud y más luz para su mente en riesgo.

Mis ideas no le convencieron. Se marchó sin oírme.

—¡Oh! —exclamó—, si consiguiese verme apedreado por los que en mí fiaron, pisado en la lengua por la comunidad, castigado por mi Guardián. Pero no concibo siquiera un acto para que así me traten. Dios no me ilumina; me deja de su mano y me abandona a la angustia.

Y se marchó, sin guardar al menos la cortesía de otro tiempo. Estoy perplejo. ¿Seguirá en sus trabajos frenéticos, en sus martirios y en sus diálogos con ese capuchino? ¿Y a qué puede conducirlo todo esto?

* * *

El paso no podía sorprenderme.

Apenas crucé la portería, al regreso de la Recoleta, y el hermano salió a prevenirme que una señora me aguardaba en el locutorio, tuve la corazonada: Gracia, me dije.

Miré a través de los vidrios y, en efecto, era ella.

¿Cómo no figurárselo, por lo demás, si ayer se marchó del bazar tan corrida y suspicaz y violenta? Ha debido cavilar después, encapricharse, y en consulta con la señora Justina, resolver al fin: "Voy. Llevo un pretexto cualquiera y voy. Conversaremos, y buceando bajo las palabras, bajo las actitudes, bajo los silencios, me cercioraré de lo que exista".

Sólo que yo la hice ver lo que me convenía. Y si alguien obtuvo alguna certeza, he sido yo por cierto.

Me revestí de beatitud. Digno, aunque natural y afable, saludé con una venia, le ofrecí asiento.

—No, gracias —me dijo—. No vale la pena. Yo buscaba al Padre Provincial.

—Entonces...

—Pero me cuenta el hermano portero que el Padre Provincial está hoy en La Granja.

—¡Ah!, sí. Exacto. Y no vuelve hasta la noche.

—¿Y qué hora le parece a usted la mejor para encontrarlo aquí mañana?

—Esta misma. El recibe siempre de tres y media a seis. Yo le avisaré, si usted gusta, para que mañana la espere.

—Muy bien. Porque el Padre Provincial es muy amigo de mi marido, y queremos hablar con él por..., por una cuestión de familia. Hay asuntos a veces peligrosos, y..., usted sabe..., determinadas personas resultan las indicadas.

Entendí. Una advertencia a fin de atemorizarme con una intervención de mi superior.

Le contesté como quien se halla lejos de toda culpa y toda sospecha:

—Pues yo me encargo de anunciarle su visita, señora. Pierda cuidado.

Con esto, en realidad, el objeto de su permanencia allí había desaparecido. Pero no se fue. Me preguntó por el cuadro del zaguán. Se lo expliqué, le referí todo el milagro de las rosas en la vida de Nuestro Padre. Aprovechó ella entonces para comentarlo e hilvanar su charla.

Y comenzaron los esfuerzos. Yo no le daba réplica. Ella debía proceder, pues bravamente. Era difícil: cualquier error de perspectiva desnudaría la intención. Y de otra parte, allí, entre los dos, a solas, nuestro pasado, resurrecto y estorbando, pues todo lo cubría mal.

Sin embargo, hábil y paciente, supo atisbar el momento y colocar entonces la conversación donde se había propuesto.

Yo mismo, yo, el astuto, le brindé la oportunidad. Mientras iba su comentario de un cuadro a otro, caí en reflexiones sobre la impasibilidad de mi corazón. La tenía delante, había reconocido sus facciones una a una, su mirada, su voz, sus palabras predilectas, aun aquella cicatriz de su muñeca, leve y blanco guioncito al cual tantos recuerdos me ligaban, y no obstante permanecía inmutable. ¿Por qué? ¿Por mi nuevo sentimiento? ¿Por esa impresión de cosa profana que causa el ser a quien se amó con amor grande y otro poseyó después, malogrando el ideal y recubriéndolo del odio y la repulsión que al otro le tuvimos?

Antes que averiguase yo bien este porqué, ella, advertida sin duda de mi examen, se volvió a mí de pronto a preguntarme:

—¡Qué! ¿Me está observando? Muy cambiada me encuentra, ¿ah?

Hice una mueca vaga.

—Sí, se cambia —suspiró aguda—. Y se envejece.

Luego, a su vez, examinó "mi aspecto". Y trastornado murmuré:

—Yo sí; yo estoy envejecido.

—Pero la vejez le..., ¿cómo diré?..., le dulcifica.

¡Vanidad, Señor! Y dolor, un dolor indebido. Lo confieso. Pero sonreí con amargura que pretendí revestir de ironía, y dije:

—¡La vejez! ¡Hem!

—No. No se ofenda. Viejo, lo que se llama viejo, claro que no. Y luego, todo es según. Con respecto a mí, no puede ser viejo. Ahora con respecto a otros..., con respecto, por ejemplo, a mi hermanita, sí se podría decir viejo...

Pisaba en el terreno al fin. ¡Ah!, y a sabiendas de lo que había hecho, Señor. O Tú se lo dictaste para castigarme.

—Con respecto a todos —le corregí—, un fraile es más que un viejo; es un ser sin edad.

Hubo un silencio. Yo me había calado ya la máscara de la beatitud nuevamente.

En cambio, sentí, no sé cómo, algo repentino en ella, una extrañeza..., más: una preocupación y una herida en su amor propio de mujer. Nuestro pasado, allí, imposible de ocultar, era de fijo la causa. Percibí su emoción desapacible, medio capricho, medio encono.

Y fui yo, de nuevo yo, el dueño de la situación.

Quise afrontarlo entonces todo, conducir la entrevista con valentía y dominio.

—¿Y en su casa —le pregunté—, la señora Justina, María Mercedes, cómo están?

—Bien. A María Mercedes la ve usted a menudo.

—Sí, en efecto. Viene mucho a la iglesia.

—Y han conversado.

—Varias veces, sí. Me costó mucho reconocerla. Es toda una señorita ya. Y yo dejé de verla muy niña. Once o doce años tendría...

—Ella me contó entonces el encuentro, y mil cosas más. ¿Y por qué no ha cantado misa, Mario?

—Perdón. Mario, no; Fray Lázaro.

—De veras, Padre Lázaro. El perdón se lo pido yo a usted.

—A María Mercedes le hice la misma advertencia.

—Lo sé. ¿Y por qué no se ha ordenado? En casa decimos: para poder colgar los hábitos el día que se canse o se convenza de..., ¡en fin!

—No. Eso no. Se entra en este sayal en definitiva o no se entra.

Noté que la solemnidad de mi afirmación me daba el triunfo: empezó a juzgarme inofensivo. Sentí además que su amor propio había recibido una compensación: no importaba que ya nada experimentase yo frente a ella: el descalabro sufrido por su amor había decidido mi suerte por el resto de la vida, y era bastante.

—Cierto —me dijo, suavizada—. Usted lo juró.

Y hubo otro silencio.

Aquí mentí, Señor, callando. No he jurado eso jamás. Callé porque..., ¡¡porque un alma romántica no se resigna de buenas a primeras a exhibir el fracaso de un gran rasgo!...

He de enmendar, Señor, esta flaqueza, indigna de quien a Ti se ha consagrado.

Luego, el resto carece de valor. Fueron palabras, palabras...

Y se despidió, al parecer, tranquila.

Dijo algo más sobre María Mercedes: que era un tanto cándida, como chiquilla romántica, y que se inquietaban a veces por ella.

—Un hombre sin conciencia —agregó— puede perjudicarla mucho. Y ella merece casarse bien, hallar un marido con todas las condiciones: juventud, bondad, inteligencia, holgura...

¡Es verdad, Señor!

Pero ¿en qué la perjudicaría mi pura amistad?

Porque no pasará esto de una amistad, Señor, de una amistad fiel..., que me consuela por tener toda una vida por delante.

Nada más, Señor.

* * *

Sueños... Sueños otra vez...

He paseado largo rato por los corredores altos. Dormía el monasterio y arriba el espacio tremolaba como el interior de una campana en reposo. Una campana inmensa, de azul y de noche. La iglesia estampaba su lomo negro sobre el cielo estrellado. Me fui quedando poco a poco inmóvil, suspenso. Y los sueños han venido, calladamente, por los senderos invisibles de la noche callada.

Ya se sabe cómo vienen los sueños.

Y cómo se van.

Sí, luego se borran, pronto ya no existen. Igual que cuando soñamos durmiendo. Sólo que, al irse, nos dejan siempre su emoción. Se ha desvaído toda imagen, pero la emoción permanece.

¿Y algo hay que sea más que la emoción?

La emoción es la esencia virtual de las cosas. La emoción es el alma. Tú, Señor, en tu reino, el Gran Día, acaso no recibas de nosotros más que nuestra emoción, el zumo ponderado de lo que fuimos en este sueño de la tierra, en el cual muchas de tus criaturas entramos como en un bosque ardiendo.

Y también el fuego de los sueños nos habrá purificado.

Hoy hice versos durante el ensueño. Y hubiera seguido, si no me sorprendo a tiempo. Fueron dos estrofas. La una era mía; la otra..., de ella.

Decía yo:

Ser fiel es dar un ritmo tierno y serio a la vida.
Es hacer una fuerza nuestra debilidad.
Es pisar en la tierra firme y estremecida,
donde la vida encuentra la soñada unidad.

Y ella:

Camino por las calles recogida en mi orgullo,
en la altivez que sube de esta gran quemadura.
A nadie mirar puedo. Sólo siento el arrullo
de este amor que me enciende y eterniza en dulzura.

Ella hablaba de amor, no ya de amistad...
Pero... son sueños, Señor, sueños. ¡Y hasta Fray Rufino los tiene!

* * *

Estoy contento, y no sólo por haberla visto, sino por la esperanza de que haya ocupado ya todo su verdadero lugar.

Atravesaba yo el jardín, hacia la iglesia, recién desayunado, cuando el lego portero, que discutía entre los crisantemos con el hermano Juan, me llamó por una seña.

—En el locutorio —me dijo al tenerme cerca—, la parienta suya, Padre.

—¿La de ayer?

—No, la jovencita.

—¿Sola?

—Sola.

¡Qué sobresalto, Señor! Temí que la emoción, y sobre todo la imprudencia de mi pregunta, me vendiesen; y decidí, para contrarrestar el efecto que pude causar a los hermanos, permanecer con ellos unos segundos antes de acudir al locutorio.

—¿Qué le sucede? —interrogué al hermano Juan.

Porque, en realidad, con la podadera entre las manos y dentro del capuz la frente densa de buen varón crispada en gruesos pliegues, tenía el aire de quien a duras penas sujeta el llanto.

—¿Por qué tan compungido, hermano?

Y sólo era que había sentido flagelarse a Fray Rufino. Parece que el Guardián le ha prohibido el ayuno durante un mes, y por eso —a eso lo atribuye por lo menos él— se le despierta "el hermano asno" de nuevo.

—¿Quién le meterá —concluyó el lego al referírmelo—, quién le meterá a un santo como él en esta clase de tentaciones? ¡Ave María Purísima! Se está chiflando.

Y su dedo moreno fingió un taladro sobre la sien.

—No basta para ponerse así —he dicho al fin, sonriendo al hermano Juan—. No hay santo sin su calvario. Y, en último caso, el Padre Guardián piensa mucho en él ahora. No se alarme.

Luego los dejé.

En el locutorio, a esas horas muy obscuro todavía, cuesta descubrir a las personas; de manera que fue su voz la que salió primero a mi encuentro.

¡Ah!, la oigo, la conservo aún en los tímpanos, y sus palabras, todo como una música de agua fresca y presurosa:

—Vengo de carrera. Va a empezar pronto la misa. Sólo quería saludarlo... ¡Uy!, de aquello no me pregunte. Usted se daría cuenta... ¡Es muy estúpida la gente! Aquel viejo chocho, ¿se acuerda?, el senador, el que traje a empeñarse con Fray Rufino... Pues al llegar a casa después se le ocurrió hacer bromas, comentar lo mucho que nosotros habíamos conversado, y nuestra confianza. Siendo amigos desde mi niñez, ¿cómo no íbamos a tratarnos así? ¡Ha visto! Y luego, tampoco se divisa la tal confianza. Pero a mi mamá, con lo odiosa que la tienen los años, se le puso entonces decir tonterías. Que si esto, que si lo otro... ¡Tonterías! ¿No es ridículo? Al principio me fastidiaron, hasta me ofendí. Pero esto debía acabar. Y acabó. Sin duda se han convencido...

Aquí le conté yo la visita de Gracia.

—¡Ah! ¡Comprendo! Por esto me han dejado en paz. Sí, Gracia también tomó la cosa por lo absurdo. Usted vería... ¡En fin! Más vale reírse. Ahora estoy tranquila. Y me voy. Sólo quería saludarlo. Ya tendré el gusto de volver a conversar con usted más largamente. Es decir, si me oye con paciencia. Porque deseo pedirle unos consejos, al amigo...

—A ver...

—No. Mañana. Eso sí, vendré antes de la misa, como ahora; un poquito más temprano mejor. Pasada la misa de siete, anda ya mucha beata rondando. Hay demasiados "viejos chochos" en el mundo que pretenderían manchar un sentimiento de amistad insospechable. Y para hablar queda tiempo...

Recuerdo que en este punto le dije:

—Una amistad fiel tiene siempre una vida por delante.

Y que entonces ella se ruborizó, llena de risa, explicándose:

—Si es que yo pensaba: ¿Qué se imaginará él, tan justo, tan cumplido, tan escrupuloso? Puede hasta herirse.

—Yo —le repliqué— soy un amigo fiel...

Y añadí algunas palabras sobre la amistad.

Por primera vez en toda la visita se animó en este momento a mirarme a los ojos. Sin embargo, nuestras miradas, apenas tomaron contacto, se retiraron. Natural: nos habían colocado en un tono equívoco esas almas superficiales.

Luego nos despedimos hasta mañana, y no hubo más.

Tampoco precisaba más. Fue un buen rato, una alegría. Y, según creo por las frases que acerté a pronunciar sobre la amistad, no sólo se han despejado los días futuros, sino que les hemos marcado un ritmo sereno de amistad tranquila e inalterable. Tengo fe ahora en que nuestro sentimiento perdure dentro de una pura y fiel amistad. ¡Una gran dicha, Señor! Porque no había de resultar yo, por cierto, ese "hombre sin conciencia que la perjudicaría", como dijo Gracia.

Pero, Señor, soy muy infantil en mis satisfacciones: cuando recorrí después la iglesia, mis pasos, delante de los altares, hacían retemblar los ornamentos y las aureolas metálicas de las imágenes.

Debo contenerme, vivir siempre conteniéndome.

* * *

No sé para qué anoto ya esto.

Ha sido absurdo. Ha sido trágico. Ha sido absurdo, trágico y grotesco.

Pero esta insensatez, esta escena de manicomio, es el fin.

Apenas entré al locutorio, junto con sentirme sumergido en esa obscuridad donde su voz debió mecerme, sufrí violenta la remoción de aquel tumulto. Un jadear angustiado, un grito que se aprieta y no logra salir, un último, desesperado forcejeo y un cuerpo que rueda y viene a parar contra mis piernas. Todo en instantes, en lo indispensable para que mi vista se acomode a la penumbra. Luego María Mercedes que apostrofa: "¡Bestia! ¡Bestia!", y huye despavorida. Lleva rasgado el corpiño; sus manos se agitan, son dos aspas blancas y enloquecidas en el aire negro; su devocionario ha caído y el chicuelo de una mendicante, que estuvo asomado al portón, lo recoge y corre tras ella. Nada más. Yo no consigo moverme. El espanto me paraliza, porque todo lo he comprendido: a mis plantas gime Fray Rufino y se retuerce.

Colérico, en una brusca reacción, empujo con el pie aquel bulto. El vuelve a gemir. Lo cojo entonces por los hombros, lo alzo como un muñeco sin peso, lo remezco y me encaro con él:

—¡Qué es esto! ¡Qué ha hecho usted!

—Sí... Grite. ¡Grite! —dice, más bien exhala sin voz, semejante a un fuelle roto—. ¡Llame! A mí me faltan las fuerzas... ¡Ya pueden escupirme! Pregónelo... Yo, el "hermano asno"... Yo, el inmundo, que personifico la lujuria... No merezco esa reverencia... ¡Al fin quiso el Cielo iluminarme! ¡La humillación al fin! Cuéntelo... ¡Pregónelo!... ¡Que todos lo sepan! El "hermano asno", yo, he pretendido violarla...

Lo rechazo, indignado, rebelándome. Y se desploma, azota sus huesos y su cráneo flaco sobre el entarimado. Llora, y sus sollozos parecen estertores. En seguida lo arrastro hacia el claustro, a la luz, y llamo. Pero ni el hermano portero está en su cuartucho.

—¡Qué ha hecho usted, infeliz!

Ya no hablaba. Tenía las pupilas vidriosas y fijas en mí, descolgaba la mandíbula, con espuma las comisuras, y sus mejillas se inflaban y sumían agónicas.

Y en todo el patio nadie.

Hube de suspenderlo en brazos y correr con él hasta su celda.

Frente a la escalera, Fray Bernardo, que bajaba, nos siguió.

—Asístalo usted, Padre —le rogué cuando hube dejado el cuerpo sobre el camastro—. Yo voy en busca del Guardián.

A mi regreso con Fray Luis, había muerto.

—¿Qué ha dicho? ¿Alcanzó confesión?

—Nada. Y apenas murmuró algunas palabras sin sentido: "el capuchino"..., "¡ejemplo, ejemplo!"..., "vileza ostensible"..., "el hermano asno"... "¿Ven? No merecía yo esa reverencia..."

Yo guardé silencio. No quise relatar lo que había presenciado. No habrían comprendido aquel delirio de humillarse. Sólo repetí haberlo recogido inerme del locutorio.

Los tres quedamos silenciosos un momento. Frailes y legos se fueron aglomerando en el patiecillo. Hacía sol, ardían los frutos en los naranjos y dentro de la celda la llama del cirio de bien morir parecía un ojo de fuego inclinado sobre el cadáver.

De pronto, Fray Bernardo se me acercó y me dijo al oído:

—Es muy extraño. O yo traigo un prejuicio aquí metido, o realmente cada vez que sus labios nombraron al capuchino ese olió mal el aire. Un olor de azufre que duró hasta que le puse la cruz sobre el pecho. El Maligno lo ha perseguido hasta el fin, creo yo. Afortunadamente, el Maldito nada pudo contra esta santidad.

Un pensamiento irónico relampagueó en mi mente. Pero no llegué a formularlo, pues el Padre Guardián nos impartía ya sus órdenes:

—Hay que llevarle los santos óleos. Usted, Fray Bernardo, con el hermano Juan. Y usted, Fray Lázaro, disponga que doblen las campanas y se prepare un túmulo en la iglesia.

Obedecimos.

Pero a todo esto yo pensaba en María Mercedes. Esa criatura tan sensible, que se desmayó en la confirmación, ¿cómo estaría? Y podría venir alguien de su casa, de un momento a otro... Decidí rondar entre las puertas de la iglesia y del convento.

Empezaron a doblar. Ya la gente llenaba la portería. Oí contar al hermano portero en un grupo:

—Era un santo, ¡quién lo duda! Luego que expiró, se ha sentido en los aires una música dulcísima, como la de los ángeles en sus violas... Lo canonizarán...

Me aparté.

Por lo demás, acababa de divisar a la señora Justina y de resolver detenerla en la calle, no fuese a escandalizar ante el Padre Provincial y, sobre agravarse mi conflicto, el descrédito cayera sobre nuestra Orden. Era mi deber.

La señora traía una cólera ciega. Me afrontó luego que me tuvo delante.

—Calma....

—¡Qué calma! Tienen ustedes ahí un loco, un energúmeno, un canalla hipócrita...

—¿Quién?

—Ese Fray Rufino: ¿Qué es lo que ha hecho con María Mercedes? Ha querido infamarla.

—¡Oh! ¿Y ella dice eso?

—Ella no habla. Está muda. Y yo sé por qué. Se hace la que no puede hablar después del ataque que ha tenido. Pero un chiquitín se nos apareció llevándonos su libro de misa y nos lo ha contado todo.

—Señora, Fray Rufino ha muerto. Yo ignoro lo que dice ese niño, que sin duda es muy pequeño y se equivoca. Y usted, si no respeta su religión, si desea enlodar una de sus órdenes más venerandas, venga con su cólera a nuestro convento. Pero si es una buena católica, medite primero.

La vi desconcertarse, y ataqué de nuevo:

—Por amor de nuestra santa religión, señora, tenga prudencia. Y por respeto a un cadáver. Fray Rufino está muerto...

—O ha sido usted, entonces...

—Señora...

—Sí. Porque ella sola no se ha destrozado la ropa, ni el chico ha visto un fraile de humo echársele encima a la pobre criatura.

—Imagine, señora, que haya sido yo. Pero antes de proceder a ciegas averígüelo a María Mercedes. O que venga ella y diga...

—¿Ella? ¡No faltaba más! Ella no pisará ya nunca, en su vida, estas piedras, ni andará jamás sola en adelante. Usted era un peligro, bien lo decíamos.

—Señora, yo...

—Quiero hablar con el Provincial.

—Hable con María Mercedes primero, y no perturbe en un día como el de hoy nuestra casa. Por lo demás, nadie le creería esa locura. Fray Rufino, repito, ha muerto. Por él doblan, por él hay esta agitación devota. Y ha tenido una muerte seráfica que todos lloran edificados en la comunidad. Vaya y serénese ahora, será lo mejor. Luego, esta misma tarde, si usted lo exige, irá el Padre Provincial a su casa. Yo se lo prometo. Se explicarán; puede usted aun hacer que María Mercedes se confiese con él...

Gasté razones hasta persuadirla.

Pero el Padre Provincial la visitará esta tarde. Se lo he prometido y lo cumpliré. De lo contrario, ella volvería. Por último, durante nuestro diálogo he visto que todo llega necesariamente a su fin, y a todo me hallo dispuesto.

He cumplido, Señor.

Hice al Provincial, en confesión plenaria, entrega de mis culpas, de mi secreto y del suceso que hoy lo complicaba, y sometí además a su poder mi suerte.

¿Habría otro camino que elegir acaso?

Las circunstancias lo impusieron, y bien lo había presumido yo a mi vez: era él quien podía resolver, ajeno al corazón y con cerebro claro, el único. A pesar de no haberlo yo tratado nunca a fondo, me lo definió siempre su figura: alto y derecho, seco y limpio, de líneas severas y elegantes, de color sombrío y gótico perfil. Cuando me recibió tenía la capilla a la cabeza, los antebrazos inmóviles y entrecruzados, y todo en él formaba una silueta grave, larga y reunida, de ojiva, en la que ponían toques de austeridad los ojillos penetrantes, los pies descalzos, las manos sin carne y la barbilla y la nariz emergiendo afiladas entre las sombras del capuz. Yo lo conocía, porque verlo es conocer su espíritu. No le inquietan las cuitas del alma; le preocupan sólo puntos de organización. Siempre dice: "Quiero que ustedes hagan esto. No quiero lo otro". El siempre *quiere*. Y no vacila ni yerra, pues la Regla dicta su claridad.

No le vi descomponerse un instante, no le vi un gesto débil: nada más que pensar mientras yo hablaba. Y cuando hube concluido, le bastó esta consulta para decidir:

—¿Quiere usted continuar en nuestra Orden?

—Sí, Padre. Fuera de mi esperanza en Dios, nada puede quedarme.

Entonces se puso el sombrero y salió.

Una hora después me decía:

—Fui. Hablé primero con esa señorita, la confesé: He debido exigirle, en bien de su honor comprometido y por la culpa que a ella en especial le corresponde, no que mintiese, pero sí que se obstinara en el silencio. Y en defensa de nuestra Orden, sobre todo por el prestigio de ese santo, que precisa conservar, di a entender a la madre que usted ha sido el solo pecador. Luego le he añadido: "Tranquilícese usted, señora; Fray Lázaro partirá en estos días a una provincia lejana, con la consigna de no volver aquí. Me lo ha pedido él mismo". Conque ya lo sabe, hermano: dispóngase al viaje. Y sobre Fray Rufino, un secreto absoluto. Humíllese y comprenda...

—Sí, comprendo. Pero..., una pregunta, Padre: Ella ¿qué dijo?

—Ella aceptó.

—Vuelva cada cual los ojos a su destino y cúmplanse los designios del Inexorable.

—Pero —me completó él, recalcando el pero— en honra y provecho para Nuestra Santa Madre Iglesia.

Amén. Deberá ser así.

Todo, Señor, ha terminado. Y estoy otra vez solo a tus pies. ¿Ves como también este sentimiento sería triste? ¿Ves como también ésta se fue? Ya estoy otra vez solo.

Oigo las campanas que no cesan de doblar. La iglesia rebulle y desborda de buenas gentes. Visitan el cadáver del santo; besan sus pies, cargándose de reverencia, y lloran. Frailes y legos discurren entre ellas y narran los hechos significativos de esa vida que no entiendo y, sin embargo, con tanta ternura seguí.

Todos allá, Señor. Unicamente yo permanezco aislado en mi celda, que ya empieza la noche a llenar. Espero un día, el de partir, y otro día, Señor, aquel en que habrás acogido mi sacrificio y me habrás hecho al fin un buen fraile menor. Hasta ese amanecer, mi vida, como ahora mi celda, estará minuto a minuto anegándose de noche.

ACTA EST FABULA

FIN

DE "EL HERMANO ASNO".

TAMARUGAL

I

—¡Jenny!

—Papá.

—¿Estás ahí?

—Aquí, sí.

—Bien. Nada más quería saber.

Y los pasos del viejo, como todas las tardes, continuaron pasillo adentro.

Jenny. A ella le gustaba su nombre así, en inglés y en diminutivo. *Yeni,* pronunciaban las gentes, a la chilena. Ella, no. Ella decía Jenny, con buena pronunciación. Y le agradaba, no porque también ella padeciese del esnobismo reverencial de los tarapaqueños por todo lo británico, sino porque la diferenciaba dentro de su medio. Ella era superior, sin disputa, a los demás habitantes del campamento. Y su padre tenía mayor rango. Y su tía valía más, ¡por supuesto! En suma, Jenny marcaba clase. Juanita..., ¿quién no podía llamarse Juanita?

Físicamente, acaso no le sentara mucho el diminutivo exótico. Si bien tenía muy verdes los ojos, se abrían en cambio demasiado anchos y se adormilaban al peso de un recargo de pestañas obscuras. Su tez aproximábase más bien al moreno que al blanco. Emanaba un caliente fluido criollo de sus turgencias. Y toda su figurilla, encimada por aquella revoltura de rizos negrísimos, en nada conseguiría evocar jamás el tipo anglosajón.

—No importa —concluía ella—. A mí me encanta que me digan Jenny. Sin embargo, lo declaraba siempre con cierta reserva mental. Porque le dolía que la hubiesen comenzado a denominar así en circunstancias tan irrespetuosas. Una noche de Carnaval, en Iquique, salió con varias amiguitas, disfrazadas todas. Los jóvenes que las acompañaron las condujeron a cenar, a un lugar que luego resultó poco decente; confundieron la condescendencia de niñas inexpertas con la liviandad, y, en pendiente de confianza, el peruano Manzanares, que la tenía siempre del brazo, aun cuando estuvieran sentados, dio en llamarla Jenny.

Y con Jenny quedó.

Pero el recuerdo le traía siempre interior sonrojo, reabríale aquella vieja lastimadura, que ahondó cuando en cierto aparte pudo escuchar a uno de los mozos responder a otro por lo bajo: "Déjate de escrúpulos. Todas empiezan así la carrera".

—¡Ah, qué pena! Sinvergüenzas...

Pues bien, aquella vida iquiqueña, no obstante lo inmediata que el calendario la verificase, habíase de pronto nublado en lejanía, por magia del mero regreso a la Pampa. Cuatro años de liceo en Iquique, tras los cursos primarios en diversas escuelas pampinas. Luego varios meses de playa, pensionista de su abuela: los meses en que precipitadamente sus pechos y sus muslos empezaron a henchirse, como las velas de una balandra nueva que inicia rumbo. Al cabo, como estuvo previsto, y como era natural, y como lo desearan siempre su padre, ella y su tía, ¡a reintegrar la familia, a poner juventud en la casita de calamina en la Tamarugal!

La mudanza —¡cuán difícil resultaba comprenderlo!— distanció en el tiempo todos los años de la ciudad con la misma rapidez con que el ferrocarril separó en el espacio el puerto y la oficina salitrera.

¡Qué raro! Al despedirse de todas sus amigas, había sentido imposibilidad absoluta de no seguir conviviendo con ellas dentro del alma. Empero, el cotidiano actual envolvía y vencía con tal imperio, que aquel pasado no por cercano salvaba de reducirse a una cinta de imágenes cada hora más desvaídas, más inconexas e interceptadas por el suceder de los hechos nuevos.

Y no se dijera que le apasionaba este presente. Al revés; la monotonía era único riel de los días pampinos; y la ternura paterna, apenas si algunas curiosidades levantadas por el ambiente novedoso, algunos sueños forjados ante la figura apuesta de tal o cual empleado y cierto mecerse dulcemente el alma en el color de los atardeceres, añadían variedad.

Pobre variedad, aunque grata, incapaz de gastar ímpetus y anhelos de los dieciocho años.

El padre, don Esteban Arlegui, regía sus idas al trabajo y sus vueltas por inalterable horario. Era el cortador de yodo y el ensayador, en la oficina. De la casa del yodo, volvía para almorzar; del almuerzo, marchábase al laboratorio, a ensayar caliches, ripios, caldos y aguas viejas. Su cargo, si más elevado que el de mayordomos, capataces y correctores, lo situaba sin embargo en peldaño inferior a los jóvenes de la administración. Una organización justa debió colocarle por encima de muchos agraciados con superior jerarquía.

—Está convenido así, ¡qué quieres! —respondía él cuando Jenny argumentaba—. En cambio, disfruto de mi casita independiente, mientras los demás no pueden vivir en familia.

Su honradez y su bondad a carta cabal habíanle rodeado de respeto; la ternura para con su hija y la paciencia para con su hermana semidesvalida ritmaban apaciblemente su vivir; su prolijidad para cien habilidades lo entretenía y hasta le acrecentaba rentas. Lo último porque, vuelto a casa, remataba las tardes ante su mesa taller, a la luz de una ventana, ya labrando dados de lujo para los garitos, ya en pulimento de hojas o escultura de mangos para dagas y puñales, ya calando en filigrana monedas o pasadores de hueso, joyería con que sujeta el obrero su pañuelo de seda china los días de gala.

Doña Eduvigis, por su parte, madrugaba para comprar la carne, hacía cola en las ventanas-mesones de la pulpería en procura de menestras y descubría las verduras frescas que por azar solían hallarse ocultas entre el hacinamiento de la recova.

Superaba doña Eduvigis en diez años a don Esteban, y sufría un mal que nadie supo nunca reconocer ni logró ella definir en las contradictorias relaciones de síntomas. Pero se mantenía, laboriosa entre suspiros, mansa y solícita, porque adorar al hermano viudo y envolver en blanduras a la sobrina seguramente le suplían el no haber logrado un marido y la esterilidad de su vientre. Ambos hermanos denotaban raza —vasca, por el apellido Arlegui— y la certificaban con los ojos claros y la blancura del cutis. Don Esteban, tostado en el rostro, albo en la calva; ella, aunque sin cremas ni polvos, de una piel con marchitez de flor garabateada por venillas azules en sienes y ojeras. Jenny se les parecía de facciones; no en conjunto y color: tenía el mentón menos largo y la madre había espolvoreado cierta canela sobre el marfil.

Esta familia, hospedada en la primera casita de la calle exclusiva para los empleados segundones, cerraba sus puertas a prima noche. Algo se leía, de algún semanario santiaguino, "Zig-Zag" o "Lira Chilena". Hasta que, mullidas las camas por doña Eduvigis, acostábanse los tres: en un cuarto —más celda que alcoba— don Esteban; en otro menos exiguo, las dos mujeres. Había una salita-comedor, además, y luego solamente la cocina, donde algunos sacos en bastidor extendían la exigüidad de las planchas galvanizadas. Porque toda la casa, como el campamento entero, como cuanto campamento salitrero había en aquella época, se armaba con hojas de calamina, de techo a cimientos.

Antes de recogerse, los tres contemplaban un rato el cielo. Aquel cielo pampino, tan diáfano y opulento en constelaciones. Solían permanecer algunos minutos en silencio todavía. Palabras sueltas solían venir de la vecindad, como en vuelo de pájaros perdidos en la noche.

Al fin cerraban y el hogar unía las fatigas de los viejos y las esperanzas de Jenny, informuladas éstas, más bien preguntas, en el latir de un solo corazón.

¿De uno solo? Demasiado mozo era el de Jenny para no prolongar su pulso en vigilia más allá que el de los buenos viejos.

Y así era, muchas noches, muchas noches...

II

Don Jesús Morales, el administrador, el Hombre, se detuvo enfrente de la sastrería.

Le observó Jenny, de reojo, plantado como estaba sobre sus dos piernazas abiertas y su monumento de carnes encima, bajo el sombrero de brin.

—¿Usted aquí?

—Sí, señor; aquí ahora.

—¿Cosiendo?

—Cosiendo.

—¿Y la escuela?

—No... voy por allá.

—¿Por...?

—¡Pse! No voy, no más.

Cambiaba entre tanto el sastre miradas con sus oficiales. Rodaron unos furtivos segundos todas las pupilas, de rostro en rostro, y al tocar la vista del patrón, fueron dejando en ella como un ¡chit! de malicia.

De modo que el Hombre hubo de plegar los labios.

—¡Qué calor! —dijo, y se volvió de espaldas.

Pero estúvose un rato aún, mira y mira hacia las máquinas, hacia las canchas de salitre, que ponían su albura en el pardo de polvareda que tenían la tierra y las cosas todas.

Pronto se hallaba de nuevo cara al corredorcillo donde Jenny trabajaba inclinada sobre su costura.

Y ella sentía recorrer su persona aquellos ojazos de moro, y detenerse en puntos diversos de su cuerpo.

Desagradable sensación. Siempre, al pasar por entre los hombres de la oficina, percibía en su redor una atmósfera de simpatía; pero, de un tiempo a esta parte, su instinto le advertía que allí actuaban apetitos más que atracciones del corazón; y por esto, si de primeras se le halagaba el orgullo, luego una sombra le opacaba el alma. Sufría entonces presentimientos obscuros y ansiaba correr a refugiarse en los cariños protectores de su casa.

Por suerte, a poco el administrador había repetido: "¡Puf! ¡Qué calor!", y se había ido sin más.

—Me da que a usted le va a ir muy bien aquí en esta oficina —le dijo inesperadamente el sastre.

—¿Por qué, maestro?

—Porque no hay otra como usted. Y si sabe hacerse valer...

Tuvo ella que soltar la risa, en coqueto gesto, y tornar al optimismo. Después de todo, ¡quién sabe! ¿Quién podía leer el futuro?

Dejó sobre su falda la labor y se quedó absorta, la vista perdida en la pampa. Caía tan tórrido el sol sobre los objetos, que les borraba el dibujo y reducíalos a manchas y destellos. Era la media tarde, la hora en que el viento del desierto apenas se arrastra con languidez, cuando la luz emborracha como un vino muy seco y la sangre se va espesando y se mueve hecha indolencia a lo largo de las venas.

A la inversa, con el ardor la mente de Jenny adquirió lucidez. Vívidas resucitaron las imágenes y las escenas de aquellos días en la escuela.

Había querido ella, por llenar con algo interesante los ocios, ayudar a la señorita Irene. La maestra, una sola para sesenta criaturas, acogió la idea con júbilo.

—Mientras en esta sala enseña usted a los varones, yo puedo repasar a las chicas en la otra.

—O viceversa. ¡Magnífico!

Y habían convivido en camaradería cierto tiempo.

Sólo semanas duró, sin embargo, la cooperación. No tardó la normalista en mostrarse brusca y desconcertante. Cambiaba de humor de un día para otro. Ya recibía cordial a Jenny, ya reasumía el continente hostil; ya se arrepentía, ya tornaba a la tiesura de pedagoga pulcra. Hasta que todo acabó.

Hurgando en la memoria, repasando episodios, puso al fin en limpio Jenny causas y procesos.

Para empezar, doña Artemisa, madre de la señorita Irene —Irene y Artemisa, ¡qué evocación de escuela normal!—, nunca la miró con simpatía. Primero, según murmullos, tuvo el temor de que la muchacha, tan vivaz y atrayente, llegase a conquistarse cordialidades de la administración, que ella prefería sólo para su hija, y aun sospechó de que deseara suplantarla. Después, los cumplidos de Mister Archy, el cajero, a quien por lo visto la señora colocaba entre los posibles maridos de su Irene, debieron fomentar la ojeriza. Por último, aquella imprudencia de este joven, cuando ella lo previno. ¿Habría percibido la anciana la exclamación "¡Vieja fea!"?...

No había conseguido Jenny contener la risa. ¿Y cómo? Si a Mister Archy se le ocurrió añadir:

—Mírela: flaca y larga, toda de negro, con el cuello encorvado y esa nariz. Un paraguas.

Todavía más. Doña Artemisa y la señorita Irene criaban palomas. Y en aquel malhadado instante, justo cuando la risa parecía vencida, dieron los ojos de ambos con la jaula donde guardaban un pichón. El palomino, con sus orificios nasales fingidores de gafas resbaladas sobre la nariz, tenía un mirar de vieja asombrada que observase por encima de los cristales; y resultó tanta su semejanza con doña Artemisa, que el reir fue ya irresistible y convulso.

¡Qué temeridad!

Pues algo aún había bajo todo esto: en la propia señorita Irene germinaron celos. Celos de amor.

Mister Archy —sólo *mister* por modismo, pues que se llamaba Archibaldo Alfaro y era oriundo de Tarapacá— tenía una pasión: la cultura física. Le había dado por hacerse un hércules y por esto, aparte del sistema Sandow que practicaba en su pieza, había logrado que la Compañía dotase a la escuela de algunos aparatos gimnásticos. Iba todas las mañanas allá, para usar en su provecho la barra y las anillas. A tórax desnudo, cumplía sus ejercicios.

Y he aquí que a la ya un poco madura señorita Irene, el espectáculo le nublaba la vista y le repercutía en las entrañas.

Era alta y magra, morena como el bronce claro, con los ojos vivos y ardorosos y una bella dentadura. Cuando miraba a Mister Archy, parecía crepitar. Sus risas alborotaban el patio y venía con una palangana de agua helada para empapar los músculos cansados del mocetón. Lo hacía con ambas manos, palpando mucho, amasando casi. Y ni risas ni bromas habían podido disimular ante Jenny cierto frenesí.

Mister Archy fingió siempre no advertir. ¡Ah!, pero Jenny...

Nada. Que de todo aquello tenía que sobrevenir lo que sobrevino.

"Con no volver —pensó Jenny—, se pone punto final."

De sobremesa, habló con los suyos:

—He pensado emplear mejor mi tiempo. Me ha insinuado el sastre que aprenda la confección de chalecos. Iría por el taller un tiempo, aprendería luego y traería las piezas para coser en casa.

—Bien; si te decides y aprendes, te compro una Singer.

—¿Convenido?

—Convenido.

Así pasó Jenny a chalequera.

Y así recibió también su primer desengaño en la vida con las gentes de la Tamarugal.

III

—Algo sucede —observó el sastre, desde la penumbra de su mesón.

Luego descolgóse la cinta de medir que le pendía del cuello, y se asomó a la puerta.

—Ya me ha llamado a mí la atención —dijo un oficial— que los fogoneros no se largasen a casita cuando acabó el turno.

—Ahí están, los seis, come y come guayabas.

Las caras volviéronse hacia la recova.

En efecto, bajo el alero del mercadito, los seis hombres devoraban a docenas las frutas ariqueñas.

Otro añadió:

—Y el aguador desenganchó sus mulas, las soltó al corral y ha vuelto inmediatamente.

Sí; también veíasele allí, junto a su carreta tonel, bajo el estanque suspendido y apoyándose en la vara. Muchos más trabajadores había. Y no reían como de costumbre; hablaban a la sordina, se notaba que con disimulo.

Un tiro de dinamita explotó en la pampa, tan formidable y tan cerca, que se estremecieron los edificios y las almas. Se vio elevarse al espacio el gigantesco ramo de polvo y piedras encendidas, fantásticamente alto. Le pintaba el fuego, sobre el sepia de la tierra, dardos rojos y moradas violencias, y arriba, en los contornos de nubes, lo irisaba el sol.

Jenny alcanzó a deslumbrarse con el esplendor.

Pero:

—¡Guarden con las costras chicas, que vuelan lejos! —gritaron.

Y hubo ella de guarecerse.

Todos habían corrido en busca de reparo. Veloces y oportunos, pues no tardó en caer una granizada sobre techos y suelos.

—Se han tronado muchos tiros hoy.

—Como nunca.

—Y con furia.

Había sido, cierto, excepcional en dinamitazos el día. Un temblor sin tregua casi, había sacudido la tierra.

Los sastres, en charla siempre, concluyeron por acodarse los tres sobre la baranda, frente a la calle.

Tras ellos salió también Jenny.

Y era una lindísima tarde en la canícula. Muy rubio, en lo alto, el sol, y el cielo de un añil cándido como las pupilas de una niña.

Merecía excusa el calor que sofocaba el pecho y hacía latir los oídos, las sienes y las yugulares.

—Los barreteros también.

—Ahí vienen.

Acudían los barreteros, en cuerpo. Habían aparecido por una bocacalle, tal cual trabajaran todo el día, polvorienta y fuera del pantalón la cotona de osnaburgo, fajada de rojo la cintura, al hombro barrenos y cucharas, y en la mano, todos ellos, la cantimplora o el tarrito enfundado en una calceta humedecida para medio conservar la frescura al agua.

—No hay duda de que algo sucede, porque sigue cayendo gente.

—Peones de cuadrilla, derripiadores, chancheros, particulares...

—Hasta los "tiznados" salen de la maestranza más temprano.

Jenny sonrió al oir el apodo general para herreros, fundidores y mecánicos. Pero quiso continuar en silencio. Ella conocía el secreto. Por la mañana, al salir de casa con su padre, habían divisado una banderita roja, allá, al terminar una corrida de las casuchas de hojalata.

—Seña de reunión. Ahí vive Rojas, el "gancho" de la Mancomunal Obrera —le había informado el viejo—. Han subido delegados de Iquique y se proponen presentar peticiones al Hombre.

—¿Cuándo?

—Hoy.

Supo ella por don Esteban algunos propósitos. Mas prefería callar.

La multitud acrecía. Sin agitación, pero en cierto comentario y cierta verbosidad que hacían hervir de murmullos el ambiente.

Ahora veíase además un grupo de bolivianos. Se habían colocado muy cerca, apoyándose en cuclillas contra el tabique de la pulpería. El quechua de cobre, de ojos oblicuos, lampiño y con el labio y la nariz perlados siempre de gotitas de sudor.

Tampoco faltaron los chilotes. Chilotes, no chilenos. Distinguían entre Chile y Chiloé. En todas las oficinas manteníanse aparte, como formando colonia. Partían todos los años de sus islas, llegada cierta época de cultivar las papas por manos de mujer, y navegaban hasta el norte salitrero en lanchas que iban negociando bien por puertos y caletas. Vendían la última en Iquique y subían a la Pampa. Allá trabajaban hasta la hora de volver a sus cosechas. Frugales, comían poco y bebían nada, sin otro afán que el de juntar dinero. Gran estima gozaban por laboriosos y a todo patrón placía el procurarles su exclusivo entretenimiento: la lectura. Revistas y diarios, no importaba si viejos o actuales. El asunto era leer.

Contaba don Esteban que una vez encontró un chilote absorto en un libro.

—¿Qué lee usted? —le preguntó.

—El Código de Minas, señor. Pero el antiguo. El vigente no vale nada.

¡Cuánto saboreaba el padre de Jenny esta anécdota! Porque, sobre ser significativa, le daba en una debilidad: él había sido siempre, a fuer de copiapino, un soñador, vicioso minero.

Pues también se hallaban allí los chilotes.

Hasta que la concurrencia se removió repentinamente.

Hubo zumbido de enjambre.

Venía "la comisión".

Asomaron entre la recova y el estanque de "agua del tiempo". Cruzaron la calle. Ascendieron las gradas del soportal que sombreaba la pulpería y el tenducho del sastre.

Un obrero maduro, de peludo rostro, presidía. Era el delegado de la Mancomunal. A su izquierda erguíase Rojas, solemne dentro de su traje dominguero de pampino: azul a rayas blancas, cruzada chaqueta, pantalón de campana, a la marinera, amarillos botines, pañuelo de seda al cuello y un sombrero canotier exageradamente ancho de ala.

Quien marchaba a la diestra despertó curiosidad: un vejete muy pequeño, muy delgaducho, vestido rigurosamente de luto. Llevaba entre los dientes una boquillita negra como un bitoque, de la cual salía un cigarrillo de papel de trigo. Su minúscula cabeza, seca y amarillenta, al emerger de aquel cuerpecillo, parecía otro pucho pajizo en otra boquillita negra.

Los vieron pasar los obreros y, sin una voz, sin el menor gesto, más bien con resolución de tímidos, siguiéronles los pasos.

Se oyó una campanada, en la plazoleta de los escritorios.

—Llaman al sereno.

La campanada, sola, pasó como un calofrío sobre el lomo de la multitud. No porque hubiera paz, faltaba la emoción.

El pulpero jefe, que había cerrado sus puertas, apareció bajo el soportal y se aproximó a los sastres.

—Hay jaleo.

—¿Huelga?

—No. Aquí no hay huelgas todavía.

—¡Todavía!

—Apenas peticiones. Esas sociedades de resistencia obrera, que han despertado con el nuevo siglo...

De pie, fumaba, fumaba. Ascendía el humo del cigarro, flotaba informe, se deshilachaba y permanecía cerca del techo, inmovilizándose con el calor, en colgantes curvas como telarañas.

Cruzó en esto don Esteban, hacia los escritorios, a indagar, a inquirir alguna noticia.

—¿Y qué hora es ya?

—Apenas las cinco. Si han parado el trabajo antes de tiempo, ¿no le digo?

—Pues, si esto no es huelga, es paro.

—Paro de un rato.

—Mientras hacen la petición.

Nadie temía, en verdad. Pero había cierta angustia suspensa, que se metía en las venas y entre los nervios. Pesaba el silencio de las máquinas paradas y los talleres vacíos.

El pulpero se puso a explicar cómo y por qué este siglo, ya en sus tres primeros años, daba a luz el fruto de los odios del Anticristo.

Jenny, para quien las metafísicas de pulpería carecían de sentido, entretúvose con la nota pintoresca que aportaba el personaje al medio. "¿Por qué —se preguntó— este hombre me recuerda a Mefistófeles?"

Ciertísimo. Un Mefistófeles ingenuo y gastado. Tenía los hombros subidos, las comisuras subidas, con dos puntas de bigote que las empinaban más, subidas y angulosas las orejas, subidas las cejas en sus extremos, y hasta los dos rincones de su frente subían, en dos entradas que recortaban en pico la cabellera de felpa gris. Sus piernas eran largas; su busto, corto. Visto de espaldas, aun su chaqueta, colgándole de los hombros, recordaba la capilla negra de Mefisto.

"Y con todo —reflexionó Jenny—, hay en sus ojos, en sus movimientos, en todos sus medios de expresión, cierta torpeza que mueve a risa conmiserada."

Pero este austríaco —los yugoslavos pertenecían al Austria por entonces— conocía los puntos de la reclamación.

—¡Ah! Un pliego.

—Cuente, don Marino.

—¡Eh! Primero: la eterna tonada, que se suprima el descuento de diez por ciento a las fichas. Quieren canjearlas a la par. ¡Bueno!, digo yo. Mejor para mí, porque ganará más la pulpería. Pero reclaman a la vez de mis precios. Y eso, no. Tampoco lo último: comercio libre. Eso, jamás. ¿Cómo puede permitir la Compañía que vengan de fuera los ambulantes a hacerle competencia?

—Pero ellos alegan que el negocio de la Compañía es el salitre.

—Y no el comercio de comestibles y trapos.

—¿Qué? ¿Cómo se entiende? Todo es negocio. ¡Ridículos! Hay que ver lo que me cuesta ya combatir a los ambulantes. Si no fuera porque el sereno los corre a palo limpio, invadirían el campamento, las ventas de la pulpería caerían por los suelos.

—¿Esas tres cosas piden?

—Sí. ¡Nada más!

—Puede que algo consigan.

—Algo. ¡Bah! El Hombre sabe mucho. Y pantalones le sobran.

Don Marino y los sastres emprendieron una serie de paseos bajo el soportal, discutiendo.

Jenny quedó sola. Desde la escuela, el aire traía las voces infantiles en el canto postrero de las clases. Y a ella, más que a canto, le sonó a cántico en el alma esa música lejana.

¡Qué extraña era ella! No lograba explicarse por qué apenas quedaba sola, cualquier futileza, o nada, cernía una sensación de suspiro dentro de su pecho. ¡Era muy rara! Cuando el corredor de la pulpería se animaba de tumultos y rebullicio, ella sentía siempre, aunque fuera por instantes, algo parecido a una promesa. Tan vaga, tan infundada, sin embargo, que a poco desmayaba en suave desesperanza.

No era infeliz, por cierto. Pero con el correr de los meses había venido cayendo sobre ella un desfallecimiento de soledad. Sombras imprecisas en el corazón. Y bien, ¿no estaba con los suyos? ¿Por qué sentirse como aislada, entonces? No obstante, el ir pesando y midiendo esta emoción de aislamiento acidulaba la felicidad de haber concluido estudios y encontrarse de nuevo en el hogar, definitivamente, como lo había soñado años y años.

El hecho era que recibía los mimos de sus viejos más como dádivas que como bases para una dicha.

"Pero ¿qué me falta?, vamos a ver ", se inquiría con reproche.

Le faltaba, le faltaba... ¡Sabíalo Dios! Acaso alguna fuerza imperativa que le incendiase los impulsos de vivir. No bastaba, no, el estar en su casa. La ternura, sola, se le convertía en un dulce alimento para estas melancolías y estas vaguedades del anhelo. Porque si aguardaba, en los atardeceres, el regreso de su padre, ¿por qué luego sus caricias la solían empujar más hacia esa especie de penumbra violeta, como un crepúsculo, en que parecía su corazón enviciarse?

Era una criatura indescifrable.

Aquella tarde, cuando el viejo volvió de la administración y la tomó del brazo y, camino a casa, le fue contando lo sucedido, ella tuvo que fingirle interés. Y ya en casa, mientras él refería pormenores ante doña Eduvigis, hubo de seguir simulando.

Se habló, se comentó, se razonó. Ella, al fin, fue a pararse sola, detrás de la casa, frente al desierto.

Y sólo podía percibir que algo como un alma inmensa y anhelosa inflaba los ámbitos de la pampa, cansada de arder.

IV

Entre tanto, en el escritorio había ocurrido mucho y nada. Los empleados, en el departamento del contador, corro dicharachero, poco lograron husmear. Tan sólo que el Hombre hablaba tranquilo dentro de su oficina y que las peticiones no iban más allá de lo conocido.

Afuera, Ciriaco Oyarzún, el sereno, había montado guardia. Inoficiosamente, había vigilado en paseos a lo largo del corredor. Sus ojillos claros estriados de sangre, de hombronazo rubio y afecto a los alcoholes, habían observado sin cesar, aunque sin ver otra cosa que la multitud haciendo fondo a la plaza, tal cual forma el coro en los escenarios de la ópera.

El Hombre nada contó después.

Sólo al despedir a la comisión, le oyeron terminar:

—Bien, señores. Mañana domingo bajo a Iquique, hablo el lunes con la gerencia y el martes por la tarde, aquí, sabremos a qué atenernos. ¿Convenido? Porque, repito, estos asuntos no se pueden resolver por teléfono.

Y cuando los delegados se hubieron marchado, apenas dijo, volviéndose a los subalternos:

—¿Se fijaron en el cachimbita?

Soltaron los muchachos una carcajada. Habían evocado en el acto la figurilla del enlutado vejete.

—Pues se me pone que ahí está mi hombre —agregó el administrador.

—¿Y quién es el Cachimbita? —preguntó el cajero, ya pronunciando el apodo con mayúscula, como definitivo.

—No es obrero. Es político. Viene como representante o como enlace del partido..., no sé de cuál partido. Pero mi ojo me dice que ese tipo da de sí.

En seguida, sin otra alusión, una charla fútil.

Se dispersaron los trabajadores.

Se fueron, pero dejaron su angustia en la atmósfera.

Y la percibió don Esteban, porque él era sentimental y sabía de pobrezas.

—¡Ah, qué cosas, Señor! —suspiró al concluir su relato en casa, durante la comida.

Pero cambió el tema en seguida:

—Mañana domingo se pondrá el tranvía para llevar al Hombre a la estación. ¿No quieren ustedes aprovechar el viaje?

—Ya lo creo —repuso Jenny.

Y doña Eduvigis:

—Iremos a misa, después de tanto tiempo.

El domingo, pues, hubo viaje a Huara.

Don Esteban contempló con engreimiento a su hermana. Acaso más que a su hija. La vio vestirse trémula de ufanía. Observó cómo cubría su busto exiguo y algo redondeado por la giba de los años, con el manto de espumilla, y cómo, a causa del sofoco, prefería ella sólo echárselo encima de los hombros, prendiéndoselo al pecho a modo de manteleta. Salíale adelante la cabecita blanca, esta vez expresamente rizada, y evocaba una de esas ovejuelas de cuello movible que adornan los altares del Niño por Navidad.

Al tranvía subieron tras ellas Mister Archy y el Hombre; luego, el pasatiempo —pampina traducción de *timekeaper*— Miguel, un muchacho recién crecido y pelicastaño, cuya cara reía diverso de las otras caras: bajando las comisuras en vez de subirlas, subiendo sobre el ojo el párpado inferior y no entrecerrando ambos como todo ser normal.

El contador jamás paseaba fuera. Y Carlos Pascal, el fichero, habíase ya marchado a Pozo Almonte, a caballo, en su viaje secreto —secreto a voces— de los días festivos.

Cuando se echó a rodar el carro, con su estrépito y su olor a pintura y con sus alazanes de albinas crines bajo el azote de Ciriaco Oyarzún, Jenny sentíase ya muy reanimada.

Además, el Hombre, sin duda por evadir indiscreciones acerca del tema palpitante, animó la charla en torno a la muchacha.

Ella, en particular, iba preciosa. El viento le arremolinaba los mil anillos del pelo, y en sus pupilas líquidas la emoción que los piropos le producían giraba en arabescos, como cuando el alcohol entra en el agua.

Para ella fue aquél un domingo completo. Oyó misa junto a su tía. Los compañeros le brindaron aperitivos en el hotel y, tras el almuerzo, enseñáronle a jugar al palitroque.

El Hombre, por su parte, habíale rendido atenciones con esmero digno de una dama, y al tomar el tren hasta le había estrechado con galantería la mano.

Al embarcarse de regreso a la oficina, tenía mucha alegría en el pecho. ¡Qué contenta, pero qué contenta estaba! Si aun hubo un momento, a media tarde, en que oyó las campanadas de la parroquia partir por parejas y alejarse en el aire caliente y endomingado, tal como las había sentido pasar tantas veces por encima del techo de su casa en Iquique. Sólo que ahora, la evocación, al frenesí del paseo había sumado dulzura.

Pasó el lunes. La mañana del martes pasó.

Y hacia fines del día estuvo el Hombre de regreso.

No se le tuvo, a su llegada, otra novedad que el éxito de su encargo acerca del Cachimbita.

—Ese individuo no es un peón y tiene que sentirse mal hospedado en el campamento —había dicho a Mister Adams, su contador—. Vea cómo consigue usted ofrecerle alojamiento con nosotros. Y si acepta, que nadie le toque el punto de las peticiones. Mucha prudencia. Pero, dentro de la cortesía, con naturalidad, sin nada que descubra interés, atiéndanlo bastante.

—Pues no aceptó de primeras —contó al Hombre, Mister Adams—. Pero ya en la tarde lo topamos paseando por estos lados. Le dimos encuentro, como casualmente, y todos en grupo, no fuera a volvérsenos desconfiado. Conversó del clima, de la sequedad, de insignificancias. Lo llevé a ver la fonda, la Filarmónica; estuvimos mirando jugar al fútbol. Y terminamos con el aperitivo en el salón.

—¡Muy bien!

—A comer no quiso quedarse; pero se resignó a hospedarse con nosotros. "Le había tocado una cama tan sospechosa..."

—¡Espléndido!

—Hoy, tempranito, eso sí, desapareció. A juntarse con sus colegas.

—¡Muy bien! ¡Magnífico! Ha cumplido usted a las mil maravillas.

Citó el Hombre a conciliábulo en su escritorio. Debía obrarse con base de cálculos exactos, que proporcionarían el contador y el pulpero.

Y se comprobó que el descuento de diez por ciento sobre las fichas en canje por dinero significaba, más o menos, ocho por ciento de ahorro para los salarios, y que, al pagarse con dinero efectivo las compras en la pulpería, bien cabía una rebaja de los precios, puesto que se hallaban éstos fijados sobre valor en fichas.

—No, señor —objetó el pulpero—. Si no se bajan los precios, la pérdida de lo economizado hoy en jornales se compensa con una mayor ganancia para la pulpería. Como a la Compañía pertenece todo, resulta que se va lo uno por lo otro.

—Es que hay protesta por los precios también, don Marino.

—¿Y la gerencia quiere atenderla?

—La gerencia me da carta blanca. Cuenta con que yo sabré evitar pérdidas.

—Pues no veo cómo, si no me escucha usted a mí.

—Yo sí veo. Aguarde usted. ¿Cuánto importa el recargo vigente de los precios a causa de la venta en fichas, Mister Adams?

—En su oportunidad, se apreció en ocho por ciento también, porque así como no todo el pago de salarios se efectúa en fichas, tampoco se hacen en fichas todas las ventas.

—Ahí sí va lo uno por lo otro.

—Pero así, señor, persistirá la pérdida de la economía en los salarios.

El Hombre rió, con toda la blancura de sus dientes, del alarmado pulpero.

—No se aflija, don Marino. Se puede recortar el peso. Se reducen los gramos necesarios en los paquetes, se arreglan medidas..., ¡qué sé yo!

—¡Ah! Si se me da esa libertad...

—¿Cuándo no la tuvo usted, en la práctica, hombre de Dios? ¡Caramba! Estamos en momentos de franqueza.

—¿Y lo del comercio libre?

—Eso, no. Ahí la gerencia mantiene su doctrina inconmovible. Una oficina salitrera es una propiedad privada de súbditos británicos, sus accionistas. Las leyes del país garantizan esta propiedad. Si se la viola, el representante diplomático de Su Majestad reclamará ante nuestro gobierno.

—De modo que... nada de mercachifles ambulantes. Se les persigue como ahora.

—Igual.

—Y a los comerciantes de afuera que vengan a cambiar fichas ¿tampoco se les hará descuento?

—Para ellos, el descuento sube a quince por ciento. Se recalca que, conforme a la ley, la ficha es mera seña convencional e interna.

—Así, muy bien.

—Y usted, señor, ¿responderá en definitiva hoy?

—Por lo menos una respuesta clara doy esta tarde. Porque lo prometí. Yo sé que estos asuntos se ganan cuando no se les deja confundirse entre cobardías y paños tibios.

Y cuando el pulpero se hubo ido, expuso su plan al contador: haría ver, a los dos delegados obreros principalmente, que el canje a la par se traducía, en fin de cuentas, en un alza de diez por ciento a jornales y sueldos, lo cual sumaría muchos miles al año. Si pretendiesen igual tratamiento para los comerciantes, la Compañía lo denegaría todo, en espera de la legislación propuesta por aquella comisión parlamentaria que acababa de visitar las salitreras. Y entonces, que se aprontasen para el fracaso.

Pero aún abrigaba el Hombre cierta esperanza de reducir el daño. Si diera fuego el Cachimbita...

Meditó buen rato. Al fin cruzó hacia los escritorios generales.

—Usted, Pascal, que se precia de listo. Arrégleselas para traerme al Cachimbita. Quiero hablar a solas con él, primero.

Minutos después, el Hombre abría las compuertas a sus risotadas.

—¡Soberbio! ¿No decía yo?

Había estado el Cachimbita rondando por las inmediaciones, con el mismo propósito.

—Páselo a la bodega, por detrás.

Político fino era, en efecto, aquel vejete.

—Me agradaría mucho, don Jesús —dijo al administrador, en la penumbra de la bodega—, que la solución que usted seguramente trae y que no dudo será favorable para los proletarios, se cumpliese también de modo ventajoso para el partido. Los hombres que como yo entregan a una causa su vida entera, a menudo se deben a su partido por sobre todas las cosas. Si no, no hay disciplina, ni organización, ni éxitos, ni progreso, ni nada. Un partido, a la vez que logra sus conquistas sociales, necesita engrosar su electorado, ¿comprende? Pues bien, cuánto le agradecería yo a usted el dirigirse casi exclusivamente a mí durante la reunión. Actuar..., ¿cómo diré?..., ingeniarse para dar al partido preponderancia. Conviene que el obrero sepa que no puede manejarse solo. En mí encontrará usted, en cambio, persona de mayor raciocinio. En suma, don Jesús, la resolución, me parece a mí..., no sé cuál será su criterio, que desde luego respeto..., la resolución, digo, podría quedar en convenio verbal por ahora, convenio que yo recogería, por acuerdo de los reunidos, en la gerencia y por escrito. ¿Qué ventaja veo en esto?, se preguntará usted. Piense alguna, le respondo. Yo la apoyaré. No ha de ser excesiva, por de contado.

—Usted está pensando en las elecciones próximas, amigo. Seamos francos.

—No lo niego. Es la vida de los partidos políticos así. Y así ha de ser.

—¿Faltan dos meses para esas elecciones?

—Casi tres.

—Establezcamos que el acuerdo entrará en vigencia dentro de noventa días; de modo que el voto tenga su recompensa una vez emitido y escrutado.

—Perfecto.

—Los puntos del acuerdo...

—Eso, después me lo dirá. Los sabré cuando mis colegas los oigan conmigo. Hay que ser leal y no aceptar por cuenta propia lo que ha de aceptarse en común concierto.

No bien húbose retirado el político, se aplicó el Hombre a revisar y restringir las proyectadas concesiones.

A tal punto mejoraron para él, que en la reunión oficial se fijó un solo día del mes para canjear las fichas a la par, el quince por ciento para los comerciantes pasó como justa y parcial compensación de las pérdidas, se dejó para después del próximo balance la reducción en los precios de la pulpería y, por último, establecióse un plazo de tres meses para que todo ello entrara en vigencia.

Hubo plácemes, armonía y algunas copas, como rúbrica del acuerdo.

Y don Jesús Morales fue, para la Compañía y para todos, más que nunca, el Hombre.

V

—Hoy va a temblar —dijo doña Eduvigis después de observar el cielo.

—Como si no temblara todos los días.

—No, hija. Es que una confunde los tiros de dinamita con los temblores.

—Que tiemble por la dinamita, por la pólvora o porque Dios lo manda, lo misma da, tía.

—Así es. Porque en la Pampa nada se nos puede venir encima. Todo está hecho de latas y maderas. ¡Válgame Dios!

—Aunque un coloso lo agarrara todo a patadas...

—¿Qué conseguiría?

—Como patear tarros y cajones. Yo no tengo miedo.

Nadie tenía miedo a los temblores en la Pampa. Pero doña Eduvigis escrutaba el cielo con insistencia.

Jenny, que ahora iba menos a la sastrería, porque su aprendizaje había progresado mucho y don Esteban le había cumplido la palabra de comprarle una Singer, se asomó a la puerta y alzó también la cabeza.

Pues el cielo..., salvo esos vellones...

Apareció don Esteban. Había "descabezado su sueñecito" después de mediodía. Y al pasar junto a su hija:

—Date un saltito por el laboratorio —le pidió—. Recibí el cromato de potasa y quiero que me ayudes.

—Lo sigo, papá.

Cuando recogió Jenny sus costuras, las dobló, las guardó en el baúl y estuvo en la calle, algo extraño se notaba en el ambiente. Por momentos, un bochorno que agolpaba la sangre y congestionaba el cerebro. Luego, ráfagas que corrían a lo largo de la vía, arrinconando los papeles sucios y las basuras, y que al final se abrían entre ambas filas de fachadas de lata.

Un canalero, a quien vio salir Jenny por entre el andamiaje de las bateas, caminó un trecho al lado de ella y:

—Parece que será ventarrón —opinó.

La muchacha volvió a levantar la cara. Allá arriba volaba el viento bajo las nubes, borrándolas como una manga al rozar un cuadro fresco. En la lejanía, entre calicheras, se levantaban polvaredas cual si varios trenes ocultos lanzaran sus humos a la vez.

Anduvo Jenny entre remolinos de tierra, agachando el busto, frunciendo los ojos.

A la puerta de los escritorios, antes de entrar, permaneció alerta unos instantes, en cierta interrogación de todos sus sentidos. Gritos de locomotoras parecían transmitir advertencias por los aires. El humo de la chimenea mayor se desmenuzaba en el acto mismo de surgir. Se juraría que la elevada construcción de cachuchos, estanques y chulladores perdía su dibujo, y que maestranza, bodega y garitas eran cuerpos yacentes y aparragados.

Tampoco percibíase ya el pulso de las cosas próximas, para lo cual Jenny poseía tan fina sensibilidad.

¿Venía el ventarrón?

Sí. Presentíasele ya, como acumulando fuerza, para levantarse y avanzar, desde quién sabía qué ambitos del desierto. En todo se anunciaba. No era ya sólo en el desflocamiento de los cirros, ni en la acústica del espacio, ni en los cambios de la luz y de la temperatura, sino en cierto indefinible latido. El mismo estaba allá, en alguna parte, ser fuera de forma y medida, elemento hermoso y terrible.

Jenny experimentó..., no hubiera sabido explicar qué. ¿Temor? ¿Curiosidad? ¿Emoción de asombro, más bien?

Entró a reunirse con su padre.

—Parece que habrá vendaval.

—Ya está encima.

—A ver si dura poco.

—A ver.

Don Esteban había encendido la luz. Pronto se oyó batir de puertas; después, que los empleados las cerraban. Y una tras otra, las bombillas de todos los departamentos se fueron encendiendo.

No transcurrieron muy lentos los minutos, antes de que el ventarrón cobrara potencia. A través de las vidrieras se veían las afueras más y más obscuras. El viento aullaba por el tubo de los corredores convertido en sirena, bramaba sobre el dorso de las casas, desgarraba gemidos entre los cables de acero. Y en la obscuridad, a cada rato más densa, tumbos y golpes inexplicables se sucedían.

Se oyó a través del tabique la voz del Hombre:

—Que no se nos caiga la chimenea.

Padre e hija trataron de divisarla; pero la ventana daba ya como a noche cerrada. Y entre sus batientes como por debajo de las puertas empezó a insuflarse el polvo. Un polvillo blanco y asfixiante, que penetraba en las más escondidas ranuras.

El pasatiempo apareció en la puerta interior del laboratorio.

—¡Uf! No se puede trabajar —dijo, sonándose para expulsar el polvo colado dentro de las narices.

—Aquí, en la probeta del ensaye, me está cayendo esta harinilla —agregó don Esteban.

—Suspenda su química, hombre.

—No me queda otra.

Hubo que cesar en toda labor.

Se comunicaron los diversos departamentos y se reunieron los grupos. Ya reían, ya les traicionaban las muecas de repentinos pavores; o maldecían, broma bromeando; o súbitamente los maullidos, el zumbar y los estrépitos azoraban los corazones.

—Y el doctor. Hoy le tocaba visita —recordó alguien.

—Precisamente a esta hora.

—Y la pobre gente sorprendida en medio de la pampa —dijo Jenny.

El Hombre, las mandíbulas apretadas y colérico el ceño, mordió su interjección:

—¡Ca... ramba!

—Por calicheras y huellas...

¡Oh! Allí, sí; allí el vendaval infundía terror. No había cómo escapar a él. ¿Huir, correr? Al contrario, era menester ampararse entre piedras, acurrucarse, sepultarse, a ser posible. La sepultura y el espacio libre invertían allí sus valores.

Horas duró la tiniebla, soportada al abrigo de las paredes, entre sustos y buen humor. Hasta que de modo muy paulatino fue amainando el viento, reapareciendo la luz en un rendido crepúsculo. Al fin vidas y materias inertes tornaron a la paz.

¡Cómo estaban empero los trajes! ¡Y los rostros! Cubiertos de ceniza. Entre los dientes crujía la tierra. El polvo había entrado aun entre las hojas de los libros, que hubieron de sacudirse página por página.

El Hombre pretendió averiguar por teléfono la suerte del médico. Las líneas se habían cortado, de fijo.

—No debe quedar un poste en pie.

Acudió entonces a las máquinas, al campamento, a la panadería y la escuela.

Volvió muy serio.

—Varias casas hay sin techo. Algunas calaminas se han recogido encartuchadas y a kilómetros de distancia. Otras se habrán perdido.

El salitre de las canchas, en fin, había trocado su albura por el amarillo del desierto. Pero ni desgracias personales ni pérdidas en las instalaciones habría que lamentar.

—Menos mal.

—Ahora, al baño.

—Ofrézcanle un baño a esta niña. Y usted, don Esteban, ya que nada ocurrió en su casa, dése un chapuzón también.

—Mucho que me sentará, ya lo creo.

—¡Uy! ¡Cómo estoy de inmunda!

Clausurados los escritorios, desaparecieron todos en alboroto dentro de la casa.

—¡Sereno! —llamó el Hombre cuando reapareció, ya de *smoking,* ante la balaustrada.

Y al llegar de carrera Ciriaco Oyarzún:

—Avise en casa de don Esteban que él y la señorita Jenny están invitados a comer aquí. Usted, don Esteban, vaya a ponerse su *smoking.*

—En tal caso, avisaré yo mismo.

—Claro. Corra. A Jenny se la dispensa de toda etiqueta. Usted, no importa con qué tenida, será siempre la elegancia entre tan burdos varones.

Piropos van, cumplidos vienen, caminaron hasta el salón.

Allí fueron cayendo los empleados, de punta en blanco, y se bebieron aperitivos y, al cabo, se pasó a la mesa.

VI

—Pero ustedes no comen de *smoking* a diario.

—Sólo cuando hay visitas. Como estamos en una oficina de solteros...

—En otras oficinas de solteros, sin embargo, se guarda la etiqueta siempre.

—Es verdad. Costumbre inglesa.

—Bonita costumbre.

—¡Pse!

Rodó la charla, poco a poco, de lo insubstancial a lo intencionado. Analizaban los muchachos a Jenny. ¡Qué finamente sabía comportarse y qué bonita era!

Uno lanzó la primera saeta:

—Siempre hemos dicho que aquí hace falta una dama.

—Aunque sólo sea para obligarnos al *smoking* en las noches.

—Lo habrán pensado ustedes. Yo, no —repuso el Hombre, sin esconder la sonrisa por la alusión.

—Pero, díganme: con el administrador casado, ¿qué vida llevaríamos?

—Sociedad, fiestas, alegrías...

—¿No les parece preferible otro tema, algo más sabroso? Oí que le hablaban a usted, Mister Archy, de no sé qué dimes y diretes con la señorita Irene.

—Ahí podría estar la dama que hace falta.

—¡Oh, por Dios!

Brotó la primera risa. Luego latió un silencio. Refulgía la mesa: hilo y cristal. Pero dentro de las mentes fulguraban a la vez destellos de picardía.

El pasatiempo dijo:

—Mister Archy lo niega.

—Pero hay testigos —advirtió Jenny.

—¡Ah! Usted sabe algo.

—Jenny, véndalo.

—No se debe murmurar.

—¿Por qué no?

—A mí —declaró el Hombre— me gustan las murmuraciones. Aun los chismes me gustan.

—¡Qué feo!

—Soy franco. Me resultan una buena sal en esta vida insípida. Los condenarán los moralistas. Pero nada me importa a mí esa gente. La moral, en los actos, en algunos. Se puede reir de todo. Ya, suelten eso de Mister Archy con la señorita Irene.

Entre medias palabras, fragmentos significativos y reveladores síntomas, se develó aquello. El amasijo en frenesí que hacían las manos de la señorita Irene con los potentes músculos del mozo, el ardor que prendía chispas y aun llamaradas en sus pupilas solteronas, el celoso espionaje, el rompimiento con Jenny, por último.

—¡Ajajá! Todo se explica.

—¿Qué opina usted, señor?

—*Tota muglier in utero,* ha dicho un santo —sentenció cínico y festivo el Hombre.

Hasta la hora del café en el salón duró el motivo.

Aquí pudo Jenny, además, avanzar en el conocimiento de aquellos hombres

Desde luego, Mister Adams resultaba un caballero entre risible y digno de que se le compadeciera. Estaba siguiendo un régimen para desalcoholizarse. El Hombre, en uno de sus buenos gestos, había resuelto sanar a este "gringo" de su defecto, y rodeándole de bebidas gaseosas y otras engañifas, le vedaba los licores espirituosos. El, agradecido, ponía de su parte voluntad y obediencia. Mas por entre la pelambrera roja de su barbilla y sus bigotazos anglos, escapaban constantes frases que descubrían el ansia del borracho reprimido. Tenía, en particular, un revelador estribillo: "Un tirito, hombre. Un tirito, no hay más", decía en todo momento y a propósito de todo. Conversando con el médico, don Esteban había concluido por temer el suicidio del contador, del "gringo de Coquimbo", como solían llamarle, porque sólo era inglés por pertenecer a una familia británica secular ya en aquella provincia chilena. Atendiendo a las conversaciones de esa noche, Jenny enteróse además de que Mister Adams coleccionaba maniáticamente armas de fuego.

Le tuvo mucha lástima. Pensó que acaso valdría más dejarlo beber.

—Pero es que usted no sabe cómo se pone. El pulso le suele tiritar a tal punto, que ni escribir puede. ¡Viera usted algunos libros de la contabilidad!

En la pianola, el pasatiempo tocaba la *Serenata* de Schubert —mayor altura que alcanzaba la música en la Tamarugal— y las charlas se desenvolvieron a fragmentos, conforme al uso de quienes hablan durante las audiciones de salón.

—Los más alarmados por la revisión de los precios son los pulperos, don Esteban.

—Comprendo.

—Ellos, usted sabe, roban del cajón, dinero, mientras venden, y como deben evitar que en los resultados del balance aquello quede manifiesto...

—Claro: recortan el peso y las medidas en proporción al dinero que sisan.

—Y una reducción ahora, hecha oficial, no les dejaría margen.

Por otro lado:

—Oye, negro.

—No le digan negro. Es Mister Archy.

—*Archibald* Alfaro.

—Archialfaro eres.

Mientras las carcajadas aplaudían el chiste sobre el *mister* criollo y moreno, el mozo que servía las copas contó que los palanqueros del tren recién llegado para llevarse los carros cargados de salitre, habían traído noticias del médico. Habría partido de Huara en su caballo, destino a la Tamarugal; pero el ventarrón lo habría envuelto y, tras dos horas de asfixia, de pavor y de buscar en vano rumbos en la tiniebla, se habría encontrado contra una pared: la de su propia casa.

—¡Pobre doctor Rawling!

—Nos vamos a reir cuando venga.

Carlos Pascal, que hojeaba una revista, se dirigió a Jenny:

—¿En qué mes nació usted?

—En octubre

—Aquí dice: "Las mujeres nacidas en octubre, mes de las flores y de los temblores, serán sensuales y apasionadas".

—Nací en la Pampa y aquí no hay flores.

—Pero no pasa día sin su temblor.

—Por lo general, no son sino tiros que hacen explotar los hombres.

Hallaba la chica réplica para cada indirecta.

Pascal hundió su risa en la revista.

No era feo el fichero. Varonil, grandes ojos y buenos dientes, y la vulgaridad del conjunto salvaba expresión por aquellos largos surcos en las comisuras, que ponían la boca entre paréntesis risueños.

Enfrente, parece que el contador había solicitado para alguien un favor, porque el Hombre respondió, terminante:

—Se le concede porque se lo gana. Por favor, no. Yo no hago favores. Esclavizan mucho los favores, amigo.

—Dicen que quien nos hace un favor nos compra.

—No se trata de eso.

—¿Que no hay gratitud, dice usted tal vez?

—¡Nada! Si el perjudicial es el que agradece. Ese es el comprador. Y uno, el vendido. Quien hace un favor, y peor si el favor es grande, toma al otro cierta buena ley, abriga por él cierto sentimiento paternal, de protector comprometido a seguir siéndolo, de dueño, si usted quiere, que cuida lo suyo. Sin darse cuenta, toma un poco como a hijo a ese individuo desde entonces. Ocurre como cuando se pone uno a querer a alguien. ¿Sabe usted de algo que esclavice más que un cariño? Se vive en adelante con una parte del ser entregada a esa persona querida. No. Yo no deseo querer a nadie.

Sin embargo, al encontrarse con las pupilas asombradas de Jenny, bajó la cabeza sobre la blanca pechera, y desde el fondo de sus cuencas, bajo las cejas negrísimas, dejó ir hacia ella una mirada. Una mirada sostenida, que venía desde las honduras violentas de su extraño corazón.

Ella tuvo que retirar la suya, asustada y huyente. Guardó silencio unos segundos, y luego se puso a parlotear, con animación nerviosa.

—¿Nos vamos, papá? —dijo en seguida.

—Nos vamos, hija.

Y asi terminó aquel día de tanto viento.

VII

En el curso de las horas y aun de los días subsiguientes, el ánimo de Jenny pasó los diversos estados que se suceden siempre dentro de una muchacha en análogas situaciones. Ecos de fiesta ensordecen primero la conciencia; mas paulatinamente se va todo sosegando. En ese género de paz melancólica que a toda felicidad bulliciosa continúa, el alma poco a poco se recupera, distingue perspectivas y vuelve a recogerse en sí misma, situada ya sobre su constante. La inquietud que condujo antes los pasos callados de la intimidad se levanta de nuevo, y tornan con ella las interrogaciones de una suave angustia escondida en el corazón.

En resumen, ¿qué le había quedado? Unas relaciones de amistad con la plana mayor de la oficina, algún ascenso en el rango y el recuerdo de una mirada que le dio cierto calofrío en el alma. Mucho y poco. Ventajas exteriores. Dentro, satisfacciones y..., sí, una pizca de miedo.

Para doña Eduvigis, los hechos cobraron significación. El susto causado por el viento y el agobio de tanto sacudir en seguida se le habían disipado como por encanto al ver llegar a su hermano para ponerse el *smoking*, años en el baúl.

—¿Cómo? ¿A comer en la administración?

—Ni más ni menos. ¿Muy extraño te parece?

—Muy extraño, no; pero como no lo hemos esperado nunca...

—¡Ah, vieja! No teníamos antes una hija con nosotros.

—Así es. ¡Ave María!

—En todo caso, no está mal.

—Ya lo creo. Se nos mirará de otro modo, verás tú.

—Probablemente —murmuró don Esteban, con cierta alegría.

Pero fue y no fue así.

Una mañana llegó don Bartolo, el jefe de la maestranza, a quien viejos hábitos pampinos permitían titular ingeniero, aunque no pasara de mecánico experto, y trajo las primeras hablillas.

Era un vejancón recio y cuadrado, de rostro sanguíneo y con pestañas de cobre.

Entró con un pretexto.

—Dígame, don Esteban, usted que tiene tan linda letra y sabe tanto de estas cosas, ¿me podría sacar en limpio una lista de tiznados? Me la piden ahora por orden alfabético y con apellidos paternos y maternos.

—Bien. Déjeme usted esos papeles.

—Además, una consulta, ya que mi nombre tendrá que ir también en la lista.

—¿Cuál?

—Pero a solas.

Don Esteban lo condujo a su cuarto.

—Es que no me gusta descubrir delante de cualquiera mi ignorancia, ¿sabe? La consulta es sobre mi nombre. Nunca he sabido bien cómo ponerlo. Me dicen Bartolo, unas veces; otras, Bartolomé. Yo he firmado Bartolomé Claro y Bartolo M. Claro. En mis tiempos la letra se llamaba me; ahora salimos con que se llama eme. Total, que ya no sé ni firmar.

—¡Eh! Grave conflicto. Según la gramática... —empezó a discurrir festivo don Esteban. Pero resolvió cortar por lo sano y—: Diga que se llama Bartolomé —concluyó— y firme Bartolo M. Me, como la letra en sus tiempos. Eso resulta más pintoresco.

Mas no pudo continuar riendo.

—Conque comieron y juerguearon ustedes en la administración. Yo, por mí, me alegro, porque sé quiénes son ustedes. Pero ha levantado la cosa un revuelo... A los mayordomos, a los correctores, a los pulperos, a la maestra, a los empleados con categoría que viven como ustedes en el campamento, el caso se les ha atravesado en el gaznate, como un pedazo de carne de cogote. No lo pueden tragar.

—No importa, don Bartolo. Ni quiero saberlo.

—Saberlo, sí, le conviene. Para mí que todo parte de la ecónoma con la señorita Irene. Ahí se ha enredado el chisme. Ellas han soplado el viento, y los otros, sus mujeres, diré, que poco necesitan para alzarse en polvareda...

—Chismes de mujeres. Basta.

—Claro. Porque son envidiosas y alguna tendrá celos... Se imaginan quizá que la señorita Jenny es una volantusa y que usted se la pone por los ojos al Hombre...

—Basta, don Bartolo. Siga usted a sus quehaceres.

—Dispense.

—No hay de qué. Y si oye algo más, no me lo cuente. De otro modo, dejaremos de ser buenos amigos.

Quisiéralo o no, el pobre viejo quedó trémulo. Se marchó a la casa del yodo sin hablar. Después, durante el almuerzo, estuvo pensativo.

—Cuentan —dijo doña Eduvigis— que has hecho gran impresión, Jenny, al administrador.

Jenny sufrió un sobresalto:

—¡Oh!, tía...

Bajó la vista sobre su plato y, a hurtadillas, espió a su padre. Don Esteban miraba hacia afuera, por la ventana, fingiéndose distraído. La muchacha mantenía los ojos fijos en la boca de su padre, a la espera de que algo saliese de allí. Pero aquellos labios, llenos de pliegues, a los cuales se pegaban algunos pelos del bigote cano y breve, permanecían inmóviles.

—Es que tú, niña, bien mereces un hombre de posición.

—¡Qué disparate, Jesús, tía!

—Viejita, ¿quieres callarte?

—No debe parecerte mal, Esteban, que pensemos en un buen porvenir para Jenny.

—Deja. Tiempo hay. No la confundas más.

—Si continúa usted, tía, me tendré que parar de la mesa.

Estaba encendida y a punto de llorar.

Echáronlo todo a broma y se habló de otro asunto.

Jenny, a ratos, contemplaba con amor y piedad a su vieja tía. Observándola, sintió como jamás ternura por ella. Dábale la luz en la cara y su cutis de mujer fina envejecida cubría las carnes como una gasa gastada que se hallara en riesgo de despegarse. Dócil, había enmudecido; pero entre el enredo azul de venas que había en sus ojeras, las pupilas brillábanle hoy cual si ensoñasen.

¡Pobre viejecita buena! Don Esteban y su hija le perdonaban el imaginar y la envolvían en su ternura. ¡Y qué bien la conocían! Aguas muy puras y muy quietas carecen de color y dibujo propios. Sólo se tiñen de las imágenes que copian y los soplos de fuera únicamente las rizan.

—¡Bah! —resolvió don Esteban—. Vámonos a trabajar en paz. Será lo mejor.

Borró de su mente ideas y conturbios y se dirigió al laboratorio. No faltaba más sino que ahora los chismorreos y las bajezas estropearan la vida.

Jenny se entregó a su costura. ¡Los embelecos de su tía!

Pero hay miradas que permanecen donde se posaron. No se van; condensan su fluido sobre los objetos, como se condensa un vapor invisible, y dejan su tinte indefinible pero sin embargo real. Aquella mirada...

Nada hechicero le resultaba, por lo demás, el Hombre. Tenía, cierto, fuera de sus ojos africanos, fina la nariz, blancos los dientes bajo el negro bigotillo, y el óvalo correcto ponía todas las facciones en equilibrio. Era un equilibrado, sin duda. Y un fuerte. Solía evocar en Jenny la figura que durante sus estudios se había forjado ella del jefe español. No hidalgo; soldado y organizador, francote y duro, pero con gracia. Su "santo remedio" del hacha lo revelaba. En la vida íntima, ¿tendría algunas suavidades? ¿Cuál sería su procedencia, su familia? Incógnita. Una vez se le había hecho la pregunta.

—No hay familia en la Pampa —repuso—. Aquí todos somos huachos. Hemos venido cada cual de algún lugar lejano, para trabajar, amasar fortuna si se puede. Y nada más.

¿Buen mozo? En último término, un buen mozo maduro, demasiado maduro para ella quizá. Luego, tan gordo y grandote. Y tan acalorado. El estar junto a él —se dijo Jenny—, aunque no se le haya visto llegar, se siente indudable: su cuerpo irradia calor. A obscuras lo reconocería, por su poder de alterar la atmósfera.

No, no, no. Locuras.

Suspiró y se puso a la máquina de coser, decidida y frenéticamente.

VIII

Por vanidad femenina, por interés en mantener el rango que le aportaran sus nuevas relaciones o por lo que fuere —ella no lo razonaba y sólo guiábala su instinto de acomodarse en la vida—, lo efectivo era que Jenny dio en frecuentar los lugares donde podía encontrarse con los de arriba. Solía, de noche, seguir a don Esteban a la prueba de caldos sobre lo alto de la máquina; por las tardes, presentábase al reparto del correo; paseábase a lo largo de la vía férrea, también hacia el atardecer, y asistía, los fines de mañana, con su padre, al peso del yodo.

Hasta pocos días atrás, dominaba ella este ambiente donde todo era galantería y festejo a su persona, y en cierto modo conducía la vida de los demás. Ahora, algo nuevo aparecía, algo advenedizo, para dominarla a ella. No se había enamorado, ni mucho menos; pero el hecho de haber emprendido sus anhelos la busca de una meta, o siquiera de un rumbo, le tenía el corazón como un pájaro medroso a la vez que aventurero a la entrada de una selva llena de incógnitas.

Serían las once cuando se dirigió con el viejo a la casa del yodo una mañana. A esa hora entregaba él todos los días sus "quesos" al fichero, quien debía pesar escrupulosamente aquellos bloques cilíndricos de morada pasta y ponerlos en seguida bajo llave dentro de una bóveda contigua.

En el trayecto, se cruzaron con el contador.

—Salud.

—¿Qué hay, Mister Adams?

—Un tirito. Un tirito, don Esteban. No hay otra —musitó el barbirrojo entre risas que salían a soplos por entre su pelambrera y que a Jenny, sin que lograra ella explicarse bien por qué, sonaban a sollozos.

Una vez más sufrió la muchacha la lanzada en el pecho, del agorero estribillo.

—¡Pobre gringo!

—Así es.

Cuando llegaron, esperábale ya Carlos Pascal, libro y lápiz en mano.

Ante la prensa, compresora de los trozos en forma de queso, se convencieron de que no gotearan el menor líquido yodhídrico. Luego hiciéronlos trasladar a la romana, anotaron kilos y gramos y metieron el tesoro a la bóveda.

Jenny observó largo y detenido al fichero. Poseía, sin disputa, un físico atrayente. Pero al cabo, en imperceptible encogimiento de hombros, volvióse para mirar el interior.

Se cubría las narices. Las emanaciones corrosivas le habían provocado estornudos siempre. Era hedionda la atmósfera. Pero a ella le gustaba la casa del yodo; acaso por ser dominio de su padre. La constituía un barracón todo en penumbra, negro por concentración de morados y sepias. En altillo de gruesos pilares, se alineaban cuatro enormes bateas de corroídos tablones, en cuyas junturas el mismo yodo en bruto había obrado como calafate. Allí se cortaban las "aguas viejas", para precipitar la pasta. Año tras año, los gases venían sahumando techumbre, paredes, andamios, recipientes y utensilios, hasta producir la negrura total de violado viso. Aun los relojes dentro de los bolsillos adquirían pavón de rosicler. Apenas clareaba en un ángulo la retorta para la sublimación, último tratamiento del producto.

De regreso hacia casa, Jenny preguntó a su padre:

—¿Qué tal persona es Pascal?

—Un tarambana, hija. Ya lo habrás visto. Trabaja la semana; pero los domingos, invariablemente, a caballito, a refocilarse hasta el amanecer.

—Quieres decir...

—¿No has oído lo de la Inés? Verdad. Tú no habías llegado aquí todavía. Pues existe una tal Inés, una chica que vivía con su hermano en el campamento. Gente obrera. El mozo este la rondó, la sedujo, en fin. Las cosas estuvieron en un tris de armar el escándalo. Pero el Hombre, tú sabes, tiene sus teorías sobre la juventud y el celibato. Hizo la vista gorda. No perjudicándose el trabajo, debe de haber resuelto, haga cada cual de su capa un sayo. Hoy tiene el don Juan a su doña Inés en Pozo Almonte, donde cierta comadre.

—Es su querida.

—Su querida.

—¿Y esa ecónoma, papá?

—¿Cuál?

—La que hay en la administración.

—¡Pse! Una sirvienta.

—¿Nada más?

—Nada más. No recojas cuentos de malas lenguas. Impropio de ti.

Jenny calló. Cruzó por su mente una suspicacia: había premeditación en aquel eludir comentarios sobre la ecónoma. ¿Participaría el viejo de las esperanzas de su hermana? Tal vez. Un padre proyecta, al fin y al cabo, el porvenir de una hija.

"Pero cuchichea la gente —se dijo—. Una mujer misteriosa. Nadie habla con ella. Cruza como una sombra por pasillos y dependencias. ¿Tan humilde será que acepta el papel de personaje escondido? ¿No habrá otro motivo, el que se susurra, para que los empleados subalternos se guarden de tomar contacto con ella? Nunca la he visto, en realidad, y cada persona me la retrata diferente. Pero si es tan fugaz la visión que permite de sí."

La verdad era que daba origen a muchas hablillas la tal ecónoma. Como de tarde en tarde la sintieran trajinar sigilosamente en la noche, no faltó mente que imaginase algún enredo con el Hombre. Si no amoroso, "de higiene sexual", conforme a su expresión cuando se trataban estos temas.

Habían alcanzado, padre e hija, las alturas de la plaza, cuando divisaron, allá en el llano solitario, una gran nube clara de tonos azules.

—El polvorín —advirtió el viejo.

—Y no sentimos explosión alguna.

—La pólvora, si no se entierra o no encuentra resistencia, no estalla, hija. Arde, apenas.

Erecta, nacarada y silenciosa, subía la columna hasta los cielos. Elevábase, enroscándose y rodando elegante sobre sí misma, bellísima en su luz y en su albura contra la bóveda celeste, para ir a rematar, en lo más alto, en lentos cúmulos que sobredoraba el sol.

Estaba desierta la plaza. Las gentes habían acudido al polvorín.

—¿Casual?

—Anda tú a saber.

—Hay descontentos por lo del pliego de peticiones.

—Es que, también, los pulperos siguen abusando. Todavía no entra en vigor el convenio y ya ellos se anticipan por lo que vendrá.

—El tal don Marino...

—Por ahí baila. Ayer apalearon otra vez los serenos a un ambulante. Yo le haría reflexiones al Hombre. Así, con el abuso de esos cochinos que para robar enlodan a la Compañía, no hay triunfos inteligentes de un administrador ni hay nada.

—Pero a él le gusta el puño de hierro.

—Pues que lo aplique a todos. ¡Cómo quieren que no sucedan estas cosas! Porque algunos se habrán tragado como ventajas los arreglos; pero otros... Ya he oído lenguas. Y ahí tienes: se quema el polvorín.

—Una pérdida.

—No, no significa gran cosa. Aquí se dispone del salitre, del carboncillo sobrante, el azufre vale poco...

—Pero el trapiche se habrá quemado.

—Es de fierro.

—En fin, vámonos.

—Vámonos, hija.

Atardeciendo, Jenny se topó con los empleados durante el paseo acostumbrado por la línea. Charla que te charla, llegaron enfrente de la Filarmónica.

Se detuvieron a mirar.

Los obreros, por parejas, hombre con hombre, ensayaban valses y mazurcas, "bailes agarrados", al compás de sus burdos zapatones y al son de un acordeón.

—¿Entremos a bailar, Jenny?

—No faltaba más.

En esto se les agregó el administrador, que los había divisado a su vuelta de apreciar los destrozos en el polvorín.

—¿Le ha provocado el baile, Jenny?

—¡Qué ocurrencia! Y usted, ¿baila?

—¡Qué voy a bailar yo! —replicó el Hombre, cual si le pareciese disparate la mera suposición.

—¿Y si yo lo saco a bailar?

—Coqueta.

Enrojeció Jenny. Sacudió su melena argollada y:

—Coqueta —repitió como un reproche.

—O sólo mujer.

A poco regresaban a las casas.

Jenny y el Hombre iban solos adelante, ganando distancia.

Caía el crepúsculo. Lejos, frente a las bodegas, resollaba un tren cargado de carbón. La locomotora exhaló un pitazo y el grito permaneció en el cielo claro, como una raya negra.

En lo alto, aparecía la antena de las Tres Marías.

IX

Los agitaba esa noche una novedad: ver a Mister Archy derripiar una fondada.

—¡Estupendo! Competencia de un hércules con los derripiadores. Esto vale la pena.

—¡Hem! No resulta lo mismo el peso de las palanquetas que el de toda una faena penosa.

—Y dentro de un cachucho lleno de barro y vapor sofocante.

—Aquí lo veremos.

—¿Vamos ya?

—Vamos.

Se levantaron de la mesa, pues, apenas bebido el café, que no pasarían a tomar esta vez en el salón.

Iba Jenny entre ellos, porque ahora cualquier circunstancia servía para invitarla, con su padre, a comer. La clásica tenida nocturna, el británico *smoking*, había vuelto así a los usos de la Tamarugal; y el Hombre, aunque siguiera sordo a los pareceres sobre que una esposa de administrador civiliza el destierro de una salitrera, había cambiado bastante, o entrado, a lo menos, por las amenidades sociales.

Jenny se prevenía, de tiempo a esta parte, manteniendo siempre listo algún traje de noche. Nada encontraba en ello de particular. Sin embargo, cuando consideraba los hechos en su conjunto y esencia, solía formularse una pregunta: "¿Es que estoy realizando la conquista del Hombre?"... "Pues tiene él —respondíase—, desde luego, motivos para tratarme de coqueta. Pero... ¡bah! —concluía—, una pizquita de coquetería bien poco significa. Y él, por lo demás, ¿se decide acaso a dejar sus ideas de soltero empedernido?"

Nadie podía verificarlo. Tampoco lo indicaba ningún síntoma muy visible.

Pues bien, cabalmente esta duda obraba con incentivo de reto y gobernaba en buena dosis la conducta de la muchacha. Hay almitas suaves que a quien tratan con frecuencia concluyen por variarle la personalidad. Vientos leves y constantes liman las aristas a las tierras más duras. Y esto, aunque no estuviese en el saber consciente de Jenny, estaba latente y eficaz en su instinto; y, así, su tino de mujer le dictaba ya dulzura y gracia, ya tenacidades disfrazadas de indiferencia, ya maneras volubles que se revestían de repentino interés hacia cualquiera de los jóvenes y que se dirigían a provocar el espíritu de rivalidad o el deseo de vencer propio de los hombres fuertes. Juego astuto, tacto ciego de toda hembra en las pistas del amor.

Pero también peligroso. Porque, ¿a qué todo eso, si no estaba ella resuelta a conducir al Hombre hasta una decisión?

"Veo —decíase Jenny— que para mi padre y mi tía la vida se puebla de sueños. Y comprendo además que así sea. Pero yo, sólo cuando atiendo a la razón, y considero mi presente, y me asusto de mi porvenir, tan incierto, entro en figuraciones."

Porque en todo ello para nada movíase su corazón.

Entonces caía sobre Jenny la tristeza. Solía ponerse angustiosamente triste. Era, en el fondo y por encima de todo, una sentimental. Para los sentimentales, la felicidad consiste en vivir subiendo de una esperanza a otra esperanza, y tal felicidad tiene siempre ávidos los brazos y la boca blanca de anhelo.

—Jenny.

—Apúrese, Jenny.

—Voy.

—Habíase quedado atrás, distraída en maquinal arreglo frente al espejo.

Los alcanzó cuando ya marchaban hacia la máquina.

La máquina, la máquina por antonomasia, es aún hoy la misma en las viejas oficinas montadas por el sistema Shanks en Tarapacá. Es el conjunto cúspide en la planta beneficiadora. Allí los cachuchos, doble hilera de estanques para cocer el mineral, encumbrados sobre formidable fábrica de pilares y vigas, reciben el caliche que abajo mastican primero las chancadoras. Forman el monstruoso estómago que ha de lavar y relavar, hervir y digerir el chancado, hasta la disolución ojalá del último gramo de nitrato, de ese sustento que los campos debilitados del planeta esperan. Presidida por su gran chimenea, empavesada de humos, la máquina levántase bajo el sol, fuego bajo fuego; y bajo la noche tiembla, fantasma o monumento, encendida de luces y entre densos vahos ácidos de yodo y fétidos de azufre.

Midiendo sus fuerzas y su resistencia, Jenny escalaba, escalaba, cogida del pasamano.

A la máquina se sube por escalera de doscientos tramos abierta a los aires. Por plano inclinado alcanzan hasta ella las vagonetas con el molido, y debajo de su vientre aguardan otros carros que otros pescantes tirarán cargados de ripio caliente, hasta la cumbre de un escorial. Parte ascendiendo suavemente este escorial, largo y estrecho, y acaba en un muelle, avanzando entre la noche como una península que se internara en un mar de tinieblas. Para el nocturno caminante de los áridos llanos, sirve de faro entonces; para el salitrero, levanta el signo de su esfuerzo cumplido.

Arribó Jenny acezando, seguida por sus compañeros.

—¿Y Mister Archy?

—¿Dónde está el hércules?

Estaba vistiéndose las ropas de trabajo.

Debieron aguardar.

Otro mundo hallaba siempre Jenny allí en la altura. Mundo que le placía como placen los recuerdos de niñez.

Mientras su padre y el administrador, guiados por el mayordomo, sumergían dentro de los cachuchos hirvientes una cápsula de hierro, para recoger muestras de caldos y medirles la densidad con el areómetro, ella sosegaba su respiración. Contempló una vez más las cosas en torno. A su izquierda se tendía el campo de las bateas, los estanques donde se enfrían los caldos al sereno, planicie suspendida también sobre recia enmaderación, muy extensa y tranquila. La cuadriculan pasarelas, agujeréanla veinte canchas que abajo reciben por último el salitre ya elaborado, lo secan y dejan listo para ensacarse y partir en cien trenes hacia los puertos.

Con moroso cariño de pampina que vivió años ausente, la joven redescubre imágenes. Los flancos de los cachuchos que han dado fin a su cocimiento sueltan chorros hacia el chullador. Hay aquí, sondando esta otra caja de acero, un hombre: aprecia cuándo han asentado bien las borras, y luego abre otras llaves, y lanza los caldos a correr por sus canales, entre marcos, puentes y pasarelas. Canaleros y llaveros vigilan las corrientes, abren grifos, o los cierran si una batea se llenó y puede ya cumplir su destino de enfriar el líquido saturado y cristalizar el oro blanco.

Contempló Jenny hasta que la sirena la sobresaltó con varios pitazos. Urgían a la cuadrilla derripiadora que entraría en turno para vaciar una fondada.

Mister Archy apareció con la cuadrilla.

Vestía en perfecto carácter: dos o tres pantalones sobrepuestos, encima de los cuales montaban hasta la rodilla espesas medias bolivianas; zapatos gruesos con cuádruple suela; a la cintura, faja de lana roja; en la cabeza, un gorrito tejido con borla de colores; y entre gorro y faja, sólo el tórax desnudo.

Era, sin disputa, hercúleo.

Los empleados le rodearon. Le admiraron, le palparon los bíceps.

—¡Qué bestia! ¿Verdad, Jenny?

—Toque usted.

—No, señor. Que venga, mejor, la señorita Irene.

A Mister Archy le lucieron los dientes y los ojos morenos. Erguíase, inflado el pecho, tenso de poder y orgullo.

—¿Usted es el "gallo" que ha puesto Perico? —le preguntó el mayordomo.

—Sí; pero la "gallada" es por una fondada únicamente.

—Listo, entonces. Todos adentro.

Saltaron los seis hombres dentro del cachucho, sobre el promontorio de barro y piedras semihirvientes aún. Con los pies empezaron a oprimir la masa. Con las palas tan sólo se ayudaban en estos preliminares de la derripiadura. Debía estar cayendo abajo ya el ripio sobre su vagoneta, porque un hoyo crecía en el centro. Conforme bajaba el volumen, los derripiadores se hundían, las palas acrecían su acción y los dorsos desnudos se barnizaban de sudor y de vahos condensados. Había que sacar el ripio hasta de los últimos rincones, entre los tubos del serpentín cuyo vapor interno caldea la fondada. Daba el cajero sin cejar a su herramienta, ya cortando en las orillas del mazacote con ella, ya arrastrándola sobre el fondo metálico hasta vaciarla en la compuerta. Sofocado por la atmósfera quemante, fruncidos los párpados en defensa contra el yodo, bruñidos por la humedad todos sus músculos de bronce, competía en vigor y rapidez con los aguerridos. No se distinguía mucho entre aquellos otros atletas desarrollados sin método, salvo por cierta diferencia de armonía en las musculaturas.

Al fin se concluye la fondada.

Chorreantes, los derripiadores han retrepado al piso. Se sientan al amparo de los enormes y cilíndricos depósitos del "agua vieja" y del "agua del tiempo". Los defiende contra el relente la techumbre de cañas guayaquileñas. Y, en cuclillas, reposan. Alguno fuma; los más se ponen a mascar hojas de coca, aporte del indio boliviano al recobramiento tras el desgaste.

A Mister Archy le han echado encima una cotona, pero a él no le preocupa el descanso. Aún se luce: empuja las vagonetas que llegan desde las chancadoras para la última fondada. Exulta en su triunfo. Está hermoso, realmente, así bañado en transpiración, con sus crespos alisados y goteantes encima del rostro. Ha conseguido un éxito.

Y nada tiene tanto éxito como el éxito, dicen; de modo que el mozo concentra el interés. Le felicitan. Jenny... casi, casi le propina un beso, como ha visto en los periódicos que las damas suelen hacer con los victoriosos.

Ahora no son para sus compañeros motivo de burlas sus ejercicios, ni su sistema Sandow, sus palanquetas y su fanatismo.

—¡Oh! De todas maneras resulta un chiflado —concluye don Esteban, para la niña entusiasmada.

—Pero no me parece una mala chifladura.

—Esta, no —interviene maligno el Hombre.

Y ante la inconformidad de Jenny, explican entre ambos:

—Mister Archy vive sin cesar bajo el dominio de un tema.

—Yo le conozco ya varios. En un tiempo le dio por los problemillas de la física recreativa. Y con qué pasión.

—Fabricaba y fabricaba volantines o cometas extravagantes, botellas diabólicas...

—A mí me obligó a enseñarle algo de galvanoplastia. ¿Y para qué? Para dorar monedas de cobre consumiendo libras esterlinas.

—Y las agarra fuerte con cada tema.

—Hasta que, de la noche a la mañana, se aburre. Todo aquello le parece una tontería y lo manda todo a rodar.

—Puede que cuando le dé por el amor se afirme —insinuó Jenny, devolviendo la malignidad del Hombre.

—Si ya le dio.

—Ya le dio, hija. ¡Y cómo le dio!

Refirió don Esteban cuanto era notorio en la etapa galante del cajero. Cuando residía en Iquique, la existencia para él había eslabonado una cadena de amoríos. Seducción de casadas, noviazgos pintorescos cuyo término invariablemente se revelaba por alguna sorpresa muy chusca, lances de prostitución resueltos en risa y bribonada. La más sabrosa anécdota se recordaba en el teatro. Liado en amores con una tiple de zarzuela, produjo el fracaso de la compañía. La actriz estaba casada con el director de orquesta. La sorprendió el marido poco antes de levantarse el telón. Mister Archy abofeteó al ofendido y a media docena de cómicos, y el escándalo subió a tales proporciones, que no sólo hubo de suspenderse el espectáculo, sino que la grita fenomenal de los espectadores, la intervención de policías y las posteriores consecuencias finalizaron con clausura del teatro y fenecimiento de la farándula.

—Buen peine, el tal Mister Archy, el negro Alfaro, como lo llamaban en Iquique.

—Si lo tenemos en la Pampa porque allá no lo aguantaban. La influencia de su vieja familia tarapaqueña consiguió mandarlo aquí.

—Peligroso. Nadie sabe jamás por dónde reventará mañana.

El Hombre reía, largamente, entretenido y perdonador. A él, en el fondo, le hacía mucha gracia.

—Cosas de muchacho mala cabeza —dijo.

—¿Qué edad tiene Mister Archy?

—Veinticinco, veintiséis...

—Por ahí.

—¿Y usted? —preguntó Jenny, sorpresiva, al administrador.

Pero él estaba distraído, muy distraído, al parecer.

El contador, en esto, sumado inadvertidamente al grupo, sopló su risa lamentable por entre los bigotes y:

—Un tirito. Un tirito —canturrió.

Al descender los doscientos peldaños, Jenny llevaba confuso el espíritu. En el primer rellano, alzó la cara al espacio y suspiró:

—¡Qué cielo!

Era un cielo negro y trémulo, rociado de cristalitos de salitre.

—¿Y esa lucecilla que se distingue allá lejos?

El Hombre, de nuevo a su lado, le repuso:

—No se trata de otra estrella, Jenny. No se ha caído ninguna estrella tan lejos. Sólo aquí ha querido el cielo soltarnos una.

Sabía comportarse galante en la oportunidad. Mas siempre, en tales casos, sobreveníale un irritado rubor desde el fondo de su carácter.

De modo que se apresuró a corregir:

—Es la luz del pique.

Pero algo parecía haberse trizado y no resultó fácil proseguir ya la conversación.

Aquella noche Jenny se durmió extraviada en un laberinto de pensamientos.

X

Persiguió al Hombre la sensación de ridículo que le había remontado el pecho, desde las entrañas de su varonía, cuando brindó a Jenny aquel piropo sobre la estrella. Erale menester, pronto, una reacción de llaneza viril, acorde con su naturalidad, con su conducta desnuda de lirismos. Las imágenes literarias se le antojaban postizos y zarandajas aplicados a una mente cabal. Y todo piropo, azúcar.

Había, pues, que aventar ese remordimiento, y para ello concibió un paseo al pique. Allí recuperaría su prestigio.

Por esto, amanecido el domingo, se madrugó en la casita de don Esteban.

Cuando abrió Jenny su ventana, acababa de clarear. Subía el sol, subía la mañana, como un cántico, y esparcía sus oros como voces. Parecíale a ella que cantaba el semblante de su padre, que cantaban los pasos de su tía en el trajín. Hubiera cantado también ella en medio de ese momento sonoro que a la aurora continúa en la Pampa.

Estaba contenta. Obra tanto en el ánimo un día hermoso.

Se vistió aprisa. Ya en la recova el ayudante de la bodega llenaba canastos con frutas: guayabas de Tacna, naranjas y limones de Pica.

No más de una hora después, montaban todos a caballo. Apenas faltaron los de siempre: Pascal, por su viaje a Pozo Almonte, y Mister Adams, porque jamás salía.

—¿Avisaron al "donkero"?

—Sí, señor, por teléfono.

—Tomaremos la huella de la estaca nueva —ordenó el administrador.

—Muy conveniente —aprobó don Esteban—. Así veremos cómo van los cateos.

En esto, la cabalgata se cruzó con el contador. Iba Mister Adams cargado de fusiles y carabinas. Un muchacho le acompañaba, con una cesta llena de botellas.

—Va a tirar al blanco.

—¿Y las botellas?

—Vacías. Las pone allí, en la falda del cerrillo, y les dispara desde abajo.

—Es decir, supone usted que están todas vacías.

—¡Bueno! ¡Claro!

—Alguna contendrá algo.

—Sí, porque a mí se me ocurre que este gringo no ha dejado el vicio.

—El vicio, tal vez sí. El alcohol, del todo, lo dudo.

—No debe, tampoco, dejarlo en absoluto. Yo mismo lo tengo autorizado para beber un par de tragos en la mañana. De otro modo, no lograría trabajar.

—Viera usted, Jenny. Llega al escritorio después del desayuno. Abre la bóveda, saca los libros, entinta la pluma y prueba a escribir. No consigue iniciar siquiera una cifra. A tal extremo le tiembla la mano.

—Entonces vuelve a la bóveda. Allí está su botella. Un trago. Y otro ensayo. Nada. A la tercera copa se le afirma el pulso. Ya puede trabajar.

—¡Pobre gringo!

—¡En fin!

—Con tal que no beba más en estas salidas a tirar al blanco...

—Mírenlo. ¡Y cuántas armas!

—Son su manía. Los sueldos se le van todos en comprar pistolas, rifles y carabinas.

En la estaca nueva, la porción de pampa virgen aún, se fueron deteniendo ante cada barretero. Habían salido seis al trabajo, a pesar del domingo. El pago por pie barrenado espoleaba el interés. Dispersos de trecho en trecho, percutían los martillos sobre los barrenos. El acero penetraba poco a poco el suelo. A cada martillazo, dado a mero juego de muñeca, la barretilla giraba. La constancia metíala más y más adentro. De vez en cuando, el barretero extraía la broca, introducía en cambio la cuchara, atada al cabo de una pértiga, y con paciencia sacaba todo el polvo del profundo agujero. Vacío ya, se reanudaba el perforar.

—¿Cuántos pies? —iba inquiriendo el administrador en cada puesto.

Diez, doce, hasta catorce pies. Los caliches eran allí ricos, pero se hallaban muy adentro.

—Cuidado con las muestras. Me las llevan limpias —pedía don Esteban.

Y ambos anticipaban un ensaye, en la lengua, pues la práctica les permitía calcular leyes por el simple sabor de los caliches.

Pronto salieron a pampa lisa. Había pasado la fresca. Con la ascensión del sol, el desierto se caldeaba. El sudor pasaba los sombreros de brin blanco y chorreaba las mejillas.

—Saquen las naranjas.

—Allá va una.

Si venía un remolino de viento, traía tierra, no frescura.

Y cruzaron salares, donde el suelo, pulido y resquebrajado en su corteza cual si fuera de greda cocida, sonaba al partirse bajo los cascos de los caballos. Atravesaron bancos de arena, y grandes llanos rizados en menudos oleajes encrestados de blanco por los reventones de sales potásicas, y tierras pardas y tórridas siempre, y más tierras, y más arenales, y más salares candentes.

Era una marcha penosa.

Demasiado distante ha escondido Dios el agua para las salitreras. A diez o más kilómetros de las oficinas. Han de cavarse allá los piques, las norias que a veces a ochenta brazadas suelo adentro captan la corriente. Pero sólo allá surgen las pobres aguas salobres con que se conforma el yermo. Bombas impulsadas por sus *donkeys* las succionan y las mandan por cañerías a la industria. Quien necesite beberlas, ha de condensarlas.

Para llegar a un pique, pues, la fatiga de un viaje no es eludible.

Y aunque la caravana viajase por paseo, iba vencida después de media hora. Pulsaban los cerebros, las lenguas adheríanse a los paladares, los párpados escocían y cegaban las pupilas.

—Por Dios, el aire vibra como la atmósfera encima de una plancha al rojo.

—A eso llaman espejismos por aquí. Hay ilusos que ven figuras en esa vibración.

Andaban, andaban, míseros en el hostil paisaje. Al fondo, la cordillera, muy poco alzada por esos parajes, ponía pardos y grises indistintos; sobre ella, un cielo blanquiazul; y delante, el antojadizamente nombrado bosque, el Bosque del Tamarugal.

—Pájaros —gritó de pronto Jenny.

Sí, pájaros. Unos ávidos animalitos que acudían al estiércol de las cabalgaduras. En pos de los jinetes, iban picoteando los granos indigeridos y gozaban de su fiesta.

—Bien. Ya estamos en el pique.

—En la chacra —completó don Esteban, con ironía.

Les recibió el "donkero" en la cerca de un pequeño cuadro de maíz, en cuyo centro dormía una casucha de calamina. Oasis diminuto llamado chacra para mover a risa.

—¿Y aquél es el bosque?

—El mismo. El Bosque del Tamarugal.

Era una muy dispersa multitud de tamarugos, arbolillos sin color ni follaje apenas, retorcidos sobre su abandono y su miseria como en un tormento de condena, numerosos por lo extenso de la zona, pero solitarios por lo que se alejaban entre sí. Dibujaban sus esqueletos incoloros contra el desabrido fondo de la serranía y habían recibido, con la envidiable indiferencia vegetal, la pompa de aquel nombre Bosque del Tamarugal.

—En fin —dijo Jenny—, hay que conocerlo todo.

—¿Lo encuentra usted feo?

—Es como toda la Pampa. Y yo quiero a mi tierra.

—Todos los hombres, aquí, deberían ser como esta tierra también. ¿No le parece?

—Siempre que tuvieran su poquito de verde.

—Aunque sea en el pique —añadió el Hombre, con una carcajada.

Entraron en la casa. Los hombres hurgaron un rato entre las máquinas. Jenny se asomó con vértigo al pozo. Y al cabo se animó la gente y se tendió entre las cincuenta matas de maíz.

Fue un paseo como todos los paseos, una merienda como la de todo *picnic* pampino, con su fuerza en el clásico chanchito lechón al horno.

Pero este vulgar esparcimiento escondía un fin premeditado por el administrador.

En concluyendo las viandas, él y don Esteban apartáronse juntos.

Anduvieron largo trecho y, bajo el primer tamarugo, el Hombre se detuvo. Luego sacó del cinto su revólver y, golpeando con el índice la empuñadura de marfil sobre la cara en que don Esteban había esculpido un monograma, dijo:

—Voy a hablarle a usted como hablaría este revólver, amigo. Aquí, en esta otra cara de marfil, quisiera que me repitiera usted las mismas letras, J. M., con igual enlace, pero interponiendo entre las dos la partícula *de,* J. de M. ¿Quiere?

—Como querer... Pero...

—Entiende usted perfectamente lo que le estoy diciendo, amigo don Esteban. No ponga ese gesto. ¿Lo digo más claro? Aquí dice ya J. M., Jesús Morales. En el otro lado dirá J. de M., Juanita de Morales.

Don Esteban habría reído, de buena gana, ante aquella manera tan original de pedir la mano de una muchacha. Pero el Hombre era así. Y además, el paso, no por ensoñado y en espera vehemente, dejaba de alterar sus emociones de padre.

—¿Quiere usted?

El hombre le tendía la mano.

El se la estrechó y repuso:

—Bien. Sí. Sí quiero.

Tras una pausa, sin embargo, agregó:

—Pero correspondería consultarla a ella. La podemos llamar.

—No, no la llame usted. Ella lo sabe. Yo no se lo he dicho; pero veo bien que lo sabe. No soy ningún tonto. Ahora, para decidir, para formalizar, es cuestión de que hablen ustedes en casa esta noche. De esta manera, si ella resuelve una negativa, le habré evitado un trance engorroso. Y me lo habré evitado yo. Nos portaríamos en adelante como si nada hubiera sucedido, y en paz. A mí me cargan las declaraciones de amor y los protocolos. Debo descender de aquellos criollos católicos que ponían el ojo en una criatura, la encargaban al confesor, la tenían en casa meses después y los años los hacían esposos entrañables y llenos de hijos.

—Cuando el hombre se hace amar.

—No sé si Jenny me quiere. Pero que se case conmigo y me querrá. Hace mucho la práctica del amor. Antipático no le caigo. De eso me he cerciorado.

—¡Cómo había de caerle antipático!

—Ahora, no tome usted a mal este modo mío. Soy así. Pero en la misma llaneza viviré siempre. Jenny me querrá porque tampoco soy un vejestorio ni un ente ridículo. Algo brutal, si usted quiere; ridículo, no.

Como don Esteban pretendiese objetar algo, él lo contuvo con un ademán y prosiguió:

—Tengo cuarenta años. Dicen que los represento: mi físico también es sincero. Cuarenta años, ni uno menos; pero un viejo español decía siempre: "No se tiene la edad que se cuenta en el calendario, ni la edad que se representa; se tiene la edad que se ejerce". Y yo ejerzo, don Esteban, los veinticinco. Mi situación, para abreviar, es ésta: soy solo, sin compromisos, tengo doscientos mil pesos, gano cuarenta mil anuales y asignación para vivir aquí, y ganaré otro tanto mientras la Tamarugal no quede de para, porque la Compañía me lo ha dicho y porque no hay muchos administradores como yo. Conque, amigo don Esteban, conversan ustedes en casa esta noche y desde mañana empezamos a prepararlo todo. ¿Convenido?

—Convenido.

El regreso a la oficina se hizo más ligero. Había refrescado algo el aire y, a la inversa, los ánimos se habían encendido. El Hombre se entregó a la locuacidad que trae siempre la salida de un paso difícil. Y como las bestias cogían rumbo a la querencia, aun se galopó.

Mas en la Tamarugal aguardábales una trágica sorpresa.

XI

Sí, en la Tamarugal aguardábales una trágica sorpresa: Mister Adams se había suicidado.

No bien se desmontaron, lo supieron todo. Las gentes, en tales emergencias, se atropellan para ofrecer primicias y pormenores. Nada olvidaron los empleados de la pulpería, que rodeaban al administrador.

—Tiró al blanco la mañana entera y volvió como todos los domingos.

—Después de mediodía, lo vimos muy tranquilo aseando sus rifles en el corredor, al sol, delante de su cuarto. ¿Qué hizo en seguida? ¿Durmió la siesta? ¿Se tomó unos *whiskies*? Nadie lo sabe. Lo cierto es que, a eso de las cuatro, la servidumbre oyó una detonación. No se le hizo mucho caso, parece.

—Yo sí —interrumpió el mozo encargado del contador—. Yo quedé inquieto, y no pasó mucho sin que fuese a asomarme.

—Pero ya lo encontró muerto.

—Sobre su cama, señor, y con la cara más espantosa. Se pegó el tiro con la Winchester, con su regalona.

—¡Con la carabina!

—Se ha tendido en su cama, parece, se ha metido el cañón en la boca y se ha valido de la baqueta para apretar el gatillo.

—La bala entró por el paladar, según el doctor Rawling.

—¿Está el médico aquí?

—Lo llamó en el acto por teléfono don Marino.

Entraron en tropel al dormitorio del contador.

Hallábanse dentro el jefe de pulpería, el médico, el cura, acompañado de un seminarista, y el chino cocinero. Afuera, en el corredor, se agrupaban tres mujeres: la ecónoma, la señorita Irene y doña Artemisa. Vestían ya de negro y habían adoptado el gesto propio de la aflicción: las cejas en ojiva, los párpados bajos y la mejilla en la palma de la mano.

—¿Dónde está don Esteban? —interrogó el Hombre, buscándolo con la vista.

—El y la señorita Jenny se quedaron en su casa al pasar.

—Verdad. Lo había olvidado.

Luego fue a destapar el rostro del muerto.

—Realmente —murmuró—, está horrible —y volvió a cubrirlo con la toalla.

El médico dijo:

—La muerte se produjo instantánea.

Y el administrador:

—Usted querrá, doctor, extender el certificado de defunción.

—Sí, vamos.

—Yo me quedaré —advirtió el cura y, discreto, presentó al seminarista—: Un sobrino mío, a un año ya de cantar su primera misa.

Las manos se estrecharon en silencio.

En el cuarto permanecieron solos el par de religiosos. Habían traído candelabros desde Huara y encendido cuatro cirios. Cuando estuvo todo dispuesto, pusiéronse a rezar.

Obscureció, las llamas de los cirios ardían inmóviles y en torno al cadáver sentíase la tiniebla en que todas las tinieblas se resuelven.

Las primeras palabras alusivas del Hombre, después de una comida en esfuerzo de serenidad, fueron:

—Esto tenía que suceder.

—Tenía que suceder —confirmó el doctor.

—Y ustedes, curita, ¿pueden prestar servicio religioso al suicida?

—A nadie abandona Dios.

—Pero la Iglesia excluye al que se quita la vida, según entiendo.

—Según. Este hombre no gozaba de juicio, seguramente.

—Era un enfermo.

—Y para los insanos hay también un *de profundis*.

—Don Esteban, ¿no sabrá nada?

—Debe de saberlo. No habrá quien lo ignore en toda la oficina.

—Pero usted, Miguel, mándele decir con el sereno que lo excusamos de venir.

—Estará rendido el pobre viejo. Y a Jenny, ¡qué la vamos a entristecer con estas escenas!

—El tranvía estará esperándonos —supuso el médico.

A él y a los dos religiosos, que miraron alerta, les respondieron:

—En cuanto ustedes deseen, pueden regresar a Huara.

—¿Quién acompaña esta noche al difunto?

—Hay varias mujeres con él ya, rezando.

No dejaba el contador, por lo visto, raíz alguna en la intimidad de aquel puñado de compañeros; pues con la última despedida al doctor Rawling y a los sacerdotes, todos ellos desaparecieron en sus habitaciones.

Sólo el Hombre paseó buena parte de la noche, a lo largo del corredor, absorto en sabe Dios qué pensamientos.

Era indudable: un mal signo había puesto el destino sobre la ruta del infeliz Mister Adams. Ni aun para corazones piadosos, que se hubieran condolido de su muerte, había dejado el misterio de atravesar circunstancias especiales. En casa de los Arlegui, la noticia traída por don Esteban aventó la condolencia.

Y así, mientras afuera la noche cubría con su ala negra la tragedia, dentro de la casita encendíase la vida en un torbellino de futuro.

Don Esteban refirió lo sucedido en el bosque. Usó las mismas palabras empleadas por el Hombre, exactamente, en toda su rotundidad *sui generis*.

Cuando terminó, irradiaba el rostro de doña Eduvigis; en el de

Jenny vibraban el triunfo y el orgullo. Sin embargo, dentro del pecho sintió luego la muchacha el mismo calofrío de otra noche distante, la noche de aquella mirada en el salón.

Debió de advertirlo el viejo, porque rodeó a su hija con el brazo, por encima de los hombros, como arropándola en su ternura, y le dijo:

—Tu padre cree haber procedido bien. ¿No me apruebas?

—Sí, papá.

—Es tu suerte —comentó doña Eduvigis—. Serás la esposa de un administrador. Entrarás en la sociedad, en la esfera superior del salitre. Y lo lucirás a él, lo completarás, porque hasta hoy no se le toma sino como a un hombre competente y serio, pero un poco raro y..., ¿cómo diré?...

—Pintoresco —precisó Jenny.

—Tú, como dice bien tu tía, lo completarás. Sí, hija; bien mirado un administrador soltero no puede significar mayor cosa en este mundo del norte.

En efecto, las oficinas mismas, al carecer de una dama que las presidiera, permanecían un tanto al margen del conjunto, participaban como piezas activas en el mecanismo de los negocios, pero como piezas en manos de aventureros sin arraigo social.

—Comprendo muy bien —dijo Jenny.

—Muchas envidiarán tu suerte.

—Pocas logran un matrimonio así.

—Sobre todo si viven obscurecidas en un campamento.

—Y sin muchas esperanzas de salir de él.

La memoria de Jenny recorrió los casos conocidos, no muy pocos en realidad, de jóvenes modestas convertidas en damas de repente, por virtud de una industria que improvisaba su gran mundo a la misma velocidad que sus millones.

—Pero hasta ahora no me respondes si aceptas o no.

—¿No aceptó usted ya?

—Yo dije que sí quería grabar el monograma.

—Y se estrecharon las manos. Todo un pacto, papá.

—¿Dudas, criatura? ¿Dudas de aceptar a un hombre serio, que te querrá con honor y hará tu suerte?

—No dudo, tía. De sobra sé que no se me podía presentar mejor ocasión y que esto envuelve la suerte de todos nosotros.

—Nosotros no contamos. Nosotros... hasta preferiríamos continuar en nuestra posición.

—Yo le tengo cariño a esta casita —adujo doña Eduvigis, y recorrió con la vista las paredes que había empapelado con láminas de revistas, entreveradas en caprichoso mosaico.

Eran sinceros. Jenny lo sabía con certeza absoluta.

—No teman. No teman nada, por Dios —dijo, a punto de besarlos.

—Temer..., ¿por qué íbamos a temer, hija?

—Naturalmente, papá.

—Si das una negativa hoy o si mañana te arrepientes, no lo olvides, nada tendríamos que temer. El Hombre es todo un hombre. Rudo, toscote, pero incapaz de una porquería.

En esto y en cuanto se trató, había total acuerdo. Con don Jesús Morales, cualquiera vivía seguro.

Jenny, en fin, se acostó contenta. Y contentísima entre sueños de grandeza, lloró sobre su almohada. Un llanto de victoria.

Sólo aquel calofrío, que le había prendido un temblor en el alma, en el escondido rinconcito donde siempre una romántica ilusión aguarda... ¡Ah! Un poco más, y el corazón tal vez hubiese tiritado en un frío de terciana.

Pero lloraba de triunfo y de orgullo.

XII

Transcurrió el lunes en menesteres impuestos por la muerte, afán que apenas alteró, sin embargo, el cotidiano ajetreo. El Hombre hubo de pasar el día cerca del teléfono, en consultas a la gerencia y tratos con el ferrocarril y con cierta empresa funeraria. Hasta que Mister Archy trajo de Huara el ataúd y manos caritativas lavaron y vistieron el cadáver y lo encerraron en la caja.

La oficina marchó entre tanto cual si nada hubiese ocurrido: trazó el sol su parábola en cielo normal, normalmente tronaron los explosivos, retumbaron las chancadoras, corrieron *decoviles* y carretas entre calicheras y maquinarias, y tan sólo el sereno supo de trajines mayores.

El martes, muy de mañana, el mismo tren en que llegaba un circo se hacía cargo del féretro. Se lo llevó en el mismo furgón en que había viajado la farándula, enganchado a la cola del cargamento de salitre.

De manera que, aun cuando se resolviese aplazar veinticuatro horas el debut, a prima noche ya una murga sobre una carretela y entre payasos recorría el campamento.

No faltó alguna crítica. Pero así... era la Pampa. Aunque en pequeño, una oficina vivía como un pueblo.

El administrador bajó a Iquique a mediodía y regresó el miércoles. Salvo pormenores sobre el reemplazo definitivo del contador, todo habíase resuelto. Por de pronto, Mister Archy desempeñaría las funciones del difunto y el trabajo restante se distribuiría conforme a los casos de emergencia.

Expedito siempre, el Hombre continuaba sus faenas.

Y para la noche invitó a comer a Jenny con su padre.

Apareció ella en el salón a la hora del aperitivo. Vestía una batita negra y modesta. El Hombre la encontró lindísima. Sus ojos verdes ardían como avispas emboscadas bajo las sortijas sombrías del pelo. Estaba pálida, con palidez que se alteraba a cada emoción, y esto ponía un trémolo nuevo a su belleza.

La conversación trilló los temas ordinarios, la actualidad. De Mister Adams, su alcoholismo, sus manías y los pronósticos que todo el mundo hiciera sobre su fin, a las vulgaridades relativas a los puestos en el escritorio y su reajuste.

Antes de dirigirse al comedor, sólo conversó el Hombre con don Esteban. Hablaron aparte, pero ambos enviaban de minuto en minuto miradas significativas a Jenny, que entonces mudaba el color.

Sólo después de comida, cuando él le propuso pasearse un rato al fresco, por los corredores, se hallaron juntos.

—Estamos pensando los dos en la misma cosa, ¿verdad? —le dijo él para romper el silencio.

Ella soltó la risa.

—¡Qué! ¿Me equivoco?

—Es muy original, usted.

—Soy sencillo, nada más.

—Su manera de...

—¿Y cómo quería que le hablase? A no ser que prefiera usted una escena a lo galán de comedia. Romántica.

—No tanto; pero...

—Oigame, Jenny. No me gustan los circunloquios. Ya don Esteban se lo ha dicho a usted todo. Ya me ha enterado a mí también de la suerte que me ha soplado. Yo deseo, ahora, que me autorice usted para comunicárselo al personal.

—¿Ahora? ¿Inmediatamente?

—Natural. Cuanto antes, mejor. Porque los chismes, si no han empezado, no tardarán.

—Ya empezaron, hace tiempo.

—¿Lo ve usted?

—Sin embargo, déjeme preparar el ánimo. ¡Qué apuro, Señor! Ayer muere un compañero...

—Anteayer. Miento; hace tres días.

—Como sea, hoy, ¿nos pondremos a repicar?

—¡Hem! La ley de los vivos.

—En todo caso, así, de golpe...

Acordaron pasearse un rato aún. Llamarían luego a don Esteban, para pedirle que anticipase algo a los muchachos. Se mandaría recado a doña Eduvigis, además, y a don Marino, que comía con sus empleados en la casa de pulperos. Y entre tanto se alistaría el champaña.

Se procedió como se previno.

Hasta medianoche hubo fiesta, comentario y broma.

Sólo que..., acaso en consideración al duelo, los brindis y los parabienes no encendieron grandes arrebatos.

XIII

Es fenómeno universal que a un suicidio le sigan otros. ¿Se realiza un contagio mental entre tarados, como los psiquiatras afirman? ¿O es que hay siempre un remanente de desesperados que piensan en quitarse la vida y que la resolución de uno decide a los demás? En la Pampa, el fenómeno se comprobaba; sobre todo, hacíase más notorio que en parte alguna de la tierra, por lo espectacular de las formas que máquinas y explosivos ofrecían a los hombres para suicidarse.

El Hombre lo sabía bien. Por esto no quiso retardar mucho el debut del circo, ni, cuando la farándula llegó, vio en ello disonancia para el ambiente de duelo, sino más bien oportuno recurso. Convenía distraer las mentes con la alegría, enardecer al pampino con su afición por cuanto envuelve fuerza y proeza.

Pero ni lo bufo ni lo entretenido surtieron el esperado efecto. Dentro de la semana inmediata, dos muertes trágicas más acontecieron.

La primera, en la maestranza. Un mecánico metió la cabeza bajo el martinete hidráulico. La masa, capaz de laminar un riel de acero, cayó sobre aquel cráneo, sin dejar de él otros vestigios que unas repugnantes chorreaduras en el contorno de la mesa-yunque y un cuerpo convulso encima de un lago de sangre.

Días después, en el pequeño caserío de ferroviarios, a escasas cuadras de la Tamarugal, un carrilano eligió la dinamita. Usó el procedimiento ya clásico en las salitreras: introducirse medio cartucho con su fulminante dentro de la boca, encender la guía como se enciende un cigarro, y volarse la cabeza.

Cuando acudieron a esta segunda charca roja, vieron el cadáver tendido en ella. Una cavidad profunda en el tórax mostraba vísceras todavía palpitantes, carnosidades azules se encogían y estiraban, blancos filamentos temblaban como sometidos a una corriente galvánica. De la cabeza, no quedaba indicio, salvo algunas salpicaduras distantes contra techo y paredes; y allá arriba, en el cristal de un ventanuco, una esquirla, del cráneo tal vez, había perforado un orificio de círculo perfecto.

Jenny estaba desolada. Ocurríasele que ya le alcanzaba cierta responsabilidad de ama, y sufría de observar cómo el Hombre reprimía iras en la impotencia.

La masa obrera, y aun sus mujeres, dedicaban a tales sucesos apenas atención de transeúntes. Aquello, a fuerza de repetido, carecía de prestigio para causar dolor.

—¡Ah! Salvajes, salvajes —mascullaba el Hombre—. No sé cuál sería el remedio para esta bestialidad.

De aquí que, al acudir de Huara el cura con su proposición, él aceptase.

—Muy bien, curita. A ver si logra usted algo.

Solicitaba el sacerdote que, tan pronto se hubiese retirado el circo, se le facultase para destinar unas pláticas a los obreros en la fonda. Urgía tocar en las conciencias, establecer la inviolabilidad de la vida entre las almas.

Jenny tuvo, por su parte, otro desagrado por esos días. Al pasar frente a la tienda una mañana con doña Eduvigis, escuchó una frase suelta:

—Esta oficina parece maldita desde que se han colado ellas...

—Desde que se han colado, ¿quiénes? —repitió, volviéndose a su tía.

—No sé, niña. Nosotras, querrán significar.

—Lo han dicho adrede.

Alcanzó a vislumbrar las siluetas de la ecónoma y de doña Artemisa. Esto le apagó los ensueños en que venía enardecida. Su imaginación, arrebatada por las imágenes de fasto y lisonja social que la tía le pintaba durante el trayecto, desmayó, como desmaya la voz en el eco. Y el eco, en este caso, era la razón que mata la embriaguez. Justamente, iban ambas a reconocer las habitaciones de la administración para proyectar, conforme a los deseos del Hombre, el acomodo en perspectiva.

Resolvieron regresar a casa y enviar recado de que no harían la visita sino al atardecer.

Fueron, pues, a la puesta del sol. Por el camino se cruzaron con la murga y sus payasos. Y rieron. Al enfrentar la bodega, espiaron a Mister Archy, que rivalizaba, levantando pesas, con el hércules de la farándula. Don Esteban se les agregó en la puerta del laboratorio. Todo lo cual sosegó a Jenny, hasta le despertó buen humor.

El Hombre, empero, les recibió con esta pregunta:

—¿Qué pasó esta mañana?

—Nada importante. Chismes. Ya no vale la pena el asunto.

—Mejor. Pero me gustaría saberlo.

—Entonces, me parece oportuno satisfacer una curiosidad. Dígame: ¿quién es esa ecónoma de quien tanto se susurra y que me trae y me lleva en habladurías malévolas?

—Era eso, precisamente, lo que deseaba yo esclarecer de una vez por todas.

—Me alegro.

—Es una sirvienta. Nada más. Sépanlo en forma terminante.

—Pero se dice...

—A eso voy. Cuando le contraté, le pedí abstenerse de toda relación con los empleados. Precaución necesaria por los peligros del sexo. Como vieran que sólo se entendía conmigo, pensaron en seguida mal. Lo comprendí en el acto; pero dejé las suposiciones en pie. Dado mi carácter, eso no me afectaba. En cambio, creyéndola mi... manceba o algo por el estilo, no se atreverían a rondarla. Argucias de administrador. Y los resultados han demostrado el poder de mi treta. ¡Ya lo creo!

No pudieron evitar la risa.

—Hay un hecho, sin embargo —quiso insistir Jenny—, un hecho innegable: la hostilidad de esa mujer para conmigo.

—La sé también. No falta quien me sople al oído cuanto va pasando en la oficina. La condición humana mueve a servilismo. Parece que esta mujer, de oir y oir el cuento, llegó a imaginarlo verdad. Y hoy ha cultivado apariencias vanidosamente, mañana las ha disfrutado y, ahora, se ve obligada la infeliz a simular herida que no sufre.

—Muy femenino —sonrió don Esteban.

—Miseria. Idiotez. El día en que usted, Jenny, asuma su papel de dueña de casa, verá lo que dispone.

—Convendría —insinuó doña Eduvigis— ir buscándole otra colocación con tiempo.

—Yo —repuso el Hombre— la despediría hoy.

—Sería sacrificarla.

—Mujercita blanda, blanda y bonita, aprenda usted una cosa: siempre hay que sacrificar a alguien. Es ley de la vida, que los hombres cumplen ineludiblemente, pese a las doctrinas piadosas.

—No me conforma su dureza.

—Duro. Muchos me consideran duro. Jenny, siempre resulta preferible saber a qué atenerse pronto. Ya me había preguntado yo qué haría cuando este conflicto se plantease. Y ya tenía determinado recurrir a mi norma. Cuando todo es vacilación, se debe producir una situación de hecho. Entonces, esa situación, sola, da el remedio. Conque..., venga la solución. Déla usted, Jenny.

—Buscaremos una, buena, benigna...

—Nunca hay sino una buena: la eficaz, aunque parezca reñida con lo bondadoso.

—Bien, hombre, bien. Yo lo pensaré.

No había más que declararse satisfechos, todos. Era gracioso el Hombre, y justo de toda justicia y de toda justeza, en medio de su verticalidad de bárbaro.

De manera que, con la más limpia cordialidad, entregáronse a estudiar las habitaciones para el hogar del porvenir.

XIV

Jenny estaba muy bonita. Se recreaba su padre contemplándola. Veíala de pie, afirmada en uno de los pilares del corredor. Daba sobre ella el sol, como daba sobre cuatro palomas blancas que, en el alero y contra el azul, eran cuatro copos de espuma nacarados de luz. También el rostro de la niña, en el resplandor, era una paloma blanca.

Ella tenía la expresión absorta. Seguía, con cierto deslumbramiento, ideas que caían de improviso en aquella atmósfera de ordinario a nivel de prosas y trabajos. Por primera vez sentía una manifestación viva del espíritu allí. El cura, que había iniciado sus pláticas esa tarde, había sido invitado con su sobrino a tomar el té. Lo habían sorbido, reposadamente, a la sombra y al oreo de la brisa.

—¿Qué trató en su sermón, curita? —había inquirido el Hombre.

Habíalo fundado el sacerdote sobre una frase del Evangelio: "Venid a mí todos los que estáis trabajados y agobiados, y yo daré reposo a vuestras almas".

A don Esteban "le cargaban los frailes". Oriundo de Copiapó, había vivido desde la infancia bajo el influjo de aquellos comprovincianos fundadores de logias masónicas y enemigos jurados de la Iglesia.

Pero esta vez atendía con interés, por lo menos con urbanidad, a los "frailecitos". Tampoco su repudio alcanzaba, ni mucho menos, al sentimiento religioso.

—Trató mi tío —dijo el seminarista— de abrir estos pobres pechos a la esperanza.

El Hombre sonrió irónico:

—¿La esperanza en la otra vida?

—En una vida mejor. En la otra y en ésta. En la vida eterna —precisó el cura—. En el fondo, no es otro el mensaje que el Hijo de Dios, Nuestro Señor, trajo al mundo.

—Para mí, acabamos aquí, curita. Se muere, y en paz.

—Terrible esa paz de usted. Terrible porque está vacía de esperanza.

—Acepto los consuelos para quien los necesita, sin embargo.

—¿Y su alma? ¿Su espíritu?

—Es que yo estoy con los que se atienen a la razón: lo más probable es que después de la vida todo sea como antes de la vida, y que el espíritu sea un epifenómeno de la materia y exista mientras su cuerpo permanece organizado en equilibrio. Esto se ve claro, a mi juicio.

—Usted adora las ideas claras —puntualizó el seminarista.

—¿Y ustedes no?

—No.

—¡Estupendo! ¿Qué edad tiene usted?

—Veinticuatro, señor. Todavía estudio. Y permítame que, como estudiante, recurra a mis clásicos. Fenelón decía también: "Nuestra razón no existe sino en nuestras ideas claras". Sólo que descubría, en seguida, que nuestra sabiduría se encuentra, sobre todo, en aquellas ideas nuestras que aún no vemos completamente claras. Pues bien, si usted se observa a fondo, se asombrará de que estas ideas obscuras resulten a la postre las más activas y fecundas. Mientras las razonables gobiernan la vida visible y palpable, las indistintas, muy escondidas, nos guían desde el mundo íntimo y suelen llevarnos más lejos. Usted mismo, sin saberlo quizá, deja, más a menudo de lo que supone, a su intimidad manejar su conducta externa.

—San Juan de la Cruz —intervino el cura— fue santo casi exclusivamente por esta virtud: aceptar la razón, pero trascendiéndola. En el fondo del ser se acumulan ciertas fuerzas. Allí, las ideas obscuras parecen aguardar para iluminarse cuando las sintamos.

—Pues yo no las siento.

—Sí las siente usted.

—Muy poco.

—Llámelas. Responden. Desde su penumbra, eso sí. Pero a nosotros, los de alma religiosa, nos interesan por lo mismo tanto. ¿No nos revela todo esto que más allá de la razón hay algo misterioso de mayor alcance?

—El esfuerzo de los filósofos, amigo seminarista, consistió siempre en ver claro, pensar claro, matemático.

—Exacto. Y Kant, después de hacerlo, declaraba que, sin embargo, cuando contemplaba el firmamento infinito y volvíase a continuación a considerar el fondo vivo de su conciencia, todo el pensamiento se le empequeñecía. Lamento no recordar su célebre frase.

—Mala memoria.

—Mala.

Aceptada la broma, entre risas, el seminarista se valió de la pausa que el Hombre imponía al servir unas copas, para inclinarse ante Jenny:

—Perdón, señorita. La estaremos aburriendo con temas tan abstractos.

—Al contrario. Estoy maravillada.

Bebieron.

El seminarista era peliclaro, espigado, con un rostro suave y enérgico a la vez, y vestía una sotana de buen corte. Había caído en gracia.

La conversación hacía más ardiente el alcohol de las copas y entrambos incendiaban las imaginaciones. De suerte que no fue raro que el pasatiempo, muy joven y por lo tanto muy curioso e impresionable, estimulase al seminarista:

—Adelante. Esto se escucha pocas veces. Y qué bien se entienden así las cosas que en los libros dan sueño.

Una carcajada general reanudó la justa.

—Que pretendan sacarlo a uno de la razón...

—Si la razón es una isla. Siga usted la dirección que siga dentro de ella, la encuentra rodeada de irracionalidad por todas partes.

—Primera vez que lo oigo.

—Mala memoria, le digo yo a usted ahora. Porque lo debe haber oído en la escuela, cuando le enseñaron aritmética.

—Aprendí que dos y dos son cuatro.

—Y que cuatro entre dos son dos. Pero cuando le hicieron dividir diez entre tres, se encontró con tres, tres, tres... hasta lo infinito. Supo entonces que había números racionales y números irracionales. Claro, matemático, ¿verdad? Luego, hay algo que está más allá de la razón.

—Un número infinito...

—Lo infinito. ¿Se imagina usted lo infinito?

—¡Uy! Una negrura sin fin —repuso riendo el Hombre.

—El color del infinito es negro en la noche. Cuando se hace la luz, es azul.

Un índice del Hombre amenazó con simpatía al muchacho, como a un niño.

—Inteligente el frailecito —añadió, volviéndose a don Esteban—. ¿Cómo se llama?

—Javier del Campo.

—Linces cría la Iglesia, amigo.

Maquinalmente, Jenny había mirado el cielo infinito.

—¡Qué azul!

—Me han llamado la atención los cielos de la Pampa.

Manifestáronse todos de acuerdo. El encanto lo ponía en la Pampa el cielo. Abajo, un páramo afiebrado de torridez y esfuerzo, áspero y cruel; arriba, jamás amenazas de tormenta, sólo suavidades, transparencias, cambiantes de cristal. ¿Por qué no era místico el hombre allí, como en el desierto de Jesús, como en el yermo de Castilla? Le acaparaba el trabajo. Había llegado para destrozar el suelo en busca de tesoros. Su afán limitábase al acumulamiento de riquezas. Su divisa diseñaba el placer para mañana en las tierras sonrientes. Faltaba, por esto, casi en absoluto el espíritu.

—Hay mucho que hacer aquí para un sacerdote —dijo el seminarista—. Creo que cuando me ordene volveré. Encuentro aquí a los hombres semejantes a esos tamarugos, recios, inabatibles, resignados a la sequedad y sin savia ni flor. Son numerosos, pero están desunidos. Se les llama bosque, pero no forman sino una dispersión de solitarios. Cada cual llevará, sin duda, su pequeña conciencia dentro; no obstante, una conciencia común en que mutuamente se apoyen, no existe. Se echa de menos el conjunto, el verdadero bosque, la síntesis de pensamiento, el espíritu que los una en un empinamiento hacia la cultura. Se necesita el espíritu, que adelanta no conforme a la lógica intelectual y sus reglas restringidas, ni dentro de la lógica de los sentimientos, sino anchamente dentro de esa otra lógica vital, contradictoria y amplísima, en cuyo fondo imprecisable hallamos siempre la religiosidad obligando a rumbo.

—Aunque sea con los artificios de la fe.

—El mar es obscuro y sólo una fe puede alumbrarlo.

—Con una simple hipótesis.

—Bien. Una hipótesis. Esto falta en medio de este tamarugal.

Jenny entendía y no entendía. No había escuchado nunca semejantes conceptos, ni tantos a la vez. Pero algo sentía, algo como una revelación. El espíritu. La esperanza. De pronto se le presentaban en su significación para la humanidad. La esperanza, principalmente. Sí, se vivía, en medio de todo y a pesar de todo, porque alguien había puesto en nuestro corazón la esperanza. Eso hacía la religión, no importaba con qué fórmulas: cultivar en las almas la flor de la esperanza.

Y lo expresó a su modo.

—Pues yo —insistió el Hombre— sé vivir sin esperanza, marchar adelante sin florcitas, y sabré morir sin esperar.

—No hay nada que hacer contigo, hombre de Dios —exclamó entre cariñosa e impaciente Jenny.

Pero al Hombre se le iluminó el semblante: ella lo tuteaba por vez primera.

Le cogió ambas manos y se las retuvo, estrechándoselas.

—Es que yo —explicó al soltárselas— estoy con otro santo, con Santo Tomás. Ver y creer. Pero estos señores piden lo contrario: creer para ver. No, amigo seminarista, amigo Javier, cuando no veo, no voy bien. Déjeme con mi carácter. Yo estoy en el mundo y en particular en esta oficina, para cerrar la boca, no sea que se me cuelen moscas.

—Pues si todos los hombres se empecinan aquí en semejante conclusión, cuando se agote el salitre nada quedará en estas pampas. Estarán vacías de toda vida.

—Otros vendrán. La ciencia algo descubrirá por aquí.

—Otros, convengo. Pero de ustedes no se hallará el menor rastro. No habrán dejado sino los hoyos en el suelo.

El cajero, que se había incorporado sólo momentos antes a la tertulia, les interrumpió, liviano:

—Un momento. Acabamos de oír el primer tú en la nueva pareja. Me parece indispensable celebrarlo.

Y sirvió una copa más.

El Hombre se cogió del brazo de Jenny. Luego, entre burlón y afable, dijo al cura:

—Anuncio en su sobrino a un gran doctor de la Iglesia, curita; aunque no se muestre muy ortodoxo al discutir.

—No me juzguen de ligero. El calor, el alegato, el plano en que está situado el contrincante.

—Acaso el *whisky*...

—Acaso.

Las excusas se resolvieron en broma.

—Te impondré —concluyó el cura— decir la próxima plática. Expondrás la doctrina cristiana.

—Perfectamente. El mensaje de Jesús...

—Nuestro Señor.

Se marcharon al fin los religiosos.

Después de acompañarlos hasta el tranvía, el Hombre, que traía cogida a Jenny de la punta de un meñique, le preguntó:

—A ver, ¿cómo me vas a llamar, ahora que me tuteas?

—¡Hum! Se me ocurre que Jesús... no te cuadra.

—Llámame Morales, como tantos me llaman. No me cuadra Jesús, en realidad.

—¿Tú no crees en nada?

—Carezco de sentimiento religioso. Cuestión de temperamento y de facultades. Se tiene la facultad de creer como se puede tener la de componer música, por ejemplo. Hay temperamentos musicales, temperamentos poéticos, temperamentos dramáticos, de todo hay.

Jenny comprendió.

Sólo que... no se atrevió a pronunciar el concepto que su mente dedujo: había, también, hombres sin ningún temperamento.

XV

La casa del yodo funcionaba en su noche de importancia. Tocábale periódicamente una labor nocturna que asumía caracteres de rito.

El yodo es tesoro, una vez sublimado y listo para la exportación, y como tesoro viaja por ferrocarriles y barcos hacia los grandes centros de su comercio. Extraerlo de la retorta, embarrilarlo en toneletes, forrar éstos en cuero y marcarlos a fuego, con su peso exacto hasta el gramo, constituye por esto una tarea seria.

De don Esteban al pasatiempo, el personal de administración, íntegro, colaboraba por lo tanto en aquella oportunidad.

En un ángulo del penumbroso barracón blanqueaba "la gran cachimba", como el humor de la Tamarugal quiso bautizar a su retorta. Y en verdad, una enorme pipa semejaba, desde su horno de mampostería hasta su largo pitón de gordos tubos de cemento. Estos cilindros, al acoplarse unos con otros, se ajustaban por medio de anillos férreos bien calafateados y cada cual con candado y sello inviolable. Abrir y descargar exigía testigos, presencia de fiscales, anotación en libro y firma de concurrentes. Luego iban los barriles a una bóveda especial. No ya la de los quesos de pasta en bruto; otra, situada en la bodega de los objetos valiosos.

Sin embargo, aquella noche sólo a ratos se pudo asomar el Hombre a la delicada operación. Tenía en la oficina un visitante de categoría:

Mister Jackson, el gerente. Su visita obedecía, por lo demás, al concertado matrimonio. Como sería el padrino, había subido de Iquique para el cambio de las argollas de compromiso.

Muy sencilla, la ceremonia no obstante abrió perspectivas dignas de celebrarse por el personal. Mister Jackson, con gusto de *gentleman* y usando el lenguaje indirecto que tanto gusta al inglés, había dicho durante su *speech*: "La Tamarugal, en lo venidero, no se verá excluida probablemente de la gran vida social que la Pampa tiene... Las viejas, nobles y tradicionales oficinas que Mister Humberstone, como patriarca del salitre y perfeccionador del sistema Shanks, comanda desde Agua Santa, no realizarán ya sus bailes sin el concurso de una pareja superior de la Tamarugal..." Y había terminado, en formas ya más directas: "Esta oficina, ella misma, abrirá sus salones. Estoy autorizado para dotarla de cuanto consideremos adecuado, y nadie dudará de la complacencia con que yo participo en este acto".

Vendría, pues, otro vivir para la Tamarugal, el gran vivir que sabían darse los pampinos cuando algunas damas los presidían.

Doña Eduvigis, futura madrina, había exultado, junto a Mister Jackson, de su brazo.

Asistieron por esto, de *smoking* los empleados a la casa del yodo esa noche. Apenas habían alcanzado a echarse encima un abrigo en defensa de la tenida; y mientras a la luz de focos portátiles los peones, temblantes de resplandores, apretaban con sus pisones el yodo negriazul dentro de los toneletes, ellos consideraban alegres sus perspectivas y comentaban la ufanía un poco triste de don Esteban. Un observador agudo habría relacionado, sin embargo, las ocurrencias con los cáusticos gases del yodo, que irritaban las conjuntivas y ponían picor en las pituitarias y carraspera en las gargantas.

Por su parte, Jenny sentía transcurrir los días de su triunfo en una turbulencia extraña. Sí, los *sentía*. Los preparativos absorbían casi todo su tiempo; pero... algo como un miedo, un cierto género de emoción contradictoria, confundía en ella las ideas y las expectativas de fortuna y rango, arrastrándolas a languidecer en una como vaga desesperanza. Igual que toda chiquilla, había concebido sus ilusiones, y no poco románticas. Y ensueños son éstos que no suele la mujer expatriar de su corazón así como así.

Preocupábala, entre otros temas, el del temperamento en las personas. ¿Qué poder habíase interpuesto en su vida desde aquella conversación? Desde entonces, parecían desprestigiarse, reducirse casi a embelecos, muchas ilusiones, y aun su orgullo, y aun sus altiveces. La especie de rivalidad frente a la ecónoma, aun cuando siempre la hubiese calificado, en el fondo, de femeninamente absurda, habíala encocorado hasta poco antes; mas he aquí que ahora, de la noche a la mañana, carecía en absoluto de importancia. En cierta ocasión, entre afanes por paredes que se pintan y muebles que se remueven, se habían encontrado las dos cara a cara. La mujer, aunque en actitud de vencida, había exteriorizado con miradas huidizas y silencios reticentes su hostilidad. Ella, empero, le había dirigido natural e inalterable la palabra. Más que inalterada, apática estuvo. La ecónoma llegó a decir algo solapadamente agresivo. Pues bien, ella se había limitado a analizarle entre tanto las facciones: unas pupilas demasiado pequeñas para tan grandes ojos; en lugar de cejas, dos arcos de carbón; y un tiritoncillo, un contoneo de cabeza al hablar que la prendía de petulancia. Sin embargo, no sufrió la menor molestia. Si algo, en suma, sintió por ella, fue conmiseración.

Y canceló, buena y generosamente.

Tanto, que esa misma tarde dijo al Hombre:

—La ecónoma, ¿sabes? He conversado con ella. ¡Infeliz! Quién sabe si lo mejor sea que continúe en su puesto.

Mientras hablaba, comprendía que dejarla en casa resultaría demasiado. Pero...

Por suerte, no puso atención él en el asunto. Algo le traía entusiasmado al encuentro.

—Mira. Tengo esto para ti.

Era un brillante. Sobrio de quilates, aunque de aguas muy puras, engastado en levísimo aro de platino.

Recibió Jenny una nueva alegría. Se dejó besar el dedo anillado. Y nada más.

Iba viviendo así su noviazgo. En alternativas. Placeres y depresiones. Sabía y no sabía bien a qué atenerse. En lo práctico, lo sabía; en lo íntimo, quizá no.

No dudaba de que se casaría con don Jesús Morales, con el Hombre, con el famoso administrador de la Tamarugal, tan prestigiado en la industria salitrera, tan buen partido. Morales era, por último, la seguridad para cualquiera mujer. En él podría, sin temores, apoyarse toda la vida. No tendría un temperamento, ningún temperamento; en cambio, sí, una inteligencia, una inteligencia madura y sana. Y era, sobre todo, sincero.

Cuando Jenny llegaba en sus análisis del Hombre a este punto, su adhesión a él cobraba firmeza. No distinguía claro el porqué; pero entregábase a su poder. Era suya. Y es que nada hay tan comunicativo y poderoso como la sinceridad. No podrá el sincero convencernos, ni conquistarnos el alma; pero es capaz de arrastrar nuestra cabeza tras él, aun de apoderarse de nuestra voluntad; y si lo tratamos y escuchamos con frecuencia, habrá momento en que la verdad nos parezca el efecto de una convicción, y no su causa.

Sí, pues; se casaría con él. Además, ¿cabía ya en lo posible renunciar a su ascenso a dama de la sociedad, a su próxima figuración en bailes, teatros iquiqueños y fiestas de club? No. No vacilaba. Se casaría. Lo tenía resuelto, con resolución irrevocable.

Pero..., ¡el constante, porfiado pero!..., su ser íntimo y sentimental sufría una emoción de suspenso, de futuro que se despide sin haber llegado.

Así, todas las noches, después de los proyectos dentro de la alegría familiar, recogíase a su cuartito. Divagaba un rato frente al cielo, en la ventana. Si había luna, dejaba un poco irse su sensibilidad tras las sensaciones del paisaje celeste.

Al fin, prendía su vela para acostarse y cerraba los postigos a la luna.

XVI

Ahora el seminarista Javier del Campo visitaba con frecuencia la Tamarugal. Había intimado muy pronto con todos; mucho con el Hombre, quien se divertía incitándolo a discutir; pero en especial con Miguel, el pasatiempo, cuyo espíritu adolescente le atraía por catequismo y en quien había logrado encender interés hacia la lectura. También Jenny tratábalo a menudo. Casi siempre venía él en traje seglar. Su decisión por conocer a fondo la vida pampina le imponía los pantalones de equitador; el sol de la llanura caliente, las blusas de brin y el sombrero de anchas alas. Aun pernoctaba en la oficina, tal cual vez. Y Jenny, en tanto trajinaba por sus futuras habitaciones, solía divisarlo, a horas de excesivo calor, sentado en el vestíbulo central del edificio, leyendo.

"Tiene —se decía, observándolo— una de esas figuras de las cuales emana, como un vaho, no sé qué sentimiento amistoso, aunque se estén quietas, a solas o sin advertir la presencia de nadie." Y era interesante y suave su cabeza, con los cabellos lisos y de un castaño muy lavado.

Ese muchacho sí que tenía temperamento. Los demás jóvenes, de tenerlo, sería él de muy pobre valor. De ellos, por lo demás, venía poco a poco alejándose. Notábase que, por momentos, envidiaban al Hombre, con una envidia del sexo, ofensiva y sucia. Ya le habían contado a ella que, en corrillo, hacían chistes a su costa. Le causaban el mismo desasosiego, la misma repulsión que cuando pasaba entre la peonada solía experimentar bajo aquellos ojos que la desnudaban.

Por eso muchas noches, si el Hombre hallábase ausente por sus constantes viajes a Iquique, originados por las compras de muebles y artículos para el hogar, ella prefería mantenerse distante de la administración. Aliviábase caminando sola, a lo largo de su callejuela, a esa hora en que nadie puede codiciar la carne, porque las puertas han encerrado ya los sentidos.

Eran descansos agradables. De rato en rato, gritaban los trenes, tan lejos, que los pitazos llegaban como suspiros de la noche. Fingía tener alma la noche.

Solía entonces considerar cómo el seminarista, paso, pasito, había entrado en su simpatía. A ritmo sereno pero insistente, todo lo iba ella relacionando con las palabras de Javier del Campo, con lo que le había escuchado, con cuanto proyectaba él para su carrera sacerdotal. Deseaba ser su amiga. Le habría encantado un parentesco, contarlo a lo menos como familiar de la casa, o que, una vez casada ella y ordenado él, volviese y lo hicieran capellán de la oficina. ¿Por qué una salitrera, al igual que algunos fundos en el sur, no habría de darse por excepción el lujo de un capellán?

Durante las ausencias de su novio, tornaban para ella los antiguos atardeceres. Entonces, en los celajes, en el misterio del crepúsculo, al fondo de sus melancolías redivivas, se le presentaba el seminarista, ya como fraternal amigo, ya como simple interlocutor. Hubo una vez que la inquietó esta presencia casi permanente del muchacho en sus pensamientos. ¡Bah! No. ¡Qué puerilidad! Ni que fuese una chicuela. Pero si él ni de modo remoto se figuraría que lo había elegido ella para estos rezagos de su manía de ensoñar y estos diálogos fantásticos. ¡Y que no se le ocurriese imaginarlo, por Dios! ¡Qué juzgaría, en su limpieza de alma, en la altura de su misticismo!

El caso era que este juego la divertía; más, cogíala como una afición. Y hasta le agradaba tratar de Javier al seminarista. ¡Bueno! Javier lo nombraban también los demás jóvenes, aunque ella, comedida, le dijera sólo señor Del Campo.

Una mañana salieron a la pampa juntos. Iba con ellos, por supuesto, el Hombre. Javier había llegado a caballo.

—De un solo trote, desde Huara —dijo al apearse.

Por lo cual, el sereno aconsejó dar respiro a la bestia. Estaba muy sudada. Como el administrador aprovecharía el trencito para inspeccionar las faenas de extracción, recorrerían las calicheras en la pequeña locomotora, la "Pizca".

Jenny, que despedía en ese momento a su novio, fue invitada. Y subieron los tres.

—Agárrense. Agárrense.

—¡Cómo se balancea esto, Dios mío!

Efectivamente, la vía ondulaba sobre el suelo nivelado a medias. Diríase que navegaban. Pero en mar de fuego. Porque más tostaba el sol cayendo desde lo alto, que el fogón de la máquina junto a las piernas.

Ambos lados de la línea ofrecían una visión infernal, sin trecho que no estuviese destrozado y vuelto del revés. Parda y ardorosa tierra en que cada excavación defendíase contra la vecina sólo por el amontonamiento de sus escombros.

Se detuvieron a una voz del Hombre.

—Aquí tenemos una calichera. Esta pertenece a un particular, a un hombre que, después de tronado el tiro por los barreteros, la abre por su cuenta y por su cuenta envía el caliche a la rampa.

—¿Se le compra este caliche?

—Bien mirado, eso viene a resultar, porque se le paga la extracción a tanto por carretada que entrega. El precio se fija según la calidad del caliche y lo que haya costado sacarlo.

Observaron trabajar al obrero. Sudoroso y desfigurado por el polvo, veíasele al fondo de su cráter, partiendo el manto salitral, a cuña y combo, a barreta y palanca. Había formado tres planos en escalera, tres canchas, por las cuales elevaba su bolones hasta el acopio amontonado al nivel exterior.

—Y ese trozo enorme, ¿cómo lo subirá?

—Lo parte primero. Si no puede a cuña, le barrena un cachorro, es decir, un pequeño tiro de dinamita.

El particular descansó un momento, bebió un poco de agua de su cantimplora forrada en la indispensable media húmeda, les sonrió con sus dientes blancos entre los labios barrosos y continuó. La veta, gruesa de dos pies, como otra boca que sonriese, mostraba su caliche de tonos anaranjados.

Pero debieron encaramarse de nuevo al tren, para detenerse luego en otra labor.

—Este es un rajo.

Era ya la calichera extensa. Dirigidos por mayordomo, trabajaban allí veinte peones, en cuadrilla.

—Trabajo terrible.

En medio de aquel ambiente de crisol al blanco, se pensaba en lo terrible que tienen las llamas tenues e invisibles del fuego a pleno sol.

—Comprendo ahora la sequedad de la Pampa —dijo el seminarista—. Me explico por qué las maderas de muebles y tabiques se rajan y estallan, sobresaltándonos en la noche, y por qué hasta los papeles se parten si no los maneja uno con cuidado. Así se resecan estas almas también.

—A propósito —recordó Jenny—. No nos invitó usted a su plática.

—¿Ya la dijo?

—El jueves.

—Pero es que ustedes no van a la fonda. Tampoco les habría satisfecho esa plática, por su desarrollo al alcance de mentes rudimentarias.

—¿De qué habló?

—Expuse la doctrina cristiana conforme a lo dispuesto por mi tío.

—Ah, ya recuerdo. El mensaje de Cristo.

De regreso, con el aperitivo previo a todo almuerzo pampino, Javier hubo de acomodar una síntesis que cuadrase a la inteligencia objetiva de don Jesús Morales.

Y se supo recluir en la modestia, dentro de las formas breves, la actitud espontánea y la simpatía de un tono que excluyera de sus palabras lo presuntuoso de una prédica.

—El mensaje —dijo— es simplísimo. Sólo esto: Dios no quiere la muerte para el pecador, sino que se convierta y viva. Lo han llamado por esto el mensaje del amor y del rescate. Se reconoce la falta contra sí mismo y contra los demás; se pide el arrepentimiento, se ordena la reconciliación y se enciende la fe en el renacer a una vida mejor. Allá, al fin, está la vida eterna. "Y si nuestro corazón nos condena —dice por último el evangelista—, Dios es más grande que nuestro corazón." Aparece así entonces el perdón para el desesperado, nace la esperanza. No contiene más el mensaje. Y lo contiene todo. Con él vino al mundo el Divino Jesús, ofreciéndonos su modelo todo inflamado de amor.

—Muy artístico lo que usted ha dicho. Pero científico...

—La religión marcha, fíjese usted bien, señor Morales, ajena a la ciencia, independiente de ella, por otra ruta. Es subjetiva, y para el sacerdote ha de constituir, en consecuencia, un arte. Los que abrazamos nuestra vida total a la Cruz, debemos descubrir en la vitalidad el Espíritu; del principio animal, hemos de lograr que se desarrolle la potencia humana y se purifique; del hombre en bruto, por lo general negativo, queremos sacar otro, que camine hacia arriba y alcance en lo posible la sabiduría.

—Como sistema, no está mal inventado.

—No se trata de la invención de un sistema.

—Perdón. Yo no quiero herir sus sentimientos.

—Lo comprendo. Pero, vamos a ver, no se trata de que se haya inventado algo, sino de que se ha oído un mandato interno, del alma. Me parece imposible disimular ese indicio de divinidad que, a cada paso, como en la poesía, en la ternura y en el deseo de justicia, por ejemplo, despunta desde nuestro interior. ¿Por qué todos, creyentes e incrédulos, sentimos dentro este imperativo de pedir justicia? Ese imperativo ha sido puesto dentro de nosotros. Y cuando se oyó en Nazaret el grito, cundió, porque correspondió a un anhelo profundo de los hombres.

—Y ustedes pretenden conseguir algo predicando la humildad.

—No confundamos. El cristianismo quiere que el hombre sea humilde, no para que aguante la injusticia y la brutalidad; quiere lograr que cada cual se afine resignada y sabiamente en una como orquesta universal, situándose con humildad en el lugar justo que le corresponde, en vez de inflarse soberbio y suponerse capaz y merecedor de todo.

—Que quien nació para ochavo no presuma de cuartillo.

—Ni más ni menos, porque se quieren evitar el amargamiento y la infelicidad.

—Bien.

—Esa es la voluntad de Dios, que nos reveló el Cristo.

—Si la doctrina se funda en el "Dios lo quiere", ha de comenzarse por creer en Dios. Y la voluntad divina..., le juro a usted..., no la entiendo. A cada paso se muestra injusta y arbitraria.

—Dentro de los conceptos humanos, convengo.

—Pues no sé de qué otros conceptos dispongamos. Hombres somos y...

—. . .y razonables. Hay que hacer el esfuerzo de trascender la razón. Recuerde nuestra charla pasada.

—Mire, amigo. Si me pidiera usted reconocer la voluntad de Dios en las leyes que descubre la ciencia, estaríamos de acuerdo.

—En ellas y en algo más. Dígame, ¿cree usted en la suerte?

—Sin duda.

—Vaya, hombre, ya cree usted en algo que escapa a la razón. ¿Y se explica usted la suerte?

—Imposible.

—Pues mire usted, algunos a la voluntad de la suerte la llamamos voluntad de Dios también.

—Hombre, cuanto nos va quedando fuera de alcance lo atribuye usted a Dios.

—¿Y a quién, pues, porfiado? —intervino en cariñoso tono Jenny.

—Claro —dijo entonces, gentil, el Hombre—. Pasemos a la mesa.

No había querido confesarse ateo. Tampoco el seminarista se resignó a oírselo decir. Pero Jenny recibió una punzada en su corazón creyente.

Y como a ella la esperaban para el almuerzo en su casa, se retiró, sumida en una triste, tristísima inconformidad.

Al fin, lo quería, iba a ser suya.

XVII

—Se nos ha perdido usted. Días hace que no aparece por la oficina —dijo el Hombre.

—No he ido, en efecto. Estoy ayudando aquí a mi tío. La parroquia entró esta semana en oficios de cuaresma.

—Por eso lo veo tan ensotanado.

—Por eso.

Se habían encontrado en la estación de Huara. Don Jesús Morales dirigíase a Iquique, por el tren de aquella mañana, y aguardaba el paso del convoy.

Dispuestos a distraer la espera, iniciaron un paseo por el andén.

—Además —añadió el seminarista—, los abandonaré pronto.

—¿Del todo?

—Lo menos, por el resto del año. Mis vacaciones concluyen.

—¿No asistirá usted a mi matrimonio, entonces?

—En marzo... No. Ya me tendrán en Santiago para esa fecha.

—¡Lástima! Lo siento.

—Y yo. Pero, ¡qué quiere!, el Seminario es muy estricto.

—¡Señor Morales! —gritaron en esto desde la puerta del hotel—. Al teléfono. De la Tamarugal. Urgente.

Corrió el Hombre al aparato. Minutos después volvía para explicar al muchacho:

—Hombre, un accidente. Han llamado mucho al doctor Rawling, pero su teléfono parece descompuesto.

—¿Algún obrero?

—Sí. Un particular, dentro de su calichera, aplastado y preso bajo una gran colpa de caliche. Suárez, aquel hombre que nos sonreía la otra mañana, ¿recuerda?

—Desgraciado.

—Me cuentan que ha pasado la noche cogido y que trabajan todavía para sacarlo.

—Yo buscaré al doctor.

—Sí, hágame el servicio. Aprovechen el tranvía, que me trajo y que aún no se ha vuelto.

—Ya lo creo.

—Yo regreso mañana. Y acompañe usted al médico.

—Pierda cuidado. Si le soy útil, voy con él.

Se despidieron aprisa; y cuando el Hombre se embarcaba, pudo divisar al doctor Rawling, que con el seminarista partía en el carrito, camino a la Tamarugal.

Llegaron a la calichera en los finales de la liberación para el infeliz opreso. Habían conseguido al fin meter las palancas necesarias bajo la enorme piedra. Era un trozo de la misma que Jenny, Javier y el Hombre vieran días atrás y comentaran por su magnitud; trozo lo bastante grande, sin embargo, para que el cuerpo cogido debajo no pudiese libertarse solo. Se habían esforzado mucho en la tarea, toda la mañana; pero siempre fallaba el esfuerzo y la colpa se tumbaba otra vez sobre el hombre, magullándolo más, moliéndole. Caída sobre una cadera, tomaba parte del muslo y el bajo vientre. Debía, el desgraciado, sufrir mucho. Estaba cadavérico, y aunque, presumiendo, intentaba sonreir, la boca terminaba en horrible mueca y subían los ojos a flor de cuencas.

Se le oyó un lamento, casi un llanto, sólo cuando lo hubieron libertado. En la camilla, después, los quejidos sonaban a compás de la marcha.

—Tronó un cachorro —contaba el corrector— sin medir bien la dinamita. Caso raro en él, porque siempre calculaba tan bien la carga, que los bolones tan sólo se le abrían como una naranja, en cascos grandes, sin que saltara un solo pedazo. Por eso se quedaba siempre al lado, con entera confianza. Así pasó esta vez. Se hizo apenas a un ladito y, claro, el bolón se le tumbó encima.

El médico, el seminarista y el pasatiempo estuvieron largo rato encerrados con el enfermo dentro de la botica.

Afuera, un nutrido grupo bullía, entre comentarios. Tendrían que extraerle la orina, lo anestesiarían, lo mandarían al hospital... El accidente se había producido en la tarde anterior, y el pobre había tenido que pasar la noche entera aplastado. ¿Quién iba a oírle gritos en la noche, desde tan lejos?

Jenny, entre las gentes, lloraba.

—Vamos, hija. No es para que tú te pongas así —decíale su padre.

Pero tenía ella, desde hacía tantos días, tantas ganas de llorar...

El viejo la condujo cariñosamente a casa.

Y quedó pensativo, ante aquella crisis. Porque Jenny, tan pronto se halló en su hogar, al abrigo de miradas extrañas y libre de temores al ajeno juicio, fue a tirarse sobre la cama y lloró a sollozos, convulsa, en una verdadera crisis.

Venía, en realidad, conteniendo una tormenta desde muchos días atrás. Desde aquella exposición que del mensaje de Jesús hiciera el seminarista. Habíala emocionado la doctrina cristiana, acaso por primera vez en su vida. Jamás prédica elocuente alguna pudo despertarle así emoción. Y ésta, ni siquiera una prédica había sido, mucho menos una pieza de elocuencia. ¿Cómo, por qué virtud, todo concepto, vibrando en la voz de ese muchacho, alcanzaba el fondo de su sentimiento cristiano y le tocaba el corazón como el dedo mismo del Nazareno? Sobre todo, aquellas frases, sin que para ello fueran aparentes siquiera, habían remecido sus ternuras de mujer, su piedad. ¿Por qué? Y no se trataba de lo que en términos usuales se suele llamar sentimiento piadoso. Ella no era una joven piadosa. Tratábase de aquella otra piedad de significación humana, de un poder viviente.

Es que cuanto Javier del Campo decía levantaba en ella ecos y resonancias que le removían la raíz del ser.

Había repechado una cuesta, el corazón de Jenny, durante la semana que siguió a la mágica exposición del seminarista.

Solieron conversar, ya paseándose de extremo a extremo de los corredores, ya en el vestíbulo, como reposo de trajines, mientras el Hombre se agitaba por el nido en Iquique y los empleados multiplicaban cifras en el escritorio. ¿Y de qué hablaban entonces? De esto y de lo otro. De naderías, quizá. Mas a ella le parecía que de la esencia de la vida, pues a la más nimia frase descubría proyecciones sobre su corazón. ¡Ah, pobre corazón, pájaro solitario en la selva del ensueño!

Tiempo hacía ya que una llama quemaba las pupilas de Jenny. Una de esas llamas que están dentro y arden fuera; pero que, en ella, al asomar era de pasión y luego de melancolía.

¿No habría nadie advertido esa llama?

Jenny experimentaba un vago temblor cuando suponía que alguien pudiese observar y tergiversar un sentimiento tan bello y tan puro. Porque había debido confesarse a sí misma al fin: estaba enamorada. Sólo que santa y desesperanzadamente. Y en secreto. En secreto para todos y, en especial, para él. ¿Qué mal había en someterse a lo fatal e inevitable? Amaría en silencio. ¡Cuánta mujer amaba así, recluida en sí misma, cumpliendo todos sus deberes de lealtad y honor, pero viviendo una existencia entera mecida sobre la onda de un amor que brotó una vez sin remedio!

Dejábase, pues, llevar por su casto vuelo. En particular cuando permanecían los dos, tal cual vez, algún rato juntos, solos y callados. En la imposibilidad de hablarle, soñaba. Ocurríasele que los pensamientos de ambos se buscaban en el silencio, como manos en la sombra. Solían empañársele entonces de lágrimas los ojos, y la engreía el figurarse que a él sucediérale lo mismo. Era el imaginario gozar de esos silencios encendidos y suaves en que las almas calladamente hablan y lloran juntas, y en los cuales, también, se pactan las alianzas perfectas, pues que durante ellos sólo escucha cada cual lo que su espíritu quiere oir.

Si pasado uno de estos ensueños recordaba a don Jesús Morales, su novio, ya casi su marido, nada distinguía digno de reproche. No entendía el Hombre de estas cosas. Tampoco podía con ellas ofenderle, puesto que le guardaría fidelidad y obediencia siempre, y le daría, por gratitud y además por un fundado afecto, cuanto él esperaba de ella.

Mas, de improviso, Javier había suspendido sus visitas a la Tamarugal.

Esto la puso intranquila. Intranquila primero; luego, intranquila y triste. Indagó, con disimulo. Supo que nada malo le ocurría. Cual si acercándose a un amigo suyo se acercase a él, buscó el trato del pasatiempo. Para comprender mejor a Javier, pidió a Miguel que le prestara lecturas, algunos de los libros que le había proporcionado él. De cada volumen, leía con avidez todas las líneas que él había subrayado. En seguida, los textos eran abandonados como carentes de mayor valor.

Por último, la imaginación empezó a torturarla.

En una ocasión, al toparse con el sastre, el buen hombre le dijo, como quien marca las palabras para indicar advertencia:

—¿Recuerda, señorita Jenny, que cuanto ha le anuncié que le iría muy bien aquí, si sabía hacerse valer?

"Si sabía hacerse valer" fueron las palabras recalcadas. Que venían a significar ahora, sin duda, "si no pierde usted el tino". Algo era probable que se murmurase por ahí, y que Javier lo supiera y. . .

Al verle llegar de pronto, a causa del accidente, sus nervios, así, cedieron.

El pobre don Esteban había sabido aguardar hasta que ella se desahogase. ¡Pobre viejo adorable! Pero lo notaba, desde aquella crisis, meditabundo y demudado.

Sus viejos la llamaron sólo para el almuerzo, alargando prudentes la espera. Y en la mesa, ambos demostraron haber decidido distraerla y nada más.

—Pobrecita —la excusó ingeniosa doña Eduvigis—. Viste a ese hombre alegre y sonriéndote desde el fondo de su cueva, hace apenas unos días. Y verlo ahora en tal estado, no es para menos.

—Bien —concluyó el viejo, poniéndole una mano sobre la cabecita despeinada—. No pienses más en nada triste.

Y para mudar visiones y malos pensamientos, apelaron al tema del matrimonio en vísperas.

—A mi juicio, el Hombre da otra prueba de su buen sentido al decidir casarse aquí y en privado.

—Argumenta que, como no tiene todavía muchas relaciones sociales en Iquique, no corresponde más.

—Todavía.

—Claro. Todavía. Porque después las tendrá.

—Muchas y buenas.

—Por supuesto.

—Yo, por mi parte, lo celebro. Además, así el dinero nos cundirá más a nosotros.

—El vestido de novia, sencillito.

—Lo demás, para el ajuar.

—A ver, tú, chiquilla, anda contando. Un traje sastre para el viajecito, otro de más vestir, luego...

Jenny participaba sin brío en la conversación.

—No te endeudes tú mucho, papá —decía de cuando en cuando.

Sumergiéronse, no obstante, en mil pormenores. Corría el rumor de que la Compañía enviaría un regalo espléndido: un aderezo de perlas. Completo: collar, pendientes y anillo. Una pequeña fortuna. Contaban que Mister Jackson explicaba así tanta largueza:

—La Compañía no ha encontrado manera más decente de dotar a la novia de su administrador predilecto.

Pero la distracción no fue completa.

Si Jenny se hubiera situado más cerca de su padre cuando él se despedía de doña Eduvigis para regresar al trabajo, le habría oído mascullar:

—Por algo me han reventado a mí siempre los frailes.

Nada percibió Jenny. Porfiando por adquirir noticias directas del enfermo, había decidido acompañar al viejo al laboratorio, y estaba ya muchos pasos adelante. Sintió, sí, en el trayecto, piedad por su padre. Piedad y alarma, porque —saltábale a la vista— no conseguía el pobre borrar la angustia de su rostro.

XVIII

Ocupaba el laboratorio un cuarto contiguo a la botica, a fin de que ciertos instrumentos de precisión sirvieran para pesar ingredientes en ambas dependencias.

Al entrar Jenny, el sereno ponía en orden utensilios y frascos.

—Le tuvieron que amputar dos dedos de un pie que también se había machucado —fue lo primero que dijo, con ese orgullo que la plebe siente ante los casos graves, Ciriaco Oyarzún.

Y señalando una cubeta, añadió:

—Ahí están. Mírelos.

Dos dedos, en efecto, grises, rugosos, repugnantes, yacían sobre la porcelana blanca ensangrentada.

—¡Qué horror!

—Pues él gozaba durante la operación. ¡Ah, roto divertido! ¿Creerá, señorita, que cantaba? Dormido, claro, con el éter. Pero cantó, el diablo, su buena cueca:

No se puede,
no se puede
y no se puede
olvidar
y olvidar
lo que se quiere...

—¡Ave María!

—Don Javier, que le aplicaba el éter, se había puesto verde. Pero él, Suárez, canta y canta. Y el doctor, despresándole por las coyunturas el pie, lo mismo que si despresara un pollo.

—¿Y adónde se han ido?

—A Suárez ya lo llevamos a su casa. El doctor y los otros están ahí, en el corredor.

—¿Almorzaron ya?

—Si les ha resistido el estómago. Contimás que los doctores, y los curas también, creo yo, tienen costumbre de estas cosas. Ahí están. ¿Los ve? Tan frescos.

Sí, Jenny los divisa. Juegan con el perro. Mister Archy, Pascal, el pasatiempo y Javier atienden a la prueba que tanto place repetir al doctor Rawling. Como a buen inglés, le apasionan los perros. Y no sólo sabe cómo educarlos; también cómo defenderse de ellos.

Cuando se incorpora Jenny al grupo, el médico demuestra uno de sus ardides. Le sueltan de lejos el animal, lo azuzan en su contra; él lo recibe, como si fuera un can furioso, lo coge veloz por una paletilla, aprieta con fuerza y el perro cae de espaldas lanzando alaridos.

—Nunca falla. Jamás —asegura triunfal—. Pueden soltarme el perro más bravo del mundo. Yo lo domino.

—Admirable.

—Oh, práctica. Ustedes pueden aprender. ¿Le ha gustado, Jenny?

—Claro. Mucho. ¿Y el enfermo?

—Oh, bien. Ahora, un poco de paciencia. Es joven. Y parece un bravo y alegre roto chileno. Pero yo tengo que irme. ¿Hay para mí un caballo, creo, Mister Archy?

—Está listo, doctor Rawling.

—Aprovecho, Jenny, para pasar mi visita hoy a la Mapocho. Voy y vengo de un galope. No he cumplido sino los cincuenta. Usted, futuro arzobispo, me espera aquí, ¿no?

—Sí, doctor.

—Después pondremos al herido una sonda y regresaremos a Huara por nuestro tranvía de esta mañana.

—¿No convendrá ver a ese hombre ahora?

—Bien. Vayan ustedes. Compresas, siempre compresas. Agua blanca y, para beber, lo que dejé preparado.

Jenny propuso acompañar a los jóvenes. Pero se opusieron todos ellos. A esto iban hombres sólo.

El médico apoyó:

—Hombres, no más. No debemos escandalizar a una novia...

Y guiñando un ojo entre una ceja espesa, se retorció el mostacho y carraspeó su muy correcta, muy británica risa.

Ella no insistió. Antojósele demasiado unánime aquel deseo de que no les acompañase.

Vio montar al médico y cómo el perro saltaba en torno al caballo; cómo, entre ladridos semejantes a frases de cariño, daba vueltas alrededor de su amigo y superior, y cómo seguíale por último en su viaje. El perro, sin lugar a dudas, le adoraba. Y él agradecía su adoración.

En seguida vio marcharse a los cuatro jóvenes hacia el campamento.

Y quedó meditabunda y deprimida. Enfrente, sobre la falda del cerrillo, al sol, deslumbraban unos destellos. Eran cascos de las botellas que durante cien domingos había destrozado a tiros el suicida. En la memoria de Jenny reapareció un instante la figura de Mister Adams. ¿Qué había quedado de él? Un mísero e intermitente recuerdo, sin dolor ni afecto, sin nota amable alguna.

Suspiró y fue andando, lentamente, hasta su casa.

La vivienda de Suárez, el particular accidentado, estaba situada en la corrida que tendía sus cajas de calamina frente a los ripios. Los cuatro muchachos salieron de allí tranquilos por la suerte del peón. Había pasado el efecto del anestésico y el organimo reaccionaba por su vigor y su juventud.

Buscaron lugar sombreado para conversar.

No lo había sino entre los contrafuertes del promontorio de los ripios: al prolongarse, formaba covachas y caletones hasta donde no entraba el sol a todas las horas del día.

—Sentémonos aquí.

Javier no había visto de cerca esta mole tendida como una ballena monstruosa y brillante sobre la llanura opaca. Se alargaba en subida el terraplén, enorme y achocolatado, húmedo y fétido a yodo, exudando salitre, potasa y sal. Sobre su lomo repechaban a tiro de cables las vagonetas, entre el chirrido de sus ejes y el roncar de los pescantes. En la cumbre se volcaban desde la punta de rieles, volada encima del abismo, a manera de muelle, y regresaban abajo ya vacías, mientras por la vía paralela otras llenas retrepaban. A veces, un hombre iba de pie, a la proa de su carro, la cotona blanca contra el azul, cantando al fresco del viento creado por la velocidad y su canto ponía en el aire flameos de bandera.

—Siéntate, hombre.

—Siéntate y hablemos.

Advertido por el pasatiempo, ya calculaba el seminarista qué propósitos tenían los muchachos. Pero, por mucho que le disgustase mezclar sus intimidades con el espíritu vulgar de tales amigos, comprendía cuán menester se había hecho hablar. La malicia se cuela en los hombres como la luz por las rendijas en los cuartos más cerrados, y Jenny daba sin duda lugar a suspicacias. Era indispensable prevenir conflictos.

—Mira, Javier —dijo Mister Archy—, necesitamos abordar un punto delicado. Anda por la oficina, tú no lo ignoras, un secreto a voces.

—Lo sé, y nadie más que yo desea ponerle término.

—Perfectamente. Pero el hecho es que se viene complicando y...

—No veo la complicación.

—¿No la ves? Los rumores cunden. Arde un reguero de pólvora y de repente sucede algo desagradable.

—Con alejarme yo, todo se resuelve. Y ya lo había hecho así.

—Verdad. Pero has vuelto.

—Sobrevino este accidente y el propio don Jesús Morales me pidió venir con el médico. De lo contrario, no me habrían contado entre ustedes sino la víspera de mi regreso al sur, para despedirme.

—Si no te reprochamos nada, hombre.

—Alto —intervino Pascal—. Ante todo, debes contestarnos una pregunta. Dinos, Javier, ¿qué pasa en ti?

—¿Cómo en mí?

—En tu corazón.

—Eso no hace al caso. Además, ¿qué me ha de pasar?

—Algo te pasa. Y viene a cuento, y mucho.

—No debes mentir —advirtió el cajero.

—¡Naturalmente! —repuso Javier, en cuyo ceño se trazaba ya un signo de impaciencia—. No miento; ni debo ni quiero mentir. Permítanme, en cambio, callar.

—Tampoco, entre nosotros, por la buena intención que nos guía. Medita un instante, escucha tu conciencia y responde. ¿Nada sientes tú por ella?

Javier permaneció mudo. Habíasele alterado más el semblante. Cerciorábase ahora de que no sólo Miguel, al favor de su intimidad, había penetrado en su secreto.

Mister Archy reanudó el ataque:

—Si te sale a la cara. No basta, Javier, guardar silencio, no basta evitar que la palabra nos traicione; queda la mueca, para esparcir nuestra verdad contra toda cautela.

Pero el seminarista siguió callando. No era propia una confesión. Carecía, además, de fuerzas para hacerla. En último término, agravaría los comentarios, dada la indiscreción de aquellos muchachos. Mas tampoco fue capaz de proferir otras palabras, cualquier frase de disimulo, o de imaginar un recurso que desviase la atención de todos. Resucitaban impetuosos, a la inversa, sus acallados sentimientos y le reinvadían el corazón. Sí; como uno de esos sonidos tan leves que no sabemos si nos llegan de algún punto imprecisable o si son de nuestro oído, una emoción había empezado a nacer una vez en él. Luego, en el deslizarse de muchos días amables, hoy por una coincidencia de pareceres, después a causa de un fatal encuentro de miradas, cierta mañana por haberse afinado ambos en la misma nota mientras consideraban el poder de la esperanza, aquel susurro se había ido alimentando, creciendo, hasta ser voz alta y clara. La emoción alcanzó así, inopinadamente, fuerza de imperio. El había sufrido, pero luchado también, y al cabo, vencido. Hoy, ¿cuál era su emoción? La emoción de pureza que nos contenta cuando hemos renunciado a tiempo al interés. Una sonrisa inmóvil, si no del todo serena, acompañaba sus pasos internos.

Con esta sonrisa vistió, pues, en aquel momento, su semblante, y al fin de la pausa que a los jóvenes ofreciera tal vez una promesa de triunfo, dijo:

—Fallan por la base las ideas de ustedes. No me conocen.

—Estábamos dispuestos a ayudarte.

—Ayudarme, ¿a qué?

—A..., en fin, a ser feliz.

—Gracias, Archy. Tengo mi vida trazada, mi vocación en marcha.

—Sin embargo, oyes que el amor te ha llamado.

—Aun los santos han sufrido la tentación.

—¿Y si luego fracasas?

—Mi espíritu se ha educado en la continencia.

—A ella le darías la felicidad. ¿No la ves desgraciada?

—No.

—Se le conoce que se siente equivocada.

—Ilusión, si eso ocurre.

Los muchachos se miraron, desconcertados. Pero Mister Archy pareció decidirse a llevar el juego hasta el fin.

—Bueno —dijo—. Nosotros queríamos que la juventud y el amor ganasen la partida. Habíamos resuelto ayudarlos. Siguiendo la fórmula del Hombre, que las tiene admirables, producir una situación de hecho. Para una fuga, por ejemplo, habríamos procurado desde un escondite hasta el último recurso.

—Pero..., ¿están locos?

—Aguarda. Oye. Tú tienes, en Santiago, familia pudiente, un porvenir para ella y tal vez para sus dos viejos. Producida la situación de hecho, todos, aun tu tío, puesto que no has cantado misa todavía, encontrarían solución honrada.

—Son locos ustedes.

—Somos jóvenes y poseemos la clave del amor.

—A costa de mil deslealtades.

—¿Cuáles?

—Desde luego, las que me arrastrarían a cometer a mí. Sería yo desleal con el hombre que me acoge aquí en su casa; con don Esteban y su hermana; con mis padres, que no esperan de mí aventuras y campanazos; con mi tío, a quien envolvería el escándalo; conmigo mismo, con mi vocación... y con Dios.

—¡Hum!

—No soportaría yo este papel de atolondrado y traidor. Tampoco que fueran ustedes traidores en mi provecho.

—Traidores, ¿con quién?

—En primer lugar, con su jefe.

—¿Pero tú crees que él guarda la menor estimación para nosotros?

—"Nadie es ladrón hasta que lo descubren", me dijo a mí en una ocasión —recordó el cajero.

—Somos para él piezas de su ajedrez y nada más.

—Pues, se ha ganado una fama.

—De gran administrador. Claro. Para la Compañía, resulta un tesoro. Un fuerte, para el mundo. Vencedor de todos los trances, inteligente de las cosas y de los hombres, del dinero y de la técnica. Adorable para los accionistas de *The Tamarugal Nitrate Co. Ltd.* Para nosotros, egoísta y seco. ¿Adhesión, respeto, cariño por él? Ni don Esteban, que en este caso tiene tanto que ganar, podrá estimarlo más allá de lo que las nuevas circunstancias le impongan.

—Y ahora se le sacrificará una de las más lindas chicas de la Pampa.

—Y se la sacrificarás tú, Javier.

—No exageren, por Dios. En el extremo a que han llegado las cosas, esa... jugada de ustedes significaría, sí, el sacrificio de muchos. Una catástrofe para esos dos viejos. Ella misma perdería una situación a la cual ha tomado ya interés. Ustedes... ¡con qué consecuencias cargarían! Y no insisto en lo que toca a mi familia. No. Están ustedes locos.

—Sacrifícala, entonces.

—No la sacrifico, pierdan cuidado. La ilusión, si existe, pasará. La historia humana está llena de ejemplos como éste.

—En tal caso, sacrifícate tú.

—Si así fuere, estaría bien. Lo cristiano: sacrificarse, antes que sacrificar.

Hubo una pausa, elocuente de miradas y risas.

—No comprenden ustedes, ¿verdad?

—Ya no se sacrifica nadie, alma de cántaro.

—Falso. Ustedes, mañana, el día menos pensado, se sacrificarán..., digamos, por la patria.

—¡Ah!

—¡Por la patria!

—Es curioso. Los hombres suelen concebir el sacrificio por servir a la patria, pero no por el servicio de Dios y de sus hijos innumerables.

—En suma, contigo no hay nada que hacer.

—Sí, hay algo. Yo me voy pronto al sur. Me despediré oportunamente. Pero les pido un favor ahora: desde hoy, con todas sus fuerzas y por todos los medios, dedíquense a desvirtuar cuanta especie malévola corre por ahí. ¿De acuerdo?

—De acuerdo.

—¿Palabra de honor?

—Palabra.

Encamináronse a la administración; el pasatiempo, con Javier; detrás, la pareja de Pascal y Mister Archy.

—A ella —dijo Miguel—, ¡quién pudiera prevenirla! Temo que la sigan delatando sus emociones.

—Yo encontraré manera de advertirla —repuso el seminarista con firmeza.

Los otros dos muchachos dialogaban por su lado:

—¿Qué te parece?

—¡Fraile marica! Perderse una chiquilla como Jenny...

—Hay que ver lo que vale, ¿no?

—Con ese cuerpecito.

—Y esos ojos verdes y jóvenes..., ¡una primavera en el mar!

—¡Tiene una suerte el Hombre!

XIX

Jenny, entre tanto, había vuelto a su casa con el ánimo vencido. Aquella unanimidad de confabulados que percibió en los cuatro jóvenes para eludir su compañía, lejos de irritarla, le había dejado caer laxos los brazos del espíritu. ¿A qué girar más dentro del círculo? El se iba. Cauto, esquivaba su trato; cauto por ella, seguramente. Y hacía bien. Era un místico y sabíase incorruptible; pero, también sagaz, decidía cubrirla contra la malicia, que ya emprendía su obra. Imposible no comprender tan claro proceso. Algo rendido había, pues, en ella, que le aflojaba todo el ser. Aun el pulso de sus venas era lento. Estaba triste, sí; pero no la crispaba ya un dolor activo.

En llegando, se metió en su cuartito y lloró. Lloró larga y suavemente. Después pasó al comedor y ocupó una silla frente a la ventana. Divisaba desde su asiento el ángulo formado por el corredor y el laboratorio.

Vio así regresar a los muchachos, y luego a Javier separarse de ellos y entrar al departamento de don Esteban. Pero no alentó el menor impulso de acudir ella también allá. Su voluntad había decaído hasta el nivel de una fuerza muerta.

Mucho rato estuvo el seminarista dentro. Más adelante, abrió el doctor Rawling la botica. Por fin se reunieron los cinco y partieron hacia el campamento, a colocar la sonda de fijo al enfermo. Y volvieron otra vez, y al final tomaron, médico y seminarista, el tranvía de regreso a Huara.

Ella no intentó el menor ademán.

Corría un airecillo helado cuando entró don Esteban para comer.

—Se ha descompuesto la atmósfera —dijo frotándose las manos—. A lo mejor se levanta camanchaca esta noche.

—No es tiempo todavía. No empieza marzo —contradijo doña Eduvigis.

Durante la comida hubo una charla inocua. Nunca molestaba el invierno en la Pampa. Jamás una lluvia. Tan sólo algunas nieblas espesas. Sin embargo, en aquel albergue metálico, por las madrugadas, solía uno helarse. Por fortuna, aquel año se instalarían en la administración.

Don Esteban parecía muy tranquilo, cual si la entrevista con Javier hubiese calmado sus nervios.

Jenny se acostó muy temprano. Desde la cama, a obscuras, sintió conversar a los viejos.

Hablaban bajo. Cuánto se lo agradeció ella. Es tan agradable, sin luz, que las voces también se obscurezcan. Hablar bajo es mantener la sombra intacta. Una estridencia cualquiera equivale a un relámpago para romperla. Deberíase hablar quedo en la noche siempre, siempre. ¡Ah, Jenny, pobre chiquilla! ¡Qué disminuida estaba! Por momentos, lloraba de nuevo, lágrimas mansas, que rodaban por las mejillas inmóviles.

Los viejos acostáronse al fin.

Y en cuanto calculó Jenny a su tía dormida, tornó a su llanto bienhechor. Lloró hasta que la fue invadiendo la dulce extenuación del herido a quien el dolor deja por fin un descanso. Ausencia de padecimientos, que linda con el bienestar y en la cual se afinan los sentidos.

Así, entre rendida y convaleciente, sintió llegar el sueño, aproximarse lento, como la ola fresca de un mar invisible. La fue anegando; se infiltró en sus arterias, dulce y frío. En sus tímpanos sonaba una como efervescencia de espuma. Hasta que se le inundó por completo el cerebro. Debió exhalar un feliz suspiro al perder la vigilia.

No hubo camanchaca en la noche. Pero amaneció gris el día. Cuando Jenny abrió sus postigos, las cimas de los montes penetraban el cielo nublado y, cual si hubiesen roto las nubes, un polvo de bruma rodaba faldas abajo.

Jenny, tras de haber abierto la ventana, tornó a colarse en el lecho. Se levantaría tarde.

Trajinaba mucho don Esteban esa mañana. De sus frascos alineados sobre la repisa escogía trozos variados de caliche y los partía en terroncillos.

—¿Qué haces, papá?

—Junto muestras de colores, hija. El seminarista, que regresa pronto al sur, me pide un muestrario pintoresco y bien surtido.

Y seguía el viejo reuniendo pequeños trozos anaranjados, azules, violados, negros, amarillos, blancos, de jaspe diverso.

—Porque se va. ¿No lo sabías?

—Sí. Lo sabía.

—Se va. Es un buen chiquillo, a fin de cuentas. Conversamos ayer. Tiene un alma bien puesta y una vocación firme.

—Es un místico.

—Bueno y sincero a carta cabal.

—Admirable.

El corazón de Jenny se había pacificado. Si Javier hubiera sido un muchacho de otra índole, que la abandonase para correr al torbellino del mundo, a vivir entre amores y pasiones, acaso esta paz no hubiese florecido en ella. Pero marchábase al servicio de Dios, como alma que se desprende del cuerpo y sube a otra morada. Pensando así, Jenny abría toda su alma al consuelo y el alivio quedaba en ella, hermano de la triste frescura que le habían dejado en el pecho los llantos y los suspiros.

Por la tarde llegó el Hombre cargado de platería y plaqué. Objetos para la mesa, para el salón y para el tocador. Le despacharían de Iquique, además, cristales, alfombras, lámparas, cortinas, y subirían dos tapiceros. Todo ello a costa de la Compañía. Deseaba la gerencia montar en la casa el tren de opulencia que pusiese a la Tamarugal a tono con las ricas oficinas. Sin omitir gasto. El inglés observaba en Tarapacá las mismas normas que en Londres. Aunque obreros y empleados menores soportasen privación, los jefes, las claves del negocio, debían participar en la riqueza. La política que multiplica sin cesar la fortuna de Inglaterra.

No tardó Jenny en contagiarse de toda esta ebullición. A fines de jornada, mientras se sucedían los aperitivos, el Hombre, ya de etiqueta, cogíale del brazo y la paseaba. Ella, blanda, se dejaba querer. Y si él reía en ocasiones demasiado fuerte, ella le ponía mimosa la mano en la boca.

—¡Chist! No con tanto estrépito.

—¿Qué hacías, hace poco, solita en la baranda? Parecías apenada.

—¡Pse! Miraba cómo iban encendiéndose las luces en la máquina y soñaba...

—¡Qué divertida mujercita!

—¿Tú no sueñas nunca?

—Nunca. En una novela que leí una vez, un personaje, un ingeniero, decía: "Yo no sueño. Soñar no es trabajo ni descanso".

—¡Bárbaro! Pero es un placer.

—Y a menudo, un vicio.

—Hombre terrible, siempre puedes tener razón. Pues a mí, tendrás que acostumbrarte, me hallarás con frecuencia soñando.

—Y te contemplaré, sin tocarte, como se contempla una flor.

—A propósito, ¿sabes que esta flor también necesita vestirse? Pensamos bajar a Iquique, mi tía y yo.

—Bajaremos juntos. Algo he hablado y preparado entre mis regalos.

Luego, las copas afiebraban la vanidad del bien vestir, y, apenas a intervalos, cruzaba por la mente de Jenny alguna visión del seminarista recogido en sus ejercicios de cuaresma.

XX

El crepúsculo, aquel crepúsculo que tan apacible había ido cayendo sobre el campamento en descanso, entre olores apetitosos de mesas a punto y sones de acordeón, se llenó inesperadamente de explosiones.

Desde los primeros estampidos, las gentes apresuráronse a salir a sus puertas y pronto estuvieron las calles todas pobladas de mujeres, de niños y de viejecillas despavoridos. Los hombres que ya se habían recogido a sus viviendas fueron partiendo también, veloces, todos con idéntico rumbo: llamaba la campana, en acelerado latir, urgiendo.

—Incendio.

—En las canchas.

—Se le quema el salitre al Hombre.

Tres humaredas subían con majestad, lentas, espesas, al cielo. Tres humaredas albas, con finísimos tornasoles de cúmulo. Tres serenidades que desdecían del furor de las detonaciones.

Corrió Jenny también, hacia el soportal de la pulpería. Desde allí, frente a las canchas, lo vería todo sin riesgo.

Se le agruparon los pulperos, los sastres, las oficialas.

Don Marino, siempre mefistofélico, dictaminaba:

—Intencional. Sabotaje. ¡Ah! Bribones...

El Hombre hallábase desde los primeros momentos junto a los obreros que combatían el fuego. El fuego invisible del salitre, sin llama. El salitre, blanco, tan sólo da humo blanco. Es un incienso. Se enciende, se funde, corre candente, impregna las maderas y aun bajo tierra sigue ardiendo. Es limpio como la química, y es terrible.

—¡Paren! ¡Alto! ¡Paren! —vociferaban capataces y mayordomos—. No echen "agua del tiempo". ¡Ignorantes!

Y a uno quitaban el cubo lleno de las manos. O zamarreaban a un chiquillo.

—Mejor aguarden la llegada del "agua vieja". ¡Calma! —gritaba el Hombre.

El "agua del tiempo", agua pura, causaba explosión, y salpicaba en derredor entonces el salitre ardiente, propagando el incendio. El "agua vieja", en cambio, hervida y saturada, apagábalo sin explotar.

Cesaron así los estampidos y el trabajo prosiguió sin ruidos de catástrofe. Pacientemente se aislaban los focos del fuego, se bañaban los maderos que sostenían en armazón las bateas, se sajaba el suelo a zanjas. Una cuadrilla descubría los durmientes de la línea férrea, que se quemaban dentro de su terraplén. Larga, prolija labor exigía esta destrucción oculta. A barreta hubo que remover el piso; con palas, que voltear y desmenuzar la tierra; para luego empaparlo todo con el "agua vieja". Dura faena. Los rostros se crispaban a la quemadura del aire y chorreaban sudor, grasa y tizne.

Al fin, en las canchas, unos zapadores habían ahogado el origen de las humaredas, que decrecieron hasta extinguirse.

Había olor a crisol. A Jenny se le figuró que así olerían los volcanes. Ya podía sosegar el susto y dar juego a la imaginación.

Pero cien hombres debían continuar aún, balde o herramienta en mano, buscando, urgando, descubriendo por dónde aquella lava escurría su destrucción. Conforme obscurecía, el empeño hacíase menos difícil, pues un resplandor rosa guiaba los pasos encima de aquel fondo de infierno, que achicharraba las suelas de los zapatos, metía ruido de sartén y caldeaba el horno de la atmósfera.

Una hora larga, aunque rápida por el afán, duraría aquello. No resultaron graves, sin embargo, los daños. Un vagón del ferrocarril, algunos fardos de sacos y hasta cien quintales de nitrato, a lo sumo, eran todas las pérdidas.

—¿No cree usted que haya sido intencional? —inquirió don Marino al Hombre, cuando éste vino a reunirse con Jenny.

—¡No, caramba! Déjese de ver rencores al fondo de todas las cosas.

—Pues yo me lo temo mucho.

—La conciencia, don Marino. Ahí se le alzan a usted esos miedos.

Un sastre arguyó:

—De tener mala intención, quemarían la pulpería.

Lo que arrancó grandes risotadas.

El jefe levantó entonces más sus hombros de Mefisto. Enmudeció y se puso en marcha hacia su casa, pero no sin volverse de trecho en trecho, y, con uno de sus índices, simular sobre la sien un ajuste de tornillos.

—Bueno, mujercita —dijo al cabo el Hombre—. Yo me voy a tomar un baño.

—Estás negro.

—Inmundo.

—Pues yo, a vestirme.

—Te espero en el salón. Mandaré preparar hoy el *whisky sour* con esa loción que a ti te gusta.

—*Canadian*.

—*Canadian*, mujercita.

Jenny sonrió.

—Sólo falta que nos apoden el Hombre y la Mujercita.

—Mucho que me alegraría.

De diversos vericuetos fueron surgiendo los empleados, para seguir al administrador.

Jenny se dirigió a su casita.

Pero aquella velada reservábales una sorpresa. Terminaban el café, al fresco, cuando vieron aparecer ante ellos, por la línea del ferrocarril, la bicicleta a la vela del doctor Rawling. Traía el médico al seminarista consigo.

Hubo alboroto. Saliéronles todos al encuentro.

Más bien era un triciclo aquel aparato que el muy británico doctor se había encargado a su país; porque mientras la bicicleta propiamente tal montaba sobre un riel, iba un tirante a una tercera rueda de apoyo en el riel contrario, arriba de la cual se ajustaba otro asiento. En esta montura viajaba Javier, la driza en el puño. Todo el trayecto, él había izado y arriado la vela puesta con ingenio a la máquina para que diera el viento paz a las piernas.

—Decidimos aprovechar la luna —contaban los recién llegados.

—Este canónigo —bromeó el inglés— se nos fuga mañana y yo le ofrecí conducirlo a despedirse.

—¿Mañana ya?

—Mañana. A Santiago. Al Seminario.

Entraron en tumulto al salón.

—Sí, gracias, *whisky* —simulaba responder el médico a ofrecimiento que nadie le hacía—. Pero no esto —protestó alejando de sí la botella del *Canadian*—. ¿Se acabó acaso el *scotch*?

Bien lo conocían. De modo que le sirvieron a su gusto. Y enhebróse la charla primero en el tema del incendio. Absurda la suspicacia de don Marino. Allá el obrero no estaba maleado por el odio de clases todavía. El tren de carga, esa tarde, sin rejilla en la chimenea... Algunas chispas sobre sacos a medio llenar en las canchas... Nada más.

El pasatiempo, fiel a su pianola, atacaba el rollo favorito: un *pot pourri* de "La Geisha"; y en medio del bullicio, la tertulia se fragmentó en pequeños grupos.

Jenny se mantenía serena. Obraba en ella la virtud de las pérdidas sin remedio, que nos tornan a la vez tristes y tranquilos. Y así, mientras permanecía cogida de la mano de su novio, prestaba toda su atención a las razones químicas que en corrillo próximo daba su padre al seminarista sobre por qué las aguas saturadas no explotaban al caer encima del nitrato.

Por su lado, el Hombre puntualizaba, frente a Pascal y Mister Archy:

—Sencillísimo. Nos mandan un empleado a llenar la plaza que nos falta en el escritorio. Pero no tendrá él cargo fijo; ayudará en todo y redactará la correspondencia en inglés.

—¿Un gringo, entonces?

—Mister Kirkwood, hijo de nuestro más fuerte accionista en Inglaterra. Viene a estos mundos para enterarse de las faenas salitreras. Ha trabajado ya meses en la gerencia. Después de un año aquí, vuelve a Londres con pleno conocimiento de la industria en la cual ha invertido el padre sus capitales; y, con el tiempo, ocupará un sillón del directorio, dueño de todo el saber necesario para sus funciones. ¡Ah! Saben los ingleses formar sus herederos.

Así fue rodando, sin novedades mayores, la tertulia. Entre copas, alusiones al matrimonio o al celibato eclesiástico y chistosidades cándidas del doctor Rawling.

Hasta que llamó éste a retirada:

—La luna se debe querer acostar, canónigo.

—Cuando usted ordene, doctor...

Pero don Esteban, que no había desairado copa y parecía en definitiva reconciliación con la clerecía, impuso:

—Un momento. Tengo listo, Javier, su encargo.

—¿El muestrario? ¿Sí? Cuánto se lo agradezco.

—Vamos a buscarlo a casa.

Con el viejo, se pusieron en camino Miguel, Jenny y el seminarista.

Cuando abrió don Esteban su puerta y se borró en la obscuridad, el pasatiempo anduvo unos pasos, buen amigo, alejándose.

—Bien. Démonos aquí las manos, Javier —dijo entonces la muchacha—. Déme las dos.

—Que sea usted muy feliz, Jenny.

Ella no pudo responder. Una onda impetuosa le había inflado repentinamente el pecho. Temía estallar en llanto. Dentro de la casa se había encendido luz y los resplandores le alumbraban el rostro. Poco a poco se le normalizó el corazón, y su tumulto se resolvió en un callado fluir de lágrimas.

—No llore, Jenny. Ahora, a ser feliz.

Pero había tenido que abatir él a su vez los ojos. Y ninguno de los dos supo de qué párpados caían las calientes gotas sobre sus manos engarzadas.

—Sea feliz usted también. Sepa que le deberé siempre mucho. Su espíritu ha lavado el mío de más de una turbia cosa. Como el agua.

—Como el agua, que lava, pero queda ella sucia. Sí. Tal vez.

—Usted será limpio siempre.

—Dios le oiga, Jenny.

—¿Volverá? Ya ordenado, ¿volverá? Vuelva.

—Creo que sí.

—Será mi confesor. Yo viviré fiel al juramento que prestaré ante el altar. Usted, fiel al suyo; pero guiará mi alma.

—Sí.

Las manos hubieron de soltarse. Acababa don Esteban de apagar su lámpara, y, presto, se les reunía el buen Miguel.

Los tres, mudos, aguardaron.

Volvió el viejo, al brazo su envoltorio; hizo pareja con Javier y tomó la delantera.

Miguel y Jenny rezagaron sus pasos. Y con tal medida, que partía el triciclo, al viento, bajo la luna, y ellos caminaban lejos aún.

XXI

¿Treinta y tantos?... Más. Cuarenta años han pasado.

Y en Santiago vive hoy una gran señora, viuda y acaudalada, de canas en sortijas y desleído verde en las pupilas. Usa de continuo ciertas perlas que —refiere— señalaron el calendario de su vida, y el tiempo a su vez le ha puesto en la piel un tinte de perla.

Vive con sus tres hijos. Son tres buenos mozos, con algo de moro en el rostro y mucho de benigno en el mentón. Ingeniero, el uno; otro, médico; el último, abogado, político y trasnochador.

Ella se recluye en su opulencia, digna, apenas afable con una sociedad que acaso la mima porque suma millones a su simpatía. Pero su mesa, para todos puesta siempre, cuenta los más de los días a un muy ilustre prelado que lleva el violeta de las amatistas en mano y hábito, y a quien ella, mientras nombran todos Monseñor, suele llamar simplemente Javier. Es el más familiar entre los familiares, el amigo que jamás interrumpe, aquel en quien los pensamientos reposan. Llega por el jardín, sin llamar entra en la casa, y cuando la señora sale a recibirlo, él se impone de las novedades y minucias del hogar.

Acostumbran conversar los dos hacia la oración, en la galería o en la terraza. Tal vez callan más que hablan.

A ella le preocupa con insistencia el menor de los jóvenes. Trasnocha y revela ideas revolucionarias.

El se ríe.

—Cosas de la edad, mi dulce amiga.

Y la conformidad renace.

Porque también ellos están conformes. La vida los ha separado y los ha unido, como las aguas de un río apartan las dos orillas dándoles empero existencia de pareja. Y quién sabe, además, si la compañía romántica y un poco dolorida de una lejana ilusión prolonga la juventud en la vejez.

En todo caso, el aire tiene allí un blando vibrar de ternuras que una en otra se reclinan.

FIN

DE "TAMARUGAL"

GRAN SEÑOR Y RAJADIABLOS

TOLLE, LEGE...

Bajo la encina centenaria, desdibujada dentro de la húmeda sombra, inmóvil como zorro al acecho, está el patrón.

¿Por qué a través de los años, siempre, siempre lo recuerdo en aquel instante de su plena madurez? Algo significativo encierran momentos del hombre, para sobreponerse así a los demás. Actitudes hay que valen por retratos de fuera y dentro, y permanecen.

Lo cierto es que aquella visión manchó mis retinas y se pinta encima de todos los demás recuerdos que de la figura del tata José Pedro conservo. Al evocarlo, así lo veo primero, inevitablemente.

Allí está, pues, quieto y fantasmal, emboscado bajo el árbol añoso. El poncho de vicuña cae desde sus hombros fuertes, a todo lo largo de su talla empinada sobre los tacones huasos. Veo el destello de sus ojos claros, que pone reflejos en la barba rubia, recortada en punta. La barba de don Juan Tenorio, decía doña Marisabel. Una barba entonces clareante ya, joya de plata sobredorada que va perdiendo el sahumerio. Allí está. Se ha echado encima de las cejas el sombrero alón y sus pupilas brillan muy despiertas, no se sabe si coléricas o maliciosas. ¿Sonríen? Diríase que asoman y recogen la sonrisa entre las pestañas, y que a la vez algo violento arde más adentro. No se mueve; allí se está, duro y estatuario, todo lo que tardan en buscar los policías al llavero, en recibir al fin de él un par de galletas para el camino, en beber unos sorbos de agua y, sobre todo, en parlotear como bravucones comediantes.

En cuanto los dos soldados vuelven a montar y se marchan, con el preso bandolero a pie y siempre delante, maltratándolo deliberada y teatralmente, avanza el tata fuera de la penumbra. Con la mano velluda en alto, hace unas señas al llavero y mándale buscar al capataz:

—¡Hijunas! Corre, vuela...

Mas ya vendrá esta evocación, a su turno, como tantas otras.

Porque toda, entera, como si fuese la mía, puedo evocar la vida de aquel hombre. En la perspectiva larga de los años, pueden venir a presente los cuadros, las escenas, los procesos, los silencios y aun los enigmas, unos en pos de otros. No en vano él, sus allegados, sus favorecidos y sus víctimas —veneradas fuéronle muchas de ellas— se tejieron con su vida tanto como con la mía. Tanto anduvieron mis pasos sobre sus pasos, que hoy, ocultándome, silenciándome yo, desapareciendo de todo escenario, fácil me resulta sentirme su mero espejo. Nadie como yo habría de comprenderle hasta la identificación: porque admirar y querer a un ser humano, vituperarlo y sufrirlo, compadecerlo en algunas ocasiones, reir de él en otras, y hasta odiarlo antes de perdonar sus faltas, todo ello junto hace la comprensión perfecta.

Murió hace días apenas. Amagó los ochenta, y aunque debilitado, no vencido. Aun cuando su cuerpo se doblara, intacta seguía su feroz virilidad. Poseía el don del superior. ¡Ay!..., para el bien como para el mal.

En el caserón de su fundo estoy ahora, solo, frente a la vieja palmera que plantó él de media vara y que sube hoy por encima de todas las copas del parque. Todavía se halla presente su cadáver. En el aire, en las cosas, en las almas y en las flores. En las flores, particularmente: desde que lo pusimos en la urna y lo cubrimos con ellas, diríase que han dejado en todas las demás, aun en las que abrieron sin alcanzarle a ver, olor a corona de túmulo. Aquí continúa, en cuerpo y alma; los peones andan silenciosos por el camino porque llevan el cadáver a su lado, todos, aunque algunos no lo bendigan. Les bastó siempre ser suyos, más adentro del temer y el juzgar. Y esto es también amor. Por estos corredores blancos, él continúa, sombra trajinante. Bajo todos los párpados, con buen o mal recuerdo, hay rescoldo de llanto y, de minuto en minuto, hay respiraciones que se detienen entre los labios azules de angustia.

Cae la tarde. Con ella, todo va cayendo dentro del silencio. Pero como cuando el chorrillo de la pila se corta, algo queda latiendo.

Y ante mí empiezan a sucederse las estampas de sus días. De sus días soberbios y de sus días desventurados, de sus días abominables y de sus nobles y generosos días. He llegado a crear un duplicado suyo en mi interior. Lo ajeno, a veces se conoce, a veces se supone. Tanto da, cuando se logra la identificación. Nada encontré jamás absurdo, ni siquiera contradictorio, en el gran viejo: cuando lo veía rezar en la soledad de su cuarto, ¿difería para mí, acaso, el rosario entre sus manos de la rienda con que gobernaba sus caballos terribles? Sus temeridades aventureras como sus miedos católicos, sus ternuras humildes como sus cóleras lívidas, sus delicadezas paternales como el diabolismo de su vino, su distinción en sociedad como sus desentonos de huaso bizarro, todo lo suyo se acomodaba en conjunto de valores complementarios. Que así suele Dios amasar un hombre con los barros del mundo. Un hombre de los creadores, de los que destrozan cosas para hacer cosas, y van cometiendo pecados para algo engrandecer —hasta sin sospecharlo— y matando los días para tender el tiempo.

Patrón, señor, en toda circunstancia: eso fue el tata José Pedro. Duro y tierno, serio y tarambana, demócrata y feudal, rajadiablos —cual muchos le definían— pero gran señor. Eso fue don José Pedro Valverde, o don Pepe Valverde, antes Pepito Valverde, alegremente, y mucho antes, durante su infancia de sobrino criado por curas y canónigos, nada más que un niño rural a quien sus mayores dieron en llamar Caballo Pájaro.

Luego, acaso personificó su época; pues las épocas no son sino la acción de sus hombres. Empresas, cosas y figuras sobreviven según la porción de alma que de los hombres va quedando en ellas.

Dejemos fluir los recuerdos. Que surjan las estampas de una historia, sin la mañosa organización de las novelas. Cuando ello sea preciso, vuelvan los acontecimientos vivificados por la imaginación, pero estrictamente ciertos, sin adornos mentirosos, que la mentira es superficie y la verdad tan honda que la fantasía la alumbra y se torna en su fuerza esplendente.

EL TEMPLE DEL ACERO

Caballo Pájaro, sí, como suena, fue su apodo desde la infancia. Además, el grito que siempre, en todo el curso de su vida, tradujo la clave recóndita de su carácter. "¡Caballo Pájaro!", exclamaba para vitorear sus éxitos; "¡Caballo Pájaro!", se decía como invocando el poder de una divisa cuando en trances apurados encontrábase, y nombraba también Caballo Pájaro, por cariño, a quien, bestia o ser humano, le conmoviera por admirable.

No se le perdía el origen de esta alocución entre las vaguedades de la primera niñez. Solía recordar él bien que por las mañanas, apenas levantado, sus pasitos de párvulo revoloteante le conducían al dormitorio de su tío. A fuer de eclesiástico, algo latinista, el cura mantenía sobre su velador cierto volumen de Ovidio y otros poetas latinos decorado con un Pegaso en la portada. Y fue una para el chico descubrir tan singular imagen y sumar a su innata pasión hacia los caballos este deslumbramiento de hallarse con un equino alado.

—¡Oh! ¡Un caballo pájaro! —gritó ante la figura milagrosa.

Tanta gracia causó ello al sacerdote, que así, Caballo Pájaro, motejó para lo venidero al mocoso. "Ven, Caballo Pájaro", "Pórtate bien, Caballo Pájaro", "Dios te guarde, Caballo Pájaro...", se le estaba oyendo decir todo el día, entre sus risotadas y sus ternezas de célibe obligado a oficiar de padre por designio del cielo.

Ocurría esto allá por los años... Quizá diez haría por entonces de la muerte de O'Higgins en Lima. Del "huacho Riquelme", como el otro tío de Pepito Valverde, el tío abuelo canónigo, se complacía en designarlo por sabe el diablo qué mal escondido rezago realista que le dictaba de cuando en cuando voces desde el fondo de la estirpe gaditana.

Rememoraba con frecuencia el tata, pintándose vigorosa entre la indecisa memoria infantil, aquella noche remota en la cual había llegado el canónigo a caballo y, al desmontarse, había dicho al sobrino cura las palabras que se repetirían después cada vez que de algún desmemoriado se tratase:

—¿Sabes? Murió el huacho Riquelme. El Señor lo acoja en su santa gloria.

Luego, las dos sotanas habíanse internado por el caserón obscuro. Sólo guardaba él de aquello estas palabras y una estampa aislada: un candil de aceite va por las tinieblas del corredor; balancéase la llama humosa, avanza y se aleja entre sombras que aletean como ánimas; chilla desde los maitenes una lechuza... Después, alguien sopla el candil. Y obscuridad, en la escena y en el recuerdo.

Cuántas risas provocó aquello, sin embargo, a través de la vida familiar: el viejecito había olvidado la muerte del prócer, acaecida un par de lustros antes, y la traía como fresca noticia.

De esto hace muchos años, sí; pero él lo ha de rememorar siempre. Se le imprimió en aquellos días tempranos, porque también a él solían decirle "huacho, huachito". Por algún tiempo, se figuró que O'Higgins había sido tan sólo un muchachito como él, aunque, además, Padre de la Patria, algo que sonaba con trémolo en el aire. ¡Qué confusión! Pero qué sencillo es lo confuso para los niños.

Muy pequeño, muy pequeño era él todavía. Su padre, allá en el sur, luchaba por desbrozar los campos que concluyeron costándole la vida. De su madre jamás tuvo figuraciones precisas: había muerto ella mientras en el infante nada se graba. Como que le hubieron de amamantar primero con una burra, con una cabra después, para recurrir al cabo a los "ñacos", auxiliados por la leche de una perra negra "para hacerle buen estómago".

—Y no hay que reírse —advertía él hasta viejo—. A esas cucharaditas perrunas les debo el digerir piedras hasta hoy.

Lo bravío no veníale al retoño del padre, en realidad. Veníale del cura, su tío. Mucho se querían aquellos dos hermanos; pero en nada revelaban semejanza. El progenitor de la criatura, José Vicente, laborioso, sufrido y manso; José María, el presbítero, bravo, batallador, indómito. Pendenciero habría sido, a no impedírselo la vestidura talar.

—¡Bah, bah! —oíase a menudo decirle al tranquilo José Vicente, si algún suceso lo excitaba—. Cambiemos, hombre de Dios; toma tú los hábitos y dame a mí la manta y la chicotera.

Nació y creció el muchacho en La Huerta, campo que había de convertir él en fundo, con empuje y tiempo, y salvo pocos años que pasó internado en el Seminario Conciliar, para darse letras, números y fundamentos de la fe, su adolescencia y su mocedad allí también transcurrieron.

La Huerta, La Vuerta o *La Vuelta* —nunca se dilucidó bien la propiedad del sustantivo— tendía sus valles, arrugaba sus lomas y erizaba sus montes impenetrables a dos o tres leguas de *Leyda, o L'eida,* o *La Ida,* pues tampoco hubo nunca seguro acuerdo para esta denominación. Cuando los rieles todavía no llevaban trenes por allá, quienes desde Melipilla debían viajar hasta las haciendas de la costa y de la boca del Maipo tenían que marchar en diligencias; y una posada había para la ida y otra para el regreso, cada cual en el punto de la jornada donde anochecía. Para la pernoctada del ir, el mesón se bautizó *Posada de la ida,* o, en huasa pronunciación, *Posá de l'eida*; para hospedarse al volver, ¿no era lógico hacerlo en una *Posá de la huerta,* o *de la vuerta,* o, esmeradamente, *de la vuelta*? Andando el tiempo, tendida ya la vía férrea hasta el mar, aquellos dos parajes cedieron sus títulos a los fundos que en tales campiñas formaron señores de la región. A Leyda, alguien que viajó a España le trajo de allá la *y*. A la Huerta, el florecimiento le fijó apelativo. Aunque allá en sus mocedades el propio embellecedor, nuestro José Pedro Valverde, ya gran caballero y cargado de saber regional, aún vacilaba entre poner en la data de sus cartas la *v* y poner la *h*.

Pertenecieron estos terrenos, *ab initio,* a los abuelos, entre varias encomiendas que los Valverdes hubieron del Gobernador General, y como herencia los recibió sólo José Vicente. Los bríos del cura don José María, por disturbiosas incidencias en sus tierras maulinas, exigieron cierta forma de permuta después entre ambos hermanos. El sacerdote no había deseado en un principio bienes para sí. Inició su carrera religiosa con voto de pobreza perfecto. Creía en aquello de que primero pasa un camello por el ojo de una aguja que un rico por la puerta de la gloria. Pero la complicidad de su genio cuando se endiablaba —porque si en algo se parecían tío y sobrino era en unos ímpetus que de repente les poseían, como cuando el diablo entra en el cuerpo—, le convirtió de buenas a primeras en terrateniente, y su cristianismo de renuncia pasó al de todo un Quijote de los pobres.

Solía recordar aquellos tiempos y aquellos disturbios el tata José Pedro.

—No sé, no sé bien —se le oía titubear al referirse a tan lejanas ocurrencias—. Era yo muy mocoso. No sé si todo aquello lo vi. En parte, de seguro; en parte me lo contarían, digo yo. Y luego lo escuchado vivió en mi mente. No sé; pero..., como todo es verdad para los niños...

*
* *

—No sé, no sé... Cuánto ha que pasó —él pronunciaba *cuantuá*—, pero lo estoy viendo como si denantes no más hubiera sucedido...

Vuelto hacia la ventana, dejó irse la vista por la llanura. Ya pardeaban allí los trigos, el viento hacía olas sobre las mieses y, por encima de este mar, las visiones parecían ir llegando desde los confines del horizonte. Acudían, unas tras otras, y él las traducía en palabras. Hablaba, hablaba, regocijado y pintoresco, enardecido por esa imaginación verdad de los niños. Así, todo resultábale viviente. Sin advertirlo, tata José Pedro era, pues, un artista; ya que a su frase "todo es verdad para los niños" bien cabe añadir que las artes nacen de una suerte de infancia perenne que algunas almas logran mantener en sí.

—¡Caráspita! *Cuantuá*... y como ahora. "Caballo Pájaro, nos vamos", me dijeron. "Ahora sabrás de rodar tierras." Mi padre y mi tío partían conmigo a Los Tréguiles, nuestros campos del Maule. "¡Caballo Pájaro!", grité yo, frenético, palmoteando en mi entusiasmo. Una pena tuve, me acuerdo: ahí, donde comienza la sementera, había entonces un molle seco, y tenía un nido...

Reapareció entera la mañana del viaje. Era el primer día de bonanza después de ocho sin escampar. En aquel ramaje renegrido, negro también, se destacaba un nido sobre el cielo recién lavado. ¡Irse dejando esos huevecillos, que de fijo serían verdes, salpicados de chocolate! Pero estaba el coche listo para arrancar cuando el chico hizo su descubrimiento. Y no supo él cómo lo echaron entre líos de mantas, bolsas con monturas, costales de peludo cuero, alforjas y maletas. Lo sentaron frente al cura, de sotana nueva, y al padre, vestido esa vez de ciudad, y se halló rodando caminos.

Pisaba ya en los umbrales del uso de razón; de suerte que sensaciones, goces y cariños apegábanle a las cosas con lazos de raciocinio. Mas tan sólo a las cosas: criado entre hombres, sin mimos de madre, sin más acogedora falda que la de una vieja "contra todo pecado", ama del sacerdote, las cosas adquirieron para él valor de personas, entre ellas se desarrolló su intimidad y fueron ellas para el varoncito parientes y amores de su corazón.

Por esto cuando al irse divisó a Pascual, el muchacho recolector de leñas sueltas para el hogar, vagando como todos los días entre los pinos sombríos, su pensamiento voló del nido a las piñas que el peoncito buscaba en el suelo e iba metiendo en un saco. Maduras, secas, bien abiertas ya, constituían el combustible preferido para la chimenea de los patrones. No había madera que más alegremente crepitase, ninguna que infundiera tan violento calor, ni mirra o incienso como su resina para ennoblecer el aire. El, además, llamaba "pavitos" a esas piñas, pues pavos engrifados haciendo la rueda se le figuraron siempre. Y por ello gozaba él también al acompañar al otro rapaz en tal mandado. Ratos muy largos iban y venían los dos sobre la tierra húmeda del pinar; mil veces agachábanse y otras mil erguíanse, cogiendo y escogiendo, y ante los troncos enfermos gustábales pegar los dedos a la goma fragante. Aun horas después, daba placer olerse las manos.

Rodó el viejo coche de trompa, rodó y rodó.

Pasaron bajo los castaños. Recordó él ese otro suelo de sus vagabundeos. Allí pisaba los erizos abiertos, que habían soltado su pepa de caoba: en los pequeños cuencos lustrosos de la cáscara solía quedar entazada la lluvia. ¡Cuánto le divertía siempre ver cómo había lavado el agua los que él enlodara con sus pisotones antes del aguacero! El carruaje proseguía su marcha indiferente; pero él continuaba con los ojos sobre las cosas. Subía de las posesiones un penacho de humo mañanero que la brisa torcía, destrenzaba y desteñía por fin, y de cada rancho, cual de una emboscada, cargaban contra el coche tropillas de perros sucios con furioso ladrar. El rechinar de hierros bajo la caja bamboleante le traía también su recuerdo: el cerrojo del patio. Para correr aquel enorme cerrojo había que mover el mango de arriba hacia abajo muchas veces, a la manera de quien achica una bomba, y luego era menester empujar el portón con el hombro, en esfuerzo supremo, y abrir poco a poco, al peso de todo el cuerpo.

El sol empezó pronto a caldear el carromato y la polvareda del camino a empolvarlo. Hasta que al niño le fueron mareando vaivén y bochorno. Al cabo no pudo ya discernir dónde se hallaba ni en qué consistían aquellos sonidos apagándose. Caíansele los párpados como cuando al acostarse, en el silencio de su cuarto, unas arenitas se oían correr por momentos entre el empapelado o maullaba muy quedo el gato y le traía el sueño con sus pasos de felpa.

Despertó en Melipilla, donde bultos y personas subieron a una diligencia. Desde allí, otro rodar. Potreros, álamos, fundos cuadriculados. En Santiago, la noche en un hotelito. Y a la mañana siguiente, al tren, la novedad —novedad nacional—. Luego, más llanos apotrerados, golosinas en los paraderos, y noche a poco, y antes de amanecer, el desembarco en una estación obscura, con olor a humo de carbón y vaho de locomotora, para en seguida tomar otra diligencia, y vuelta al traqueteo por carreteras. Con las primeras luces del alba, arribaron a un río trémulo, ancho y solemne, el Maule. Se cruzaría en lancha. Ya en la orilla de enfrente, sobre gredas amarillas con vegetación muy verde, la tropa de mulas y algunos caballos les aguardaban, alertos el arriero y el sirviente. Entonces, tras de haber cargado y ensillado, entre olor a bestias tibias, bajo las flechas del sol que iba disparándoles el oriente y en medio de cierto frescor de rocío que se descuaja, reanudaron el cabalgar. Cientos de lomas subieron y bajaron, durante horas. En Empedrado, aldehuela vetusta de traza española, se improvisó el almuerzo, para de nuevo andar y andar. Por fin, poco antes de la oración, cuando en el aire saborearon de repente las sales del mar, asomaron hacia Los Tréguiles.

Al tramontar la última cumbre de la jornada, el paisaje de Los Tréguiles apareció de improviso, verde y plata.

El fundo entero lo abarcaba la vista. El fundo y algo más: aquellos campos lomados, que se desondulaban hasta irse allanando por las orillas del mar y del río, salpicábanse de pequeños cuadros en cultivo y de una que otra casita clara. Y allá, interrupción mayor en la floresta, un caserío apiñado, con su torre.

—La Parroquia —dijo con énfasis el cura, cual si subrayara la mayúscula, y luego, medio rezongo y medio suspiro, añadió—: Esta Parroquia de mis pecados...

Pues La Parroquia nombraban al poblacho y en él estaba la parroquia de don José María; ésta, por supuesto, sin exigencia de iniciales mayores.

—¿Y ésas son las casas?

—Esas, hijo —confirmaron a una padre y tío.

Miró el niño con placer. Bajo el cielo, todo él una sola nube blanca cortada a tajos paralelos, abríase un anfiteatro selvático, y en medio, formando una T cuya cabecera se asomaba curiosa como para observar la curva lenta de un brazo del Maule, divisábase la casa, pequeña y puesta con gracia de juguete sobre un promontorio abrigado entre dos cordones de serranías densas y silvestremente arboladas. Era modesta, y sus muros, chatos al extremo de distinguirse apenas como lista de cal, desaparecían casi bajo la montera de tejas.

Pero aun de noche, a la luz de velones y candiles, tuvo aquella vivienda para el chico no sabía él qué alegría y qué alientos de confianza.

Muy temprano, sin embargo, con la madrugada primera, presintió que su padre y el cura, engolfados en conversaciones que les preocupaban horas y horas, le dejarían entregado a Pacífico.

¡Bah! Aquello significaba libertad también.

Viejo seductor este Pacífico. Muñeco de Crin lo bautizó él. ¿Y no era en realidad su aspecto el de un muñeco de crin? Por las muchas aberturas de sus pocas ropas le asomaban crines grises. Del pecho descamisado, de las bocamangas, de bajo el sombrero astroso, de los descosidos y las roturas brotaban mechas y mechones. Y eran cómicos a la vez que respetables sus tendones y sus carnes magras y color de greda, y su seriedad, y sus ojillos diminutos, pero con luz, con la luz de sus cuentos, sus leyendas, sus sentencias y sus manías. Tal fluido simpático irradiaba empero, que chicos y adultos ponían el gesto alegre cuando a su vera lo tenían.

El patroncito —así lo trató Pacífico siempre— se le hizo inseparable desde el primer desayuno. Juntos bajaron las laderas del promontorio a conocer las viñas en descenso hacia la ribera. Unas cepas jóvenes plantadas por el sacerdote, en desarrollo todavía, apenas anunciadoras de que se formarían "de cabeza" con algunos años de crecimiento. Subieron juntos después a conocer el lagar de pisar la uva y el de la prensa en construcción, y juntos recorrieron la bodega de vasijas, en las que se habían armado algunos fudres ya y se levantarían otros conforme las vendimias lo fueran exigiendo.

Gustábale a José Pedro desayunar en la cocina, con Pacífico, su mujer y el hijo, Segundo. En el comedor, al lado, lo hacían los patrones grandes. Ellos, siempre cavilosos, habla que habla, discute y discute, entregaban al niño a su propia vida. Los miraba él de vez en cuando y solían los tres cambiar entonces sonrisas desde lejos; pero él prefería la cocina con su penumbra que el fogón llenaba de humo y resplandores y Pacífico de relatos legendarios.

Aquello era para él íntimo y cautivador. Allí preside la gata, que se hace una peana con su cola, se sienta en el centro de ella, como hechicera dentro de un círculo mágico, y frunce los párpados, apagando el azufre de sus pupilas en la unanimidad de su manto negro. Hay una vaga relación entre la gata y las consejas del gañán.

Pero al muchacho nunca le amedrentaron machis, ánimas ni fantasmas. Eso, para oir, fantasear y entretenerse. Su alegría interior vive fuerte y traviesa. De modo que no bien acaba Muñeco de Crin alguna historia, él lanza los ojos afuera, al paisaje, y respira hondo: ha venido el viento, ha soplado las nubes y ha henchido el cielo como una inmensa vela azul.

Le dan unas ganas de andar...

—¿Vamos, Segundo? —invita.

—Vamos, patrón.

Y sale con Segundo.

Este hijo de Pacífico nació para contraste con su padre. Si asombraba por lo peludo el viejo, al mozo habría sido imposible descubrirle pelos fuera de la cabeza. Común sólo tenían el color moreno. En cambio, de los ojillos enmontados, el muchacho abría unos ojazos preguntones y color de charco limpio. Mientras el uno, comunicativo, hervía en tradiciones y noticias, el otro, los párpados siempre de par en par y las orejas en esfuerzo, mantenía permanente esa expresión de los seres que parecen escuchar aun cuando van distraídos. Tanto charlaba su progenitor, que tampoco lograría elegir él más hábito que el de atender. De súbito, sí, soltaba grandes risotadas. Sus risas "a dieciséis dientes", como el cura las definía.

Sin embargo, si mucho diferían, tan serviciales y buenazos eran ambos, que unidos componían un todo completo, para los patrones como para el patroncito.

Desde su entrada en Los Tréguiles halló, pues, José Pedro compañía. Sólo de varones, cierto: tampoco había en estas casas más hembra que una, la enormemente gorda mujer de Pacífico, y ella no abandonaba la cocina sino para coger algunas legumbres.

A pesar de tal gordura y de guisar sin descanso, nadie suponía que a ella le atrajese la comida.

—¿Cuándo comes tú, Zunilda? —solía el niño preguntarle.

Entonces el marido, con gesto de secreto, manera muy socorrida para él, dada su afición al misterio, respondía:

—Cuando reza.

No mentía el hombre. Zunilda primero daba de comer a los demás; luego, sola, entregábase a rezar y engullir lebrillos de pebre o guisados de harina tostada con cebolla. Y, la verdad, en ambas actividades alcanzó siempre largueza y provecho, pues obesa se mantenía y medio santa la reputaban.

En compañía de estas buenas gentes fueron corriendo los días de José Pedro, y se despedía ya la primavera cuando, una tarde, comenzaron a intrigarle tantos conciliábulos de sus mayores.

—¿Qué hacen? —interrogó a Pacífico.

Muñeco de Crin, al oído, le repuso:

—Cosas.

—Pero...

—Cosas graves. A lo mejor, todo esto para en bolina.

—Yo veo a mi tío correr al pueblo, volver, desensillar, ensillar de nuevo, ir de acá para allá...

—El señor cura sale a decir su misa, de alba, y la dice, y junta a los feligreses, y recorre después sus capellanías, y a todo esto va combinando planes... Porque se defiende, no es ningún tonto ni quedado, y a muchos los está defendiendo...

—Pero mi papá, siempre aquí, ¿qué hace?

—Hace.

—Ir a las viñas, a las limpias; a los papales, a las aporcas.

—Hace.

Sobrevino un silencio a este último "hace", y sólo cuando ya decaía la curiosidad de José Pedro, habló el viejo algo aún:

—Dios lo quiere así. Hay cosas que no se ven y que pasan. Cosas que no se entienden y se ven. Y si no, ahí está el sapo: nadie lo ve comer y, sin embargo, es el animal de boca más grande... Y tamaño de gordo.

José Pedro se quedó perplejo. Era demasiada afición al misterio la que tenía el viejo.

De repente partió a correr. Lo llamaba Segundo desde el macizo de camelias. Años atrás, desde San Javier, había enviado esas matas "la finada señora", como la recordaban los sirvientes, y a él complacíale oir cómo habían llegado pequeñitas las plantas mandadas por su madre, y medir ahora los árboles que habían alcanzado a ser.

Pero las palabras enigmáticas de Pacífico le persiguieron. "El sapo: nadie lo ve comer y, sin embargo, es el animal de boca más grande... Y tamaño de gordo." Papá era gordo. ¿A él se refería Muñeco de Crin? "Hace..." "Hace..." Nunca, en efecto, había visto él un sapo comiendo... "Hace..." Algo hacía su padre. Algo bueno, eso sí, porque Pacífico, que lo quería tanto, no pensaría nada malo.

En medio de todas las horas que siguieron lo hizo cavilar el enigma.

*

* *

Dueño de una mente poco más madura, José Pedro habría organizado y visto claro cuanto fue oyendo a su padre y a su tío desde entonces.

Porque la inquietud que le insuflaron los enigmas de Pacífico indújole a permanecer ahora en el corredor cuando, tras el almuerzo y la lectura de sus horas canónicas, llamaba el sacerdote a su hermano y emprendían ambos, como dos conspiradores, paseo y más paseo, de testero a esquina y de esquina a testero.

Llenaba la pareja el angosto espacio entre pared y pilares. Las cabezas casi rozaban los maderos de la tejavana. Espiábalos el niño sin perderles gesto, cogiendo palabras y frases al vuelo, en procura de hilvanar fragmentos con imaginaciones que les dieran sentido. Gordo, sí, era su padre; pero sapo... No. Alto y gordo, y como gordo, apacible. Amarillas las pupilas, mas de mirar tranquilo y reflexivo. Aun su barba, en forma de pera y rubia, ponía en su semblante cierta dulzura de huaso bonachón... Mientras el cura, erecto y huesudo, de nariz corva y violenta mandíbula vasca, repetía facciones y coloridos de familia, pero con vigor, más, con impetuosidad.

Luego de analizarlos, José Pedro componía, con la perspicacia simple de sus nueve años, algún significado para los indicios. Y algo consiguió al fin, algo que le dictó conducta y le llevó a participar, desde su puesto de niño, en cuanto los adultos emprendieron de allí en adelante.

Por lo demás, mucho aportaron, en cada oportunidad, las indiscreciones misteriosas de Muñeco de Crin. Desde luego, que había conflicto. Había conflicto. Por esto había dejado el padre sus rulos de La Huerta en manos de mayordomos y estaba hoy en Los Tréguiles, dispuesto a secundar al tío José María, aun a obedecerle.

La propiedad de Los Tréguiles tenía complicada historia y ésta condujo a José María y José Vicente, si no hasta la pobreza, a luchas porfiadas para salvar y acrecer lo poseído.

Vástagos de un muy mentado capitán Valverde, que en hazañosos y donjuanescos lances derrochó cuanto a moneda redujo —y a tales reducciones tendían sus pasos cotidianos—, heredaron el uno La Huerta, hipotecada, y el otro aquellos suelos sureños, agrestes y selváticos, aunque de porvenir. Cuando José María se ordenó, fundábase por allá una colonia. Tanta feracidad había inducido al gobierno, siguiendo prédicas de Pérez Rosales, a poblar y abrir nueva región a la riqueza de mañana. Trasladáronse a lomas y llanos muchas pobres gentes que, desmonta ayer, roza hoy, arranca troncos en seguida y siembra por último, concluyeron por instaurar un conjunto de hijuelas de gran promesa. Si bien hijuelas fueron denominadas, poco les cuadraba el diminutivo, ya que las menores medían quinientas o más cuadras.

Tan pronto la tierra comenzó a sonreir al esfuerzo, el arzobispado instaló allí una parroquia, y el cura Valverde fue para los colonos el primer pastor de Cristo. Su hermano, entretanto, recibía para él solo, por cesión y convenio cristiano con el fervoroso sacerdote, las extensas campiñas de La Huerta. Ahí nació José Pedro —un José más: todos los Valverdes, por tradicional devoción, entraban al mundo bajo el patrocinio de San José— y ahí también, por sobreparto, quedó huérfano de madre.

Pero en las leguas colonizadas del Maule trazaba el cura las sendas del Señor tanto como guía de almas hacia el cielo, cuanto enjambrando intereses y pasiones. La política, redentora y católica, enclavó su brújula en medio de la grey. El Partido Conservador halló en el cura eficacísimo agente, y su dominio se recreaba en la obra de Dios y de la Santa Madre Iglesia, cuando el primer juez de distrito cayó en las nuevas tierras. Era, éste, liberalote y hereje, susurrábase que radical, de la recién nacida hueste, y tras él fueron llegando, como exploradores al principio, poco a poco en actitud de colonos con títulos ganados bajo el ala del partido, algunos correligionarios suyos. Vivían estos individuos en torno a su juez, ganando querellas a los vecinos y, paulatinamente, derivando los derechos de fallos en primera instancia hacia juicios ordinarios por el dominio sobre terrenos propios de los colonos.

Hubo —lo de siempre— traidores de oportunidad, listos, de los que siempre acechan la ventaja. Entre ellos, un famoso Guatón Moreno, terrateniente aborigen, obeso y picado de viruelas, que poseía extensiones heredadas y acrecidas después con malas artes.

Pacífico les había enterado de las gracias del tal Moreno.

—A mí no me enreda la madeja el Guatón —decía Muñeco de Crin. Y apretaba la boca en gesto significativo, llenaba de agua hirviente su mate, reponía la tetera sobre las brasas y, despegando de repente los labios con sonido de botella que se destapa, destapaba él también su saber—: Lo conozco desde el año de las necesidades. Fue un año malo, pero de los malos. Hambre, lo que se llama hambre tuvimos que pasar los pobres. Al Guatón, tipo de gana y guarda, de aguaita ocasión y aprovecha, no sé qué idea le había venido tiempo atrás de plantar en su campito manzanos y perales. Y el año de las necesidades, pues, patrón, le valió su idea. ¡Ahí tiene usted! La gente hambreada empezó a comprarle peras y manzanas secas al fiado y a firmarle papeles. Corría el invierno y el Guatón se volvía cada vez más duro. Lloraban los chiquillos de hambre, las mujeres se llenaban de piojos, buey no quedó ni uno. ¿Y no se retaca entonces el Guatón Moreno? Ni pera más. Hasta que aceptó largar su comistrajo, pero trocando peras por tierra. Un almud de sus charquis por una hectárea de suelo. Cuatro veces los rulos que tenía llegó a juntar. Yo... de entonces ha que soy peón...

Este hombre formó entre los primeros listos de la felonía. Varios le siguieron, y el éxito del advenedizo cacique político sonrió hasta la vanagloria.

Aquí, el quijote que dormía en las venas del cura tuvo que despertar. Fuere por su natural justiciero e intrépido, fuere por vehemencia de presentar batalla contra la herejía de los intrusos, irguióse adalid de su doctrina y defensor de feligreses amenazados con el despojo. A Santiago viajó continuamente, inflamado de justicia e indignación. Vencía en incidentes allá, entre curia, tribunales y ministerios, y con algún triunfo regresaba.

La atmósfera se cargó así de latencias. Como el juez, por su lado, contaba también con apoyos políticos en la capital, insistía en los abusos. A menudo trataba de imponer por la fuerza sus sentencias o sus "precautorias", improvisando a su arbitrio, con forajidos y sayones, la "fuerza pública" citada por los códigos, ya que no había por allá en aquella época policía, ni rural ni comunal. Los colonos, que ya se denominaban agricultores y componían numeroso huaserío, uníanse para enfrentarse con las bandas, y lo usual era que las derrotasen.

Para ciertas elecciones, empezaron a llegar con anticipación muchos desconocidos, a quienes el juez hospedaba y que, según decires, figuraban en los registros como electores inscritos. Osó el caudillaje hereje formar con ellos y algunos felones de las hijuelas, cierta vez, una columna de manifestantes electorales que desfilaron con ostentaciones de predominio. Y mucho impresionó aquello a los pobladores más pobres; tanto, que algunas decenas, presumiendo que las huestes saldrían victoriosas al fin, inclináronse a plegarse a sus manifestaciones. Pero en el acto el cura, rápido y decidido, organizó en la aldea otro comicio. A éste asistieron, bien montados, con sus arreos chapeados en plata, con laboreados chamantos, bonetes bordados de flores y cuantos lujos pudieron ostentar, los ricos de la comuna, escoltados por peonadas de caballería, gañanes en columna de a pie, mujeres de celeste cinta o escapulario sobre mantos y rebozos, ellos adelante, a la puerta de la iglesia ellas, y tal efecto se logró, que los tibios volvieron al redil y la elección se ganó a la postre. Más todavía: la urna sólo recibió los votos que el cura quiso que fueran sufragados, y después, aun se decidió exigir a los forasteros que como electores trajera el juez, retirarse de la zona.

El vino ardiente que pulsaba en el corazonazo de don José María Valverde levantó llama de victoria en las almas.

Y la bonanza sobrevino.

—Sólo relativa —opinaba, sin embargo, el cura—. No me fío yo de primaveras...

Pacífico solía levantar los ojillos entonces al cielo y agregar:

—Se juntan nubarrones quizá dónde, señor. El diablo se la pasa soplando.

—Así es.

—Así.

De aquí que don José María, de pronto, decidiera un viaje relámpago.

Pararía en la capital, solicitaría ciertas medidas preventivas allí; luego debía convencer a su hermano José Vicente y traérselo unos meses a su lado. Al calor de su consejo, maduraría planes para lo venidero. ¡Ah!, y en lo íntimo, encendió su propósito una ilusión: que les acompañara el niño, su debilidad, ese Caballo Pájaro tan vivaz y tan suyo, tan tierno y tan hombrecito, sin embargo.

Causa y manera, fueron estos asuntos para que todos se hallaran, pues, en Los Tréguiles.

*
* *

Semanas duró la paz.

Cierto mediodía, sin embargo, la tardanza del cura en volver de servicios parroquiales y correrías puso alarma en los corazones.

—Nunca pasa el sol a este lado del morro —observó Zunilda, desde la puerta de su cocina—, sin que lo tengamos a él aquí.

—Menos mal que con él fue Pacífico.

—Y de un galope habría volado con el parte, si algo hubiera.

—Pero aguaiten.

—Segundo.

—Mande.

—Ya. Guarda esos corriones y aguaita vos también.

Hasta José Pedro se irguió entonces, contagiado por la zozobra. Tampoco podía ya seguir absorto en el corte de correhuelas que prolijamente hacía Segundo a una lonja de cuero. Hubieron de abandonar, mozo y niño, la tarea de talabartería que les había encomendado Pacífico para confeccionar al patroncito sus primeros sumeles. Con amor ayudó José Pedro a reunir los correoncillos. Sumeles, típicas botas maulinas, moldeadas a la pierna del huaso con el cuero de la pierna de un vacuno, fundas conformadas sin abrir, en pieza entera y bien sobada. Sumeles para él, para su afición ecuestre, ensueño de meses...

Pero cómo no posponerlo todo ahora. Con lo que había cundido por casas y aledaños la inquietud. Si de todas partes acudían en la misma cuita. Si hasta los perros, adivinadores de ánimos, venían y, ellos a su vez, parando las orejas y tendiendo el rabo, escrutaban el faldeo por el cual bajaba el sendero.

De pronto se oyó un coro de balidos sin concierto en el cerro y se movieron los copos de cien cabras en dispersión. Respondieron desde las vegas los tréguiles con sus graznidos de alarma.

Los perros partieron veloces monte arriba.

Y al fin asomaron dos jinetes sobre lo alto del portezuelo. Al filo de aquel cerro verde se destacaron contra el cielo fulgurante y raso.

—¡Ellos!

—Los barrosos. En la pareja de barrosos montaron hoy.

Vieron todos cómo descendían ya los dos caballos, manchitas de ceniza en la verdura; la una, con la silueta negra del sacerdote encima; la otra, con el chamanto del sirviente, como un acento rojo.

Algo raro traían, no obstante: un bulto pesado que Pacífico acababa de soltar por la delantera de su montura.

—¿Un hombre?

—Un hombre con poncho de castilla.

Sí; un hombre, un desconocido. Lo echaban a caminar a pie ahora.

—Arreándolo vienen.

Perdíanse los tres por instantes, ocultos por árboles y matorrales. Reaparecían. Tornábanse a eclipsar. Y todo ello entre el ladrar de los canes y el chillido de los tréguiles, que el eco multiplicaba de loma en loma.

Al cabo llegaron.

Ceñudo y silencioso, se apeó el cura. Su entrecejo impuso silencio. No se cuidó de arreglarse las sotanas recogidas a la cintura, sino de ordenar apenas a Muñeco de Crin:

—Trábale los pies.

Y el viejo echó a los tobillos del extraño un cabestro y se lo anudó ciego.

Rondaba la gente alrededor del hombre, que, pálido y desconcertado en el primer minuto, concluyó por adoptar una cómoda impavidez.

A José Pedro se le encendió una chispa en los ojos: irrazonados deseos de pegarle a ese sujeto le acometían.

—¿Qué pasa? —preguntó al fin don José Vicente.

—Vamos. Luego les contaré —dijo el cura—. Y tú, Pacífico, ya lo sabes. Que te ayuden.

Mientras los peones conducían al intruso hacia la boca obscura de una bodega, el eclesiástico se marchó con los suyos casa adentro.

En el comedor, pequeño cuarto blanqueado y con cuatro muebles de tablas al natural, se bajó primero las sotanas, que mantenía sujetas bajo el cinturón; luego de alisárselas con calma y de lanzar la teja sobre el sillón frailuno, y cuando Zunilda hubo servido el puchero, bendijo la mesa.

Persignáronse tío, hermano y sobrino, y ocuparon sus asientos.

Sólo entonces él habló:

—¿No te había dicho, José Vicente? Esos dos bribones me andaban espiando. Ayer lo supe, me cercioré. ¡Ah, pero a mí no me pillan como a cualquier boquiabierto!

—¿Qué, te asaltaron?

—Eso hubieran querido ellos. Los madrugué.

—El tipo ese...

—Es uno de la pareja. Verás.

Y la narración fluyó de sus labios con vehemencia.

Cierta confesada, una doña hurguillas y doña correveidile, habíale prevenido. Que tanta conformidad y tanto silencio eran sospechosos; que circulaban lenguas, en sigilo de beatas que repiten rumores oídos a los maridos... El aviso llegó por confesonario y sacristía. "Dos afuerinos, señor, han aparecido en La Parroquia. No hay más que verlos para comprender que se trata de facinerosos. Y se habla ya de que la vida misma del señor capellán corre peligro. Para la fiesta de Cuasimodo, anuncian, cuando estén corriendo a Judas y haya laberinto..."

—En suma, que hasta podía yo caer asesinado. Esto me... Tú conoces mi genio, Dios me perdone, cuando me pasan la mano contra el pelo... Esto, en lugar de meterme susto, me enardeció. Observé. Observé mucho. Los vi anteayer, mientras salían de la posada, como a conocerme bien. "Tate", pensé. Y si no facinerosos, matones sí me parecieron, de esos capitalinos, con mantas de castilla y puñal.

—Los clásicos metemiedos.

—¡Miedo! Unos farrutos, hombre. Tate, tate, tate... Hice averiguar muchas cosas y a fin de cuentas me dije: "No; éstos no aguardan hasta Cuasimodo, haciéndose notorios y dejando acumularse pruebas y evidencias. Necesitan más rapidez. ¡Rapidez! Aguárdense a ver quién madruga", me propuse. Divulgué ayer que iría hoy a confesar una enferma de Empedrado. Y, aunque no temía nada con seguridad, salí esta mañana con Pacífico. Ensillamos los barrosos: era menester animales fuertes, ágiles y de buena rienda. Te aseguro que si el pobre Muñeco de Crin tuviera más ñeque, a los dos me los traigo.

—¡Caballo Pájaro! —masculló regocijado José Pedro.

El cura le miró con orgullo, cambió guiños con José Vicente y se dirigió sólo al chico desde entonces, para proseguir:

—Habíamos regresado a la parroquia y guardado los ornamentos. Nos veníamos. Y fíjate bien, a la salida del pueblo, ya en el camino..., los dos esperándome. No cabía duda. La intención manifiesta. Se habían resuelto. Decisión inmediata: "Tú —le dije a Pacífico— al de tu lado. Caballazo y aturdirlo, y si puedes lo recoges. Yo al de la izquierda". Me apreté las sotanas a los riñones, medí las distancias, me afirmé el sombrero. "En nombre sea de Dios" y "¡Ya!", alcancé a decir para que Pacífico también se lanzara. Picar espuelas y, a todo correr, caerles encima fue cosa de un relámpago. El grito de mi hombre se ahogó en la polvareda. Se portó el barroso a su altura: estrellón, salto al lado y... quietecito. En fin, que veo al tipo en el suelo, envuelto en su propia manta, y me descuelgo sobre un estribo, lo agarro, lo subo como un pelele a la cabecilla de mi montura y de un solo puñetazo en la nuca lo duermo. Inerte, como un saco.

—¿Y el otro?

—No se le vio ni el polvo. Averigua tú cómo desapareció. ¡No ser más forzudo el pobre Muñeco de Crin! Listo sí es. Miren: le quitó este puñal a mi presa. Se lo distinguió entre la faja cuando lo tendí yo, y se lo escamoteó.

Puso el cura una daga de a cuarta sobre la mesa.

—Después lo amarramos. Ni chus ni mus dijo el pobre diablo. Como un muerto se lo cargó Pacífico por delante. Lo demás lo han visto ustedes. ¿Eh, qué te parece, Caballo Pájaro?

El chico exultaba, febril.

—¡Caballo Pájaro! —repitió en su delirio.

Y concluido el almuerzo, entre comentarios y planes de acción, se dirigieron todos a la bodega de las herramientas. Allí debían guardarles al cautivo.

—En cepo de campaña —explicó Muñeco de Crin—, como usted dispuso.

Al fondo, en la obscuridad, fue distinguiéndose al preso. Aparecía encuclillado; sus propios brazos le abarcaban las piernas; le habían atado las manos encima de las tibias, y por bajo las corvas, como una cuña entre muslos y antebrazos, habíanle pasado una barreta. Era el cepo de campaña que Pacífico sabía improvisar desde su enrolamiento para la pacificación araucana.

—Bien —aprobó el cura.

—Me quedaría yo con él a solas —díjole aparte don José Vicente—. Conviene sonsacarle. Sus fines, los instigadores, el cómplice...

—Déjalo. No suelta el cepo lenguas sino con el correr de las horas.

Visto, pues, lo hecho, retirábanse los dos hermanos, cada cual a su menester. Mas a poco de caminar, voces y rezongos de Pacífico los detuvieron.

—Malo, muy malo... —traía de la mano a José Pedro—. Bueno que los hombres sean bravos desde chicos; pero así, un niño, por su cuenta...

—¿Qué?

—No me pude contener.

—¿Qué hiciste?

Entre cohibido y taimado, el chico guardó silencio.

—¿Qué hizo, Pacífico?

—Que no bien salen ustedes de la bodega, se lanza el patroncito a sopapear al preso. ¡Dar y dar, mi alma! Hecho un quique.

—No me pude contener.

No había logrado contenerse. Como Valverde, padre y tío lo comprendieron. Sobre todo el tío.

Así es que luego, escuchando las muy educativas reflexiones de su hermano al hijo, él reía.

Reía para sus adentros: "¡Señor, Señor! Promete el hombrecito..."

*

* *

El cepo soltó al preso la lengua no muchas horas después.

A mitad de la clase de lectura y cuatro operaciones con que diariamente, hacia media tarde, instruían a José Pedro sus mayores, asomó Pacífico en el umbral:

—Ya, patrón. Cantó el hombre. ¡Psch! Es pájaro que vuela poco.

Estaba radiante, las crines floreciendo en gloria.

—A ver, habla.

—Yo me le instalé a la entrada de la bodega. "Así trabajo y vigilo", decidí. Cargué con los pellones que le vengo escardando al niño, y, sacude y peina, peina y sacude seguía yo, cuando el roto suspira y rompe a cantar: "Mal me tratan y no es para tanto". Ehi fue la mía. Reflexión va y reflexión viene, lo mesmo que el zorro en los cuentos. Porque le hice ver el despanzurro de atentar contra un reverendo ministro de Dios, querido..., que no hay quién no lo bendiga, por esa bondad suya con los pobres... "¿Es bueno?", me pregunta. "Bueno", le contesto. "¡Y tan forzudo!", me dice. "Ah, eso sí,", le dije yo...

Las carcajadas interrumpieron el relato.

Pero luego surgió la esencia de los hechos. En efecto, al juez le habían despachado desde Santiago a la yunta de guapetones, que no lo eran siquiera de muchas apariencias. Ladinos, de origen carcelario, sí, pero endebles y gallinas, tanto, que ese preso juraba que a su compañero no le descubrirían ya ni el rastro. Además, no se trataba de asesinar al párroco; de correrlo únicamente, de cansarlo para que abandonase la región. En suma, no merecía ya el caso más preocupación que la de remitir al individuo a las autoridades de Talca. Despacharían un propio al obispo, esperarían consejo y procederían con prudencia y reserva.

Entretanto, se informó el cura sobre los comentarios del pueblo. Acerca de su proeza nadie sabía nada. Apenas decíase que los malvados habían desaparecido de La Parroquia. El propio juez, según las hurguillas y correveidiles, concluía suponiéndose burlado por sus matones. Aburrimiento, miedo acaso, induciríales a desistir. Y se habían ido sin despedirse ni ofrecer la menor excusa.

—Bueno, más vale así.

—Sácalo del cepo ahora y asegúralo.

—Con la cadena de la rastra lo tengo ya.

La vida se reanudó en Los Tréguiles sin más afán que preparar viaje al propio.

Una mañana, empero, regresó de sus oficios el cura en compañía de cuatro forasteros. Cuatro navegantes en desgracia, que, como muchos ya, habían naufragado en las aguas sin cesar tempestuosas de Punta Carranza.

Y esto cambió los planes. Ya desde la iglesia, tras de implorar la caridad del sacerdote, aquellos marinos criollos habían propuesto seguir al fundo, cortar madera en su montaña y construir dos lanchas allí, una para ellos, a fin de botarla al río y proseguir en su carrera, otra para Los Tréguiles, en pago de materiales y sustento. Variaron, pues, las perspectivas. Ventaja y disimulo mayores presentaba la de mandar a don José Vicente a Talca, con los náufragos y el preso. En caravana, éste pasaría inadvertido. Entregado a las autoridades allá y luego de iniciarse denuncias y precauciones para el futuro, se comprarían herramientas de aserradero y carpintería, y al retorno, la paz, en fin.

Como se proyectó se hizo.

El chico estuvo de fiesta. El y Pacífico acompañarían la expedición hasta los confines de la hacienda, lo que significaba vestir sus arreos de huaso.

Siempre recordará él aquella mañana toda sol y azul de cielo. De ambos colores teñíanse, allá abajo el río, aquí hasta el pelo de los caballares. Aun en las voces, algo azul repintado de oro había.

Su padre le dio esa vez, antes de partir, una clase más de equitación. Cómo admiraba él a su padre, desde su apostura de campesino muy patrón hasta su piel encendida y rubia. Luego, tan hábil y famoso como equitador a la chilena, como domador de chúcaros y adiestrador de redomones y yeguas corraleras. Pues trenzando lazos o urdiendo cabezadas, ¿no era también un maestro? Como que de él aprendiera Pacífico lo que sabía.

Cuando en aquellos momentos el chico, ya en su tenida huasa —sumeles y espuelas, chamanto de labores y bonete abatanado y con arabescos de seda en siete matices—, fue a treparse de un salto sobre su "Mampato", el padre lo detuvo:

—Se sube despacio. Ya se lo he dicho. Bájese. Suba de nuevo... No te voy a dejar salir más con Segundo. Se encaraman en cualquier pingo viejo por ahí, como pumas, y salen como disparados.

—Bien, papá.

—A ver. Primero, dé una vuelta alrededor del caballo. Revise su apero. Así. Póngale la mano en el anca ahora: eso lo mantiene tranquilo. Suba. Despacio... Despacito... No se parte al tiro. Sentarse bien, esperar un rato con la bestia quieta; así el animal no se le pondrá nunca nervioso...

Jamás debía olvidar José Pedro aquellas lecciones. Valía mucho su padre. Durante la ausencia de los expedicionarios, el niño quedó entregado a Pacífico. De madrugada, mientras cumplía el cura sus deberes religiosos, ambos se dirigían, a caballo, a las faenas. Recorrida la viña, pasaban a las tierras negras donde comprobaban la prosperidad de los papales. Bien venía para éstos el año: poco vicio en plantas; de seguro, abundancia en tubérculos. Conocería los ayuntos José Pedro ahora, esas papas enormes y ramificadas que raro es ver fuera del Maule.

—Algunos ayuntos parecen tortugas; otros, estrellas. Yo hallé una vez uno igual a un burrito, con orejas, patas y todo.

Durante la marcha, sirviente y patroncito, además, recogían ciertas piedras. Ya estaba José Pedro en el secreto de esta manía de Muñeco de Crin. Al viejo le obsedía el oro, descubría indicios de minas y lavaderos por donde transitase. Ya lo sabía el niño, y acaso creyera él también un poco en ello.

Pacífico usaba en su montura un bolsico para tales recolecciones. No había ruta en que no se detuviese de pronto, se desmontara y recogiese algún cuarzo. Observábalo mucho al sol y se lo embolsicaba, serio y parsimonioso.

Y como el niño le interrogara mucho y se viese precisado a violar su silencio, acercábasele con misterio y, al oído, cual si revelara un secreto, en voz que más era soplo, le decía:

—Oro.

Mucho se reían de Muñeco de Crin los Valverdes grandes; pero al mocoso le seducía. Y es que le poblaba de leyendas y fantasmagorías la imaginación.

A horas de siesta, si los mayores recogíanse a sus cuartos, él se colaba en el cuchitril del viejo. Allí, entre los rimeros de muestras auríferas, mirándole cómo ablandaba garras con una maceta, o cómo torcía rebenques, o cómo trenzaba con tientos alguna chicotera, embebíase y se deslumbraba con sus narraciones.

—Sí, mi señor. Hay que saber para contar y contar para saber. Mire, este cuero, sin ir más lejos, ¿será de un animal cualquiera? No. La vaca era hija del toro que así no más nadie ha visto.

Decía y alargaba en seguida una de sus pausas inquietantes, en las que el espacio parecía llenarse con la atmósfera de los encantamientos. Conocía el arte de las esperas cuya virtud consiste en prender, dentro de las almas que escuchan, la magia de la curiosidad.

—¿Cuál toro, Pacífico?

—El toro.

Aguardaba más aún, repitiendo, entre silencio y silencio, las dos palabras suspensas en el arcano: "El toro". "El toro..."

Por fin, dejaba la aguja clavada en el mango de la lezna, cogía lentamente su mate, lo cebaba, devolvía la tetera a las brasas, acomodábase en su banqueta y se quedaba mirando lo invisible en el aire.

—¿Qué toro, pues, Pacífico?

Entonces, despegando repentinamente los labios con su característico chasquido de botella que se descorcha, rompía con su leyenda:

—Había un toro, años ha, en estos contornos. Un toro solitario, de nadie. El mesmo era su dueño. Gordo, enorme, colorado y... con los cachos de oro.

—De oro.

—De oro.

—¿Tú lo conociste?

—Lo vide una sola vez. Voy por la cuesta de los canelos y lo diviso. Está parado, él. Me mira. Bufa. Se pone a rascarse los cachos en la piedra grande. Yo me paro. Un cristiano se para en un caso así. El, ráscase que se rasca, y mírame y mírame después de cada restregón. Hasta que de un repente pegó un corcovo y desapareció entre el monte. Por eso hay oro por todas partes aquí, aunque no se hallen las minas. Uno se engaña por eso. Por el toro, que se rasca los cachos y deja la limadura en las piedras. Pero hay minas también; la cuestión es dar con ellas.

—¿Y ya no está por aquí el toro?

—Ya no.

—¡Lástima!

—¡Lástima! Con él, teníamos los pobres harta crianza. Era muy seguro. Y daba unas crías... No bien nos entraba una vaca en calor, solita se largaba monte adentro. Pues cubierta volvía, señor. Pero... Dios nos lo dio, Dios nos lo quitó. Se fue, se fue.

—¿Adónde?

—¡Uy! Muy lejos.

—¿Tú sabes adónde?

—Yo sé —murmuró Pacífico, y mirando a todos lados, como temeroso de oídos indiscretos, repitió—: Yo sé. Muy lejos. Mire, desde entonces, como está viviendo a orillas del agua, por allá, arriba, las arenas del río también traen oro. De sus cachos, donde él se restriega... ¿Y no pregunta la gente por qué agora unos pescados tienen la carne amarilla? Salmones, llaman los gringos. Nada, señor. Si son las mesmas truchas de antes. Sólo que el toro les ha dorado las carnes allá. Antes, ¿había de estos pescados acaso? No había. Puras truchas negras y puros pejerreyes treida el río.

—¿Yo no lo podría ver?

—¿Al toro? ¡Qué esperanza!

—Si tú sabes dónde para... Dime dónde.

—No debo.

—Dime.

—No.

—Te lo ordeno.

—¡Ah! Obligado sí puede el cristiano decirlo. Pero una cosa es obligado y otra así por la sola porfía.

—Dime, Pacífico.

Tanta insistencia de José Pedro tornó caviloso a Muñeco de Crin. Por último, cediendo, pero apelando como siempre a su maña de sigilo, le sopló al oído:

—En la Laguna del Maule. Allá está, cordillera adentro, cerros de cerros arriba. Quizá por qué. Cuando se le acercan hay tempestad, y bajan los pescados con oro en la carne, y las arenas con pepas...

Mucho reían los Valverdes de tales fábulas. También José Pedro tomábalo a broma. Pero en su alma perduró la fantasía, cierto ensoñar y creer, cierto dejar vagar la mente entre seres fabulosos, en cuyo tropel no faltaba, por supuesto, aquel caballo alado que, siendo párvulo, se forjara él delante de un raro libro.

*
* *

Jamás como entonces hubo que reconocer cuán eficaces eran los consejos de don José Vicente y con qué tino procedía este hombre para secundar a su hermano. Si el cura, impulsivo y valiente, afrontaba situaciones, él las resolvía. Con su habilidad en tejer bozales o riendas de lujo, trenzaba esta otra índole de cabos, hasta darles remate perfecto. Cumplió su misión en Talca no sólo con éxito, sino de tan sagaz y fructífera manera, que a poco andar las cosas cambiaron en la región.

Para cúspide de su conducta, tuvo cierta vez en el pueblo un providencial encuentro con el juez, que también se había hecho nombrar subdelegado por el gobierno. Aunque sin importancia fuera la disputa, el mandón había perdido en ella los estribos. José Vicente, al revés, imperturbable y muy dueño de su señorío, había dejado correr aquel aluvión de iras. Y, por último, como alardeara el leguleyo de mucha ciencia en códigos y mucha versación en letras, él, tras de subir calmadamente a su yegua mulata, y ya desde lo alto de la montura, volviéndose a los circunstantes con la más luminosa de sus sonrisas, habíase limitado a decir:

—Sí, sí. Ya ven ustedes, señores, cómo también hay burros con letras.

Proverbial debía ser pronto la frase. Voló de boca en boca y aquello de "burro con letras" adquirió carácter de remoquete para poner punto final a todo comentario posterior acerca del letrado.

Por lo demás, el tiempo y las gestiones de prelados y correligionarios en Santiago parecían asegurar un triunfo definitivo al cura. Allá, el Presidente Montt, si bien no era clerical, seguía pensando en la utilidad de la religión en los campos y pueblos apartados. No de otra manera explicábase que, de la noche a la mañana, el juez y subdelegado extremista fuese reemplazado por uno conservador. Cesaron los pleitos con miras al despojo, las pasiones políticas se resolvieron en concordia y hasta pudo regresar don José Vicente a sus rulos de La Huerta, cuyos trigales amenazaban con desgranarse si no acudía pronto el patrón para efectuar la trilla.

José Pedro permaneció, a ruego del tío, en Los Tréguiles.

Así como al ritmo de los buenos tiempos habíase apaciguado la vida en la región, se había sosegado la naturaleza: a los ímpetus de la brota primaveral, sucedía el sopor del estío, con los andares lacios del hombre y la pereza caliente que gravitaba en la atmósfera. Amarillos, ahora los prados dormían bajo el sol, un sol cuya torridez levantaba en las memorias el recuerdo de incendios espontáneos. Ya las arboledas, único verdor sobre las lomas, a nadie daban sensación de frío; tan sólo de refresco bendito, pues bajo ellas encontraba el peón alivio y a su sombra sobrevivían algunos pastos para regalo de ganados. El chico aprendió mucho, también, de faenas y cultivos. Enseñóle Pacífico por qué los soles, si algo agostaban, mucho maduraban en cambio: ahí estaban los granos de la uva llenándose de transparencias y azúcares, y las papas bajo la tierra hinchándose, y la tierra misma levantándose y como creciendo en los surcos repletos.

Pasó diciembre, se deslizó enero. Los náufragos concluyeron su lancha. La caridad del cura rehusó la embarcación en pago para Los Tréguiles. Lanzaron, pues, los hombres la suya al río y, bendiciendo al párroco, se fueron por las aguas cubiertas de lentejuelas de sol.

Pacífico y Segundo llevaban consigo al niño a todos los quehaceres agrícolas y él aprendía con instinto de raza. De vuelta, a la oración, rezábase el rosario, al aire libre, bajo la voz cantante de Zunilda y coreado por el personal de la hacienda. Pero dentro de las habitaciones José Pedro encontraba, como guardado, el bochorno del día, y aun en la noche, dentro de su pieza, creía sentir que las cosas latían cual si la canícula les acelerara el pulso; por esto, en concluyendo de comer, uníase al sacerdote para sentarse con él media hora siquiera en el corredor: allí, desde la luna caía una claridad fría que llamaba a sueño, metiéndose primero por las pupilas e invadiendo al fin las venas como un dulce narcótico.

En vísperas de marzo, se recibió carta de don José Vicente. Con ella en la mano, dijo el cura:

—Nos recuerda tu padre que vas a cumplir los diez años, Caballo Pájaro. ¿Y sabes lo que esto quiere decir?

—Sí, tío.

Quería decir colegio. Sabía él que a esa edad ingresaría en el Seminario.

Y hecho a la idea estaba.

De suerte que viajar a La Huerta primero, y luego, de allí, con sus mayores, ir a presentarse en el Seminario Conciliar de Santiago, le resultó paso natural.

Por lo demás, no era él criatura pusilánime para que la vida escolar le acoquinara. Acostumbrado a clérigos vivió siempre, amas o regazos jamás haríanle falta. Lógicamente, pues, la novedad del ambiente seminarista le causó más placeres que nostalgias. Había tantos niños allí... y que conocían juegos nuevos, hacían volantines, bolas, cometas y estrellas... Y niños a los cuales él caíales en gracia... Porque "el huaso Valverde" fue para educandos y monitores desde el principio personaje pintoresco y querido.

¿Los estudios? El estudiaba, sí, lo necesario. ¿Por qué? Porque había que estudiar, como hay que levantarse y comer y lo demás. Para desasnarse, como sentenciaba el rector, no; que bien decía su padre: hay burros sin letras y con letras. Estudiaba, pues, aunque sin aplicarse mucho. Tenía buena memoria, los amigos le "soplaban" siempre... El fue aprobado en todos los exámenes.

Algunas tardes, durante el invierno, eso sí, decaía en cierto ensimismamiento. Hacíale falta la naturaleza abierta para no deprimirse con las lluvias. Debía soportarlas dentro de los claustros, los ojos nostálgicamente idos por los cielos. ¡Cuán diferente aquello al llover campesino!

Sin embargo, las nubes acompañan a los hijos del aire libre cuando los hallan entre paredes. Son por esto evocadoras y alegres para José Pedro. Enmarcadas por cuatro tejados las mira, pero las ve sobre la inmensidad de los campos. Son a veces nubes lentas que navegan en línea. Otras, nubes inmóviles que aguardan refuerzo para descargarse a llover. O nubes que ruedan y se retuercen sobre sí mismas. Algunas, negras como el hollín, esperan el milagro del rayo para resolverse en blancura, en granizos. Nubes de agua, en fin, simples nubes de agua que marchan procesionales, apretujándose, refundiéndose hasta formar una sola que cubre toda la redondez del cielo. Entonces, ráfagas tibias, como sofocadas bajo aquella multitud, funden los primeros goterones calientes: ya puede venir el aguacero helado y copioso. Más tarde, cansada la noche, seguirá la lluvia menuda que da brillo a las tejas frente al farol de la arquería conventual. Ama José Pedro también las nubes sin clase, las pobres vulgares nubes: a ratos el sol atisba débilmente por entre ellas, un instante. ¿Se juntarán en una, única, densa, igual, plomiza, que se licuará en gotera sin fin, capaz de conducir a una tristeza también sin fin?

El chico pregunta y aun apuesta. Pero... son, ésas, nubes vulgares, y frente a lo vulgar, cosa o persona, ni apostar con interés cabe.

También, eso de la tristeza es parecer fugaz, después de todo; porque, por último, un atardecer cualquiera aparecen sobre el patio nublados que se entreabren y se arrebolan.

Súbito, anuncia entonces José Pedro a sus condiscípulos:

—Ya no llueve. "El sol miró p'atrás", dicen los huasos, y es la pura verdad.

—¡Este huaso Valverde! —exclaman los otros niños, riendo.

Pero no es cabalmente que rían; es que le sonríen, o hasta le ríen. Le quieren, por inteligente, por vivaz, por apuesto, por corajudo, por hombrecito.

Ni ése ni otro año escolar alguno pesarán por lo tanto sobre la vida del estudiante.

Y se desliza confiado en el tiempo.

Entretanto, en el campo maulino sucede mucho de nuevo.

Los hacendados, gratos al cura, cediendo cada cual una faja de sus terrenos, han formado una hijuela compuesta por los lomajes que mueren a orillas del río y se la regalan a su defensor.

A José Vicente, reflexivo y alerto, el asunto no le dicta juicio muy promisorio; puede aquello halagar su natural de hormiga que junta, suma, acrece y busca fortuna; pero ¿no empañará eso el prestigio del pastor de Cristo?

—En fin —concluye—, si la politiquería explota esto en contra tuya, cédelo a la parroquia.

Y en ello se conviene.

La decisión permite un esperanzado fluir del tiempo. Dos años pasan así. El cura, en su cuádruple papel de terrateniente, conductor de almas, abogado de pobres y caudillo político, domina. Ha encontrado, por lo demás, buen medio para mantener el triunfo: si campañas de liberalismos extremos surgen para iniciarle grescas, apela él a sus largas columnas de huasos bien montados y colonos fervorosos, hace desfilar huestes y cofradías por aldeas, caminos y encrucijadas, enrola más y más adictos, multiplica su falange de almas e intereses.

Paralela, empero, la política maneja en la capital otros hilos. En el Congreso se ha dado en llamar cacique al cura. Inopinadamente se ha enmarañado la causa. Y es que tan luego sube al ministerio un hombre del propio credo y le afianza, como éste cae y otro asciende para contrajugarle, para desvalidar sus actos, para desautorizar su conducta. Varias veces ha debido el arzobispado librar batallas por él; pero he aquí que de pronto échasele en cara el haber recibido tierras de regalo, el haber "medrado" con la investidura religiosa. Responde su desinterés cristiano entonces, que siempre le llamó al voto de pobreza, y sella la respuesta cumpliendo el consejo de su hermano: las tierras de la ofrenda son regaladas a la parroquia. Sobreviene así renovada era de confianza y honor. Mas el quijote místico que hay en él no descansa; antes bien, descubre coyunturas a cada oportunidad, y a favor de la bondad del nuevo subdelegado y juez inicia querellas y recursos contra los usurpadores de ayer, con tal ventura, que aun los hambrientos que trocaron cuadras por peras rescatan sus tierras.

¿Quién penetra, sin embargo, en algunas tolerancias de Dios para con el Enemigo Malo?

¿Pues no estalla en Santiago un conflicto entre Iglesia, Poder Judicial y Ejecutivo? Un famoso incidente que la prensa hereje moteja "de los sacristanes", endemoniada rivalidad por fueros entre cabildo, canónigos, prebendados, vicarios, sacristanes mayores y menores; pugna, finalmente, entre lo eclesiástico y lo civil. Todo ello por la remoción de un portero, mas lo bastante grave para que intervenga la Corte Suprema y dictamine contra el señor arzobispo "bajo apercibimiento de destierro".

—Y lo peor: que los tales Montt y Varas están con la justicia ordinaria. ¡Leguleyo al cabo, el don Manuelito!

—Cosas del diablo —fallan las beatas.

Mas como el Maldito protege a los adversarios, enrédase la defensa del quijote del Maule, y a poco de apagado el incendio capitalino, el episcopado allá transige y resuelve trasladar al "muy meritorio señor cura Valverde". "Una parroquia en más cultos poblados le acomodará mejor, si bien se juzga y premia."

Valverde por encima de todo, él no acepta. A cualquier "mejora" renuncia. Conviene con José Vicente una permuta agrícola: venga éste por algún período a Los Tréguiles, forme un mayordomo que prosiga el desarrollo de la obra iniciada; el cura se irá en cambio a La Huerta.

—Obtendré licencia de capellanía —decide—. Con capilla en el fundo, asistiré como capellán a los fieles del contorno, que bien numerosos son y harto lo necesitan.

Como las decisiones de aquel genuino Valverde no admitían reconsideración, mucha mudanza sobreviene.

Y mientras los acontecimientos se suceden, José Pedro entra en el año decimotercero de su vida, año en el cual iba el destino a poner sobre su personal temple de Valverde resplandores de orgullo temerario y, también, la sombra de un gran dolor.

*

* *

A pesar de que una fuerza de terquedad y arrojo deja esa vez encendido el orgullo de José Pedro, una congoja le quedará para siempre anudada en el corazón. ¿Por qué tolera el buen Dios algunos trances? Si diríase que aun los inspira y los conduce. ¿Forja las almas fuertes así, enrojeciéndolas primero sobre el ascua del pecado, para mejor templarlas después en el óleo del arrepentimiento?

Atardecía ya, en La Huerta. Y es como un atardecer desolado aquel recuerdo.

—¿Listo?

—Listo —responde Rosamel.

José Pedro echa entonces un vistazo más a su compañero y le sonríe satisfecho. Tiene su misma edad Rosamel —doce a trece—; es sobrino del médico legista de Melipilla y ha venido del fundo próximo al vespertino paseo a caballo. Tras la última inspección, lo ha encontrado bien, de traza y de semblante: espigado y carirredondo, con gesto despierto de pajarillo nuevo: dos ojos en círculo bajo dos negras cejas unidas y una nariz de pico breve que le respinga la boca.

—Vamos al estero.

—Bien.

Coloca José Pedro entonces las riendas sobre la cabecilla, quita la manea y la engarza entre los pellones, y por último remece la montura para cerciorarse de que está bien cinchada.

Mientras endereza el estribo, especie de calabazo labrado en palo de quillay, se acerca el perro a olfatearle los talones y él le da con la espuela de plano en el hocico.

—¡Fuera!

En seguida, lentamente, sube a caballo. Recuerda las lecciones de su padre. ¡Querido viejo! Allá estará, en Los Tréguiles, lucha y labora.

El acaba de llegar, a vacaciones. Ha vuelto a vestir de huaso, y traje flamante y a su medida, con pantalones largos ahora. Quedaron los sumeles en el Maule. Otra laya de botas se usan aquí, de apolainado corte, altas y negras, bordadas con tientos blancos y chorreando correoncillos desde las abrochaduras. Lleva manta de colores además, y sombrero de pita con fiador de cordón que se ajusta bajo la nariz.

—No regresen obscuro.

Del interior ha salido la voz ancha y redonda. Está el clérigo de pie, a la sombra del corredor azaguanado. Asoman sus tobillos bajo la sotana suspensa por el abdomen y huelgan como badajos al emerger de los zapatos.

—Y no meterse al estero, ¿entienden?, que viene en crecida.

—Conforme, tío.

Se han tornado los dos muchachos a observar al cura. Tan severo. Y tan alto: casi roza con la frente la techumbre de tejas sustentada por flacos pilares de luma.

—Ya, rodajea.

Vibra en el aire el sonido de las espuelas. Y ha partido la pareja, al paso menudo de los bayos colinegros. Chilenitos. Pequeños, pero "reforzados".

Hasta el estero irán.

Toman el camino que se interna por el fundo. Se van sobre el largo colchón de polvo flanqueado por espinos y romeros. Andan, galopan, redúcense nuevamente a la marcha. El paisaje arde y se perfuma. Por la derecha bajan las lomas trigueras en racimo, las unas lucientes de rastrojos, pardas y opacas las que en barbecho aguardan. A la izquierda, a todo lo largo de una quebrada seca el monte virgen trepa cerros y alegra su verde sin matices con plumeros de palmeras que aquí y allá se agrupan como personas educadas entre manadas salvajes. Juntos, inseparables, hermanos en la libre felicidad de los campos, los muchachos charlan y cambian sus proyectos. Y si pasan frente a un potrero, los caballos, a su vez, se expresan: escorzan la cabeza en dirección a las bestias que pastan sueltas, abren mucho las narices, y por entre los belfos tremolantes, rebrinca la salutación de sus relinchos.

—¿Viene el perro?

—Sí; todavía nos sigue.

—Ya nos abandonará.

—Está muy viejo el pobre "Valiente". Se cansa.

Pero "Valiente" aún continúa detrás. Su lengua, pulpa que pendula y gotea, enrojece la pelambre azafranada del cuerpo. De su feo cuerpo de can sin clase. Menos mal que, como tiene de bronce las pupilas, en el amarillo del pelo se prenden dos brillos y lo hermosean.

Alto y limpio, el cielo abre hacia arriba el paisaje; porque abajo la tierra se ha ido velando por una sombra fresca. Es la manera que la brisa tiene de hacerse sensible cuando se duerme en la fronda.

De pronto se oyen unos graznidos, como si chispearan allá arriba, en el gran resplandor que ya sólo sesgadamente manda el sol por encima de las cumbres. Y aparecen dos pájaros.

—¿Aguilas?

Hay uno grande, gris con festones blancos bajo las alas, y planea dueño de su majestad. El otro, el que sin cesar chilla, es menor.

—¿Son águilas?

—Un águila con su aguilucho.

—Su hijo.

—Mira. Le enseña a volar.

A medida que marchan, los niños admiran aquella enseñanza. Vuela en círculos de gracia el águila, inmóviles los remos, silenciosa con el silencio del cielo. El hijo no sabe de orden ni sosiego; quiebra las curvas de sus arabescos, aletea, sube, baja, y todo ello sin callar. Una vez, el aguilucho se ha remontado tanto, que ha de dar el maestro un golpe de timón, y emprender una espiral y también elevarse hacia el infinito azul.

Pero algo inesperado sucede.

—Fíjate. Se cansó el mocoso.

—¡Alabado sea Dios! ¿Ves?

Rendido, el aguilucho de repente ha bajado, cual si ya en el vacío las alas no se le apoyasen, y el águila, milagrosamente detenida en el aire, lo recibe sobre sus lomos. Parece imagen para un escudo, blasón en que un rey llevara sobre un hombro el azor, tal cual en los viejos libros de señorío que se guardan en la biblioteca del Seminario.

—Poco después el pichón despega del águila y vuela recto y se aleja, para no divisarse ya más.

—Se largó.

—¡Se largó!

—¡Caballo Pájaro!

Entre sorpresas y ocurrencias, sin advertirlo casi, han llegado a la hondonada del estero. Allí hace calor. Vaho de fuego despiden los pedregales y un olor a monte bravo expándese con la evaporación de las aguas.

—Ahí —dice Rosamel, señalando una isla que divide la corriente— hay granadas.

Ya lo sabe José Pedro. Ya estaba él contando las esferas reventonas que pintan rojas en el matorral. Siempre le han gustado a él las granadas. Desde muy pequeño. Se le ocurría, mientras rezaba delante de Nuestra Señora del Rosario, que el globo terráqueo terminado en una coronita que sostenía el Niño sobre la palma era una granada. Si hasta la coronita la lleva esta fruta...

—Antes —agrega en alta voz a sus pensamientos— yo vaciaba granadas. Las abría por el asiento, ¿comprendes?, y las dejaba huecas, pero enteras. Después, calando el cascarón con los mismos dibujos de las platerías, hacía coronas para la Virgen. De esas coronas grandotas con otra coronita encima.

—¿Pasemos a la isla?

—No hay vado, dicen.

—Por aquí, mira.

—¿Será tan traidora la corriente? No. Y se lo hemos prometido a mi tío.

Como el crepúsculo ha empezado a envolver ya en su misterio todas las cosas, ellos no piensan desmontar. Permanecen un rato mudos. Los ha ido cogiendo el encanto de las malvas que suavizan el tronar de las aguas, y tras el encantamiento despuntan ya las tentaciones de atravesar el torrente, cuando gañe un zorro y todo lo avienta: ¡Huaj! ¡Huaj! ¡Huaj!

—¡Huaj! ¡Huaj! —remedan los muchachos.

—¡Huaj! ¡Hijuna gran p...! —exclama Rosamel aún. Y porque siempre le hicieron gracia los malhablados, ríe José Pedro.

—Contestémosle. ¡Huaj!

—Parecen carcajadas.

—A lo mejor es el zorro que nos comió el gallo la otra noche.

—Que se está burlando de ti.

—¿Y el perro? ¿Qué se hizo?

—¿No te dije que nos dejaría solos?

¡Huaj! ¡Huaj! ¡Huaj!, insistía entretanto el emboscado raposo.

—¿Por dónde grita?

En vano los oídos buscaban. El eco multiplicaba los gañidos por todos los herbazales, los rincones y los vericuetos. ¿O era que cambiaba escondites aquel animal?

—Lo agarraría del gañote...

—La cuestión es pillarlo. Saben mucho los zorros. Si te ven venir a pie y sin escopeta, ni se alteran; siguen caminando, con un desprecio... Y cuando se consigue atrapar uno, vieras, se hace el muerto, y tú que le crees y te descuidas y él que aprieta a correr.

José Pedro lanzó aquí una carcajada.

—¿Te ríes?

—Me acuerdo de lo que dijiste una vez. Habían cazado un zorro y lo tenían muerto en el suelo, ¿te acuerdas tú? Yo, porque al darle con el pie le oí sonar el gaznate..., aire que le quedaría y que le gorgoriteó..., dije: "¿Está vivo?", y tú saltaste: "No, hombre, ¡se hace el vivo!"

—Ya. Déjate de bromas. Es que saben tanto estos bribones. Mira, caen en un lazo, y dan y dan al alambre, a diente, hasta que lo rompen.

—No hay como la trampa de fierro.

—Pues te vas a quedar boquiabierto: uno se cazó una noche en la trampa. ¿Y qué hizo? Ya convencido de que no se zafaría la pata, se la cortó. ¡Tranquilamente! ¿Creerás? Con sus propias muelas, como quien masca un hueso para comérselo.

—Y se escapó.

—La pata, no más, hallamos por la mañana.

—Eres bien embustero, Rosamel.

—¡Qué sabes tú! Bueno. ¿Cruzamos a la isla?

—¿Tú conoces bien el vado? Debe ser cierto que es peligroso. Hay harta piedra y harta corriente...

—Y harto miedo.

—Yo no tengo miedo, ¡mierda!

—Entonces...

—Vamos. ¡Qué tanto será!

Empezaron a buscar el vado. Tanteaban con los cascos las bestias y volvían grupas. Pero ¿resistían? Pues, a cambiar el punto de ataque.

—Déjale caer las espuelas a ese manco flojo.

—Hazle caso al caballo, Rosamel. No lo obligues. El animal sabe por qué rehusa.

Entre intentos y resbalones, seguían los bayos bufando; temblábanles las carnes en los pechos y en las paletillas. Al fin descubrieron los muchachos un rumbo sin honduras. El agua no subíales más arriba del estribo. Pero en el fondo rodaban piedras que pegaban en los nudillos a los animales y hacíanlos tropezar, buscar nuevo piso, enmendar traspiés.

Abordaron a pesar de todo la isla. Y se hartaron de granadas. Y vocearon su proeza:

—¡Caballo Pájaro!

Triunfaban, pues.

Sólo que al regreso, de pronto le parece a José Pedro que ha sentido, en medio del estruendo sostenido de las aguas, un grito. Más bien ha sido una voz estrangulada que la masa líquida se hubiera tragado en el acto, y aún más que voz, el sonido de un presentimiento súbito y pavoroso. Aunque la corriente oblígale a seguir bregando, mira en torno. ¡Virgen Santísima, Rosamel no está junto a él ya! Unicamente el instinto lo sostiene y lo enardece. Espolea, sujeta las riendas en alto, para que se apoye en ellas el caballo y salga. Apura, en fin, los esfuerzos al máximo y sale.

Pero en la orilla mide toda la tragedia: un bulto informe voltea y da tumbos en torbellinos, allá en lo más hondo y tumultuoso del torrente.

—¡Rosamel! —clama.

Más la voz se ha deshecho en el viento. Sólo permanece la angustia latiendo, como una onda entre el corazón y los borbollones del agua.

Corre, riberas abajo, desatentado.

—¡Rosamel!

Inútil.

Y ha obscurecido mucho.

Llegaba el momento del no saber qué hacer. Tan luego va José Pedro por la orilla, escrutando, llamando a gritos: "¡Rosamel! ¡Rosamel!", como vuelve al punto de partida. Está preso en un circuito mágico de espanto. Impulsos de llorar, a gemidos, le acometen; pero sus ojos se resecan y tan sólo su mente busca en la desesperación. Hasta que divisa el caballo de Rosamel, que sale del estero, allá, por un recodo. A prisa corre al encuentro. Pero antes de alcanzarlo ha distinguido al animal que, sin jinete, ha emprendido el galope. Ya no parará sino en la querencia, en los corrales de las casas. Acude no obstante al sitio por donde asomó la bestia, y escruta, registra la turbulencia del río, las márgenes de pedrazón y arbustos. Nada. En esto su propio caballo relincha: ha oído que le responde su pareja y ha decidido galopar él también detrás.

José Pedro entonces se deja llevar.

Ignora cómo se ha presentado minutos después ante su tío. Porque vieran llegar solo al bayo de Rosamel, y empapado, con el apero chorreante, se habían puesto en alarma. El refiere como un sonámbulo qué ha ocurrido. Y después... Después toda la noche pasará dislocada, cadena de eslabones sueltos, a su conciencia. Le perseguirán las visiones por el resto de su vida. Peones con antorchas, candiles o chonchones; caminata en romería; búsqueda desesperada en que se empeñan fantasmas negros entre resplandores que más que de llamas diríanse de sangre sobre el luto de la noche. Por fin, al amanecer, el cadáver de su amigo. ¡Ah!, lo verá siempre, húmedo aún, desencajadas las facciones, entre cárdeno y pálido, bajo el corredor que también palidece y se amorata con el alba. Sobre los ladrillos van y vienen los pasos de las gentes; chasquean todavía empapados, y marcan sus huellas de lodo, aquellos pies. Hasta que al cabo, en el amparo de un rincón, José Pedro consigue llorar.

¡Ah!, sólo aquel llanto largo y a solas le desahoga.

Plena conciencia no alcanza, sin embargo, sino a la tarde, cuando el sacerdote y el médico, a quien fueron a buscar para entregarle al sobrino muerto, le llaman.

Comparece José Pedro dueño de todo su temple. A toda pregunta responde, sin atenuar faltas, sin excusas infantiles. Le son indiferentes las recriminaciones. En el fondo, hasta querría él purgar la desgracia, cual si fuera el victimario de su amigo.

De suerte que atiende a cuanto le quieren decir.

—Y ahora —concluye el cura— ven con nosotros. Más que una tanda de azotes, que la merecías, te ha de doler lo que vas a presenciar. Desobediente, loco, temerario...

Para escarmiento, ha decidido que presencie la autopsia del cadáver.

—Yo lo conozco mejor que ustedes —arguye al médico, cuando éste habla del sistema nervioso—. Caracteres como el suyo —"y como el mío", tiene deseos de agregar en un paréntesis— necesitan lecciones así, hasta crueles, para correctivo eficaz.

José Pedro no rechaza el castigo. Erguido, pues, va y asiste a la autopsia del médico legista.

Cuando la escena horrible concluye, una cólera sorda le arrebata. Una molestia rabiosa que le hace ir derecho a su cuarto, a encerrarse. Algo hay en él que le causa siempre tales reacciones; ese algo que le endiabla el genio, como de sí mismo suele confesar también el cura. ¡Ah, qué horrorosa escena! No tanto por el cadáver, no por la imagen de la muerte, ni por la piedad, no; lo cruel y desesperante ha sido para él la desnudez de su amigo, ese desnudo tratado con irreverencia, deshonesto, injuriado en el pudor. Este sufrir de una injuria, de algo semejante a una profanación, a una violación casi, es lo que obscura y turbulentamente le persigue y le retuerce el alma. Bien. Acaso lo merezca, por no haberse opuesto, él, que tan hombre se cree, a la porfía del pobre Rosamel.

Toda la tarde llora tendido en su cama. Hasta que se duerme sin saber cómo.

Despierta vestido, a la mañana siguiente, cuando entra Nicolás a buscarle por encargo del sacerdote.

—¿Qué quieres?

—Dice el señor capellán que vaya conmigo al estero.

—¿Al estero?

—Sí. Hemos juntado las prendas del finadito; pero falta la cabezada. La bestia no la treida. Y como usted sabe dónde pasó todo.

—Bien. ¿Ensillaste?

—Sí, patrón.

—No los bayos, supongo.

—Los mesmos, patrón.

—Desensilla, entonces. O los cambias, o no voy.

—Cambio. ¡Qué cuesta!

Es hombre hablador este Nicolás. Tiene la verbosidad del indio cuando sale de lengua suelta. Parlotea sostenido, hasta dialoga consigo mismo en ocasiones.

—Bien mirado, patrón —va diciendo por el camino—, su tío lo quiere más que a hijo. ¿Cree que me ha mandado con usted para encontrar ese freno o esa cabezada? ¡Bah! Para que no se halle usted en las casas ahora. Para eso. Porque van a llegar la mamá y las hermanas del finadito, a llevárselo. "Será de partir el alma", dijo el señor capellán. "Y el niño ha sufrido ya bastante." Así es que cuando me ordenó que fuéramos juntos al estero con el encargo, yo le contesté: "Sí, sí; a buscar el freno, a cualquier cosa me lo llevo". Y él se rió. ¿Ve?

José Pedro no respondía. En silencio se apearon para la búsqueda. No apareció la prenda, por supuesto. Pero Nicolás charlaba sin tregua.

—¿Por dónde vadearon, patrón?

—Por aquí.

—¡Uf! En lo peor.

—Ahí veníamos ya cuando él se me desapareció.

—¡Qué barbaridad! Si no se puede jugar con las aguas bravas, ni en el mar, ni en los ríos, ni en los esteros, por chicos que nos parezcan. ¡No darles miedo! Ya ve, ahora... ¡Jesús, María y José! A riesgo de que se hubiera ahogado usted también...

—Cállate.

—Me callaré. Pero es preciso que reflexione, patroncito, por Dios. ¡Tirarse así! ¡Zas! No. Hay unos hoyos, unas honduras, unos remolinos de fondo donde menos se piensa. Falta piso y... ¡cataplún!

—Cállate, Nicolás. Me estás cargando.

—Yo lo digo porque...

—Porque eres un cobarde. Me revientan los cobardes, bien lo sabes.

En verdad, ante la cobardía tal vez como ante fenómeno alguno irritábasele a José Pedro el carácter.

—Ser valiente, sí, muy bonito, cuando...

—Siempre se debe ser valiente. Tú no pasas de ser un indio de mierda. Cobarde, mira. Así se hace.

Y enfurecido, ante el asombro y los aspavientos de Nicolás, descargó las espuelas sobre los flancos de su caballo, se lanzó al agua, por el mismo paso de la tarde anterior, trepó a la isla, volvió *ipso facto* grupas y vadeó el torrente de regreso.

—¡Caballo Pájaro! —exclamó al pisar de nuevo la orilla.

—¡Jesús! Está loco.

¡Ah! Entonces pudo, ¡al fin!, lanzar José Pedro un suspiro. El primer suspiro de alivio. Aquel acto le volvía de veras en sí, le redimía de penas, de remordimientos, de todo. Sería un loco. Bien. Así era él.

—¿Viste, Nicolás? —preguntó alegremente.

Nicolás quiso reaccionar.

—Yo voy a tener que decírselo a su tío.

—Tú que abres el hocico y yo que te lo parto a pencazos. ¿Oyes?

Y muy capaz de hacerlo creíalo Nicolás. Bien sabía los puntos que calzaba el muchacho. Como conocía también los del señor capellán.

El suceso mantendríase, pues, en secreto.

Y en secreto se mantuvo.

*
* *

Pero las turbulencias en el pecho de José Pedro resolvíanse poco a poco en suave pena, cuando una desgracia mayor estremeció todas las almas en La Huerta.

Primero en rumores surgidos de cierta noticia publicada por diarios de Santiago y casi de inmediato por un propio venido de Los Tréguiles a revienta caballos, se supo que don José Vicente había sido asesinado. Salteo en el fundo. Y muerte. Pacífico, el infeliz Muñeco de Crin, había caído al pie de su amo, con la cabeza partida. Don José Vicente había sido acribillado a balazos. Estaban heridos también, y ya en Talca hospitalizados, Segundo y Zunilda. Toda una catástrofe. Culpábase a los viejos enemigos del cura, al juez, lastimado por lo del "burro con letras", al Guatón Moreno; buscábase además a los matones de la hazaña pasada, que habrían vuelto a la venganza... Pesquisas, conjeturas, cuentos, hilvanar de síntomas, indicios y antecedentes. Pero lo efectivo, la suma, no disminuía la tragedia.

Durante días, mientras se organizaron y cumplieron viajes, traslados de restos, misas y sepultaciones, el afán entretuvo algo los ánimos. Pero después, ya todo cumplido, tío y sobrino decayeron hasta hundirse en dolor inenarrable. Sólo reaccionaban cuando, al comentar los crímenes, reconocían el peligro incesante que acechaba en los campos de Chile a los hombres fuertes, laboriosos y honrados que se habían impuesto la ilusión de crear la agricultura. ¿Estarían por siempre a merced de pícaros, venales funcionarios y salteadores?

—Los huasos, hijo —solía concluir don José María entonces—, Dios me lo perdone, pero El sabe que así es, deben vivir en estas tierras con el arma al cinto y el alma en el arma. Carecemos de policía, no hay defensa ni amparo. Los tribunales rara vez y tarde alcanzan hasta nosotros. Nuestra justicia queda en las manos misericordiosas de Nuestro Señor.

—Y en nuestras manos propias —pensaba José Pedro en voz alta, mordiendo las palabras.

—También. Al menos la defensa. Hasta que se nos dé patria más segura.

Toda una visión le anticipó entonces el porvenir a José Pedro. Afortunadamente, a él sobraríale coraje.

Mas ninguno de los dos pudo evitar que, por el resto del verano, desmayase la vida en un plano de tristeza. Cumplidos los deberes del día, amaban pasarse los crepúsculos en el corredor, ante el pequeño jardín, mudos, contemplativos, perdida la vista en las lejanías, a solas con su duelo y sus reflexiones cansadas. Pasaba el capataz arreando los terneros de la lechería; achiqueraba; sus gritos, el trémolo largo de su silbido y los mugidos distantes de las vacas deshijadas permanecían vibrando en la atmósfera, como un cántico flotante. Otro cántico tendían los celajes en el cielo terso. Hasta que paulatina y deliciosamente adormía la noche la campiña, aquellos campos tan amados, aquellos rulos que hombres duros y sanos, a veces aventureros y amigos de la pendencia bizarra, pero siempre buenos en el fondo, iban labrando, constituyendo, incorporando a la civilización.

Bellísimo era todo eso. Y era inocente. Las tragedias no le pertenecían. Sólo belleza ofrecía el mundo de Dios. De contemplarlo y comprenderlo, José Pedro asombrábase a menudo. ¡Tanta paz! ¡Tan absoluta indiferencia! Su dolor, el dolor de su tío, el fracaso de su padre, ¿no valían para la naturaleza?

Así era la naturaleza. Para una dicha como para un horror, tenía la misma dulzura en los celajes, la misma placidez en la campiña, la misma inalterable armonía de las cosas. La gran conforme. Había que dejarse inspirar por ella y dar al corazón el mismo ritmo de grandeza inocente. La suprema sabiduría ¿era un candor?

Aunque no lo pudiese razonar bien, José Pedro se reincorporó a sus cursos aquel año con todo ello dentro. Cierta revolución llevaba su alma. Dolor, intrepidez, locura, temple... y poesía, también, sí..., algo unido en humana mixtura iba en su pecho, hacia el porvenir.

Evocación segunda

AMOR Y AVENTURA

Iban los dos caballos a tranco de viaje largo, picando con los cascos la greda del camino. Apenas si en la cintura de los jinetes advertíase levísima cimbra: tan suave de paso eran los animales.

—Bien almorzados sí que venimos, don Pepe.

—Y ya nos queda poco.

Aquella vieja carretera, que atravesaba un monte, seguía por los llanos al sesgo, cruzaba primero Melipilla, luego el lecho pedregoso de un río seco y estrechábase por fin entre los tapiales de un callejón, era la vía más breve para dirigirse al fundo de las Lazúrteguis desde La Huerta.

—Usted, don Eliecer, ¿conoce bien esa yeguada?

—La he visto criarse, don Pepito.

Sólo de cuando en cuando cambiaban alguna frase. Marchaban cansados. Aquellos paredones con bardas de teja no proyectaban sombra y las voces permanecían como vahos quietos en el calor de la media tarde.

Se detuvieron ante la puerta de un rancho que bostezaba humo. Una mujer de rodillas molía trigo sobre una gran piedra en declive.

—Tu marido, Josefa...

—En los corrales, don Eliecer.

—¿Le diste mi encargo?

—Sí, señor, que se apersonase a don Pepe Valverde.

Entre José Pedro y la mujer hubo, al sonar el nombre, una de esas sonrisas con que las gentes se presentan sin palabras. Y una chicuela descalza salió del rancho, miró al joven patrón y, sobrecogida, buscó el pecho de su madre para esconder la cara.

—¿Cómo te llamas tú?

—Contesta, di tu nombre: María del Tránsito, patrón.

No consiguieron que articulase la chica palabra alguna.

Pero tan pronto los jinetes hubieron partido, dejó el regazo, corrió al medio de la vía y estúvose allí, embobada, siguiendo al patroncito rubio, con los ojos, hasta verlo perderse de vista.

—Ven acá, moledera. ¡Miren! Desde mocosa le tiran los caballeros. ¿No digo yo? ¿Buen mozo lo hallaste? Di...

Y es que José Pedro habíase convertido en muy apuesto, muy fornido y muy elegante huaso. Vestía con todo el embeleco de la rica juventud campesina: sus mantas agotaban el surtido en colores, tramas y floreos; a los lujos del apero, el temple de las espuelas —con rodajas enormes— sumaba esa música que prolonga en el aire los pasos y, por su timbre diferenciado con esmero, deja estela personal, y además, si el bozo y la sombra velluda dorábanle ya la cara con tentaciones de fruto apetecible, cierto verde azufrado le prendía en las pupilas extraño y dulce magnetismo. Así, pues, aun las tiernas criaturas que se azoraban en su presencia y se cobijaban como pollitos bajo el ala de su clueca, sentían emoción al verle.

Ya se percatara el tío cierta vez de ello, frente a las mozas de La Huerta. Porque decidió advertirle después, cuando estuvieron a solas:

—Mira, Caballo Pájaro, de juiciosos es hablar claro si la oportunidad lo aconseja. Escucha.

—Diga, tío.

—No sé cómo decírtelo —vaciló—. Pero..., ¿te acuerdas de mi viejo tío, el canónigo?

—Naturalmente.

—El pobre, con su mala memoria, sus rarezas, sus modos... Aquello de nunca decir "yo hago", "yo pienso", "yo siento", sino "hace uno", "piensa uno...".

—Como si lo estuviera oyendo.

—Bueno. Pues te voy a contar una anécdota suya, de mucha razón y que..., me parece..., lo expresa todo ahora. Cuando yo canté misa, hijo, él, que fue mi padrino, me llamó aparte, me dio algunos consejos... y terminó con éste, para él primordial, y que nunca olvidaré: "Sobre todo, hijo, no caer en pecado mortal con una confesada. Jamás. Porque... se ceba uno". ¡Oh! No te rías.

—Y usted... cumplió, por supuesto.

—No te rías, repito. Y te digo yo ahora lo mismo: no caigas en pecado con el mujerío de la hacienda. Jamás.

—Porque se ceba uno.

Habían reído entonces los dos de buena gana.

Y nada más.

Ahora, mientras se aproximaban a las casas de la viuda de Lazúrtegui, José Pedro venía refiriendo a don Eliecer el cuento.

—Bien lo conoce su tío, don Pepito —sentenció don Eliecer.

—Y yo a él.

—No lo haga padecer, señor, no lo haga padecer.

—Es que, en el fondo, somos iguales. A mí basta que me prohiban algo para que me crezcan las ganas de hacerlo. Y lo propio ha dicho él siempre de sí mismo: si me pasan la mano contra el pelo, el diablo se me mete en el cuerpo.

—Ahora está viejo.

—Muy viejo está el pobre. Y se ha puesto muy dominante.

—Pero hágase cargo, don Pepito: ¿cómo puede aceptar él, sacerdote, que por ahí le digan a usted...?

—¿Qué?

—El potrito de campo, lo he oído yo nombrar.

—¿Sí?

Le hizo gracia el mote a José Pedro. Compararlo a los potros que se sueltan con las manadas de yeguas chúcaras y se reproducen sin registro...

Continuaron en silencio por el par de cuadras que los separaban de las casas aún.

Don Eliecer era hombre puro. Uno de esos católicos en quienes la fe tiene poder contra el pecado. Ni la más venial mentira cabía en su moral. Acompañaba en las compras de caballos a Pepe Valverde, porque nadie como él había para justipreciar al primer golpe de vista un equino. Distinguía por las líneas fundamentales de qué procedencia era: si de las crianzas de Quilamuta, cuya estirpe fijara don Rodrigo González de Marmolejo; si de las doscientas yeguas salvadas en Alhué, si de Aculeo, de Vichiculén o del Principal. Pero el mismo escrúpulo que fincaba en rechazar "aguilillas" o "cuartagos" y en ajustarse al juicio técnico, le guiaba en los tratos de compraventa. En cierta ocasión, José Pedro, para obtener buen precio por una potranca, le quiso advertir:

—He dicho que usted me la vendió en veinticinco pesos. No me descubra, si llega el caso.

A lo que repuso el pulcro don Eliecer:

—Eso sí que no, don Pepe. Yo espero, con el favor de Dios y María Santísima, no mentir nunca.

Pronto esa virtud y otras hicieron de don Eliecer el tratante de mayor confianza para los Valverdes. Solían ridiculizarle por sus trazas y maneras. Mediano de talla y edad, mediano de carnes, mediano de atavíos personales y ecuestres, debilitaban más su medianía una voz meliflua, una expresión mansa en los ojos y una frentecilla de dos dedos escasos. Tenía sólo de recio el bigote —dos alas de tordo— y el pelo, negrísimo y cerdudo, aunque siempre causara la impresión de hallarse recién salido de la peluquería, por lo bien tusado y peinado.

Con él iba, pues, ahora José Pedro, ya el garrido, alegre Pepe Valverde, a escoger una veintena de hembras de vientre en las manadas chúcaras que por esos días liquidaba la empobrecida viuda Lazúrtegui en su fundo San Nicolás.

Cuando llegaron a los corrales, ya les habían hecho selección previa de las bestias.

Julián, el marido de Josefa, cumplió su encargo de "apersonarse" a José Pedro:

—Hemos despajado la masa, patrón. Usted dirá si lo quiere ver todo antes de que le demos el campo al desecho.

Estimóse bastante lo apartado en la medialuna. De suerte que se abrieron las tranqueras del corral grande y quinientos caballares de diversos pelos y tamaños se lanzaron sobre la planicie amarilla moteada de espinos verdinegros. Como de una compuerta salían primero en chorro, abríanse luego en abanico galopante, las crines al aire que retemblaban de relinchos, y, al fin, en desparramo, sosegábanse a pastar.

Dentro de la medialuna la faena fue larga y minuciosa, cansadora pero festiva. Las enlazadas, los peales y las risas encendiéronse con los dichos y con los ladridos de cien canes que servían al huaserío. Retozó José Pedro en su juego de jinete maestro, y más que él acaso, pues ello constituía su pasión, retozó el circunspecto don Eliecer. Hasta que, anocheciendo, sólo faltó pasar a las casas para cancelar la compra.

—Se me da que la niña, la mayorcita, ha estado reza y reza el día entero —suspiró don Eliecer, mientras en el corredor de la viuda quitaba las espuelas a José Pedro.

—Ya está pensando mal.

—¿Mal? Si me la imaginé rezando.

Pepe continuó en la cuenta del dinero con que pagaría.

—Ahora... por quién se reza... es otro cuento.

—Pero no me negará que es bonita.

—Linda, linda con ganas.

Como damas de sala y estrado recibieron las Lazúrteguis a José Pedro y a su acompañante. Componían un cuadro. Al fondo, sobre la estera, en el sofá de tres medallones —jacarandá y damasco granate—, misia Jesús sentada entre sus dos hijas. Mantenían las tres pañuelito de encaje entre los dedos y en las comisuras la suave sonrisa impuesta por los retratistas del siglo.

—Al retirarme, señora, mis respetos y...

—¡Cómo! Si no se pueden ir sin comer. No faltaba más —interrumpió ella, mientras recibía el dinero. Sin contarlo, volvió el torso para posar graciosamente la bolsita sobre una consola, a los pies de una celestísima imagen de la Inmaculada, y—: Una copita, primero —continuó—. Sirvan, niñas, ustedes. En seguida pasarán a lavarse y sacudirse el polvo, y a la mesa.

Nunca olvidaría José Pedro aquella escena. Con delicia y dolor debía retornar siempre, a lo largo de los años, a su memoria. Fue su estreno social y su destino. Ya cuando en la mesa tomó la señora de su plato la mejor presa del pollo para ofrecérsela en su propio tenedor, él comprendió que se le aceptaba, más aún, que se le atraía.

Después, Chepita, la romántica languidez con que revestía de compostura su vehemencia... Y Marisabel, la adolescente, cuyos ojazos abríanse adivinadores y volaban como mariposas de rostro en rostro, en espectáculo que la conmovía y en cierto modo fascinaba.

—Somos un poco parientes —había dicho también la señora— por la rama de su madre. ¿Se acuerda usted de ella?

—La verdad, muy poco.

—Lo dejó tan chico...

—No la conocí, podría decirse. Tengo de ella más bien una imaginación. La veo en el retrato, más joven que yo y..., no sé..., pienso en ella como se piensa en las santas del cielo.

—Criado entre hombres solos, después...

—Por eso tienen que perdonarme un poco mi falta de maneras.

—Nada de eso.

—Nada.

—Es finísimo. La estirpe, hijo, manda.

—Pues me he formado bastante salvaje.

—Yo lo temía, pero ha resultado al revés. Cuando de tarde en tarde lo divisaba con José Vicente o con su tío, y veía aquel chiquillo siempre con su chichón en la frente...

—Jamás me faltó el chichón.

¡Cuánto se habían reído! Sobre todo las niñas. Pero le habían demostrado adhesión. Adhesión y aun interés. El quedó contento. "¡Caballo Pájaro!", exclamó *in mente* al considerarlo.

Acabando de comer se despidieron.

—Esperen que salga la luna.

—Ya nos saldrá caminando.

Era necesario partir. Tendrían tres horas de viaje.

Chepita en persona les acompañó alumbrándoles hasta la vara en que los caballos y el par de arreadores les aguardaban. Y de allí debía conservar José Pedro el mejor recuerdo de la visita.

Mientras don Eliecer y los peones fueron a sacar el arreo al camino, permaneció la pareja sola.

Hubo, cierto, un silencio difícil. Los sapos, que habían callado, reanudaron la canción de la noche con sus cascabeles de palo. En seguida, poco a poco, frases sueltas, que nada y mucho significaban. Pero la voz de Chepita lo había dicho todo. Aquella voz clara como la luz de un lucero. Las palabras, en sí mismas, nada. Sólo cuando se les apagó la vela y él, despidiéndose, le tomó las dos manos... ¿Qué instinto, qué experiencia ancestral y ciega le había impulsado a estirarle los brazos hacia abajo, de modo que los dos rostros quedaron casi en contacto?

¡Ah! Caminaba, caminaba José Pedro en la culata del arreo y diríase que bajo el ala del sombrero las visiones iban poniendo sus estampas sobre la obscuridad. Subían desde el fondo de su corazón. Tan sólo su vista mecánica seguía la piara de yeguas, que marchaban en angosta columna, apegándose a las cercas de flequillo. Por momentos alguna bestia mordisqueaba las chilcas secas, y había que chascar los rebenques para que volviese a filas.

—¿Viene contento, don Pepito?

—Ya lo creo.

—Tanto cariño.

—Tanta fineza.

—¡Ah! ¿Misia Jesús? Es señora que arrastra cola.

Con esta expresión definía don Eliecer el señorío máximo de una dama.

—Y buena mesa —continuó.

Mientras su aflautada vocecilla iba rememorando la comida, José Pedro se representaba cosas y personas. El mantel blanco, el ramo de clarines color cereza, la dama de negro, las chiquillas todo luz. Ambas eran bonitas. Sí, Marisabel, linda también. Más niña, más baja y en mejores carnes, sin aquella languidez cándida de Chepita, con otra colocación menos oblicua de los ojos, pero en cambio con mucha vivacidad, resultaba una contraria réplica de la hermana mayor. Los ojos no podían ser más espléndidos: se pensaba en dos mariposas obscuras, con aquel aleteo de las pestañas, palpitación de alas sobre una rosa. Menuda y veloz de movimientos, vehemente la palabra, la risa pronta... ¡Caballo Pájaro! ¡Qué risa! Incontenible. Hasta imprudente para ella misma parecía resultar, porque le arrebolaba los carrillos cada vez que le estallaban. Sí, era linda también. Sólo que Chepita, suave, temblorosa...

—Usted les gusta a las dos —observó de improviso don Eliecer.

—Pero a mí me gusta Chepita.

—¿Se fijó en las manos, señor? Los deditos... De los que perforan una frutilla sin partirla en dos. Así, así los meñiques...

—Y tan señoril de porte.

—Ah, ésa ya arrastra cola, señor. Desde jovencita.

Bella noche aquella. Memorable. Arrearon así, ya exigiendo prisa en la marcha, ya calmándola y zurciendo evocaciones y comentarios. Pasaron el río seco lentamente: había que cuidar las uñas sin herradura. En el llano asomó la luna de improviso, mientras galopaban: los lomos sudados pintáronse de reflejos, la polvareda se plateó como una nube desprendida del cielo y los arreadores sintieron deseos de cantar. Bella, bella noche aquella, en la tierra y en el pecho de José Pedro. Anduvieron, anduvieron, sin brega ni fatiga. Si descubrían pasto en alguna orilla de la carretera, paraban para que la recua pastase.

Por esto don Eliecer llamaba "el potrero largo" al camino siempre.

Bella, memorable noche.

Contentos, aprecian además la compra recién hecha:

—Bueno escogimos.

—La flor entre lo que había.

—¿Han aumentado la masa caballar en La Huerta?

—En eso estamos. Hay poco todavía. Y yo pienso sembrar mucho.

—No se trilla sin piaras.

—Es lo que yo digo. Pero la plata es loba.

—Qué, ¿no vendieron Los Tréguiles?

—Aquello se hizo sal y agua. Surgieron muchos pleitos. Dios da y quita, como dice mi tío, sin que uno entienda por qué. Total: que achicamos algo la hipoteca de La Huerta, compramos algunos bueyes, unas cuantas vaquillas para la crianza, otras pocas ovejas, ahora estas yeguas... y sanseacabó. En adelante, apretarse, por años.

—El campo es así, señor, quiere tiempo. Y quien no ve chico no ve grande.

Entraron por el callejón de La Huerta en medio de un escándalo de perros. Despertaron los queltehues en los pastizales y diéronse a graznar a su vez. Y en el momento de contar, cuando metían el arreo en un potrero, echaron de menos dos animales.

El cura, que les aguardaba en la tranquera, resolvió:

—Cuestión de buscarlos mañana.

—Porque a la querencia tienen que ir a parar.

—Vean que aloje la gente; tú, Pascual.

—¿Un trago de vino, don Eliecer? Tengo del blanco.

—¿Y del de misa no tiene, padre?

Risueños dirigiéronse a las casas.

Subía el parloteo hasta los árboles lunados y del otro lado respondían los queltehues despiertos.

—Los tréguiles —dijo don Eliecer.

—Felizmente aquí se llaman queltehues. No quisiera oir nunca más aquel nombre.

—Con razón, padre.

Y las voces se encerraron en la casa.

*
* *

—¿Ya marcaron mucho?

—Empezamos con la fresca; pero falta bastante.

La mañana se le ocurre al cura el original del que su casulla blanca y oro fuese la copia, cuando sube al tabladillo de los corrales. Ha dicho misa en la capillita, ha desayunado a prisa y ha venido al tranco de su mula sillera. Le acaban de quitar las espuelas, para holgura de sus pies, ahora tan sensibles; luego por sí solo se ha bajado las sotanas, ha trepado la escala recién hecha con palos verdes, y arriba ya, esos cúmulos también oro y blanco rodando por un cielo desteñido como raso antiguo, y esa brisa que parece bruñir cuanto roza, y aquella represa navegada por albísimos patos, y hasta las melenas de aquellos sauces que bajan a mojarse como quien pone los dedos en la pila de agua bendita, todo ello para él, sacerdote y huaso y viejo, viene a prolongar rituales. Se ha vuelto un poco sentimental.

Ya lo confiesa. Está muy quebrantado. Sus ímpetus desmayan ahora pronto; el pensamiento —al menos así se le figura— inclínasele demasiadas veces hacia el perdón, y la dulzura de las horas trae consigo una paz algo melancólica que antes él no conocía.

En cambio, José Pedro resulta incansable. Basta verle allí. Trasnochó con el arreo, y, sin embargo, se ha levantado antes que el sol, ha encerrado en los corrales las yeguas adquiridas y en la brega de marcar trabaja él como sus peones.

"Dios te bendiga, mi Caballo Pájaro —murmura para sí el cura considerándolo— y te preserve de peligros. Esto, sobre todo", repite.

Porque le nacen temores.

Pero abajo, en la medialuna, arde la faena. Irradia de allí una fiebre que consume, avienta y borra todo blando considerar. A cada instante retiembla el tabladillo al choque de la tropa en espanto contra la quincha. El galope de los chúcaros redobla en el suelo y todo lo estremece, zumban los lazos por el aire y las carcajadas apagan los relinchos. Sonándose con su gran pañuelo frailuno el polvo de guano que le invade las narices, don José María tiene que reir irremediablemente a cada rato, enardecido también.

José Pedro se revela formidable. A pie, pues no tardó en mandar su caballo afuera, con los perros perturbadores, bornea el lazo, lo lanza y coge por el pescuezo el animal, para resistir luego, con el látigo afirmado en la cadera, la tirada del bruto a carrera despavorida. Su fuerza es tal, que no hay tirón capaz de moverle siquiera del punto en que ha hundido los tacones. La bestia da en cambio una voltereta brusca y abiertos los cuatro remos, temblorosa y bufante, permanece sujeta. Pasa José Pedro entonces el lazo a un huaso montado, que lo apeguala en su cincha, y él arroja otro lazo a las ancas del chúcaro. Desde las grupas al suelo abarca esta nueva lazada: sólo es necesario ya un pequeño retroceso de la yegua para que sus patas queden atrapadas también. Apenas falta tesar con maña. Y el animal cae azotando el polvo. Ya pueden acudir los peones, y maniatar, y hacer bozal con el lazo pescuecero.

—¡Marca! —ordena entonces José Pedro.

De la hoguerilla encendida junto al apiñadero viene corriendo el capataz con el hierro candente.

—Quemar apenas —recomienda José Pedro—. Al vacuno, el cuero; al caballar, el pelo —recuerda.

Un humillo pardo con tufo a cerda chamuscada queda flotando y evoca en los estómagos el asado que les aguarda.

Pero aún José Pedro, con las tijeras que saca de su faja como quien desenvaina un puñal, debe tusar las crines al equino. Si son negras, las colectará el llavero; si blancas, él, por mano propia, ha de llevárselas a su tío, quien las reserva para que las monjas clarisas tejan canastillos y primores.

Y a otra.

En el nuevo turno, Pepe no tira el lazo a la cabeza. Quiere lucir su habilidad en peales. Enlaza la yegua por las manos, arrojando el lazo con gracia de niño que juega al trompo. Cogida en su carrera repentinamente, la bestia se hace un arco toda ella; cae, apoyando el testuz en el suelo, da un rápido volantín y queda tendida.

—¡Esta es vuelta de carnero, miércoles! —exclama un entusiasmado.

Y desde una ladera, allá en la loma próxima, varios peones que se agruparon a mirar aplauden. Aun, imitando la voz del cura, uno de ellos vitorea:

—¡Caballo Pájaro!

Estallan así las carcajadas memorables de aquel día.

Hasta que se halló el sol alto duró la faena.

Luego almorzaron todos bajo los sauces. Un cordero se había dorado allí al amor de las brasas. El corro lo fue devorando entre dicharachos e interjecciones a los perros que rondaban con el rabo entre las piernas y la mirada hipócrita, en súplica de huesos y piltrafas.

Pero el cura no estuvo locuaz. Algo roíale por dentro, algo que sugería presentimientos o suspicacias. José Pedro recibía el reflejo en su sensibilidad alerta. Y aun sospechaba la causa. Prefirió empero no darse por advertido, y, apurado el último sorbo en los tachos de té, ordenó apretar monturas.

—¿Listos?

—Listos, patrón.

—A soltar la tropa en la encierra nueva, entonces.

—¿Vas tú con ellos? —le preguntó el cura.

—¿Cómo no voy a ir, tío?

—Es machucarte demasiado.

—Quiero, necesito revisar el trabajo de la cerca también. Seis peones puse a tumbar ramas; pero hay que ver si las apoyan contra el monte vivo de modo que luego el viento sople apretándolas y no echándolas atrás y deshaciendo lo hecho. Son tan brutos...

—Bien. Anda, anda. Y vuelve temprano.

—Sí, que falta salir en busca de las yeguas perdidas.

Dijo esto y escrutó los ojos de su tío.

El cura no los alzó del suelo ni alteró el semblante.

Poco después la piara se alejaba en medio de gran polvareda, campo adentro, y don José María regresaba en su mula solo, hacia las casas.

Hasta el atardecer no llegó José Pedro. Pero halló al cura con el gesto más francamente avinagrado.

—¿Qué humos son ésos? —inquirió como un fiscal cuando ambos hubiéronse acomodado en el corredor.

—Estoy quemando el rastrojo de la cebada, tío.

Quedáronse mirando la quema.

Habían prendido fuego a los rastrojos, después de roturada la tierra, y ardían elevando líneas de humillos claros. Iba cayendo el crepúsculo. Una curva de acequia tendía entre dos matorrales su sable de plata. Y conforme obscurecía, en el suelo matones de paja y champas de raicillas ardientes ponían sus ascuas anaranjadas bajo el gris de los humos.

Casi de repente, la noche agazapada bajo los árboles empezó a salir de todos lados y a tenderse sobre el potrero.

Entonces apareció Pascual, Pascualito, aquel muchacho que se criara con José Pedro y con quien éste recogiera piñas entre los pinos cuando era niño.

Habíase convertido en recio gañán de vozarrón grueso.

—Espera la gente su orden para salir, patrón —dijo descubriéndose.

—A buscar esas yeguas, tío —explicó José Pedro.

—Pero tú no irás, supongo.

—Iría. ¿Por qué no?

—No. No vas —resolvió perentorio el cura.

El mozo no dudó ya. Nacía de allí el desasosiego del viejo. Si nunca tuviera simpatía por las Lazúrteguis, ahora les temía.

Bien. ¡Paciencia! Se tumbó en el escaño y clavó la vista en la quema: cómo ardía el fuego bajo las cortinas de humo.

Pascual insistió, levantándose otra vez el sombrero:

—¿Qué manda, patrón?

—Se ha hecho tarde. Ya pasaré yo a disponer.

El gañán dejó caer de nuevo la chupalla encima de su pelambrera, pues tan sólo se descubría mientras sonaban las palabras, y se retiró.

Tras un largo silencio habló José Pedro:

—¿No está contento conmigo, tío?

—Sí, lo estoy. Trabajas mucho. Aunque te llenas de caprichos.

—¿Lo del monte? Comprenda. Quiero abrir campo a fin de sembrar más, ahora que tenemos bueyes, y me parece que al desmontar, la explotación de la leña y el carbón se impone.

—¿Qué pagan por la leña? Una miseria.

—Si la mandamos a Santiago, le sacaremos precio. Tratar allá con panaderos, en fin... Carretas hay...

Meneaba dubitativamente la cabeza el cura.

—Por último, tío, La Huerta no pasa de ser un campo agreste, salvaje. Es preciso transformarlo en fundo, en fundo verdadero. Y otra cosa: los incendios de monte arruinan. Campos enteros se queman sin que sepa uno cómo ni por qué. ¿No habrá manera de atajar eso? Yo la tengo.

—¿Cuál?

—Me propongo cortar mucha leña y quemar mucho carbón. Abriré con esto calles anchas al monte. Esas calles, en caso de incendio, serán cortafuegos. Más todavía, sembraré allí.

—Y se incendia un día el monte, arrasa con su vecinita doña sementera y el diablo se muere de risa.

—No lo ha de permitir Dios. Y de otra suerte no hay avance, no hay progreso. ¿Me hará pensar usted que ahora se ha puesto viejo, y se entrega? ¡Usted! "Nosotros, los hombres de ñeque, estamos haciendo a Chile", me predicó usted siempre.

—Así es, hijo, así es. Empuje te sobra y no seré yo quien te lo debilite.

—¿Pues entonces?

—Oye, comamos y acostémonos hoy temprano, que falta te hace después de los trotes que te has dado.

—Voy a despedir esos hombres —concluyó José Pedro. Y, a poco, de vuelta—: Saldremos mañana con las primeras luces —dijo.

En el cura reapareció el gesto de vinagre.

Viéndole a él ahora con la vista fija en los rastrojos ardientes, sonrió el sobrino para sí: "Continúa vivo el fuego bajo las cortinas de humo". Más valía tomarlo con buen humor y orillar por de pronto lo escabroso.

*
* *

Después del nuevo viaje a San Nicolás, José Pedro estaba realmente cansado. Cuarenta y ocho horas de cabalgata, labores y travesuras doblegan a cualquiera. Su animalidad robusta exigíale dormir. El sueño, por suerte, reparábale pronto las fatigas. Durante las más rudas jornadas, érale suficiente descender del caballo y a la sombra de un árbol sestear algunos minutos, para reponerse y proseguir el esfuerzo con el cuerpo vibrante cual si lo tuviese montado sobre resortes de acero.

Pero llegó rendido aquella noche. Entró en puntillas a su pieza. Por ciertos indicios había presumido al cura despierto en la suya, y para evitar escenas, a obscuras se acostó. Sus planes, el conflicto que se anunciaba ya entre las dos tenacidades —la del tío y la propia— y las reminiscencias de aquella visita, en la que tanto decidieran Chepita y él, giraron instantes apenas por su mente, y poco demoró en coger el sueño.

A la mañana siguiente se levantó cantando.

El cura le dio la voz desde el comedor contiguo:

—Entonados amanecemos.

—Ya voy, tío. El sueño me agarró con ganas.

—¡Era que no, con lo que te has meneado!...

Tomaba don José María el desayuno en su tazón. Encontró él servido el suyo.

—¿Dieron con esas yeguas?

—En la querencia, como era natural.

—Querencia de bestias y jinetes.

José Pedro sonrió.

—Y a don Eliecer, ¿lo has visto?

—Antenoche se nos fue sin despedirse.

—¿Le pagaste algo?

—No quiso recibir. Que me acompañó como amigo... ¡En fin!

—Ya volverá, cuando necesite unos "cueritos" de oveja negra para renovar sus "pelloncitos" o a que le hagan una "maneíta..."

El viejo remedábale la voz meliflua, los diminutivos, las maneras humildes y socarronas, y luego reía con su vozarrón cloqueante.

—Bueno, bueno, el don Eliecer —concluyó.

—Es bueno. Es honrado.

—Y un poco alcahuete además...

Orillaba el cura el tema de su obsesión. José Pedro, que no deseaba eludirlo, sino que más bien perseguía la hebra para meterla en la lanzadera, bajó los ojos a su tazón e hizo un guiño mental a su energía dispuesta.

—Pues yo quise dejarte dormir largo —prosiguió don José María—. Está fría la mañana. Parece que se nos va el verano.

—Y esta casa, tan inconfortable.

—Ahora la encuentras así.

—Pero, tío, ni vidrios tenemos. Algunas noches, si no cierro la ventana, el viento me apaga la vela.

—No es casa de encomenderos, qué quieres. Allá, en San Nicolás, aunque las hipotecas se vayan engullendo la tierra..., ¡claro!..., esteras, damascos, jacarandá, hasta piano.

—Sin hundirnos, tío, podríamos procurarnos más decencia.

—¡Qué sabes tú!

—Pues yo, antes que lo impida el invierno, haré algunas mejoras. Esto es mísero. Este comedor, un dormitorio a cada lado... y pare usted de contar. Porque despensa, cocina, leñera, bodegas, todo en mediaguas y ruinoso, no puede considerarse. Salvo la capillita, lo único nuevo y decente...

—La morada de Dios.

—Cabal. Así ha de ser. Pero nuestra rusticidad, tío, por la Virgen Santísima, no me conforma. ¿En qué pisamos?, dígame. Fuera de unos pastelones en el trecho preciso para las camas, los pisos no tienen sino greda pisoneada. Con sol, crecerían hierbas. Como que la palmerita que planté de niño en el jardín nació en mi dormitorio, ¿se acuerda?, de un coquito rodado.

—¡Casas como las de San Nicolás!

—Ya le dio con San Nicolás, tío. Déjeme, yo haré...

—¿Haré, dijiste?

—...las mejoras imprescindibles.

—¿Quién manda aquí? ¿Quién hace?

—Usted manda y yo hago.

—Cambia, entonces, el futuro por el hipotético.

—Da lo mismo.

—No da lo mismo. Y basta de impertinencias, ¿entiendes?

Había montado en una de sus cóleras súbitas. Se había plantado enfrente del sobrino, abiertas las piernas y embutidas las manos en la faja de la sotana, y mirábale con una llama en las pupilas.

José Pedro, violento a su vez, se puso de pie.

Ambos, pálidos, trémulos, con el mismo fulgor en los ojos, se midieron un instante. Se conocían, se amaban entrañablemente, pero en iguales trances, ya se sabía, igual demonio metíaseles en el cuerpo.

Fue José Pedro, empero, quien cedió al influjo filial. Sin timidez, pero con respeto, volvió a coger su silla y a sentarse.

Sobrevino un silencio, al cabo del cual también el cura tornó a su asiento.

—Hablemos, hijo, en paz pero con claridad. Eres porfiado.

—¿A quién habré salido, tío?

El viejo hubo de sonreir.

—Bien —continuó—. Yo quiero enterarte de algunas cosas. Escucha. ¿Sabes tú quién eres? ¿Sabes quiénes somos los Valverdes? Descendemos de aquel Fray Vicente Valverde que acompañó a Francisco Pizarro en la conquista del Cuzco. Este dominico fue quien, tras de presenciar y atestiguar ante escribano el descenso del inca Atahualpa, proclamó ante los trescientos mil indios de la capital incásica que si la soberanía de Carlos V reemplazaba desde entonces a la del inca, se ponía también el dios sol en el imperio indígena, para que sólo resplandeciera en él Jesucristo Nuestro Señor. Hermano de Fray Vicente fue tu tatarabuelo, don Joseph. Tu padre llevó ambos nombres, José y Vicente. No podría yo entrar en muchos pormenores de la heráldica, ciencia tan historiada, pero sí agregar que los Valverdes en España monteros del rey, nos legaron escudo: seis galgos atigrados se tienden a carrera sobre campo de sinople.

—¿Sinople?

—En heráldica, sinople se llama el verde. Todavía, sobre este escudo, un yelmo con cimera. ¡Hem, espléndido blasón!

Fueron encendiendo al cura los ecos de sus palabras, a las que voluntariamente imprimía cadencias y estilo de infolio. De los Valverdes pasó a la línea materna, a los Casaquemadas, vástagos de cierto hidalgo castellano que con sus seis hijos varones y un puñado de siervos batió a los moros después de incendiar la propia mansión, en lúcida estratagema. Por esta rama, de no hallarse ahora Chile constituido en república, al blasón de la familia se añadiría nuevo cuartel, con la casa en llamas bajo arco de siete estrellas —los siete varones cristianos— en lo alto del cielo, y entre la mansión y el arco, la media luna mora despeñándose a la hoguera.

—¡Caballo Pájaro! —exclamó José Pedro, entretenido.

—Deja las interjecciones risueñas. Estás llamado a ser siempre gran señor.

En verdad, no escondía el muchacho ánimo de burla. Antes bien, los gentiles de su ayer parecían acudir e inflarle de orgullo el pecho. Sí; él sentíase gran señor y amaba este sentimiento.

—Por el fuero de Casaquemada —continuó el clérigo— disfrutamos siempre, en España y aquí, derecho de asilo. Cadenotas de hierro que rodeaban los frentes de la casa lo advertían.

"Casa con cadenas, casa de mucho respeto", había oído muchas veces decir José Pedro. Ahora le explicaba el cura: prevenían esas cadenas que la mansión era inviolable. Aquello partía de lejos. Del paganismo lo adoptaron los cristianos. Asilo, en griego, significó lugar inviolable del cual ni perseguidos ni aun criminales podían ser sacados.

—¿De modo que si nosotros pusiéramos cadenas a esta casa...?

—Nadie tendría derecho a violarla. Pero... son otros los tiempos.

—No. Yo creo que no han variado como para renunciar a este privilegio. Nosotros, los hombres que luchamos en este Chile informe contra bandoleros, jueces venales y polizontes de caudillejos con autoridad política, necesitamos hacer valer nuestros derechos. Yo voy a poner esas cadenas. Y juro que las respetarán.

—Quijotería. Sin embargo..., quién sabe si te sobre razón.

—Y los Lazúrteguis, tío, nuestros parientes...

—¿Parientes?

—Entiendo que lo somos.

—¿Yo? ¡No! Tú, por tu madre, por lo Aldana. Pero por lo Lazúrtegui..., ¡no tendría el diablo más que hacer! Esos no fueron gentiles jamás.

José Pedro se contuvo en silencio. Tampoco veía necesidad de averiguar más. Como que desatábase a sus anchas ya el cura por la ruta que había perseguido para desencadenar su animosidad contra los Lazúrteguis.

—Claro que hoy —concedió al principio— han logrado cierta prosapia criolla. Y atiende bien, que a eso cabalmente quería yo llegar.

Desarrolló entonces, entre menosprecios y sarcasmos, el árbol genealógico de los aborrecidos. Los vascos Lazúrteguis, los primitivos, enriquecieron en el tráfico de sebos, pellejos y carnes saladas. Comenzaron por salar tasajos para los españoles; luego produjeron charquis y chalonas a la usanza indígena, más gratos al paladar criollo; alcanzaron fama elaborando los mejores velones con que se alumbraban los estrados, y de aquellas fetideces expedían partidas al Perú. El hecho es que juntaron barras de plata, obtuvieron licencia de acuñar en la Casa de Moneda patacones, reales y cuartillos con la efigie de Carlos IV y, para dar lugar a las nuevas ganancias, abrieron espacio en sus arcas invirtiendo lo que de ellas rebosaba, en campos de la naciente Melipilla de don Joseph Manso de Velasco. En la segunda generación un clérigo, consagrado sin dificultad obispo a causa de sus muchos medios, hizo leer por vez primera en los papeles de barbas, antepuesto al Lazúrtegui, el tratamiento de Señoría Ilustrísima.

—Y... ¿hacía falta más? Prosapia les otorgó..., y ya ves tú qué merecida..., la sociedad chilena.

—Pero Aldana es apellido...

—Allá voy. Serafín Lazúrtegui casó con misia Jesús Aldana. Hubo, entonces sí, aristocracia en la familia.

Tras breve pausa de recapitulación, devanó también esta madeja. El primer Aldana partiera de Cádiz hacia el virreinato del Perú, con su título de Cirujano Mayor de la Reina en la escarcela. Había desposado allí a la hija de un oidor, doña Rosa del Espíritu Santo Cárdenas y Santisteban. Ejerció su articiencia en Lima y, cuando a la capital de los virreyes "llegó la patria", como expresábanse por entonces, embarcó para Chile, donde al menos no había padecido en propia carne la hostilidad patriota. En Santiago compró suelos y edificó solar. Cirujano, físico, único predecesor del protomedicato, rodaba su importancia en calesa o picaba los empedrados en su caballejo blanco, yendo de casa en casa, bajo verde quitasol en los veranos y al amparo de amplísimo paraguas durante las lluvias, a sangrar apopléticos, extraer raigones o aplicar sanguijuelas. Asociado a cierto albéitar, puso botica en la Plaza de Armas. Iban allá las recetas y todo era barrido para adentro.

—No, no creas que digo esto con intención maligna. Al fin y al cabo, aquella botica significó para Santiago el primer casino, el primer estuche de la sociabilidad. Allí, al son del mortero que batía los untos en la trastienda, se comentaba, mentía y salpimentaba lo público y lo privado. Y Aldana valía, ya lo creo. Aun cuando no fuera conde ni marqués, ni pudiera ostentar escudo, título poseía, y supo latín, por lo menos un latín de receta.

—No habría muchos más cultos.

—Fuera de la Iglesia. Bien. Con Jesús Aldana casó Serafín Lazúrtegui.

—¿Prima de mi madre?

—Prima. Era Serafín el disoluto de la familia, como que desposeyó a tu madre. Tú lo sabes. Nacieron dos niñas, Chepita y Marisabel. Educadas entre las monjas, han disfrutado poco, apenas en la niñez, la fortuna de sus padres. Al caballerete le dio un buen día por viajar. Tras de reconocer las vascongadas de su origen, vivió en Madrid y jaraneó en Andalucía, para instalarse por un año en Francia.

—¿Solo?

—Y suelto. Entretanto, las chicas en Chile, a cargo de su madre, que sabía divertirse por su lado, no te creas...

Cuanto agregó el cura, bien acotado de tajos y alfilerazos, lo conocía José Pedro por boca de sus amigas de San Nicolás. Terminaban ellas el año conventual para descansar las vacaciones en el fundo y, salvo algunas visitas a parientes, ignoraron otro placer. Cuando volvió Serafín de Europa, trajo muchas novedades. Instaló en su casa el primer *parquet* conocido por los santiaguinos. Dieron los esposos, para inaugurar sus nuevos salones, un baile muy sonado. Por años se recordó después la caída largo a largo que sufriera cierto ministro al resbalar, durante una contradanza, sobre suelo tan liso.

—Pero misia Jesús también viajó.

—Eso fue después. El perla de Serafín hizo con ella un segundo viaje. Esta vez importaron muebles de caoba y cuadros que opacaron el arte quiteño; se habían hecho pintar por Ingres, en grandes óleos; en miniaturas por Isabé, sobre vitela y marfil, y como la invención del daguerrotipo los cogiera en París, también vinieron con ellos dentro de unos estuchitos en óvalo, sus retratos. Las plaquitas de plata espejeante, como diminutas aguas encantadas, ofrecíanles, al buscarles bien la luz, el prodigio de sus figuras exactas. Pero tanto rango llamó a ruina. Si mucho gastaron por allá, no menos dilapidaron aquí después. Sorpresa de fácil explicación fue así la venta de la casa y el retiro al fundo, mientras se la reponía con otra menos fastuosa. Luego, para comprar esta segunda, se hipotecaron las tierras. Como suele ocurrir que el servicio de una deuda ocasiona trampas nuevas, cuando murió Serafín, durante una peste de viruela, se hubo de retirar la señora con sus hijas al campo.

—Ahí espera cazarles ahora novio —advirtió el cura—. No hay que caer, hijo. No te quiero ver arrimado a un árbol de tan mala sombra. Van de mal en peor. Nada cosechan. Ya son los polvillos del trigo, ya la sequía, ya las lluvias a destiempo. Todo se les malogra. Sólo un recurso fiel encuentran, hipotecar.

—Les ha faltado un hombre.

—Calla, hijo. Si he querido contarte todo esto, ha sido precisamente para que sepas qué peligro corres. Te observo... enamoriscado. Sé lo que pasa en San Nicolás. A su capellán todo se lo viene a decir la gente. Y no se le miente nunca. Dime tú ahora qué piensas.

—Bien lo sabe usted, tío.

—¿Te dejarás atrapar?

José Pedro abatió la frente, la irguió, tornó a bajarla. Una rebeldía dolorida y sin horizontes, aspereza de escofina que se le revolviera en el pecho, confundía sus sentimientos.

—Oye —concluyó severo el cura—, que no suceda mientras yo viva. Viejo estoy, el corazón no me acompaña mucho. Esta obesidad..., ¡en fin!

—Si usted la conociera...

—No tengo para qué.

—Pero eso equivale a declararse su enemigo.

—Así será. Escúchame aún: todo lo que hay aquí, tuyo y mío es; a mi muerte, será sólo tuyo. Déjame morir en paz, queriéndote como siempre.

—¿No acepta usted ensayar, tratarla?

—No. Y basta.

Había volado la mañana.

Si se abandonó José Pedro a que Pascualito le calzara momentos después las espuelas, si cabalgó en seguida sobre su mulato, si anduvo camino afuera, ocurrió ello maquinalmente y, porque se piensa mejor caminando, no por vigilar faenas. De obedecer a su corazón, él habría clavado ijares y, de un galope, llegado a San Nicolás.

*

* *

La cuerda de la campana, cayendo desde la espadaña, ponía su lista gris sobre la pared blanca de la capilla. Aguardaban las mujeres al pie, sentadas en el poyo, y componían su actitud de almas de antemano sojuzgadas por el acto devoto.

Una tarde aún, lejos ya la interminable cuaresma y la Semana Santa, se rezaría el trisagio a la Santísima Trinidad.

Apareció el cura, miró en redondo, y:

—¿No ha vuelto mi sobrino? —interrogó.

—No, padre —le respondieron a coro.

Pero informó una vieja en seguida:

—Por la loma del Chivato venía bajando ahorita. No ha de tardar mucho.

Entonces la mano pecosa de don José María empuñó la soga y, con decisión, tocó la señal: once campanadas que volaron como ángeles obedientes por el crepúsculo, hacia los peones en reposo.

De unos ocho pasos por lado, era la capilla muy poco más que una ermita. Cabrían dentro docena y media de mujeres con sus niños. Los hombres debían asistir a los oficios desde un pequeño atrio entre pilares rústicos. Uno a uno fueron ellos acudiendo cuando el llavero abrió la puerta. Miraban primero adentro, donde las llamas inmóviles de los cirios iluminaban el crucifijo igualmente inmóvil; luego, en la penumbra, reconocían el cuadro de un Santo Toribio de Mogrovejo que, con su capa pluvial y su custodia entre las manos episcopales, aparecíaseles fantasmal y sagrado, y sólo entonces diríase que les transía la reverencia, y santiguándose tomaban sitio en el atrio.

Hasta no divisar a José Pedro junto a los peones no inició el cura los rezos:

—"Bendita sea la santa e individua Trinidad, ahora y siempre y por los siglos de los siglos."

—"Amén."

—"Abrid, Señor, mis labios."

—"Y mi voz pronunciará vuestra alabanza..."

El son gangoso desenvolvía sus notas en la tarde.

Mas José Pedro no se hallaba en muy devotas aptitudes.

Cuando todos de rodillas recitaron el acto de contrición y se golpearon el pecho, otros golpes internos predominaban en el suyo.

—"...en quien creo, en quien espero, a quien amo con todo mi corazón, cuerpo y alma, sentidos y potencias..." —decían las palabras coreadas. Y aquel sentido místico trocábase romanticismo en él. "Con todo mi corazón, cuerpo y alma, sentidos y potencias." Expresión perfecta, para la mística y para el amor. Y pensar que por la tozudez de su tío, sólo burlando, a hurto y pretexto, conseguía tal cual vez llegar hasta San Nicolás... A no ser por ese buen don Eliecer, que mientras iba y venía por las haciendas en busca de caballares que mercar, apenas si se comunicaría con la niña. Por esto lo odiaba el sacerdote ahora, por esto y porque debido a él habíala conocido, durante los trajines para encontrar yeguas con las cuales organizar las piaras.

En estas y otras consideraciones lo sorprendió el término del rezo. Y se dirigió a su caballo.

Esperaba Pascualito al pie de la bestia.

—¿Tienes el freno listo?

—Sí, patrón.

—A ver. Trae. Yo lo pondré. Anda tú quitando la guatana. Con cuidado.

El sirviente desató prolijo las amarras de cuero que hacían falso freno al animal, y José Pedro puso en cambio el bocado de hierro entre las fauces.

Oyó en esto la voz del clérigo a su espalda:

—¡Qué resistencia tienes, hijo! ¿Qué haces ahora, no me dirás?

—Ya lo ve. Enfrenar este potrón. Varias semanas lo he tenido con el freno puesto buen rato, sin andarlo ni moverlo, para que tasque y se le haga la boca. Pero es tiempo de tirarlo un poco ya.

—Con tino, con tino. Animal nuevo, aunque haya tascado el freno muchos días, ha de tirarse precavidamente. Si no, se pone mañero... y a lo mejor se desboca.

Remató la sentencia con intencionada risilla.

José Pedro, sin recoger ironías, montó. Había que armarse de paciencia. Ya se vería quién tascaba el freno a la postre, si el potrón o el caballo viejo acostumbrado a conducirse a su albedrío.

—Hasta luego.

El ritmo de los trancos del caballo le ordenaba siempre los pensamientos. Además, a la luz crepuscular reaparecían en dulce recreo los recuerdos. Se fue, pues, bajo los eucaliptos del camino, como quien se deja ir por su mundo interior.

Para despejo de motivos irritantes, evocó primero sus momentos con Chepita Lazúrtegui. La vio en el patio, durante aquellos minutos en que misia Jesús les permitía soledad. La última noche, caliente y como sudorosa, respiraba el jardín al otro lado de la tapia, y en el corredor se aquietaba un aliento de perfume. El cielo, mata de jazmines innumerables, latía, y el alma era también un latido sensual del universo. En la sombra la cara inocente, de palidez cándida y monjil. A veces al hacer cierto ademán, las manos de Chepita temblaban, como cuando en el salón servían la copita de mistela. El cogíale las manecitas frágiles y las guardaba en las suyas recias. Aun solía cogerle, antes que les llamasen a tertulia, la cara entre las palmas, y acercarla bajo sus ojos, tanto, tanto, que sentía sobre las mejillas el soplo de aquellas pestañas al abatirse. Entonces, despidiéndose, la besaba, la besaba en todas las facciones. Y ella tan sólo sabía decir:

—No seas loco, José Pedro, no seas loco.

Misia Jesús, aunque no alcahueta como la tachara don José María, quería casar a sus hijas. Entraba ello no sólo en su derecho, hasta en su deber. Pero muy dama procedía siempre; de modo que midiendo el tiempo los llamaba con finura:

—¿No habías prometido tocar, niña, un poquito?

Entraban, pues. Abrían el piano. Una novedad, la polca, destronaba por entonces a la contradanza. También había una pavana en el repertorio. ¡Cómo la tocaba Chepita! Una vez sentada en la silleta del piano, permanecía unos instantes con las manos sobre las rodillas y miraba un poco al techo, y otro poco a la pared de enfrente, cual si allí leyese primero lo que había de tocar. Al fin brincaban sus dedos por entre sus escalitas, como soltándose, y de ellos surgía la melodía de repente.

Y bien, rememoraciones aparte, habían decidido casarse. Lo aceptaban y querían misia Jesús y Marisabel. Convenido estaba que repararía él la casa de La Huerta para establecer el hogar de la pareja. Sólo que, avizor y taimado, tildaba el cura de disparates las mejoras y las resistía. Pero ¿cómo responderles a ellas eso ahora? ¿Cómo volver atrás en lo pactado? Resultaría vergonzoso. Cabía en lo posible, verdad, irse a vivir a San Nicolás. Pero esto le parecía más bochornoso aún, aparte de que significaba separación y acaso rompimiento con don José María. Por ellas, no habría problema: si más que nada necesitaban en el fundo un hombre que les enderezara los negocios. El tío, a la inversa... ¡Qué amolar de viejo! No cedería nunca. Las odiaba. Esperar... Esperar ¿hasta cuándo? ¿Hasta que muriera el clérigo? Equivaldría esto a vivir deseándole la muerte. Y él quería mucho a su tío. Nada de pensamientos absurdos. Pero el muy empecinado no aceptaba tratarla siquiera, conocerla, probar. A la memoria de José Pedro afluían las frases de aquella mañana tras el desayuno, frases no escapadas en charla espontánea, sino deliberadamente colocadas en cada coyuntura. A la idea de parentesco, aquel "¡no tendría el diablo más que hacer!" dicho para el futuro también, oposición y advertencia. Luego, todo lo demás. Que don Serafín había desposeído a su parienta, la madre de José Pedro; que durante los paseos del marido misia Jesús "sabía divertirse por su cuenta". Valiente sinvergüenza pudo haber sido aquel hombre, y ella... lo que se le antojase; pero ¿qué culpa tenían de todo ello las muchachas? Por último, el sentido de la conducta del clérigo se había visto claro cuando él, José Pedro, al explicarse la ruina de la viuda, opinó que allí faltaba un hombre. Entonces, en los ojos desorbitados, en pánico, se leyó el fondo de las intenciones que movieron al cura. Si había sido todo, hasta momentos antes, un gotear corrosivo y un advertir, contar y comparar, a partir de allí se había hecho todo perentorio, explícito y resuelto.

Sin embargo, algo tenía que decidirse.

Cuando se apeó, ya de vuelta, encontró a su tío tan cariñoso, que alejó de su mente las dificultades. Comieron en paz, casi alegres.

Pero acostado ya, su almohada de hombre de acción le recordó algo que ya sabía por instinto: si las situaciones se presentan sin remedio consecuente, si la duda impide resolver naturalmente un conflicto, hay que producir para ello una postura nueva, el hecho consumado. ¿Cuál sería, por tanto, el desenlace?

¡Ah! Ya surgiría.

Y como tenía el sueño fácil...

*

* *

—¡Patrón!

Pero los golpes del martillo dejaban afuera toda voz que no fuese la del hierro cantando en la bigornia.

—¡Jojó, joooó! ¡Patrón! —insistían los llamados.

—¿Andan los patrones por ehi? ¿O agora no madrugan?

Cruzaron veloces los perros, a ladrar al visitante, y cesó entonces el majar de José Pedro.

Había visto a don Joaquín Larenas enfrente. Agradable aparición. Allí estaba el huaso, con su buen humor y su madurez juvenil, caballero en yegua baya peseteada, blanca de crines y vivaz y robusta. Como se viese advertido ya, ahora revolvía su animal en caracoleos como escaramuzas de concurso.

Al fin paró en seco, tranquilizó la bestia y a tranco reposado y elegante adelantó hasta la ramada de la fragua.

—Bien montado, siempre, don Joaco. ¡Linda yegua!

—¡Qué ha de ser linda, señor! Flacucha, mísera de encuentros...

Cabalmente los pechos amplios y sólidos constituían el mayor mérito del animal.

—¿Corralera?

—No sale mala, dicen. Sabe Dios si será verdad.

Pero ya conocía José Pedro aquella fanfarronada de apocar lo propio, que a don Joaquín le marcaba carácter.

—¿Dónde se nos había perdido?

—Por la cordillera anduve.

—¿Con el ganado?

—Siempre cuidándole al rico lo suyo, pues, señor.

—¡Buena cosa de rico diablo! —bromeó José Pedro.

El "rico", en don Joaquín Larenas, no pasaba de ser un chistoso decir. El "rico" era él mismo, como dueño de grandes caballadas, con las cuales trillaba sementeras ajenas, a maquila o a tantos reales por cuadra. Carecía de tierras y, así, su ambulante hacienda debía vivir pastando en campos talajeros. Todo lo cual procurábale al "pobre" —él en cuanto sirviente de su yo adinerado— quehacer y pan honrosamente adquirido.

—Con la salida del sol llegaré a La Huerta, dije, y aquí me tiene de alba, don Pepe.

—Desmóntese. ¿Caminó de noche?

—Toda la noche caminé.

Vacilaba José Pedro entre meter de nuevo en la fragua la reja de arado que aguzaba y continuar majándola, cuando apareció el cura.

Bien. Atendido así don Joaquín, él podía proseguir. Reanudó los martillazos. Había que apresurarse. Tenía empezada la siembra y esas puntas eran esperadas allá cuanto antes. Le gustaba la herrería: estimulaba el carácter y acrecía el músculo. Aparte de no haber quién la desempeñara en el fundo, mientras Pascual no hubiese aprendido.

—Ya, Pascualito, dale al fuelle.

Se renovó el jadeo de la fragua. Salían los hierros en ascua, iban al yunque mordidos entre las tenazas del peón y el martillo de José Pedro caíales encima. Pronto lo tuvieron todo hecho.

—Aparta esa barra, Pascual, para que reforcemos con ella la palanca del coche.

El mozo cumplió la orden. Luego introdujo los arados en la carreta-rancho, revisó los bueyes y, picana al hombro, se puso delante de la yunta.

—Ah, oye —díjole José Pedro—, hoy, obscuro ya, sacas el coche y lo escondes entre los pinos. ¿Entiendes? Allá lo compondremos, sin que nadie se entere. Debe quedar muy firme, Pascualito. Le tocarán bajadas, repechos...

—¡Chist!, patrón, por vida suya. Yo no quiero saber.

—Necesito que comprendas.

—Pero una cosa es que comprenda o me figure y otra que sepa. ¿No ve que después, cuando el señor cura me llame a confesarme..., porque lo primero que hará será eso..., conviene que yo no sepa nada?

José Pedro se lo quedó mirando con asombro. Aquel muchachote brutal y enorme, con su cara lampiña y brillante de bronce pulido, escondía más previsión y astucia de lo que cualquiera supondría.

—¡Caballo Pájaro! —concluyó—. En adelante no te llamaré más Pascualito, sino Pascualote. Hombrazo has resultado.

—¡Ep, "Chorreado"! ¡Ep!

Por toda respuesta, hincaba Pascual la picana en los ijares. Y ufano, sonreía.

Los bueyes, tendidos adelante los hocicos lustrosos, una vez más las lenguas en registro de narices, arrancaron con el rancho al fin. Les tiritaban los ojos en el esfuerzo, vueltos hacia el testuz, hacia adentro, hacia el cerebro, y acaso no fueran las coyundas al apretar yugo contra cuernos lo que rechinara entonces, sino aquellos ojos en pujar de sufrimiento.

Al unirse José Pedro a su tío y a don Joaquín Larenas, observaban ellos la luna, que se había rezagado por el cielo desvanecido de la mañana. Un instante, viéndola rodar tan blanca sobre aquella palidez tan lila, prendió en el pecho del mozo vaga emoción de recuerdo, de suspiro y de mujer. Muy enamorado estaba, sin duda, para languidecer en tales romanticismos. Reaccionó, se sobrepuso a la flaqueza.

—Viene de agua, señor.

—De agua viene la luna.

—Acertamos al apresurar la siembra. Que no caigan chubascos, nazca el trigo y...

—¿Y luego pase mucho sin llover? No. Lloverá con ganas este año. Hay tantas señas... ¿Ven las gallinas del sacristán?

El huaso Larenas había llamado siempre sacristán al llavero, y con razón, porque, bromas aparte, la mayor pericia de aquel hombre se notaba en la liturgia y no en la llavería.

Y cuatro de sus gallinas, agrupadas en corro, inmóviles, con aquel su estúpido mirar a un ojo, atisbaban cierto punto del suelo.

—Espían lombrices.

En efecto, los gusanos habían perforado la costra de su mundo obscuro, habían asomado seguramente a la superficie por aquellos orificios minúsculos que rodeados de tierrecillas quedaban en el suelo, y era ése un claro anuncio de lluvias.

—Salen a pedirle al agua que se decida, porque ya la sienten cerca.

—¡Lo que pone Dios en cada bicho!

—Ganas muy diversas pone.

Hablaba don Joaquín entre borbotoncillos de risa reprimidos y contagiosos, sin bulla, con alegría. Y desconcertaba por lo decente su aspecto. Poco de plebeyo escondería su sangre. Esbelto; la tez, trigueña en el origen y quemada por soles y vientos después, pero sin aleación del cobre araucano. Más bien algo moruno se le descubriría. El saldo, todo el saldo era peninsular: cráneo pequeño; entre dos ojos muy juntos, la nariz afilada en pico; luego, la barba en perilla, como para destacarse sobre un jubón, negra y con prematura canicie hacia las sienes. Ibérico le denunciaba sobre todo el pie, breve y con el empeine fino y en arco. El se lo calzaba con amor: sus botines huasos, que jamás fueron sino de cabritilla, confeccionábaselos zapatero de artístico sentido. Por último, su ingenio, tan chileno, mas en la vena que a Chile regaló el andaluz...

—Usted no ha desayunado...

Tío y sobrino condujéronle al comedor, donde los tres sorbieron sus tazones a prisa. José Pedro debía dirigirse a la siembra sin demora. El huaso Larenas le acompañaría.

—Así es que usted se queda, padre.

—Ya no estoy para trotes. Pesado, viejo... El corazón se niega. Y esta pierna...

En la vara, silbaron a los perros y montaron.

—Envejecido encuentro al señor cura —comentó don Joaquín a poco andar.

—Acabado está.

—Se queja mucho de una pierna que no le obedece bien...

A José Pedro le preocupaba esa pierna entorpecida. Guardó silencio. No sabía qué pensar ni qué sentir. Porque su tío explotaba sus dolencias, para gobernar. Los dominantes eran así.

—Cuando el vigor físico los mengua, de los achaques hacen otra fuerza; invocándolos, se imponen. ¡Si conoceré yo a mi tío!

—Falta le ha hecho don José Vicente.

—Mucha. A él y a mí. Aquel don suyo de hallar el buen recurso siempre, sin terquedad ni pasión...

Pero don Joaquín necesitaba cumplir la diligencia que a La Huerta le llevara. Quería bajar de la cordillera sus caballadas antes de que cayeran por allá las escarchas. Subiría el próximo lunes, remontando el cajón del Maipo, hacia los Potreros de San José primero, luego hasta Río Negro, donde también había "desparramado algunas tropillas".

—Aquí no traiga sino después de mayo —le aconsejó el muchacho—. Tiene que llover para que broten los pastos.

—Y quemar soles después para que levanten.

—Junio ya es bueno. ¿Por qué no echa primero a San Nicolás?

—Hay mucha caballada en esos rulos.

—Ya no. Han vendido mucho. Y siguen vendiendo.

El huaso meneaba la cabeza, se rascaba la pera.

—No me gusta —declaró al fin—. Andan robando en San Nicolás.

Sufrió José Pedro un sobresalto.

—¿Robando? ¿Cómo? ¿Quién?

—Cuatreros. Y el mayordomo ese...

—¡El mayordomo!

—El mismo.

—Pues la señora confía mucho en él.

—Peor, pues, señor. Es hombre de conchabos.

—¿No serán murmuraciones?

—¿Y por qué no arroja el fundo sino pérdidas?

—Como él lo explica, y como lo explica la señora...

—Para todo se encuentran explicaciones, hasta para lo inexplicable, como en la tonada:

"Ayer se me perdió un lazo
en casa 'e ño Meneses.
Todos serán muy honraos,
pero el lazo no parece.

"¿No conoce la tonada, don Pepito? ¡Eh! Pero quién me da a mí vela en este entierro.

—No, don Joaquín. A ver, cuénteme. Necesito enterarme.

Muy contra su política de huaso cauto, cedió a las exigencias don Joaquín. Repitió cuanto en sus andanzas recogiera. Aquel mayordomo era falso, hipócrita y ladrón; tenía cómplices afuera y secuaces en la hacienda; el ganado de San Nicolás, tanto cabalgar como lanar y vacuno, mermaba más por robos que por ventas, se negociaba entre Codigua y Alhué clandestinamente; durante la última cosecha, carretas extrañas, colmadas de gavillas, habían salido por la noche rumbo a otras eras... Y todo ello corría ya de boca en boca. Que se arruinaría misia Jesús a corto plazo, nadie lo discutía; aunque tanto ella como sus hijas vivieran en el mejor de los mundos, engreídas en su mayordomo y confiando en sus inquilinos. Y otra: ¡qué inquilinos! Como que uno a uno habían sido alejados los buenos servidores, para entregar las posesiones a los parásitos.

—No ignora usted que cuando la gente se noticia de que alguien se viene abajo...

—...llega de todos lados a lograr.

—En el perro flaco se ceban las pulgas. Y perdóneme la comparación.

No estaba José Pedro en ánimo de imaginar ofensas. Una cólera violenta se le había encendido súbita en las entrañas. Si correría en el acto a San Nicolás y barrería ladrones a chicotazos. Su ira saltaba de los pícaros que rodeaban a las Lazúrteguis hasta las autoridades que mantenían los campos a merced de bribones y salteadores; iba contra la condición humana, desleal y cobarde, y además, también, sí, contra su tío, contra ese odiar apasionado y ciego que oponíase a que él, enamorado de Chepita y pariente de misia Jesús, interviniese y salvase a las pobres mujeres. Sin el amparo de un hombre, ¿qué otra suerte les cabía? Rodar a menos, de trampa en trampa, de exacción en exacción, entre fracasos y engaños. Y el tío empecinado más y más en su actitud hostil. Decaía, el infeliz. Pero sin ceder. Ahora se pasaba las horas rezando, en constante disposición mística; mas los rezos eran seguramente ruegos para que Dios, la Virgen y toda la corte celestial acabaran con aquel amor. ¡Ah!, él poseía, por fortuna, mucha voluntad, y más porfía que todos los curas testarudos del universo.

Jamás como en aquel momento vibró su energía. Pisaba en lo cierto y en lo justo. Nada ni nadie doblegaría sus propósitos.

Cuando empezaron a trepar la loma en siembra, los dos jinetes rehilvanaron la charla. Alentó entonces don Joaquín, ya tranquilo. Habíanle inquietado el silencio y el ceño torvo del muchacho. Ahora, a Dios gracias, veíale comentar la faena.

—Dieciséis yuntas —decía satisfecho, contando sus elementos en labor— y cuatro derramadores de semillas.

—¿Siembra la loma entera?

—Lo que se ve barbechado, unas sesenta cuadras.

—Buen pedazo.

Subían las cabalgaduras, acezando, estirados los pescuezos, gachas las orejas. El sol abrillantaba ya las alturas y permanecía el resto en sombra. Era una rinconada con su vallecito en medio, donde una vieja parva y una represa pintaban su oro sucio y su espejo limpio al fondo. Ese fervor campesino que tan rápido se inflama cuando enfrenta faenas grandes, aceleraba la marcha. Ascendieron a prisa, más y más a prisa. Los arados livianos cuadriculaban el suelo marcando tareas. José Pedro lo quería ver todo: si penetraban a fondo las rejas, si el volteo de la tierra cubría bien la semilla, si la cantidad de trigo voleado ajustábase a cálculo y medida.

—¿Echan tres sacos por cuadra?

—Tres.

—Suelos ricos no piden hacer la macolla en la mano.

Al cabo estuvieron dentro de la faena misma. Los sembradores, solemnes, a pasos religiosos, el saco abierto y puesto en delantal sobre la faja encarnada, precedían cada grupo de cuatro yuntas aradoras; surco tras surco volcaban los arados el barbecho, tapando la simiente, y la unanimidad amarilla de la loma iba negreando poco a poco. Atraían a José Pedro los detalles: le causaría siempre placer observar cómo los hierros rompen el suelo, al modo que las proas rompen el agua, y cómo estas pequeñas olas de tierra obscura remedan el reventar en línea proseguida con que las olas del mar revientan en espuma. Muy opuestos elementos serían; pero aun aquel cantar con que algún peón anima su tiro y aquel otro cántico que en la mañana fresca es el vahar de los bueyes sugeríanle a él la hermandad de la tierra con el océano.

Pascual se acercó a preguntar:

—¿Mando a buscar la galleta?

—Deja. Ya iré yo con don Joaquín.

—Vamos de una vez, que yo tengo que seguir viaje —indicó éste.

Y emprendieron descenso por el ángulo de la rinconada. Pronto las ráfagas olían a pan caliente. Se detuvieron ante una casa con ramada y horno. Ya las amasanderas, madre e hija, sacaban allí la hornada y ponían las galletas sobre unas angarillas.

José Pedro se allegó a la cerca y conversó en voz baja con la muchacha unos momentos. Don Joaquín se mantuvo a distancia: sabía conducirse.

Tenía la chica un bonito rostro claro, entre gozoso y sufriente, rematado por un gran moño de pelo acanelado. Hablaba y en las cuencas de sus ojos dos visos de emoción temblaron como un anhelar contenido.

Al cabo José Pedro volvió hacia don Joaquín para preguntarle:

—¿Conoce usted alguna hierba que afirme el estómago? Para esta chiquilla, que devuelve cuanto come.

Reprimió don Joaquín sus borbotoncillos de risa, y, vacilante, como quien mide sus ocurrencias:

—Conozco hierbas —repuso—; pero no para esos vómitos. Lo que le sucede a la niña es que tiene ocupada la pieza. Hay alojado adentro. ¡Hum!, algún potrito de campo, señor, de los que en nuestro amado Chile van mejorando la raza...

¿Responderle, al muy ladino? Prefirió José Pedro callar distraídamente. ¿Excusas? No se avenían con su soberbia. Tampoco le gustaban jactancias. En esto era católico perfecto: dolor por la falta y... "pecado ignorado, pecado medio perdonado".

Por lo demás, el ocurrente, ahora muy serio, se despedía ya:

—Alcanzaré a Melipilla, don Pepe. ¿Nada se le ofrece?

Sí: necesitaba mandar una carta.

—Esta. Para don Eliecer. Cosa de encomendársela al maestro espuelero.

—Ahí para mi compadre Eliecer en cuanto llega. Démela. Y sólo siento, mi señor, haber sido imprudente con mis malas nuevas sobre San Nicolás.

—Al contrario, se las agradezco.

De veras habíale convenido enterarse de aquello, aunque tan amargo trastorno le produjese. Mientras el huaso Larenas se alejaba, volvió a la faena. Ya el sol calentaba la rinconada entera. A medida que sus fuegos entraban por todos los ámbitos, el cielo se ponía más azul. Miró en torno, la gran hoya entre suaves serranías. En el faldeo más lejano, salpicaban sus motas las ovejas, y el viento venía de allá con algún balido suelto. Todo, paulatinamente, fulgió, cantó su himno.

El corazón de José Pedro se entregó al paisaje.

No almorzaría en las casas. No podría hacerlo.

Llegado el mediodía, tras de vigilar que llenasen los bueyes en la parva las panzas y bebieran en la represa, comió, pues, el poroto y la galleta con sus peones. Bajo la ramada, el lebrillo entre los muslos, no habría sabido asegurar si triste o iracundo, permaneció mirando las cosas de fuera y valorando las que dentro le bullían.

Iría el domingo a Melipilla, sí, con cualquier pretexto. A comprar tuercas para las rastras, a cortarse el pelo. Y en seguida, a San Nicolás. Entretanto, calma y paciencia; cumplir el trabajo, afiebrada, tesoneramente, de sol a sol, hasta rematar la siembra. Holgaría después, que tiempo sobraría. Aun podría descuidar por meses el fundo, mientras el trigo creciera y el buen Dios lo cultivara con aguas y soles del cielo. Por lo demás, si atinados eran sus proyectos, ahora urgían: misia Jesús, sabedora de la oposición del cura, herida por tan ofensiva pertinacia, había empezado a mostrarse a su vez mal inclinada. Y la blanda, la cándida Chepita se confundía, desesperaba...

En fin, en fin, todo parecía concurrir, después de todo.

Su voluntad, tan dura, se dulcificó entonces con la miel que derrama el amor sobre toda esperanza.

* * *

En la obscuridad, los faroles del coche, dos ojos encendidos que atentos aguardan al amo, son como la vista fija del cochero alerto.

El cochero es Pascual.

Todo el anochecer y parte de la prima noche ha llovido. Pascual pudo así, encubierto por el aguacero, sin encuentros ni fisgar de mirones, viajar hasta el punto señalado, junto a ese lecho seco de río. Ahora mucho ha que arrimó el coche al bosquecillo de araucarias, y se ha puesto a esperar con la paciencia de su querendona servidumbre.

¡Dios saque al patrón José Pedro con bien de su aventura!

¿Qué sobrevendrá después con el señor capellán? En fin, él..., él obedece. Mucho ha refrescado el tiempo. Sin embargo, escampa en firme: el cielo promete sosegarse. Pero más que fresca, fría está la noche.

Salta del pescante, da unos pasos, pisoteando para calentar los pies. Luego mira en torno, busca esa comunicación con las cosas tan necesaria cuando se ignora lo que durará una espera. Todo está quieto en la noche. Las copas de los árboles pesan, como cabelleras empapadas. De los caballos tan sólo llegan olor a pelo mojado y tibieza de cuerpos hecha vapor. Está densa de humedad la atmósfera; ráfagas heladas la suelen desgarrar, mas apenas por instantes: luego el viento se ha ido, se han cerrado los surcos de su paso y la noche ahoga de nuevo todos los rumores en su negro vellón.

Pascual espera, espera. ¿No está hecho a esperar?

Una hora, dos horas transcurren, iguales. Afortunadamente, sigue mejorando poco a poco el tiempo. Algún desgarrón abre ya el toldo del cielo, algún lucero asoma y guiña y empieza tal cual nube a girar sobre sí misma, ribeteándose de luz.

No hay más lluvia por hoy, piensa Pascual. A lo sumo, niebla. Y eso sería mejor.

Pero de repente oye cantar un chuncho y, persignándose, dice:

—¡Ave María Purísima!

No ha concluido de santiguarse, cuando lo ve salir, negro, de una copa negra, y pasar muy bajo. Entonces tiembla; el agorero lleva un vuelo recto, el vuelo de quien se dirige a cumplir un designio.

—¡Ave María Purísima, ampáralos y defiéndelos! —repite. Pero añade ahora—: ¡Carajo! Chuncho hijuna gran puta, si estuviera el patrón aquí, habrías queido ya de un tiro.

Vuelve a cubrirse con la señal de la cruz. Y esta vez reza las siete avemarías del conjuro, con el alma trémula de misterio. Queda inquieto. ¡Y cómo tardan! No vaya a haber escuchado el cielo las rogativas del señor cura para impedir esos amores. ¿No será ese pájaro un ejecutor? No; tampoco puede el Señor oponerse a que don Pepe se case con una señorita, en lugar de andar de Ceca en Meca pecando e induciendo a pecar a las pobres...

Hasta que los tímpanos finos de las bestias perciben el primer indicio. Relinchan los tres caballos del tiro; dos relinchos lejanos responden, y cuando el comunicarse de los animales cesa, en la cuenca del río se adivina la presencia de los esperados. Eco de cascos en el pedregal primero; siguen voces y palabras fragmentadas; al fin, casi de improviso, surge la pareja entre la sombra.

—¿Pascualote?

—¿Patrón?

—Aquí estamos ya.

—Alabado sea Dios.

—¡Qué! ¿Tenías miedo?

—Pero no a ningún cristiano —contesta Pascual y coge las riendas a los dos caballos.

José Pedro, las manos formando estribo, posa en suelo firme a Chepita. Se advierte que la niña llora en silencio: el copo blanco de su pañuelito sube furtivo a sus ojos. Con su ropón de amazona, su velo y sus lágrimas se le adivina el alma: romántica, misteriosa y cargada de llanto como las araucarias escondidas en la noche. Pero él la besa y la conduce al carruaje.

Los hombres han de darse prisa. Atan las cabalgaduras ensilladas a la trasera, en el pescante acomodan cierto lío que vino con la pareja, y hablan entretanto:

—Habría valido más llevar el coche más cerca.

—¿Y el lecho del río?

—Dando la vuelta por el camino nuevo.

—Muy pesado, Pascualote. Las bestias tendrán que tirar largo.

—No resistirán los mismos caballos todo el viaje.

—Comprendo. Ah, oye: no pares a señas de nadie. Sólo cuando reconozcas a don Joaco y don Eliecer.

—Ya sabía yo que nos escoltarían los compadres.

—Y nos llevarán caballos de repuesto.

—Esos son amigos.

Trajinan con afán. Los bultos suben, se tumban, encajan; rechinan los látigos al anudarse; piafan las bestias. Dentro del coche se oye respirar a la niña: "¡Ay Señor!"

—Tupe la niebla.

—Por la costa será mayor: arrastrada.

—Así va a ser.

La obscuridad se ha ido poniendo blanquecina. Cuando al cabo el coche ha partido, los faroles estiran camino adelante dos conos perlados, como los brazos de un ciego a tientas en la bruma.

Al enfrentar una trocha vecinal irrumpe la voz conocida:

—¡Jojó, joooó! ¡Patrón!

Don Joaquín y su manso compadre han cumplido la palabra. Están allí con seis caballos enjaquimados.

Se asoma la cabeza de José Pedro:

—Buenas noches.

—No pierda tiempo, señor. Andando, andando. Que lleguemos antes que el día.

Es así como ruedan la noche toda, hasta cierta encrucijada de Malvilla. Tan sólo se detuvieron un rato en la posada de Leyda. Mudaron allí el tronco, renovaron las velas a los faroles, el posadero trajo unos jarros de vino y un causeo para los hombres y dos sacos de pasto para los animales. Y arriban ahora, por fin. Sólo a Malvilla puede alcanzar el carruaje. La última etapa se cumplirá cabalgando.

Pero entre las lomas de Malvilla les amanece.

Como la luz despeja las medrosidades, al abrazar a la vieja Totón, Asunción, el ama que la crió con la leche de sus pechos, se halla Chepita más tranquila.

—¿Se acabó el susto? —le dice José Pedro, galán y mimoso.

—Si es por mamá. Cuando regrese de Santiago y se entere..., ¡ay, Señor! No sé, no sé...

—Venga su merced conmigo, con la mama.

Se apartan las dos mujeres a charlar atropellada y cariñosamente.

Los hombres cargan dos mulas. Dirige ahora Sebastián, viejo capataz de San Nicolás, marido de Asunción y uno de los alejados por el pícaro mayordomo. El se hace cargo de la nueva caravana, que poco después baja, repecha, faldea entre cadenas, racimos y abanicos de suavísimas lomas que se arropan en la niebla y se ablandan ya con las arenas del mar.

Pascualote regresa en su coche, solo, con algo de preocupación y algo de congoja en la rusticidad de su espíritu. Poco sabe, de poco se ha enterado, apenas si dará fe de algo. El día que lo interrogue iracundo el cura, ¿qué gran cosa responderá? Fiel a su línea pretrazada, apenas si escuchó frases incompletas. Nunca vio antes al tal Sebastián, ni lo recuerda bien, únicamente que tiene un simpático semblante, con una ceja levantada y otra gacha que le hacen la expresión maliciosa y festiva. A la Totón casi no la vio. El sabrá bandearse frente al señor cura. Y que les pregunte a los compadres. Eso es.

Avanza en su coche por la niebla, que ya el sol viene licuando paulatinamente. Los caballos trotan ansiosos a la querencia.

Su congoja nace de la despedida.

—¿Cuándo lo volveré a ver, patrón?

—Pronto, Pascualote querido. Para la cosecha, a más tardar.

—Antes habría de ser: para la siembra de chacras.

—O más temprano quizá. Dependerá de lo que demore mi tío en entregarse a los hechos consumados.

—Bien, pues, señor. Y entonces tendremos patrona en el fundo. ¿Y mientras, para saber de su merced?

—Si algo necesitaras avisarme, le mandas recado al maestro espuelero para que don Eliecer se ponga al habla conmigo, ¿entiendes?

Eso han conversado al despedirse. Nada más. El resto, aquellas frases sueltas cogidas en medio del trajín, decían que a los novios les tenían arrendada casa en la costa. Por Lagunillas o por Casablanca..., ¡sabíalo Dios! También que había curato allá, para el matrimonio... Y ni más ha oído él ni más ha querido escuchar. ¡Buena cosa! ¡Cómo se embrollan la vida los caballeros!

Con rabia chasca el rebenque sobre las orejas de los caballos, que con muy alegre brío emprenden galope hacia sus campos. El viejo coche de trompa se zarandea como el corazón de Pascualote.

*

* *

Hasta entonces había contestado el cura secamente a quien le pidiera noticias del fugitivo:

—Ni sé ni quiero saber de él.

Pero aquella mañana en el cuartucho habilitado como sacristía, cuando Mauro el llavero insistió en la consabida pregunta, repitió con más ira la frase y agregó:

—Responda el espíritu malo que lo tiene en sus garras. Tarambana, loco, ingrato, sin ley ni corazón ni respeto. Para mí ya no existe.

Laura, la mujer del sacristán, dejó de plegar el roquete que acababa de tender dentro del arcón, para santiguarse, y:

—Nuestro Señor lo proteja, pobrecito —dijo—, en medio de estos temporales.

—¡Cómo estará, Virgen Santa! —suspiró el marido.

—¿Cómo? Calientito, hijo, pierde cuidado.

—¡Jesús!

El cura se los quedó mirando. Sentía ya fastidio por ellos. Si antes solía celebrarles la fidelidad, parecíanle ahora insoportables, con aquella sumisión de adulona servidumbre. Acaso los despreciara siempre. Hoy le cargaba sin remedio esa cuarentona culiparada y patiabierta, que para escuchar abría los ojos con asombro y se balanceaba de pie a pie al responder o murmurar. Le molestaba su voz imitada de las monjas y érale antipática también su costumbre de mantener las manos ocultas bajo el delantal mientras él hallábase delante. Y tan desagradable como ella se le hacía el marido, regordete y con los brazos cortos, con dos uvas bobas por ojos y un tizne de betún por bigote. Sí; aquella mañana le causaron repulsión. "Los Lauros", como los llamaba la peonada, por la semejanza entre los nombres Laura y Mauro. Hay, reconoció, instinto irónico en la plebe, aun cuando confunde.

Les volvió la espalda y se dispuso a salir. Dicha la misa, correspondía desayunar.

—¿Me prendieron fuego en el comedor?

—Con piñas de pino, padre.

—Como a su merced le gusta que arda la chimenea.

Zapateó el cura en el piso, signo más de impaciencia que de frío, y se fue.

Hubo de afrontar la lluvia. Con aquella pierna, más remisa desde la desaparición de José Pedro, resultábale suplicio andar entre la capilla y la casa: los pies se le hundían en huellas profundas y las plantas al desprenderse del fango sonaban como ventosas.

Nada se sabía, en realidad, del ausente. Buen encubridor, el invierno sellaba el secreto. Más de una semana llovía ya, sin escampar, empecinada y, para un sitiado solitario, enloquecedoramente. Por momentos, el agua implacable alarmaba: podía pudrir el grano en los surcos.

Pero no estaba él para temores agrícolas. Que se lo llevara todo el diablo. Su pecho permanecía henchido de violencia, sin lugar para otras reacciones que las de la ira. En lo que había venido a parar aquel sobrino, aquel hijo, como lo había considerado él: en un perdulario, mala cabeza y mal corazón, sin piedad, ni ternura, ni el menor sentimiento filial. Y tonto, además. Porque entregarse a una vieja calculadora, casamentera desesperada, en connivencia con su palomita reclamo... Lazúrtegui al fin, mandaría en la criatura la voz de los doblones afanados en la Colonia e idos en la República...

Si alguna vez se sintiera viejo, decaído hasta reprocharse inclinaciones excesivas al perdón, ahora reaparecía el cura Valverde, resurrecto en su soberbia. Pasaba los días de tormenta como enjaulado entre aquellos inacabables barrotes de agua gris, a trancos por el corredor y a la rastra con su pierna. Si al menos viviera José Vicente. Asesinado, él, la espiga de la familia. En cambio, este tunante... Mucha ufanía por la estirpe, sí, muchos proyectos, mucho sueño creador, para tirarlo todo el mejor día. Era loco. Y bellaco. No tenía excusa. Estaría en San Nicolás, acaso en Santiago, en luna de miel aristocrática, endeudándose por añadidura, a lo Lazúrtegui. Los cuatro renglones que le insertara en el breviario poco esclarecían: "Me casaré. Llevo dinero suficiente, del que me pertenece; lo demás queda en la cajuela. Hay harina y raciones para meses. Lo veré cuando me haya perdonado". Y basta.

A pesar del cerco que los aguaceros ponían, no se ignoraba del todo en La Huerta la hazaña del raptor. Aunque nadie sintiera partir y volver el coche o quienes lo advirtieron callasen, hablillas habían circulado. Se deducía el rapto, hacia la costa: en la posada de Leyda, entre gallos y medianoche, habían parado, con muchos caballos de tiro y los dos compadres como edecanes. Pero las gentes cuidáronse la lengua, en particular ante los Lauros. Como que cuando estos "metetes" buscaron a Pascual para interrogarlo, sólo hubieron de su mujer una respuesta:

—Anda por la quebrada de la madera. Don Pepe lo mandó a cortar lumas y lingues cuantuá. Para que renovara, dijo, pértigos y labrase yugos antes del verano.

El cura nada inquirió, hosco y soberbio. Si la ferocidad le arrebataba, diluía su tumulto rezando. Entre sus horas canónicas y ciertas devociones votivas, creábase un círculo mágico que le adormía la conciencia. Mas ello cumplido, tornaban el pasear por el corredor y el vagar por las habitaciones, que no eran sino tres, desgraciadamente. Concluyó por echar llave a la de José Pedro: le afligía, debilitándole. Durante la última visita, al aspirar aquel su olor personal ya enfriado, diríase que se le materializó la ausencia y un escalofrío doloroso le constriñó las entrañas. Lo evocó entonces a lo largo de la vida, desde que fuera mocosito Caballo Pájaro que por las mañanas le recreara en el dormitorio al balbucir sus buenos días, hasta la ocurrencia trágica del estero y el coronamiento que con coraje de Valverde la cumpliera. La verdad era que ya entonces prometía el hombrecito. "¿A quién habré salido, tío?", le replicó en cierta ocasión. No; lerdo no había sido nunca. ¡Ah, cómo lo había querido!

Las evocaciones, solapadamente resueltas en ternura, le nublaron de lágrimas los ojos y le acongojaron el pecho. Lloró largo, con llanto amargo de padre y de viejo vencido.

Por eso echó llave a ese cuarto.

Huía de las blanduras. Nunca más. Muy cristiano sería el perdón; pero en él acusaba doma y pérdida del carácter. Llorar enternecido y débil no era de Valverde. Sufrir, herido y maltrecho, bien, pero entero, que Dios infudía en cada hombre un alma según su sabio designio y a cada cual daba la conformidad de acuerdo.

Entretanto, llovía sobre la tierra. Un llover exasperante. Hora tras hora, inalterable, sin modulaciones, caía el agua; a ratos, con viento: una racha solía lanzar la lluvia dentro del corredor y aun azotarla contra la pared interna, como un baldazo. Así, días y noches, y más días. Si escampaba, era como un turno a la saña de los elementos, pues entonces atravesaba rabioso el viento los cuerpos de los árboles, el fango se cubría de hojarasca y los esqueletos iban quedando más y más desnudos.

Se pierde la cuenta gris de los días que clarean y anochecen así.

*

* *

Amanece por fin un día magnífico. Se ha despejado el cielo durante la noche y ha sobrevenido la primera helada. Pero hace un tiempo luminoso. Todo luce limpio y espolvoreado de oro bajo el vacío azul. Sobre los barros endurecidos por la escarcha, grandes y chicos, cuantos acuden a la llavería en busca del pan caliente, caminan, más que con los pies encima de la tierra, con los cuerpos dentro del frío. Es el primer frío intenso del año, un frío hecho de filos que penetran las carnes de los pobres.

No alivia este cambio gran cosa el corazón del cura. Se ha podido sentar, sí, a tomar el sol encima de la vieja piedra molinera que defiende la esquina del jardín, y contempla la decoración que ha dejado aquel diluvio: la encina quedó en harapos; de las palmeras se han desgajado varios abanicos; han perdido las acacias toda la hoja y levantan los brazos ennegrecidos con sus mil dedos en garabato. Están los árboles en general como él está, duros pero rendidos.

También se ve desde allí el campo hasta larga distancia. Cómo se ha transformado casi de repente. En el verano, los ámbitos del campo palpitan llenos. Llenos de algo vivo y múltiple, de fronda, vibraciones y olores cálidos, pájaros y seres diversos y en movimiento. En invierno, los mismos ámbitos se ahuecan, todo aparece desolado y quieto. El invierno es un quedarse todo vacío, como la vejez del solitario.

Al mediar la tarde, cuando el cura, entristecido, se despeja la modorra de la siesta, vienen a comunicarle que una señora pregunta por él.

—Es un coche de lujo, padre.

—¿Y quién es?

—Se me da que la patrona de San Nicolás.

Da un salto en su asiento:

—No. Imposible...

—Por lo que oí...

Vacila don José María unos instantes, perplejo. Pronto la mera suposición ha despertado su vieja cólera.

—¡Qué osadía! No, no; te has vuelto loco, Mauro.

—Según lo que decía el cochero...

—Anda y cerciórate. Y si es ella, que no recibo, ¿entiendes?

Pero el llavero regresa con un hombre a su lado.

—Buenas tardes, señor. Soy el mayordomo de misia Jesús Lazúrtegui —se presenta el huaso.

—¿Y?

—Mi patrona le pide licencia para conversar con su merced.

Hay un silencio. Al cabo lo rompe con voz severa el cura:

—¿No les advertiste, Mauro, que yo no recibía?

—Les advertí, padre; pero...

—Pero se trata de algo muy serio, señor.

—Nada tenemos que hablar ella y yo.

—La pobre señora no atina sino a llorar.

—Lágrimas de cocodrilo.

—De madre afligida, señor cura.

—Pues sus culpas llorará.

—No, señor cura. Tenga piedad de ella.

La vista de don José María se ha fijado entretanto en el carruaje. Allá, cerca del pinar, espera. Y es un landó, francés, importado; tiene filetes rojos en las ruedas, faroles de plaqué y cristales en bisel. Resto de pasados derroches. Observa después al mayordomo, que se mantiene con la inmovilidad del respeto: gordo, con una cabecita indistinta, metido en su abotinado pantalón, a pies juntos encima de los tacones y con la faja envuelta, causa impresión dudosa y cómica. "Parece un trompo —se dice don José María—. Pues ya te haré yo bailar."

Y empieza por tutearlo:

—¿Qué haces aquí todavía? ¿No has oído que no recibo?

Medio sin concierto, medio taimado, el trompo gira entonces y se va. Mas a poco ha vuelto:

—Dice la patrona que necesita de todas maneras hablar con su merced.

"Se habrán figurado que voy a tascar el freno", murmura el cura. Y ordena, entonces, violento:

—Largo de aquí.

—Si está la pobre deshecha en lágrimas.

—¡Lárgate!

Esta vez estira el brazo, con el índice perentorio. Y el trompo gira de nuevo.

Mauro no sabía si reir o temblar ante aquel gesto iracundo.

Sin embargo, minutos después tiene don José María una vez más al huaso enfrente, insistiendo:

—Yo soy mandado, señor cura, perdone. Dice que como caballero y como sacerdote, no puede su merced negarse.

—Que hable con José Pedro.

—¿Después de lo que ha hecho?

—¿Qué?

—Seducir a misia Chepita.

—¿No lo habrán seducido a él?

—¿Y dónde para don Pepe, señor?

—¿No está en San Nicolás?

—No, señor, ¡qué ha de estar en San Nicolás!

—¿Y la chiquilla?

—Con él; pero sabe Dios dónde.

—¡Cómo!

—Si se la robó, señor cura. No tiene nombre lo que ha hecho. Ir una noche, aprovechándose de que la señora y misia Marisabel andaban por Santiago, y cargar con la señorita en un caballo...

Cambia entonces por completo el ánimo de don José María. Se aseguraría que le ha reconfortado el descubrimiento, que aun estallará en una de sus cloqueantes carcajadas. A punto se halla en realidad de aprobar: "Así sí, Caballo Pájaro. Algo te rehabilitas, ¡qué caramba! No te has dado. Un Valverde vence, rapta, pero no se da".

Si hasta cierto buen humor parece haberle despertado la noticia.

—A ver, explícate, gordiflón.

—Eso, pues, señor cura. Que se robó don Pepe a misia Chepita, que misia Jesús llegó de Santiago y se halló con la desgracia, que los temporales no le han permitido moverse hasta hoy y..., en fin..., que viene a consultarse con su merced a ver qué se hace.

—Bien. Que me escriba. Pensaré y le contestaré.

No resulta fácil doblegar el geniazo. Ha entrado por último en la casa, golpeando la puerta contra las narices del sirviente.

Pero no tarda el otro en insistir. Trae ahora un papel que misia Jesús ha escrito en su desesperación: "No se aviene con el sagrado ministerio aquel negar apoyo y consuelo a las almas atribuladas. La Santa Madre Iglesia le indica recurrir al capellán. Si no exige como dama y madre ofendida, pide como feligresa".

A medida que el cura lee, una idea le ilumina y una sonrisa le baña las facciones. Cuando asoma de nuevo en la puerta, en sus pupilas arde una chispa diabólica.

—Conforme —acepta. Y con aplomo de triunfo dispone—: Mauro, abre la capilla, sacude un poco el confesonario. Y tú que ya bailaste bastante, conduce a tu ama y recomiéndale que vaya rezando el "Yo Pecador".

Irá él en seguida. En confesión, escuchará cuanto tenga ella que decir.

Mientras la servidumbre cumple, aguarda él bajo el alero. Atisba risueño cómo abren el oratorio, cómo desciende la dama de su linda carroza, cómo desde los hombros le cae un chal de seda blanco sobre los cinco vuelos del vestido negro, cómo, por último, baila el mayordomo en torno de ella, cucarro y servil.

Y entretanto saborea el anticipo que la imaginación le ofrece de la escena en que misia Jesús Aldana viuda de Lazúrtegui, dolorida y humilde, contrita y penitente, de rodillas, ha de pronunciar las palabras del arrepentimiento: "Yo, pecadora, me confieso..."

*

* *

Meses largos, de temporales y ventarrones, o a lo menos de porfiados aguaceros, aislaron La Huerta.

De José Pedro nada claro se supo. Fuera del rumbo tomado por los amantes, nadie ofreció jamás detalles acerca de cómo transcurrió aquella luna de miel entre lomas y dunas, en la casona desmantelada. Su misterio de romanticismo y amor era impenetrable, guardado por las grises cataratas del cielo y las neblinas del mar, y el único eco del exterior que allí alcanzaba lo constituía el martillante, pertinaz, inacabable trueno de unas olas enfurecidas e invisibles.

Y aquel secreto debía permanecer sellado a lo largo de muchos años. El propio José Pedro, en el resto de su vida, rehusaría evocarlo. Acudirían de repente a su memoria ciertas imágenes sueltas; pero las rechazaría él siempre, siempre y en el acto, como se repelen algunos fantasmas del pasado que la sensibilidad quisiera desesperadamente borrar. De cuando en cuando se levantarían en el recuerdo de sus tímpanos aquel nocturno retemblar de una vieja ventana, entre cuyas rendijas se metían lluvias y livideces de relámpagos, y aquel estampido de las aguas en la playa oculta, una playa que los amantes, acurrucados en su cama pobre, se figuraban roquera y dantesca, negra y amarga de sal. Pero todo ello se presentaría en lo venidero sólo como repentinas punzadas de un dolor dominado, pero sin olvido. Y con cada una de estas sensaciones retornaría la dulzura de Chepita, la niña tierna y dócil, ardiente de alma y aterida en sus carnes habituadas hasta entonces al abrigo y al regalo; regresaría la visión de sus manos pálidas de embarazada, y toda ella volvería en las reapariciones, sin queja, calladita y amorosa, envuelta en el chal de lana rubia, liviano y tibio como una cabellera. Todo se le habría de reaparecer a José Pedro, vivir adelante, redivivo en lanzadas de dolor y remordimiento. Ah, pertenecía todo ello a esos recuerdos que duelen tanto, tanto en el corazón, que se niega el ser entero a recibirlos y les cierra las puertas del presente.

Allá, sin embargo, dentro de su confinamiento, la virilidad del Valverde se mantenía en pie y alerta sobre las cosas del mañana inmediato. Enterábase de la menor novedad que ocurriera tanto en su fundo como en San Nicolás. Los compadres le visitaban cada vez que sus negocios los llevaran cerca, y transmitíanle las noticias.

Desde mayo, conforme al convenio, había soltado sus yeguas don Joaquín a los campos talajeros de La Huerta, y so pretexto de darles un vistazo caía tal cual vez por allá. Charlaba entonces con el cura, tratando de reconfortarlo, pero vertiendo de paso, con astucia, entre los goznes de aquel carácter, el óleo que poco a poco, de cansancio a conformidad y de cariño a resignación cristiana, haríale rodar el geniazo hacia el perdón. Tarde o temprano el viejo cedería. Sólo que debía ello acontecer más bien temprano que tarde, pues la naturaleza fina de la niña sufría demasiado las inclemencias del invierno en tanto desamparo. Vivía entre caricias, pero de la cama al brasero y del brasero a la cama. Sus pocas prendas pendían de tres clavos en la pared encalada, y aunque lavase las mudas la vieja Totón, ella poníase a secarlas al calor de las brasas. Unicamente un gran amor, pensaba don Joaquín al observar estas cosas, puede conformar al ambiente de un caserón que, más que de ancianidad habla de ruina y mugre.

Pero aprovechaba don Joaquín sus viajes a La Huerta para verlo todo, los trigos como la ovejería, los cierros como el estado de aperos y carretas, y cuenta cabal recibía José Pedro así. Pascualote hachaba maderas monte adentro: cumplía el primero de los encargos de su patrón, que si tarambana, también era previsor y laborioso, y había levantado ya un banco entre los pinos, donde aserraría vigas para cierto proyectado ensanche de la casa patronal; de suerte que, a la hora de las paces entre tío y sobrino, todo hallaríase pronto y conforme a previsión.

Ni la nota sabrosa faltó en las informaciones del huaso: la confesión de una Lazúrtegui, de hinojos, materialmente a los pies de un Valverde, hubo de ser descrita lejos de Chepita; pero los dos hombres a solas, caminando por gredas y arenales, hablaron en libertad y José Pedro paladeó, como su tío debió de paladearla, aquella entrevista convertida en sacramento y penitencia. Si le pareció estar viendo a la infeliz señora, ya exaltada y entre quemantes lágrimas, en esfuerzos por argumentar su querella de madre, ya sojuzgada por la eclesiástica reverencia, y, en fin, rendida, contrita, repitiendo a golpes de pecho el sumiso *mea culpa*.

—¡Caballo Pájaro! Si es que se le mete el diablo en el cuerpo, como dice él, cuando le pasan la mano contra el pelo, y..., ya se sabe..., no hay nada que hacer.

La otra cara de la medalla en el incidente fue presentada por don Eliecer, quien por su parte realizaba la misión de informar a José Pedro sobre la marcha de San Nicolás. De su boca prudente, bajo las dos alas de tordo de su bigote, los diminutivos eufemistas y la voz de feligrés en catecismo fueron brotando para exponer las tribulaciones de la señora.

—Mal está que yo repita estas cosas, don Pepito, que al fin y al cabo no se debe uno chacotear con las diabluritas de un sacerdote. Pero así lo llama la señora: "ese inquisidor, ese Torquemada facineroso".

—Frenética.

—Furiosa está. Y hágase cargo, don Pepito: encima de sus angustias, de tanto sufrir por su hijita regalona, recibir tamaña humillación...

—¡Torquemada!

—Inquisidor, inquisidor y facineroso.

Trazábase don Eliecer sobre la sonrisa de su boca el signo de la cruz al citar el epíteto. Pero lo repetía con fruición:

—Inquisidor, como lo oye, don Pepito.

—Bien. Al fin todo se arreglará.

—Espero en Dios que así sea.

—¿Y ese mayordomo?

¿El de San Nicolás? Oh, eso iba de mal en peor. Hurtos, robos y despojos sobrepasaban ya la osadía, rayaban en el cinismo. A José Pedro hervíale la cólera entonces. Si su tío, ante misia Jesús, había recibido en el ingenio la diabólica inspiración, a él sólo violencia y castigos corporales le dictaba el demonio:

—El día de ajustar cuentas, don Eliecer, ese canalla estará también de rodillas a mis pies, pero no para confesarse. Cien palos en el culo, y de mi propia mano, nadie se los quita.

—Merecidos.

—Y a mi tío, ¿lo ha visto?

—Lo veo siempre al padrecito. Muy decaído. No hablo, eso sí, con él. Usted sabe, pues, don Pepe, que uno se esfuerza por obedecer a su religión. Así es que caigo por La Huerta una que otra semana, siempre a la hora de misa. La oigo, el señor cura me ve desde el altar..., y yo..., ¿para qué le voy a negar?..., al tiro me voy. Con el amén del bendito. A lo sumo, ya de a caballo, le doy después una despedida, de paso por la ventanita de la sacristía.

—No han conversado.

—No, pues, señor. La sola idea de que me haga preguntas, ¡ave María!, me da espanto. Porque yo, dígame, que no le miento a un cristiano cualquiera, ¿iré a negarle la verdad de lo que sé a un sacerdote? Verá él que no lo olvido, los Lauros le han de contar que me intereso por su salud... ¿Qué más, pues, señor?

—Mi tío le agradece, de todas maneras.

—En el fondo, aunque se ría, creo yo.

Don Joaquín, a la inversa, buscaba las entrevistas con el cura.

—¿Sabemos, a fin de cuentas, si se han casado o si viven en pecado mortal? —interrogó una vez don José María.

—Misia Jesús los tiene por casados.

—Esa es una vieja estúpida. Yo le pregunto porque aquí, entre los papeles de ese perillán, encuentro su fe de bautismo. No la llevó y...

—Habrá sacado copia.

—Por último, allá ellos.

Don Joaquín se rascó la perilla y, adoptando un poco el tono dulzón que solía darle tan buenos resultados a su compadre don Eliecer, entró en la materia espiada:

—Algo apena, señor, sin embargo. Deben de pasarlo muy mal. Ella, sobre todo. Son tan desamparados esos lomajes de la costa. ¿Cuánto aguantarán, con este invierno crudo?

—Que paguen.

—Fácil resultaría para ellos, claro, conseguir el perdón de la señora. Se instalarían entonces en San Nicolás...

El cura sufrió un sobresalto.

—Allá —prosiguió el astuto huaso— hallarían todo llevadero. Al menor intento, misia Jesús les abriría los brazos.

—¿Los cree usted capaces?

—A él, no. Y ahí veo lo malo, porque van a padecer mucho.

—¡José Pedro, Lazúrtegui consorte!

—Apostaría yo a que don Pepe no lo hace. Sobrino de su tío... Y lo quiere a usted, padre, por sobre todas las cosas.

—Pues poco se ha notado.

—Se nota, patrón, se nota. El quiere, antes que nada, el perdón de usted. Yo no lo dudo. ¿No lo comprende, padre? Sospecha que misia Jesús, a una simple carta de misia Chepita, capaz que a campo traviesa corriera en persona para llevárselos a su lado.

—Pero yo...

—¡Ah! Esa es la cosa. También piensa don Pepe, fijo, que si no es usted el primero en perdonar, no perdonará jamás.

El clérigo guardó silencio. Caminó unos pasos, con su pierna un tanto a rastras, y se quedó mirando por la ventana los campos verdes y encharcados.

Se despidió entonces calculadamente don Joaquín.

—Quédese hasta mañana.

—Imposible, padre. Tengo que hacer.

—Le va a llover por el camino.

—Poco importa. Llevo dos días aquí, padre, y la visita y el pescado al tercer día vician el aire en una casa.

Riendo se despidieron.

Pero el cura se agitó en cavilaciones. Sobrábale razón a ese huaso ladino. Los tórtolos podrán vivir espléndidamente, con él de patrón, en San Nicolás. Y como la necesidad tiene cara de hereje...

A las veinticuatro horas, bien calculadas, cuando el huaso estimó que los temores habrían trabajado ya el ánimo del cura, se le presentó de improviso montado en su yegua baya.

Fingió mucha prisa.

—Pasé —dijo sin apearse— a dejarle algo que le hace falta, patrón. Le oí renegar la otra mañana: "Para mal de mis pecados, he perdido el Almanaque de Bristol". Y le traigo uno.

Entregó el folleto amarillo, sin ceder a las invitaciones del clérigo para desmontarse, y recogiendo las riendas se dispuso a partir.

—Y yo que me había propuesto hacerle un encargo, don Joaquín.

—Mande, patrón.

—Están cargando mucho los fríos, los años me ablandan: quisiera colocar vidrios a mi ventana. ¿Me los traería usted de Melipilla?

—Y de Santiago también. Mañana me toca ir a la capital, caballmente.

Como había que tomar medidas, don Joaquín echó pie a tierra. Midió en persona los bastidores; pero lo hizo con todos los de la casa. Y mientras anotaba las cifras correspondientes a la ventana de José Pedro, atisbó las reacciones del cura.

—¡Eh! Aunque no vuelva nunca ese mala cabeza —le oyó suspirar—, toda la casa debe quedar abrigada. Buen bribón es usted, don Joaco. Sólo que yo abuso de usted.

—¡Cómo! Con lo que yo me sirvo de su fundo...

—Pues usted y este bastón... resultan ahora mis únicos apoyos.

—Nos apoyamos todos, señor. Una mano lava la otra y las dos lavan la cara. Ni media palabra más. A mi vuelta de Santiago tendrá sus vidrios. Y se los colocaré yo mismo. Pero ahora me largo.

Y rápido montó a caballo.

El cura, renqueando, se metió en la casa.

*

* *

Con una mula de tiro, sobre cuyo aparejo mecíanse dos cajas con vidrios, entró días después don Joaquín hasta el jardín de La Huerta.

Paró a la orilla del corredor, donde había divisado al cura.

Mediaba la mañana y un sol tibio enredaba sus hebras entre los maitenes, los quillayes y las araucarias.

—¡Jojó, patrón! Ya estamos de vuelta.

No respondió el clérigo. Semitendido más que sentado en su sillón de vaqueta, sólo miró al huaso, los párpados muy abiertos y sin pestañear.

Tuvo don Joaquín ya entonces el presentimiento de que algo sucedía. Inquirió en torno con ojos inquietos. Jardín, casa y camino estaban solitarios. A fin de orientar su serenidad, púsose a descargar la mula.

Mas apoyados ya los cajoncillos contra la pared, hubo de acercarse a don José María.

Tan sólo se reanimaba el cura para sonreírle.

—¡Qué! ¿No nos sentimos bien, padre?

—Ya, ya parece que pasó.

Hablaba traposo y tenía un ojo inyectado de sangre. En la calva incipiente se le dibujaban las venas como amarras que ataran las junturas de los huesos.

—¿Qué ha sido? ¿Las molestias?

—Tal vez. Como a quien Dios no le da hijos, el diablo le da sobrinos...

—¿O algún aire?

—Sí, más bien un aire. Al terminar la misa sentí medio dormida la lengua. Después quise rabiar contra ella, y no me obedeció. Pero ya responde, la taimada.

—¿Y no lo ha visto nadie, que lo tienen aquí solo?

—¿Para qué, si todo ha pasado?

Con paciencia de médico se dedicó don Joaquín a registrar síntomas y pormenores. Desde algún tiempo atrás, al entorpecimiento de la pierna siguieron vagos mareos de cabeza y aun francos vahídos. Por último, esa mañana, a poco de apurar el cáliz, cuando el vino sagrado estimulábale ya la circulación, algo le turbó el cerebro. Nada quiso decir él a los Lauros. En la sacristía fingió mal humor; vedó así preguntas y justificó el mutismo. Por eso le habían dejado solo. Y era, también, que aquello se iba normalizando. Al desayunar, empero, se repitió el adormecimiento de la lengua.

—Entonces fue cuando intenté renegar contra ella. Y la tenía inerte. Ahora, ya ve, hablo como si tal cosa.

—Tiene que verlo un médico, mi señor.

—Por un simple aire..., ¿cree usted?

—Por lo que sea. ¿Qué más ha sentido? Haga memoria.

—Nada más. Se me ocurre, sí, que me quedé dormido.

—O se desvaneció.

—¡Vaya uno a saberlo! Estos aires colados... ¿Me trajo los vidrios, don Joaco?

—Y los colocaremos hoy mismo. Pero también hoy mismo le traigo yo al doctor.

Mantuvo al cura en el sillón frailuno, le abrigó las piernas. El día calentaba poco a poco. Allí reposaría el enfermo bien.

Pero hizo llamar a Pascualote y lo despachó con recado minucioso a la costa: José Pedro debía venir inmediatamente. Para él, en cambio, hizo enganchar el coche, a fin de facilitar la visita del doctor de Melipilla.

Y a la oración, el paciente había sido sangrado por el médico y descansaba en cama. Se le prescribieron alimentos sin sal, pocos líquidos, nada de carnes y quietud absoluta. Seis sanguijuelas reptaban, además, dentro de una redoma con agua, y al menor indicio de recaída, se le aplicarían bajo el cerebro.

Los Lauros aparecieronse, sin embargo, misteriosos y cuchicheantes en medio de las penumbras del anochecido, con el curandero del fundo, ño Venancio. Porque por suspicacia durante la tarde y al cerrar el crepúsculo por supersticiosos pruritos, se sospechó de maleficios —el mayordomo de misia Jesús echaba chispas en la memorable ocasión—, y los sahumerios iniciaban todo conjuro.

Se rezaron los siete credos redoblados, y siete hierbas, hervidas en aguas de la cruz de cuatro acequias, vaporizaron la atmósfera de la casa entera.

El cura, entre risueño y crédulo, dejando hacer, llenó sus horas rezando.

Y don Joaquín veló noche a noche.

Hasta que a la tercera el clérigo le dijo:

—Van tres días cumplidos, amigo. Ya estará olisco el pescado.

—Nada, padre. Esta visita es con salmuera. Y aunque la echen, no se irá sin haberlo entregado a su merced en mejores manos...

—No habrá mejores, don Joaquín, no habrá mejores.

—Sí, señor, y en camino han de hallarse.

El cura guardó silencio. Un silencio de sorpresa, de gozo y de tortura, cuya emoción quedó temblando en el cuarto.

De pronto don José María observó:

—Supongo que vendrá él solo.

—A caballo por esos desamparos y con tanto apuro, fuerza es que solo venga.

Callaron de nuevo. Afuera sonaba el viento al pasar encima de las cabezas de los árboles. Una lamparilla de aceite movía resplandores a los pies del Crucificado. Y en las mentes de ambos hombres, al temblor de la luz, oscilaron idénticos pensamientos: de acudir solo el sobrino, todo marcharía. Si ella le acompañase..., ¡ah!, entonces, acaso buscara el sacerdote parroquia afuera, un convento quizá, donde morir en exclusivo servicio de Dios —habíale advertido en diversas ocasiones—, para dejarles a ellos mundo y hacienda.

Pero José Pedro se presentó solo.

Con la velocidad que le rindieron cuatro caballos en posta, voló sobre los campos, y, como las del halcón que cumple vuelo, las alas de su poncho sólo se plegaron al pisar el suelo de su antiguo lar.

Habría medido con don Joaquín diez veces el largo corredor, en repaso y comentario del percance, cuando hasta ellos llegó el vozarrón del cura:

—¡Eh! ¿Quién va?

Se asomó el huaso a la puerta:

—No, señor, no. No se me siente así de un salto en la cama.

—Usted hablaba con alguien.

—¡Buena cosa de oído zorrero! Tiéndase, quietecito.

—¿Quién es?

—¿Y quién quisiera usted que fuese, a ver? En fin, puede que no siga este pescado viciando estos aires.

—¿Verdad? ¿Ha venido?

—Y solo.

Reclinado sobre sus almohadones, el cura entornó los párpados y empezó a rezar.

Al abrirlos, vio a su sobrino delante.

Se miraron en silencio.

Y a poco, las miradas se nublaron de lágrimas.

—Acércate. Dame la mano. Dámela, hombre. Ni que me tuvieras miedo. ¡Tú, tú con miedo, Caballo Pájaro! ¡Pájaro de cuenta!

Soltó entonces la risa. Soltaron ambos la risa, cogidas las manazas de hombres duros. Mas también dentro de aquel nervioso reir cuajó el llanto. Hubieron de soltarse las manos para reprimir un sollozo, el sollozo ronco y mudo de los hombres, el sollozo que se oye y no se oye, el sollozo grotesco y puro que se estrangula, se rompe y se oculta en el pecho como una vergüenza.

Sonreían al volver a mirarse.

—Nada, hijo, no me digas nada. ¿Tendrá tendida su cama, don Joaquín, este perdulario? Vendrá rendido.

—Ya charlaremos mañana.

—Y con calma.

—Tiempo hay. Buenas noches.

—Que descanses.

Pero José Pedro no estaba tranquilo. Si bien su tío mejoraba, y hasta se le autorizó pronto para levantarse a su sillón, él sentía el pecho afligido de temores por la salud de Chepita. Habíale dejado en cama, con un resfrío que complicaba los achaques del embarazo. Bronquitis y fiebre, vómitos y anemia convertían la falta de comodidades en excesivo sacrificio. Decidido tenía trasladarse, tan luego ella recobrase la temperatura normal, a cualquier pueblo socorrido, donde al menos hubiese médico y botica. En esto produjose la llamada urgente de La Huerta. Ordenó por ello a Pascualote quedarse allá: correría con el aviso, de hacerse necesario regresar.

Y los días se deslizaban sin noticias.

Sentía pesar las noches sobre su conciencia. ¿Habría procedido en realidad como un loco? Mas, ¿cómo sacrificar su amor, el amor de Chepita sobre todo, a la terquedad del viejo y al resentimiento vanidoso de misia Jesús?

La razón inclinábase de su parte, sin duda.

He ahí, sin embargo, que la trama gris del destino imponía la vida, y no la justicia que grita, exige y dicta en los corazones. Solía descorazonarle, aunque tembloroso de miedo católico, la llamada voluntad de Dios, tan incomprensible para el hombre. Durante aquellos días, al montar uno tras otro sus caballos regalones, al acariciarlos y recrearse en ellos mientras lo conducían en sus inspecciones del campo, llegó a envidiarlos: iban ellos por la vida indiferentes al objeto del viaje. ¿Por qué no puso Dios en las criaturas humanas igual indiferencia?

Salía por las mañanas a revisar sementeras, ovejería y pastoreos; a proyectar mejoras, a soñar con los cortafuegos y las represas, y en especial a disponer su vuelta con instalación de hogar. Pero el cura, no sólo no tocaba el problema de la pareja; lo eludía. ¿No tendría fin tanta testarudez? Al parecer, nadie lograría convencerle del absurdo de su actitud. De modo que si él se instalara con su mujer en sus propias tierras, ¿su tío buscaría parroquia, tal vez convento? Renunciar en cambio él a su fundo, al porvenir natural que la tradición de la familia le había trazado, tampoco resultaba ni lógico ni aceptable.

No. La solución surgiría de repente.

Desde luego, no retornaría él a la costa sin haber afrontado el asunto definitivamente. En caso extremo, sencillo era construirse una casa independiente y algo apartada, fundar allí el nido y de allí cabalgar a diario hacia las faenas. Poco a poco, viéndose cada día con el cura, urdiendo mañas que ablandaran peñas, aproximando corazones, ayudado por los niños que nacieran, se armonizaría la convivencia al cabo. Una decisión tomó, pues: no despedirse de don José María esta vez sin alcanzar antes el sensato arreglo.

Pero de sorpresa llegó Pascualote una madrugada. Veían a Chepita en peligro. La comadrona de Lagunillas anunciaba un parto prematuro y amenazado de riesgos. Urgía llevarle un médico. Ni la tos ni las calenturas cedían, y entre desvaríos y dolores, la frágil niña clamaba por José Pedro.

Sin demora, precipitadamente, antes de amanecer había que partir, recoger al médico en Melipilla y reventar caballos para llegar a tiempo.

El animoso y servicial don Joaquín, ausente sólo hasta fin de semana, después de haber vendido entre sus amigos carniceros unos novillos gordos por encargo de José Pedro, para suplir los dineros gastados en la costa y en el fundo, recibiría instrucciones para explicar el viaje.

Dispuso, pues, que Pascual enganchara el coche, que un peón se adelantase con caballos de repuesto a ciertos puntos del camino; escribió una carta para el huaso, quien no se contentaría con advertir al cura, sino que, con su astucia y su tino, realizaría por el sobrino las gestiones que frente al tío imponía la situación desesperada, y partió.

*

* *

—Se nos viene la escurida encima.

—Calladita se nos viene.

—Y este tiempo...

—A lo mejor se compone.

Dos huasos conversaban con Pascual. Sus voces tenían el son de rezo con que los campesinos hablan al anochecer. Estaban acodados en la vara trasera del caserón. Aquella construcción costina cerraba su patio con edificio sólo por tres lados; el cuarto abríase al camino de dunas y colinas, y se defendía con aquel tallo de un álamo entero, vara de topear, barandal de reposo y charla y amarradero para las cabalgaduras.

Eran dos los forasteros, porque tanto el cura como misia Jesús despacharon sendos propios en pos de José Pedro. Advertida por el médico de

Melipilla, su leal doctor Marín, sobre rumbos para el viaje y ubicación de la casona, pudo la cuitada señora enviar a su llavero. El clérigo, para quien secretos no hubo ya desde la visita de su sobrino, mandó por su parte a Mauro. Llevó el regordete sacristán algún dinero y una carta inflamada de zozobra, perdones amplios y acogida sin condiciones.

Sólo que todos llegaron tarde. José Pedro, el médico, Pascualote, los emisarios llegaron tarde.

Al siguiente oscurecer, el doctor Marín salía ya, cansado y abatido, a sentarse un rato a solas, bajo los aleros, lejos, lo más lejos posible de la pieza mortuoria. Era un sesentón vulgarote y sensible, y era en ese instante, más que nada, un abatimiento por el esfuerzo baldío y una emoción que buscaba sombra y distancia para esconderse. Pena y disgusto sentía, por el dolor de aquella desgracia más para su vieja amiga y por la insuficiencia de su concurso personal. Días antes, tal vez hubiera sido eficaz el auxilio médico. Pero lo llamaron cuando el trance, precipitado por un morbo, se resolvía en tal hemorragia que Chepita se desangró inconteniblemente.

Su vulgaridad y su tristeza le dictaban reflexiones simples: en aquellas soledades, sin asistencia científica, cuántas infelices morirían así, en manos de una comadrona sucia e inocente; José Pedro, como cabía calcular —bien recordaba él aquel accidente que costara la vida en un estero a su sobrino Rosamel—, reaccionaba con virilidad muy suya; en cambio, la pobre misia Jesús, blanda y tras de tantos sufrimientos, ¿cómo recibiría este infortunio?

Siempre apoyados en el barandal, los propios atendían entretanto a Pascualote:

—Cantó el chuncho, ¿no les digo?

—¡Hum!

—Al empezar el viaje.

—Entonces...

—Tenía que suceder, no más.

La conversación percibíase clara desde la penumbra en que se había refugiado el médico, y enredábansele a éste los pensamientos.

Y así tupió la noche. Primero había llenado la cocina, repletándola de tinieblas; mas al encender Sebastián, el capataz, su candil, allá frente al fogón, ella pareció huir y desparramarse por el paisaje, borrando paredones, ennegreciendo las lomas y los cielos.

El capataz se acercó a los forasteros:

—¿No piensan desensillar nunca esas pobres bestias?

Maneados y con los hocicos a un palmo del suelo, dormitaban su fatiga los caballos ante la vara.

Mientras los dos hombres quitaban monturas, e iban a tumbarse en la cocina, al doctor se le reaparecían las escenas recientes. Ese pobre Pepe Valverde, tarambana, loco, temerario y cuanto de él quisiera decirse, demostraba, sin embargo, bastante corazón. Sufría cruel y hondamente. Aún lo veía, lo tenía impreso en las retinas, yendo de acá para allá, con el mirar demente y cierta expresión de incrédulo ante la realidad. Cuando, ayudado por el ama Totón y dueño de una extraordinaria entereza, hubo lavado y vestido a la niña, la sentó sobre sus muslos fuertes. Entonces se desató en él un acceso de ternura violenta: abrazado al cuerpo exánime, hundió el rostro en el regazo de su criatura y lloró. Fue un llanto sordo, ronco, desgarrador, con algo de rugido de animal y algo de la debilidad y el desamparo de un huérfano.

Hasta que hubieron de quitársela.

En adelante dejó hacer. Se sobrepuso, recuperó su hombría y buscó en qué actuar él también.

Ahora secundaba en los arreglos mortuorios. De los contornos acudían mujeres enlutadas a orar. El párroco del caserío, un viejecito con la calva color de hueso, la barriguilla en punta, las sotanas muy cortas y la piedad muy larga, ordenaba las plegarias de difuntos.

Y confundidas al eco devoto, volvieron a oírse las voces de los huasos en el patio:

—No sólo cantó el maldito; lo vide salir después de la arboleda y cortar derecho a San Nicolás.

—¡Hum!

—Y por ehi mesmo, por donde cruzó el pájaro el río seco, aparecieron ellos.

—¡Hum! Más claro...

El médico intervino, saliendo de la sombra:

—Tu patrón, el señor cura, ¿no te ha enseñado que son falsas y tontas y ofenden a Dios esas abusiones?

Calló Pascual, respetuoso. Todos bajaron la cabeza.

Pero Sebastián, pisando en el prestigio de sus años, se atrevió a murmurar la estrofa de popular experiencia:

—El chuncho canta,
la gente muere.
No será cierto,
pero sucede.

Volvióle entonces la espalda el médico, que a su vez pisaba en el pedestal de la ciencia, y se fue.

Los forasteros siguieron al capataz a la cocina. Tendieron sus pellones junto al fuego, donde pernoctarían. De alba deberían regresar con la triste nueva para sus patrones.

Esa noche no llovió, ni hubo ventarrones ni estruendo de mar. En reemplazo dulcificó los ámbitos de la casona el murmullo de las preces.

A la madrugada se trasparentó la luna entre la bruma y aullaron los perros lastimeramente.

Los propios emprendieron la vuelta, sin esperar la luz.

Y al fin abrió una mañana luminosa. Por vez primera en todo el invierno, cuando ya los ojos de Chepita no veían. Había sacado el viento su gran escoba, y había barrido nubes, nieblas y tristezas del color.

—¡A buena hora! —dijo un inconforme.

Otro corrigió:

—Menos mal, porque tendremos que andar leguas.

Y como si ello hubiera sido una orden, las docenas de rústicos se removieron, se juntaron y empezaron a dar formación al cortejo. Habían acudido de posesiones y rancheríos, enlutadas las mujeres, los hombres cada cual con algunas florecillas silvestres. El mandamiento cristiano de sepultar a los muertos y cierto anhelo romántico de mezclarse al misterio de "la señora del caserón", reunían la parroquia entera.

Sobre unas parihuelas yacía el féretro y lo cubrían todos los lirios abiertos en el cercado parroquial.

Cuando el cortejo se puso en marcha, cientos de gaviotas aparecieron volando bajo el sol.

—Angeles —aseguró el ama, deshecha en lágrimas—, ángeles que el Señor le manda a mi hijita pa que le hagan compañía.

Nadie pudo reir de la ingenua dolorida.

Anduvieron en silencio. Anduvieron cabizbajos, anduvieron, anduvieron, ya descendiendo, ya trepando los cordones del lomaje. Faldeaban recuestos, sorteaban vegas, elegían senderos de alivio. Recordaban las columnas de romeros en peregrinación a las santas ermitas. De rato en rato, los hombres se turnaban en los brazos de las angarillas. Eran reemplazados los rendidos y sudorosos.

José Pedro iba también a pie, delantero en el acompañamiento. Ni lloraba ni nacían ideas en él. Obsedíale un deseo sólo, ciego y fijo: sacar el amado cuerpo del ataúd horrendo, cogerlo en brazos y así, apretado contra el corazón, llevarlo él como un padre a una hija pequeña y dormida.

No supo cómo, a mediodía, se hallaron en el empalme de la carretera.

La peonada de La Huerta esperábales allí, con el coche. Se colocó dentro el cadáver, se despidieron los costinos y el andar pudo acelerarse.

El cortejo se hizo entonces afiebrado, áspero, y, acaso, más fúnebre: todo negro bajo el sol ardiente. Porque todos vestían ahora prendas de duelo; unos, el poncho de castilla; otros habían forrado en negro la manta de colores; cubiertas de crespón estaban las testeras de las cabezadas y las cintas de los sombreros, y hasta los caballos habían sido elegidos entre los más reteñidos tordillos. Cabalgaban ahora todos, José Pedro siempre a la cabeza, entre los dos compadres, que habían conducido a los peones hasta el encuentro y a él habíanle traído el terno de Semana Santa para que vistiese luto de rigor.

Pronto la cabalgata se tornó carrera impuesta por el sol y la penumbra, pues a Melipilla debía llegarse a más tardar en el crepúsculo. Apenas hicieron alto en la posada, para que se les unieran los sirvientes de San Nicolás.

Pero en el cruce del camino real con el callejón de La Huerta les detuvo el cura Valverde. Revestido con roquete y estola, les aguardaba para un responso. Su responso, único acto con el cual permitíale su pierna baldada participar. Hubo, pues, de apearse el huaserío, y, descubierto, rodilla en tierra, oir antífonas, capítulas y responsorios. Tan sólo cuando dijo el responso final, asperjó el agua bendita y devolvió el hisopo al sacristán, miró a su sobrino. Desde lejos lo bendijo y regresó a sus casas.

José Pedro lo vio alejarse, apoyado en el bastón. Mauro lo sostenía de un brazo. Una tristeza más. En fin, que se cumpliera la voluntad de Dios.

A Melipilla entró el funeral con solemnidad. Los mercedarios recibieron los restos en su iglesia, y, como había caído la noche, tras breves oraciones, cerraron: la misa de réquiem oficiaríase a la mañana siguiente.

Hospedaron a José Pedro los dos compadres. También ellos dispusieron una merienda y algunos jarros de vino para la servidumbre y la despacharon de regreso a los fundos.

José Pedro estaba rendido. Probó unos bocados apenas; bebió, sí, buenos sorbos, y se tumbó en la cama. No ansiaba sino sumergir el alma en el negro mar del sueño.

Se levantó repuesto. La misa, cantada, le pareció larga y aparatosa. Después un fraile se le apersonó:

—¿Van a sepultarla en Melipilla o en Santiago?

—En Melipilla.

—Porque la madre tiene dispuesto en la capital su mausoleo de familia.

—Pero yo, que soy el marido, tengo el mío aquí, donde mis padres reposan y reposaré yo.

Tan cortante respuesta hizo inclinarse al mercedario:

—*Intelligenti pauca*. Dispense.

—No hay nada que dispensar.

Luego, en el locutorio, a la hora de firmar los registros de difuntos, se topó de manos a boca con las Lazúrteguis. Les insinuó una venia. Pero sólo respondió la hija; la señora se apartó, fue a cambiar unas palabras con el monje de la consulta.

José Pedro percibió que decía:

—Así paga el diablo. Mal. Y peor a quienes se empeñan en servirlo.

Volvióse él a Marisabel entonces:

—Esta carta —le dijo, sacando una del bolsillo— me llevó el propio de tu mamá. La recibí sin reparar a quién venía dirigida. Era para Chepita. La pensé guardar, sin abrirla, como una reliquia. Hoy, por el tacto, sospecho que tiene billetes de banco y... ¿Quieres tú devolverla?

La muchacha cogió la carta y echóse a llorar.

El no pudo entonces contenerse: lloró también. Y ambos se abrazaron en silencio.

Al cabo preguntó José Pedro:

—¿Tú me odias, Marisabel?

—No. Yo siempre te comprendí; estuve siempre contigo... y con ella.

Volvieron a estrecharse, ahora larga, emocionadamente. Y esta vez ella sola, temblorosa y bajita, lloró sobre el pecho alto y firme del mocetón.

De cuanto en seguida se cumplió, los pasos del entierro en especial, jamás quiso el viudo acordarse. Como lo sentiría por el resto de su vida, pertenecerían, ellos sobre todo, a esos fantasmas de un pasado que la sensibilidad repele y quisiera desesperadamente borrar, a esas reapariciones que duelen tanto en el corazón que se niega el ser entero a recibirlas y les cierra las puertas del presente; serían siempre la punzada en el alma, la insufrible lanzada del remordimiento.

*

* *

Pero en los fuertes el remordimiento vive activo sólo mientras dudan de haber procedido bien o mal. Luego, fatalmente, languidece. ¿Que se convencen de su culpa en el daño? Permanecerá grave la falta dentro del juicio, pero muy liviana ya sobre la sensibilidad; pues hecho consumado, para el hombre bien dueño de sí, es hecho muerto, y no hay tortura sino mientras los hechos obran en pie contra el instinto defensivo.

José Pedro, aun en medio de su dolor, manteníase amo de su personalidad. Discurría y sacaba saldo. "Así paga el demonio. Mal. Peor a quien se empeña en servirlo." Estas palabras de la suegra le acosaron detrás como un perro furioso que persigue ladrando. Traíanle molestia porque le acusaban; pero ¿correspondían estrictamente a la verdad? El había procedido tal vez con poca previsión, hasta con muy corta inteligencia. Debió acaso comprender a tiempo que una fuga en invierno, tratándose de criatura tan delicada como Chepita, exigía para refugio lugar más socorrido. ¿Y si había que buscar justo el escondite menos accesible? De ceder el cura, de no haberse opuesto misia Jesús, aquello no habría pasado. En consecuencia, no era de él toda la culpa. Muchos yerros son así, concluía, hijos de nuestra voluntad apenas en parte, y en considerable medida fruto de la intervención inevitable del prójimo en nuestros actos.

Además, eso del diablo... ¿El diablo? Bueno, sí: el mal. De algún modo hay que nombrarlo. El había sonreído siempre un poco, allá en el fondo de su alma católica, cuando del demonio se hablaba. Creía en el mal, hasta en la existencia de una fuerza maléfica que acecha escondida en todas las encrucijadas. Denominarla fuerza, en seguida espíritu del mal, después diablo, Satanás o demonio, era cuestión de subir peldaños en la jerarquía de las ideas y sus palabras, o de bajarlos. Para dirigirse hacia el pueblo ingenuo, ¡claro!, había que descender. Lucifer concretaba una figuración útil, al alcance de todos. Sin embargo, esas personalizaciones materiales o cuasi materiales de los poderes que intervienen en la psiquis no cabían en él cómodamente.

Pensaba poco en ello, cierto. No quiso nunca formularse dudas que disminuyesen su fe católica. El creía, firme, segura, indiscutidamente. No sobre fundamentos de la fe, teóricos y un tanto de paporreta, enseñados en el Seminario; lo más claro no lo aprendió en cátedra, habíalo escuchado de su tío, cierta vez en la cual se divagó sobre la verdad, o mejor sobre la Verdad que los filósofos discuten y que, a fin de cuentas, no sabía él —y acaso nadie— a qué se refiere de modo preciso y categórico.

De lo dicho por el clérigo Valverde, dedujo él en síntesis: la verdad es unanimidad, el *consensus omnium,* lo que todo el mundo, tras de discurrir, sopesar y convenir, acaba por creer que es cierto. Por lo tanto, es la fe. Sin fe, no se cree; fe católica significa fe universal, es decir, el *consensus omnium,* lo que todos unánimemente aceptan como conclusión. Quienes nada creen ven la verdad como un enigma, no la ven. En suma, sin la fe católica no había verdad absoluta.

Recordaba él haber objetado:

—Así, resulta la verdad algo relativo, condicionado a que lo crean. No es nada en sí.

—Por eso te digo —confirmó el cura—, no hay más verdad que la fe. Quien la pierde..., ¡adiós!..., se queda sin verdad.

Había soltado, en seguida, el tío una de sus cloqueantes risas, luego se había parado en larga pausa, para proseguir al fin:

—Pero, Caballo Pájaro, hijo, si esto acontece aun con las pequeñas parciales verdades de la vida cotidiana, de los sucesos terrenales. ¿Qué ocurrió aquí o allá? Unos aseguran que esto, otros que aquello. ¿Y qué sienta como veredicto al final la historia? Aquello en que todos se ponen de acuerdo: lo que se hace unánime por la creencia.

José Pedro quiso establecer entonces, hablando como para sí:

—Sobre la verdad absoluta, en el plano metafísico, nada sabremos jamás en este mundo, ni deduciendo, ni por inducción, ni a raciocinio, lógica u otro recurso de la inteligencia.

El clérigo alcanzó el pensamiento de su sobrino:

—Unicamente con los atisbos de la revelación.

La revelación. El mozo considerábase tan lejos de aquello... En el fondo, tampoco le inquietaba. Carecía de impulso místico. Obedecer las leyes de la vida, ¿consistiría en esto el acuerdo único posible con la infinita sabiduría?

Pensar demasiado le causaba fatiga, y hasta un poco de miedo, por lo demás.

Empero, las palabras oídas al cura sobre la verdad explicáronle por qué ahora el sacerdote, viejo y ya desprendiéndose de la tierra, se hacía místico, practicaba la beatitud el día entero. ¿Perseguiría los contactos que los santos lograron?

Porque don José María, que ya no decía misa sino los domingos —licencia para ello consiguió, por lo dañino que le resultaba el vino, dada su enfermedad—, rezaba todas las horas, acrecía las prácticas pías, los actos de adoración y el empinamiento hacia Dios. La edad, los achaques y por último el quebranto causado por el drama de los amores de su sobrino, del cual sentíase bastante responsable, le conducían ahora de lleno a la religión. Pensaba ya en Dios como lo hicieran los místicos, buscando la identificación con el reino de los cielos y, si no el éxtasis, al menos la paz un tanto nirvánica y a la vez un tanto exaltada en que para la contemplación.

Quieto, sin eslabonar sus horas en sucesos, aun el tiempo desaparecía para él. Aquello era un poco anticiparse a la eternidad; porque ¿existiría el tiempo si no hubiese acontecimientos que lo marcasen y midiesen? El tiempo habría muerto si todo se quedara de buenas a primeras inmóvil. Y así, muchos puntos semiolvidados de teología y metafísica le inmergían en una región clemente, desde la cual se podía esperar el tránsito de la muerte. La eternidad, el tiempo, el pecado, el destino, el albedrío, las jerarquías, los poderes y las dominaciones se fueron amalgamando para él en una filosofía personal y acomodaticia.

—Como ha vivido usted tanto... —le dijo en cierta ocasión José Pedro.

Replicó él, en un suspiro:

—Comprendo: me hallas cambiado. ¡Ah, hijo, vivir: pérdida paulatina del origen y del porvenir!

—Pues ya me quisiera yo haber vivido tanto y haber alcanzado su experiencia, tío.

—Tampoco sirve mucho la tal experiencia, Caballo Pájaro. Se compone de unas cuartas chauchas, de otros tantos cincos y de un amontonamiento de centavitos de cobre, con todo lo cual bien poco logramos adquirir.

José Pedro calló. Toda esa madurez la llamaría él más bien falta de juventud, pérdida de vigor. Algo muy triste, sí, para un Valverde. A don José María Valverde, el hombrazo admirable, se le acababa la fuerza. No; no quisiera él envejecer de tal guisa. Ojalá su pujanza no le abandonase ni en la hora del último suspiro. El... Recordó la expresión de Horacio que cierto maestro del Seminario le aplicó una vez: *Majores pennas nido*. Exacto. El tenía las alas mayores que el nido. ¡Y a Dios gracias!

Sin embargo, aunque ahora vivía lanzado con ahínco a las labores del fundo, el fracaso de su amor y el dolor que sufría le habían contenido los alocados afanes de la juventud. Quieras que no, hacía un alto en su camino y deteníase a reflexionar un poco más hondo. Salir muy de mañana, encarar con tesón las faenas, no abandonar las ilusiones acerca de los progresos agrícolas, sí, todo ello: pero con algo más intenso y maduro. Semanas de semanas había cabalgado con su borrasca interna por en medio de la paz de los campos, alicaído y maltrecho; ahora volvíanle la serenidad y la firmeza, mas robustecidas por algo que las prolongaría.

A las horas de siesta, deseó leer.

Buscó libros entre los pocos del cura. Se llevó para la cabecera el *Parnaso* latino, aquel viejo volumen con un Pegaso en la cubierta estampado en oro, que de párvulo le arrancara el asombrado grito: "¡Un caballo pájaro!" Y pronto le pareció haber descubierto un tesoro.

Cierto que las lecturas le favorecían el sueño: al cabo de tres o cuatro páginas, fuere porque después de leer la versión castellana le pluguiese cotejarla con la original en latín que ponía enfrente aquella edición bilingüe y tratase de rememorar enseñanzas de seminarista, fuere por la densidad de los textos y la deficiencia de su mente, quedábase dormido. Más durante el sueño los conceptos recibidos obran sobre lo subconsciente y cultivan. A él siempre le importó poco, en tales lecturas, la más exacta o más incierta incorporación de las ideas a su memoria. No ambicionaba ilustración. Ni falta que le haría, según él. Pero las dádivas clásicas operaron sigilosas e inadvertidas, como savia en la oscuridad, y tornáronle más jugoso el espíritu.

Aquellos poetas le dieron por supuesto mucho más que la escolástica difundida en cátedra por doctas lecciones sin eco en las raíces humanas. De las remotas clases conservó, eso sí, una vieja simpatía por San Agustín. El santo había escrito: *Credo quia absurdum,* o sea: "Lo creo porque es absurdo". Y la sentencia le había conquistado, por lo sincera. "Bien —se dijo—, muy bien." Eso era de hombre, honrado y valiente. Hoy lo aprobaba como ayer. En el Seminario le advirtieron que se atribuían por error a San Agustín esas palabras, pues tan sólo enseñara el sabio que propio es de la fe creer sin exigencias de comprensión. Pero esta enmienda le pareció siempre cobardía. Pensaba él que habría dicho aquel doctor de la Iglesia, de seguro, lo que hoy pretendía desteñir un clero tímido; puesto que cuando uno se topa con lo incomprensible, cabalmente, es cuando se rinde y cree. ¡Bonito sería comprender y creer sólo entonces! Quien comprende sabe; a quien ya sabe una cosa, ¿qué falta le hace creerla? Se cree porque no se comprende. ¿No predicó San Pablo el *Deus ignoto*?

Así creía él, por lo menos. ¿Como un loco? Tal vez.

Horacio, el poeta que torcía el gesto de los eclesiásticos, le dio de repente la razón: *Desipere in loco*, ponía como final de un verso al aconsejar a Virgilio que reemplazara en determinados momentos el seso por un poquito de locura. Sí, así podía creer. Así, y con el corazón, muy adentro, con ese poco de misterio que todos llevamos oculto y que condujo a Ovidio a cantar que Dios dio al hombre un rostro vuelto hacia el cielo.

Nadie habría supuesto a Pepe Valverde encendido en poesía, sobre todo viéndolo actuar y sostener genio y figura. Sin embargo, el dolor había venido y madurado lo que hasta entonces fuera puerilidad o retraso.

Por aquellos meses, pues, pasó de mozalbete a hombre.

Y aunque iletrado casi, cuando ahora se hallaba en medio de alguna quebrada entre montañas, donde los ecos se agrandan, se multiplican y resuenan, solía decirse que así eran los poetas.

Otro bien le trajo este alto en el camino: ya no sólo podía recibir sin abrumarse los remordimientos y sin llorar las apariciones de fantasmas del pasado; también explicarse un error de las gentes. El había llorado muy poco en su vida, cierto, aun durante su infancia y aun delante de Chepita muerta. Negábanle por esto un corazón sensible. ¿Por qué? ¿Porque no le anegaban en lágrimas así como así los trances y las penas? Suele calificarse de almas sensibles a quienes lloran al más leve sufrir; de duras, a aquellas a quienes el llanto viene con dificultad. Como si rebasar un vaso grande y uno pequeño fuera lo mismo. Tampoco extrañábale ya hoy que le brotaran a él las lágrimas en la alegría más a menudo que en el sufrimiento: la alegría reduce el corazón, mientras el dolor lo ahonda.

Y si no, ¿por qué se derritieron sus ojos cuando lo abrazó Marisabel en el locutorio de los mercedarios? Pues, por eso, por la dicha repentina que le produjo el verse comprendido en tal cruel momento.

Tuvo cómo comprobarlo después repetidas veces.

Los domingos, si no llovía, ensillaba uno de sus mejores caballos y dirigíase al cementerio de Melipilla. Pues bien, a menudo sorprendíase allí a punto de llorar. ¿Era por Chepita esa blanda emoción? Cuando no iba Marisabel, su pena le transía seca: muy honda, muy dura, muy cruel, pero sin lágrimas.

En estos encuentros con la cuñada tuvo diversas comprobaciones.

De los rencores contra el raptor y contra el "inquisidor facineroso" primero, y a causa del trágico final de su hija después, había germinado en misia Jesús un odio ciego a su yerno y a cuanto a él atingiese. Tanta repulsa, tanto encono, que no toleraría verlo más en la vida ni que se le nombrara en su presencia. Fomentaba el mayordomo esta inflexible aversión, y a pesar de las denuncias que por conducto de Marisabel hízole llegar José Pedro, con datos y fundamentos, ella, por la enemistad, precisamente, lo conservó inamovible. La niña, en cambio, habíase convencido sin demora de que aquel truhán merecía despido y castigo; mas nada valía para el caso ella, aun cuando poseyera un temperamento activo, apasionado, muy opuesto al dócil, sumiso y dulcísimo de su hermana.

Esta Marisabel, con sus ojazos despiertos y vehementes, con su fogosidad y su prestancia, con su figurita menuda y llena de bríos, con su dolor y su fraternidad inflamada de arrebatos, hacía a José Pedro mucha gracia, y la gratitud hacia ella matizábase de singular encanto.

Una tarde, mientras al tranco del caballo regresaba del cementerio, se preguntó por qué al evocar la entrevista reciente despertó en su sensibilidad cierta reminiscencia de la primera niñez. Habían traído a las casas del fundo un cabrito. Verlo en la mediagua de la cocina, con su encantador continente de niño, oírle su vocecita de juguete, encontrarse con su mirada tierna, pasarle la mano por el blanquísimo pelaje de seda y prendarse de él fue todo uno. Después, en el almuerzo, con un guiso delante, se dio cuenta de que aquello era nada menos que su cabrito. Lo habían muerto, lo habían guisado y lo iban a devorar. Una sorpresa lancinante le lastimó el alma. Se le antojó aquello incomprensible y malo. Más que de piedad encendióse de cólera contra los asesinos de tan adorable bestezuela. En seguida se comió íntegra su ración. Era la más deliciosa carne que había probado hasta entonces.

Aquel animalito tan vivo y tan musical, tan puro, tan gracioso y que a tanta fraternidad movía, ¿qué nexo tendría con Marisabel a través de los años? Bien raros contactos tomaban seres, sentimientos y contrasentidos dentro del corazón.

"Corazón de Valverde", se dijo. Corazón de hombre.

Sonrió, tan pronto y tan sin remedio como había devorado antaño el guiso.

Y clavó espuelas acelerando la marcha.

*

* *

—Mire cómo viene su compadre.

—Y el pingo es de lo bueno.

—Ha manejado siempre bueno don Eliecer.

—Menos cuando huaina y pililo.

—¡Quién lo vido y quién lo ve! —intervino el viejo peón que amarraba por las cuatro patas una oveja.

Se quedaron los tres mirándolo llegar. José Pedro y don Joaquín, regocijados al observarlo. Solemne y rítmico al paso de su bestia, venía pegado a los álamos. Aquello no era sino costumbre de buscar sombra;

pues si los árboles adelantaban la brota de primavera, prendíanse todavía escasos moños verdes.

Le dio la voz don Joaco:

—¡Jojó! Aquí, compadre.

El detuvo su mulato, con ceremonia y majestad; se apeó, colgó las riendas sobre la cabecilla, introdujo la chicotera entre los pellones y, al son de sus espuelas, hizo entrada por último al corral de la ovejería.

—¿En la esquila ya, don Pepito? Dios me lo guarde, mi señor. Buenos días.

Burlesco, don Joaquín salpicó el apretón de manos:

—¡Buena cosa, compadre! ¡La horita de aparecerse! Nosotros aquí, como los hombres, desde que cantaron los gallos, y usted entre diez y once, a la hora del cacareo de las gallinas ponedoras.

—¡Sí, cómo no! Cualquiera se figura que yo también alojé aquí anoche.

—Bueno; ya, cacaree, ponga su huevo y ayúdenos a domar esta gringa chúcara.

En cuclillas, José Pedro y don Joaco intentaban manipular una tijera esquiladora, novedad del progreso para el campesino por esos años aún. Tenían ante sí tumbado al animal y no acertaban con la manera de trasquilarlo a la moderna.

—Quiere maña esta diabla.

El viejo peón dijo:

—No hay como el cuchillo.

Lo miró don Eliecer y:

—¡Hombre! —exclamó reconociéndolo—. ¡Tanto tiempo! ¿Cómo le va, ño Herrera?

—Lo mesmo que a usted, patrón, cuando era pobre.

Volvieron a caer las risas encima de don Eliecer.

—Yo no me rindo —gritó Pascualote más allá— y apuesto que a la larga cunde más el trabajo con esta herramienta.

—Donde ya la usan bien, acaban la esquila en la mitad del tiempo que antes.

—¿Ajá? ¿No digo yo?

—En cambio, fíjese ahora...

En efecto, para trasquilar los mil ovejunos de La Huerta, era menester juntar a todos los hombres en servicio por una larga semana. Se reunía el ganado dentro de los corrales ovejeros; a la sombra de una ramada, protegíanse los viejos y los sirvientes de algún rango, y el resto, sentados en semicírculo frente a la masa, cada cual con su trozo de piedra de amolar al lado, en la que debían afilar sin descanso el cuchillo, iban recibiendo las ovejas una tras otra. Cortaban lanas a raíz, afeitaban casi, a tajitos rápidos y cuidadosos, primero pelando pescuezo y extremidades para concluir con el cuerpo. Hasta que salía entero y perfecto el vellón. Entonces lo torcían en dos como una soga floja y cuando alguno había formado pila suficiente acudía el llavero a recoger.

Era, sin embargo, faena entretenida y aun alegre.

Los corrales de la ovejería estaban en el recuesto suave de una loma verde, a cuyo término una lagunita repetía en su espejo los cielos y los montes; había siempre a sus orillas alguna garza como centinela blanco y rosa, y detrás erguíase inmóvil festón de boldos tupidos y oscuros. El camino carretero deshilachábase abajo en sendas que se iban campo arriba delineando caprichos sobre los faldeos. A menudo pasaban grandes nubes y todo el paisaje cambiaba de color. Y en el celo de los pájaros tenía principio el canto de la primavera: revolaban chillando los queltehues por encima de las vegas, la garza solía responderle con su guitarra de una sola cuerda, entre las totoras algún pidén escondía la voz y hasta los pequenes, cacharritos grises sobre los montículos de sus cuevas, atornillaban y desatornillaban en sus hombros de viejecillos las cabezotas atónitas.

Los peones valíanse de sus niños para que les pillaran las ovejas, y entre los balidos de crías y madres, las algarabías de los chicos y las gracias inteligentes de los perros para rejuntar el piño alborotado, surgían a volatines los dichos y las risas.

Cuando Pascualote hubo esquilado su primera oveja y la soltó a la masa, saltó una carcajada unísona. Mientras en las demás aparecía lisa la huella del cuchillo, en ésta, mondada con las tijeras, erizábanse mechas, bigotes y pinceles empapados en sangre.

Pero con el avanzar de la mañana y el vacío de los estómagos extinguiéronse aquella vez poco a poco las chirigotas. Había cambiado además el perfume de la brisa: ya venía, desde la ramadilla donde se guisaba el rancho, tufillo a mote y porotos, a chicharrones y ají de color.

Dieron todos los ojos en virar entonces hacia la cocinera, jamona de ancas fatigadas y cara oscurecida bajo enorme chupalla de palma.

Fuma, charla y discurre, se iban pronto a las casas el patrón y sus visitas.

—Yo me intereso, don Pepito, por algunos corderos.

—Como todos los años, don Eliecer.

—Un par de arreítos no más, para vender un lechón aquí, allá otro..., ¡en fin!

—Sólo que como los clientes de mi compadre son pobrecitos..., y pechoñitos como él, no pagan mucho —entrometióse don Joaco.

Y entre ironías y remedo, regateo y broma, llegaron.

El almuerzo se animó de comentarios, cálculos y planes.

—¿Señalaron buen lote de borregas para incrementar la crianza? —averiguó el cura.

—Y de puro merino.

—Con esas ovejas de mucha edad, pienso salar chalona.

Aquel charqui ovejuno, introducido del Perú como ejemplo de provecho, aumentaría la suculencia de la comida para los trabajadores. En fin, cueros, grasas y sebo se beneficiarían como siempre, y salvo algunas docenas de corderos que, capones, cubrieran el consumo del año, lo demás...

—De lo demás disponga, don Eliecer.

—Pero pague un punto más, pues, compadre.

—¡Ahora sí! No protestan los bueyes y chilla la carreta.

El cura se divirtió con las burlas y se declaró satisfecho.

Días adelante se halló el total de lana enfardado para enviarse como de costumbre a Valparaíso. Como a José Pedro le repugnaba conducir él esta vez la expedición —reandar los lugares de su drama reciente habría sido recrudecer penas—, don Joaquín aceptó ir él hasta el exportador inglés.

Sumadas las mulas del fundo a las que aportó don Joaco, se cargaron varias piaras.

Pero hubo por esto que reclutar gente.

Pascualote presentó a un primo suyo, un tal Bruno. Alto, delgado de aspecto pero con espaldas macizas y cuello de potro, era tipo singular y simpático. Hablaba grueso y a borbotones y, a cada frase un tirón, se hacía girar el sombrero en la cabeza. Sus conversaciones solían medirse por el número de vueltas que sufría el chupallón y constituía motivo de apuestas el acertar si el lazo de la copa se detendría por fin a la derecha o a la izquierda.

A José Pedro le interesó Bruno desde el primer momento; porque aun cuando naciera y se criara en otros campos, este muchacho decidió venirse a La Huerta cuando supo que los Valverdes, tío y sobrino, eran "dos hombrazos".

Al recomendarlo, Pascualote concluyó diciendo de él:

—Como le digo, patrón: muy macho, malhablado y todo.

Y, en efecto, Bruno largaba cada barbaridad en su charla, que se le oía entre risas y sorpresas. Su verbo más venial era *joer* —así pronunciaba— y no concluía locución sin exclamar: *¡Pucha!* Lucía un rostro de bronce como su primo, pero, aunque más achocolatado, más fino de rasgos. Sabía herrar y tusar, torcer y sobar látigos y cuanto con los equinos y sus híbridos se relacionase. Desde niño había soñado con ser soldado y pelear.

Esto colmó la simpatía de José Pedro; a tal punto, que vio en el mocetón figura de porvenir, tanto en el oficio de arriero como en otros proyectos que a veces le tentaban entre ciertos sueños para el mañana. ¡Qué pareja de ordenanzas y alguaciles, Pascualote y Bruno!

Dispuso José Pedro que ambos primos formasen entre los arrieros de la tropa en este viaje al puerto. Los puso desde luego a ordenar amarras y sobrecargas, a remendar aparejos y componer morrillos.

Pero antes de que los expedicionarios se despidieran, José Pedro pidió a su tío una venia:

—Quisiera —le dijo— traerme a Sebastián y su mujer.

—¿Promesa de gratitud?

—No sólo eso, tío. Esta casa, en manos de lechadoras que vienen por turnos a guisarnos la comida y a tender las camas, no anda muy bien.

—Como tú quieras, hijo —asintió don José María.

Y se convino en que, a la ida, don Joaquín tratase con Sebastián, lo llevara como experto y capataz en el arreo y, a la vuelta, sirviéndose de las mulas desocupadas lo trajese con la Totón y sus trastos y cacharpas.

Tuvo aún este asentimiento del cura una secuela: días después, mientras José Pedro picaba tabaco y recortaba hojas de maíz para sus cigarros en el corredor, vino el viejo a sentarse a su lado y le dijo:

—Bien me parece que acojas a esa gente que tan leal se portó contigo. Pero piensa además que, por si con el tiempo vuelves a casarte, debes ir preparando esta casa.

José Pedro se detuvo en su tarea.

—No te sorprendas: escucha. Para entonces, probablemente, ya el Señor me habrá recogido a su seno. Y así sea. Bueno; como yo quisiera conocer tu hogar, aunque sea en las cosas materiales, te pido que vayas realizando tu proyecto de construcciones y ensanches.

Hubo una pausa. En los ojos de José Pedro leyó acaso el clérigo un pensamiento: bien pudo hacerse aquello antes y evitarse así la desgracia; porque se anticipó al posible comentario:

—Yo te había perdonado, Caballo Pájaro. No querría el cielo que mi perdón alcanzara tu ventura. ¡Qué hacer ya!

El muchacho reanudó entonces nervioso la picadura.

Y él agregó:

—Y se me ocurre que pude haberla llegado a querer.

No estaba José Pedro en ánimo para recriminaciones. Las ideas, por lo demás, se agitaban en él entreveradas de emoción. Continuó en silencio.

Hasta que don José María, en pauta de quien contiene lágrimas, habló de nuevo:

—Hay más, Caballo Pájaro, hijo. Atiende: yo no viviré ya mucho, estoy arreglando las cuentas de mi conciencia y..., quiero pagar una deuda. Soy en buena parte culpable de tu desastre. Lo confieso, debo confesarlo. Pues bien, hijo, te pido que me perdones.

Del pecho le subió a la garganta un sollozo asfixiante a José Pedro. Lo contuvo y apenas se le ocurrió decir:

—Tío, válgame Dios, no faltaba más.

No se abrazaron porque no podía levantarse de su sillón el viejo; pero se cogieron ambas manos y, mudos, se las estrecharon largamente.

*
* *

Con frecuencia le preguntaba el sacerdote a José Pedro cuándo emprendería las obras de la casa.

El muchacho respondía con desgano:

—Más adelante, tío, después de las faenas, después. Y según, también, lo que ganemos en las cosechas. Hay tanto que hacer...

Los peones todos estaban ocupados en los barbechos para los trigos venideros y en la chacarería, que pedía riegos, aporcas y limpias. Luego vendrían rodeo, matanza y salazón de charqui; en seguida, la siega, la trilla y el aventar, larga, paciente labor a voluntad de los vientos; por último, recolección de chacras y desgranadura del maíz, en las trojes.

—Hay para meses.

Virtualmente había comenzado, sin embargo, el trabajo de ensanche: las vigas aserradas por Pascualote se labraban ya bajo las azuelas y seis alfareros contratados afuera cocían tejas y ladrillos de pastelón.

El sobrino entretenía las vehemencias del tío exponiéndole proyectos y planes arquitectónicos. Las casas completaríanse con bodegas, quesería en forma, saladero para las carnes, pesebreras, gran sala y varios dormitorios más; todo lo cual encerraría un patio de asoleados y tibios corredores que mirasen al norte y fueran refugio y solaz en el invierno. Correría el parrón a un flanco y habría escaños. y en medio noria nueva con brocal, y hasta granados tal vez, que abriesen las bocazas rojas en sus risas de otoño. Mas en el fundo mucho agrícola faltaba realizar: cortafuegos para el monte, como ya lo advirtiera en diversas ocasiones; aquí y allá, estratégicamente, represas para sujetar las aguas de las lluvias y difundir el riego a una potrerada mayor, y plantaciones de álamos, y la soñada pequeña viña, y algunas carretas aún...

En el fondo, hubiérase alegrado José Pedro de hallar más motivos de dilación. Porque le dolía iniciar desde luego esas mejoras de la casa. En soledad y viudez, el apresurarse antojábasele hasta traidor a Chepita. Ese tardío disfrute de comodidades provocaríale por último sonrojo frente a la vieja Totón y a Sebastián. Había llegado esta pareja; servíanle con cariño; pero sus ojos, querendones, cuando atendían a esos proyectos, parecían esconder un huraño reproche. Como que cruel, absurdo era que no aprovechase la cándida niña tales bienes.

Tarde o temprano, todo se haría así. Pero que corriera un poco el tiempo y suavizara contrastes siquiera. Por ahora, que aguardase don José María. No, no tenía él valor aún.

Su ánimo nostálgico, turbio por este flujo de reflexiones y sentimientos, impidió asimismo cuanto se tradujera en goces y fiestas durante las tareas agrícolas. El rodeo se limitó a recuentos, marcas y señales; no se corrió vaca ni novillo, ni hubo proezas, cantos ni chingana. E igual se desarrollaría la trilla. Tampoco fueron permitidos ese año los mingacos, a pesar de lo mucho que reanimaban a los chacareros. Nada debía turbar el duelo de La Huerta y nada lo turbó. Guardaron todos luto riguroso, que si el patrón mostrábase doliente fiel y observante austero además de las reglas del señorío, también sabían empleados, inquilinos y gañanes cumplir dentro de su jerarquía los deberes de casa grande.

En vísperas del Día de Difuntos, empero, tuvo José Pedro un alterador encuentro.

Fue al cementerio, acompañado por Sebastián y su mujer, para cubrir de flores la sepultura. Cuando llegó, estaban allí Marisabel y misia Jesús con su mayordomo. Se le habían anticipado a ornar de lirios y rosas la tumba de Chepita.

Como siempre, verlo y volver la espalda fue uno para la señora. No correspondió siquiera al saludo de sus viejos sirvientes; se alejó soberbia, seguida por su mayordomo.

Marisabel, en cambio, permaneció arrodillada, rezando.

Bien. Nada de aquello había de causarle a él extrañeza; de modo que se puso a esparcir sus ramos y colgar sus coronas. Al cabo hincó las rodillas él también y rezó junto a Marisabel.

Cuando concluyeron e iban a retirarse, él le preguntó:

—¿No te acarrearé un disgusto si te acompaño?

—No. Y mamá debe ya aguardar en el coche, afuera.

Caminaron, pues, el uno al lado del otro, aunque sin hablar, pues en ella no cesaba el llanto.

Bajo las acacias del pórtico, tendió él la mano para despedirse.

Y entonces, inesperadamente, acaso por hábito galante, se le ocurrió decir:

—Bueno, Marisabel, no llores más. Me conmueves y..., yo no sé sino una manera de consolar a las chiquillas bonitas.

Se arrepintió en seguida de oírse la ocurrencia: Marisabel había palidecido. Lo miraba fijamente, llena de sorpresa y como queriendo escrutarle a fondo los ojos. Sólo sus manos parecían hablar. Unas manos blancas, excitadas y excitantes.

—¿Te ha molestado, tal vez, mi salida de mal gusto?

—José Pedro... No seas loco, José Pedro...

Fue él quien tembló entonces. Era la frase de Chepita, la misma de cuando él excedíase con ella. Las mismas palabras, dichas sin aquella dulzura, sin aquella blanda y feliz candidez; pero, en cambio, con una voz viva, de agua.

Ella corrió a su coche.

Un vientecillo se fue aproximando. Lo sintió José Pedro venir entre las plantas, pasar, huir. Dejó una lluvia de acacias en el suelo. Y no hubo más.

Se acostó José Pedro esa noche con un gran malestar en el corazón. Una turbulencia pesarosa, de culpable, lo desazona.

No; aquello no podía imaginarse siquiera. ¿Otra Lazúrtegui? ¿Y su tío? Habría perdonado, muy arrepentido se confesaría...; sin embargo, por segunda vez una Lazúrtegui, no: aquello sería demasiado fuerte, lo mataría. Bien que no se contara la repulsa vengativa de misia Jesús; esto más bien resultaría estimulante; pero el pobre viejo, el Valverde indomable, quebrantado ya por la vejez y la enfermedad... Sería como ultimarlo en el suelo. No. Jamás.

Riéndose por último de sus figuraciones, y un poco también de su desvergüenza, pasó al sueño.

A la mañana siguiente, al salir de su pieza, tropezó con Sebastián.

—¿No eres tú medio albañil también?

—Me aplico no más, patrón.

—Bien. Eso basta. Porque agrandamos las casas, es un hecho, y quiero ponerte al frente de los trabajos. Mi tío me urge tanto...

Amanecía con tiempo espléndido.

Evocación tercera

HECHOS Y FECHORIAS DEL TARAMBANA

Ocio y pereza de tarde dominical.

José Pedro pretendía dormir media hora; mas apenas ha cerrado los ojos, un llamado a la puerta le hace abrirlos.

—Entra.

La Totón asoma y dice:

—Pascual y Bruno, patrón. Que llegaron y traen dos bultos y esta carta.

Desiste José Pedro entonces de la siesta. El aviso es para espantar el sueño. Se incorpora, rasga el sobre. Hay dentro una guía comercial que reza: *6 carabinas Peabody, 200 tiros calibre 9*. Y nada más.

Por conciso, elocuente, el documento lo arranca de la cama.

Y grita desde el umbral a los mocetones:

—Acá. Traigan acá.

Los divisa en el claro de sol, al término del jardín emboscado, descargando la mula. No tardaron en acudir y poner encima del poyo que a todo lo largo del corredor se tiende, un bulto retobado y dos cajas muy grávidas.

—Vamos a conocer al cabo las *pívoris*.

—¿Las qué, Pascualote?

—Las *pívoris*. ¿No las mientan así?

—Las Peabody. Se pronuncia *píbody*.

—Lo mesmo da fraile que paire, patrón.

Entre risotadas aparecen las carabinas al fin. Se sacuden y soban. Son examinadas orgullosamente. Y el instinto militar que hay en el chileno les descubre muy pronto manejos y secretos de mecanismo.

Bruno, por último, apunta con una de ellas hacia afuera. Entonces, en el claro sol, se ve una silueta escurrirse.

—¿Quién?

—Cachafaz, patrón.

—Lo hemos convidao pa que su mercé lo pulsee.

—Es de lo que se anda buscando.

—Mandao parir pa la guardia.

José Pedro distingue un cuerpo fornido que, apretando los hombros, se desliza tras la encina vieja.

—¡Eh! ¡Vení, ho!

Y viene Cachafaz.

Así lo nombran, Cachafaz a secas. Es un zagalón retostado, sin otro rasgo notable que sus dientes, muchos y muy blancos. Siempre cuando le dirigen la palabra, echa la cara a un lado y suelta la risa. Tiene fama de valiente y hábil en varias destrezas. José Pedro lo recuerda de la niñez. Cachafaz, sí, aquel chiquillo que con un cordelito en las manos siempre, a modo de lazo, enlazaba perros y gatos y según lenguas hasta cazaba pájaros con su lacillo.

Satisface a José Pedro el hallazgo.

—Claro, Cachafaz. Entras a la guardia.

Una llamarada sube a las mejillas del mozo y enciéndele de gusto las pupilas.

—Porque me imagino que te han explicado lo que me propongo. Se rumorea que una banda de salteadores ronda por estos lados.

—¿Se rumorea? Se sabe.

—Los han visto.

—A mi padre lo asesinaron así, en un salteo. Pero a mí... Conmigo se van a cortar el pelo esos bandidos.

—Y con nosotros.

—Soy el único Valverde ahora. Desde que se nos fue mi tío, que en paz descanse, no queda otro. Con estas carabinas y ustedes, y yo como jefe, formaremos un pelotón bravo para defender la hacienda y la vida. ¿Ustedes están dispuestos?

—Hasta la muerte, patrón.

—Hasta la muerte.

—¡P'ta, pa eso nací yo! —exclama Bruno, con el más entusiasta de sus tirones a la chupalla.

—Porque la policía esa que hay en Melipilla no ha de servirnos nunca.

—Son unos flojos regalones.

—Y pillos.

—Y felones al servicio de la política y nada más.

—Roban aconchabados con los cuatreros, con lo que fueron ellos antes.

—Bien. Yo he jurado defenderme solo. Ya tenemos aquí las armas. Desde mañana empezaremos a ejercitarnos. Tú ¿en qué estás ahora, Bruno?

—Con Pascual, en la avienta, en la parva de abajo.

—¿Y tú, Cachafaz?

—Traspalando, patrón.

—No importa. No sopla buen viento hasta las nueve. Que temprano trabajen los otros con los harneros. De siete a nueve nosotros haremos ejercicio.

—¿Con bala?

—Naturalmente.

—¡El pelotón bravo, miércoles!

—Y así nos llamarán algún día.

—El pelotón bravo.

Después de mucho palparlas, examinarlas, moverlas y esgrimirlas, guardan las carabinas en el dormitorio. Los mozos se retiran y José Pedro se tumba en el poyo, satisfecho.

Ahora solitario, único dueño, le parece amar más sus tierras, sus gentes y sus cosas. Permanece, pues, contemplándolo todo en rededor. Hay años, observa, en que los árboles crecen más, dan un estirón como los muchachos, y este verano han elevado a floresta el jardín. Sobre todo la palmera, la nacida en su cuarto en días de infancia y plantada por él después al centro, gallardea ya por las alturas. ¡Bendición del cielo! Mide luego con la vista el corredor, que ahora, desde las ampliaciones del edificio, se aleja en perspectiva de cincuenta varas.

Encuéntrase bastante solo, eso sí, y empieza su juventud a impacientarse. Porque cuatro años han transcurrido, y los cuatro en meros trabajos y duelos. Tres duró el luto para La Huerta, pues cuando el que se guardó por Chepita concluía, murió el cura.

El recuerdo de la segunda pérdida suele venir a él con desazones. ¿Alguna responsabilidad le cabrá en aquella desgracia? Según el médico, ello debió fatalmente suceder. El derrame cerebral era pronóstico infalible. Una mañana cayó de repente al suelo don José María. Lo levantaron ya sin habla. Medio cuerpo le pendía muerto: revolvía los ojos en espanto; la mano izquierda tan sólo se movía, en ademanes que bien podían significar bendiciones de adiós, bien signos de que todo terminaba para él. Horas después sobrevino el gorgoriteo, el resuello de garganta de los agónicos, y al anochecer, en brazos de su sobrino, el último estertor, la mandíbula que se desencaja y cuelga, y el cadáver.

Pero lo que desazona la conciencia de José Pedro es que se advirtió el avance de la enfermedad cuando alguien llevó al viejo el chisme de que su Caballo Pájaro veíase a menudo con Marisabel. Y aun contaban que la víspera del ataque había recibido cierta carta misteriosa. Si en ella se le denunciaban las visitas clandestinas a San Nicolás —cosa que tal vez hiciera el mayordomo vengativo—, ¿no vendría la muerte como consecuencia del disgusto? La tal misiva no se halló después en parte alguna. ¿Existió en realidad? ¿Constituyó una mentira de los Lauros?

Para despejarse de imaginaciones molestas, se levanta José Pedro del poyo. En todo el contorno se acuesta un plácido silencio que calienta el sol con rayos oblicuos. Silencio del domingo campesino. Le provoca deambular. Pasa entre los alhelíes, plantados en macizos sin orden; atraviesa el perfume flotante y detenido en el aire. Tan sólo ver los alhelíes fue siempre para él sentir en el paladar un sabor dulce.

Y se dirige a visitar las cadenas, sus cadenas, el símbolo de mansión inviolable que ha puesto ya en el frente de la casa, cerrando el jardín. Sopesar, contar los cuatrocientos eslabones de hierro negro, cerco de veinte combas entre las estacas de luma, le inflaman de orgullo el pecho, cual si en su interior se levantase a través de los siglos aquel Fray Vicente Valverde, personero de Cristo y de Carlos V en el Perú de Atahualpa.

Desde que tendió esas cadenas ha cobrado vigor extraordinario para el Valverde la razón de estirpe. "Casa con cadenas, casa de mucho respeto." Sí. Obraron desde un principio las cadenotas con el poder que símbolos y emblemas tienen siempre sobre las vanidades del hombre. Y obran ahora, reanimándole dentro de la conciencia cuanto el sacerdote le contara sobre sus abolengos. Aún más, no le satisface ya el sólo mirarlas, pósales por un instante la mano encima, en actitud de dominio, y luego penetra en su solar con soberbio paso.

Ese domingo, de las cadenas se dirige otra vez a las carabinas, como para unir ambas fuerzas. Y recuerda en el trayecto haber encomendado a cierto ex jesuita, párroco a la sazón por las vecindades y apasionado por la heráldica, dibujarle un árbol genealógico. Cuánto demora el viejecillo el encargo. Ansía especialmente ver allí cómo los troncos de Valverde y Aldana se reproducen en igual figura dentro de la rama de Chepita y él. Esto, suponiendo que nada formal y legítimo alcanzara con Marisabel...

En los amores bastardos han marcado también las cadenas tono de señorío. Ya no vagabundea José Pedro entre matas y pánico de codornices, con las muchachas del inquilinaje; llámalas a servir en las dependencias caseras cuando le agradan, van ellas a él como van las manzanas a la mesa del señor.

Acaso no esté del todo bien aquello; pero... ¡qué hacer! Sufre los vértigos del apetito impetuoso. Sin remedio. Y él es igual en tantos aspectos... Esta flaqueza, o esta virtud, o en último caso esta condición gobierna todos los actos de su vida: el surgir de un deseo involucra el imperativo de satisfacerlo con vehemencia e ímpetu ineludibles. ¿Que sus voliciones repentinas resultan nobles y generosas tantas veces como crueles y hasta perversas? Egoísmo fuerte, de salvaje salud, de poderoso temperamento, como el de un toro en su manada o el de un soberano en su reino. No distingue, por lo demás, gran contradicción entre las normas señoriales y esta libre conducta. Todo se salva sin la plebeyez, aun el pecado temerario. Muchos grandes vivieron con la santidad como ideal y actuaron en planos diabólicos. El también, católico sumiso a los dogmas, de contrariársele, de "pasársele la mano contra el pelo", a semejanza de su tío, no vacilaría en azotar a un clérigo dentro de su propia iglesia, si hubiera ello de implicar defensa, poder y victoria.

Por otra parte, ¿por qué las mujeres no han de sacrificarse a su soberanía de Don Juan y ser a la vez amadas por él? Voluntariamente, por cierto, y cada cual en su rango.

Revisa José Pedro, durante aquel ocio de domingo, su vida sexual. A ella pertenecen esos amoríos o dominaciones de macho en las chicas de la peonada. Son ellas también sexo predominante. El amor actúa en ellas a dictados del celo. Una mirada llégales al corazón por el vehículo de la sangre. A un corazón alborotado por la sensualidad. Por eso las ha mantenido él instintivamente a distancia. Que le guardaran reconocimiento y respeto. Algunas, de natural romántico, le adoran. Bien. Pero eso, bien analizado, es fenómeno de consecuencia posterior a la entrega, y algo que participa de la reverencia por el superior y de la ufanía de haber sido elegidas por él. Además, él las quiere: después de poseerlas, viéndolas humildes y felices, le nace una gran ternura. Suelen acometerle remordimientos de pecador, y al sentirse dueño de sus esclavas, oblígase de todo corazón a protegerlas. ¡Buenas criaturas! Las que le han parido un hijo, en particular, adquieren continente de sometidas al caballero feudal. Este fenómeno le mueve a pensar. ¿De dónde les vendrá esta condición? De España, muy probable; acaso de moros y araucanos. Pero tal es el hecho. Y ésa la costumbre de nuestros campos, hasta que... ¡Dios dirá hasta cuándo lo tiene así permitido!

Tampoco él solo vive así. Está seguro de que la mayoría de sus antepasados y los de otras familias poderosas han hecho lo mismo. Y si no, allí están los mestizos de América entera. Chile tiene todavía colonizadores. Basta examinar, en toda casa grande, las caras de las chinas en servicio doméstico: descubren los rasgos de la familia, son huachas. La Totón ha nacido entre Lazúrteguis y sus facciones acusan.

¡En fin, adelante!

Le preocupaba, sí, la historia con Marisabel.

¿En qué parará?

Ella lo ha querido siempre. Durante aquella primera comida en San Nicolás, don Eliecer observó con agudeza: "Usted les gusta a las dos", dijo aquella vez el huaso. Pero eso, sí, ¿en qué parará? ¡La contrariedad eterna! Antes, la oposición del cura; hoy, el odio de misiá Jesús, y aun el del mayordomo. Siempre los demás interviniendo para desbaratarle planes y someterlo.

Pues no; él ahora es libre: hará lo que le dé la gana. Y si la necesidad lo impone, aunque sea con actos audaces, de viril soberanía, y hasta por el terror si las circunstancias lo aconsejan. Como frente a los bandidos suele ser preciso proceder con muchas gentes. "Entremos pegando para que no nos peguen" fue máxima de viejos Valverdes.

Adelante, sí; agravar, extremar, para que la energía sea el recurso ineludible.

A Melipilla irá por esos días, tan pronto regrese don Joaco de la cordillera, donde inspecciona el pastoreo de sus yeguadas desde que han finalizado las trillas del contorno.

La inacción y la soledad en la tarde dominical sirven para muchas revisiones, aclaran y afirman los propósitos.

*

*   *

El lunes, a las siete, puntual llega José Pedro a la cita.

Se presenta montado en su potrón más querido, un barroso que recuérdale aquel de las hazañas del cura en el Maule. También lo ha ensillado por estar educándolo y, hoy, sobre todo porque le ha rememorado la época en que don José Vicente lo inició a él en el manejo de las armas de fuego.

Bajo los olmos lo esperan los tres gañanes.

—Buenos días, niños.

—Buenos, patrón —responden Pascual y Bruno, el uno alzando la chupalla para dejársela caer de nuevo con la última sílaba, el otro con su eterno tirón giratorio.

Cachafaz, como de costumbre, sólo vuelve a un lado la cara, que se le abre de risa.

Se descuelga entonces José Pedro del hombro la carabina; se la reciben y él echa pie a tierra.

Mientras le manean la bestia, coloca el arma sobre la pirca, luego manda empotrar una bosta oscura en la vieja parva que hay a medio potrerillo y va moviendo la *pívori* —han terminado por llamarla todos así— sobre su mampuesto. Apunta, corrige, hasta que mira, punto de mira y centro del blanco se alinean en la visual. Por último, pide que los muchachos ratifiquen la puntería.

—Medio a medio —dicen los tres.

Ha querido probarlos y han revelado tener ojo certero.

Así comienzan las lecciones, que han de continuar con manejos de cargas y descargas y concluir con las balas.

El primer disparo pone toda la mañana en susto. No quedan vuelo ni trino entre los árboles, ladran los perros hasta el horizonte y allá, en la lejanía donde la faena de aventar se desarrolla, se abstienen por mucho rato las nubecillas de volar al viento.

Pronto los ámbitos se habitúan a lo que se torna cotidiano, y así el pelotón bravo repite por semanas los ejercicios. Disparan a pie firme, y tendidos en el suelo, y a caballo, y ya trotando, o al galope, o en veloz carrera. Cachafaz introduce una prueba de su especialidad: enlazar las carabinas, a todo correr del animal, y arrancarlas de manos del tirador.

En fin, las mañanas transcurren iguales, pero sumando progresos y enardecimiento combativo.

A las nueve cesa el tiro y se dirigen todos a las avientas. Va José Pedro de parva en parva. Hay allí gloria de color. Las palas de madera lanzan al aire los conchos de paja y trigo; caen los granos en lluvia grávida y las ráfagas se llevan el capotillo en nubes que fulgen al sol contra el azul y van lloviendo más allá y pintando sobre la era una mancha de oro bruñido. Si amaina el viento, se traspala y se harnea solamente. El trigo llena sacos y sacos, que las carretas reciben para conducirlos al molino de madrugada o para vaciarlos en las trojes de las casas.

—Este año las brisas se portan bien.

—No nos dejarán parva sin aventar

Cuando en veranos anteriores el soplo ha sido interminente y flojo, ha sorprendido el invierno la faena inconclusa, y alguna parva se ha necesitado levantar en ruca puntiaguda, y apretarse, a fin de que aguardara sin que los aguaceros la penetrasen y el trigo se recolectara por primavera y tiempo seco.

Cumplida su inspección, José Pedro entrega la vigilancia en manos de Sebastián y él márchase al adiestramiento de sus caballos. Los turna en la semana. Durante los ejercicios de carabina, les acostumbra los nervios a las detonaciones; luego, de regreso en la pista bien arada que hace de picadero al centro del potrerillo, les enseña rienda y otras maestrías: desnalgada, media vuelta rápida y quietud instantánea después de una carrera, retroceso en la recta, impasibilidad absoluta durante la desmontada, y la troya, y el ocho, y cuanto debe saber el caballo chileno bien amaestrado.

Para ello posee todos los recursos del apero: bajadores, rienderos y hasta bozalillos para evitar que los animales adquieran el defecto de abrir el hocico en las frenadas, falta de urbanidad equina que, como el remolinear la cola, no perdona huaso alguno.

Tiene muchos lujos además. Le apasionan ponchos y chamantos. Vive a caza de buenas tejedoras y colabora en los telares con ideas para colores y tramas. Guarda para hilar los mejores vellones y encarga las más puras anilinas para matizar sus lanas. Ha extremado su celo hasta deshacer telas finas del extranjero para utilizar las hebras extraordinarias. E idéntico amor destina siempre a los metales: con plata le damasquinan espuelas y frenos ciertos artistas de Peñaflor y para las rodajas cuenta con otro especialista que las corta de los rieles de acero; retemplado, el metal canta entonces como campana y repica en los pasos. El en persona se trenza riendas, cabezadas, lazos y jaquimones, pues de su padre obtuvo don y sabiduría. No hay, en suma, huaso que le aventaje.

Tirando está cierta vez a su potrón para enseñarle a volver por ambas manos cuando le sorprende una polvareda que se levanta tras la loma, en el camino invisible. Piensa en alguno de los huasos compadres. ¿Quién más puede traer arreo por esas fechas?

Y, en efecto, a poco escucha el "¡Jojó, patrón!" de don Joaquín.

En compañía de don Eliecer se ha detenido junto a la cerca.

—¿Dónde se había perdido, don Joaco?

—Cuidándole al rico el ganado, como ha de hacer el pobre. Me adelanto ahora con las hembras nuevas, patrón, porque noté que los cordilleranos les tomaban afición...

—No hay mucho pasto aquí en estos meses.

—Rastrojitos que coman basta.

—¿Y usted, don Eliecer? He preguntado por usted mucho.

—Buen amigo, don Pepito.

—¿Sale de ley el manco?

José Pedro palmea el pescuezo de su potrón y responde con engreimiento:

—Así parece. Pero los acompaño —agrega—. Almorzarán conmigo.

Se marchan los tres callejón adentro. Los peones encerrarán las potrancas.

—¿Y?...

—Que veníamos en una disputa.

—Es que a mi compadre le da y le carga.

—Mire, don Pepito. Sea juez. Yo le propongo comprarle seis potrancas.

—¿Seis potrancas? Hable claro: tres parejas de igual pelo y del mesmo porte.

—¡Ah, tres parejas corraleras para vuelta de año! La cosa cambia —sentencia José Pedro.

—¿Oyó, compadre?

El uno insiste, niega el otro, discuten hasta enardecerse.

—¡Buen dar! Tanto que se quieren y no se entienden.

—El es el camorrista, señor.

—Oigamé, don Pepe. Nos queremos, como usted dice, cierto: juntos nos criamos, desde la escuela; pero... ahí está el pero: como los dos trabajamos en cabalgares, resulta que pasamos como dos culos en el mesmo asiento. Rempuja, que yo te rempujo.

José Pedro, en medio de sus carcajadas, falla con buen humor:

—Yo creo que usted tiene el deber de venderle a don Eliecer esas potranquitas.

—El deber que yo tengo es el de cuidarle al rico sus intereses.

—Afloje, compadrito. No le ha de pesar.

—Ha visto que soy toro y se empeña en ordeñarme.

Hablan ya en serio cuando se desmontan y se descalzan las espuelas frente a la casa.

—Quisimos hallarnos aquí, señor, para el día de San José.

—Gracias. Pero no me celebro desde los lutos —responde José Pedro—. Lo que sí deseo es mandar decir unas misas, por mi Chepita, mi Josefina muerta, y por mis demás Josés.

—Patrono de toda la familia, el santo.

—Y es el lunes. Si ustedes me hacen la diligencia, yo estaré a las ocho en Melipilla...

Corta las voces el portazo del comedor, que las encierra.

*

* *

Durante la misa por sus difuntos intrigó mucho a José Pedro un sujeto que la oyó casi entera de rodillas y a ratos con los brazos en cruz, desde las gradas del altar mayor. Su levita negra, el sombrero de pelo, puesto sobre la blancura del mármol, y la unción con que asistía prestaban pulcritud y hasta un poco de solemnidad a su continente.

Pero lo que más inquietó a José Pedro fueron las facciones: le recordaban a cierto condiscípulo.

—¿Lo conocen? —preguntó a los compadres al salir de la iglesia.

—De vista. Es el nuevo secretario de la gobernación.

—Don Felipe Toledo.

—¡Felipe Toledo! Bien me parecía. Si estudiamos juntos en el Seminario. ¡Felipe! ¡Cuánto me alegro! ¿Y qué tal persona resulta por acá?

—¡Pse! Muy elegante lo vemos...

Don Eliecer quiso zaherir a don Joaquín:

—Quiera Dios que no salga como cigarro de ño Joaco, mucho envoltorio y poco tabaco.

—¿Ya empezamos con las pullas?

—No se alarme, mi señor, que entre bueyes de la mesma yunta no hay cornada.

José Pedro evocó tiempos estudiantiles: Felipe Toledo era excelente chiquillo.

—Sin duda, don Pepe. Sólo hablaba yo por devolverle alguna vez la mano a mi compadre.

No habían tratado ellos a Toledo. Apenas si lo sabían altamente relacionado en Melipilla. José Pedro esperó a que saliera y se dirigió a su encuentro.

Se reconocieron entre abrazos. El palmoteo sobre la espalda resonó en el atrio largamente.

—¡Pero qué alegría, hombre!

—Dieciséis años sin vernos.

—Y sin la menor noticia tuya.

—Pues yo tenía de ti ya muchos datos. Cuando me vine acá volaba de boca en boca el nombre de Pepe Valverde.

—Sí; sólo así me nombran en este pueblo.

—Conozco, pues, tus aventuras. Ya lo creo.

Atravesaron en pintoresco grupo las calles pueblerinas. Junto a Toledo, ciudadano y finísimo, iba Pepe, huaso y bizarro. Su faja carmesí, su chamanto multicolor al hombro y el sombrero de anchas alas bordado en la orla, iluminaban el ambiente. Tras las ventanas presentíanse caras femeninas en atisbo. Los ojos le seguían hasta perderlo de vista. Como el chamanto y los flecos de la faja, le adornaban el romanticismo de un rapto, las penas de un drama y, ahora, desconcertantes rumores acerca de Marisabel.

A Felipe Toledo le pareció caminar con Don Juan al lado. Sintió el hechizo de Pepe Valverde, que a través de cada reja iba cayendo como un granito de mirra dulce y ardiente sobre la brasa de cada corazón. Alguna broma le hizo.

Pero José Pedro le arrastró a entretener la mañana frente a unas copas de la suave chicha de marzo. Se relataron ausencias. Y cuando los compadres les condujeron hacia el preparado almuerzo, convite de onomástico, José Pedro había descubierto en su condiscípulo rutas promisorias: mantenía cordialísimas relaciones con misia Jesús y sospechaba dónde había escondido a su hija la señora.

—Hagamos beber al futre —dijo al oído de don Joaquín por el trayecto—. Necesito que me suelte varias cosas.

En casa de don Eliecer, bajo el parrón, estaba la mesa dispuesta.

—Comadrita, ¿no le queda ningún botellón de la cruda del otro año?

—Eliecer anda en eso, desenterrando. —Volviéndose a Toledo explicó—: Aunque las botellas son de greda, revientan si no se entierran.

—¡Don Eliecer!

—Ya viene, compadre. De uva rosada es la chicha, señor; no se prueba en Santiago.

Ni joven ni vieja, era misia Catalina mujer gorda, sujeta por un corsé muy estricto y con muchas curvas de pecho, vientre y caderas. La falda se le precipitaba en innumerables vuelos de percal menudamente floreado. Dejándose, para coquetería de su rostro vulgar, algunos ricillos ante las orejas y sobre la frente, se prendía tirante después el pelo hacia el moño de negrísimo lustre, y en lo alto, una peineta en forma de diadema coronaba sus afabilidades de criolla.

Fue un almuerzo de aldea, opíparo y alegre.

—¿Y usted no se ha casado, señor Toledo?

—No soy rico, señora. Para casarme, tendría que pedir plata prestada y...

—Hace bien, entonces. Yo he pensado siempre así. Aguántate, Joaquín, me he dicho, que al que se casa endeudándose le paren los hijos con réditos.

—Y después, cuando ya tienen..., ¡solterones empedernidos! ¡Ave María!

—Es que se pasa uno también, comadrita.

A Felipe Toledo empezaban a rodarle ya las lágrimas de reir. A cada ocurrencia celebrada le colmaban la copa. Tres vinos hubo, por ser todos de la casa, y de sobremesa repitióse la chicha, la rosada, la fragante, que surgía en cataratas de espuma por los golletes de los botellones.

—Hombre —dijo de pronto, atacando su tema, José Pedro a su amigo—, tú que puedes ver a misia Jesús, debes advertirle cómo le roban.

—¿Quién?

—Su propio mayordomo.

Toledo miró a todos, interrogante.

—Hable usted, compadre —intervino don Joaco.

—Sin exagerar; lo que ha visto no más.

Don Eliecer vaciló; al fin, con su cautela y su voz de flauta, hizo su prólogo:

—¡Exagerar! Dios me libre de levantar falsos testimonios, mi señor. Pero... lo que es se ha de decir...

Y luego refirió cuanto estaba en su conocimiento. Se quedarían sin animales las Lazúrteguis a ese paso. Antes se los llevaban de noche y a pocos; ahora, desde que la señora se había vuelto a la capital en definitiva, los malos tráficos hacíanse a la luz del día. Escuchó detalles Felipe Toledo, como amigo y como secretario del gobernador. Intervendría con los gendarmes. Le retrataron entonces a la policía y lo dejaron oscilando entre la contrariedad y el desaliento.

Al cabo José Pedro se lo llevó al fondo del parrón para conversar a solas.

Largo discurrieron.

Los compadres, entretanto, cabeceaban junto a la mesa, y misia Catalina, pensativa, se hacía brisa con el abanico. Destellos de vajilla blanca encandilaban las pupilas y sombras verdes caían desde los pámpanos a jugar sobre los rostros.

Hasta que Felipe Toledo se dio cuenta de la hora y se despidió a prisa. Debía darse una vuelta por la gobernación; acaso durmiera una siesta en seguida; pero se convino en que, invitado por él, se reunirían a la oración. Lo habían enardecido las copas y se consumía en deseos de divertirse más.

—En la plaza nos encontraremos.

—De acuerdo, por la parroquia, enfrente.

—Curadito va el futre.

—Pero buena cabeza. Con lo que le menudeamos...

No había conseguido averiguarlo todo José Pedro, aunque sí lo suficiente para enterarse de que Marisabel estaba encerrada en un convento, el de las Claras o el del Carmen Alto, sin comunicación alguna con el exterior, ni por cartas ni por recados de mandaderos oficiosos; pues juzgaba pocas todas las precauciones misia Jesús frente a "este segundo asedio del loco Valverde".

Bien; aquello no duraría. Cuestión de meses. No podía él dudarlo; él, menos que nadie. "Bien, muy bien. Pasará el invierno y..., ya veremos", se dijo.

Y entre malhumorado y resuelto a la paciencia, fue a tumbarse donde halló más tupida la sombra, a ver si también echaba él su sueño.

Hacía mucho calor, el calor del verano maduro que se despide. Suspensa, la atmósfera tenía sensaciones de miel, y aun se gustaba la dulzura en los ojos al mirar los duraznos calientes al sol en sus ramas. Zumbidos como hervores bajaban de la parra: prendidas a los racimos, las abejas succionaban también sus azúcares.

Un peso de modorra bajó los párpados a José Pedro, que se durmió al fin.

El alcohol solía tornar pendenciero a Pepe Valverde. Las malas noticias, más. Ambos factores, en concurso esta vez, le agitaban dentro un entrevero de ímpetus y sentimientos de través cuando llegó a la cita de Felipe Toledo. Aunque algo le sosegara la siesta, costábale vencer el mal humor. De buena gana ensillaría su caballo y regresaría de galope al fundo.

Era menester, sin embargo, cultivar a Felipe Toledo.

Se allanó, pues, a todas las invitaciones.

—¿Conocen a las hermanas Del Canto?

—Del Canto y del baile. Melipillanos somos, señor.

—¿Y allá convida su merced?

—Sí; tengo unas ganas locas de bailar.

—Andando, entonces. Veremos cuecas de levita.

José Pedro seguía desganado y rabioso.

Pero ya dentro de la chingana se dejó llevar.

No se divirtió por cierto. Ni bailó. Le hostigaron aquellas mujeres; por momentos, volvíanse insufribles. Eran tres hermanas y una vieja. Las muchachas vestían la mayor de blanco, la otra de celeste agudo y de rosa ordinario la menor. Rollizas, de ojos anchos y cálidamente negros, con mucho albayalde y mucho bermellón sobre los carrillos y con las cabelleras sueltas encima de la espalda y sujetas por vinchas o cintillos que se ataban en lacitos arriba de la frente, mezclaban el gusto criollo y el artificio sensual de las odaliscas a las taras de Arauco.

Felipe y los compadres las calificaron magníficas.

Pues que gozaran ellos.

Pusiéronse a cantar, la madre y la primogénita, un repertorio majadero. Tal cual tonada no lo sería tanto; pero sobre la murria de José Pedro todas pegábanse como pringues, empalagosas y ridículas. Particularmente una cuyo estribillo decía:

¿Quieres que te ponga la mantilla blanca?
¿Quieres que te ponga la mantilla azul?
¿Quieres que te ponga la descolorida?
¿Quieres que te ponga la que quieras tú?

¿Habría nada más tonto?

Luego, aquellas criaturas poseían esos falsetes que siempre suenan en *i*.

Decididamente, no estaba su ánimo para tales juergas.

Empero, tolerante y disimulado, entre copas bebidas por afán de aturdirse, fue soportando las horas sobre su diván de paja. Desde allí observó a sus agasajantes.

Don Joaquín adornaba con cierta gracia su baile, que adecuábase a las desgranaduras del arpa y a los rasgueos de la vihuela; no desacertaba por completo con su compostura cursiplebeya don Eliecer; Toledo estilizaba la cueca de ciudad, prostituida y falsa para José Pedro; él tenía su teoría propia de la zamacueca, interpretación campesina pura, de neto sentido huaso. Ya la expondría cuando, bailando en fiesta de campo, se presentara la ocasión.

En suma, si se distrajo a ratos, fue a lo crítico. Y también, sí, porque por momentos le movían a regocijo los escobilleos de punta y taco en don Joaquín, los saltitos desabridos del beato y el donaire presuntuoso con que Toledo se recogía un faldón de la levita para posarse la mano sobre los riñones.

Aunque así, en ánimo adverso..., ¡qué tedio! Simuló cansancio y malestar. Les acompañaría, bebería cuanto le sirvieran, mostraríase agradecido de todo corazón por tanto festejo en su honor. Pero nada más.

—Lo de Marisabel te ha entristecido —le sentenció Toledo.

—Muy probable. Hazte cargo.

—¡Ah, comprendo!

Hubo de sufrir con paciencia el correr lento de las horas. Porque al fin de cuentas, si bien ya nada nuevo sonsacaría, Felipe, desairado de su convite, acaso no le sirviera más adelante.

Apenas si aprovechó aún para comprometerle a intervenir con la fuerza pública en los saqueos de San Nicolás.

A medianoche remecieron la puerta de calle grandes golpes. Como no cesaran, acudió la vieja.

—No se puede —oíasele argumentar—. Estamos todas ocupadas.

Un vozarrón le repuso:

—¿Vos también? ¡Quién te va a ocupar a vos, churra!

Hubo entonces alboroto, empellones en la obscuridad, y de repente se plantó en medio de la sala un hombrote bigotudo.

—¡Hem! El Gallo.

—Un matón que, porque tiene sus reales...

—¿Qué busca el amigo Gallo? —le preguntó irónico y apaciguador don Joaquín.

—Trago, baile, fandango, camorra.

—¿Trago? Bueno, sírvase.

Don Eliecer le pasaba una copa.

—Yo también convido. Fíeme hasta mañana, ña Celinda.

—No fío a nadie, so roto..., con permiso aquí de los caballeros..., imprudente.

El hombrón le respondió con una morisqueta obscena, que hubiese hecho reir si José Pedro no se levantara del diván.

—A ver, ¿qué pretende?

Midiendo la talla fornida de Valverde, dijo el hombre, medio fanfarrón, medio despectivo:

—¡Bah, don Pepito Valverde! Con estos gallitos me gusta a mí encontrarme.

—Ya nos encontramos...

—No, pues, si yo no soy... de San Nicolás.

—¿Qué quieres decir, mierda?

El matón empuñó las manos. Pero antes de que las alzara, José Pedro le martilló con dos golpes de puños los antebrazos, y le dejó ambos miembros adormecidos. En seguida, cogiéndolo por un hombro, le urgió:

—Ahora, con la boca bien cerrada, lárguese, amigo.

—Eso. Me gusta. Quiero ser su amigo —confirmó el borracho.

—Sí; creo que le conviene más. Conque... váyase ya.

No se mostraba el Gallo dispuesto a marcharse, sin embargo. Se miraron todos a las caras.

—¿Qué hacemos con él?

—Llamar a la policía —resolvió Felipe Toledo.

—¿Y quién la saca de la cama, señor? No sea inocente.

En eso sonó una bofetada. El matón caía largo a largo.

José Pedro, que le había espiado los movimientos y que calculó cuándo estuvo repuesto del adormecimiento a los brazos, habíale visto echar mano a la faja. Del suelo, a su lado, levantó en efecto un cuchillo corvo don Joaquín.

—Levántate.

Con un chichón en la frente, grueso como un membrillo, el Gallo se tambaleaba.

Lo cogió entonces José Pedro por la espalda, de ambos hombros, le apoyó con fuerza la rodilla sobre la cintura, hasta que le arrancó una queja, y como un monigote lo empujó a la calle.

Oyéronle gritar afuera:

—Si yo quiero ser su amigo, don Pepe. Si quiero ser su amigo. Es que no conoce mis modos.

Hubo risas; pero don Joaquín opinó:

—Y nada raro que tendría. Estos ogros se entregan como perros fieles al que reconocen más hombre. No lo pierda de vista, don Pepe.

—¡En fin, qué alivio! —suspiró para sí José Pedro.

Se había desahogado.

La menor de las muchachas le dio un beso y se le colgó del brazo.

No hubo cuecas, de ahí en adelante. Mientras preparaban una cazuela, Pepe quiso dormir un sueño. La chiquilla lo condujo a su cuarto.

Cenaron ya con las primeras luces del alba, en el patio.

Y momentos después José Pedro ensillaba en el corral de don Eliecer, calzábase las botas y las espuelas y partía rumbo a La Huerta.

Aunque le hubiesen agasajado con cariño, aunque aquel matón le hubiese ofrecido una válvula para desahogar su mal humor, iba colérico. Sí; colérico por cuanto supo de Marisabel, por la emoción de un día fracasado y porque se llevaba una vez más el convencimiento de que, en medio de tanto malhechor y de la evidente inutilidad de policías y gobernantes, no había medio de vivir en los campos de Chile sin el arma al brazo.

*

* *

Dormía José Pedro noches después, cuando lo despertó un resplandor que llenaba el dormitorio. Saltó de la cama y a medio vestir se lanzó al patio. Allí hacía sofocante calor. Todo el cielo estaba encendido, hasta borrar las estrellas.

Sebastián apareció a su vez por el portón. Descalzo y apenas con un largo poncho encima, volvía de inquirir.

—Incendio, patrón —dijo con aquella su voz dura y recta como un estoque.

—¿En el fundo?

—Al lado. Se le quema el monte a La Mielería.

—A medianoche. ¡Qué raro!

—Raro es.

Fueron caminando hacia el huerto juntos. Allá, lejos afortunadamente, ardía una loma. Borbollones de humo negro constelado de chispas subían de la extensa hoguera, se rizaban en bolas y caracoles enormes, se despeinaban en lo alto y se iban, como si el viento hubiese resuelto escarmenar aquellas melenas trágicas para echarlas en dirección opuesta.

—No veo peligro para nosotros.

—Tampoco yo. Quedamos distantes. ¿Qué hora será?

—No dan las tres todavía.

Pensativos, decidieron recogerse de nuevo.

Pero José Pedro no tuvo ya tranquilo dormir. Su imaginación había volado al merodeo de bandidos y esta intuición de la vigilia se le convirtió en pesadilla después. Terminó por desvelarse. Cuán estrafalarios, en verdad, los sueños que había tenido. Eran, sin embargo, lógicos, dentro de un mundo fantasmagórico y absurdo. Concordaban con su propio ayer, un ayer delirado pero firme para prestarles base. ¿Por qué, mientras un sueño se desarrolla, nos vienen a la memoria recuerdos de antecedentes que nunca sucedieron, pero que todo lo justifican entonces por claros y ciertos? Se sueña un presente con su correspondiente pasado. Resulta inquietante que tengan su pasado los sueños también. Hace pensar que vivir y soñar pueden ser fenómenos idénticos.

Se chapuzaba, divagando así, cara y cabeza, para salir a faenas, cuando los mozos del pelotón bravo golpearon a la puerta.

—Anoche asaltaron a la patrona de La Mielería.

—La dejaron en un río de sangre, a la pobre.

—Cargaron con las alhajas y la plata.

Tras de atender a mil pormenores, José Pedro resolvió:

—Hay que ir allá, ensillen.

—Ya ensillamos, para su merced también.

—Agarre cada cual su *pívori.*

Repletaron de tiros las cananas, pusiéronse las carabinas a portafusil y partieron, seguidos por los perros.

La peonada, las mujeres y los niños, en alboroto, los miraron alejarse. Iban los cuatro empinados sobre los estribos, a trote largo y veloz. Se les vio achicarse por la perspectiva del camino, hasta ser sólo cuatro puntos pardos entre cuatro polvaredas.

A medida que se internaban por el fundo vecino, el aire sentíase más y más candente, sobre las mejillas, aun dentro de los ojos. A la luz de la mañana, las humaredas habíanse vuelto grises y el fuego de ocre fúlgido. Ya más próximos, oyeron el crepitar de los árboles en llamas, semejante al tiroteo de un combate, y el olor de los leños verdes ardiendo escocíales en las narices y les dejaba en las gargantas regusto de alquitrán.

Se desmontaron frente al caserón de La Mielería. Largo de cien varas, en el corredor encalado entre las tejas y los ladrillos de pastelón, se tendía del molino a la capilla. El incendio lo enjoyaba de oriflamas.

A José Pedro lo impresionó.

"Gran mansión", se dijo.

Pero no se descubría ser ninguno. Se hallarían todos, los hombres por lo menos, en el infierno de la loma; porque se divisaban allá cuadrillas haciendo febrilmente cortafuegos a fin de aislar la hoguera.

Hubo de aguardar, mientras sus muchachos buscaban quien lo recibiese.

Fulgía el cielo, todo él un esmalte amarillo por el naciente; una larga nube gris, franja de humo flotante e inmóvil, limitaba este color, y del cenit al horizonte opuesto la bóveda era un inmaculado cristal verde cuyo reflejo teñía los seres y las cosas en la tierra.

Una sirvienta joven acudió al cabo, cubierta entera por su delantal azul. Blandía una gran llave, llave de iglesia o de palacio, que introdujo en la cerradura de la puerta central. Invitó a pasar a José Pedro y se agachó para descalzarle las espuelas.

La contuvo él. Venía sólo a pedir la venia de la señora con el objeto de perseguir en sus campos a los bandidos, sin demora.

—Está en cama todavía, la pobre.

—¿Grave?

—Otra estaría muriéndose. Pero ella... Señora más alentada no se ha visto.

Verbosa, enardecida, relató cuanto sucediera. Obtuvo él en limpio que a la dama le habían partido la frente de un culatazo, que luego le pusieron mordaza, que vaciaron de joyas y dinero el bargueño y que, notándose atacados al huir, a tres sirvientes habían tumbado heridos.

El Valverde sintió arrebatársele la sangre.

—¿Cuántos eran?

—Dos entraron al dormitorio de la patrona. Dos más parece que aguaitaban afuera.

—Vaya, hija, y pídale autorización para que su vecino Valverde, que ha venido con tres mozos bien armados, tenga paso franco por el fundo y pueda perseguir libremente a los malhechores.

Regresó la criada con el permiso y el encargo de manifestarle que, a su vuelta, "le hiciera el honor de visitarla para recibir la expresión de gracias".

No tuvo éxito José Pedro en su empresa. Aunque la lógica indicara que tras el asalto los bandoleros huyeran a través de bosques y lomajes y que prendieran el monte para cubrirse la retirada y detener a la gente con el trabajo de apaga, no se halló el menor rastro de cascos o plantas extrañas.

Retornaron despechados a media tarde.

José Pedro fue introducido al salón, estancia con olor a medio siglo, pero de lujo extraordinario. Alfombra, muebles dorados, espejos en óvalo que cubrían cada cual media pared, cortinas de raso recogidas por cordones de seda terminados en gruesas borlas, cornucopias, candelabros con gordas velas de cera, techo decorado, nada faltaba para certificar fortuna cuantiosa y vieja.

Inducía todo ello a bajar la voz con respeto.

Los cortinajes del testero se apartaron al fin para dar paso a misia Carmela Burgos. Alta, gris, adolorida, los hombros separados y angulosos como los dos alones de un cóndor, a la vez lujosa y raída, se fundían en su talante la mujer colonial y el fantasma de una reina loca.

—Qué gusto y qué consuelo —dijo avanzando— recibir a un joven buen mozo y valiente después de haber sufrido la cobarde fealdad de esos energúmenos.

Y tendió la mano.

José Pedro se la tomó con reverencia.

—Siéntese. Muy fea me viene a conocer, Valverde.

Un pañuelo blanco le vendaba la frente a manera de bonete y una mancha cárdena le descendía sobre la sien.

—Mayor dignidad, señora, tiene usted así.

—Nada. Un horror, hijo.

Hablaba cual si ni dolores ni pérdidas valiesen la pena fuera del estropeo de su físico. Tenía la voz cascada y algo varonil; pero en las pupilas, que le hacían indescifrable la edad, creyó José Pedro descubrir, lleno de asombro, la chispa de la hembra que aún quisiera gustar y encender al hombre.

—Su tío, el capellán, no me quería. Me juzgó siempre loca y no sé si también mala pecadora.

—Jamás le oí tal cosa.

—Pues yo sí. Como que me confesé con él en cierta cuaresma.

—Enmendaré yo a mi tío, entonces. Quiero vengarla.

—¿De don José María?

—De los bandoleros.

—Si da con ellos. Y no dará. Lo comprendí esta mañana, después de haberse lanzado usted al campo como fiera despistada. No era ésa la dirección.

—¡Cómo!

—Se valieron del incendio como estratagema. Huyeron con rumbo inverso, hacia Leyda.

—Muy probable.

—Mientras los creían cubriéndose la retirada, se iban con su frescura y su botín por camino real.

—Piensa usted como un general.

—De general soy viuda, hijo.

—Pues tarde o temprano daré con ellos.

—¡Ojalá! ¡Oh, si el revólver me obedece anoche! Yo habría dado, no con ellos: en ellos.

—¿No hizo fuego el revólver?

—Arma mucho tiempo guardada, falló. Y me lo arrebataron. Fue una pifia. Porque... había que verlos: dos tipejos enclenques. Pero me descargaron aquel golpe en la cabeza y no supe de mí hasta despertar en un charco de sangre. Le habrán contado ya lo demás.

Discurría con entereza y coquetería, mixtura que a José Pedro lo desconcertaba. Jamás había tratado él dama semejante. No aceptó que le trajesen médico: ella se curaría sola, como siempre. ¿Enviar parte a las autoridades? Años hacía que perdiera la candidez. ¿Sus alhajas? ¡Psch! Aplaudía, sí, la idea de "este buen mozo": la justicia por sí mismo. ¡Qué temple! Sólo que repelía en ella esa verde vejez, como de sensualidad o romanticismo insatisfechos. José Pedro sentíase por momentos incómodo al recibir sus frases intercaladas: algunas, verdaderos piropos, y aun de vehemente insinuación. Por algo el cura la tendría por loca y pecadora. Lástima. Dolía ese degradar de lo noble a lo ridículo.

Se retiró perplejo, aunque sí en esfuerzo por entenderla y dispuesto a cultivar su amistad.

Antes sólo habíale divisado al pasar por el camino, generalmente rodando en su coche, y en cierta ocasión a pie: apeada de la diligencia en la carretera, fuere porque su carruaje no la hubiese aguardado en el cruce, fuere por capricho u ostentación de fuerzas, había emprendido por sus propias piernas el viaje hasta La Mielería.

—Vayan a ofrecerle coche a esa vieja loca —dijo aquella vez el cura.

Pero ella no aceptó la gentileza. Y la vieron alejarse, firme, a trancos iguales, con el vigor de un hombre. Legua y media debió marchar así.

Tanta singularidad, tanto carácter y tanta perspicacia de la dama para esclarecer el error en que incurriera él en su persecución, enconaron el empeño de José Pedro para perseguir a los ladrones. Al día siguiente fue a verse con Felipe Toledo. Conferenciaron ambos en seguida con el gobernador. No tuvo ello, naturalmente, otra consecuencia que algunas visitas de polizontes en patrullas, un cúmulo de conjeturas y malas pesquisas. Nada efectivo, inteligente o sagaz.

Una tarde, concluidas las avientas de las últimas parvas, se le acercó Sebastián.

—Me parece —anunció, rascándose la cerviz y con su gesto habitual de subir y bajar alternativamente las cejas— que hay pista ya de los salteadores. Me mandan un buen soplo: son tipos de Culiprán y compinches de ese mentao Trompo.

—¿El de San Nicolás?

—Ese mesmo que su mercé y yo queremos tantísimo.

En el plexo de José Pedro se anudó algo como una gustosa promesa. Le asaltaron deseos de abrazar a Sebastián. Lo conmovía su máscara de bronce, tan ennoblecida por la nariz aguileña y tan viva de malicia.

—¡Magnífico, viejo! —exclamó—. Cítame a mis niños del pelotón bravo y ven tú con ellos esta noche.

*
* *

El portazo rebotó en las tinieblas del corral y los hombres paralizaron todo movimiento.

Se vio avanzar desde la casa una lámpara encendida, sola, como fuego fatuo: su reflector lanzaba los rayos adelante y tras él velábase por completo quien venía con ella.

A cada cambio de la luz, el ojo de algún caballo fosforescía en alarma. Un bufido puso en el aire temblor de sobresalto animal.

La voz de don Eliecer se alzó sigilosa entonces:

—Vuelva ese reverbero, hija, que nos espanta las bestias.

Luego, hacia los compañeros, advirtió:

—Es la Catalina.

Ya en la sombra de las trancas, la señora decía con misterio:

—El Gallo. Se me presentó de repente. Porfía que ha de hablar y ha de hablar no más con don Pepe. Alega que le trae un soplo importante.

Entre los hombres hubo murmullos en conciliábulo. En seguida, silencio. Quedó murmurando sola el agua del canal escondido.

Y al cabo, mudos, precedidos por la señora con su lamparín, José Pedro y los dos compadres dirigiéronse a la casa.

De pie, al centro del comedor, aguardaba el Gallo. Entre las cejas y el bigotazo, la nariz le rojeaba como un chorizo.

—Buenas noches.

—Buenas.

—Asiento, Gallo.

—He venido a probarle que quiero ser su amigo, don Pepito Valverde

José Pedro hizo girar el reflector, de modo que proyectara todo su haz sobre el visitante, y él permaneció en la zona sombría.

—Usted dirá qué prueba es ésa.

Comenzó el Gallo algo a trompicones; mas poco a poco fue dominando sus acentos. No debía extrañarle a don Pepe que adivinara intenciones, porque...

—En pueblo chico, los datos ruedan y...

—A veces ruedan disparates.

—¡Hum! Oiga, señor, mire..., yo...

—Hable claro de una vez, hombre.

Don Joaquín reforzó la exigencia:

—Desembuche, amigo, que la mujer preñada no se mejora botando flatos.

—Bueno. El caso es que me recogía yo casualmente a la madrugada, todavía con noche, cuando veo llegar a don Pepe con sus niños, todos muy emponchados. Se notaban, sin embargo, las carabinas. Después, el resto del día, lo topé a cada rato por el pueblo, y ya de punta en blanco: pantalón a cuadritos, patitas de gallineta, sin esas botas de ahora y de por la mañana, chaquetilla negra, faja, chamanto de seda... Pero de los mozos, ni rastro. Yo me divierto siempre en la cantina y las posadas, tomo mis tragos, observo... El día lo pasó don Pepe de paseo con el secretario de la gobernación, como patrón elegante que ha venido en coche de su fundo. Con lo que yo sabía y con lo que sospechaba, me convencí de que había disimulo en todo eso.

—¡Qué sabe usted, hombre! ¿Y qué significan esas sospechas?

—Pero, don Pepe, ¡buena cosa! No me haga darle lata con detalles Mire: cuando descubrí a los tres mozos armados que salían, ya cerrada la noche, de la casa de don Joaco y se venían acá, al corralón de don Eliecer, ya no tuve duda.

—¿Duda de qué?

—¡Beh! Hay que ser muy corto de vista para no ver a través de un cedazo, por mucho que lo quieran tupir.

—En fin, al grano, al grano, amigo.

—Ahora estoy seguro de que aguaitan al huaso ese que ustedes llaman el Trompo. No se asombre, señor. Si todo el mundo espera que ya reciba ese tipo alguna vez una sorpresa.

—No se pierda de listo, Gallo.

—¿Y cuál es el soplo de amigo que me trae?

—Allá voy. Yo que cavilaba, como le digo, ata y ata cabos, cuando... ¿no me toca meterme donde Buenas Peras para que le cambie las herraduras a mi yegua y escucho ahí lo que hacía falta? Que los pacos habían cortado con rumbo a Culiprán, a la siga de los salteadores de La Mielería, y que al cruzar por San Nicolás le habían hecho mil preguntas al mayordomo.

—¡Qué brutos!

—O qué bribones.

—Continúe. ¿Quién le contó eso a Buenas Peras?

—El Trompo en persona. ¿Qué le va pareciendo? ¿Ah? Y le dijo después: "Yo me alegro, porque justamente voy a llevar un arreíto por esos lados, y si hay salteadores, habiendo policía voy seguro". Dice Buenas Peras que repitió mucho esto el Trompo. Mucho, pero mucho.

—Que iría por Culiprán.

—Eso. Como que deseaba dejar constancia. ¿Comprende? Está claro. El arrea para Pomaire, lo sé yo; tengo noticias de que unos carniceros lo esperan allá entre hoy y mañana para comprarle novillos y vacas gordas. ¿Comprendió ya, don Pepe?

—El hombre despistaba.

—¡Claro!

—¿Y quién me garantiza que todo esto es verdad?

Hubo una pausa. José Pedro y los compadres cambiaron miradas.

—Yo —repitió el Gallo— y me ofrezco para guía. Dentro de media hora podríamos estar en la vuelta del Membrillo. Por ahí tiene que atravesar.

Don Eliecer intervino socarrón:

—Pero es tan peligroso usted, pues, Gallito.

—¡Cómo!

—Peligrosón.

—Me ofrezco para darle a don Pepe la prueba de amistad. Además, yo iría sin armas. Ni cuchillo. Me registran. No le tendrán miedo a un hombre desarmado cuatro con carabinas y cuanto hay.

—O se queda con nosotros aquí hasta que vuelvan ellos —le propuso don Joaquín—. Escoja.

—A mí me gustaría ir. También le tengo ganas al Trompo.

—Venga conmigo —resolvió José Pedro, clavándole la mirada—. Y oiga: no es usted tan buen adivino. Pensaba yo perseguir a los salteadores y obligar a la policía. Lo que me dice ahora me hace cambiar el propósito. La daremos al atajo a ese otro ladrón. Pero si resulta que me ha engañado, Gallo, me la pagará. Usted me conoce. Y como guapo que se ha encontrado en muchas, sabe que cuando llega el serrucho al nudo, se mella. Conque... a ensillar.

Se internaron por el patio hacia el corral obscuro.

*

* *

Rato hace ya que marcha el pelotón bravo en medio de la noche. Noche de otoño, con pocas estrellas. Limpio y semiazul, da el cielo sensación de pupila despierta sobre la llanura.

—Habrá más luz a medida que avancemos —dice José Pedro.

Y todos los ojos se vuelven hacia donde se adivina la luna bajo su oriente aún.

Caminan los cinco jinetes por el valle abierto. Se ve todo a manchas pero reconocible: aquí un grupo de pinos, muy nocturno; allá dos ranchos que humean cerrados y en silencio, y moteando el llano entero, los espinos, a cuyas copas flexibles han impreso los vientos idéntico sesgo con el correr de los años.

Contra el parecer del Gallo, ha resuelto José Pedro tomar esa trocha vecinal que atraviesa los campos del Marco y empalma con el camino de Pomaire al Membrillo.

—Andaremos de más —ha opinado el matón.

Pero el jefe sabe lo que dispone.

Sólo de vez en cuando cambian alguna frase. Y caminan, callados. Por delante, Bruno y Cachafaz llevan al Gallo entre ambos. A retaguardia va José Pedro con su inseparable Pascualote.

—¿Aquél es el cerro del Membrillo?

—Aquél.

La hijuela del Membrillo inicia el valle a los pies de un cerro alto cuya falda vertical baja a hender la bruma que flota encima del Maipo escondido.

Cuando alcanzan el cruce, ordena José Pedro a los huasos delanteros apearse y observar el suelo.

—¿Hay rastros?

—Uno de caballar.

—Otro de peón con ojotas.

—De vacuno, sólo éste; pero va en dirección contraria.

Hay que proseguir, entonces. De trecho en trecho se buscan huellas de nuevo. Y así arriban a la curva indicada por el Gallo y hacen alto. Allí otean, escuchan. Pero fuera del cascabel de los sapos y otros rumores que acunan el sueño campesino, nada se registra.

Echan pie a tierra y, en cuclillas junto al matorral, metidas por el antebrazo las riendas, fuman, comentan, inquieren.

—¡Malaya el cambio, patrón!

—¿Por...?

—Porque sin tirarnos encima de los salteadores no hay baleo.

—Y tú te mueres de ganas.

Sí; Bruno, que ha soñado pelea, confiesa su desengaño.

José Pedro explica una vez más:

—Esto era imprevisto; pero la oportunidad no podíamos perderla. Tengan paciencia, ya correrán los tiros más adelante. Por hoy colgamos las *pívoris* por su argolla, en la montura.

—Yo me la tercio a la espalda.

—Como quieras. Lo esencial es que dejes los brazos bien libres.

Cada cual se acomoda, revisa sus cinchas y su lazo entre festivas ocurrencias. Sólo el Gallo no está locuaz. Le impacientan algunas miradas de Pepe Valverde, que ahora le pregunta:

—¿No habrá engaño en esto, Gallo?

—Que lo engañe yo a usted...

—Digo, después de engañarse usted a sí mismo.

—Tendría que haberme puesto muy bruto.

Pascualote dice al fin:

—Yo seguiría caminando. No sea que salga la luna y nos estorbe.

Convence.

—A caballo, niños —manda José Pedro.

Y se reanuda la marcha.

Minutos después, al término de unos trozos de alameda, al torcer otro recodo, los de vanguardia se detienen. Ha trepado uno la pirca y ha mirado mucho. Luego ha vuelto a montar de prisa, y ahora regresan los tres.

—Viene allá el piño, patrón.

—¡Chist! Hablar bajo.

Todos inmóviles, parecen escuchar con los cinco sentidos.

Un silbido, silbido de arreo, que se sostiene, tremola, ondula y se alarga como un látigo en el aire, acusa primero. Luego la nube de polvo sobresale creciente por encima de las cercas de zarzamoras.

Ya se oyen mugidos cuando José Pedro dispone:

—A la orilla del camino todos, en hilera, mudos, sin moverse. Hay que dejar pasar los animales primero, y en seguida, siguiéndome, cortar de los arreadores el piño.

—¡Aura sí, por la pucha!

—¡Chitón, Bruno!

Asoman al fin las vacas, lentas, ronroneantes, montándose las unas sobre las otras. A la par va la luna saliendo por el otro lado. Ya se ve cómo, en los atropellos, enrédanse los cuernos.

Al paso del último vacuno, salta José Pedro escoltado por sus muchachos.

—¿Quién va?

El Trompo se ha detenido.

—Alto. ¿Qué arreo es éste?

—Mío.

—¡Tuyo! Al cabo caíste, ladrón.

—Yo no soy ladrón; trabajo pa...

—Silencio. Entrégate. Reconoce a tu amo.

—Al asesino de misia Chepita reconozco —grita ya furioso el Trompo, y echa mano al cuchillo.

Antes que José Pedro se le vaya encima, un lazo ahorca el cuerpo del mayordomo. Rápido empero lo ha cortado él con su puñal, y otra vez libre, se le ve blandir el acero, que destella en la luz lunar. Mas junto con ello el lazo de Cachafaz le apresa certero la muñeca, tira violento y el arma vuela por los aires.

—¡Caballo Pájaro! —se oye aplaudir a José Pedro.

Segundos de perplejidad diríase que paralizan el tiempo, y de repente, comprendiendo que José Pedro embestirá, vuelve grupas el Trompo y arranca el caballo a todo correr.

—Vivo, Pascualote. Yo a él, tú al caballo. Lazo al pescuezo. Yo lo bajo con el mío a él por las ancas.

En polvareda, frenéticos, parten detrás. Y pronto los lazos atrapan, precisos. Presa está la bestia, el Trompo rueda por el polvo.

—Amárrenlo.

Bruno y Cachafaz saltan de sus monturas.

Mientras José Pedro recuerda:

—Cincuenta en el culo le tenía jurados.

El Trompo clama:

—¡Favorézcanme, niños!

Pero los dos arreadores que le acompañan no se inmutan; apenas si el Gallo, que los custodia, les percibe murmurar:

—A cada chancho le llega su San Martín.

—Bájenle los pantalones ahora —concluyó José Pedro, en tanto desabotona calmadamente la penca de sus riendas.

Todo ha sucedido en minutos. Y ya está el gordo mayordomo atado a una vieja compuerta. La luna riela sobre las posaderas obesas y las tiñe de celeste inmaculado.

Dentro del canal seco, José Pedro emprende la descarga de azotes, uno a uno. Dos, tres, cuatro..., hasta cincuenta bien cabales, y hasta que las nalgas varían del blanco al cárdeno y estríanse de hilos rojos.

Por último, suben al maniatado nuevamente a su cabalgadura.

Entonces, José Pedro, satisfecho, tiende al Gallo la mano:

—Desde hoy, verdaderos amigos —pacta con él.

Y se reagrupan, arreo y pelotón, para volver a Melipilla en un solo cuerpo, bajo la impavidez de la luna.

*

* *

Gracias al secretario, que se levantó al primer aviso de José Pedro, en Melipilla todo trajín se hizo expedito, y al rayar la mañana rechinaba por última vez, cerrándose ya, el portón trasero del cuartel de policía.

Hubo estrépito de trancas y cerrojos por algunos momentos aún; mas en seguida ondeaba únicamente sobre las casas dormidas el cansado mugir de las vacas presas al otro lado de los paredones.

—El Trompo y los suyos...

—Quedan detenidos, a disposición del juez.

—A ver qué me corresponde ahora.

Resolverá el gobernador que, buen soldado, ya está en pie seguramente.

José Pedro pensó entonces en sus mocetones. Tras de reajustar monturas, permanecían junto a sus caballos. Debían desayunar, desde luego.

Pero el Gallo lo había previsto.

—Nada de ir a posadas y alborotar el pueblo, don Pepe. Un caldillo con ají, con cebollas, con huevos y charqui gordo lo mando yo preparar en un santiamén. Me los llevo a casa.

Poseía el Gallo, a comienzos de la población, con frente al camino real, una chacarilla donde no sólo comerían los bravos muchachos, sino que triscarían algo las bestias. Era, por lo demás, el punto ideal para que aguardasen a su patrón hasta la hora de regreso a La Huerta.

El gobernador se conquistó las simpatías de José Pedro apenas hubo emitido las primeras frases. Era hombre claro, de soluciones simples, directas y viriles. Tenía unos ojos acerados, de niñas en dilatación y obscuras que cuando se fijaban parecían los caños de dos pistolas apuntando. Las miradas partían de allí como disparos.

Celebró la proeza de José Pedro y más aún el sueño de combatir a los bandoleros. Después de oir hecho y propósito, se puso a pasearse por el despacho, y de repente se volvió y dijo:

—Con otro juez, mi señor secretario, dictaba yo a la policía órdenes a mi gusto. Pero con este código en dos patas que tenemos, vaya usted a realizar algo.

—Con otro juez y otros policías.

Soltó la risa y aprobó:

—Así es. Esos fundilludos de chafalote colgado a las pretinas mariconas deberían cambiarse por soldados.

Observábalo José Pedro en su vestir y en sus modales, comparándolo con Felipe Toledo. Mientras el ex seminarista, joven, atildado y buen mozo, tenía un rostro sin acentuación, definitivo de trivialidad, aquel militar en retiro era todo acento. Alto y duro, lucía esbelteces quince o veinte años menores que sus setenta bien cumplidos. Vestía una levita que le enguantaba el cuerpo hasta el cuello, muy marcial. El último botón escondíale la corbata; en reemplazo, la pera crecida y cana montaba encima, y entre bigote y cabellera en cresta de cepillos, las pupilas de acero descargaban su mirar en proyectiles.

Se convino en que José Pedro se fuese a su fundo, tranquilo. Toledo escribiría circunstanciada e inteligentemente a misia Jesús. Y ya citaría el juez para el proceso.

En efecto, días después, cuando José Pedro calzaba en la fragua los arados para la próxima siembra del trigo, se le presentó un polizonte con citación judicial y carta privada de Felipe Toledo.

Considero indispensable que vengas —escribía el amigo—. *El juez, cumplida la detención de tres días, ha puesto al Trompo en libertad, conforme a la ley. Por lo demás, ¡asómbrate!, misia Jesús lo afianza. Se me ha nombrado depositario de los vacunos presos, pero no sé dónde colocarlos a talaje.*

Como Pascualote, formado ya herrero maestro, y Sebastián, ahora diestro mayordomo, podían afrontar las urgencias de la sementera, él corrió sin escrúpulos al llamado. La citación judicial significaba mero cumplimiento de trámites. Pero la carta de la viuda de Lazúrtegui producía desaliento y cólera: ni palabra sobre Marisabel; en cambio, envolvía declaración de confianza para el empleado y aun ponía: "Si él no decide retirarse después de tamaño vejamen, muy propio de Valverde, no seré yo por cierto quien lo despida".

—Y lo peor es —acotó Felipe— que a la maña con que yo le insinúo la conveniencia de irse, él me responde que no piensa dejar al fundo ni el servicio de su señora.

—Malo, muy malo... —murmuró don Eliecer, allí presente.

—Está ciega.

Don Joaquín sentenció:

—Ciega. Porque, ¿a qué se queda el gato, si no es a lamber el plato?

—En fin, se proveerán escritos, yo insistiré...

José Pedro perdió la paciencia:

—No, Felipe. Yo, en tu lugar, voy a Santiago, hablo con ella, la convenzo del peligro y la salvo de la ruina.

—Según eso, más valdría que fuésemos los dos.

Los compadres apoyaron la idea. Y José Pedro, por todo ello y acaso por un ansia secreta de buscar contacto con Marisabel, resolvió viaje.

A los pocos días, instruido ya Sebastián acerca de cuanta labranza se proseguiría en ausencia del patrón, José Pedro se despidió de sus mocetones:

—No sé si tarde una o más semanas; pero salgo seguro de ustedes. En el día calzarán rejas y afilarán herramientas, los tres en la fragua, juntos y con sus *pívoris* a mano. ¿Entienden? Y para seguridad del fundo por la noche, van a dormir en mi cuarto, siempre armados y alertos.

—Vaya seguro, patrón.

Esa vez lo condujo a Melipilla el coche. Así lo exigía su indumentaria de ciudad, incómoda y hasta opresora: habíasela prestado Felipe Toledo, menos fornido, pues jamás preocupárale a él adquirir para sí tales vestimentas.

Aun al subir con el secretario a la diligencia, rumbo a la capital, movíale a risa el ver su cuerpo de huaso empaquetado en una levita y coronado por un sombrero de copa.

Mucho lo distrajo, sí, el trayecto a Santiago. Dos diligencias en viaje simultáneo requería el movimiento de pasajeros y ambas competían en un correr delirante. Solían excusar los aurigas ese vértigo con las ventajas de la prisa en cuanto a economía de tiempo y con las de librar al pasaje del polvo que levantaba el carromato delantero; mas aquello constituía en realidad toda una justa entre rivales enconados, definición de superioridad entre cocheros y caballos. De posta en posta se mudaba el tiro, ayudaba nuevo postillón y la consigna de ganarse uno a otro proseguía más y más ardorosa.

Aquel desenfreno, aquella locura de gritos, tumbos y polvareda fue para el pulquérrimo Toledo martirio de asfixia, náuseas e iras de caballerete refinado; pero José Pedro rió sin cesar, a ratos por los ascos y aspavientos de su compañero, algunas veces por el cómico frenesí que iba poseyendo a los conductores, y también, y sobre todo acaso, porque su corazón de luchador se comprometía de amor hacia su propio carro.

En Santiago bajaron blancos de polvo. Con qué alegría, sin embargo, para José Pedro: su coche había triunfado.

—Eres un niño, Pepe.

—Y tú, un exquisito joven viejo.

Treparon al tranvía en la estación de los ferrocarriles y rodaron hacia el centro.

*
* *

—Totón, no me des té, vieja. Vengo ansioso de unos cuantos mates. Quiero el brasero y todo aquí, en el comedor —gritó José Pedro hacia la cocina.

En seguida se tumbó en el sillón frailuno. Allí siguió fumando. Exhaló una bocanada más y el humo se fue veloz por la ventana. Con la voluta en fuga se le fueron también los ojos a la campiña, a sus lomas y sus llanos, tan queridos. ¡Cómo le reconfortaba esta primera visión al volver de la ciudad y sentirse de nuevo en su casona: la lejanía de rastrojos amarillos, los follajes que se van encobrando, las mil tostaduras con que matiza los campos el otoño!

Algo cansado, pero fuerte a la vez, había en todo ello. Como en él en ese momento.

Bostezó, sonriendo al verse todavía vestido de caballerete ciudadano. Pero... acababa de llegar en la diligencia. Otra cosa sería mañana. Menos mal que muy pronto pudo en la capital adquirir ese vestón y ese flexible para la cabeza y devolver aquella levita y aquel hórrido sombrero de copa, tan absurdo sobre su cuerpo.

Dio al cigarrillo la última chupada, y al notarlo consumido ya, se lo puso entre el pulgar y el mayor, como una píldora, y lo disparó afuera.

La colilla chocó en uno de los barrotes, rebotó hacia dentro, y él tuvo que levantarse para echarla con cuidado. ¡Lo de siempre!

Hizo entonces una mueca de ironía y fastidio. Al acto fallido habíasele asociado por semejanza el baldío viaje; porque si al emprenderlo todo pareciera fácil y sencillo, en el hecho la tal facilidad y la tal sencillez habían resultado idénticas a las de tirar un pucho por entre unas rejas. Ni más ni menos.

En fin, se dijo, cuestión de paciencia, porfiar y proceder cuidadosamente.

Porque venía despechado, pero no en derrota. Y como el despecho multiplicaba siempre sus energías, los planes maduraron rápidos, prometedores de triunfo y desquite. Desde luego, la ofensiva contra los bandoleros a la sombra estimulante del gobernador enredaría fatalmente al Trompo y los pasos de misia Jesús o de su abogado tomarían al cabo mejor rumbo. Además, ¿no debía contribuir al éxito ahora cierto apoyo político? De algo le valdría el haber firmado en Santiago los registros del Partido Conservador y regresar con su nombramiento de agente regional en el bolsillo.

A plazo breve o largo, pues, vencería.

Mas por de pronto se obstinaba misia Jesús. Al principio recibió atenta y aun con gratitud las denuncias y las opiniones de Felipe Toledo. Sin embargo, de buenas a primeras mostróse cambiada. Cuando el secretario, tras de algunos consejos, le propuso contacto personal con su yerno, la señora montó en cólera:

—¡Qué! ¿Pretende que yo lo reciba? ¡No faltaba más! Dígale de mi parte, así, como suena, que si yo fuera capellán lo recibiría... en confesión. A ver si me recitaba él ahora de rodillas el "Yo pecador". Como Valverde, comprenderá el recado.

A José Pedro le arrancó una carcajada la respuesta. Luego tuvo impulsos de ponerle cuatro letras y anunciarle que, a pesar de los pesares, pronto sería ella quien solicitaría la entrevista. Sólo que... más valía esperar.

El hecho es que de allí en adelante la viuda de Lazúrtegui reveló más y más frialdad para con Toledo.

—He resuelto —le advirtió por último— que me atienda estos asuntos mi sobrino Cipriano Correa. Es abogado, prudente y rico. Sí, muy rico; de modo que me servirá por mero interés de familia. Hablé ya con él. Me promete ir allá y tomar las medidas que más convengan.

Había surgido, pues, un percance insospechado. La colilla rebotando en el barrote.

Pero tanto José Pedro como Toledo conocían a Cipriano Correa. También este personaje había estudiado en el Seminario y dentro del mismo curso con ellos. Lo buscaron. Era un joven corpulento, fofo de carnes, sonrosado y pelinegro, con ojazos de pestañas largas y en arco que le daban expresión de dama hermosa y bobalicona.

Lo convidaron al Teatro Variedades, luego a cenar en un café que se abriera en la calle de la Nevería con los artistas del incendiado casino del Puente de Palo. Y ya en esta velada les corroboró el juicio que de él se formara Toledo desde antiguo.

—Es una mezcla de tonto y listo, avaro, prestamista y acomodadizo a cuanto le conviene.

—De los que cuando se hallan entre tuertos cierran un ojo.

—Exacto. Y siempre atisban presa.

Bien. Quedaba tiempo. Ya se lo irían ganando, con maña y perspicacia.

Frecuentaron su trato. Hacia las once de la mañana, porque se había puesto ello de moda, iban con él a cierta panadería cercana del Tajamar, a la que llamaban los elegantes el Pan de la Gente. Allí comían roscas recién salidas del horno. Luego despedían al mezquino goloso bien regalado, pues le ponían en brazos un paquete de bollos, que se llevaba él a su solar de la esquina del Chirimoyo con el Colegio Agustino.

—¿Por allá vive? ¡Pero si eso está vecino al Galán de la Burra!

—Dos cuadras de ese basural le pertenecen ya. Tiene ojo de millonario.

Jamás pagaba Cipriano, por cierto, el menor consumo. Retribuía las atenciones de José Pedro sólo conduciéndolo a conocer los adelantos de Santiago: el palacio de Urmeneta, el de Díaz Gana, la Alhambra, la quinta Meiggs. Gracias a sus buenas relaciones, lo introdujo al nuevo edificio del Congreso, y también al Teatro Municipal, aquí de día, eso sí, no a horas de función.

José Pedro, por momentos, no sabía si reírse o propinarle cuatro frescas. Se vengó una noche, única en que Cipriano abrió la cartera para festejar a cierta cantadora del Variedades. Durante la cena, bastáronle unos guiños a esta mujer para convenir cita con ella. Y lo burló.

Pronto empezaron a correr los días de José Pedro entre meras satisfacciones de su curiosidad y lánguidos aburrimientos. Por las mañanas visitaba cuanto de nuevo le ofreciera después de tantos años la capital. Ingresó a la Sociedad Nacional de Agricultura y tuvo allá la emoción de conocer a Vicuña Mackenna, para quien las modernizaciones urbanas le habían acumulado entusiasmo. Mucho le celebró el dinamismo, y más aún la ocurrencia de transformar el Santa Lucía valiéndose del trabajo de los malhechores presos en la cárcel, y cuando le advirtió él que aquellos individuos habían "prestado sus servicios por acto absolutamente voluntario", su admiración creció hasta las risas del regocijo. ¡Era todo un hombre, todo un ejemplo, don Benjamín!

Concluido el almuerzo, recogíase Pedro al Hotel Inglés, para dormir la siesta. Se ponía otra vez en pie al atardecer. Desde un barandal interior contemplaba entonces largo rato la urbe crecida. Rompiendo la extensa monotonía de los tejados, las cúpulas de los templos, cada cual entre sus dos torres, sobresalían como cabezas echadas atrás entre los brazos alzados en clamor. El sol poniente les traspasaba los cristales, encendiéndolas. Después obscurecía, en la Catedral doblaba el sombrío toque de ánimas, y él salía entonces, ya para no volver sino a medianoche, cuando desde la calle de la Bandera otra campana, ésta muy femenina, muy monjil, llamaba para maitines a las Capuchinas.

No fue, pues, del todo vacía su permanencia en la ciudad, aunque frutos positivos para su principal empeño no lograse. Marisabel seguiría en su convento. ¡Qué hacer! Cuantas veces ascendió al Santa Lucía y oteó desde allí los claustros y los huertos de las Claras y del Carmen Alto, bajó sin la menor imagen de monja o reclusa.

Por fin, cansado, embarcó en la diligencia con Felipe Toledo, una mañana gris.

La Totón entró al comedor envuelta en aromas de yerba y azúcar quemada. Posó a los pies de su patrón el brasero colmado de trebejos y, los morenos antebrazos en equis sobre el vientre, aguardó reverente y curiosa. La deslumbraban aquel chaquetón castaño con ribetes de cinta, el cuello almidonado y abierto, la corbata de lazo verde bronce, todo ello en gama con el obscuro rubio de la barba tenoriesca y con las pupilas de mar.

Conmovida por este conjunto de virilidad señorial y seductora, suspiró:

—¡Lástima que así no lo viera nunca mi hijita, mi Chepita que Dios tenga en su gloria! ¡Y cómo lo habrán mirado las santiaguinas de polisón! ¡Jesús!

—Te vas poniendo chocha, vieja.

Ella continuó hablando. Hervía en preguntas. ¿Y Marisabel? ¿Encerrada siempre? ¡Ave María! Si no tenía genio de monja. Ella, tan vivaracha, tan fogosa... ¿Verdad que habían demolido la capilla de la Soledad? ¡Los herejes!

—Pero hay mucho progreso, Totón. ¿Te acuerdas del Huelén? Ya no es el promontorio de rocas donde vivía un gringo estrafalario que observaba las estrellas. Ahora, un parque, un ramo de flores, lleno de fortines, castillejos, plazoletas... ¡Qué sé yo! Hasta café, restaurante y teatro.

—¡Bendito sea el cielo! ¿Otro matecito? ¿Se lo cebo yo?

—No. Llevo seis en el buche, vieja. Tengo hambre ahora. Tengo sueño. Oye: y tengo ganas de beber. Con el puchero, tráeme un jarro de vino. Anda. Y prende la lámpara, que ha obscurecido.

Las chancletas de la vieja se alejaron con bisbiseo de rezos en la penumbra.

*

* *

Durante una espera que medía ya casi dos semanas, dedicóse José Pedro a ensillar, hacia el crepúsculo, su yegua "Siempreviva". Lo hacía por impaciencia y por gusto: impaciente lo tenía la falta de noticias sobre los asuntos de San Nicolás y la distracción mejor para sosegar los nervios le resultaba el ejercicio de sus aficiones ecuestres. Aquella potranca, por lo demás, tras ligero adiestramiento, haría par con la "Malvaloca", otra mora tapada, casi azul. Idénticas en genio, pelo y hechuras, formarían ideal pareja.

Lograba, pues, que coincidieran en este paseo cotidiano y vespertino su placer y sus ansias.

Y así una tarde, al enfrentar el camino real, divisó detenida la diligencia. Una dama y un caballero descendían del carromato, subían al coche de La Mielería, cerca de allí apostado, y se ponían en marcha.

Pronto se cruzó con los viajeros en el callejón. Se reconocieron. Pararon a saludarse.

Eran misia Carmela Burgos y Felipe Toledo. Venían ambos de Melipilla. Se habían conocido en la gobernación, adonde fuera ella por trámites relativos a su salteo, y como cabalmente las últimas veinticuatro horas habían sido agitadas por acontecimientos sensacionales, Toledo, resuelto a correr hacia José Pedro, habíase unido a la señora para llegar en el carruaje galantemente ofrecido por ella hasta las mismas casas de La Huerta.

—Te traigo novedades.

—¿Buenas?

—¡Oh! Sucesos que pasman.

—Boquiabierto se quedará usted, Valverde.

—Pero hablaremos en tu casa. No atrasemos a la señora Carmela.

De nuevo arrancó el coche y detrás, al galope, José Pedro.

Minutos después, bajo el alero del corredor, los dos amigos fumaban, arrellanado el uno, tenso el otro de curiosidad.

—Habla.

—Espera. Me muero de sed.

José Pedro llamó a la Totón. Que les trajera queso, aceitunas y una botella del blanco ajerezado. Rápida.

—¡Ah! —gritó aún a la vieja—. Este caballero come y aloja hoy aquí. Así es que tuércele a un pollo el pescuezo, sácale caldo para una buena sopa y, entero y frío, nos lo sirves para empezar.

—¿Con ensaladita?

—Eso. De cebollas, tomates y ají verde.

—Ya, patrón.

Luego José Pedro urgió a Toledo:

—Bien. Habla tú ahora, hombre de Dios.

—Ante todo, te prevengo que se ha enamorado de ti esa doña Carmela.

—¡Oh!

—¡Qué hablarme de tu apostura, y tus ojos fosforescentes y tu barba de joven conde, y tu coraje, qué sé yo!

—Basta de majaderías, Felipe. ¿Qué pasa?

—¡Uy! ¡Qué no pasa! Verás. Sin preámbulos: Cipriano Correa se me apareció en la gobernación, hará ocho días. Recogió de mí los datos que le interesaban, del proceso tuyo, de los antecedentes del Trompo, hasta de María Santísima. Traía poderes amplios. Antes de continuar exponiéndose a robos o manejos dudosos, tanto él como misia Jesús optaban por vender todos los animales en estado negociable, se hallasen gordos o sólo preparados para la engorda. Se había tratado en Santiago previamente con abasteros y hacendados vecinos, de los cuales obtuvieron anticipos depositados en banco. Y enterado de cuanto le dije acerca de los bribones que allí merodean, subió al rico landó de misia Jesús y se fue a San

Nicolás. Bien. Ahora viene lo bueno. Poco transcurre, cuando ayer se me presenta en la secretaría, hecho un costal de dolores, entre ayes y lamentos. Toda su finísima gordura machucada; entristecidos los ojazos de dama boba, y la voz entre exhalaciones de fuelle roto y música de quejidos.

La risa de José Pedro impuso una larga pausa, que ambos aprovecharon para beber.

—¡Caballo Pájaro! Adelante.

—Sucedía que, finiquitadas las ventas, repleto de dinero el maletín y dispuesto el regreso a la capital, ¡cataplum! ¿Qué te figuras?

—Salteo.

—Exacto. Nuestro gran Cipriano, según cuenta, viene del retrete a su cuarto, entre ocho y nueve de la noche, con la vela encendida en una mano y en la otra la correa con que se amarra los pantalones, cuando de repente, al entrar en el dormitorio, alguien que lo espera tras la puerta sopla, le apaga la luz, le tira un poncho a la cabeza y de una zancadilla lo tiende como buey desjarretado en el suelo. Ni gritar pudo: entre pánico, sofoco y asfixia, se sintió cadáver. Lo amarraron. Con su propia correa remataron el lío. Como lo sintieran gruñir, le descargaron dos patadas en plena cara y algunas docenas por el resto del cuerpo.

—¿Y a todo esto, el famoso Trompo?

—Aguarda. Ya con el sol fuera, entra la sirvienta, lo descubre, chilla, pide auxilio. Cipriano se ve desatado al fin. Lo que no ve es el maletín. Van, vienen, corren. El Trompo, en su camastro, se halla en la misma situación: amordazado, preso de manos y pies.

—¿También golpeado?

—Según él, sí; pero no presenta señales de golpes.

—¡Bellaco!

—Eso. Pensamos lo mismo.

—¿Donde está Cipriano ahora?

—En Santiago, por su Galán de la Burra. Se largó despavorido. Ha delegado su poder en mí. Soy yo desde ayer el abogado.

—¿Y qué piensas de todo esto?

—Lo que tú. Que no hay tal salteo. Un grosero simulacro.

—¿Y qué harás con el Trompo?

—Pregúntame qué hice. Anoche durmió ya en el calabozo.

—¡Caballo Pájaro!

—Bien decía ese huaso don Joaquín: ¿A qué se queda el gato, si no es a lamber el plato?

—Ni conjeturar se necesita. Esto es evidente. ¿Que se llevan el ganado? ¿Que se me brocea la veta? Vengan mis compinches. Salteo y... ya nos repartiremos.

—En fin, ha caído.

José Pedro se paseaba exultante. ¡Zángano, bellaco! ¡Lo que había intrigado, además, ante misia Jesús! El fue quien denunció las rondas a medianoche, quien produjo la serie de riñas entre madre e hija, quien lo hizo culminar todo en el retiro definitivo a Santiago y el encierro en el convento. ¡Espía, delator y forajido! Por él sufría esa niña lo que sufría.

—Te odia.

—Déjalo. Le pasará lo que al zángano que se pensó afilar el aguijón en una lima y al cabo de tanto fregar se quedó rabón. Ya verá si es duro mi acero.

Entre copas y comentarios, risas y planes, consumieron la noche, hasta recogerse.

Y muy de mañana llegó el propio de La Mielería con carta de misia Carmela Burgos. Rogábales almorzar con ella. No les valdrían excusas, pues no sólo tratábase de que le hicieran "el honor" de sentarse a su mesa; "me acaban de ofrecer derroteros de sumo valor que les urge conocer a ustedes", añadía la señora, y terminaba con un "los espero, pues", que no permitía réplica.

—¿Vamos?

—Ya lo creo. Yo te mando a la tarde a Melipilla en mi coche.

—Bien. Te ayudaré a incluir una viuda entre tus víctimas.

—No jo...robes. Iremos porque sabe siempre mucho de bandoleros esa mujer. Hasta se murmura que con ellos anda cierto protegido suyo.

A mediodía se dirigieron adonde la suntuosa y extraña doña Carmela. La encontró José Pedro bastante cambiada, con algo muy próximo a la transfiguración. Desde luego, sin aquella tonalidad gris de cuando la visitara por primera vez; un viso granate, fluyendo de ciertos adornos, le bañaba cálidamente la negra tenida. El rostro, en la pasada ocasión marchito y doliente, aun trágico, ahora irradiaba con no se sabía qué arreboles. Sí, eso: casi había, en esta nueva figura, belleza de tarde arrebolada. Tampoco los hombros se abrían ya como alones de cóndor enfermo; vibraban con prestancia, y una mantelera que dejaba ella resbalar por su espalda, para recogerla con señorío sobre los antebrazos, suavizábale aún lo que ayer pareciera flacura y se lo hacía gracilidad. La reina loca, en fin, aunque siempre dura, sin morbideces y un tanto varonil, esponjábase de plenitud femenina.

Y bien, llegó a preguntarse José Pedro, ¿cuál es, así, la edad de esta mujer? Con razón Felipe Toledo había podido gastarle aquella broma y añadir una viuda en la lista de sus aventuras.

Ni durante la charla inicial en el salón ni después almorzando, quiso doña Carmela rozar el punto de su confidencia. Debía transcurrir todo amable, señoril, placentero. La mesa tuvo caracteres de festín palaciego y de comilona criolla: tras algunos bocadillos, un jerez en cristal cortado, la estacional cazuela de pava, luego una gran fuente de plata colmada de pollos, chorizos y otras carnes que asomaban entre frutos de la tierra en conjuntos de cornucopia desbordante, y, por último, derroche de postres.

Sólo se habló del tema confidencial cuando, libres de oídos indiscretos, al sol del corredor interno, bebieron el café y las mistelas.

—Bueno, jóvenes —dijo ella entonces—, comenzaré por una confesión: yo tengo un amigo bandolero. ¡Oh, no pongan ese gesto! No se trata propiamente de amistad. Hay apenas protección, amparo al hijo de mi vieja lavandera ya en el seno del Señor.

—El Pelluco —apuntó José Pedro.

—Exacto. No es un misterio por estos campos. El Pelluco, famoso pero no tan malo. Tiene todavía enmienda. Verán.

La escucharon absortos. El muchacho andaba entre malhechores varios años ya. La policía lo buscaba, y él, entre matorrales hoy, mañana huyendo hacia lugares distantes, veíase precisado a mal vivir. Pero habíasele presentado aquella madrugada, como lo hacía de tiempo en tiempo, cuando le apuraban el hambre o el frío. Quería regenerarse. No había matado, "no le había tocado aún", como tampoco el recibir bala o herida. Sabía que los hechores del salteo a La Mielería eran el Cachoecabra y su banda, que al simulacro de San Nicolás habían concurrido los mismos individuos y que ahora escondíanse dispersos. Continuarían así mientras fuera prudente. Luego se reunirían, probablemente cuando el Trompo saliese por insuficiencia de pruebas en su contra. Pues bien, estaba Pelluco dispuesto a servir, si se le aseguraba no prenderlo. Quería que doña Carmela recuperase sus joyas y soñaba con la regeneración para él. Su ensueño final era ingresar a la policía, como tantos lo hicieron.

—Así anda por eso la policía.

—Verdad. Pero el chiquillo está resuelto a volver a la vida honrada.

—¿Dónde podríamos verlo?

—Me prometió regresar. Lo hará de repente, cuando calcule que no corre peligro. Me parece que debemos aprovecharlo y servir a Dios devolviéndole una oveja descarriada.

—¿Lo conoce usted bien, señora?

—Desde que nació. No es malo. Creo en sus propósitos. A mí no me engañaría. Me quiere, me debe ayuda, recurre a mí como a su madrina.

Meditaron, dama y amigos, y al cabo convinieron el plan posible. Garantizaría la gobernación el no perseguir al Pelluco; él, a cambio, fingiéndose fugitivo en riesgo, deambularía siempre, allegado a pícaros y cómplices, tiraría lenguas y acaso, topándose con alguien de la banda del Cachoecabra, lograse lo deseado. Sí, aquello combinaba una buena pesquisa. Al Trompo, valía más no mantenerlo mucho tiempo encerrado, y consentirle visitas, que serían espiadas. Hasta la libertad condicional, en oportuno instante, resultaría fructuosa. Los polizontes, en tanto, simularían búsqueda, ostentando inepcia y pereza.

—Lo que no les costará gran esfuerzo.

Cuando los dos jóvenes se hubieron metido en el coche para regresar a La Huerta, doña Carmela despidió así a José Pedro, asomándose a la portezuela:

—Pasaré a pagarle la visita, Valverde, tan pronto haya novedad.

—No es preciso que se moleste...

—Ir hacia usted, para una mujer, no será molestia jamás.

Rodando el carruaje, Toledo exclamó:

—¡Qué te parece!

Y José Pedro, entre rubor y risa, repuso:

—Dicen que para una mujer es peor un año de viudez que ciento de soltería. ¡Qué quieres!

* * *

Dos tejedoras traman hebras en el telar. Las ha instalado el patrón en una de las habitaciones nuevas de la casa, vasta sala sin destino aún. Van y vienen las lanzaderas en las manos de arcilla roja, un madero baja y aprieta de vez en cuando lo tejido. José Pedro está contento del gris y el verde combinados en franjas, con gradación de matices. Saldrá un poncho tibio para este invierno que tan frío empieza.

Pero no encuentra él mucho que departir con esas mujeres. Tampoco se halla para cháchara. Llueve a torrentes. De mañana recorrió el campo con Sebastián. Allá todo marcha. El viento norte se levantó soplando, arreó nubes y más nubes, como vaquero que rodea y junta piño, y después de las doce las descargó en cataratas.

¿Qué hacer ahora?

Camina por la estancia oscurecida y resonante. Se detiene ante la gran ventana de poyo bajo, donde la vieja Circuncisión hila su copo, reza y suspira. Para mirar afuera, él tiene que pasar la mano sobre los vidrios empañados por el vaho interior. Aquello comenzó por aguacero estrepitoso. Diríase que amaina ya; pero ese llover tonto, en lenta mansedumbre, lo deprime. Permanece largo rato inmóvil, mirando. Atraviesa el patio, hacia el cobertizo de la leña, una sirvienta. Se cubre la cabeza con el ruedo trasero de la falda y sus zancas de medias caídas sortean los charcos.

Ah, qué depresión sufre José Pedro siempre cuando se ve solo en el caserón y nada puede hacer su natural activo.

Don Joaquín tarda. Está de visita; pero se fue al cerro a vigilar sus caballares y no volverá tan temprano.

José Pedro se dirige a su cuarto. Leerá. Sus clásicos latinos del "caballo pájaro" en la portada, único libro en que bebe pensamiento y belleza. En el trayecto le cruzan entreveradas por la mente las tejedoras, la criada bajo la lluvia, evocaciones de Chepita en el diluviar de la costa y, también, hoy, esa muchacha, Paulina, la del amasijo, la del moño color de canela y las pupilas amarillosas de perro bueno, tan dulces, tan mansas y tan conmovedoras. Conserva por ella mucho cariño, como por su criaturita, que ya entró a uso de razón y se parece tanto a él. Paulina, blanca pura casi, de mestizaje fino, le causa preocupación. Es sentimental, contradice su teoría de que las huasas quieren a través de la sangre, del celo alzado por el mirar del macho. Esta lo quiere calladita y romántica, y ha pretendido que, así como él tiene varias sirvientas en la casa, la lleve a ella también a su lado. Se lo ha dicho ayer a don Joaquín. El viejo, que para todo guarda una filosofía, le hizo comprender lo inconveniente que sería semejante paso.

Y al verla llorar le dijo:

—Confórmese, hija. Como él la quiere más que a toda otra, el irse usted allá significaría la vida marital. Y no puede ser. No debe ser.

—Cuántos patrones lo hacen.

—Pero hacen mal. Y él, por su rango de familia, por los miramientos...

—Yo sería tan buena.

—Como es ahora, hija.

—Lo serviría como nadie. Su china humilde.

—Pararía en coyunda y... cuando en la yunta un buey es mucho más grande que el otro, el surco se tuerce y sale un adefesio.

Pobre Paulina. Esto lo ha entristecido. Otros años, la primera lluvia lo alegra, lo alborota, lo estimula. Hoy el disturbio gris le ablanda el corazón.

Ya en su pieza, vaga de acá para allá, y concluye por tumbarse sobre la cama. Coge su libro, hojea, lee al azar. ¿Por qué no encuentra sino cosas alusivas? Un verso de Ovidio le punza: *Video meliora proboque, deteriora sequor*. El traductor ha puesto: "Veo el bien, lo apruebo, pero hago el mal"... Sufre su conciencia religiosa. Otro, de Virgilio, le fija en Paulina la mente: *Agnosco veteris vestigia flamae*... Sí, él también "reconoce la huella de sus primeros fuegos". Cierra el volumen. El saber de los poetas suele resultar espejo y avergonzar.

Al cabo de intensos minutos ha vuelto a tomar el libro, esta vez deliberadamente para buscar a Horacio, que como él es fuerte y optimista. Aunque de modo instintivo, él actuó siempre igual. *Carpe diam,* la oda que se ha traducido allí: "Coge la flor que hoy nace alegre, ufana. ¿Quién sabe si otra nacerá mañana?" Se halla por último con la que canta los vinos de Chipre y de Falerno. Muy bien. Beber.

Pide a la Totón una botella del viejo vino de misa y empina sorbo tras sorbo, contra el hielo de la tarde, contra el frío de su ánimo, contra lo que roba su calor a la vida.

Porque algunos sentimientos incomodan y hasta suelen mandar a penas de purgatorio. En fin, don Joaquín supo contestar y evitarle a él una dureza para con la pobre Paulina.

No; él debe casarse con su igual y ante Dios.

Algo lo acusa de miserable, sin embargo. Poco a poco el vino va encendiendo su doctrina católica, enfermándosela con fuegos de delirio acaso. Pero es que su existencia ¿no viene a ser bastante triste, pensándolo bien? Desalientan, su bestialidad en el sexo y el fracaso de su camino sentimental. A otro le habría descorazonado además el mezquino alcance de tanto esfuerzo. Chepita muere, quién sabe si por culpa de él; por su culpa tal vez, también el cura muere; por inepcias del ambiente, perece su padre asesinado; la intervención de voluntades pequeñas, pero tenaces, le niegan a Marisabel ahora; los ladrones roban, los interesados en defenderse, como misia Jesús, no se defienden, y pasioncillas miserables, hijas de menguados odios y apetitos, debilitan y anulan las divisas fuertes. A él, ciertos hechos le condenan, sí. Otros, empero, señalan... ¿qué? ¿La fatalidad? ¿La insondable voluntad de Dios? ¿Los poderes del Mal? ¡Bah! Desvaría. *Nunc est bibendum;* tiene razón Horacio: hay momentos de beber. Luego, seguirá la vida. Y él se casará, con Marisabel, tarde o temprano, como Dios dispone y como lo aconseja su alcurnia. En la exaltación del vino, el Valverde resurge de pronto. ¿Qué se habrá hecho el ex jesuita con su árbol genealógico? Le parece significativo el fenómeno que se cumple en él: mientras vivió el cura, él se desentendió de la estirpe. ¿Sucede siempre que cuando en una familia existe un portablasón, los demás miembros posponen tales orgullos de linaje y, tan pronto el abanderado fallece, otro hay siempre que recoge la bandera y la levanta? El siente imperativo el deber de sostener los emblemas en adelante. Evoca los seis galgos atigrados en campo de sinople. Hasta la palabra heráldica, sinople, obra en su sangre. Se levantarían sus muertos si él formara yunta desigual. Y todos esos ímpetus contra los salteadores ¿merecían tanto ahínco? Defensa y venganza, bien. Luego, que ha jurado ante misia Carmela Burgos dar con los forajidos. Precisa cumplir y no quedar como fanfarrón. Sólo que ya, con el invierno encima... Lo cierto es que se siente desalentado. Pero el Pelluco inició ya tratos con la gobernación, doña Carmela entró en actividad. ¡Qué fastidio! Porque ésa es otra: ha venido la viuda y... él ha pecado con ella. Por vanidad de macho que no desaira, sepa el diablo por qué. ¡Oh, qué fastidio! Al margen de lo triste, le causa insoportable desagrado esta historia. El considerarlo colma su estado de disgusto.

Apura otra copa, y otra. Los pensamientos y la tarde giran y se tienden fatigados, como él sobre su lecho solitario.

Hasta que oye al fin a su puerta el esperado "¿Jojó, patrón?"

—Adelante.

Don Joaco llega lustroso de agua, cuelga el poncho afuera y, al ver a José Pedro recostado, pregunta:

—¿Durmiendo?

—No. Flojera..., ¡qué sé yo!

—La cama es buena cosa: quien no duerme, al menos reposa. ¡Bueno,

bueno, bueno el aguacero! A tiempo llegué con el ganado. Que si me pilla el temporal por el camino...

—Pida unos mates, don Joaco.

Traen el brasero. La tarde agoniza. Pero con el vino, los mates y la charla refranera y jocosa del huaso, José Pedro siente que se obliteran sus retorcimientos emocionales.

—De modo que usted cree, don Joaquín, que todo anda bien así.

—¿Y de qué otra laya puede andar? La vida es enroscada, patrón, como la cola de algunos perros. ¿Y qué? No vamos a ponernos como aquella vieja que tenía un quiltro con la cola en rosquete y porfiaba por estirársela. ¡No, pues, señor!

Impagable, don Joaquín. A su lado, el más confundido se recupera.

*

* *

El invierno va deslizándose todo él así. Alguna vez, un acontecimiento, es verdad, pero sin exigencia de acción inmediata; mera noticia que llega para espolear la inquietud nerviosa de José Pedro, cuya vehemencia se acumula en espera de la hora de obrar y resolver lo pendiente. Ruedan nubes y ruedan días y semanas. Cuando escampa o "llueve al tranco", según frase de Sebastián, sale a caballo el patrón, para ver los hornos carboneros, las leñas, los trigos. Da por ahí el encuentro al mayordomo. Los perros de amo y criado se juntan jubilosos.

—¡Busca, busca! —dice uno al "Valiente".

El can, sin saber a qué lo mandan, parte al sesgo, en galopito ridículo y alerto. Vuelve la cabeza de trecho en trecho, interrogantes las orejas, preguntando aún con ladridos juguetones. Al fin retorna. Sebastián azuza a los suyos entonces, y ahora corren los tres, abiertos en abanico, veloces. Brincan entre pastos y manojos, ladran, levantan alguna perdiz.

Los dos huasos ríen y siguen marchando bajo sus ponchos húmedos.

Hay aguaceros alegres que tratan al campesino como amigos colaboradores y embellecen el paisaje. Silencian todos los ruidos, musicalizan en sordina los mugidos distantes, llenan los grandes ámbitos del campo con una luz gris y muy suave y un olor a greda y verdor. No rayan violentos el aire; lo perlan de gotitas mansas, barnizan los plumeros de las palmas y la hoja perenne de molles y boldos, dibujan a tinta china los troncos y ramajes desnudos, y, sobre todo, alimentan con ritmo y medida los trigales y se introducen discretos y sin desperdicio en la esponja de la tierra. Sobre las crestas empinadas flotan entonces brumas azulosas, orlas o tentáculos de las nubes, y viajan, como eligiendo los puntos en que deben licuarse. El invierno es en tales momentos música y color, gloria y bondad; parece labrador que bajara del cielo y aun artista que anunciase la estética en las almas rústicas que la desconocen.

Si hace buen tiempo, suele aparecer doña Carmela en su coche. Alguna fuente sabrosa trae, y alguna bandeja de dulces. Dama y buen mozo comen y beben, juegan a la brisca junto al brasero, y la llama pecadora del alcohol... hace caer a José Pedro en la hoguera. ¡En fin! Cosas de la soledad y de la tentación.

Cuando el temporal ruge, siempre hay para el patrón jinete unas riendas que trenzar o unos pellones que requieren escarmenada. Sin embargo, en cuanto amaina el diluvio, él se cala botas y poncho, monta y se dirige a estudiar las avenidas del agua que llueve, las hoyas, las pequeñas cuencas convertibles en represas.

Desde años atrás esta observación hidrológica lo seduce. Construir un tranque al cual vayan a guardarse todas las corrientes invernales, para él es viejo ensueño. Obra cara, cierto. Más hacedero, ya que sólo impondría pequeños y paulatinos gastos, se le ocurre un sistema de represas menores, destinada cada cual a colectar el agua para su próximo valle. Mas el *desideratum* está sin duda en aquel estero del confín. Aunque le obsesiona, va raras veces por allá: en él se ahogó, acaso por culpa suya, el pobre niño Rosamel, y eso le empaña el alma. Pues ahí se halla, no obstante, la solución definitiva, lo que haría campo de regadío todas las tierras planas de La Huerta. Sólo que corre a la espalda de la última loma el arroyo maldito, y sin paso alguno hacia la hacienda propiamente agrícola. Para utilizarlo, para regar con su corriente inagotable y de toda estación, sería menester un túnel. Cierto día prolonga su andar hasta él, y mide, y calcula: no habría que perforar más de ciento cincuenta varas. Con veinte hombres, en un verano el socavón traspasaría de un lado a otro la loma. Los tiene, suman la treintena los peones del fundo; pero no es cosa de paralizar las faenas de labranza. ¡Ah, si él fuera Vicuña Mackenna, sacaría los presos de la cárcel melipillana, y "voluntariamente, del todo voluntariamente", los malvados, redimiéndose, cumplirían obra de progreso y patriotismo! La Huerta duplicaría su valor. Chile aumentaría su riqueza y él, último Valverde, eslabonaría lo suyo a la cadena civilizadora que la familia realiza desde los tiempos de Pizarro en el Perú, hasta los de don José Vicente y don José María por el Maule y el Maipo.

Así, el más criollo de su linaje, candente de fe, afiebra sus horas de creación.

Un día, entre los plomizos días de aquellos meses, al término de sus andanzas en trance de concebir, encuentra en las casas a Felipe Toledo. Aporta novedades que dictan movimiento: el Pelluco ha cogido la hebra. Cierto español, dueño de un despacho en el camino a Codigua, compró dos diamantes y una pella de oro majado que, a lógico suponer, pertenecen a las joyas robadas en el salteo de La Mielería. Tan pronto como ello se ha sabido, Felipe ha ido a prender al comerciante, a medianoche, y cuidando no ser visto y que nadie tome contacto con el preso.

Cuando el gobernador hace comparecer al español ante su estrado, ya tiene combinado su plan de investigaciones con el secretario y José Pedro.

Entra el detenido. Es un aragonés flaco y vejancón, pequeño, rubio y de cejas como viseras. Camina cual si callos muy dolorosos en las plantas le obligasen a una reverencia por cada paso que avanza, y pronuncia como eres las eses cuando preceden a la *d*.

—Bueno*r* días —dice al presentarse.

El policía que lo ha introducido se retira y el interrogatorio se desarrolla severo, atemorizante, militar como el gobernador. José Pedro y el secretario actúan como testigos. Pero se ha enredado a poco el diálogo, de tal manera que juzga el gobernador necesario resumir.

—Veamos. Si no habla usted claro y preciso por la razón, otro recurso lo hará cantar. ¿Dice que a quién compró eso? Explíquese bien.

—Repito que a dos caminantes, señor gobernador, dos infelices.

—¿Que se llaman?...

—Pues vaya uno a saberlo. Llegaron lo*r* dos una noche a mi almacén. El uno pequeñín, pero joven y fornido; el otro má*r* débil y entrado en años. Pidió al chico lo*r* dados, jugaron litro y medio, y, bebido que lo hubieron, se marchaban ya, muy callaus, cuando el más menudo vuelve desde la puerta y me dice: "A ver, don, ¿cuánto me pasaría por esto?" Yo, señor gobernador, que allá en mi tierra he visto sortijas y pendientes así de gordos, pues reconozco lo*r* diamantes como buenos y le*r* digo: "¡Rediez! ¿De dónde han sacau esto?" Y ellos me cuentan haberlo encontrado en el suelo, en el paradero de la*r* diligencias, envuelto en un pañolito.

—Como quien se encuentra la Virgen en un trapito.

—Ea, ¿qué quiere usted, señor gobernador?

—¿Y?

—Nada. Que les creo y hago el negocio.

—Buena pieza es usted.

—Señor gobernador, honrau a carta cabal desde que me parió mi madre.

—Un bribón.

—En lo*r* días de mi vida me habían tratado así.

—¿No comprendió que tenía que ser esto el fruto de un salteo?

—Dios me castigue por obtuso; pero pensé que cualquiera puede tener un hallazgo en la calle, que hasta milagros se han visto.

—Basta ya.

Conversan en voz baja el gobernador, Toledo y Valverde. Al cabo conminan al aragonés: o sirve a la pesquisa, o lo meten a la cárcel por encubridor y cómplice. Si jura fidelidad en la connivencia, podrá continuar en su taberna. Debe allí guardar secreto de lo sucedido y tratar de que los pícaros le vendan las joyas restantes. El dinero le será reintegrado. A la vez, indagará cuanto sea posible. Ya recibirá visitas de quien ha de transmitir las comunicaciones. El éxito le significaría protección de las autoridades, la traición le costará la vida, y la ineficacia, el presidio.

—Conque a ingeniarse. ¿Conviene?

—Convenido, señor. Y juro que me tiraré a matar.

El resto del invierno transcurre sin más que algunas noticias muy bien guardadas. Misia Carmela reconoció los brillantes: eran sus solitarios. Por lo demás, el Trompo ha sido puesto en libertad y vagabundea, ya despedido de San Nicolás, por los contornos, haciendo negocios con los reales de sus economías. En el proceso de los vacunos, el juez ha sobreseído y aun ha impuesto a José Pedro multa de cinco pesos. Puede que todo ello dé fruto: la confianza desplegará las alas del buitre.

Y el tiempo marcha.

La viuda está radiante, rejuvenecida. Una mañana de sol, en que giran grandes cúmulos amarillos, sobre los cielos azules y un volantín anticipa, desde un potrero, visiones primaverales, se la encuentra José Pedro, amazona en yegua tordilla, muy de largo ropón y fusta europea, conversando con los Lauros, enfrente de la capilla.

—Vengo a comprarle, Valverde, un tronco de tiro para mi coche. Los pobres jamelgos que tengo ya me fallan en viajes largos.

Dos alazanes desmalrados, poderosos y de talle, le llegan esa misma tarde, y de regalo, por cierto.

Pero los Lauros cuentan a su patrón cuanto charló la señora: de repente, tras de mirarlo y considerarlo todo en redor, ha exclamado:

—Aquí hace falta una mujer, ¿no les parece? Esto no es casa; cuando más, el albergue de un señor en medio de una tribu. Esas monturas metidas en el dormitorio, esos salones vacíos, ese comedor desmantelado, sin un ramo de flores jamás y con chuicos arrinconados como en los chincheles... No, no, no. Si de ninguna pared cuelga el menor cuadro; no hay un espejo, ni una pobre cortina para defenderse de los aires que se cuelan por las rendijas. Mucho, mucho falta la señora, la patrona. Valverde se debería casar.

—¿Así dijo?

—Con las mesmas palabras.

A José Pedro no le ha hecho gracia la opinión, por intencionada. Esa mujer sueña para sí. La ilusión y el refresco de sus funciones sexuales le han remozado corazón y organismo. Asoma el amor de los cincuenta años en salud fogosa. En efecto, se ha rejuvenecido en todas las formas. Hasta la mirada de reina loca lleva hoy encendida cierta luz que transfigura la persona y los seres y las cosas que la enmarcan.

El buen mozo, entonces, vuélvese de medio lado y sonríe; pero bajo la barba rubia, su mandíbula toma el perfil de la del cura orgulloso, diríase que masca molestia con la sonrisa.

—Mía es la culpa —balbucea.

Y se va.

Los Lauros cambian nuevas miradas de malicia y entran en la llavería cuchicheando. Sí, ellos también echan de menos una patrona gran señora. La casa llena de chinas..., ¡qué pecado! Y desde la muerte del señor cura, ¿cuándo se dice misa? Ya Mauro no es sacristán; llavero a secas. Don Pepito está muy olvidado de Dios. Una patrona conseguiría traer un sacerdote, siquiera los domingos, y se reanudaría el culto.

Ella, cada día más culiparada y más patiabierta, balanceándose de un talón a otro siempre, ha ido subiendo insensiblemente la voz. El marido la contiene.

—¡Chist! Vamos a la cuenta de la galleta, que si él nos oyera..., ¡María Santísima!

El domingo es llamado José Pedro a Melipilla para imponerse de nuevas importantes. Ya el español está comprando las joyas intactas. Ha convencido a los bandoleros de que él será el mejor agente de la banda, porque tiene paisanos en Santiago que comprarán las alhajas, las transformarán y las negociarán en ei comercio. La cuadrilla se compone del Cachoecabra, el Culón y los dos Toribios. El Pelluco se ha incorporado como "loro". Fraguan, para cuando le hayan vendido todos los aderezos, un salteo al español para recuperarlas; aunque dudan entre hacerlo y conservar al "godo flacuchento", como lo apodan, a fin de que siga sirviéndoles. Pero el Pelluco les aconseja el asalto al aragonés, a sangre y fuego. "¿Se figuran —les argumenta— que todos los días van a pillar joyas en los golpes que den?" Parecen inclinados al fin al salteo. En cuanto lo decidan, el Pelluco acudirá con el aviso a misia Carmela; pues él quiere la gloria, no para la policía, sino para don Pepito Valverde y su pelotón bravo. El gobernador y el secretario también lo prefieren así, "todo entre hombres, ajenos a los polizontes maricas y al código en dos patas".

Desde aquel viaje, pues, José Pedro mantiene alertos a sus muchachos, listas las *pívoris*, repletas de tiros las cananas y en potrero cercano las mejores bestias.

*
* *

—Esta vez naide nos vido llegar al pueblo, don Gallo.

—Porque los guié yo. ¡Miren qué gracia!

—Y así —añade Buenas Peras— viniéndose de a uno acá, tampoco han llamao la atención. Como siempre los que me traen sus caballos a herrar entran y los dejan acorralaos hasta el día siguiente...

Hablan en la obscuridad, bajo el galpón del herrador. La noche ha cerrado negra y fría, como está la fragua también a esas horas. Tan sólo fulgen, cuando chupan los fumadores, los fuegos de los cigarros. Pero se reconocen los seis hombres por la voz: el Gallo, el herrero, don Eliecer y los tres muchachos guapos de La Huerta.

—¿Quién falta?

—El patrón no más.

—Por ehi ha de venir con don Joaco.

—Bien que haigan treido las dos *pívoris* que tenían allá de sobra.

—Al Trompo ¿icen que lo tomaron?

—Buena precaución.

—¿Quién te contó eso, Buenas Peras?

—Vos mesmo, pues, Gallo. Que mandó el gobernador a seguirlo desde por la mañana y que a la oración le armó no sé quién camorra en una chingana y el paco se lo llevó preso, ¿ah?, ¿no me dijiste?

—¡Ehi 'tá! Buen modo de componerla. A *buenas peras* no hay quién te la gane.

En el barro endurecido del camino se siente pisar de cabalgaduras que paran la marcha. Se suspende la risa dentro.

—Yo abriré —decide Buenas Peras, para cortar las burlas.

Bate sin ruido el portón, y dos jinetes penetran montados. El uno es José Pedro. Lo sigue don Joaquín. Se apean.

—Buenas Peras.

—¿Don Pepe?

—Oigame. Oigan todos. Los bribones ya están en el despacho del español. El Pelluco hace de "loro" por este lado; pero han puesto ellos al Toribio Chico por el de Codigua, en pleno camino. Hay que anularlo.

—Que vaya un hombre.

—Tú, Cachafaz.

Instruyen al mozo: se deslizará por dentro, por el potrero, apegándose a los álamos de la orilla. Si ve que puede, con el lazo lo agarra en silencio; si no, lo espía y en el instante oportuno usa la carabina.

—Y a voltearlo al tiro.

Cachafaz sube a caballo.

—Espera. Otra cosa. Acérquense todos. En cuanto se den cuenta del peligro, saldrán a escape. Tienen sus bestias listas en la vara, delante del almacén. Si alguien que no les despierte sospecha hallara el recurso de inutilizar esos animales...

—Su amigo, don Pepe. Yo voy —se adelanta el Gallo—. Y ya sé cómo lo haré. Pero Cachafaz, entonces, que me dé tiempo, sin alarmar.

—Te quedas aquí hasta que vuelva él.

Cabalga el matón y parte. Se aleja por la carretera, lerdo el tranco, fingiéndose viajero rezagado y borrachón. No dista una cuadra, por lo demás, el tugurio del aragonés. En el trayecto no hay un solo rancho; únicamente las dos alamedas quietas al sereno helado. Y una inmovilidad de ansia diríase que se ha infundido en todas las cosas.

José Pedro reúne a su gente. Quiere informarles aún:

—El plan de los pícaros está completo en mi poder. Ahora juegan a los dados y empinan el codo, aguardando a que les prevenga el español que ha sonado la hora de cerrar. Entonces se tirarán el salto. El Pelluco, tan luego empiece la danza, balará como cabra tres veces. A esa voz, nosotros nos les dejamos caer encima, como rayos, con todo empuje, sin piedad.

—¡Aura sí, miéchica! —exclama Bruno—. ¡Con chivateo, niños!

Un calofrío crispa los cuerpos de los hombres todos, que se dirigen a sus monturas, aprietan cinchas y montan. Buen rato aún, José Pedro escucha tras el portón, y atisba, dominando la impaciencia. Los minutos se alargan. La noche parece detenida, negra y brillante. Comenzó a helar temprano y en el cielo cristalizan estrellas de hielo.

Hay un momento en que dice la voz meliflua de don Eliecer en la sombra:

—No quisiera verme yo en el pellejo del "godo flacuchento". ¡Cómo estará!

—Como quien se halla con un pie en el aire y otro pisando en una concha de jabón,

No ha concluido el regocijo por la ocurrencia de don Joaquín, cuando regresa el Gallo. Ha cumplido su misión.

—¿Qué hubo?

—Listo. Amarré mi yegua en la vara, inocente como un bendito, entré de un trastabillón, haciéndome el cufifo, y pedí aguardiente. "¡Chitas que hace frío! ¡Y a esto llaman primavera! Déme del fuerte", le dije al godo. "Pues mi anisado es de lo mejor", me contesta y me sirve la cachá. Yo, de reojo, ¡claro!, miro. Son tres. Desde la mesa del rincón, no me pierden gesto ni palabra. Debajo de las mantas esconden los chocos. Casi pisándome los talones había entrado el Pelluco, y algo les sopla que los tranquiliza, porque siguen jugando. Total, señor, que me quejo por tener que machucarme el traste con una noche tan perra, me repito el trago de aguachucho y me largo muy campante. Y aura lo bueno: de paso a desatar mi yegua, desenvaino el cuchillo y a tajos de buen pulso voy cortando las tres cinchas de los malditos. ¡Habrá que verlos cuando metan pata en el estribo y se les venga el apero abajo!

—¡Puchas el Gallo regallo!

—¡Eso es de hombre!

—Tú ahora, Cachafaz. Ya. Mucha vista y... duro.

—Mira que de vos depende que mientras carguemos nosotros no nos afusile por la espalda el Toribio.

Sale Cachafaz y empiezan a pesar los minutos.

Pero todo se precipita inopinadamente. Suena un disparo por el lado hacia el cual se fue Cachafaz. La bala pasa maullando arriba, más bien con la estridencia de una uña gigante que rasgase la tela del aire; con ella, la cabra cómplice triplica su balido, urgiendo: la luz del despacho se apaga, y el tropel de José Pedro se lanza entre loco vocerío contra la casa obscurecida.

No han hecho medio trayecto cuando reciben la primera descarga de los forajidos. Rueda muerto el caballo de Pascualote; pero cede don Joaquín el suyo y el muchachón salta sobre su lomo nuevo. Los disparos del pelotón bravo empiezan casi en el terreno mismo del enemigo. Cesan por breve instante los fogonazos de los bandoleros, se presiente que los tres hombres cuelan pies en sus estribos, pero cuerpos y monturas se derrumban entre maldiciones.

—¡Trillarlos, trillarlos! —grita rápido José Pedro.

Y allí, donde los bultos se tumban y luchan por levantarse, veinte cascos herrados pisotean, se revuelven, pasan y repasan. Gemidos, insultos y blasfemias se confunden con los golpes en blando que pegan las culatas y las cachas de los puñales. Algún acero destella en la sombra confusa. Olor a sangre y sudores enardecen más y más a los bravos... Hasta que se va reduciendo el tumulto al acezar de unos que aguantan en el suelo y otros que amarran sus presas vencidas.

Sólo allá, por el rumbo de Codigua, las detonaciones continúan. Dialogan. Revelan persecución y defensa en fuga. De pronto un lejano alarido se alza, como proyectil cruza la noche y huye, semejante a un dolor corporizado que se alejara y extinguiese. Y cesan los tiros.

—¡Caballo Pájaro! —vitorea José Pedro entonces.

Y consumada su victoria, golpea en la puerta.

El aragonés asoma por fin con una lámpara encendida y el semblante amarillo de interrogación y susto.

—Ayude, hombre.

—¿Viene alguien herido?

No. Hay algunos tajos que cortaron botas y ropa y apenas alcanzaron carnes. A José Pedro le sangran los puños: tanto golpearon que, tropezando en filos tal vez... Sangre propia, sí; aunque ha de haberla más ajena. Sin embargo, nada grave; puesto que las manos pueden ir poniendo encima del mostrador las carabinas recortadas y los puñales conquistados.

Cuando acaban de arrastrar a la luz los cuerpos cautivos y los acuclillan vueltos contra la pared, en el umbral negro aparece Cachafaz con su Toribio sujeto codo con codo. Todos los ojos registran la vencida figura: cabizbajo, el Toribio Chico esconde la vista bajo la pelambrera desmelenada sobre el rostro. Por una boca del pantalón le fluye un hilo de sangre obscura, que luego estría el tobillo y encharca la ojota.

—Lo pillaste.

—¿Se te arrancaba?

—¿Cómo fue?

Cachafaz, fiel a su carácter, por única respuesta rehuye hacia un lado la cara y abre la muda risa de su boca toda blanca de dientes. Luego, tras de atender muy erguido a José Pedro, que le ha puesto la mano en el hombro y lo aprueba, agrega un choco y una daga más al acopio del mesón.

Y el Gallo está distribuyendo tragos con el cacho de aguardiente, cuando un tropel hace alto en la carretera.

—El gobernador —anuncia Pascualote.

Los demás, agolpados a la puerta, van añadiendo:

—Con el secretario.

—Y a buena hora, ¡los polizontes!

—El compadre Eliecer, que fue a buscarlos.

—¡Qué! ¿Traen también el carretón basurero?

—Pa llevarse las piltrafas, pus, Gallo.

Pero de repente han callado y todos han despejado la puerta. Alto hasta casi rozar el dintel, entero de negro, de chambergo, manta y bastón de mando, se presenta el gobernador. Sobre la bufanda que lo emboza, monta el pico de su nariz militar.

Avanza en seguida para estrechar y sacudir la mano de José Pedro

—Bien —ordena después—, manos a la obra entonces.

Polizontes y muchachos entréganse a subir bandoleros al carro.

En marcha ya la caravana policial, proceden los demás a revisar sus bestias. Quedaron algunas con patas o brazuelos abiertos a cuchilladas; pero como don Joaco reservó remonta en el corral del herrador, allá todos mudan montura, y aun hay para el aragonés.

No tardan así en emprender camino al pueblo.

Va orgullosa y en bullicio la cabalgata, desenvolviendo comentarios y contando trances de la refriega.

—Y a todo esto —recuerda el herrero de improviso—, ¿quién recogió las joyas?

—¿Cuáles?

—Las que se querían robar.

—Cuantuá que las depositó el godo en la gobernación. ¿O creís a don Pepe *buenas peras* como tú?

Tras el coro de risotadas, el flautín de don Eliecer resuena:

—El Pelluco ha de aguardarnos allá custodiándolas.

Vuelven a reir y el español espera la pausa y suspira desde su caballo:

—Pues yo vengo pensando en lar docenas de pesos que llevo aflojadas al Cachoecabra. ¡Dios me lar deje ver antes de llevarme!

Son de carcajadas las descargas que atruenan ahora la noche indiferente.

*
* *

No nacen los hombres de acción para disfrutar sus triunfos en paz. Riñe con el pulso de sus venas un placentero reposo tras la obra cumplida. Aun cuando mucho hayan realizado y se hallen solitarios y en lugar desierto, descubrirán siempre alguna montaña que remover, porque sólo variando de actividad descansan. José Pedro, pues, no pudo estarse inactivo después de su hazaña. Era mucha y muy imperativa su inquietud. Ella era su esencia y su razón de vivir. Atar, durante los días que siguieron, todos los cabos sueltos, rematar lo inconcluso y aun atender a consecuencias, no le bastó; entretúvole apenas, como al general enterrar los cadáveres a raíz de una batalla. Luego debía latir en él, renovado y robustecido, el ritmo del hombre de acción.

Advino empero la nueva empresa por tan lógica concatenación de lo hecho con las fuerzas ciegas del espíritu emprendedor, que aquello, más que un acontecer, fue un fluir y continuar. La primavera tuvo primero para él fronda de victoriosos trajines y fiestas jubilosas: todas las joyas se recuperaron; hubo rescate casi total del dinero que diera el español a los salteadores, y la maniabierta doña Carmela Burgos, de muy noble gana, saldó el déficit de la cuenta. Más aún: al concluirse la cosecha de las "papas nuevas de octubre", la dama celebró a sus héroes en La Mielería. Lo hizo con un mingaco. Asistieron a esta comilona campestre, bajo verde ramada y en medio de la tierra recién despanzurrada y olorosa, todos los personajes de la proeza, de gobernador y secretario a compadres, Gallo y aragonés, y desde Valverde y sus bravos hasta el ya tácitamente sobreseído Pelluco. Cuando de las dos vaquillas "asadas al estandarte" no quedaron sino huesos para roer de canes; cuando las papas tiernas, consumidas con todo su hollejo sabroso, fueron sólo un dejo de las cutículas fragantes en los paladares y el ají un estímulo en las gargantas para vaciar las últimas damajuanas; cuando, en fin, el arpa, el guitarrón y la vihuela entraron en tanda y prolongaron con cuecas, tonadas, payas y cogollos los arreboles del atardecer, hubo todavía entrega de recompensas: cada muchacho del pelotón bravo recibió un caballo ensillado como regalo de la viuda.

Por llegar tamaña esplendidez a los mocetones en abundamiento de la vaca parida con que José Pedro había ya premiado a cada cual, don Joaquín sintióse obligado a componer un cogollo.

Y él en persona, con tamboreo y coro de las cantoras en seguida, lo lanzó al viento:

¡Que viva misia Carmela,
cogollo y flor de matico!
No dirá aquí el más borrico
que el pobre paga las velas
y el milagro es para el rico.

No tenía fondo el tonel de sus refranes e ingeniosidades.

Hubo, pues, criolla celebración y frenético jolgorio.

Mas todo eso pasó. En los días que sobrevinieron, Felipe Toledo advirtió en José Pedro repentinos silencios, momentos absortos, algo en suma que le fruncía el ceño a intermitencias y lo mostraba preocupado.

Terminó por preguntarle, medio en serio, medio en broma:

—¿Ausencias del corazón, Pepe?

—No puedo negarlo —confesó él—. Me inquieta demasiado ya esto de no haber conseguido la menor noticia de Marisabel.

—¡Qué manera de ocultar a una criatura!

—Así es. Yo confiaba en que nos traería el invierno un suceso que lo cambiaría todo en mi favor. Sin embargo, va corriendo la primavera y... ¡nada! Tendré que ir a Santiago y provocar..., violentar una crisis.

—¿Cuándo piensas ir?

—No sé. Porque hay otro asunto que me afiebra y que necesito llevar a la capital en busca de solución también. Tú puedes ayudarme.

—A ver, habla.

—Es mi proyecto de captar las aguas del estero. Ya tengo el problema bien estudiado. Se trata de abrir un socavón en la loma que se interpone, como tú sabes. Como ribereño, tengo derecho a esas aguas. Pero hay más: todos los valles que continúan del mío hacia la costa, incluso el de La Mielería, están pidiendo que se les dé riego. Ese caudal hoy se pierde: corre a desembocar en el Maipo y de ahí se derrama en el mar, sin beneficio para nadie.

—Obra difícil.

—No lo creas. Misia Carmela contribuirá con algunos gastos y algunos peones. Me lo ha dicho. Yo pondría mi parte. Sin embargo, como los trabajos deberán hacerse durante la estación de cosechas y trillas, no dispondríamos de muchos brazos, no perforaríamos en todo el verano las ciento cincuenta varas necesarias, si el gobierno se negase a prestarnos ayuda.

—¡Hem! Gastos...

—No. Al contrario.

—¿Qué es lo que pretendes?

—Ante todo, patrocinio del gobernador. Que visite los lugares, que se forme juicio de la obra de progreso y que informe favorablemente la petición que yo eleve al gobierno.

—¿La cual sería...?

—Que así como a Vicuña Mackenna le permitieron disponer de los presos de la cárcel para transformar el Santa Lucía, se me faciliten a mí esos malhechores encarcelados en Melipilla, algunos de los cuales he apresado yo, con riesgo de mi vida. ¿Te parece mucho pedir? En tres o cuatro meses me comprometo a convertir en campos de regadío, en fuente de riqueza nacional muchas tierras sedientas. Y sin costo alguno para el Fisco; al revés, con economía, porque durante esas faenas entre misia Carmela y yo mantendremos a los reos.

Felipe Toledo permaneció mudo. Le desconcertaba tanto empuje. Comprendía cuán admirable resultaban, en teoría, tales sueños. Sólo que a la vez le parecían algo delirante. Llegó a imaginarse que allá, en los graves estrados del gobierno, tomarían a Pepe Valverde por uno de tantos chiflados, audaces fuera de órbita, que frecuentan pasillos y antesalas con una ilusión en veinte pliegos bajo el brazo.

—Te veo con cara de duda.

—No. Pienso únicamente que allá se atienen por lo general a un estricto concepto del uso legítimo de la autoridad.

—¡Pamplinas! Así no se hacen países.

—El trabajo forzado...

—Si lo harán "voluntariamente", como le trabajaron a Vicuña Mackenna. Me apoyaré yo en don Benjamín. Y hasta le hablaré. Tú, aquí, prepárame al gobernador.

—Eso, desde luego.

Recibió Toledo del viejo militar la primera sorpresa; porque celebró la idea, concurrió a los suelos secos, conversó con doña Carmela y otros vecinos menores y regresó contagiado, encendido de patriotismo y afán creador.

—Pues me parece un rajadiablos estupendo este mocito Valverde —dijo por último al perplejo secretario.

—En efecto, un tipazo de ñeque, ¿no?

—Son éstos los tipos que nos hacen falta, los que nos dejaron felizmente, sembrados por aquí y por allá, los conquistadores, y que luchan a vencer o morir, incansables, a veces crueles, pero crueles consigo mismos también, y van creando, de espaldas a la política, entre delirios, barrabasadas y porfías, un futuro fuerte y rico para Chile.

—Entonces ¿irá usted a Santiago con él?

—Ya lo creo. Usted, letrado, estúdieme bases legales, precedentes, argumentaciones.

Semanas después, en dos coches, el de la gobernación y el de la viuda de Burgos, entraban a la capital un denuedo militar, el señorío de una reina loca enamorada y la fiebre de un criollo de acción, y movían relaciones y eran recibidos en audiencias y escuchados. Misia Carmela, emparentada con el Presidente; José Pedro, en gracia de don Benjamín, y el gobernador con su testimonio y su informe optimista, consiguieron el decreto apetecido: "Considerando: que ha de ser atención preferente del Estado el propender a que las tierras baldías se incorporen a los campos de labranza y producción..."

Y volvieron a Melipilla para reducir a fórmula práctica el ensueño.

Las noticias que obtuvo José Pedro en Santiago acerca de Marisabel fueron en cambio descorazonadoras. Buscó a Cipriano Correa y oyó de sus labios cuanto había sucedido. Misia Jesús, de la noche a la mañana, desapareció de la ciudad con su hija. Si nadie supo antes en qué convento estuvo la niña recluida, igualmente se ignoró al principio adónde habíanse dirigido. Una hipoteca más gravaba su hacienda de San Nicolás. El prestamista, "por compromiso, no por agio", resultó ser Cipriano. Luego, sigilosamente, madre e hija se marcharon. Aquello se realizó a mediados del invierno.

—¿En julio?

—En julio. ¿Por qué lo preguntas?

José Pedro clavó los ojos en el gordiflón y, sin responderle, lo volvió a interrogar:

—¿Se fueron... a pesar de todo?

Como un eco sin significación, repitió el hipócrita:

—A pesar de todo.

—Y estás tú en el secreto, por cierto, de dónde se encuentran.

Sí, había datos fidedignos. Se hallaban por La Serena, en el fundo de una tía vieja y muy rica, de donde no pensaban salir sino más adelante, cuando se les enderezaran las finanzas y para cumplir el antiguo anhelo de un viaje a París.

No quiso José Pedro averiguar más. Su cólera poníale al borde del desengaño. Nunca dudó de que Marisabel le amase. Aun comprendía que necesaria, forzosamente tal debía ser el estado de sus sentimientos. Pero el hecho era que ahora, ya libre de la clausura conventual, no se concebía el no echar al correo una carta y explicar la conducta. ¿Por qué aquel silencio? ¿Le representaría misia Jesús conmovedoras comedias de madre anciana e infeliz? ¿Le arrancaría juramentos? ¿Mediaría persuasión del confesor? Quizás de todo ello hubiese una malla.

Retornó a La Huerta en ese ánimo vecino al de la cancelación, que se suele producir en los fuertes, aunque sea con carácter transitorio, y como quien entorna una puerta sobre el corazón, miró sólo hacia su túnel.

Comió en silencio la noche de su llegada.

Cuando la Totón entró al final, tras de permanecer un rato con los antebrazos en equis encima de la barriguilla, le preguntó:

—¿Ha sabido, patrón, algo de la niña?

El repuso:

—Algo, sí.

E iba tal vez a contar ese algo; pero el germen de un sollozo le apretó la garganta.

Esperó la vieja un minuto, llena de anhelo. Su silueta gris, gris de ropas, de pelo y de pupilas, tembló al reflejo de aquella emoción contenida, y al cabo halló cómo variar el tema:

—¿Ha pasado su mercé al salón? ¿Ha visto?

—¿Qué?

—Mientras andaba de viaje su mercé, vinieron tres carretas de La Mielería, descargaron unos muebles y la llavera de allá con los Lauros llenaron de lujos el salón. Sofá, poltronas, sillas, espejos, mesa y consolas con mármol, de cuanto hay. Y se pusieron a darles arreglo, y lo han dejado tan lindo... ¿Pero no sabía nada su mercé? Es regalo de misia Carmela, que dicen que está muy agradecida...

José Pedro se quedó con la vista en el vacío.

Al fin encogióse de hombros y, entre suspiros y protestas, masculló:

—¡Eh! Vieja de mierda. Yo tengo la culpa.

La Totón se santiguó, reprimiendo la risa, y deslizándose desapareció del comedor.

La llamó él poco después.

—Totón —le previno—, yo no he dicho nada, tú no me has oído nada, ¿entiendes? Misia Carmela es una noble dama.

—Sí, patrón.

—Bien. Tráeme otro poco de vino.

Al llenarle la copa, le ofreció la vieja de nuevo:

—¿Le llevo una lámpara? ¿De veras no quiere su mercé ver esas linduras?

—No.

—Los Lauros se quedaron boquiabiertos. ¡Y un celebrar a la señora, Virgen Santa! Hasta se les antojó que si el patrón se casara con ella, los dos fundos harían uno, inmenso, el mejor de estos lados... Y... ¡quién sabe, también!

—¿Estás loca, Totón, o me tiras la lengua?

—¡Líbreme Dios! Una ocurrencia no más.

—¡Pues cállate! Nunca, entiéndelo bien, eso ¡nunca! Yo, José Pedro Valverde, soy yo y nadie más que yo. Y me gusta que brame cada toro en su encierra, él solo, soberano. Y lárgate a dormir.

Fue necesario que le visitara doña Carmela Burgos una tarde para que conociera él aquellas pompas. Entró al salón cual si nada nuevo hubiese allí. No dio las gracias a la dama. Tampoco tuvo más expresión reprobatoria su orgullo que aquel mutismo soberbio.

Ella lo comprendió y, acaso por primera vez en su vida, la sedujo el sentirse sumisa a un amo.

Se lanzó José Pedro en seguida con ahínco sobre su loma. Niveló, estacó, midió, acumuló pólvora e hizo contruir una barraca para hospedar reos y recoger herramientas. Se abriría el socavón del modo que resultase más corto. Remontando el estero hasta cierta distancia, el agua se captaría en alturas y bajaría suavemente por un canal que abocaría el túnel a media falda. Allí el cerro era más angosto.

—¡Magnífico! —le dijo al ver aquello el gobernador—. Usted tiene instinto de ingeniero, Valverde.

—¡Sí, mucho! Nada, señor. Mire, los huasos aprendemos estas cosas de las mulas. Cuando quiera usted trazar un camino, y lo mismo es un canal, eche a trajinar por el terreno sus mulares cargados. Verá que pisan y marcan el sendero más corto, el de mejor nivel, con la más liviana gradiente. Son grandes ingenieros, las mulas. No me vaya a llamar usted ahora el macho Valverde.

—Muy macho, amigo, pero en otro sentido.

Reían así en cada visita de inspección que practicaba el celoso militar. Y se trabajó todo el verano con veinte forzados "absolutamente voluntarios" y algunos braceros de La Huerta y de La Mielería. La vigilancia de tanta gente peligrosa, aunque mandara el alcaide cuatro polizontes del presidio, estuvo a cargo del pelotón con sus *pívoris*. Hasta que, mediando marzo, un día de oro y ardiente de chicharras, alzáronse las compuertas y se coló el agua del valle húmedo al sediento.

Deliraron las horas entre meriendas, música y cohetes voladores. Al crepúsculo, autoridades y vecinos habíanse despedido. Desde sus cadenas emblemáticas del frente de la casa, José Pedro los vio irse callejón afuera, entre polvareda de jinetes y carruajes.

Estúvose largo rato sentado sobre la guirnalda de gruesos eslabones. Fumaba en silencio, grave, algo triste y algo coléricos los ojos, cuando sonaron a su espalda las voces de los dos compadres:

—Qué, ¿no está contento, patrón?

—Sólo falta que se nos enfurruñe ahora.

Volvían de soltar sus cabalgaduras; pues quedaríanse a dormir en el fundo.

—No estoy enfurruñado. Pero es que me decía: si esa vieja fuera menos estúpida...

—¿Cuál?

—Mi suegra. Vengativa, cruel con su hija, torpe conmigo, idiota, completamente idiota.

—No, pues, patrón. Si le gustan las brevas, no hable mal de la higuera.

—En fin, don Joaco, vamos a reírnos.

—Tengo seca la garganta, don Pepito.

—Lo que siento es que para los dos no alcanzo a tener buenas camas.

La voz beatífica de don Eliecer también moduló entonces su refrán:

—A mala cama, señor, colchón de vino.

—Eso. Vamos, vamos. Tengo reservado un pajarete que hace la noche aurora.

*

* *

Sólo fue menester que un año diera su vuelta cabal para que se cumplieran, y con creces, las previsiones agrícolas de José Pedro. El triunfo coloreó la obra, en cada estación con su matiz: tendidos de agua platearon potreros nuevos; la chacarería multiplicóse, abigarró las tierras pardas, y extensos alfalfales tupieron su verde jugoso florecido de azul.

Pero completo el sistema irrigatorio, hechas todas las compuertas y las tomas, cuando ya el riego esponjaba los campos de La Huerta y los pólenes ponían fragancia en la brisa, el ánimo del patrón empezó a seguir inverso camino, hacia la sequedad y el desaliento. No era esta vez que las alas mayores que el nido languidecieran por sentirse plegadas; era que las tentativas de comunicarse con Marisabel, todas, una tras otra, se habían frustrado. Pertinaz, él emprendió frecuentes viajes a Santiago, mas para volver indefectiblemente con las esperanzas fallidas. Al regreso estuvo siempre rabioso y mudo y luego, poco a poco, la esterilidad de tanto paso fue abriéndole un vano triste en torno al corazón. Terminó por colársele allí una debilidad melancólica. Llegó José Pedro a sufrir perenne la sensación, en él inconcebible, de quien se ve solo y abandonado. Marisabel no mostraba el menor signo de recuerdo.

El Valverde fuerte y vencedor solía, pues, deambular ahora por lomas, prados y senderos, lacio encima de sus caballos briosos, y desplomarse cabizbajo y sin apetito en el comedor y recogerse a su cuarto como un perseguido de la tristeza. Más que nada, el enfrentarse con el vacío imposibilitador de toda lucha le perturbaba la vida. Porque ¿cómo batallar contra un adversario que se fuga? Sus rumbos, así, apenas iniciados, se torcían y retorcían en desigualdades de carácter. En sus relaciones con los demás, sorprendía de repente con maneras de ser insólitas, incomprensibles para quienes le habían admirado antes por claro, animoso y ejecutivo. Tan pronto mandaba despóticamente a peones y capataces, como encogiéndose de hombros ante una dificultad la zanjaba con algún mixto de chirigota y abandono, de arbitrariedad y escepticismo.

—¡Eh! —solía responder frente a la torpeza de algún trabajador, para la cual se le solicitaban consejo y remedio—. Dejen eso. Déjenlo. El tonto echa una piedra en el pozo y ni cien inteligentes la pueden sacar.

Y se iba.

La gente hacíase cruces, pasmada. Sebastián se rascaba el testuz, invertía la postura de las cejas y se ingeniaba entonces para enmendar por sí mismo el yerro.

Pero él había vuelto grupas, indiferente y murmurando. "El tonto echa una piedra en el pozo..."

Correspondiera o no al caso, aplicaba esta sentencia, que tomó a estribillo. Pero los compadres, ellos sí, entendían el proceso interior: aquel "tonto" calzábalo a misia Jesús; a su capricho torpe, la "piedra", y veíalo todo a través de su obsesión.

—Muy amargado anda.

—Así es, compadre.

A solas, bebía como un aburrido, como desesperado entregábase a la barraganería de sus chinas, la viuda de Burgos sacábale de quicio con su ardor de sol que se pone y, más aún, con la inteligente prudencia que supo imprimir a su trato.

Sólo don Joaquín y don Eliecer, que lo visitaban sin darse por entendidos del cambio, mantenían su ecuanimidad. Eran el cariño en espera.

—Paciencia. Todo lo rodea Dios sin ser vaquero —decía el uno.

—Sí, compadre. Cuestión de tiempo —corroboraba el otro.

Y bien, el rodeo de Dios había empezado sin que se le viera.

Porque una tarde, al abrir "El Ferrocarril", diario que ahora traíale cotidianamente la diligencia, sopló violenta sobre depresiones y languideces del esplín, dispersándolas, una remecedora noticia: Chile se hallaba en inminencia de guerra con Bolivia.

La voz de la prensa, que jamás le convenciera mucho, penetró, esta vez sí, dura y certera como un dardo en su corazón. En años anteriores, cuanto rumor echárase a volar acerca de conflictos con Argentina, volando había seguido, sin rozarle, hasta desaparecer. Nunca dejó él de confiar en Sarmiento, en la lógica de su doctrina, en la brasa de su amistad para caldearla y en la tradición de ambos pueblos. Acaso, desde el punto de vista político, todas aquellas razones de fe no pasaran de paparruchas románticas; mas lo cierto era que a él, en la sensibilidad, no le alarmaron ni sesiones parlamentarias a puertas cerradas ni vocinglerías de suspicaces y exaltados. Hoy, al revés, la guerra parecíale virtualmente declarada. Bolivia conducía su política hostil, con hechos, a extremos intolerables. Imponer primero contribuciones asfixiantes a los industriales chilenos, a quienes habíanle descubierto minas y salitre, a quienes formaron el único elemento para las explotaciones, por sus capitales y por sus hombres de mente y empuje; luego decretar el embargo porque los afectados alegaron en derecho, y ordenar por último el remate de los medios chilenos de trabajo, todo ello implicaba el *casus belli.*

Estaba José Pedro solo aquel día en el fundo. No tuvo con quién comentar la nueva. Paseó hasta muy tarde a lo largo del corredor. Se desveló en la noche.

A la mañana siguiente se le apareció en su carruaje, presa de igual agitación, doña Carmela Burgos.

—Por Dios, Valverde, ¿qué le parece?

—Que tenemos la guerra encima. Una escuadra nuestra zarpa hoy rumbo a Antofagasta.

—El "Blanco", el "Cochrane" y la "Chacabuco".

—Exacto. Impedirán la subasta esa, y...

—Y la guerra.

—¡La guerra!

—Los buques deben llegar allá el 14, día fijado para el remate. ¿Cómo responderá Bolivia?

—Pues nosotros no contamos con otro camino digno.

—Y tenemos además la experiencia. Soportamos a los peruanos expropiar las salitreras chilenas de Tarapacá y pagarlas con bonos que ya nadie cotiza.

—¿Vamos a permitir que ahora, no sólo nos repitan el juego, sino que nos quiten de en medio con alguaciles, como quien dice a culatazos?

—Imposible.

—Por lo tanto, a las armas.

El espíritu de José Pedro plantábase de nuevo en pie. Las relaciones con la viuda, única persona de clase y criterio a su alcance, rehabilitaron la simpatía y la vida cordial entre ambos. Pronto fueron juntos a Melipilla. Después a Santiago, cuando los barcos chilenos hubieron detenido el remate y, corrido el resto de febrero en un anhelar que suspendía los alientos, amaneció el 1.º de marzo y como una tea encendió todo el país la declaración de guerra con que los bolivianos resolvieron contestar. A las tres semanas, las chispas de la hoguera prendían el orgullo en las almas: habían bastado pocas horas de lucha para desalojar a los agresores del puerto. El entusiasmo lanzaba hombres y hombres a los cuarteles. Capital y provincias organizaban los "batallones cívicos". En medio del vértigo se oyó la voz del Perú: ofrecíase como mediador; enviaría la misión Lavalle. Pero los ánimos, aunque dispuestos a la conciliación, vacilaban, suspicaces. ¿No se respiraba en la atmósfera cierto pacto secreto entre aquellos dos pueblos incásicos?

Con el clarín bajo el brazo, Chile supo, sin embargo, esperar. Lavalle vino. Pero los indicios del pacto por seis años escondido malograron el juego diplomático. Y el 5 de abril sonó la clarinada, el reto de guerra chileno también contra el Perú.

José Pedro había cumplido los treinta. Superaba la edad del contingente. Por de pronto a lo menos. Acción patriótica sí cabríale, vasta y eficaz. Y arrebatado por nuevo fervor, sintió levantársele ánimo y vida toda.

Desde luego, permanecía en el fundo apenas el tiempo indispensable para ordenar faenas; en seguida íbase a la capital. Allá, contra lo que al principio supuso, el ambiente, lejos de pesar en densidades de cavilación o cuita, vibraba entre frenesíes. En los cuarteles, en el Parque Cousiño, aun en algunas plazas instruíanse reclutas. El clarín, con su voz bruñida como sus bronces, lanzaba destellos al sol y destellos de grito a las almas. Parecía Chile un pueblo de guerreros que se hubieran aburrido hasta entonces y que al fin restituyéranse a su normal vivir de combatientes. Y había vehemencia. Las evoluciones de las escuadras impacientaban el coraje. ¿Qué hacían los buques de ambos bandos, sin atinar a encontrarse?

Forastero en la ciudad, José Pedro saciábase leyendo noticias y editoriales.

O parábase a escuchar corrillos en las esquinas.

—Avisan de Talca que tienen cien cívicos listos, pero que les falta ropa.

—Que se vengan como estén.

—Así han contestado ellos. Que vendrán con las tiras de lo puesto.

—Eso. ¿No supimos hacer la guerra siempre a pata pelada? Así haremos ésta.

Y así continuaban acuartelándose los muchachos de un confín a otro.

El combate de Iquique arrebató. Nadie quiso juzgar pérdida el hundimiento de la desvalida fragata. Sólo quedó la figura de Prat apuntando como un índice perentorio. A combatir, vengarse y vencer.

—¡Por fin! —exclaman hombres y mujeres—. Ya vemos al "Huáscar" enfrente, que no ha sabido sino asustar caletas indefensas.

Una mañana, Cipriano Correa le propuso a José Pedro:

—Vamos a la Quinta Normal.

—¿Qué hay en la Quinta?

—Ejercicio de ambulancias. Algo muy pintoresco.

A él se le antojó ridículo eso de presenciar un espectáculo de víctimas imaginarias. Pero vio desfilar a los alumnos mayores del Instituto y del Seminario, que allá se dirigían para instruirse, y se dejó conducir.

Si hasta entonces no se le ocurriera qué concurso prestar, lo concibió en aquel simulacro. A la vista saltaba la carencia de buenas mulas en el servicio sanitario. Pues él dedicaríase a reunirlas. Y antes de un mes, entre los compadres, doña Carmela Burgos, él y otros hacendados de su región, completaron sesenta mulares jóvenes y mansos.

Cuando se presentó con su regalo en la intendencia general, tuvo una emoción que le nubló de lágrimas los ojos.

—Considere usted, como hombre de campo —le dijo el coronel—. Desde no sé qué aldea distante, un huaso ha telegrafiado al gobierno: "Estoy viejo para pelear esta vez, pero va mi caballo".

La oleada de ternura, el amor de huaso a huaso, floreció en nueva idea para José Pedro: volver a su fundo, juntar en esta ocasión caballada chúcara, ponerse a domarla con todos sus jinetes y presentar algunas docenas de redomones a la comandancia de caballería.

Atareado en su empresa, bebía entretanto en las páginas de "El Nuevo Ferrocarril" las novedades de la contienda. Empezaron a sucederse fechas gloriosas. En octubre caía el "Huáscar". Destrozado Grau en su torre, la tripulación se rendía; los puertos del norte, que habían sufrido las correrías del monitor, pedían verlo a su paso hacia Valparaíso; aceptábase la solicitud y el "Huáscar chileno" anclaría en cada bahía...

Locamente festivas, estas lecturas eran el descanso vespertino del patrón en corro con sus domadores.

Hasta que, mansa ya la recua de potrones, volvió a Santiago. Cada éxito de la campaña se había celebrado allí de modo estrepitoso. Bajo cielos trémulos de repiques, las multitudes iban y venían cantando. En este ambiente de fiesta casi continua, José Pedro estrenó su primer frac. Asistió al baile que la Filarmónica ofreció a los marinos de la "Covadonga", y el Teatro Municipal le atrajo noche a noche a desternillarse con *La soirée de Cachupín* o con *La gallina ciega*. Paralelamente como en Europa el cobre subía en precio, y como el dominio sobre Tarapacá y su salitre mejoraba la moneda y rehacía las finanzas nacionales, él, que siempre supo hallar saldos a su favor en los manejos de la vida, y puesto que había regalado ya bastante, inició algunos negocios con el gobierno. Vicuña Mackenna le obtuvo encargos de charquis, grasas y cueros. En la próxima temporada, pues, realizaría muy en grande rodeo y matanza, que para suministros al ejército podía ya correr el dinero sin tasa.

—Pero éste tu famoso don Benjamín está chiflado —le dijo cierto día Felipe Toledo.

—¡Hombre! ¿Por qué?

—¿No has visto los diarios? Pide ahora el palo mayor de la "Covadonga" y la torre del "Huáscar", nada menos que para encajarlos en el Santa Lucía.

—Bueno. ¡Qué diablos! Tiene su cariño puesto en ese cerro.

—¡Qué cariño ni qué ocho cuartos! Eso es una solemne majadería.

El sonrió en silencio.

Toledo concluyó:

—En fin, no quiero herir tus sentimientos. Vamos a tomar las once a casa...

Vivían en la calle Angosta varias familias muy rancias, agrupadas en vecindario íntimo. Cuarenta años atrás, habían comprado a los franciscanos los terrenos limítrofes de su huerto conventual y allí habían ido edificando sus solares. Como el de los Toledos, el de los Aldanas hallábase también allí; en él creciera y aun casara misia Jesús, en él vieran la luz Chepita y Marisabel. A un paso de la Alameda, a dos de Ahumada y Estado, la situación concordaba con el rango de los apellidos. José Pedro pisaba con emoción aquella callecita estrecha. Al embocarla ya, parecíale que penetraba en la casa de sus dos amadas. Cierta blanda nostalgia levantábasele dentro entonces y en su pecho las hermanas Lazúrteguis confundían sus fantasmas románticamente. Pasaba frente al caserón, hermético ahora por la fuga de su suegra, con la cara fosca y blasfemando en su interior; pero aquella sensación de suspiro amoroso, de suave mecerse en recuerdos e ilusiones, tenía el poder de atraerle como tema vicioso.

Además, en casa de Felipe lo recibían como en familia. Juntaba este hogar a la madre viuda, señora enlutada y semicana, pero muy ágil y alegre, con cierto levísimo estrabismo que inducíale a guiñar un ojo —rezago de coqueterías de antaño— y que le daba un pícaro mirar, y dos hijas ya en sobrepasada soltería, muy beatitas y dulces, seductoras por su finura silenciosa. Reuníanse allí las damas del barrio a la sazón; pues habían organizado un taller de vendas e hilas para los heridos de la guerra. Los lunes alguna hermana de caridad o algún capellán acudía a recoger lo hecho. Ellas, incansables, seguían descubriendo retazos de lienzos y batistas de hilo y deshilachándolos en copos limpísimos y frescos.

—Esto es para los heridos graves. No hay como las hilas.

—El algodón es muy cálido. ¿No lo sabía usted, Valverde?

—Sí, claro; lo sabía.

La señora encontró a José Pedro algo desmejorado aquella tarde.

Calló él, entre sonriente y abatido. Luego se aproximó a la dama y la interrogó aparte:

—No me juzgue imprudente, señora; pero... ¿tiene usted alguna noticia de Marisabel?

Ella parpadeó y repuso:

—Yo, ninguna.

Pero después, metidas ya las labores en los cestos y mientras atravesaban el patio, hacia el comedor, lo llamó a la sombra de un naranjo y le dijo:

—Algo le voy a revelar, aunque no deba. Marisabel, al partir, me declaró en secreto: "Soy suya, a él perteneceré mientras viva y esté donde esté".

—¿Qué más?

—¿Qué más quiere? No sé más. Hay tanto misterio en todo esto, que no lo entiendo. Mucho de lo que debe haber sucedido lo ha ocultado la Jesús con un arte que me abisma. En fin, confórmese con lo que le cuento.

—Sí, pero... ¿hasta cuándo?

Ella dio el eco festivo a la pregunta, con el estribillo de un *cuando:*

Cuándo, mi vida, cuándo,
cuándo será ese día...

Y entre guiños y risas lo invitó:

—¿Pasemos a la mesa?

La siguió José Pedro y sus dedos nerviosos martirizaban la punta de su barbilla rubia.

*
* *

—Han de haber parao el rodeo ya. Cuando yo me vine, bajaban de todos laos los piños a la quebrá.

—¿Quieres que galopemos? —preguntó el gobernador.

Pascualote lo miró a los ojos, atento.

—Como prefiera su mercé.

Toledo decidió:

—Vamos bien así.

Continuaron, pues, al tranco. En realidad, tiempo había.

—¿Y tú viniste sólo por nosotros?

—A guiarlos me mandó el patrón. Y si no..., ¡cómo pue'!

—Habríamos llegado solos.

—De todas layas, dos caballeros invitaos, sin un sirviente...

Cabalgaban por el camino interior, fundo adentro, torciendo puntillas de lomas a la derecha, orillando a la izquierda los valles. Como todo el personal había concurrido a la faena, el campo dormía en un silencio de domingo y se poblaba de pájaros en disfrute de la soledad. Al pasar ante un potrero alfalfado, seis caballos que allí pastaban corrieron hacia ellos, crines al viento, hasta la cerca. Erectas las orejas, los ojazos comunicativos, abriendo las narices y con los belfos trémulos, relincháronles, cual si pretendieran hablarles.

—Deseosos de que los llevemos —explicó Pascual—. Son corraleros de don Pepe y adivinan lo que allá está sucediendo. ¡Les gusta más retozar!... Tienen afición los brutos, lo mesmo que los cristianos.

—Lindos animales.

—Aguarden, aguarden a que mande remudar el patrón —agregó el huaso a la tropilla inquieta, como quien pide a niños paciencia.

La mañana calentábase al sol. No había ya rocíos y vibraba el aire, interpuesto como un vidrio entre la vista y el paisaje. Veíanse pardear ya los trigos, las palmeras echaban cogollos verdes en medio de sus penachos descoloridos y las codornices reían invisibles con su grito de burlona carcajada.

El gobernador, vaciando el pecho henchido de campiña y frescura, necesitó hablar:

—De modo que Valverde madrugó.

—Con noche se fue al encuentro del ganao. Le gusta ver que no quede vaca enmontá por ehi.

Prosiguieron alegres la marcha. De rato en rato alcanzaban hileras de chiquillos que concurrían, ellos también, a la faena. Cada granuja portaba un cordel en la mano, dispuesto como lazo a punto de maniobra. Más allá, tres sobre un mismo jamelgo, en pelo, iban al galope.

—¿Cómo se sujetan estos mocosos?, me pregunto yo.

—A puro equilibrio. Las piernecitas no abarcan lomo, no les dan pa que se agarren.

—Y miren cómo espolean con los talones desnudos.

—¿Nunca se caen?

—¡Qué se van a quer esas arañas!

Al enfrentar los corrales, Toledo se sorprendió:

—¿No es aquí el rodeo?

—Los rodeos corrientes son aquí, para correr vacas en la medialuna. Pero éste, de matanza y tan en grande, pide más cancha. Obligao a hacerlo a campo cercao a monte.

—Eso sí.

Los dos visitantes engolfáronse pronto en sus comentarios de la guerra. Por fin, tras un recodo, divisaron una polvareda flotante. Junto con verla, oyeron además la orquesta de mugidos, que como un manto entoldaba el lugar. Tornaron entonces las caras interrogadoras hacia Pascualote.

—¿No decía yo? Pararon —repuso el mozo a la tácita pregunta.

—No he visto yo matanza —dijo el secretario—. ¿Y usted, señor?

—Como militar, hijo, no hay laya de matanza desconocida para mí.

Pocos minutos más tuvieron que andar, para meterse al cabo en un llano entre serranías. Tal era el ambiente allí, que les pareció entrar en un salón inmenso y concurrido. Casi llenábalo el piño enorme y en giro constante sobre sí mismo.

Los divisó José Pedro y vino a recibirlos a carrera. Paró en seguida su caballo, con las cuatro patas a la vez, en desnalgada perfecta que rayó cuatro huellas en el suelo.

—¿Me perdonan? —dijo, enderezándose y tendiéndoles la mano—. Yo tenía que hallarme temprano aquí.

—Por supuesto.

—No faltaba más, hombre.

Fueron al tranco hacia las ramadas, donde se desmontaron. Cantaba bien templado el acero de las grandes rodajas de José Pedro a cada paso de las piernas tiesas dentro de las botas hasta medio muslo.

—Circuncisión, cébales mate a estos caballeros.

La vieja, que vestía *manda del Carmen*, por la suerte de las armas de Chile, abanicó en cuclillas el fuego con el ruedo de su pollera. Luego cogió una brasa con una cuchara, le sopló la ceniza, quemó azúcar en ella y cebó el mate. El aire se aromó de mieles y yerba. Tras de probar con la misma bombilla con que serviría, tendió el calabacito, al gobernador en primer turno:

—Sírvase, usía.

El veterano chupó, sin asco, el cañuto en que pusiera su boca la vieja.

Para Felipe Toledo era nuevo el espectáculo. ¡Qué agitación, en aquel claro, seno, plaza o explanada, que bullía entre tantas soledades! Agitación de fiesta, llena de sones, ladridos, cómicos percances, risas y gritos. El mugir, sonoridad de fondo, coreaba su nota continua, única; pero marcábanle compases las voces de arrear que los huasos montados emitían sin descanso:

—¡Juera, juera! ¡Juera, huacha, jueeera!

Vino a galopito corto y bailón un inquilino.

—Patrón —expuso—, yo también quiero echar a la matanza un güey que tengo de más.

—¿Está gordo?

—Enronchao de gordo, patrón.

—Bien, échalo.

—¡Eh, ño Jecho, ayúdeme! —llamó el peón desabrochando el lazo de su montura, y fue al encuentro de su compañero.

El bramar no cesaba, monótono, al ritmo de aquel incansable "¡Juera, juera! ¡Huacho lobo, jueeera!" Algunos cogían bestias que adrede habían arreado con la masa bovina, las rasqueteaban y, tras medio aliño de tusa y cola, reponían montura. En seguida se cambiaban el poncho por la manta corta y vistosa. Siempre un rodeo impone las mejores prendas y el mejor apero.

Toledo atendía con los cinco sentidos.

—Y de la guerra, ¿qué me cuentan? —preguntó José Pedro con el último gorgoriteo de su mate—. Esas gestiones de paz...

—Fracasaron. Dos días de tira y afloja, más bien de tira y no afloja, y por último, ayer, el fracaso.

—Ahora marcharemos sobre Lima.

—Ya era tiempo. Año y medio de guerra llevamos.

—De abril del año pasado a hoy 28 de octubre, año y medio largo.

—Menos mal que de triunfo en triunfo.

—Pues yo aquí todo el último tiempo, con la esquila primero, con esto ahora, apenas sé algo de lo que se opina en Santiago.

—De lo que se opina veníamos cabalmente hablando —dijo Felipe—. Porque tu ídolo, don Benjamín, pretende dirigir al estado mayor desde su editorial.

—Hombre, tú le tienes mala ley a don Benjamín.

—¿Yo? ¿Por qué?

—Eso me pregunto. ¿Por qué? Quizá por pasión política.

—Pero si sale ahora con que la campaña de Tacna estuvo de más, que con seis mil hombres en la quebrada de Camarones habría bastado para custodiar Tarapacá.

—¡Y quién sabe!

—No, Valverde; no nos equivoquemos —intervino el gobernador—. En primer lugar, ¿dónde se halla Camarones? Entre Tacna y Arica. Pues sin tomar este puerto siquiera, ¿cómo nos metíamos en Camarones? Tacna en nuestro poder facilitaba la toma del Morro. Debía ir Baquedano por Ilo y Moquegua, dominar en Tacna y convertir en victoria decisiva la proeza de Pedro Lagos en el Morro de Arica.

José Pedro se inclinó ante la crítica militar.

—Y dice Vicuña Mackenna —insistió Felipe— que sólo ahora comienza la campaña contra el Perú, porque hasta hoy no hemos tomado sino su extremo austral.

—A mi juicio, hemos ganado la mitad de la guerra.

—Y la mitad más importante.

—A ver, a ver...

José Pedro quería razonado apoyo para su optimismo.

Los sirvientes de la ramada, hombres y mujeres, hacían ávida rueda en torno a los caballeros.

—Tarapacá —explicó el militar— nos da mucho dinero con sus salitreras, a tiempo que al Perú se lo quita. Seis meses hace que vendemos nosotros el salitre. Crece nuestro crédito y el peruano se abate. El cambio chileno, que había bajado a treinta y dos peniques, se recupera con velocidad. Sin Tarapacá nuestro, ¿no estaría nuestra moneda hoy a menos de real y cuartillo, como está la peruana en su derrumbe? Pues, ¿y Tacna? Si no la hubiéramos ocupado, no habría sobrevenido la desmoralización en Lima: tan convulsionada y caótica está la política interna del Perú a causa de nuestras ocupaciones, que ha dejado el mando el Presidente y se ha ido a Norteamérica; mientras nosotros discutimos normalmente aquí la elección presidencial próxima. Sí, amigo Valverde, media guerra llevamos ganada. Y más, puesto que la escuadra bloquea ya los puertos del enemigo y llevará nuestras tropas a desembarcar donde mejor convenga.

—¿Oyes, bendito? Bien está que don Benjamín te regale sus libros y te aconseje buenas lecturas; pero en esto..., en esto no le creas.

—No deseo yo más que no creerle ahora. Lo que no impide que lo admire.

—Justo —aprobó el gobernador.

En esto, por tercera o cuarta vez, gritaron desde la faena:

—¡Patrón! ¿Y aura qué hacemos?

José Pedro subió presto a su alazán tostado. Montaron por su parte las visitas y lo siguieron.

—¿Quién era el apurón? —inquirió Valverde al frenar.

Don Eliecer zahirió con su falsete:

—¡Quién había de ser! Póngame a mí mejor en este puesto, señor.

—¡Ehi 'tá! —saltó el zaherido compadre—. Cuando estaban herrando los potros del rey, vino la cucaracha y estiró su pata...

Irrumpieron las carcajadas en coro.

—A ver si usted, compadrito —desafió aún—, sabe desjarretar como yo aprendí de mocoso.

Empinado sobre los estribos, ordenó en seguida:

—Lárguenme un animal bien lobo a la cancha.

Y fue a traer su medialuna. Era una vara larga como una lanza. Tenía, en vez de punta, una cuchilla en semicírculo, cuyo filo cóncavo o interno fulgía de reflejos. Semejaba el asta de una bandera musulmana.

—Así me gusta, señor, a la antigua. Así me gusta —celebraba Sebastián.

José Pedro eligió el novillo; a su ojo experto, el más montaraz y rápido. Metió su caballo en la masa. El alazán, maestro, tan pronto se halló frente al elegido y sintió las espuelas del jinete, comprendió su deber: fue a pegar el pecho contra el costillar del vacuno. Y no cejó ya. Entreverándose quería el novillo escurrirse y huir; el tostado no se le desprendía de las costillas, cual si lo hubieran soldado a su presa. Y empujando, seguro, la sacó del entrevero, piño afuera.

Al verse suelto en cancha libre, arrancó el bovino en salvaje huida. Mas don Joaquín íbale a la zaga ya. Corría el perseguido y corría el perseguidor con su instrumento en ristre y acortando distancia. Lo alcanzó al fin y, con destreza de milagro, se le vio apoyar la filuda medialuna contra un corvejón primero y en el acto contra el otro. Al mero choque, los tendones de ambas patas traseras se cortaban y derrumbábase desjarretado el bravío.

Un prolongado *¡ohohoh!* en algazara saludó la suerte.

—¡Caballo Pájaro! —vitoreó José Pedro.

Don Eliecer avanzó a estrechar la mano de su compadre, que devolvía la lanza como paladín victorioso.

Felipe Toledo estaba maravillado.

—¿Esto es a la antigua? —inquiría.

—Sí; hoy no desjarretamos así.

—A no ser por diversión.

Por aquellos años, en efecto, apenas practicábase de cuando en cuando, como deporte. Más breve resultaba desjarretar a toril. Pronto lo vería Toledo.

Pero se habían alborotado los ánimos.

—A trabajar, niños —hubo de imponer el patrón—. A trabajar en orden.

La tarea tomó ritmo de labor, aunque los huasos aprovechaban cada coyuntura para ejercitar sus dones.

—Despajemos en la mañana —dispuso José Pedro—. Aparten primero lo de marca y señal; lo de inquilinos, lo flaco y lo caballar, con la crianza ya marcada, que se vaya volviendo al cerro. Y cuéntenlo todo muy bien.

Suavemente, sin alborotar el piño, los hombres iban a poco sacando a un extremo de la cercada pampilla los animales que debían recibir los signos de la hacienda. Allá, Sebastián tajaba orejas a los terneros lechones: zarcillo "al lado de montar". Pascual y sus ayudantes imprimían letras de hierro candente sobre las ancas "al lado del lazo".

—¿Cómo dicen? —averiguó Felipe.

—Ya oíste: lado de montar y lado del lazo. En el campo no entiende nadie de izquierda y derecha. Hasta los ríos tienen su orilla del lado del lazo y su orilla del lado de montar.

Avido, el ciudadano pulcro seguía observándolo todo. Cómo caían los animales, cómo rubricaban el aire los lazos y cómo tendían sortijas por el suelo, entre perros ladradores y niños aplicados al uso de sus soguillas, los peales que decidían el tumbo de la res. Al tajo en la oreja, balaban los lechoncillos; a la quemadura en el cuero, los mayores mugían con angustia y los dolores volaban por el aire denso al tufo de la chamusquina.

Dos horas después, en la puerta del fondo, una calle de vaqueros daba salida, contando, a la manada que había de soltarse nuevamente a las serranías.

—¿Cuántas cabezas calcula usted haber visto aquí, señor gobernador?

—Quizá un par de miles.

—Está Valverde muy rico, entonces.

—El fruto de dos generaciones: él, su padre y su tío el cura, tres hombrazos.

—Aquel cura sobre todo. Me han contado cosas...

De pronto irrumpieron voces:

—¡Atajen! ¡Ataja, hijo 'e... tu mamita!

Se había escapado un toro de matanza tras los ganados a los cuales se les devolvía al campo.

Partieron veloces varios jinetes en pos, José Pedro adelante, borneando el lazo. Observábale Toledo el juego que a la muñeca imprimía para mantener la armada abierta. Debía ser una O inalterada la que se disparase sobre la cabeza del animal y se apretara en seguida con la presilla corrediza.

—Ese toro corta cualquier látigo —advirtió uno.

—Dos lazos necesita ese toro.

Ya lo había previsto Cachafaz y corría en ayuda de su amo. Y fue así como, al calzar la armada de José Pedro en los cuernos del fugitivo, ceñíalos también la del muchacho. Seguía disparado el toro y seguían ambos huasos detrás, dando a sus lazos suelta para evitar el tirón violento. Al cabo quedó aquella fiera sujeta, una cuerda tirante a cada flanco. Habían medido, patrón y sirviente, precisos, el momento justo de hacer alto, volver sus bestias en ángulo recto con los látigos y aguantar a una la tirada.

Se vio entonces a Valverde saltar rápido a tierra y sacar de la faja su cuchillo. Pero en particular asombró a Toledo ver a la vez cómo el caballo, solo, resistía los tirones del vacuno: clavaba los cuatro cascos arando con ellos el suelo, tendía oblicuo su cuerpo todo, en arte sabio de la resistencia. El lazo, apegualado a la cincha, tenso al máximo, vibraba como la cuerda de un arpa. Y mientras a la derecha sujetaba Cachafaz y a la izquierda el alazán maestro como un hombre, Pepe descargaba su cuchillo sobre los jarretes del toro y lo hacía rodar.

—¡Eso se llama caballo y eso se llama huaso! —gritó don Joaquín.

—¡Caballo Pájaro! —le completó alguien.

Cuando media docena de peones arrastraba el toro al recinto de matanza, Felipe Toledo había trepado todos los peldaños de la admiración.

Por mucho rato aún oyéronse las órdenes de trabajo:

—¡Puerta! Ya, den el campo a estas bestias que andan estorbando.

—Luego, luego, que hay que almorzar.

—¿No queda ganao del inquilinaje?

—Allá va una vaca.

—Allá va, allá va.

Entre las dos filas de jinetes, todo animal que no se carnearía salió.

El almuerzo encendió el buen humor. Se formaron dos ruedas en el suelo: una de peones, grande; otra pequeña, de patrón, invitados y compadres.

—¡Qué inteligente, qué noble su alazán, Valverde!

—Sí, gobernador; no sale malo.

—Animal para un concurso.

—Aprenden los caballos, señor, lo que les quieran enseñar.

—Pues usted revela ser maestro eximio.

Las alabanzas desazonaban a José Pedro. De modo que se apresuró a desviar el comentario:

—Lo verdaderamente grande ha sido esta mañana esa enlazada de Cachafaz. ¿Se dieron cuenta?

—No se me escapó a mí, don Pepito.

Desde la ramada de las cocineras, don Joaquín secundó a su compadre:

—Ni a mí. Vale mucho ese muchacho.

José Pedro quiso explicar a los profanos el prodigio:

—Extraordinario ese tiro de lazo; por la distancia, por la puntería y por lo estrecha que tuvo que ser la armada. Cachafaz había partido en mi ayuda tarde y me tenía que alcanzar a tiempo. Si no, mi lazo se cortaría en el tirón, que prometía ser formidable, y yo quedaría en ridículo. Por eso yo, nervioso, con el rabo del ojo lo cateaba venir. Corría el muchacho con las riendas abandonadas y gobernando su yegua con las solas piernas, porque ocupaba una mano en sostener el rollo de látigo y en bornear la otra. Once brazadas tiene su lazo, recordé. Pues me alcanzó a once escasas del toro. Al notar la velocidad con que remolineaba la muñeca, comprendí que para que el lazo le alcanzase había reducido al mínimo su armada. Les aseguro que no pudo abrirla ni tres cuartas, apenas el ancho de la cornamenta del animal. Temí que perdiera el tiro. ¡Era tan difícil! Lo que hizo Cachafaz, créanme, pide cálculo bien exacto de la distancia, puntería muy segura y mucha fuerza para tirar lejos. Pero ese demonio cumplió a tal punto los requisitos, que no bien caía mi lazada en los cuernos, caía la suya encima, calzadita como anillo a la medida del dedo. ¡Qué gloria! Dos segundos más tarde, una pulgada más acá o más allá, una pizca menos de abertura en la armada, y el tiro falla, y mi lazo revienta como un cohete, y el toro se nos manda mudar.

—Es un laceador único.

—Por lo menos, muy pocos habrá como él.

Concluyeron todos llamándolo:

—¡Cachafaz! A tomarse un trago con nosotros.

Apareció así el primer cacho de vino. El mocetón bebió. Escuchaba los plácemes y, fiel a su carácter, únicamente sabía responder volviendo a un lado la cara llena de risa.

Cuando sirvieron los lebrillos de cazuela, echóse de menos al compadre Joaquín.

—¿Dónde se ha metido?

—Aquí, patrón —le denunciaron a voces las cocineras—. Llameló, por vida suya, que le ha dao por cargosear a las chiquillas.

—Me gusta comer con damas —contestaba él entre las chinas jóvenes.

—Sosiéguese, don Joaco, moledera, que lo está viendo el patrón.

—¡Miren qué lacho!

—¡Ya, pa juera!

Se armó algarabía. Todos rompieron a una:

—¡Juera! ¡Juera el huacho viejo, jueeera!

Hasta reducirlo a redil.

Vino él a la rueda y:

—Abrase, compadre —dijo don Eliecer—, que aquí me acomodo entonces, entre usted y las autoridades del departamento.

—Ya viene a fregar aquí, el hostigoso.

—¡Válgame Dios, se picó por lo de la cucaracha, compadrito! Vénguese, pue'. Pero hágame lugar. Usted sabe que soy niño bueno.

—Conozco esta laya de niño bueno, que es pedorro y que ha de andar siempre metido en medio de la gente.

—¡Hasta que se vengó el compadre! A manos quedamos.

El gobernador y Toledo lloraban de tanto reir. Entre las bromas y las cachadas de tinto y blanco, la risa rompía todas las barreras.

Por su lado, el corro de capataces y vaqueros atronaba con sus carcajadas, como a descargas de fusilería.

—Seguro que se han desatado a mentir, a contar las maravillas que cada cual presume de haber hecho en el cerro.

Aguzaron el oído.

—No seáis fantoche, Miguelito —decíanle a uno—. Tanta farsa con tu lazo y lo estáis colchando.

—Por güeno se cortó —replicaba el tal Miguelito, y al advertir que los caballeros atendían, se puso a detallar su caso—: Se me larga la vaca, hijito 'e mi alma, como los rediablos. La persigo cuesta arriba y cuesta abajo, salta peñascos y hoyos puaquí, sácale puallá el cuerpo a los quiscos y los cardones, hasta que la enlazo y la tengo mía.

—Ehi no más quedó el lazo entonces.

—En los cachos, firme, quedó. La huacha, doblando la nuca pal cogote y con el hocico pa arriba y abierto, brama y brama. En esto se me corre pa una cañadita, yo me paso por detrás de un quillay, el látigo dobla con el tronco, y entonces, claro, se tuvo que cortar el pobre con la serruchá. Pero..., ¡pucha que era de ley!..., porque yo que me agacho pa que no me zumbe el chicotazo en la cara y él... ¿no cimbra el otro pedazo y va y se enrolla en el tronco de quillay? Solito pue', amarró él la vaca. ¡Es lazo muy noble!

Las carcajadas de ambas ruedas uniéronse por esta vez.

Al extinguirse la risa, don Eliecer dijo sentencioso:

—La mentira es infinita en el huaso. Dios se la dio como una burla cuando los hombres diz que pretendieron que también a ellos les diese algo sin fin.

La risa en esta ocasión fue interna y pía.

De cuento en chiste, de cazuela en charquicán picante, de asado en tragos, de regocijo en regocijo, en fin, se llegó al mate postrero, al cigarro en reposo. Y remudados los caballos, se dispuso que la faena de matanza empezara.

Habíase reducido mucho la masa de vacunos. Aquel cercado que por la mañana se le figuró a Felipe un gran salón repleto de concurrencia, parecíale ahora poco menos que desierto. Allá, en un confín, apenas arrinconábase un piño, quieto y como desairado. Las gentes se dirigían casi todas al extremo contrario, donde se hallaban el chiquero, el toril, el cuadro, los bretes, algunos cobertizos...

Entretanto José Pedro dialogaba con el capataz y sus vaqueros:

—¿Cuántos toros, Sebastián?

—Diecisiete, patrón. Los más viejos.

—¿No será demasiado?

—Con la masa fueron muchísimos. Y como hasta dentro de un par de años no tendremos otra matanza...

—Al menos tan grande como ésta. Vamos a beneficiar mucho, es verdad; pero... el ejército lo pide.

—Y se hace el negocio de varios años en uno.

—Así es, también.

Continuaron cuentas. Cifras de crianza, de novillos, de bueyes... Y, en suma, se matarían más de doscientos, entre toros machos capados y vacas inútiles por edad o defectos; los dos centenares, del fundo; el pico, de inquilinos y empleados.

—Hay para más de ocho días de trabajo sólo aquí. Las carretas ¿llegaron?

—En camino vienen tres. Pa mandarle la carne al llavero, suficiente.

—¿Cuánta gente le has puesto a Lauro para su charqueo en el galpón de las casas?

—Nueve hombres cortadores y seis mujeres pa la salazón. Entre los de allá y los de acá, pa la otra semana se concluye.

—Bien. Comencemos, entonces. Pero con los toros, que luego pelean y dan mucho que hacer.

Pusiéronse a separar toros.

—Sin agitar, sin agitar... —prevenía José Pedro. Y explicó a sus visitantes—: La carne agitada es mala; da un charqui rojizo, por bien que desangre el animal.

En cuanto se les hubo apartado, se arrearon los toros al chiquero.

Aquí debía presenciar Toledo tareas que cambiarían el espectáculo alegre de la mañana por otro dramáticamente violento y cruel.

Era, el chiquero, un corral dispuesto en el ángulo final de aquella encierra. Partía de su interior cierto pasadizo toril, que, al término de algunos pasos, desembocaba en el cuadro, verdadero recinto de matar, desollar y carnear las reses. Concluía esta placilla en un pequeño estero disimulado entre matorrales y la defendían por un flanco los bretes en que trabajaban los despostadores y los cobertizos de oreo para las carnes ya saladas. Enfrente se abría el espacio donde se airearían estacadas las pieles y se apilarían cachos y osamentas.

Pronto los huasos, por parejas, diéronse a empujar los toros, hasta meterlos uno a uno dentro del toril. Se introducía cada bruto y, no bien pisaba el extremo del pasadizo, lo veía Felipe desplomarse repentina y sorpresivamente. Dos hombres ocultos, allá en la boca de salida, lo habían desjarretado a certeros golpes de cuchillo en los corvejones. Y el infeliz caía sobre un cuero tendido en bandeja. Cierta pareja de postillones bien montados lo arrastraban presto al cuadro, y otro cuero suplía al ido, y otro animal sucumbía en seguida. Pasmosa la destreza de aquellos hombres. Los diecisiete toros no exigieron largo tiempo de labor allí. Dijérase que aquel pasillo siniestro escondía rayos fulminantes.

Dentro del cuadro era más cruenta la faena. Varios matarifes, con sus dagas, asestaban a la despatarrada víctima, en el testuz, la puñalada que debía ultimarla; otros, si el toro presumíase furioso y temible, descargábanle un hachazo en la frente, y en todo caso el degüello desangraba en el acto al moribundo.

A Toledo se le contagió poco a poco el terror que observaba en las pupilas de los ejecutados. En un tris estuvo de que a él también se le saltaran los ojos de sus órbitas, de que le temblara la cabeza y le tiritasen todos los músculos del cuerpo. Difería por completo su ánimo, horas antes tan regocijado.

—No tienes costumbre, Felipe.

—Hombre, la verdad, como es primera vez...

—Esto es para machos.

Toledo se amoscó.

—¿Te imaginas que soy pusilánime?

—No. Yo sé que eres valiente; que te batirías en duelo, por ejemplo, sin temblar; que darías la vida sereno. Pero... con una fina pistola de desafío en la mano y vestido de levita y sombrero de copa.

El gobernador sonrió y dijo:

—Exacto. Todo un retrato.

Y rieron los tres.

Pero el viejo militar condujo a su secretario por un rato afuera. Vieron allí retozar a los granujas, que con sus correoncillos enlazaban y tendían peales a los perros y aun a los lerdos borricos en que habían traído sus cacharros y trebejos las cocineras. Se solazaron durante algunos minutos.

El amor propio, sin embargo, y la curiosidad indujeron al "futre capitalino" a regresar. Ahora los huasos cortaban una punta de la masa y la conducían al chiquero. Mas el gobernador lo llevó a desmontarse junto a los bretes y ramadas. Allí departieron ambos acerca de cómo, en aquellas empalizadas de toscos maderos en cruz, los peones colgaban los cuerpazos desollados, y cómo los despostadores, con precisión de cirujanos, separaban cada músculo, le desprendían las gorduras y lo pasaban a los cortadores en seguida para que lo convirtieran en lonjas cubiertas de sal.

En el riachuelo, a la sombra de maquis y ñipas olorosas, algunos ancianos lavaban las panzas que recibirían el cebo derretido, las vejigas o copuchas en las cuales habría de conservarse la grasa comestible. Los fondos hervían ya sobre su hoguera, con los chicharrones dentro.

Gobernador y secretario se toparon con el patrón en el espacio de asolear cueros. Valverde regalaba el material para que se trenzara un nuevo lazo el mentiroso Miguelito y varios talabarteros doctos cortaban lonjas en prueba de la resistencia.

Cuando José Pedro vio al gobernador consultar su reloj, le dijo, adivinando su prisa:

—Ya pronto nos iremos, señor. Van a servirnos otro asadito, el vino y el mate del estribo. Luego..., ¡a casa!

Mientras les preparaban esta merienda, quiso Valverde revisar los cierros, cerciorarse de que no se había producido portillo alguno en la cerca de ramas apoyadas de pie contra el monte vivo.

—¿Y resulta segura esta cerca? Ni amarrada está, hombre.

—No hace falta. Cuidando que la ramazón sea tupida y alta, no hay temor. El secreto es que no divisen los vacunos el exterior. Lo que no ven no existe para ellos, ni lo sospechan.

—Pues no revelan mucha inteligencia que digamos.

—A excepción de la gallina, tal vez, no hay animal más torpe.

En cambio, sentimental sí era, el torpe vacuno.

Porque descubrió Felipe de improviso algo elocuente y conmovedor: los animales aún vivos del piño habíanse agrupado en el punto preciso donde don Joaquín desjarretara su novillo y el peón lo rematara a golpe de daga en la nuca. Escarbando el suelo, husmeando con las narices trémulas la tierra, mugían, larga, lenta, sorda, dolorosamente. ¿Flotaban ahí acaso efluvios de la muerte? Las voces casi humanas, dolientes y fúnebres, ondulaban en el aire, y aquellos hocicos, luego de olfatear el sitio vacío, elevábanse hacia el cielo para volver a extender sobre la tarde sus ondas de duelo, su desolación, sus ecos de interior tiniebla. Algo había en aquel bramar de hondo, grave, de funerario, de plegaria y llanto.

—¿Y eso? —interrogó muy extrañado Toledo—. ¡Qué impresionante!

—Lloran, mi señor —repuso Eliecer—. Les huele al cadáver y lloran.

—¡Es posible!

—El vacuno es así. Bruto, pero sentimental.

José Pedro dispuso que un vaquero dispersara el piño y removiese la tierra de aquel lugar.

—Y al causeo nosotros, para irnos antes que se ponga el sol.

Alrededor de la cocina rondaba la gente, satisfecha y alegre. Y dentro, en la penumbra de la ramada, punteaban ya las cuerdas afinando una vihuela.

Tras la merienda, en la que ya pesó el cansancio, José Pedro, sus sirvientes y los compadres cabalgaron y se pusieron en camino. Cuando salían del corral rompió allá dentro la primera tonada. Percibían ellos clara su letra:

Han visto a mi negra.
L'han visto llorar.

Si mi negra llora,
le han pagado mal.

Déjenla venir llorando,
que yo la hei de consolar...

El rasgueo y el estribillo a compás de cueca, tamboreados por nudillos varoniles sobre la guitarra, borraban lo demás.

—¡En fin, allá se divertirán ahora!

La cabalgata iba en silencio. La escoltaban los tres mocetones del pelotón bravo.

Don Joaquín halló con qué sacar de su mutismo a José Pedro, a quien observaba más raramente silencioso.

—¿Qué tiene Bruno, patrón?

—¿Por qué?

—Cabizbajo se le ha visto el día entero.

—Parece que taimado anda —intervino don Eliecer.

—¿Algún motivo hay?

—Dicen que quiere ir a la guerra.

Lo llamó Valverde:

—Bruno.

—Patrón.

—¿Qué te pasa?

—Nada, patrón.

—¿Verdad que quieres ir a la guerra?

—Sí, patrón.

—¿Qué edad tienes?

—¡Quizá, p'!

—¡Cómo!

—Mi mamita cuenta que salió con bien de mí poco antes de que fuera su mercé pal Maule con el finao don José Vicente.

—Por los veinticinco andas, entonces. Todavía no te toca engancharte, puede que después te llamen. Se me ocurre que iremos juntos.

—Pero ¿su mercé piensa ir?

—Cuando me toque, por cierto, y te llevaré de ordenanza. ¿Te gustaría?

—¡Ve que no!

—Espera tranquilo, entonces.

—¿Y yo?

—¿Tú también, Cachafaz?

—Este quiere ir con su lazo.

—Y si no, no voy.

—¿Qué harás con tu lazo, bendito?

—¡Bah! El agüelo, que anduvo en la guerra contra Benavides, cuenta que unos marinos iban a desembarcar de unos botes y que él con otros huasos los aguardaron en la playa y, antes que tocaran tierra, los lacearon y los arrastraron a todos prisioneros.

—Pues con tu lazo te llevo. No hay más que hablar.

De gobernador a paje, la cabalgata reía, reanimada.

Sólo a José Pedro no le subía del todo el humor. ¿Fatiga? ¿Reminiscencias? Aquella tonada giraba dentro de sus oídos. Y en las pausas del charloteo repetíase a media voz:

Déjenla venir llorando,
que yo la hei de consolar...

Marisabel no era negra. Pero...

Evocación cuarta

AMO Y SEÑOR

El patio interior de La Huerta se hunde poco a poco en el nublado atardecer. Tonos de ceniza disfuman los granados, la enredadera y el brocal del pozo. Ya empieza el parrón también a desdibujarse; bajo su sombra se distingue, sin embargo, blanca la pared fronteriza, con zócalo azul, y en medio abre su boquerón tenebroso la bodega mayor: dentro, con ambular de ánima en pena, va y viene una vela encendida.

La señora cose, amparada por el corredor. Es, desde más de dos lustros, misia Marisabel Lazúrtegui de Valverde, ama y dueña feliz..., aunque sin remedio torturada. Cose, como muchas tardes, que tanto exigen a una madre las criaturas. Sus tijeras caen tal cual vez, tañen su cascabel al chocar en los ladrillos, y luego todo vuelve al silencio. Un silencio en el cual ella sigue uniendo a hilvanes su labor con sus emociones, sus sueños con recuerdos, dichas con inquietudes. Acaso hay en ello más de sufrir y remendar que de costura.

En fin, así lo dispuso Dios, piensa. Y suspira conforme. Porque está contenta. Siempre ha estado, en el fondo, satisfecha de su suerte.

Se arrebuja con el chal. Hace un poquito de frío. Marzo anticipa el otoño. La dama prende por un rato su aguja en los lienzos, para mirar en torno, pues le recrea percibir las sensaciones de aquel patio en soledad.

Arriba, entre los maderos de la tejavana, las palomas se recogen. Las hembras, puras, de un albor lamido de miel, trajinan domésticas, a semejanza de las mujeres antes de acostarse. Pero ese palomo, el buchón, es un pequeño formidable. Y todo un gentilhombre. Cubierto por su capa recamada de tornasoles y reflejos, echado atrás, con el pecho abultado —golilla sobre jubón— y con su birrete de plumas en la cabeza, camina con donaire. La cola le alza por detrás la capa, como una espada. Y anda encima de la viga, con pasitos cruzados, con garbo y galantería, rondando a su dama, entre venias y arrullos que se dirían piropos. Tiene las patitas rojas y rizadas de plumillas como cintas. A la señora recuérdale a su José Pedro; si no por el lujo, al menos por lo fuerte y galante, por lo cortés y violento, por lo amoroso y terrible. La paloma de su pareja, rendida, le obedece. Sólo que alguna vez, si otra se aproxima, de la cándida sumisión surgen picotazos.

Entonces misia Marisabel sonríe. ¡Y cómo ha de ser, pues! ¿No siente lo mismo ella?

Luego de reir, intenta reanudar su trabajo.

Pero ya las puntadas no se ven. Se va la luz. Baja el sol detrás de la bruma sin lograr encenderla. Tras un cristal muy pavonado, mira en perlada agonía, en desfallecer dulcemente ambarino; pone sobre los edificios y las cosas apenas una pátina de oro leve, y apresura su descenso. Pronto lo ha cubierto el tejado de la capilla, se han opacado las techumbres de la casa y resulta imposible divisar lo menudo en el patio. Decide por esto la señora ir a meterse por las penumbras de las habitaciones. Allá deja sus costuras y sale por el otro lado, al corredor externo, al del jardín, lugar en que todos los crepúsculos aguarda la vuelta de su esposo.

Tarda porque lo absorbe la vendimia, reflexiona. Adora su viña nueva. Y es incansable para crearse más y más labores e impulsar progresos. Ya tiene viñedo y molino. Y lo que aún hará.

Ella espera pacíficamente.

Por el camino pasan gentes hablando, con los ecos extraños que tienen las voces dentro de la niebla. Se alejan y no se sabe qué gris errabundo queda palpitando entre los demás grises. Los minutos andan lentos. Hasta que el sol, por muy fugaz instante, dora los filos de muros y cornisas, deslíe un poco de púrpura indecisa en el frontis de la capillita. Súbito, se apaga, cual si hubiera plegado el párpado y enfría todos los matices del cuadro.

Estos crepúsculos estimulan en el alma de la señora cierta intimidad de corazón y cierto goce de soledad que la predisponen a sufrir. Pero el sufrir suyo, todo él de amor, exclusivo de pasión, es un romántico placer de sangrar y restañar heridas y un concluir adorando su cuita siempre. Vivaz, imaginativa, aun risueña y pintoresca por temperamento cuando está en sociedad, suele permanecer empero así, dirimiendo sus conflictos interiores, horas muy dilatadas; bien es verdad que para llegar ineludiblemente a la conclusión de que su viejo Don Juan no pudo ni puede comportarse de otro modo y de que lo ama como al héroe la heroína del más hondo, atormentado y poemático de los idilios. En medio de celos, temores y dudas, ella mantiene la fe de su amor. Y al cabo, ¿no se ha cumplido su felicidad y no la disfruta prolongada en criaturas de sus entrañas? Algo estropeada vino a ella esta dicha, cierto, largamente oprimida en la paciencia de años que la deformaron; mas como en aquel esperar, desesperar y esperanzarse de nuevo las imágenes del ensueño sometiéronse a disciplina y se ajustaron a términos prudentes, cuando, muerta misia Jesús, llegó el cumplimiento, le pareció a ella que acaso mayor que la promesa resultó el triunfo. Esposa de su José Pedro, y madre y señora de La Huerta..., ¿no era lo fundamental del ensueño? Que de tiempo en tiempo haya ido descubriendo después los frutos espurios del amante, ¿qué debe significar? Dolor en su corazón, sí, lastimadura en su candidez; pero ¿a quién cargar esta cuenta? Ella guardó el juramento de silencio e incomunicación hecho a su madre, misia Jesús condenó al mozo pujante, seductor, irresistible, a soledad forzada. ¿Pues entonces? ¿Cómo, puesto que había él de caer como los demás hombres caen, y con mayor frecuencia, por más viril, cómo pensar en que lo encontraría poco menos que cartujo y penitente?

Bien. Todo ello explícale y aun le justifica el pasado. Pero son las sospechas de infidelidades posteriores lo que la martiriza. Esos chicos huachos..., hasta cariño le inspiran. Ellas, antes, viéndolo tan hermoso, tan bizarro, tan ardiente y abandonado por su Marisabel, ¿por qué no habían de aspirar a ganárselo? Cuando ella volvió, todas quedaron frustradas. No obstante, hoy, alguna, ¿no estará portergada tan sólo? ¿Será ella la esposa, hoy dueña absoluta? Algo, algún compromiso, algún enredo pendiente cabe siempre en lo posible. Y para extremo y colmo, para que ni la nota grotesca falte, la tal doña Carmela, vieja, resignada, inteligente y digna, permanece como con una ensoñación emboscada y en ronda. ¡Ah, en ellas, en ellas acecha el pecado!

Misia Marisabel es celosa. No lo puede remediar. Bastantes años han pasado. El frisa en los cuarenta y cinco, ella no niega sus cuarenta. De las niñas, once cumplió Chepita, Rosa nueve. Pero misia Marisabel será celosa la vida entera.

En fin, esa tarde, como todas, apenas escucha el rumor de las espuelas y vislumbra la mancha del poncho de vicuña junto a la vara de la llavería, se sobrepone y acude al encuentro de su marido.

El entra bajo el corredor penumbroso, la besa, con el brazo fuerte le rodea los hombros y le pregunta:

—¿Las niñas?

—Lavándose las sentí, para la mesa.

Ha pasado la noche. A la madrugada el viento norte ha soplado gritando, han caído chubascos estruendosos al amanecer, y despierta un domingo azul.

Cuando entra en el dormitorio la sirvienta con los desayunos, que los patrones toman ese día festivo juntos en la gran cama de dos plazas, ambos reciben aquella gloria de luz por la ventana.

Después, mientras él fuma entre sábanas su primer cigarro matinal, ella, con el último sorbo, alegre, se cuela dentro de la franela de su bata y corre a levantar a sus hijas.

Pero de regreso ya, se queda unos instantes a la orilla del corredor. La embarga tanto añil del paisaje. Están azules los cielos y los espejos de los charcos, los pinos y los cristales de la casa, y aun allá, sobre las praderas mojadas, hasta nítidas lejanías, el azul barniza todo verde y penetra los humos tenues que suben de los ranchos. Azul canta la flauta de los pájaros, azules llegan los grititos de las niñas desde el interior. Si hablase ahora ella, también azul sería su voz. Azules se vuelven sus pensamientos. Su alma toda se tiñe de azul. Y cuando la campana llamando a misa la despierta, le parece que se desparraman los sones por el aire cual si se desgranase un rosario de cuentas azules.

Es la seña de prevención, este campaneo. Avisa que ha llegado el capellán. Porque desde la instalación del matrimonio en La Huerta, hace ya doce años, no falta el oficio sagrado los domingos.

La señora torna entonces a su cuarto. Ambos esposos se lavan, se acicalan, conversan.

Ha dado ella unos toques de tijera en la barba de su marido; y él, peinándose la guedeja rubia, que ya palidece, insiste sobre lo que venía diciendo:

—Malo, muy malo, pensé yo en cuanto supe de aquellas hipotecas.

—Sigues desconfiando, por Dios.

—Pero si ese Cipriano Correa, hija, ese usurero, es como los suelos bajos, que se chupan su agua y la del vecino. ¡Por ley física, caramba! No comprendo cómo tu madre llegó a entregarse así en semejantes garras.

—Cipriano..., ¡qué quieres!..., era el poseedor de nuestro secreto. Tuvo que serlo, por el encadenamiento de las circunstancias, porque ya él manejaba los bienes, porque tampoco íbamos a meter otro confidente más. Y abogado, en fin: necesario, según ella.

—Peor que peor. Siempre al anca del que se arruina se concluye por descubrir un leguleyo encaramado. Claro: él, a trueque del silencio, se supo ir imponiendo, hasta dominar.

—El hecho es que, a pesar de nuestras deudas y de las trampas que nos agobiaban, vivimos. Y mejor que él, desde luego.

—¡Qué gracia! ¿No habías observado que en tu buena sociedad siempre vive mejor un rico arruinado que un rotoso enriquecido?

Misia Marisabel sonríe; mas:

—Por último —dice—, a qué hacerse mala sangre.

Y es que vislumbra en la chispa violenta encendida en las pupilas de su tonante señor ganas de llamar a cuentas a Cipriano, de zamarrearlo quizá. ¡Qué geniazo!

Con todo, ese carácter le resulta adorable, como todo lo suyo.

—Recuerda que aún lo necesitas —le advierte, sin embargo—. En su casa vive tu hijo.

—Ya me lo traeré al campo y entonces veremos.

—Calma, polvorilla. Ese niño ha de acabar su educación.

Pero al solo recuerdo del muchachito, el semblante de misia Marisabel se vela de sombras. Con la peineta suspensa, queda frente al espejo. Mira en la luna cómo las manos de don José Pedro, que se han poblado de vello dorado, envuelven la faja carmesí en torno a la cintura poderosa, y a cada vuelta se le aprieta más el corazón.

—¿Por cuánto pretende conseguir Cipriano ese finiquito?

—Por cinco mil pesos.

—¡Bribón!

—Pues yo nunca supuse que me quedara tanto. Me ha entregado el landó, los mejores muebles de San Nicolás...

Otra seña del campanario, anunciándoles que ya el sacerdote se halla vestido y a punto de oficiar, les apresura.

—Vamos, vamos.

Por el jardín se les unen las dos niñas y en grupo señoril avanzan los cuatro hacia el oratorio. Componen la recta familia, la legítima, conforme a decoro y religión, a tradición y estirpe, la familia que soñó el Valverde siempre y logró formar para vivir en sus dominios, señor en su caserón cercado con cadenas.

Después, cuando tras el oficio han conducido a desayunar al mercedario y luego lo han despedido en el estribo del birlocho que lo trae y lo lleva entre las haciendas donde sirve capellanía y su convento de Melipilla, deriva sobre su tema don José Pedro:

—Pienso que si las complicaciones por el niño nos obligan a cerrar los ojos y transar, convendría invertir esas platas en el potrero de doña Carmela. ¿Por qué pones esa cara?

—Sabes que nada de la vieja esa me gusta.

—¡Vaya!

El caballero guarda entonces silencio. No el de quien cede y desiste, sino el silencio con que hace pausa voluntariamente quien sólo aplaza. Se le oyen casi los pensamientos. Tal es la fuerza de ellos. Porque, ese potrero, él lo quiere. Tendrá que volver tarde o temprano a su familia, por razones de justicia y de orgullo. Allá en épocas de las encomiendas, entre litigio y litigio, alternativamente perteneció a su abuelo y al padre de doña Carmela. Llamáronlo por eso El Infiel. Mas el amor propio díctale a él hoy retornarlo a fidelidad.

Y aunque ha dejado el asunto para ocasión propicia y ha pasado con su mujer al salón para departir en paz hogareña, he aquí que lo imprevisto pone de nuevo el tema de la señora: entran las dos niñitas a carrera gozosa; viene Chepita con unos dulces sobre un papel, abre la hoja, tirante entre las manos, a modo de bandeja, y ofrece.

—Mamá..., y usted, papá; sírvanse.

¿De dónde sacaron las golosinas? Pues pasó la viuda de Burgos en su coche, las llamó a la portezuela y, con muchos recados para papá y mamá, entregó el paquete a las criaturas.

Desfallece misia Marisabel entonces, desganada. Sólo él prueba un alfajor.

Mientras las chicas devoran golosas, ellos leen en sus mentes escondidas.

—Bien. A jugar al jardín —pide a sus hijas él de pronto.

En seguida va y se sienta junto a su mujer en el sofá. Le coge tierno y risueño ambas manos, se las besa con finura y le dice:

—Vives, vieja mía, espantándote a ti misma. Ten fe. No te atormentes con los episodios y las circunstancias del pasado de un hombre.

—No se trata de celos, no te creas.

—¡Oh! ¿Cómo podrías estar celosa de semejante anciana?

—Claro que no. Y eso que ella, anciana y todo... Yo sé que se imaginó un matrimonio de conveniencia contigo.

—Me conoces, Marisabel.

—Te conozco. Eso es lo malo.

—¡Bah! Escucha. No estás celosa; más aún, no eres celosa. Concedido. Pero mira: tienes un alma timorata y..., ¿sabes?..., cuando tiembla el alma, tiembla cuanto la rodea. Todo alrededor se agita, se llena de fantasmas y peligros. Es como cuando tiembla la luz y con ella las cosas que se hallan a su alcance.

—Sin embargo, las mujeres vemos en los ojos de las mujeres. Doña Carmela sigue soñando.

—Si pasa ya de los sesenta y cinco.

—¿No estuvo enamorada de ti?

—Tal vez tuvo entonces sus últimos fuegos.

—Y ahora, el rescoldo.

—Quizá. Algo bajo la ceniza, el engreimiento en su recuerdo, en fin, la simpatía por una vieja ilusión. ¿Y qué?

—¿Llegaste a tener algo con ella? Dilo.

Como carece de mayor paciencia, don José Pedro se levanta entonces, domándose.

—Basta. Recapacite, hija, en lo que me ha dicho —concluye, con la severidad que a las palabras da el trato de usted.

Y sale.

Ella queda sola en su sofá de medallones. Reabsorbe una lágrima. Las pestañas le abanican las mejillas, en las que ha secado el otoño un matiz de oro, como en la piel de una uva clara. Luego esparce la vista por el suelo. Se siente un tanto desolada, cual si el incidente la hubiese desprendido un poco del mundo. Además, sufre algún desconcierto. ¿Habrá procedido mal? ¡Qué bien suele razonar él! ¡Qué profundidades penetra! ¡Qué sutilezas alcanza! Pero, también, cuán duro se porta llegado cierto momento. Lo reconoce superior. A menudo, en presencia de algunas almas, nos parece que somos muy poca cosa, que nos hallamos como delante de un abismo en el cual podemos caer. Hay almas cuya sima presentida causa vértigo.

Piensa y suspira:

"¡El hombre... es el hombre!"

Busca el medio de contener la emoción. A su lado ve la hoja de los dulces, y, como una colegiala, se pone a recoger con la punta del índice humedecida las migas de turrón y azúcar.

*
* *

Fue por entonces cuando bajo la encina centenaria, desdibujado dentro de la húmeda sombra, inmóvil como zorro en acecho, estuvo don José Pedro atisbando el paso de aquel bandolero preso entre dos polizontes.

Allí detúvose, sí, quieto y fantasmal, emboscado bajo el árbol añoso. El poncho de vicuña caía sobre sus hombros fuertes, a todo lo largo de su talla empinada sobre los tacones huasos. Destellaban sus ojos claros y ponían reflejos en la barba rubia, recortada en punta. La barba de don Juan Tenorio, decía doña Marisabel. Y por su parte habíasela de llamar misia Carmela "barba de joven conde". Una barba entonces clareante ya, joya de plata sobredorada que va perdiendo el sahumerio.

Allí estaba, largo rato. Se había echado encima de las cejas el sombrero alón y las pupilas brillábanle muy despiertas, no se habría podido asegurar si coléricas o maliciosas. Sonreían por momentos, pero asomando y recogiendo la sonrisa entre las pestañas, porque algo violento ardía más adentro. Sin moverse, duro y estatuario, permaneció allí todo lo que tardaron en buscar los policías al llavero, en recibir al fin de él un par de galletas para el camino, en beber unos sorbos de agua, y, sobre todo, en parlotear como bravucones comediantes.

En cuanto los soldados volvieron a montar y se marcharon, con el preso a pie y siempre delante, maltratándolo deliberada y teatralmente para que mucho celo les atribuyesen, él avanzó fuera de la penumbra. Con la mano velluda en alto, hizo unas señas al llavero y lo mandó a buscar al capataz:

—¡Hijunas! Corre, vuela, Mauro.

Giró hacia la casa. En el corredor blanco, asomándose por la boca negra de un pasadizo, fisgaban las chinas de la servidumbre. Bocas y ojos redondos por la curiosidad, hundidas de emoción las mejillas, se unían en ese latido entre medroso y solazado que cuando se juntan a espiar prende las almas esclavas. Pero tan pronto viéronse descubiertas por el patrón, emprendieron ratonil fuga pasillo adentro.

Misia Marisabel y sus hijas, también con los párpados dilatados de temor, lo esperaban al fondo del jardín. Habían temblado al paso del forajido, de aquel ser para ellas todo misterio y peligro, especie de granada explosiva, de aquella su figura sucia como pintada toda ella con los pardos de tierra.

El capataz acudió pronto, al trote rápido de su bayo, y el patrón le dispuso:

—Siga, compadre, a esos policías. Con sigilo. Que no lo descubran. Entérese de cuanto hagan por el camino. Salga por encima de la loma y déjese caer por el otro lado, por entre los montes incendiados cuando el salteo a La Mielería. Tiene que aguaitar bien, compadre Bruno, qué hacen los pacos con el pililo. Si no ve al principio nada raro, sígalos, hasta que vea, y hasta que ojalá oiga. Después viene a contarme. Ya, al tiro, corra.

A Mauro, allí presente, le previno:

—Y tú, cierra la boca ¿Oíste algo a los pacos?

—No mucho. Hablaron cosas de adrede.

—Por ejemplo...

—Los vide llegar arreando al preso como a un animal. En la vara echaron pie a tierra. Uno sacó la manea de su montura y se la puso al roto en los tobillos... Pura comedia.

—Todo eso lo vi yo también. Dime qué hablaron.

—Más petipieza, pues, patrón. Que buscaban a ese bandido desde cuantuá, que lo habían pillado al fin monte adentro, que se chismea por ehi que misia Carmela lo favorecía en sus escondites... Todo adrede, patrón. Sabe Dios si lo que hacen es acompañarlo en un cambio de guarida. Tendría el hombre que pasar por aquí y no se atrevería solo...

Don José Pedro escuchó meditabundo. Luego se fue al encuentro de su mujer. La encontró azorada.

—No te metas tú en esos manejos —le rogó temblorosa—. Deja su misión a la policía, que para eso está.

—Es que no la cumple, hija.

—¡Válgame Dios!

—Y si yo no actúo, créeme, los salteadores acaban con nosotros el día menos pensado. Han muerto a mi padre, a ustedes les han saqueado San Nicolás cuantas veces han querido... Por mí, aquello se detuvo algún tiempo; pero ahora la región se infesta nuevamente de criminales. El cuatrerismo recrudece y los asaltos a sangre y fuego vuelven a ser el pan de cada día. Si esto sigue así, yo voy a pedir al gobierno, por intermedio de mi partido, alguna comisión personal como la que me dio en la otra ocasión Balmaceda.

—Eres terrible, José Pedro.

A Chepita, la mayor de las niñas, que había heredado, con la vivacidad de su madre, los ímpetus combativos de su progenitor, la enardeció el diálogo.

—Sí, papá —intervino—. Hay que matarlos antes que nos maten.

—¡Miren qué mocosa ésta! Y tú, ¿qué dices?

Nada. Rosa, la segunda, nada decía. Extática, muy rubia y muy bonita, cumplía con el mote de Muñeca, que cariñosamente se le aplicaba.

El padre acarició las dos cabezuelas y rió placentero, recreándose como un dios en sus criaturas. "La verdad es que nos equivocamos siempre al bautizar a los niños", reflexionó. Nunca el nombre coincide con el carácter: antes bien, lo contradice. Haber llamado Chepita, en memoria de su mansa, dulcísima primera mujer, a esa chica, para que resultara ese diablillo...

Solían las gentes comentarlo por su parte. Aunque las gentes además interpretaban sus observaciones. Atribuían, desde luego, al desconsuelo de no haber logrado un varón entre su legítima prole, el estímulo que prestaba el caballero a las aficiones ecuestres de la hija mayor, y a su intrepidez, hasta el punto de fomentarle carreras cual si fuera un jinete o hubiera de serlo después, y al retozar por los campos mezclándose a las faenas, y a su afán de hacerse docta como un juez en las corridas de vacas. A la inversa, viéndolo envanecerse con la fina belleza de la otra, suponían que de ésta se había propuesto él hacer una dama, la señorita por antonomasia, digna de ser exhibida entre aristocracias capitalinas, flor lujosa de sus linajes.

Y mucho había de cierto en todo eso.

De sobremesa departieron los esposos aquella noche sobre las niñas. Era ya tiempo de pensar en un colegio para ellas. En el fundo habíanles enseñado entre ambos a leer, y caligrafía, y catecismo, y tablas; mas el próximo año debían estudiar con método en la capital, fuere internas en el plantel de algunas monjas, fuere pupilas en casa de las Toledos y alumnas de alguna escuela, o en hogar propio, al cual se trasladaría misia Marisabel si conseguíase recuperar el solar de la antigua calle Angosta —de Serrano desde la guerra—, que Cipriano Correa, por las hipotecas, detentaba en su poder.

Avanzaba la noche, cuando acostados ya disponíanse a dormir, llegó Bruno. Lo llamaron al dormitorio.

Ya en los labios burlones de su capataz leyó don José Pedro la confirmación de sus sospechas.

—Cuenta y razón le traigo a su mercé.

—A ver.

—En cuanto no más se sintieron lejos, detrás del cordón de lomas, le desataron al pajarraco las manos y lo subieron al anca. En el paso de la Tenca, golpearon la puerta del almacén. El despachero sale, ellos piden..., me parece que chicha, sin apearse, y les traen un potrillo lleno. Se lo tomaron todo entre los tres. Más allá se desmontaron, muy amigos, a fumarse un pitillo al pie de un boldo. Y ehi se apartaron. El pillo cortó pal norte, pal lao del Rosario; ellos rumbearon para San Juan. Como pertenecen a la comisaría de San Antonio... Ah, pero se me olvidaba lo mejor, patrón: cerca de los caseríos, los pacos dispararon al aire sus *pívoris*. Tira y tira estuvieron, como veinte balazos, ¡señor de mi alma!

—Completo —dijo don José Pedro—. Pues ya veremos cómo, corriendo los días, se cuenta en los contornos que se les voló el pájaro, que lo persiguieron ellos a tiros, hasta que de fijo lo han muerto y estará enmontado y pudriéndose.

—Así mesmo se dirá. Y que se han visto muchos jotes por ehi. Ni andará lejos que carguen con misia Carmela.

—Asegurando que lo esconde.

—Como le dieron fama cuando lo del Pelluco...

—¡Ah, hijunas! ¡Policía grandísima perra!

—Serenidad, señor del trueno, serenidad —le pidió festiva misia Marisabel.

—Bien, compadre. Recójase a dormir, entonces.

Se retiró Bruno; pero él deseaba desahogarse:

—¿Has oído, mujer? ¿Ves como hay que tratar a esos polizontes lo mismo que a los facinerosos? Como que muchos lo fueron antes de que los engancharan comisarías comunales. Eh, al fin y al cabo, resultan más listos y más tiesos que los huainas reclutados en el montón.

—Triste cosa, sí. Pero mi tonante señor tiene que dormirse ahora.

Apagaron la vela.

Sin embargo, junto al sueño de la esposa, él se desveló pensando.

* * *

Hasta después de medianoche piensa el desvelado. Y es la suya una vigilia de repaso y juicio. Revisa lo que anduvo entre juventud y madurez y obtiene conclusiones. Desde luego, que fatalmente todo creador ha de acabar en esclavo de sus criaturas. Lo comprueba en sí.

Pues bien, si tantas cosas ha hecho, si casi ha creado un mundo, ¿cómo no sentir ahora la responsabilidad de su creación y cómo no velar por ella? Velar y aun desvelar; he aquí su deber. Y sobre todo, su voluntad terca, irreductible.

No cejará. Recuerda que cierta vez oyó por ahí que alguien decía: "Mucho ha cambiado este caballero". Falso; él continúa el mismo. Si cambios hay, o son aparentes o de mera modalidad. No distinguen las gentes que las mudanzas exteriores no alteran la esencia. Con la edad, acaso se hayan exagerado los rasgos de su carácter: lo acepta, porque los años al par que acentúan facciones de rostros, imprimen a cualidades y defectos anímicos acentos más rotundos. Lo cual está bien: las personalidades que no se afirman exagerándose, que es decir creciendo, perecen. Reconoce haber excedido sus antiguos orgullos de abolengo y aun sus violencias de jefe y patrón, hasta lindar en términos que permiten llamarlo "señor tonante"; mas halla esto explicable y natural, lógico y necesario. Se traen fuerzas desde el origen, se asimilan influencias, como las recibidas por él de aquel cura tremendo y admirable, y todo ello vive, se desarrolla y sirve. Aquellas cadenas con que tiempo atrás cercó la casa han llegado poco a poco a incorporarse a su persona con el poder de los símbolos. En los descansos del crepúsculo, posar la mano sobre los recios eslabones le causó siempre —y aún se la causa— una escalofriante satisfacción de poder y señorío; fluye de su gesto entonces cierto magnetismo que él advierte, algo que impone un respeto mezcla de admiración y temblor en las almas de los campesinos que pasan. ¿Pero es ello condenable? No; eso está bien, es necesario: vive tiempos en los cuales se hace menester ser amo; y el cariño al amo, si bien con afectos y bondades se gana, ha de llevar escondido algo de ese latido terrible que pulsa en la sumisa obediencia. Sólo almas pigmeas vituperan y desconocen esta virtud. En tal o cual trance —lo confiesa él— asume actitudes atrabiliarias y aun de injusta soberbia, semejante a las de cuando niño. ¡Qué hacer! Hacia la vejez, así como vuelven al hombre agudezas y frescuras de la infancia, le suelen reaparecer también pueriles torpezas. Todo ello, sin embargo, todo en conjunto, hace al señor.

He aquí, pues, sus conclusiones, y no cínicas, tan sólo de realista conciencia.

Y puesto que ha creado su mundo, lo sostendrá, lo conducirá, de progresos a plenitudes y, fatalmente, a él se ha de entregar en altiva servidumbre.

Porque ha sido creador. No poco ha nacido de su esfuerzo y su tesón. Ha multiplicado crianzas; abriendo campos, ha convertido montes en sementeras; perforando cerros, ha regado secanos; ha plantado viñas; se han alzado, a su inspiración y su porfía, molino, edificios de labor y viviendas para servidores. El ha hecho, sin ceder a las tentaciones de un regalado vivir, su pedazo de Chile, ¡caramba! La patria débele producción, que es riqueza para todos, y también servicio personal: en la guerra le dio su aporte, primero como proveedor, y luego, hacia fines de la contienda, partiendo al Perú a cargo de remontas. Allá, no en líneas de fuego y bayonetas, pero sí en la retaguardia bajo la metralla, tuvo su eficacia en San Juan, en Chorrillos y en Miraflores. Aquello no lo ha envanecido; úsalo apenas ahora como anecdotario de amenidad para sus conversaciones. De haber sido Bruno entonces cronista en lugar de simple asistente, qué de audacias, arrojos y, también, galantes aventuras habría podido narrar.

En este punto, el desvelo de aquella noche se puebla de recreos. ¡Ah!, suspira por fin, risueño, para que a su creación nada falte, "ha padreado bastante", como dice don Joaquín. Ríe, ríe a solas en la noche, mientras su Marisabel duerme y duermen con ella sus celos.

Pero se ha casado al cabo, fiel y decente, de acuerdo con su prosapia, su palabra de honor y su religión. Tan pronto murió misia Jesús, él dejó a Lima y vino a devolver honra y amor a su Marisabel.

Por último, entre sus ufanías, y no la menor por cierto, cuenta la de haber limpiado de bandoleros la zona. Las hazañas de su pelotón bravo lo aguerrieron para la obra que habría de realizar después, cuando el Presidente Balmaceda lo nombrara prefecto accidental de Melipilla. Con la veintena de soldados veteranos y la carta blanca para combatir que se le facilitaran, puso en práctica métodos propios. Evocó al viejo gobernador de antaño, entrabado por un juez leguleyo hasta la manía... El sí, él llamó a su teniente, sus sargentos y sus cabos Pascualote, Bruno y Cachafaz, y les dijo:

—A mí no me traen ustedes bandoleros vivos. Fosa tengo abierta, no cárcel. Conque ya lo saben.

Y en meses quedó saneada la región. Facinerosos que no perecieron, fugáronse a campos lejanos.

No lo contará hoy, ni poco ni mucho, porque ni le pluguieron las jactancias jamás, ni lisonjeras consecuencias derivan de tan ociosos comentarios. En aquella ocasión, la prensa metropolitana lo vituperó desde la oposición al gobierno. Señor feudal, de horca y cuchillo, le motejaron, y hasta del derecho de pernada dedujeron solfas. Además, con ello como fundamento, su propio partido coreó a sus antagonistas; aunque, en el fondo, sólo porque se negara él a participar en la revolución contra la gran figura, porque osara incluso defenderla contrariando una Constitución aprovechada como político trampolín y porque le agradeciera, tanto a más que el haber apoyado el sanear de malhechores a Melipilla, el haber unido por un ferrocarril a Santiago con el abandonado departamento.

Pues ahora, lejos aquello, reconciliado el partido con él, nuevamente su delegado en la comarca, afrontará la empresa como antes. Hará ver cómo, porque tras el peligro se va siempre la cautela, se dejó la misión policial y el mal recrudece. Defenderá su obra, y su destino en memoria de su padre asesinado, y los bienes regionales, y su hogar.

Porque ya tiene, además, una familia; a su lado, una noble mujer y dos niñas; allá en Santiago, ese hijo, si no legítimo, si de pecado nacido, si disimulado y oculto por el bien parecer social, de tanto linaje como las chicas habidas durante el matrimonio y sagrado por cariño y deuda de honor.

Se duerme aquella noche con toda su firmeza erguida.

*

* *

Aquel día de San José debió transcurrir también ese año en silenciosa intimidad. Desde la muerte de Chepita —Josefina— y luego definitivamente al fenecer el cura José María, otro José, en La Huerta quedaron abolidas las fiestas para el santo del patrón. Como además rememorábase a José Vicente asesinado, la lista onomástica de los difuntos había terminado por enlutar la fecha. Por la mañana, los esposos y sus dos hijas, todos de negro, partían hacia Melipilla en el landó, rezaban las misas que los mercedarios decían por las almas veneradas y, luego de volcar muchas flores sobre las tumbas, regresaban al fundo muy recogidos de alma.

El almuerzo, como de aniversario, sí solía ser en tal ocasión más generoso y delicado, y esmerábase la señora en comportarse más fina con su José Pedro. Sólo que suspiraba entonces misia Marisabel cada vez que ponía en la boca del amado señor el primer bocado de su plato. Cogiendo él a su turno del propio también la primicia de cada guiso que se le sirviera, dábala en los labios a su consorte. Y ese día correspondía con exquisita y consoladora ternura.

Costumbre conservada desde la luna de miel era ésa, que jamás abandonaran, pero que aquel año, según observó don José Pedro, repitió ella con inusitado matiz. Tuvo el ceño de la señora tan particular depresión de tristeza, tanto dolor de tiempo presente, que sintió él algo semejante a la vibración de un callado tumulto que traspasa un muro. Algo nuevo se agitaba tras el semblante inmóvil.

Intuitivamente, dejó él de nombrar a Chepita.

Luego, cuando se levantaron de la mesa y dirigiéndose a reposar en el patio, la vio de pronto llorar.

—Bueno, hija. Basta de sufrir —le dijo con dulzura y cual si atribuyese a duelo y nostalgia de los muertos aquel sufrimiento—. Miremos hacia los vivos. Nos tenemos el uno al otro. Me tienes tuyo, tan tuyo... ¿No lo ves?

—Sí, te creo —repuso ella.

Las lágrimas, empero, siguieron rodando sobre sus mejillas, como la lluvia sobre el rostro de una estatua.

Agudo, sabedor de que nada hay más eficaz para distraer un dolor como otro dolor, habló entonces del niño.

Y en el acto el ánimo de la señora ensombrecióse de otra manera.

—No puede con las matemáticas el pobre Antuco. Me lo confiesa en una carta —prosiguió don José Pedro.

—Pobre chiquillo. Tampoco pude yo con ellas nunca.

—Pues ¿y yo? Ni el álgebra ni la trigonometría... En fin, en fin —concluyó—, no hemos de amargarnos. Pongamos las caras alegres ya. Y tú, la vivaracha, la fogosa de la familia, con esa expresión de lástima... Vamos, ven a desembalar esos retratos de Aldanas y Lazúrteguis, que se apolillan en su tubo. ¿No lo habías resuelto para hoy?

Ella se puso decididamente risueña y lo miró enamorada cuando la tomó del brazo y la condujo al salón.

Allí estaba, en efecto, parado al pie de la mesilla de mármol, el enorme cañuto de hojalata en que habían venido de Santiago los óleos desmontados de aquellos antecesores.

Mientras ella iba extrayendo los trozos de tela, mirábala su marido, considerando aquel carácter. Tan festiva, de natural tan inclinado al gracejo y, no obstante, los tormentos de amor la enturbiaban, la entristecían y martirizaban siempre. Y el tiempo, lejos de curarla, veníale creando una especie de vicio de sufrir. Que aun el recuerdo de Chepita, no por hermana infeliz, sino por ex amada rival, envenenara su amor... Aquello era ya enfermar. Y era ella quien a menudo le prevenía: "Te complicas la vida, sin objeto". Ella, que a sí misma y a él se la enredaba en sutiles complejidades.

En esto llegaron visitas, las únicas que contaban con venia tradicional para presentarse al amigo en San José: los dos compadres, don Eliecer y don Joaquín.

—¡Jojó, patrón!

Seguían idénticos. Apenas un poco más estañadas las pelambreras; pero con igual vigor; el uno sin variar su atiplada socarronería, siempre animado de dicharachos el otro.

—¡Qué bien se conserva, don Eliecer! Y su vida, don Joaquín, ¿cómo lo trata?

—¡Pse!

—Cada vez con más suerte —apuntó don Eliecer.

—¡Qué, señora! Perro flaco no sirve sino pa' criar pulgas.

—Viera la pulguita que trae.

—Como la suya, no más, compadre.

Ambos traían regalo, cada cual una potranquilla. Llamaron a las niñas y salieron todos a ver los animales. Elegirían a su gusto los dos del santo, el patrón y Chepita.

—Lindas son.

—Yo las encuentro preciosas.

—Como el vinagre regalado es dulce...

—¿Indirecta, don Joaco? Que sirvan vino, hijita.

Aunque sin estridencias, el humor se renovó en la casa. Las chicas palmoteaban de gusto. Por último, bautizaron "las pulguitas" a las potrancas.

—Crías del potro premiado de Puangue —advirtió don Eliecer exhibiéndolas.

—Han sacado el mismo pelo mulato.

—Y el anca nevada igual.

—La madre de ésta es la yegua del Gallo.

—A propósito, ¿qué se ha hecho el Gallo?

—Anda en las mismas de siempre, señor; sólo que muy envejecido. No se orea ese diablo. Bebiéndose poco a poco toda su platita.

—¿Perdió la chacarilla?

—Para allá va.

—Ya lo veremos reducido a un cuarto y escogiendo en cuál pared se partirá la cabeza.

Aun para malos pronósticos hallaba don Joaco resortes de risa.

—Creo que lo vamos a necesitar otra vez —predijo don José Pedro.

Y entre charla y sorbos de pajarete, ya en el salón, habló de sus proyectos contra los bandidos que volvían a invadir los campos.

Visitaron después el lagar, en pleno trabajo por aquellas semanas de vendimia, y siguieron a la bodega, donde hasta doce grandes fudres, dentro de los cuales unos niños hacían la postrera limpieza, esperaban los caldos nuevos. Más allá, en grandes pailas de cobre, cocíase la chicha. Todo lo vieron, y cataron vinos, y cumplimentaron al patrón por haber hecho de La Huerta un fundo floreciente y completo. Pascualote, ahora herrero y carpintero, y Cachafaz, caballerizo, discurrían entre los peones.

—¿Y el otro muchacho del pelotón bravo?

—¿Bruno? En el campo, de capataz.

Los tres tenían ya situación pacífica, se habían cargado de hijos, y como el patrón les apadrinara los primogénitos, con el parentesco de compadres habíanse ganado las ceremonias del usted.

Rememorando, riendo y charlando pasáronse los viejos amigos la tarde.

Al despedirse, don José Pedro les recomendó:

—Ya saben: al Gallo, que vaya loreando mientras tanto.

Misia Marisabel suspiró meneando la cabeza:

—¡Jesús! Genio y figura...

*

* *

—¡Ave María! Pero..., ¡cómo! ¿Quieres pasarme, José Pedro, esa carta?

—Toma, hija. Repasa y piensa, para que luego reflexionemos juntos.

Misia Marisabel hace ademán de llamar. Ya en el salón ha oscurecido mucho.

—No, deja. Yo encenderé.

A pesar de haber oído la lectura en alta voz hecha por su marido, ella desea enterarse por ojos propios de cuanto les pone Cipriano Correa en esos inquietantes renglones. Pero ha de aguardar a que su marido trepe sobre una silla y dé luz a la lámpara.

Por fin abre la esquela, se acoda en la mesa de centro y, ávida, lee.

Caviloso, él espera.

El silencio se prolonga.

Los pololos anuncian primavera temprana. No empieza septiembre aún y ya esos granos de café, alados bajo el caparazón, caen de afuera proyectados contra los vidrios apenas se alumbran las habitaciones en la noche. Se cuelan por la menor abertura. Exasperan prendiéndose al pelo, a la nuca y a las manos, con sus patazas pegajosas de pequeños monstruos.

El caballero lucha con los intrusos y sigue mirando las muecas, a veces de asombro, a veces risueñas, a veces coléricas, de su mujer. También él por momentos ríe, o se irrita, aunque sin mayor sorpresa.

Cuando la señora concluye, ambos se interrogan con la mirada. No atinan a empezar el comentario.

Hasta que misia Marisabel exclama:

—¡Buena cosa de niño! Promete.

Lo que a don José Pedro le hace gracia:

—El gallo cantor —dice— se entona desde que le apuntan las plumas.

—Como que tiene a quien salir la criatura.

—¡Caballo Pájaro!

Pasadas las bromas, recapacitan.

Advierte Cipriano, entre muchos considerandos y protestas de que "seguirá guardando el secreto, tanto el profesional como el de leal amigo", todo ello escrito en notarial estilo, que no puede continuar Pepe Antuco pupilo en su casa. Está ya muy crecido. Lo sorprendió en días pasados, detrás de la madreselva, besando a la mayor de sus hijas. "Gracias a que la enredadera no ha rebrotado aún —dice—, alcancé a divisarlos."

—Claro. Ve un peligro en él.

—Y el peligro para el niño, hija, ¿dónde lo dejas? Ya me veo emparentado con Cipriano. ¡Serían las diez de última!

—¿Qué piensas hacer?

—Por de pronto, ir a Santiago; allá, entrevistarme con Cipriano y ajustar con él esta cuenta... y las otras.

—Sereno, José Pedro. Sobre todo con Antuco, nada de violencias, por favor.

—Al contrario. ¿No te digo que me hace mucha gracia? Pero habrá que traerlo. Ese ya es otro cuento.

—¿Antes de los exámenes?

—¡Qué exámenes ni qué pamplinas! Ya no cabe duda de que las matemáticas le revientan. Si ha de fracasar a fin de curso, más vale que corte aquí los estudios. Entra ya en la adolescencia. Que se inicie desde luego en la agricultura. Pero vámonos de aquí, que los pololos no dejan conversar.

—Y hace frío. En el comedor está encendida la chimenea. Es hora de comer, además.

Por el trayecto, el caballero agrega:

—Lo dicho. Partiré mañana. En mi ausencia, ve tú que le arreglen su pieza en la casa de Sebastián.

Allí habitó el niño de ordinario; primero de muy chico, mientras la Totón lo criaba, luego en las vacaciones anuales. Con doble fin se construyó esa casa: con el de albergarlo a él y con el de procurar vivienda cómoda e independiente a los buenos viejos. Allí misia Marisabel ha cuidado siempre maternalmente a la criatura.

Un crepitante fuego de piñas de pino calienta el comedor. Las dos niñas, al amor del fogón, repasan lecciones, con ojitos de sueño y mejillas de hambre. La ancianidad de los muebles algo tiene de eterno. Su colocación parece inmutable. Aunque vinieron no ha muchos años de San Nicolás, diríase que fueron hechos para esas paredes, o que la estancia se ha edificado para ellos. Los aparadores de renegrido jacarandá, con sus tallas lustrosas de frutos arracimados y sus cornisas de cornucopia, las sillas de travesaños incompletos, algunas molduras caídas definitivamente, todo ello convence de haber estado desde siempre y para siempre así, destacado sobre la cal de las paredes y vigilado por el retrato del cura Valverde, que a la muerte del venerado se mandó pintar. Es el prestigio, aquel óleo. Aunque misia Marisabel nunca lo mira, él vela desde los oros cansados de su marco.

Los esposos, del brazo, se pasean de testero a testero de la sala. Y hablan:

—También podrían hospedarlo las Toledos en su hogar.

—¡Hem! ¿Para que despierte a las solteronas?

La señora no puede contener la risa.

Luego lamenta:

—Lástima de Seminario...

—¡Qué hacer! No admiten educandos allá sin establecer su procedencia. Por vaga y mañosa que hubiera sido mi manifestación para la matrícula, los clérigos, que todo lo averiguan, tú los conoces, habrían descubierto lo demás y...

—No, por Dios.

—En el Instituto Nacional se portan más liberales...

Hablan, hablan durante la comida, y después, en el dormitorio, hasta dormirse.

Por la mañana se levanta don José Pedro de un salto. Ha dormido de un tirón. Al cerrar los ojos, estuvo largo rato pensando; luego se durmió, y durante el sueño se hizo esa digestión de los pensamientos obscuros que al siguiente despertar brotan en soluciones claras. Unas tras otras, mientras se lava, acuden las ideas.

Y cuando el beso de misia Marisabel lo despide junto al estribo del coche que lo ha de llevar a tomar en Melipilla el tren, sabe ya lo que hará y cómo habrá de proceder.

*
* *

Asomó por fin el coche al fondo del callejón achocolatado y endurecido por el invierno y salieron a recibirlo fuera de la verja. Misia Marisabel de pie y las niñas columpiándose sobre las cadenas, lo vieron rodar hasta ellas.

A poco saltaban los viajeros a tierra y se abrazaban a la señora.

—Mi vieja...

—Mamita, mi mamita...

Cogido a ella, el niño atinaba sólo a repetir esta palabra. Así, mamita, le había dicho siempre, desde tierno, desde que se criara en casa de la Totón y viniera doña Marisabel a su lado varias veces en el día para rodearlo de mimos maternales. Se querían, sí, ciega, irremediablemente. Ahora estaban conmovidos. Hubo que aguardar, antes que se hiciera el diálogo posible.

Al cabo, serenada, dijo ella:

—Los esperamos desde ayer.

—No pudimos venirnos ayer, hija. Este nuevo huaso necesitaba ropa de campo.

—Y hoy, a esta hora, las cinco...

—Almorzamos en Melipilla. Teníamos que ver al espuelero, pasar a la talabartería para escogerle a éste unas botas. Con lo que ha crecido...

Así era. El muchacho había dado un estirón. Ya los pantalones quedábanle algo cortos. La señora y las chicas lo examinaron. Halláronle más buen mozo. En aquella tarde tan soleada lucían bien sus ojazos verdes, su tez de durazno y su porte robusto.

—Cada día más parecido a ti —opinó misia Marisabel.

—Pues no te creas; de ti tiene mucho —adujo él—, por lo Aldana.

Volviéndose a los tres niños, explicaron:

—Porque nosotros somos Aldanas por el lado materno.

—Aldana era mi madre.

—Y Aldana la mía. Primas, ellas dos.

Luego diéronse todos al afán de los equipajes.

A don José Pedro le sirvieron después en el corredor su mate, y allí, ausentes las criaturas, vino la cuenta del viaje.

—Creo haber triunfado —comenzó el caballero—. Lo de Antuco resultó sencillo, y hasta jocoso. Verás. Desde luego porque ¿sabes cómo me recibió Cipriano, cómo lo encontré vestido, a ese avaro? De frac.

—¿De frac?

—Para economizar ropa, a fin de no gastar los ternos de calle, está usando entre casa un frac viejo, pasado de moda y ya brilloso, que no puede ponerse para los actos de etiqueta. Lo encontré así. Aquella noche daba su mujer una fiesta, y él, en semejante facha, estaba sentado al piano, tocándoles a las hijas una polca para que practicasen. ¡Lo hubieras visto! Los faldones raídos le caían sobre el banquillo giratorio y se bamboleaba al compás de la música, y los dos botones de la cintura, ya pelados, me hacían guiños de burla.

—¡Habráse visto! Y está millonario.

—Pero más tacaño que nunca. Sale muy poco. En las tardes, una que otra vez, al club; pero cuida de no llevar más de un peso en el bolsillo: así no hay compromiso alguno que le permita pagar las copas.

—En cambio ella, la Filomena, de nada se priva. Y hasta derrocha.

—Bien que hace. Se nota, en su ansia de gastar, una especie de venganza contra la mezquindad del marido.

—Yo sé que cada fiesta en la casa le cuesta una tenaz lucha privada. Pero eso constituye un deporte para ella, un prurito que la sordidez de Cipriano le ha creado.

—Casi una manía.

—¿Daba esa noche una tertulia? Sigue.

—Sí. Pero vamos por partes. Pues entro yo y él me recibe, fingiendo feliz sorpresa y con una expresión de almíbar en los pestañudos ojazos de señora gorda y bobalicona. Se retiran las hijas y nosotros hablamos del asunto de Antuco. Fue todo breve y sencillo. Iba yo a llevarme al muchacho y así no quedaba complicación. Eso sí, cuando él, con mucha cara de honor mancillado, me insistió en lo de los besos, yo lo paré con un contragolpe: "Mira, no te escandalices tanto por él, que muy bien que se dejaba ella". "¡Cómo!", se asombra. Y yo: "Porque no la metería él por la fuerza bajo la enredadera, me figuro".

Misia Marisabel chispeó de regocijo.

—¿Y qué te contestó?

—Se le secó la garganta. Le vino tal carraspera... "En fin, no te aflijas, concluí, que no vale la pena. Vengo a llevármelo a vivir conmigo, que nada protege la rama como su propia corteza."

—Con ella ¿no hablaste?

—¿Con la Filomena? Ya lo creo. También. Entró en ese minuto, cabalmente. Venía lista para salir, elegantísima, muy feliz dentro de sus enormes mangas de jamón.

—¿Y?

—Se reía. "El chiquillo tiene gancho", dijo. "Resulta peligroso, como su padre", agregó contorsionándose de risa. Tú sabes cómo es: liviana, coqueta. Hasta me dio a entender que bien habría podido yo alguna vez haberla arrastrado detrás de alguna madreselva. "Por eso, concluyó, Cipriano se acuerda del refrán: Entre santa y santo, pared de cal y canto." Por último, me invitó a su fiesta. Se portó, en suma, como dama frívola pero de buen gusto.

A misia Marisabel ardíanle ya dos chapitas en los pómulos.

—Irías, por supuesto, a bailar con ella —inquirió.

—No. Me excusé. Que tenía compromiso anterior, que ya Felipe Toledo había comprado un palco para la zarzuela, adonde iríamos con su familia... Como que así fue. Y llevamos a José Antonio a oir *La Gran Vía.*

—¿Graciosa?

—Muy graciosa. Es el furor de Santiago. No se silba ni tararea por todas partes otra cosa que *Los tres ratas, La pobre chica* y *El Caballero de Gracia.*

—Pero después volverías a visitar a la Filomena, supongo.

—No, suspicaz, no. No la vi más. Al día siguiente, cuando llegué por la mañana en busca de Cipriano, ella dormía su trasnochada. En cambio, él, ¡a que no adivinas lo que hacía! Entre comedor, patio y repostero, trajinaba juntando los restos de vino y licores. Reunía todas las sobras y rehacía botellas completas, que iban a la despensa para otra ocasión.

—Y de frac, el tacaño.

—Ya no. Habíamos quedado de tratar en el estudio de Felipe tu asunto, la liquidación de tu herencia, ese finiquito que te propuso. Estaba, pues, vestido de calle, con un lindo chaleco blanco que abajo, sobre los zapatos, se le prolongaba en dos albísimas polainas. Salió correctísimo. Pulcro, a cada rato se frotaba con las bocamangas las solapas del chaqué.

—¡Ay, José Pedro, no me hagas reir más! Tienes una lengua perversa.

—Bueno. Pues al grano. Felipe comenzó por manifestarle que él, como abogado, no podía reconocer cuentas sin haberlas examinado. Cipriano repuso que tenía todos los comprobantes necesarios en su poder. Pero calculamos de inmediato sobre las grandes cifras, yo subiendo los valores de predios y cosas, él retrollevándolos a los precios de la época en que se había operado con los bienes. En resumen, Toledo y yo estimamos que no cabría, en caso alguno, finiquito por menos de quince mil pesos. Por la tarde se nos apareció con legajos de documentos. Felipe manifestó que los estudiaría. Ya me había dicho a mí que, conforme a códigos, un juicio no podría favorecernos. Sólo fallos de conciencia era posible aguardar con optimismo. Yo propuse ir al pleito. Pero como vi a Cipriano tranquilo frente a la idea, exclamé: "Sería una iniquidad de jueces sin conciencia un fallo adverso a nosotros". Algo más, fingí montar en cólera con tal propósito: me levanté del asiento y, en voz lo bastante fuerte para que Cipriano me oyera, le dije aparte a Felipe: "Y en tal caso, a éste no le despinta nadie una pateadura de Padre y Señor mío. En meses no se levantará de la cama". Abreviando, hija, te diré que al día siguiente me mandó una oferta por diez mil pesos. Respondí con una condición: que nos devolviera la casa de los Aldanas, en la que habita él ahora sin derecho claro. Se tasaría, se considerarían de abono los diez mil ofrecidos y se gravaría con hipoteca por el saldo insoluto, a largo plazo. Cuenta Felipe que lo creyó a punto de caer con un síncope. Sin embargo, cuarenta y ocho horas después, tras de mis regateos y lamentaciones, se llegó al acuerdo final: darte a cambio del finiquito, la otra casa que fue también de tu madre, la chica, en la misma calle de Serrano un poco más abajo, avaluada en veinte mil, aunque previo pago en dinero, por nuestra parte, de siete mil pesos. He aceptado en tu nombre, como esposo. Firmamos la escritura y aquí te la traigo.

—Guárdala, no más. ¡Qué entiendo yo de papeles!

—El potrero ese continuará llamándose El Infiel; pero tú tendrás casa en la capital. Se amueblará con tiempo y el año venidero pondrás a las niñitas en colegio a tu gusto, sin abandonarlas a cuidado extraño. ¿Satisfecha?

—Por cierto. Ampliamente.

Le pasó el brazo él sobre los hombros, ella el suyo a él por la cintura y fueron a ver cómo esos tres chiquillos allá, en la casa de Sebastián, acomodaban el dormitorio del recién llegado.

*

* *

Desde todos los ranchos de La Huerta y aun desde fundos vecinos acudían las gentes a la misa de la Inmaculada. Porque a cambio del suprimido festejo al patrón por San José, a misia Marisabel celebrábasele su onomástico el 8 de diciembre, y porque también, creando los años la costumbre, tal fecha terminó por señalar el día de la hacienda en el calendario.

Aquélla empezaba en la mañana. El huaserío frente al atrio y los coches patronales del contorno en fila junto al pinar, pintarrajeaban la plazoleta con mantas policromas, velos blancos y reflejos de charol. Desde la víspera recibía confesiones el capellán mercedario, en la misa tomaba primera comunión la infancia ya crecida y el Mes de María tenía fin solemne. Sobre las ráfagas matutinas volaban entonces los cantos, y se iban, trepando lomas y recuestos. . .; luego, a la tarde, se llenaba el aire de ronroneos de guitarras en diálogos entre rancho y rancho, los caballos enredaban por los caminos sus caracoleos borrachos, y en las casas efervescentes de visitas no paraba el trajín de las chinas con tortas, bandejas y garrafas.

Alma del conjunto, la primavera, ya en finales de su madurez, insuflaba su vehemencia por entregarse al verano, que venía galopando ya muy cerca.

Para misia Marisabel resultaba ése un día de tantas emociones como recuerdos. Por mucho que la rodearan sus agasajantes, ella sabía hurtarse momentos solitarios, exclusivos para sí. También madura ella, primavera en postrimería, se le reanimaban nupcias. Y no sólo aquellas de su matrimonio; otras, en especial, que como ensueño lejano y rojo habían de temblar prendidas para siempre a la memoria de su corazón: la de sus amores idílicos y prohibidos con su José Pedro. Tiempo distante y próximo. Todos los sonidos cantaron entonces en un tono distinto, y eran jóvenes como su galán, y fuertes como perfumes. La atmósfera solía tener acústicas de colores claros. Hasta las voces adquirían la fuerza elástica de los músculos mozos. Las cosas todas, aun las que carecían de movimiento, se presentaban ágiles. Dentro de sus carnes de muchacha estaba también el esplendor que había en las flores, y sus miembros henchíanse frescamente ardientes cuando soplaban aquellas brisas castas y sensuales como el aliento de una virgen a quien se anunciara el celo en formas de arcángel. Entonces... él llegaba. Fue un santo y delicioso mal amor. Después, ausencia, contravención, drama, sufrir. Por fin, igualmente romántica y enamorada se casó. Y enamorada y romántica vivía. Sólo que todo resuena diverso en los diversos años. La primavera, poco a poco, pierde lo extático que tuvo; las experiencias, si la enriquecen y amplían, la ofrecen más como un clima que como un cuadro esplendoroso. Acaso por esto ahora, en días como ése, el humor de Marisabel es también clima de primavera: inestable, caprichoso, agitado por celos y recelos, movido por sorpresas de violencias y dulzura. Y así, en esa fecha de la Inmaculada, tan pronto está risueña y alegre como resignada y aun sufriente.

—Habrá que felicitarse hoy de todo —solía, por ejemplo, decir a su marido, con mueca de quien se conforma, cuando había llegado misia Carmela Burgos a cumplimentarla y poner en sus manos el más espléndido de los presentes.

—¿Y por qué no, hija?

—Bien lo sabes. No le tengo devoción a la infeliz. En fin, espero que alguna vez hará Dios algo para distanciarla.

—Entretanto, por ti, por quien eres, te pido apelar a tu buena educación.

Como tras el regalo venía la visita larga de todo el día, como las demás, había tiempo de ir soltando las actitudes forzadas. Además, la viuda era inteligente, sabía promover con sus dones la cordialidad.

Quienes de veras incomodaban a misia Marisabel eran los nuevos vecinos, don Sofanor Iturriaga y la Lucrecia, su mujer. Habíanse avecindado en la región de un tiempo a esa parte, como arrendatarios de Los Nísperos. No tardaron en ligar amistad con los Valverdes. Comenzaron por asistir a la misa dominical. Saludaban, gratos por habérseles acogido en la capilla, y partían de regreso en su birlocho. Pero en cierta oportunidad viajaron juntos en el tren, cuando ambos matrimonios volvían de la capital, y entonces ofreciéronse visita; la cumplieron y, a poco, todos los domingos, tras del oficio divino, permanecían los Iturriagas en La Huerta durante un par de horas. De repente, se convirtieron en gente de confianza. La comicidad de don Sofanor y cierta sencillez ingenua de la Lucrecia habían hecho su obra.

A don José Pedro le divertían mucho. Con Sofanor sobre todo, después de revisar caballos en las pesebreras y comentarlos, se reía largamente. Ella, también aficionada y diestra en equinos, los acompañaba con frecuencia.

Hasta que una vez pensó misiá Marisabel: "A esta mujer le gusta José Pedro". Y se lo dijo a él.

—No seas loca, hijita.

—Sí, sí. Estoy segura de que ella misma no se da cuenta. Pero yo tengo un ojo...

Don José Pedro, escondiendo la sonrisa entre barba y bigote, se encogió de hombros.

Habló poco después, como consigo mismo:

—Pues ni al cabo de medio siglo alcanzaríamos a tener, esa mujer y yo, algo de común. No por mi orgullo de casta y su medio pelo, aunque la clasificación de pelo fino, pelo indio y mediopelo refleja la índole; no por eso, que tal vez ella tenga tres cuartos de buena calidad, sino por sus hábitos, por sus maneras.

—Su natural es inferior.

—Eso. Me rechaza su inferioridad, como toda inferioridad que se me planta enfrente de igual a igual. Más que nada me choca su religión. Yo, a Dios gracias, soy buen creyente; pero ella tiene un catolicismo idolátrico, pegajoso, entrometido en cuanto la rodea. Lo pringa todo con su beatería.

Misia Marisabel pareció tranquilizada.

Brotó en cambio su vena de observadora y caricaturista.

—Desde luego —anotó—, la Lucrecia es una de esas criaturas que cuando tocan a la puerta de nuestro dormitorio preguntan: "¿Se puede?"; pero que junto con preguntar abren, y meten la cabeza, y con unos ojos ávidos que lo registran todo al instante. Amén de que, como el diablo quiere que ocurran estos pasos cabalmente cuando la ocasión es menos oportuna...

A don José Pedro se le sacudía de risa el abdomen.

—Don Sofanor, por su parte, como ha querido pulirse, ya figura entre los que se imaginan que pueden darnos el más feroz empujón con tal de decirnos a la vez: "Con permiso".

—Se ha querido pulir tanto —adujo don José Pedro— que hasta se permite soltar su latinajo de cuando en cuando. Una mañana pasé a buscarlo a su fundo. Estaba herrando él mismo su caballo. "¡Eso es de hombre, señor!", le aplaudo. ¿Y sabes lo que me contesta? *"Errare humanum est,* herrar es de hombre".

—¡Hase visto bruto igual!

—Pues no, no te creas; no tiene un pelo de tonto.

En efecto, don Sofanor Iturriaga sólo encarnaba un tipo de huaso muy frecuente, de quien jamás puede afirmarse si es ignorante y torpe o si suelta sus atrocidades por haber descubierto en ello un estilo para ser gracioso. Como que resultaba imposible distinguir cuándo era topo y cuándo zorro. Divertía burda y socarronamente, a la manera del bufón, y como el bufón dejaba pensativo. Desde su privilegiada postura, decía pesadeces; pero todos habíanse acostumbrado a recibirlas en coro de carcajadas. Y el hecho era que caía como bendición en donde la gente se divertía.

—Por lo demás, hija, sirve para muchas cosas. En materias agrícolas, de todo entiende su poco y su mucho.

—Ya, ya. Hay tontos llenos de habilidades.

La tarde prosiguió en aquel aniversario como las de años anteriores. Los dones de la dueña de casa y las larguezas del patrón dejaron a todos satisfechos.

Pero hubo notas de interés, algunas pintorescas, otras de filo y aguijón emponzoñado. Misia Marisabel, cuyas dotes para la caricatura también servíanle para reir de sí misma, encontró en el salón, después del almuerzo, motivo de lucir su gracejo.

Al interrogar doña Carmela sobre la rareza de ciertos retratos al óleo, recortados y en agrupación extraña de varias cabezas dentro del mismo marco, que adornaban como novedad la sala, dijo ella:

—¡Ay mi señora Carmela!, ese conjunto estrafalario de cabezas resume nada menos que la historia de mi familia.

Brincaron de su garganta borbotoncillos de risa, entre festivos y amargos. Calló un instante. Luego, tras de mirar al trasluz, con guiño pícaro, el topacio de su mistela, prosiguió:

—Sí, en eso hemos venido a parar. Así viene a menos una rica y linajuda familia. Porque materializado en las vicisitudes que han corrido los retratos estos veo yo el decaer de Aldanas y Lazúrteguis. Si les contara...

En todos los rostros encendióse la curiosidad.

—Cuente, misia Marisabel.

—Bueno, pues; vamos a entretenernos un rato. Estas pinturas fueron enormes, y ocho, diez, no recuerdo cuántas. Algunas representaban antepasados que yo por cierto ni conocí. En la gran casa de mis abuelos ocuparon una galería, viejo corredor voladizo hacia el patio, que para los retratos se hizo cerrar con mamparón de cristales. Cuando nos mudamos, por venta de aquel solar, a nuestra casa menos amplia de la calle Angosta, cupieron en el salón únicamente las figuras más próximas y queridas. El resto, de unos señores con pelucas, calzones cortos y encajes en las mangas, se colgaron sin gracia ni concierto en la pieza de los baúles, donde se arrimaban a las paredes aquellas largas cajas que todavía me parece ver y en las que se guardaban, estirados sobre bandejones, los lujosos vestidos antiguos, de mis abuelas, de mis tías y de mi madre, blanquísimos rasos de novia gruesos como tisúes, y terciopelos cortados, y batas de paño de León. ¡Oh, los veo, los veo!

Las pupilas de la señora suspendieron el relato. Se le habían ido adentro, y lejos, y algo semejante a un calofrío partió de ellas y recorrió la piel de doña Carmela y de la Lucrecia.

Pero misia Marisabel apuró su copita y pudo recuperar su tono risueño:

—Dios —dijo— sabe poner gracia sobre la mala ventura. No me habían alargado aún las polleras cuando, por dilapidaciones y trampas, nueva mudanza sobrevino. A una vivienda menor, claro está. Luego, al fundo. Y otra vez a Santiago, pero a casa más reducida. Pues, señor, en uno de estos cambios ya no cupieron los antepasados. Parecía que la prosapia empezaba a sentirse de más o que escondía la cara de vergüenza. Sin embargo, cierta noche a mi madre se le rebeló el orgullo y discurrió acomodo entre rango y pobreza: recortó los retratos. De cuerpo entero, bajaron al simple busto. Se achicaron los personajes a la medida de la fortuna y se pudieron colgar de nuevo. Volvimos, pues, a tener antepasados, aun cuando fuesen por mitad. Pero de mudanza en mudanza se producen deterioros, ustedes comprenden; así es que día llegó en el cual rasgados algunos lienzos, desvencijados los marcos, mi madre resolvió, en heroica resignación, desprender de sus bastidores las telas. Mandó en cambio hacer un tubo de hojalata y guardó en él, enrollados, los nobles retratos. Aquel hórrido cañuto, estorbando aquí, precipitándose allá desde arriba de un ropero y quién sabe si moreteando los sagrados semblantes, no había de conformar a mi madre. Nuevo, altivo recurso brotó de su ingenio: recortó las cabezas, las pegó en un solo fondo, un humilde hule ahora, y las dispuso todas en cuadro único. Muy genealógico por lo demás. ¿Cuánto rodó, como nosotras, a tumbos, este linaje en racimo? No les diré. Básteles con saber que, lo mismo que en las sepulturas se reúnen al fin los huesos de muchos en una sola caja, volvieron las cabezas, otra vez sueltas, a su tubo. Y hace pocos días yo, para no acabar del todo en cuanto Lazúrtegui y Aldana, por muy orgullosa que me sienta de haber pasado a ser Valverde, yo, última vanidad de aquella genealogía, rehice, ya lo ven, el descabalado árbol de nobles testas. ¡Se hace lo que se puede!

Terminó en medio de risas que todos tuvieron el tino de convertir en homenaje a la vena chistosa de la señora. Su marido la premió con un beso.

Pero desde el corredor, desde la tertulia de hombres que bebían al fresco, lo llamaron a voces:

—Venga, venga pa acá —gritaba Sofanor.

"Ya están ésos a punto con los tragos", pensó, y acudió como gentil señor de sus huéspedes.

—Venga y siéntese, paire putativo.

El aguardiente arrebató la llama en carcajadas por la ocurrencia del huaso. Tuvo tiempo el aludido para cabalgar pausadamente sobre una silla y esperar silencio.

Al fin, risueño, a su turno, interrogó:

—¿Alguna picardía murmuraba este mala lengua?

Como repetir las alusiones prometiera remover el escándalo, Felipe Toledo, a fuer de abogado, intervino:

—Basta, que no viene a cuenta la chacota. Padre putativo, según la ley, es el que se reputa padre de alguien, y nada más.

Pero el huaso Iturriaga completó rápido la definición:

—Y maire putativa, la que se reputa maire.

Ya entonces el propio satirizado tuvo que sumarse al coro en algazara:

—¡Oj, qué bruto!

—¡Es muy rebruto este Sofanor!

El huaso aceptaba esa brutalidad como el honor rendido a su vis cómica. Se reía en triunfo, mientras se llenaba de nuevo la copa.

Bien, bien, repetíase don José Pedro. ¿No tocaba ese día holgar y divertirse? ¿No era la diversión predilecta del chileno la burla? Ahora, si la llegada del niño a La Huerta despertaba el recuerdo de sus numerosas paternidades..., ¡qué hacer! "Pero no me dé ocasión el diablo —reaccionó para sus adentros— de hacerte *paire putativo* a vos, ladino."

Porque desde la celosa idea de misia Marisabel habíale provocado a él observar a la Lucrecia. De un color de trigo muy claro, alta, hermosa, fresca por no haber sufrido aún la maternidad, no acusaba treinta, ni mucho menos. Tenía la piel delgada y tirante, lo que le afinaba las facciones hasta darle el aspecto de haberse suavizado por desgaste. Apenas si las pestañas le ponían cierta mácula plebeya. "Unas pestañas gachas de vacuno", decía misia Marisabel. Pero satinadas turgencias y el trigueño luminoso la encendían en sensuales promesas. Debía tener suavísimas las carnes, y los pechos, como los viejos marfiles pulidos... Sí, sí; que no le brindara el destino a él coyuntura para devolver al huaso el epíteto.

De muy buen humor animó en adelante la tertulia.

Estaban allí, en achispado círculo, Felipe Toledo, que viniera de Santiago por el gusto de poner en manos de la festejada, justo en su onomástico, el título ya inscrito de su nueva casa; luego, los compadres Eliecer y Joaquín, muy comedidos dentro de su conciencia de hallarse visitando a una dama, y en medio, hecho un gordo chascarro dentro su montón de barriga y nalgas, Iturriaga, que bebía y parloteaba sin tregua. Era pintoresco. Hablaba y la colilla del cigarro se le movía pegada en el labio inferior. Sus orejas parecían dos crespos de carne roja, levantadas por el tocino del cuello; bajo las cejas de negrísima cerda, los ojillos de tonto pícaro simulaban inocencia, y a cada mueca se le descubrían unos dientes gruesos, con estrías color de caoba, como ajos a medio pelar.

Por inferior que se le juzgase, poseía el poder del aguardiente para suscitar alegrías sin mayores motivos.

A Felipe Toledo, inadaptado santiaguino, se le ofrecía como un absurdo espectáculo. Le intrigaba sobre todo, hasta el pasmo, hasta el enojo, aquel su instinto certero para elegir la pronunciación viciosa de las palabras. ¡Qué bárbaro! Si jamás conseguía decir haya, entrar, podrá, tendría... Había de salir con su *haiga*, su *dentrar*, su *porrá*, su *tenría*. Luego, el tino para repetir "me tomé *sus* buenos tragos" o "volví en *sí*"... ¡Fabuloso! ¡Gran fenómeno representativo del vulgo acomodado!

En cierto momento, refiriendo los sufrimientos que le causara la intervención del cirujano cuando hubo de sajarle una postema, dijo:

—Me cloroformearon. ¡Claro! Quedé atontao toda la noche. De madrugá me vino la inteligencia.

—¡Epa! —saltó entonces don Joaquín—. Milagros no hará el cloroformo, me figuro yo.

La chanza vengó a don José Pedro, que se habría quedado en el corrillo si no hubiesen venido las niñitas en su busca:

—Papá, se va la señora Carmela.

Tuvo que acudir, pues, al salón.

Despidieron a doña Carmela Burgos en el corredor los hombres del grupo bullicioso. Se reunió con ellos la Lucrecia. Los dueños de casa y Felipe acompañaron hasta su coche a la viuda.

Pero a don José Pedro habíale inquietado cierto dejo de resentimiento que notara en las últimas frases de su vieja amiga.

—¿Algo le has hecho? —preguntó a su mujer.

—Sí y no.

—¿Cómo?

—En todo caso, sin querer. Juzga tú. Cuando me celebraba la casa por lo confortable que según ella la he puesto, me dijo suspirando, pero como quien suspira de satisfacción y a la vez de nostalgia: "Mucha falta hizo aquí una mujer durante años". Yo entonces, recordando aquellas sus verdes aspiraciones, probablemente me traicioné, porque...

—¿Porque?...

—Le dije: "Si al menos tuviera consigo una madre, pensaba usted entonces". Ella tuvo un sobresalto imperceptible; luego sonrió, con una de esas sonrisas que alargan los dientes y, en seguida, con toda su calma, con todo su dominio del buen tono, pero con todo su veneno también, me contestó: "Era tan tentado... Yo, por ejemplo, hubiera querido ser esa madre para él, y venir a gobernarle la casa. Pero... no estaba tan vieja, tentaba todavía... ¡Vaya si tentaba! Y él fue terrible." No hubo más.

El cambió miradas con Felipe. ¡Conque no hubo más! ¿Qué más faltaba? Se habían tocado ambas en lo sensible. Aquellas indirectas debieron quedarles dentro y, cristales de una sal corrosiva, las quemarían por largo tiempo, acaso por siempre.

—¿No esperabas que Dios te la distanciara? Parece que te ha oído. Y que te recordó su "Ayúdate, que yo te ayudaré".

A las niñitas, aparecidas de repente, les rogó la señora, como doblando la hoja:

—Vayan a ver si ha vuelto Antuco de su paseo, si le han servido torta, y tráiganlo acá.

El suspiro de piedad doliente con que puntuó su orden y la evocación de la reciente chuscada de Sofanor agitaron al caballero, que:

—¿No podrías madurar pronto algún procedimiento decoroso que seguir con ese niño? —preguntó a Felipe.

—Sí, por Dios. La criatura no ha de vivir siempre así. Cuando menos lo pensemos se habrá hecho un hombre. Yo tengo el alma rendida.

—Adoptarlo; pueden adoptarlo ustedes dos...; reconocerlo, esto lo harías tú solo...

Disertó el abogado sobre posibilidades, distinguiendo pros y contras, ya desde puntos de vista legales, ya en consideración de consecuencias en el gran mundo criollo, tan rancio, tan estricto, tan cruel para velar por el honor de las personas y el lustre de los apellidos.

Y en ello diéronse a pasear en conciliábulo por el jardín.

Entretanto, allá en el círculo de bromistas, la Lucrecia insistía en el comentario acerca del niño recién llegado.

—Confieso —decía —que me muero de curiosidad por saber quién es la madre del huachito.

—De mujer es la curiosidad, misia Lucrecia —convenía don Eliecer—. Pero ¿cómo ha de estar bien que don Sofanor se ponga pesado? Porque ha estado pesadito, pesadito...

—¿Te convences, hombre, de que hay que sonsacar con finura?

—Es que, hija, ¡qué caramba!, me pica el asunto. Que se haiga pasao el hombre la vida sembrando chiquillos al voleo y que recoja sólo a uno... Motivo muy grandazo tenrá, es lo que uno piensa. ¿De quién, de qué maire será ese cabro? Dama muy principal habrá mezclada en esto.

—Mayor razón para portarse prudente, señor

—Yo me hago cruces —declaró ella—. ¿Qué es esto? Lo tiene a su lado y, sin embargo, en fiestas como la de hoy, ni lo presenta.

—Otra prueba de que no quiere averiguaciones.

—Dijeron en un tiempo que era hijo de la primera esposa, de aquella Chepita.

—¡Oh! Se habría sabido a su debido tiempo. Y sabiéndolo todo el mundo, no habría misterio.

—Claro. Además, ella murió, no de un parto, sino de un aborto a los pocos meses de casada.

—Sólo que tuviera este chico desde antes...

—Disparates se pensarán muchos.

—Pero, don Joaquín, hay un hecho: el niño cree que es hijo de aquel primer matrimonio, que misia Marisabel es su tía, que ella lo crió, con la Totón, y por esta circunstancia la trata de mamita, como a la Totón le dice mama.

—Por la cara, pertenece a la familia.

—Como que don José Pedro y misia Marisabel son primos.

Don Joaquín perdió la paciencia. Se puso de pie. Luego dijo:

—Por andar con este chisme recibió Lauro, el llavero, buenos chicotazos. En cuanto el patrón supo que había corrido no sé qué cuento, lo llamó a su presencia y con la penca le cruzó varias veces el hocico.

—Es tremendo el caballero.

—Pues tómenlo en cuenta.

La Lucrecia se midió entonces. Astuta, refirió una nueva versión:

—También han dicho que trajo al niño del Perú, que fue a la guerra, con Bruno como asistente, que tuvo allá unos amores muy historiados. Se trataba de una limeña de alto copete, viuda, que no podía conservar el niño a su lado por el qué dirán de la sociedad.

—Como loros podemos repetir mucho —concluyó don Joaquín—. Y se ha hecho tarde. Pensemos en retirarnos, compadre.

Acercándose a la Lucrecia, don Eliecer le aconsejó al oído:

—Está muy borracho don Sofanor. Conviene que se lo lleve. Nosotros los acompañamos, de a caballo, como edecanes.

—Ya. En marcha —urgió don Joaco.

Y fue a despedirse de los dueños de casa.

—¿No se quedan a comer? —le insinuó la señora.

—Gracias. Pero hay que llevarse a ese huaso. Se le ha pasado la mano, patrona. Bebido, suelta la lengua.

—Es torpe el pobre.

—No entiende que si el torpe habla poco, no es tan torpe, y que cuando mucho habla, es torpe muchas veces.

Los dejaron marcharse.

Iba Sofanor tan ebrio, que su mujer hubo de tomar las riendas en el birlocho.

Aquel día de la Inmaculada Concepción terminó en familia, patriarcalmente, sin más extraños que Felipe Toledo. Como siempre, los esposos cambiaron entre sí el primer bocado de cada plato. El niño comió con todos ellos, confiado y viril.

Acostadas ya las criaturas y recogido Felipe Toledo a su dormitorio, misia Marisabel y su José Pedro permanecieron aún por buen rato en el jardín. Desde su escaño, en silencio, gozaron la paz tibia de la noche. Del día quedaba en el ambiente un zumbar de colmenas y enjambres, y en el aire ardía el aroma de los alhelíes. Arriba, la luna y las estrellas copiaban el vuelo nupcial de las abejas. Reina de plata, zánganos de plata, perpetuaban sosegadamente un rito de amor.

*

* *

—Papá, cuénteme hoy cosas de la guerra.

—Espera. De regreso. No se puede hablar así, subiendo cerros.

No había, en realidad, medio de narrar trepando la sementera por faldeo tan empinado. Los caballos estiraban hacia la tierra los hocicos resollantes y sumían las ancas, cual si con los belfos quisieran prenderse a los terrones y con la trasera empujarse.

Iban, padre e hijo, por los angostos cortes que dividían en cuarteles el trigal. Ya las mieses habían madurado y estaban tan altas que rozaban las monturas. De trecho en trecho cogíase una espiga, se restregaba entre las manos y se le contaban los granos. Sesenta y dos. Setenta, justos y cabales. Y de trigo bien granado. Apenas si en algunas "manchas de suelo secante" la cuenta disminuía y el cereal presentábase algo "chupado".

Sobre la cumbre se detuvieron a dar respiro a las bestias. Desde allí se veían todas las lomas sembradas. Era una gloria de oro la mañana. Oleante, fulgía el amarillo. No habríase atinado a precisar si la luz caía del sol o si aquel campo reverberante de áureos destellos encendía el ascua del cielo. Allá, con sus lazos desenvueltos y cuatro peones, Bruno y Sebastián medían tareas para los segadores.

Algunas palabras, algunas órdenes, y los patrones bajaron por la otra falda. Debían ir también al porotal, veintiséis cuadras planas que verdeaban abajo. Antuco sintió cierto calofrío de orgullo al otear. Agricultor era, de cepa. Recorrieron la siembra de porotos.

—Ya viene la segunda flor.

—Y de la primera las vainas han cuajado robustas.

Pero ya de vuelta por el camino llano, insistió el muchacho:

—Ahora, papá, cuénteme del Perú.

—¿Más de lo que te llevo contado?

El caballero parecía buscar imágenes en el horizonte.

—¿Era capitán usted?

—Capitán asimilado, no de línea. Manejé, como sabes, las remontas para la caballería, ya en vísperas de las batallas últimas y decisivas.

—¿Con uniforme?

—Naturalmente. De San Juan no hallo qué contar. Ni me di cuenta de cómo habíamos derrotado a Piérola esa mañana. Sin descansar tuvimos que correr a Chorrillos, donde nos enfrentaría Iglesias, que no era un aficionado como Piérola, sino militar, y muy tieso. Baquedano me ordenó repasar el herraje a medida que lo siguiera. Con Bruno y mis mariscales iba yo al galope por el camino, y también por mis propias manos, bajo las balas y en medio de aquel calor tropical y asfixiante, herré aquí, allá descansé, hasta llegar al pie de un morro que se llama El Salto del Fraile, frente al mar, sobre una pampa de altura. Y ahí fue la grande. Los cholitos resultaron bravos.

—Pero nosotros...

—A las dos de la tarde fuimos dueños del campo. Habíamos vencido temprano en San Juan, hecho una marcha forzada y, contra enemigo fresco esta vez, vencimos de nuevo. ¡Qué empuje de rotos!

—¿Fue terrible?

—Lo terrible vino después, en el pueblo mismo. Todo el rico balneario estaba en llamas. "Ellos han prendido fuego en su retirada", nos decían los jefes; los peruanos juraron siempre que habían sido nuestros soldados, en el saqueo. ¡Averígüelo el diablo! Los rotos se convirtieron en fieras. Son..., han sido siempre sanguinarios, por araucanos y por españoles. Se les concedió saqueo libre, se les dejó beber y... ¡qué quieres! Luego tuvimos que salir todos los oficiales a contenerlos. Pues así y todo, sabe Dios cuánto asesinato cometieron. Con decirte que yo, al torcer una esquina, encontré a dos en el colmo de la furia, enloquecidos. "¡Mátame, hermanito, por la maire, mátame!", gritaba el uno desabrochándose el dormán. Y el otro, delirante, le hundió la bayoneta en el pecho. En seguida se vació las tripas él, con su corvo.

—¡Qué salvajes!

—El roto, hijo, cuando pelea, y peor si está borracho, enloquece como energúmeno. Afortunadamente, a Lima entró el ejército en orden perfecto.

—Pero se portaron valientes los peruanos también.

—Valientes. En Miraflores nos tuvieron afligidos.

—¿Y los negros?

—¡Ah, los negros! ¡Qué simpáticos! —el veterano trazó al muchacho vivos retratos de "los morenos", como ellos se nombran—. Alegres, músicos, las voces engoladas, cloqueante y contagiosa risa. Silban como flautas. Tamboreando en un cajón, cantan extraña y fantásticamente. A cualquier caja de madera le arrancan rítmicos acompañamientos que llegan a confundirse con la voz humana. Bailan tonderos, especie de cuecas africanas y muy rápidas, con un descoyuntarse de cintura que pasma. Nosotros trajimos varios para las bandas. Redoblan el tambor con aquellos dedazos sueltos, con sus grandes manos de carbón y, sin embargo, de palmas color de rosa, que maravilla oírlos. Yo tuve uno, Manongo, cocinero estupendo.

—¿No lo trajo?

—Aquí se mueren de frío, se ponen cenicientos, flacos y tristes.

—En Santiago anda uno todavía, sirviente del coronel Merino.

—Ese no es más que zambo, es decir, mulato, mestizo, negro a medias.

—¿Hay otros más negros?

—Mucho más, y de dos clases, parece. Unos achocolatados, otros casi azules.

—Pero todos bien cholitos.

—No, hijo. El cholo es indio, sea de la costa o de la sierra.

También habló el caballero de los cholos, mansos y melancólicos. Había visto batallones, acuartelados y ya sin armas, que causaban lástima. Era costumbre que a estos soldados los siguieran sus mujeres, las "rabonas", y que las recibiesen ellos a diario en el cuartel, allá en un patio, donde se amaban al anochecer. Si desfilaban por las calles alguna vez, las rabonas iban detrás, con sus guaguas a la espalda, recua de perras fieles. ¡Entristecedor espectáculo!

Recayó la conversación en jinetes y caballerías. ¿Cómo habrían podido ellos, huasos de ley, evitarlo? Y tras de relatar varias hazañas del caballo chileno, calló por unos instantes don José Pedro, con gesto evocador y engreído.

—Dice Bruno que usted hizo de las suyas.

El silencio del caballero se prolongó. Diríase que medía conveniencias y dominaba indecisiones. Al cabo, poco a poco, dejó fluir un recuerdo.

Había llevado a Lima, entre los de su montura, un barroso, al que sobreapodaron allá el "Cachaco", maestro en rienda, fuerte y ágil, de raro equilibrio entre coraje y docilidad. Alojábanse los escuadrones de remonta en el cuartel de Santa Catalina, famoso y amplio, con extensos corrales. De allí debía salir a diario el capitán Valverde para cumplir ciertos deberes en el Palacio de Gobierno. Bajaba entonces hacia Santa Teresa, y entre las esquinas de Gallinacitos y el Padre Jerónimo, torcía por callejuelas que conducían a la calle de la Virreina, para tomar allí por Judíos, desembocar en la Plaza de Armas y en Palacio detenerse. Por aquellas fechas, según expresión de misia Marisabel, era "joven y hermoso como un dios". Si además, por su audacia y su galantería, supo sacar partido a los prestigios de la victoria, nadie sentiría extrañeza de que al pasar él arrancando chispas de las piedras de las calzadas, desde los largos balcones a la andaluza y detrás de todas las celosías las limeñas lo espiasen y aun le sonrieran con los ojos por encima de los abanicos. Fue así como cierta vez una más resuelta le aguardó asomada y, cuando él pasó delante, dejó caer el pañolito. En el acto él, sin echar pie a tierra, revolvió el caballo y en proeza de jinete recogió el pañuelo. Un cumplido de la dama por tan ágil bestia picó su amor propio, y como ella señalara con la manito ensortijada la gran puerta cochera del caserón, y para demostrar que ni para un caballo ni para un jinete chilenos había imposibles, tras de besar la bolita de encajes entró montado en el ancho patio colonial y montado trepó las escaleras de mármol hasta el otro piso. Sólo ante la puerta del salón se desmontó, para entrar, el puño de la espada sujeto por el codo, el quepis encima del antebrazo izquierdo, en la derecha el pañolito y entre cejas y barba las pupilas en seducción, y presentarse a la dama.

No refirió al muchacho, porque las jactancias de amor repugnaban a su carácter, que aquello marcara el comienzo de un idilio. Pero luego, a solas, revivió todo ello en el recuerdo. Ella era una joven viuda y persona muy principal, y estos amores levantaron largas habladurías durante la ocupación. Sólo que allá como en Chile las aventuras de Pepe Valverde se disimularon siempre, cubiertas por el secreto de la simpatía.

Porque aquellos amores crecieron. Por las noches, con la queda para los civiles, capitán y ordenanza volvían a la calle de la Virreina. Un postigo abríase sigiloso en el gran portón cochero. El galán entraba. Bruno permanecía con las cabalgaduras a la vuelta de la bocacalle; aunque pronto, maneadas, las ataba por las riendas a la perilla de un viejo cañón español que a modo de guardacantón era uso clavar en las esquinas limeñas. También al escudero del señor abríanle nido entonces: la mazamorrería de *la borrada Encarnación,* cierta chinachola clara cuyas marcas de viruelas motivaron aquel mote peruano de *borrada* y quien prodigó a Bruno, con las dulzuras del champús, las más golosas de su *encarnación.*

Rompió el silencio una pregunta de Antuco:

—¿Y por qué al barroso, papá, le pusieron allá el "Cachaco"?

Don José Pedro hubo de cubrirse con unas risas.

—Ah, verás. Al policía que vela en las esquinas le llaman en Lima cachaco, y como en manos de Bruno a ese pobre animal, según entiendo, le tocó algunas noches el mismo servicio... Bien; pasemos ahora del Perú a la quesería.

Y el padre reanudó su quehacer y la cotidiana enseñanza del hijo.

* * *

Hacia mediados de otoño, un sábado poco antes de caer la tarde, volvía por la carretera de Melipilla don José Pedro, montado en su tordillo moro.

Al enfrentar la trocha vecinal de los Iturriagas, el caballo, por iniciativa propia, dobló hacia las casas de aquel fundo. Se le ocurrió al caballero, porque mucho se le había repetido el fenómeno, que la bestia le adivinaba el pensamiento. ¿No veníasele antojando un descanso allí? Acaso le cebara unos mates la Lucrecia...

Soltó, pues, las riendas y dejo que lo condujera el animal.

Sofanor lo recibió con los brazos en alto, entre muchos aspavientos de bienvenida. Le colgaba de una muñeca la penca, sujeta por un tiento en pulsera, y pendíale pegado al labio el consabido pucho de "trigo regular".

—Se apea, mi señor. Se apea no más y dentra.

El huaso atendía visitas, dos amigos. Sus ponchos amarillos se levantaron en la penumbra de la sala. Cuando se le hubieron acomodado las pupilas, Valverde reconoció las caras, muy vistas ya por él en ferias y rodeos, y pudo también distinguir los vasos llenos de vino, abarcados por las manazas rústicas. Recordando a su mujer, sonrió. Para misia Marisabel, que atribuía suma significación a los pulgares, habrían sido éstos repulsivos: uno de los sujetos los tenía cabezudos, con yemas duras como nísperos; el otro, descarnados, en arco y con uñas de cuerno. Bien habría dicho ella: parecían "dedos gordos de pie".

A él, campesino de toda la vida, todo aquello más bien hacíale gracia.

Recibió la copa. Traía sed y apuró el mosto.

Pronto, sin embargo, empezó a desazonarse. Bebían allí seguramente desde horas atrás. Ya estaban todos en el grado de borrachera que precede a la idiotez. Iturriaga, por lo demás, sabido era, poníase cargoso en sus "encerronas". Mala ocurrencia fuera la de aquel alto. Mala.

Vino a saludar la Lucrecia y el marido entonces desapareció por algunos momentos, para retornar luego con un barrilito en brazos. Lo paró sobre una silla, extrajo el tapón y por el agujero introdujo un objeto.

—¡Listo! —exclamó en seguida—. Cerrada quedó la puerta. Y la llave, al fondo del barril. No porrá irse naides hasta que nos haigamos tomao la última gota.

Había para entrar en desasosiego. ¿Se armaría de paciencia? No. Miró el caballero en torno. La Lucrecia trajinaba entre comedor y cocina, en faenas de dueña de casa. El huaso hablaba sin descanso, majadero. Debían seguir todos hartándose de vino. Fiel a su costumbre, a quien se resistía lo amenazaba con la chicotera:

—Tome, señor; no se me refale. Si no, a pencazo lo castigo.

Y cumplía sus amenazas. Entre bromas y exigencias de agasajo, descargaba la penca sobre las nalgas de la víctima de su cariño.

Valverde, asomándose al comedor, hizo a la Lucrecia una seña.

—Yo —le dijo— sólo apetezco un mate.

—Luego le cebo. Pero antes hay que servirse algo de comer.

Pasaron todos a la mesa. Se había carneado el primer chancho de la temporada fresca, y los arrollados, los causeos de cabeza y los perniles, todo ello bronceado de ají, cubría sobre azafates el mantel.

Comió don José Pedro, sí; mas no tardó en sentirse insoportablemente incómodo. No quería él emborracharse. Aquel bruto, empero, porfiaba. Si, conocedor de su geniazo y sus iras, no atrevíase con él a recurrir a la penca, le rodeaba los hombros en cambio con el brazo y le subía el vaso a los labios.

—Bien. Basta, Sofanor. No me manosee —le advirtió.

A la vez, con ostensible violencia, le hizo bajarle la mano del hombro. Y no tuvo ya más idea que irse de allí.

Contó unos chistes picantes, a pesar de todo, solicitado por la Lucrecia. Pero en concluyendo le dijo aparte:

—Ahora me voy. Abrame la puerta usted.

—¿Yo? No puedo.

—Sí. Sé que sí puede.

—Créame que...

—Lucrecia, usted, en su casa, ¿es una mujer o una china?

—Una mujer. Sabré abrirle.

—No —la detuvo él entonces—. No me abra. No tengo derecho a exponerla. Pero indíqueme qué ventana puedo forzar, a patadas, si es preciso.

Momentos después, sin que nadie lo advirtiese, buscaba su caballo afuera. Relinchó el tordillo, como haciéndose presente.

Y emprendió el caballero su camino.

¡Al fin! El, que jamás eludiera divertirse con gentes humildes, ni aun incurrir en locuras entre ellas, no podía tolerar ciertas formas de la ordinariez. Aquel modo, o mejor dicho, conjunto de modos torpes y confianzudos, érale insufrible. Lo encocoraba sobre todo ese tratarlo de igual a igual, y con cierto escondido resentimiento de clase, de algunos plebeyos enriquecidos. Por algo se hallaba en la edad que no transige ya con nivelaciones acomodaticias, explicables durante la juventud. Ahora recordaba comprensivo al cura su tío. Un día mira el espíritu, quieras que no, a sus orígenes, y el pasado manda imperativo, viniendo desde las fuerzas obscuras de la sangre hasta la lucidez de la sensibilidad.

"No —se dijo al cabo—, no comprenderán esto los nuevos, los desnaturalizados o los advenedizos triunfantes, y sentarán doctrinas de aspecto realista pero sin realismo."

Lo encolerizó de repente la mera evocación de Sofanor Iturriaga, y descargando las espuelas sobre su caballo, hasta dejar cantando en el aire las rodajas bien templadas, hizo el resto del viaje de un galope hacia La Huerta.

Era de nuevo patrón solitario. Transcurría otra vez su vida entre hombres. Misia Marisabel estaba en Santiago desde fines del verano. Las chicas, ya en el colegio, la necesitaban allá. Se había montado bien la nueva casa, desde la cochera y las dependencias hasta el salón con piano, alfombras y cortinajes. Las cosechas, la esquila, las ventas de corderos y vacunos, quesos y mostos, si no dieron para todo ello, pues que había de servirse la vieja hipoteca y reservarse provisión de fondos para gastos del vivir y labores agrícolas, mucho sí permitieron. Las deudas ocasionadas por los dispendios nuevos ya se irían cubriendo.

Contaría don José Pedro, para la temporada invernal, con Antuco por compañía casi única. La señora debía venir apenas tal cual semana en el curso del año, cuando el cuidado de las hijas lo permitiese. Todos juntos pasarían, sí, las vacaciones en el fundo.

Pero cuando llegó el caballero aquel anochecer a La Huerta, se halló solo. El muchacho andaba todavía en la cordillera, adonde lo había llevado consigo don Joaquín, con el objeto de hacerlo baqueano en arreos y talajes de altura. Probablemente llegaría por aquellos días. Mas entretanto el patrón continuaba en soledad. Se acostó a poco de llegar. Había rehabilitado su antigua pieza de soltero. Le guardaba cariñoso apego, con sus ladrillos, sus monturas y sus cosas añejas, tan elocuentes para el corazón que se acerca a la vejez. Allí reunía, además, mejores libros ahora, y el ambiente resultábale propicio para leer. El nuevo dormitorio, el de matrimonio, entablado y confortable, sin su mujer se ahuecaba de nostalgia en las noches y hacíale triste e inquieto el pernoctar.

Aprovechaba los ocios en aislamiento para ir a Melipilla tras algunos deberes. El gobierno le había nombrado consejero ejecutivo de policía, cargo un tanto raro en cuanto a su título, pero que comprendía lo perseguido por él para renovar con sus propios métodos su anterior campaña contra los bandoleros. Esta vez, la simple noticia de su investidura surtió inmediato efecto. El capitán Valverde —capitán por ascenso en la guerra— fue imagen fantasma para los bandidos. Emigraron a campos menos peligrosos. No sabían que con la policía existente poco riesgo correrían. Desde la nueva ley, dictada un par de años atrás, los polizontes comunales debían ir desapareciendo, para ser substituidos por la nueva y muy pomposa institución fiscal del orden público. A don José Pedro le causaba esto bastante risa; porque oficialmente, en teoría o papel, Melipilla figuraba en la reciente organización, aunque las cosas, con diversas nomenclaturas, se mantenían iguales. Menos mal que los forajidos emigraron, aun cuando bien pudieron haberse quedado por la costa, donde los "pacos" de comuna subsistían, tan ineptos, tan flojos y tan venales como antes.

Al día siguiente de su paso por Los Nísperos, don José Pedro no asistió a la misa. Mandó decir al capellán que lo excusara. Cierto trastorno intestinal obligaríalo a rezar ese domingo el oficio en su cama. ¿Quiso esquivar acaso a los Iturriagas? Pero la Lucrecia, tras no verlo en la capilla e indagar la causa, temió que aquellas comidas y bebidas en su casa le hubiesen ocasionado daño. Había ido sola en el birlocho, pues el huaso dormía inerte aún su borrachera.

Con el *Ite, missa est,* corrió al dormitorio del patrón enfermo.

—¿Se puede? —preguntó en la puerta.

Y como con justeza observara misia Marisabel, junto con preguntar abrió y se coló adentro.

Nadie supo las consecuencias que su mala costumbre tuvo esta vez.

Tardó, sí, mucho en salir.

Se dirigió de allí a la capilla, donde oró desolada largo rato.

Sólo tiempo después, dicen que los Lauros, llaveros sacristanes, contaban en gran secreto haberla visto, desde la sacristía, caer de rodillas ante la imagen de la Inmaculada, llorando.

—¡Virgen Santísima —se le habría oído implorar—, perdóname! Pero tú viste, Madre mía: no hubo forma. ¡Todo fue inútil! ¡No hubo forma!

*

* *

Cuando en el curso del invierno va misia Marisabel hacia su marido, para llevarle de vez en vez alguna compañía sentimental y poner otro poco de tibieza hogareña en la casa, llega con el corazón apretado de cierta emoción ansiosa que se le ha ido acumulando en la ausencia.

El y Antuco la esperan en la estación y el coche les conduce luego a La Huerta. Los divisa parados en el andén, idénticos. Cómo se parecen. Igual porte, los mismos ojos verdiazules, apenas leve diferencia el rubio de las cabezas. Después, al observar a su José Pedro de cerca, comprueba que si la edad vela ya un tanto su brío juvenil, le imprime mayor majestad en cambio. ¡Ah!, lucirá siempre como buen mozo y gran señor. Ella lo ama como el primer día, y al sentirse por él abrazada vuelven a temblar sus entrañas.

Para el niño trae, sin remedio, un amor entristecido, una inconformidad, un dolor; pero al estrecharlo en sus brazos ese dolor se esparce por la violencia de su ternura que estalla.

Pronto en su corazón los dos se confunden. ¿Quién le dijo, hace tiempo, que para ella ese niño sería un amor dentro de otro amor? Cada día la preocupa más la suerte del muchacho.

Conforme ruedan en el landó hacia el fundo, se refieren los tres mutuamente sus novedades.

A la mañana siguiente, para que la vida no parezca interrumpida, ella trata de hacerla en la casa una continuación.

Parten ellos a faenas, como de costumbre; aunque a fin de acompañarla más se ausentan sólo a lo menos distante, o desarrollan próximos, de ser posible a su vista, ejercicios ecuestres que completan el aprendizaje del mocito.

Ella pasa de cuarto en cuarto primero. En cada lugar le gusta estarse un rato. Goza ese bienestar de la acogida que procuran las cosas cuando nos recobran tras una ausencia, bienestar que es caricia y envoltura. Allá, en Santiago, las piezas tienen todavía el olor de la vivienda que se habita por primera vez; estas del fundo, el conocido y grato de la antigua casa a la cual se retorna. Sensitiva, misia Marisabel persigue aún el aroma de sus cosas ahí dejadas, el de las cosas viejas, algunas de las cuales viven con ella desde la niñez. Qué lejos han quedado aquellos tiempos y, sin embargo, cuanto anduvo con ella inseparablemente, cuanto adquirió poco a poco después, cuanta menudencia se fue incorporando a su vida material, todo se mantiene impregnado de su personal olor, que es perfume de familia, distinto de los demás olores del universo, el que a cada ser humano le hace reconocerse y hallarse siempre único e individual entre la vastedad del mundo.

Se cuela en seguida por ciertos recovecos. Hay una angostura, tenebrosa en invierno, que permite salir al patio como de sorpresa. Entre alero y pared, se abre allí una lumbrera. El viento norte suele meter por ella la lluvia con cada racha, y en tiempo de sol entra por ahí una claridad amarilla que va muriendo poco a poco en la tejavana. Es también puerta para las palomas que anidan en la sombra arrullada.

Asoma después al patio: el chorrear de las tejas ha cavado canalillos en el suelo, a todo lo largo, y ha salpicado de manchas barrosas el muro blanco; un pajarito, con sus movimientos de medio segundo, descubre granitos invisibles en la tierra.

Siente además el deber de inspeccionar el jardín. Ahora tiene verja en su frente al camino, hacia el interior de las cadenas, y por fuera, unos rosales que afea el polvo de enero y que por junio los aguaceros lavân. De la entrada principal se interna un caminillo interrumpido por la palmera, ya venerable, y a los lados hay cuadros que aglomeran hortensias en matorral. Libres de jardineros, las hierbas invaden la tierra y sólo sucumben por el centro del sendero, donde las pisadas las vencen. Más allá, las matas de alhelí se multiplican tenaces, apretujándose, y ponen su verde apagado y su olor encendido como dos matices de encanto en el descuido. Antes, allí se plantaba y se dejaba luego en abandono lo plantado. Araucarias, encinas, floripondios, paltos y maitenes, todo se halla por esto así, como ha surgido el capricho. Cuando la instalación del matrimonio, la señora puso algún orden. Asimismo enredadera al pie de la reja. Con los años, aquellos ladrillos en zócalo se han abierto en grietas que las trepadoras mal zurcen.

—¡Pero qué falta, Dios mío, hago yo aquí! —murmura en su recorrido—. Hasta ese ciprés, que se ha de podar en forma de bola, está erizado de rebrotes, como una cabezota salvaje.

Luego permanece instantes mirando afuera. ¿No vienen ellos? No. Todavía. Enfrente comienza el campo. Se interrumpe cerca por el pinar; pero vuelve a tenderse, ancho, alejándose, ondulante de lomas suaves, hasta..., ¿hasta dónde? Lejos, muy lejos, se adivina el mar. Cuando de allá sopla el viento, los días limpios, los oídos finos suelen percibir el retumbo de las olas bravas. Como un presentimiento se le huele a veces en la brisa. Aun se le gusta en el paladar cuando azota el noroeste.

Al fin misia Marisabel se sienta en el corredor solitario. Medir las faltas de la casa le conduce a calcular lo que puede influir también su ausencia en las personas. ¡Ah, su corazón suspicaz, su corazón asustado, su corazón..., diciéndolo francamente, celoso!

Este amante corazón la induce a indagar. Contra toda reflexión, está siempre inquiriendo, hasta en la atmósfera. No sonsaca. Es demasiado altiva. Pone, sí, temas por los cuales cabe orillar lo significativo, coger el indicio y devanarlo hasta la certeza. Nunca ignoró, por ejemplo, que su José Pedro engendrara en mujeres de su hacienda. Pero necesitó y sigue considerando indispensable descubrir todos esos hijos. Por fisonomía, por colores de pelo y pupilas, por aposturas, fácil resúltale la pesquisa. Ella quiere, no obstante, conocerlos a todos a ciencia cierta. Y padece por ello.

¿Que puede llegar así a la enfermedad? No importa.

Además, por Antuco, precisa un cabal conocimiento. Si hereda los dones de su padre, le rodearán los peligros.

A su marido le ha dicho ya en varias oportunidades:

—Bueno sería que Antuco supiera cuáles son sus hermanas dentro del inquilinaje. No sea que de repente caiga en incesto el pobre.

Don José Pedro se ríe, la besa con ternura y se aleja, en tales ocasiones.

Pero aborda ella una vez decididamente al muchacho.

—Hay —le dice ella— mocetones en el fundo, y mocetonas, que se parecen al patrón. ¿Lo has observado?

El chico sonríe, al igual que su padre. La conoce. La quiere y ha penetrado en las reconditeces de sus celos.

—Huachos, mamita, se topan en todas partes.

—Y huachas, hijo, también. Ahí está para ti el peligro. Si alguna vez se te ocurre, como con la chiquilla de Cipriano, meterte con alguna detrás de la madreselva, y resulta hermana tuya... El incesto es pecado muy, muy grave.

No prosigue. Mide que fue demasiado lejos. Los celos traicionan.

Pero el muchacho la previene:

—Yo las conozco ya.

Descansa el temor de la señora. Pero su odio a las antiguas concubinas arde más entonces.

—¡Qué lamentable, Señor, qué lamentable! —suspira—. Sobre todo esa hija de la Paulina.

—¿La Paulina del amasijo?

—La misma. La panadera. Como mujer blanca, guarda su pasado vivo. ¿No te fijaste, en la trilla del año pasado?

—¿Qué?

—La tonada con que salió. Cantaba:

"Mucho, mucho te llevaste;
mas por eso no te riño,
que algo grande me dejaste,
una pena y un cariño...

"Y volvía los ojos hacia José Pedro, y luego hacia la hija, la chinita rubia esa, tan parecida, ¡Jesús!, a él. Yo no lo soporté, recordarás. Me fui de la trilla.

Por medio de tales artes logra por fin filiar a todas las mujeres de aquel pasado pecador. No las teme, cierto. Si consiguiera, eso sí, alejarlas a todas, tal como echó de las casas algunas y como distanció a doña Carmela Burgos...

Va y viene misia Marisabel entre la capital y La Huerta, los meses en que la educación de las niñas la obliga en Santiago. Y sufre allá y sufre acá el obsesionante sinsabor. Se siente amada por su marido, por encima de cuanto pudo él tener antes y de cualquier aventura inopinada que se le presente aún. Sin embargo, este vivir en sobresalto, estos egoísmos de su corazón de tenerlo exclusivo para ella, todo este amargarse, ¿no linda ya en obsesión enfermiza?

—Mi papá la quiere mucho, mamita. No hay mujer en el mundo que merezca descalzarla, según él.

Sí; ella lo cree. Se sabe la reina. Conoce también los orgullos de don José Pedro Valverde y Aldana y el respeto a quien lleva su apellido. Sólo que, ¡ay!, los reyes toman favoritas...

Se distrae sólo cuando regresa su marido, la mima y entre ambos tratan el asunto del niño; pues si esa criatura es para ella un amor dentro de otro amor, es también un dolor dentro de otro dolor.

—Mirando a su porvenir —dice don José Pedro—, lo más sencillo y práctico es que tú y yo lo adoptemos. Así opina Felipe Toledo.

—¿Y eso a ti te basta?

—¡Eh! ¡Qué quieres que te diga! Por lo menos a él, sí.

—Porque aquello de que, como nació antes de la ley de registro civil, se podría legitimar...

—Estás loca. Eso envolvería la declaración de que tú eres la madre. Un campanazo sin obligación mayor. Es decir, no: la sociedad y el buen nombre obligan. Hoy y por siempre las gentes te infamarían. Sufrirías repudio. Nuestro apellido no se mantendría sin mácula.

—Y si por cariño dejásemos que la sociedad pensara que habíamos tenido un hijo antes de casarnos, pero que habiéndonos casado después...

—Nos tacharía de cínicos.

—Así es.

—Sabe Dios cuántos años de progreso necesita nuestra sociedad todavía para llegar a conceptos amplios.

—Así es.

Diálogos semejantes suelen repetirse durante las visitas invernales de misia Marisabel, y son los únicos que la distraen de su preocupación celosa.

*
* *

La soledad en que dejó a Valverde la permanencia de su mujer y sus hijas en Santiago tuvo algunos efectos.

El mero hecho de haber vuelto a su dormitorio de soltero no tardó en traerle resurrecciones. Desde las esquinas penumbrosas de aquel cuarto, por entre monturas, lazos, chamantos y cabestros, empezaron a erguirse reminiscencias de celibato. Poco a poco estas reapariciones, apretándose, fueron creando una como atmósfera que lo envolvía y presionaba. En especial durante la prima noche, cuando, acostado ya, perdíasele la vista por entre las vigas del techo y oscilaba la luz amarilla de la vela, tras los aletazos de las sombras guiñaban endemoniadamente algunos mal dormidos apetitos. Solían rebrincar entonces pensamientos pecadores y permanecer allí, porfiados, a manera de luciérnagas, ascuas verdes y fascinantes con las cuales había de toparse la imaginación.

La compañía diurna de Antuco también vino a ser estímulo de inquietudes. A la sola observación del hijo, cada día más semejante a él, cantaba en ecos la mocedad, y en muchos momentos el considerar los avances y destrezas del muchacho hacía que tales ecos gritasen como voces de alarma y citaran a cotejos. Más aún: cierto afán de proezas que descubría en el mocito, y su arrojo de jinete, y sus arrogancias, y encima la llama que su paso mal velaban con las pestañas los ojos femeninos, concluyeron por encender emulaciones. El nuevo Valverde se desarrollaba y crecía en aptitudes y posibilidades; el padre iba en cambio hacia la cincuentena, y aunque pleno, presintiendo decadencias. Entonces el ufano progenitor se detenía, se plantaba en su orgullo individual. Era una lucha callada, en disimulo, pero activa y hasta irritada tal cual vez por celosas reacciones.

Una tarde, a punto de verse vencido por el hijo en cierta corrida de novillos en la medialuna, se volvió hacia Sebastián para exclamar:

—¡Mocoso del diablo! Pretende ganármela.

—Camino lleva, patrón —dijo el mayordomo.

—¡Tendría que nacer de nuevo!

—¿Quién? ¿Su mercé? —interrogó socarrón el huaso.

—¡Ah viejo ladino! —repuso José Pedro con risilla de sobresalto.

Sebastián enredó en el sube y baja de sus cejas la picardía y habló de otra cosa.

Pero Valverde calló pensativo.

En adelante sumó bríos en los cotejos. Vibraba todo él de ímpetus. Por la malla de trances y desafíos, por el amor propio enardecido y por los envanecimientos que le produjera el ser padre de tan recio vástago, se vio metido como en un nuevo clima. Un contagio de juventud parecía enloquecer el pulso de sus venas.

Paralelamente, las farras a que le arrastraba Sofanor Iturriaga, no sólo vecino ahora, sino además personaje de trato forzoso por causa de aquel pecado con la Lucrecia, le retornaron a los antiguos pasos de tarambana.

¿Escrúpulos? Sí, los hubo. Mas carecieron siempre de poder. Si reprochábase tal cual vez, luego se resolvía todo en un suspiro de alivio. Aquello, al fin de cuentas, ¿no era recuperarse virilmente un poco? Durante años habíase divertido apenas. La noble tranquilidad hogareña, la compañía querendona y limpia de su Marisabel, con tanto anhelo esperada, y aun cierta enternecida piedad hacia los celos de la señora, le contuvieron largo tiempo. Gracias a ello supo de un placer nuevo para él: criado entre hombres solos, antes no hubiera sospechado siquiera las emociones que, pecho adentro, muy adentro, manan para bañar honduras escondidas. Aquello le descubrió también el orgulloso goce de las austeridades, que complementan el señorío. Sin embargo...

Sin embargo, de buenas a primeras, se halló la loca mocedad resurrecta y en alboroto.

—Entramos, patrón, a la segunda juventud —le dijeron.

—¡Pse!

La conquista inopinada de la Lucrecia no determinó en él estado emocional de influencia sobre tal cambio de vida. Obra subconsciente, mixto de amor propio, sensualidad y diabolismo, hizo su parte sólo como impulso de placer y cómplice para deslices. Luego que... él no había nacido para mecerse blandamente sobre el mundo. Si al menos los proyectos de reanudar batidas contra los salteadores hubiéranse cumplido... Pero aquellos miserables habían vuelto a emigrar.

Lo enervaba ya tanta paz.

Porque tampoco los viajes a Santiago, que a menudo repitiera por tedio y que le proporcionaban algunos esparcimientos y horas engreídas con misia Marisabel y las chicas, le satisficieron a poco andar. Concluían por aburrirle. Hacíase allá constante vida social. Asistía el matrimonio a tertulias, teatros y paseos urbanos. Algunas tardes iba él con Toledo al

Congreso. Todo eso era diversión, realmente; pero a los pocos días el parloteo abundante e insustancial de las mujeres, la mañosa dialéctica de sus correligionarios, que le asombraban —con un sí es no es de asco— demostrando por medio de su oratoria en las Cámaras lo mismo A que B, según conviniese, y por último el sufrir a toda hora las opresoras ropas de ciudad, todo en conjunto le abrumaba de reperte. Y entonces, como a un grito imperativo de su espíritu, cogía el tren de regreso. Al primer amanecer en el campo sentíase recobrado.

No demoraban los vecinos en buscarle. Venían recadillos de la Lucrecia, siempre a nombre de Sofanor. De modo que al atardecer, luego de inspeccionar algún potrero limítrofe con Los Nísperos, se abandonaba para que lo condujese solo el caballo y paraba donde los Iturriagas.

Si él no había vuelto de sus faenas, sentábase don José Pedro con ella en el corredor. La tarde moría y todo se bañaba en suaves carmines. La Lucrecia, romántica, suspiraba sus remordimientos católicos, aunque recreándose mimosa en la contemplación de su amante.

La dejaba él hablar, casi siempre sin oírla.

Porque resultaron muy complejos los sentimientos de aquella mujer. Tenía un carácter erótico-religioso, de fuego, tribulación y escrúpulo.

—Deja en paz a la Virgen, criatura. Nada tiene que ver con esta flaqueza nuestra —concluía por protestar él.

—Le pido que me perdone. Le digo que yo estoy convencida de que nuestro Señor, que lo ha permitido, santificará nuestro amor.

—Pues entonces...

—Es que cualquier día una se muere y... en pecado mortal... ¿A ti la muerte no te asusta?

—Por lo mismo no hay que anticiparla. Porque desde que empieza el miedo empieza la muerte.

—Habrá que rendir cuentas allá. ¡Jesús, María y José!

—Y habrá perdón. Mi tío, siendo cura, creía que si Dios es infinitamente misericordioso, no cabe admitir que nadie se condene por los siglos de los siglos.

—Y menos por amor.

—¡Calcula tú!

Tanto el embrollo como el desembrollo lindaban a ratos con lo cómico. A la postre, bendecía ella esos amores. Y los santificaba. Su José Pedro, padre del niño que ya tenía ella en las entrañas, lo era por designio del gran misterio divino. ¿Acaso cuando cayera en sus brazos, aquel domingo después de misa, no sintió secretamente, a pesar de la defensa desesperada, que nada injusto sucedía? Después, vencidos el implorar a la Virgen y el lamentarse, vueltos juicio y lucidez, ¿no tuvo la certeza de pertenecerle desde mucho tiempo atrás? Ahora, pues, aun cuando en cada caída sus gemidos de placer se mezclasen a los de contrición, reincidía sumisa.

Ocurrían los encuentros ya en estos atardeceres, ya los domingos por la mañana en La Huerta, como la vez primera, ya después de alguna fiesta en Los Nísperos, cuando Sofanor dormía la borrachera.

Valverde se cansaba en algunos momentos de la inferioridad de la Lucrecia. Pero decidía cerrar los ojos, porque la mujer le gustaba, le incendiaba los sentidos violentamente. Era de las hembras que expanden vértigo sensual. Tampoco se había equivocado él cuando la examinara con ojos de experto, el día en que misia Marisabel tuvo su imprudente ocurrencia de celosa: la Lucrecia, sobre provocativa, tenía delicias: suavísima la piel, como él lo supuso; las carnes, frescas en verano, en invierno tibias... ¡Y en fin! De ahí que le tolerase las canseras.

No obstante, en algunos días cargábale la misma, eterna, invariable majadería, la estúpida mezcolanza de amor romántico y catolicismo pegajoso. Cedía entonces a las exigencias de Sofanor para correr alguna juerga en lo que llamaba el huaso "nuestras canchas melipillanas".

*

* *

Llegaban a Melipilla, Sofanor y Valverde, montados en sus mejores caballos. Se les veía entrar al pueblo en talante de huasos enfiestados y retozones. Las botellas vaciadas por el trayecto, en cada despacho de la carretera, en cada "tropezón", habían ya prendido en ellos el alcohol de la travesura y la trifulca.

Se les unían allí los compadres Eliecer y Joaquín, de cuando en cuando el Gallo y también algunos personajes de ocasión. Figuraba entre éstos un tonelero a quien apodaron Ganas de Mear, porque andaba con las rodillas juntas y a pasitos de apuro. Era un cuarentón débil de carnes, con la barba siempre a medio crecer, con muchas arrugas paralelas y negruzcas en la frente y una expresión entre curiosa, festiva y asombrada en los ojos. Su mujer lo vigilaba sin tregua, como perro guardián; de donde arrancara el dicho festivo del tonelero: *Pegarle al perro.*

Este hombre sentía por Valverde admiración entusiasta.

—Me gusta el caballero —decía frenético— porque le *pega al perro.*

Pegarle al perro era para él mucho. Era desafiar el peligro, dominar a la mujer, hacer lo que viniera en gana siempre. Era lema de hombría y libertad.

Valverde lo conoció cierta mañana en que, al volver de una feria seguida de copioso vino en ayunas y al observar a un judío que armaba una pirámide con máquinas de coser a la entrada de su tienda, tuvo la diabólica tentación de meterse allí montado, revolver la bestia y derrumbar la prolija torre.

Cuando, tranquilo y rumboso, mientras su comparsa prorrumpía en carcajadas, hubo sacado un fajo de billetes e indemnizado al comerciante, había descubierto al tonelero junto a la acera.

El hombre aplaudía con delirio:

—¡Eso! ¡Bravo! ¡Así son los hombres que le *pegan al perro*!

Y como a todos cayera en gracia y simpatía, lo invitaron a beber y almorzar con ellos.

Ganas de Mear se incorporó así al grupo de "acampados" tunantes en sus "canchas melipillanas".

A Sofanor también habíale tocado su mote: Paire Putativo. Surgiera el apodo al evocar los compadres aquella lejana charla llena de bromas e imprudencias en el corredor de La Huerta. Verdad, sí, que ya él había iniciado el chiste cuando le diera por saludar siempre a su amigo don José Pedro:

—¿Qué hubo, *paire putativo,* cómo le va?

El caballero, que se las había jurado... y cobrado, con una risa enredada entre barba y bigote, le correspondía irónico:

—No precisamente lo mismo que a usted, *paire putativo,* aunque... no me va mal.

Pero don Joaco, cuya malicia todo lo alcanzaba, decidió al fin la exclusividad del sobrenombre a favor de Iturriaga. Desde que se supo a la Lucrecia encinta, puso sal y pimienta en las indiscreciones que malas lenguas no sabían medir. Por fin Sofanor, en cierta merienda bajo ramada y seguida de cuecas, participó solemnemente a sus compinches la noticia, y tras de mucho baile, mucha tonada y mucho cogollo, en el momento en que las coplas tienden al epigrama, don Joaquín reclamó turno y lanzó esta vieja cuarteta:

Se dice que Juan Cerezo
tiene encinta a su mujer.
Pero eso no puede ser,
porque no puede ser... eso.

La cantó en persona, bien subrayada la intención del *no puede,* ligando *ser... eso* con los suspensivos y añadiendo guiños. Tanto, que produjo alarma. Valverde frunció el ceño. Todos los ojos, hipócritamente distraídos, reptaron unos instantes quinchas arriba, escurriéndose después hacia el suelo, y rozaron de paso a Sofanor: él, apoltronado y con la chicotera en la mano, ya ebrio hasta la sordera, por suerte canturreaba para sí mismo, sobre su vientre lleno de hipos.

El hecho es que Paire Putativo fue su alias, por indiscutible derecho, en adelante.

Había reincidido, pues, Valverde. A pesar de su madurez, que imponía ya que siempre se le nombrase *don* José Pedro, y acaso por ella misma, que se despedía de la juventud..., había reincidido en las diabluras y en los actos desconsiderados que dos lustros atrás le conquistaron el calificativo de rajadiablos. Bailaba y reía sin interrupción, mantenía un contento desesperado, su alegría solía rayar en la locura. Desmanes, ocurrencias diabólicas, juegos temerarios y aun peleas a bofetadas iban jalonando sus juergas. Arrebatábale ahora el vino más que antes; a menudo encendíale iras terribles. ¿Era que la edad le debilitaba? ¿Era que crecía su soberbia y las herencias del cura lo sulfuraban ahora como al viejo cada vez que "se le pasaba la mano contra el pelo"? Nunca perdía el propio dominio; pero su gobierno para moderarse tan sólo era eficaz cuando juzgaba que se divertía ya contra sus deseos. Ibase por un rato, entonces, a dormir un sueño. Y muchas veces, si el hastío le resultaba molesto, daba la espalda sin cortesía para nadie y solo y como taimado emprendía la recogida.

Empero, habían de repetirse pronto los mismos o similares pasos. "El demonio se me ha metido en el cuerpo", solía pensar.

Entre los motivos para el jolgorio estaban los rodeos. No influía que se realizaran lejos. Por semanas se vivía en La Huerta repasando arreos de lujo, ejercitando caballos, y la víspera salían patrón, hijo y peones jinetes, con seis, ocho, hasta doce parejas corraleras, rumbo al propio lugar del torneo, donde pernoctarían al pie de sus bestias.

Y era gloria ver el apresto de la caravana en los momentos de abandonar La Huerta. El huaserío del fundo, los jinetes al pie de sus cabalgaduras, los yergüerizos prendidos a las emborladas jáquimas de las piaras, el resto de la peonada en corro curioso, aguardaban a los patrones. Padre e hijo aparecían por fin. Cuando ellos montaran, cabalgarían segundones los sirvientes. Daba don José Pedro primero unas vueltas de inspección, otra luego en torno a su propia yegua, y de pronto se le veía caer suave y dominadoramente sobre la montura, terciarse al hombro, sobre la blanquísima chaquetilla, los colores del chamanto, fijar bajo su nariz el fiador del sombrero, por último sacudir al aire las rodajas, para comprobar su temple, y en un gesto con el cual diríase que se había subido al anca la gloria, rompía la marcha a la cabeza de su caravana.

En estos casos, ni él ni nadie habría de beber. Sólo después de finalizada la justa. Y ganada. Porque triunfaban siempre. Los mejores premios —frenos, juegos de riendas, monturas, pares de mantas y fajas— se iban con ellos.

Entonces sí, a divertirse con toda el alma. Don José Pedro tenía de nuevo el ánimo alborotado. Ante su hijo había lucido, en ejemplo de hombría, pujanza intacta, destreza magistral y, sobre todo, en gloria de señor de la región. El muchacho, legítimo heredero de los dones paternos, secundado por los compadres, maestros a su vez, contaban en la victoria su parte.

El corazón alborotado se festejaba entonces con plena justificación.

Iturriaga, por cierto, iba con todos ellos. Borracho, perdía. Como insistiera en su maña de llevar la penca desabrochada y obligar a los demás a beber bajo amenaza de zurrarlos, Ganas de Mear dedicábase a moderarlo.

—Usted, don Sofa —le decía—, también le *pega al perro*, pero lo deja gruñón y traicionero, listo para el mordisco. Sosiéguese, don Sofa.

Severo, don José Pedro disponía que Antuco regresara cuanto antes a la hacienda, con la caballada y la servidumbre.

—Ya te seguiré —le advertía.

Al retorno de uno de estos rodeos, una tarde de noviembre azul, al entrar en Melipilla cargado de trofeos, pasaba con su cabalgata delante de un circo. La murga, que incitaba al público en la calle, alborotó los caballos. Ordenó que se callaran. Mas como los saltimbanquis, gentes "afuerinas", ignorantes de la categoría del señor, no le obedecieron, mandó contra ellos una carga de caballería. Bombo, tambor, platillos y cornetas rodaron por el polvo.

La gresca se hubiera visto armada si don Eliecer, el prudente, no les hubiese advertido el peligro en que se metían. Cedieron, pues, los músicos al hacendado poderoso, consejero de policía, cacique político y hombre, si odiado por quienes habíanlo sufrido, también ídolo para cierta multitud de huasos arrojados y para "hombrazos, bien rotos chilenos", congéneres del Gallo.

De amanecida empero, con muchos tragos entre pecho y espalda ya, el terrible grupo hubo de pasar nuevamente por el circo. La farándula dormía bajo su carpa.

Llamearon los ojos de don José Pedro.

—Cachafaz, ¿alcanza tu lazo hasta la punta de ese palo?

—¿El de la carpa? Sí, patrón.

—También el mío alcanza. Conque... Ya. ¿Comprendes? Los dos a un tiempo.

Instantes después las dos lazadas cogían la cúspide.

—¡Caballo Pájaro! ¡Ahora! ¡Tira!

Una carrera, una polvareda y la carpa se desplomó entre risas y vítores.

Desayunaban en el Mesón del Loro cuando el eterno componedor, don Eliecer, llegó de trajines que por su iniciativa decidiera.

—¿A dónde se nos había mandado mudar, eñor?

—¿De dónde viene?

—Es que yo, don Pepe, me di una vueltecita por mi casa y vide que los maromeros llamaban a la puerta de la gobernación. Comprendí. No es que le fuese a pasar a usted nada, ¡claro! Pero su nombre, señor, su autoridad, por una simple jugarreta de buen humor... Me les apersoné. Y, en fin, el director de la maroma está ahí al lado de afuera...

Don José Pedro pasó el brazo por encima de los hombros a don Eliecer.

—Usted —le dijo— es un hombre justo y un buen amigo. ¿Quiere convidar a ese hombre a sentarse con nosotros?

—Sería lo mejor, pues, señor. No es mala persona. Con una reparación, que se le debe, me imagino yo que... Usted sabe: la plata, pomada de misia Mariana, donde la ponen sana.

—¿Cuánto cree que...?

—Habla él de cien pesos, para levantar la carpa y salvar la pérdida de la función de hoy.

—Conforme. Caballero siempre, don Eliecer.

El maromero entró. Hablaron y don José Pedro le pagó sin regatear.

Y luego le dijo:

—Y sepa que fue un puro retozo, amigo. No piense que rencor por la bullanga de ayer con sus trompetas. Perdone y démonos la mano.

El hombre se guardó el dinero y, estrechando la mano del caballero:

—Gracias, patrón —repuso—, y dispense usted también.

Y se marchó.

*
* *

Estas correrías de rajadiablos mantuviéronse durante varios años. Los episodios, aunque diversos por lugares y circunstancias, eran en el fondo equivalentes. Una de las últimas diabluras consistió en pasar en coche abierto por encima de una merienda campestre.

Ocurrió en cierto remate de animales dentro de un fundo de la comarca. Seis u ocho individuos habíanse puesto a merendar sobre el pasto, a la puerta de un potrero. Valverde y sus amigos, al ver que aquello les detendría el carruaje, gritaron:

—¡Paso!

—¡A quién se le ocurre atajar la salida!

—¡Quítense, miér...coles!

Mas como los comensales ningún caso les hicieran, lanzaron el coche sobre los platos, botellas, fuentes y guisos. A todo correr de los caballos atropellaron y salieron al camino.

Mucho se comentó después por los alrededores "la nueva barrabasada del rajadiablos ese de don Pepe Valverde", quien había manejado en persona las riendas.

Muchos fueron también los regocijos y las horas de risa que al grupo de traviesos causaron tales bromazos.

Pero al cabo de un tiempo todo aquello comenzó a fastidiar a don José Pedro. La edad obraba ya un tanto en él. Aparte de que otros motivos acumulábanse para enturbiar las diversiones de manera directa: la Lucrecia, desde luego, había dado a luz una niña; Sofanor chocheaba de felicidad y, por supuesto, henchía de vino su corazón ufano, reuniendo en su casa sin cesar a los amigos. Su absoluta falta de malicia conmovía y acusaba. Pero sobre todo aquella su insistencia, chicotera en mano, para que se hartasen todos de licor, puso a Valverde impaciente. Fuera de sí, en varias oportunidades se vio a punto de darle algún sopapo.

Hastiándose, pues, resolvió frecuentar más la capital. Y si al volver bebía, obligado por las visitas que había de hacer a la Lucrecia, sus vinos empezaron a ser coléricos. Varias veces concluyó con algún empellón y hasta con alguna zurra sus iracundos exabruptos.

Tras de una trifulca llegó a decir:

—No quiero beber más. Nunca más.

Don Eliecer, con su comedimiento, su justeza de observación y su vocecilla dulce, intervino:

—Lo celebro, señor, porque parece que le irrita el hígado.

—Como que me amanece dolorido algunas mañanas.

—Naturalmente. Es muy malo el alcohol para el hígado, ¿no es así, compadre?

La opinión de don Joaquín tenía que ser chistosa:

—Yo más bien creo que lo que pasa es que hay hígados malos para el alcohol.

Su chiste se volvió, sin embargo, contra él muy pronto. Regresaba don José Pedro de uno de sus viajes a Santiago, cuando de manos a boca se topó en la estación con el chascarrero, muy circunspecto, alicaído y de antiparras negras.

—¿Qué le sucede, don Joaco?

—Enfermazo, patrón. Viene a resultar que no sólo hígados, que también ojos hay malos para el trago.

—¿Algún mal a la vista?

—Muy fregado estuve. La meica esa que ve por las aguas asegura que de tanto vino me ha resultado esto. ¡Hem! La verdad, patrón, yo debo haber estado excedido como en veinticinco arrobas de lo que puede beber un cristiano.

—Déjese de chungas.

—No. Si no es chunga, no se ría. El oculista de Santiago me opinó lo mismo. Así es que...

—¿Vive muy formal ahora?

—Formalito. Contimás, señor, que cada cosa tiene su edad y cada edad su paciencia.

Valverde formalizó sus meditaciones después de aquel encuentro.

Sin duda, ya él tenía otra paciencia. Lo peor era que ni las reuniones con la familia le procuraban descanso ahora. No se acomodaba bien en el hogar ciudadano. Las niñas, de repente crecidas, comportábanse ya como las señoritas, como las mujeres en general, excesivamente verbosas. Acostumbrado él a vivir entre hombres solos desde la niñez, a largos días en silencio, o a lo sumo a conversar en diálogos, con turnos y orden, sufría vértigo —vértigo, mareo y hastío— al oir hablar sin tregua ni medida ni sustancia. No eran conversaciones las de las mujeres, sino un parlotear todas al mismo tiempo, arrebatándose la palabra, o confundiendo todas las voces en una sola orquestación abrumadora y vacía. Parecía ser ésta, por lo demás, la constante femenina. ¡Oh! Se notaba en toda reunión de damas, fueran ellas jóvenes o viejas. ¡Pobrecitas sus criaturas! Mucho las quería. Sólo que, como no érale dable a él reformar la idiosincrasia de la mujer, no le quedaba otro recurso que rehuir.

El campo, la naturaleza desnuda, devolvíale a su yo auténtico.

Mas, por comparación, se introdujo entre los factores de su ambiente campesino actual: hubo de analizar también esta vida. Las correrías demasiado locas, la chabacana borrachera de Sofanor, las matonadas del Gallo, la beatería boba de la Lucrecia —quien además empeoraba en lo confianzuda y a menudo insistía majaderamente para que él le revelase los orígenes de Antuco—, luego los celos incorregibles de misia Marisabel, y aún la política falsa, fanática y acomodaticia de sus correligionarios, y..., en fin, también, algunos pensamientos propios, acaso fruto de insuficiencia y cansancio, que solían presentarle la vida como tema de meditación difícil, todo ello le pesaba de repente, hasta envolverlo en cierta emoción confusa, con mucho de triste, muy semejante a un principio de asfixia para el espíritu. Por momentos ocurríasele que su vida, desde el matrimonio, en lugar de haberse sosegado y clarificado como un buen licor, se había hecho algo turbia, con fermentos de confusión.

Salía entonces a caballo con su hijo. Hubiera querido discurrir con el muchacho sobre su experiencia y, transmitiéndosela, ponerla para sí mismo en claro. Pero José Antonio era muy joven aún, y él, frente a las serias cuestiones, aborrecía los actos desproporcionados. Se debía limitar, pues, a reunirse con el vástago sin premeditados fines. Máxime porque, con su simple trato, Antuco le alegraba. Fuerte, gritón, espontáneo y estallante de carcajadas ante cualquier suceso espectacular de los frecuentes en el campo, le despejaba el alma como una brisa fresca.

Otros días, meditando, no habría logrado precisar si vagamente triste, si pesimista y confuso, si con rabia, pesar o desengaño, o si con todo ello en mezcla trastornadora, se metía en su cuarto, en busca, tendido sobre la cama, del refugio de la lectura. Tenía libros nuevos, de pensadores que le recomendaran sus amigos de Santiago. Pues bien, se le caían de las manos. Eran mezquinos, empequeñecedores del hombre. Pretendía el siglo no admitir sino lo racional, "lo que no pugna con el cerebro".

Tornaba él entonces a sus poetas latinos, al viejo volumen del Pegaso en la portada. Lo cual era como retroceder a los tiempos frescos del "caballo pájaro". Esta sola expresión de la infancia en pureza le sugirió la idea de que únicamente los niños, o quienes como tales se comportan, tocan la verdad recóndita de la vida. A Horacio, eso sí, solía saltarlo. Dentro de su estado de ánimo, le importunaba por cínico, libertino y pulsador de la nota que cabalmente no quería él escuchar. Como que reaccionaba en su interior la fuerza religiosa. Era católico, en esa fe se había criado. Si antes no viera, si sólo sintiera esas verdades atolondradamente, hoy sí que se le presentaban en su esplendor. Por primera vez lo deslumbró como un hallazgo la fecundidad del sacrificio, esencia y potencia de la religión cristiana.

"Exacto —pensó—; es menester buscar en el sacrificio las más reacias soluciones."

Y teóricamente al menos, estuvo pronto dispuesto a enmendar rumbos así.

Lo estimó necesario, en primer lugar, frente a la mujer de Iturriaga, que apenas había significado placer para él. En seguida, porque lo cansaba esta mujer. Todos sus defectos, que ya él conociera con anterioridad a su aventura, estaban comprobados. La hijita, si bien engendrada por él, sin disputa, no le había conquistado el corazón, después de todo. En cambio, a Sofanor... Distinguió también algo de mofa cruel en aquel vocativo intercambiado de *paire putativo*. El infeliz, borrachón, torpe y antipático, no pasaba en resumidas cuentas de ser un pobre hombre y había encontrado su dicha en esa criatura. Se le presentó esto digno de respeto.

Convenía, por tanto, alejarse de tales relaciones.

¿Cómo? Ahí estaba la dificultad. Poco a poco, tal vez persuadiendo a la Lucrecia, tan llena de católicos remordimientos, sobre la necesidad del sacrificio fecundo... Acaso debiera dejarse al tiempo el asunto. Al tiempo y a la oportunidad. Los celos de misia Marisabel, de un momento a otro, ¿no crearían una situación aprovechable? El, hombre sin vacilaciones, listo siempre a la oportunidad, tantas, tantas veces había recibido de ella el recurso que como chispa de luz surge desde los misterios de lo imprevisto...

A ciegas respecto del procedimiento definitivo, pero resuelto, se dispuso a esperar.

*
* *

Don José Pedro está sentado en un taburete de madera desnuda y lustrosa. Lo ha cogido del corredor y lo ha puesto a la sombra fría de las araucarias.

Allí fuma, lento.

Las bocanadas se retuercen y ruedan sobre sí mismas, suben y cuelgan del ramaje su gris azuloso, en tanto se pierde la vista del caballero en el campo abierto, que fulge allá, hecho ascua por aquel sol de domingo a las cuatro de la tarde.

Antuco juega con el perro entre los árboles; ambos se persiguen por turnos, y cuando se pillan, con sus pequeños gritos diríase que se ríen identificados.

En el sendero, allí delante de don José Pedro, se ve de rato en rato venir una golondrina azul. Traza su vuelo en comba del espacio a la tierra, cruza veloz, a escasos dedos del suelo, y de nuevo desaparece arriba; todo en silencio.

Goza don José Pedro con esta paz. Y goza por lo que va sucediendo: han surgido, providenciales, para justificar un alejamiento del grupo de los tunantes, deberes políticos de urgencia; pues el Presidente ha muerto y es necesario preparar con tiempo las elecciones próximas. Para ello han almorzado en La Huerta ese día dos diputados del partido y un periodista. Este último, intelectual librepensador, con unos bigotazos que se deja crecer hasta una parte de los carrillos para que agrandados produzcan efecto más imponente, ha hecho arrebatarse a los dos conservadores durante la sobremesa.

¡Qué limitados estos individuos que peroran sobre la libertad del pensamiento y ven al hombre sólo como un ser biológico y social!

Aunque..., en todas las tiendas las gentes se limitan.

¡Y cómo discuten! Que si esto, que si lo otro, que si:

—Eso no puede ser.

—¿Por qué?

—Por falto de lógica, mi señor.

¡La lógica! Desconfía él de la lógica desde hace años. La lógica es como el perfecto político: se acomoda maravillosamente a las necesidades de cada momento. Ha escuchado a los congresales en sus debates y ha leído tesis y discursos. ¡Cuánta lógica en sostenedores de las más contrarias premisas!

Así lo ha dicho en la discusión del almuerzo.

Con esto más:

—Si observamos, a lo largo de la historia humana, el camino seguido por la lógica, nos abisma el descubrir cómo ha servido ella sucesivamente para demostrar las verdades más opuestas.

Ahora recuerda que el periodista, irónico, deteniendo por unos segundos su taza de café ante los labios, murmuró entonces:

—Verdades... Algunas lo serían.

—Quién sabe si ninguna.

—¡Don José Pedro, por Dios! ¿Ninguna?

—Mi tío... cura, fíjense bien... Pero conste que lo afirmaba en provecho de la fe... Mi tío, digo, creía que la verdad no es sino aquello en que la mayoría se pone de acuerdo. Casi una cuestión de ambiente.

—Pero hay una verdad que perdura —sentenció solemnemente uno de los diputados.

—Cuestión de ambiente, repito.

—¡Señor!

—¿Cómo puede usted decir eso?

—¿Cómo? Diciéndolo.

¡Qué alboroto había causado! Sus correligionarios, ambos de barbas, se las alisaban con gesto de quien se amostaza y por educación se contiene. Sarcástico, el periodista fingió un bostezo.

Ahora don José Pedro se divierte recordando.

Habrá tenido él mucha osadía, quizá. Pero él puede hablar sincero y sin cuidarse, puesto que no está obligado a cargar con la responsabilidad de una filosofía. No es un filósofo; apenas un hombre. Con todos los atributos, eso sí, y que frente a los tontos campanudos y sabihondos siente a menudo ganas de patear... ¡Ah, de veras se ha reído, entre pecho y espalda, junto a los tres politicastros!

Y vuelve a reir a solas ahora. Porque acude a su memoria el sapientísimo suspiro que, tras breve pausa, exhaló el otro correligionario.

—¡En fin, en fin! De las ideas vive la humanidad.

La sentencia debía complementarse por el periodista:

—Y avanza guiada por los hombres de pensamiento fuerte y claro.

—Mentira. Esos cerebrales logran reflexionar, a lo sumo, sobre algunas caras de la existencia humana. He leído algunos libros de pensadores a la moda. ¡Caramba! Nunca se asoman siquiera esos señores a la entraña escondida y misteriosa donde sentimos el yo y que se me figura el hálito de la Divinidad dentro de nosotros. Muy orgullosos de su cerebro, escriben y escriben. No sé yo escribir, ni falta que me hace para oírme y descubrirme en lo de adentro.

Han sonreído los tres, mudos y piadosos. ¡Qué huaso tan bruto!, deben de haber pensado. Porque con una cortesía muy elocuente, uno ha dicho:

—¡Vaya, vaya!

Y otro:

—¿De manera que sostiene usted, don José Pedro, que no vivimos usted, yo, el señor, el caballero aquí, de nuestras ideas?

—Vivimos de nuestras emociones, y desgraciadamente de las buenas como de las malas, que aunque nos empinamos a veces, mucho pecamos también. Se me ocurre que las ideas sólo como bastones sirven, y eso, a quienes sean capaces de producirlas o concebirlas, a unos pocos. Yo miro a mi rededor y veo que la mayoría, ¡qué digo!, la totalidad de las gentes, las que piensan mucho como las que piensan poco o no piensan, sólo tienen y tendrán siempre una vida emotiva. Por esta emotividad se mueven, se excitan, ya unas contra otras, ya en impulso o ilusión de fraternidad. No sé si me doy a entender. Sus emociones permiten convivir a los hombres, o vivir solitarios, acompañándose a sí mismos por dentro.

—¡Acabáramos! Es un sentimental, don José Pedro Valverde.

—Según a qué llamemos sentimentalismo. Si es uno sentimental por estar convencido de que la idea, la verdadera idea, no brota en el cerebro como una callampa, sino que nace de nuestras emociones, entonces sí, acepto, soy un sentimental. La emoción es el principio. Y la idea, sólo sirviendo a la emoción, su madre, hace doctrina, vive. Nuestro Divino Jesús, con su prédica, su ejemplo y su gran sacrificio, ¿creó y sembró meras ideas acaso? Creó una gran emoción que a modo de llamarada nos ha envuelto, nos ha encendido, nos ha fecundado.

—Pero el cerebro...

—¡Qué cerebro ni qué niño muerto! ¿Se le ocurrió a nadie nunca pintar el Cerebro de Jesús? No, por cierto. ¡El Corazón de Jesús! ¿De qué se ríe usted, señor?

—No. Sólo sonrío al considerar lo que todo sentimentalismo estorba y limita el pensamiento. Yo creo, con todas las fuerzas de mi conciencia, de mi yo más serio y profundo...

Al evocar aquel punto de la discusión, don José Pedro reprime una carcajada; pues cuando el periodista decía enfático "mi yo más serio y profundo", poniéndose la mano en el pecho, él avanzó un paso para inmovilizársela y preguntarle:

—¿Por qué se apoya usted la mano ahí? Sea consecuente. Colóquesela en el cráneo y diga: "con todas las fuerzas de mi conciencia, de mi yo más serio y profundo" etcétera.

Sin confundirse por la risotada que produjera la sugerida postura, el librepensador repuso en seguida:

—¿Sabe que me gusta? Pero, hágame el favor, todo eso que está usted diciendo, ¿no lo está pensando, no lo ha pensado antes? ¿Cómo habla con desprecio del cerebro, entonces?

—Pensado lo tenía y pensándolo estoy. Sólo que hay cosas, las de trascendencia vital, que no se piensan únicamente con el intelecto. Los grandes pensamientos que leo yo en mis poetas latinos, por ejemplo, han sido presentidos primero. ¿Oye usted? *Presentidos*. Alentaron antes como emociones de ese algo recóndito que dentro de nosotros confiere sentido a la vida. El cerebro los ha ordenado después. Convengo. Como instrumento concretador, tiene su función. Trabaja en la mecánica de las ideas. ¡Me-cá-ni-ca! ¿Estamos? Es un aparato, a veces bueno, a veces deficiente. Muy a menudo empobrece los hallazgos. Con frecuencia termina en falsificador.

—¡Instrumento, aparato! Organo.

—Digamos "instrumento orgánico". A qué pelear por palabras.

—Pues yo me atengo a él. Lo demás me parece divagar.

—Pobre de usted, entonces. En todo caso, no diga en adelante "yo" con la mano en el pecho.

Acabó aquello en bromas. Cordialmente bebieron un rico aguardiente tras el café, trataron problemas electorales. Y al fin, con las manos en adioses por la ventanilla del coche, se alejaron por el camino.

Don José Pedro se representaba las escenas con regocijado recuerdo. Sin embargo, no está satisfecho. Quisiera él discutir sobre lo que habló. Quisiera verlo todo, no como nebulosa informe, sino en orden, preciso, iluminado. ¿Qué es el yo? ¿Dónde radica? El lo sabe, sí; pero únicamente por presentimiento, sin lograr concretarlo. Su cerebro no ha tenido gimnasia, flaco se ha quedado...

Y así permanece bajo las araucarias.

A cada rato baja la golondrina azul, en comba del espacio a la tierra, cruza veloz a escasos dedos del suelo firme, pero de nuevo desaparece arriba, y deja su silencio...

¿Qué es el yo? ¿Dónde radica? "Hay una zona —piensa sin palabras, en esa como tonalidad de las certezas—, una zona sensible pero no razonable, en la cual nos sentimos como flotantes, o como inmersos y transidos por la energía cósmica. Pero esta energía, o una porción de ella, no es todavía el yo. El yo se siente arraigado en esa substancia, pero es algo completamente individual, que al sentirse allí tan solo, tan solo, experimenta una desolación inquietante. Suele ser horrible sentir esta soledad. Suele sufrirse como un desamparado en medio del universo. ¿Qué nos queda entonces para defender nuestra vida, para serenarnos y adquirir aplomo y paz? ¡Ah, sólo la esperanza!"

Aquí, católicamente, eleva don José Pedro a Dios su alma. La golondrina azul prosigue sus vuelos intermitentes; viene, cruza fugaz, se remonta y se borra. Ya nada le importan a él aquellos visitantes del almuerzo. Pueden irse de paseo con su política, su lógica y sus intereses.

Cuando la tarde cae, don José Pedro, en una como violenta crisis en que su madurez se concreta, discurre. "Porque, vamos a ver —se dice—: suponen los cerebrales que los sentimientos limitan el pensar. Con esto creen ordenar la función emotiva, cual si fuera un estorbo. ¿No será que teniendo la razón sus propios límites, más allá de los cuales no consigue ir, se topa con el sentimiento, que prosigue? Porque dentro del círculo racional vemos que las ideas se combaten y se destruyen entre sí, que de siglo en siglo alguna toma turno y predomina, en boga. Anotamos que ninguna permanece. A la vez, observamos permanecer al sentimiento: se siente hoy exactamente como antes se sentía, y así se sentirá; es él quien nos presenta las trazas de lo eterno. La bondad, por ejemplo. En el campo religioso, el sentimiento es la base y el impulso. La idea, sólo un medio expresivo. Los racionalistas discuten y pulverizan las *ideas* religiosas; mas nada pueden contra el *sentimiento* religioso. Las iglesias han cometido el error de racionalizar sus religiones. Así las han hecho vulnerables. La teología puede discutirse y exhibirse como un conjunto de conceptos deficientes. Siempre serán deficientes las ideas. Las fuerzas espirituales, emotivas, que llevamos en la entraña del ser, ellas bastan para que los hombres marchen a través de las edades, y entre esas fuerzas hay algunas que jamás perecerán, porque son indestructibles. Ellas, en cambio, son capaces de destruir todas las ideas. Nace una doctrina política y nace destructible por otra que cualquier día surge. ¿Y cómo surgen las doctrinas? Por un fuego sentimental que las inflama. Siempre las llamas sustentan. Se suceden las teorías en las rutas de la humanidad, como nidos que el alma teje para ir cobijando el corazón insatisfecho."

¡Ah, si él supiera escribir; si él, José Pedro Valverde, huaso tarambana e inquieto, hubiera estudiado más allá de unas pocas lecturas, qué paliza podría darles a esos señores racionalistas! "Pobre de mí —se compadece—; si tan pronto como intentara redactar todo esto que discurro bajo mis árboles, se me confundiría en el enredo de los enredos."

Y no muy contento, más bien algo rabioso, henchido por su orgullo, se levanta. Va en busca de su hijo y se dirige a su vespertina inspección de pesebreras.

*

* *

Se deslizaron varios años.

¿Fueron tres, cuatro, cinco?

Fueron de los que ni se cuentan, ni se miden, ni se marcan, porque de su curva no irrumpen muy notorios acontecimientos. Tiempo hay así, en el campo sobre todo, tan disimulado, que carece de visible curso. Los hechos no detonan, en tal tiempo; quedamente van gestándose. Hasta que, como advenidas en conjunto sorpresivo, se nos aparecen algunas soluciones, cumplidas bajo la venda que nos velaba o nos distraía los ojos.

Así, pues, entre los Valverdes no se advertían grandes cambios. La vida familiar continuaba dividida y a la vez indivisa: misia Marisabel y sus niñas en Santiago; en el fundo su marido, con Antuco, y las visitas que ambos esposos hacíanse regularmente, llenando los lapsos entre vacación y vacación, mantenían intacta la familia.

Mas el caballero disolvió sí, en el ínterin, algunos compromisos de su mal vivir.

Sencillo le resultó apartarse de los tunantes: en la campaña electoral anduvo con ellos, pero dentro de afanes que justificaron un alto para las juergas. Los dejaba que actuaran ellos en la conquista de populacho cuando ésta exigía muchas copas por tabernas y "choclones". A semejanza de su tío allá en el Maule, organizaba él cabalgatas de huasos y desfiles arrastradores de adeptos. Rehuía las borracheras y las bizarrías matonescas, en suma, escudado en la dignidad de su jefatura.

A la inversa, lo de la Lucrecia permanecía sin término definitivo. Tratábala cada día menos; pero sentía por ella, junto con el hastío, cierto piadoso estorbo que aplazaba toda solución.

Misia Marisabel, en cambio, siempre suspicaz, padecía crecientes, agudizados celos. Durante una de sus breves permanencias en La Huerta, tuvo la corazonada primera. Fue un domingo, después de misa. Ya creía notar ella en la Iturriaga, que al oficio acudiera siempre con su pequeñuela, ciertos modos sospechosos por lo familiares, cuando en inopinado momento la oyó tratar a don José Pedro de "veleidoso". Cual si no hubiese percibido el reproche, había continuado él su camino. Pero a la celosa de ley nada escapa sin alguna significación; de suerte que al sobresalto hubo de seguir ansioso alerta, y hasta un factor que antes la tranquilizaba, el de no presentar la hija de la Lucrecia parecido físico más que con su madre, perdió entonces toda su virtud.

Antes de interrogar a su marido, prefirió inquirir aquí o allá con maña. Semanas anduvo con su cuita entre averiguaciones indirectas. Y por síntomas hoy, rumor mañana y atisbos entretanto, supo desde luego que frecuentaba él con exceso Los Nísperos, a pesar de molestarle tanto la ordinariez de los tales Iturriagas; enteróse de paso de que no corregía esa gente su defecto de ser confianzuda; llegó a sus oídos también que la chusca broma de *paire putativo* unía en intercambio de mote y malicia a su marido con Sofanor ahora, de lo cual intuyó la posible paternidad de don José Pedro; le contaron además cómo la Lucrecia, cuando a misa venía, permitíase aun acompañar al capellán a que desayunara en el comedor tras del oficio, igual que si fuera la dueña de casa. Poco a poco, por lo tanto, fue llenándose de zozobras el corazón. Aunque se obstinara en contradecirse frecuentemente con ideas optimistas, perdió al fin toda esperanza de yerro. Y una seca y asfixiante angustia como el ardor de un horno la poseyó por último.

En las vacaciones inmediatas, una mañana, dentro del dormitorio aún, se atrevió a formular a su marido algunas preguntas acerca de "todas esas cosas que a ella le parecían muy extrañas". El se limitó a pararse sobre el poyo de la ventana, mirar hacia el patio, como intrigado por los trajines del llavero, y volverse con diverso tema de conversación. ¿Qué sentido atribuir a eso? ¿El de que otorgaba callando y prohibía el tópico? No tuvo ella fuerzas para insistir. ¡Con aquel geniazo! Ella, inteligente, habíase definido el genio de don José Pedro como una pistola siempre cargada. "Cualquier manejo incauto —solía decir— produce mortífera descarga." Debido a su prudencia, pues, no habían tenido hasta entonces ningún disgusto irreparable. Recordó en este punto de sus pensamientos, por su imaginación tan a menudo festiva, cierto refrán de don Joaquín. Al consultarlo acerca de algunas sospechas y al exponerle cuánto cuidado juzgaba ella necesario frente al carácter de Valverde, a fin de salvaguardar la paz conyugal, había sentenciado el huaso astuto:

—Muy bien. No empeore nunca las cosas. Queso partido nadie lo suelda. Y el amor, aunque resulte ruda la comparanza, como el queso es, misia Marisabel.

Cómico el símil, para tan doloroso asunto, pero exacto. ¡Ah, para qué le advertiría ella misma que la Lucrecia estaba enamorada de él! Tan lista como se suponía y... no calcular que habría él de fijarse más adelante, cualquier día, en lo sensual y provocativo de aquella mujer. ¡Qué torpeza, Dios del cielo! ¡Y creíase despierta y aguda! ¿Qué hacer, en esta situación? Si hubiera podido, si pudiera aún ella caer de improviso algún domingo, y sorprender, y... Pero —y menos desde que a las niñas les habían salido esos "pololos"— jamás disponía para sus viajes a La Huerta de fecha al antojo. Sólo quedábale llorar recriminándose, ya perdida por entre los pinos, ya cuando la soledad de la casa dejábale horas de aislamiento. ¿De modo que sería posible tal concubinato? ¿Y aquella muchachita, fruto de semejantes amoríos? El círculo magnético y maligno de los celos cogíale en su vórtice, la obsedía. Y retornaba la angustia de horno, a sofocarla infernalmente. ¡Señor, Señor, haber echado de las casas a todas aquellas chinas del pasado, haber conseguido el alejamiento de doña Carmela Burgos, al fin y al cabo valetudinaria ya, para empujar ella misma, por descabellada ocurrencia, al pecador hacia nuevo y de seguro sabroso pecado! No la querría mucho. Bien conocía ella el juicio que "la rota esa" le mereciera. Pero él, ante las aventuras eróticas, era también un arma cargada siempre.

Se martirizaba sin remedio la pobre misia Marisabel.

Menos mal, solía pensar, que a ella la quería por encima de todas. Bastábale verlo comportarse. Fino, cortés, galante, con amor de galán, de caballero y de esposo, con pasión y respeto, y más: con veneración. Sí, sabíase amada por sobre amoríos y caprichos. Sin embargo...

Para distraerla de tales torturas, tenía misia Marisabel otra preocupación vehemente: el problema del niño; en buenas cuentas, del joven, pues Antuco ya lo era.

Como que se le acercara una noche Antuco. Traía en la mano un retrato de la familia Lazúrtegui. Allí estaban, con misia Jesús al centro, las dos hijas, todavía solteras. Las pupilas fijas en Chepita, dijo el muchacho:

—No me acuerdo nada, pero nada, de mi mamá.

Don José Pedro arguyó rápido y nervioso:

—Tampoco me acuerdo yo de la mía, en absoluto. También murió ella siendo yo muy niño.

—Pero lo raro es que nadie pueda contarme la menor anécdota de ella conmigo. Así es que ni figuraciones llego a tener.

Misia Marisabel intervino:

—Hijo, por Dios, ¿cómo iban a contártelas? Te hablarán de nosotros dos, tú y yo, porque te crié desde tan chiquito...

Tembláronle palabras e ideas, y calló.

El muchacho permaneció en actitud de quien a su vez acalla ocurrencias. Entre sus cejas parecían leerse mil preguntas informulables ante sus mayores.

Se apresuró don José Pedro a romper el silencio, como asiéndose a cualquier inspiración:

—Mandaremos a ampliar la cara de Chepita —propuso—, tomándola del grupo ese. ¿Quieres? Para tu cabecera.

—Y viva, hijito, en cuerpo y alma, me tienes a mí. ¿No he sido, soy y seré siempre tu madre?

—Sí, mamita. No se aflija. La tengo a usted, por supuesto.

Jamás fuera mozo de sensiblerías Antuco. De suerte que aquello acabó en abrazos, en mucha y muy alegre ternura de su parte.

Al revés, a la señora la dejó muy conmovida la escena. Impulsos tuvo de afrontar ante su marido, cuanto antes y en serio, aquel problema social y sentimental que tan inquieto e inconforme le mantenía el corazón.

Sólo que don José Pedro, cuando estos momentos llegaban, respondía con la decisión que su instinto de la vida le había inspirado siempre: esperar.

—Pues yo creo —insistiera ella en una de tales oportunidades— que debemos pensar ya en la solución final.

—Claro; pensar, sí —había repuesto él—. Sabio es anticiparse a pensar. Pero anticiparse a disponer, ya es otra cosa. Es locura.

—¡Y tú hablas así!

—Ya ves: maduro.

—Es que si fuera...

—¿Vas a empezar con tus "si fuera"? Yo he sembrado, hija, muchos "si fuera" y no me ha brotado uno solo. Deja. Día llegará en el cual se nos ofrezca sencilla esa solución final, que por lo demás no urge. Los tiempos traen mudanzas. Veremos abolirse muchas estrecheces sociales y hacerse más naturales, más humanitarias, más cristianas las costumbres. Aparte de que ciertos derechos de alcurnia mantendrán su validez. ¿No los conservan los reyes para sus bastardos? Pues yo, hija, menos que rey no soy en mi casa. Y aunque te sonrías, vieja, espera. Espera en los tiempos y en Dios. Deja. El chiquillo está encantado con su creencia de ser hijo de Chepita y más feliz aún contigo, con tu corazón maternal. ¿Pues entonces? ¡Qué vicio, el tuyo, de agigantarte conflictos y sufrir!

—Es que no creo yo que no urja. Considera que pronto hará el niño su servicio militar y que luego ha de ingresar, como tú quieres, a un curso agrícola en la escuela del Arzobispado.

—¿Y qué?

—Que habrá de inscribirse como hijo de alguna madre.

—Pues te ponemos a ti, lo mismo que cuando lo matriculamos en el Instituto.

—El estaba entonces muy chico: Ahora... ¿qué pensaría?

—Algo le diremos. Que se trata de una especie de adopción tuya, por cariño, por su bien para el porvenir, por la herencia cuando nos recoja Dios... Cualquier cosa.

—¿No exigirán documentos allá, en el Ejército y en esa escuela?

—Todo tiene arreglo, hija.

Extremosa, tuvo empero misia Marisabel con su confesor muy circunstanciada consulta. Oída la confesión, la tranquilizó el sacerdote. ¿Conque naciera el chico antes de la ley civil, cuando matrimonios, nacimientos, legitimidades y legitimaciones correspondían a la Iglesia? Pues veríase qué rezaba la partida de bautismo. ¿No recordaba estos detalles la señora? Como fuere, la normalización se haría, en gloria y justicia de Nuestro Señor Jesucristo y su Santa Fe.

Por su lado, el caballero esclarecía su personal proceso anímico. Que lo tenía, e importante ahora, por una de las grandes viradas hacia adentro que dan los temperamentos religiosos en aproximándoseles la vejez.

Desde aquella discusión, entre psicología y metafísica, con el periodista librepensador, vivió don José Pedro preocupado, sin lograr evadirse ya de la inquietud. El buscar el alma fuera de afirmaciones dogmáticas y cómodas, y encontrarla dentro de la entraña misma de la personalidad, le produjo algo muy cercano al vértigo. Aquello era feliz algunas veces; otras, angustioso, pues la desolación que solía trastornarlo al sentir de súbito su yo —su yo fuerte y soberbio— suspenso y solitario en medio de la vida universal le compungía, hubiérale abrumado sin la fe y la esperanza en Dios. Afortunadamente creía, siempre creyera. Mas como la fe gravita de muy diverso modo sobre un católico joven y tarambana y sobre otro que madura y envejece, comenzó para él otra, muy otra devoción. Algo que ignoró antes. Y rezaba más. Rezaba más hondo. Sus preces hiciéronse largas y complicadas. Tan pronto repetía las conocidas como elevaba otras originales al Poder Supremo. Estas últimas le satisfacían más, aunque a las tradicionales no renunciase, que se habían adherido a la costumbre y a mucho se acomodaban.

El hecho es que muy pronto vieron a don José Pedro, sin omitir día, soltar las riendas de sus caballos al atardecer, de vuelta de faenas, para coger el largo y grávido rosario frailuno, herencia del cura Valverde, y penetrar en la penumbra de su cuarto para orar sostenida y fervorosamente. Sus dedos velludos pasaban cuentas: entre sus barbas semicanas efervescían padrenuestros y avemarías, y entreverados estaban también algunos pensamientos iracundos por su inconformidad frente al sesgo moderno y arrasador de valores que llevaba la vida moral de Chile.

Mezclábase a estas iras el temor a Dios. Revisando su vida, sus recuerdos y sobre todo las víctimas que había hecho, acometíanle miedos, grandes miedos al Supremo Tribunal. Era un católico que traía el medievo en sí, y lo era por ancestro, cuna y crianza. Pero en todo ello actuaba también el caballero feudal, reforzado por los ejemplos del cura su tío y por sus propias exaltaciones del orgullo. Subconscientemente se había dirigido siempre a Dios sin recurrir a mediaciones de otros seres celestiales. Ya de niño se le había incorporado, como verdad de acuerdo con su carácter, el concepto popular de que "estando bien con Dios, los santos son inquilinos". Sí, él hablaba a Dios cara a cara. Y así, aunque hubiese llegado a la edad de contriciones y recogimientos, al punto en que sus ojos interiores miraban hacia la Vida Eterna y se iluminaban con el Sacrificio de la Cruz, fecundador del mundo en la bondad, no cumplía el sacramento de la penitencia sino raras veces.

Y era que no vencía, este soberbio señor, su desprecio por los clérigos inferiores que le rodeaban, clérigos que ni aun comprendieran jamás al cura Valverde. Los descubría tan míseros en ciertos trances, que se le antojaba que más bien ellos deberían confesarse con él.

—Perdóname, Dios mío —llegaba entonces a balbucir—. Se llaman médicos de almas. ¡Médicos! A lo sumo veterinarios, Señor. Para beatas y plebes. Pero ¿para mí?...

Sólo a muy arrastrados intervalos, pues, se confesaba don José Pedro. Y entonces, o elegía para ello el místico humilde cuyo espíritu descubriera leve toque al menos de la gracia, o por obedecer mandamientos de doctrina descargaba su conciencia en cualquiera, sin considerar en él sino la investidura consagrada.

Durante una de estas crisis de contrición esporádica, e impelido sin duda por fuerzas subconscientes, midió el pecado mortal en que incurría con los Iturriagas. Aprovecharía la primera coyuntura. Cancelaría pecado y... descansaría de los empalagos, de las demasías, de la ordinariez, de las intrusidades irritantes. ¡Ah! ¡Cuánto alivio!

No tardó la oportunidad en presentarse, que la Lucrecia era pródiga en faltas de tino.

Un día tuvo esta mujer el poco tacto de referirse a la señora tratándola de "la Marisabel".

Oírla don José Pedro y dispararse su "arma cargada" fue algo aún más violento que un tiro.

—¡Cómo! ¿Cómo? ¿Así no más, *la* Marisabel? *Misia* Marisabel, habrás querido decir. O mejor, si te parece, *la señora* Marisabel.

Ella, perpleja, enmudeció. Se le arrebolaron las mejillas y se le pusieron blancos los contornos de la boca. Intentó, a poco reaccionar, decir algo, herida. Pero vio el ceño del caballero: un surco vertical marcaba la indignación colérica entre las cejas, y tanta ira conteníase allí que sólo supo la Lucrecia temblar unos segundos y caer luego deshecha en llanto.

Cuando alzó después la cabeza, él había desaparecido.

Y así concluyeron aquellos amores.

Misia Marisabel, andando el tiempo, solía preguntarse si en efecto su José Pedro habíale faltado aquella vez. Acaso no pasara todo ello de celos y fantasías...

*

* *

El libro ha quedado sobre las rodillas de misia Marisabel. Sus cubiertas, en moaré granate, encima de la falda negra y junto al copo del pañuelo, desmayan, porque ya la luz se hunde con la tarde serena.

La señora también permanece quieta y encerrando sus pensamientos, como el libro. Ha ido a sentarse allá, sola, en el confín del huerto, a orillas de la pequeña laguna. Pasa el mugir de ganados distantes por el aire que mandan los caminos. Las aguas toman un tinte verdoso y opaco. Y un pececillo de estaño salta fuera del cristal, brilla un instante y vuelve a caer: deja primero un eco humilde y luego un silencio misterioso. Es la voz de los universos invisibles. ¿Hay algo más intenso que lo invisible?

El pecho de misia Marisabel se llena de un ancho suspiro, tal como se llena el aire con esos perfumes que se levantan para la noche. Los pensamientos de la señora y estos aromas se rasgan por momentos con las voces filudas que llegan desde la trilla lejana.

Ella se ha venido temprano de la trilla. Estuvo sólo dos o tres cuartos de hora. Después ha encontrado pretexto en la visita de los dos jóvenes, ya casi novios oficiales de sus hijas, y se ha vuelto a las casas. Sólo que no había tales afanes por alojamientos y comida, pues la buena servidumbre le sobra; sino que siempre ha recibido, en estas faenas-fiestas, roces para sus viejas heridas de celosa, que si bien ya cicatrizadas, conservan muy leve y sensible la piel. Y es que lleva su intenso universo invisible también ella. ¡Ah!, es romántica misia Marisabel.

Pero esta vez no quiso negarse a ir. Se lo pidieron esos muchachos:

—Vamos. Acompáñenos, para explicarnos siquiera algunas cosas.

Y luego insistió don José Pedro:

—Aunque sea minutos. Mira que puede ser ésta nuestra última trilla a yeguas. Si el próximo año me llegan las máquinas...

Y Antuco:

—Mamita, sí.

Ha ido, pues.

No hubo, afortunadamente, tonadas alusivas al pasado del viejo galán. Debió él de prevenirlas con sus medidas. En cambio, la pobre Totón, ya tan ancianita, cantó una antigua tonada triste, a la cual había modificado ella el estribillo así, haciéndolo significativo:

¡Sí, ay dolor!
Tenía yo un par de rosas.
La otra me la llevaron
los ángeles de la costa...

La *otra* era Chepita. Conmovió a los esposos aquel cariño evocador. Totón había criado y querido a las dos hermanas Lazúrteguis y juntas seguía llevándolas en el corazón.

Don José Pedro ha estado magnífico esa tarde. Sobre todo al bailar con su Marisabel aquella cueca. Si se pararon en círculo las demás parejas a mirarlos.

Aún se figura la señora oírlo, además. Porque luego él, para los dos mozalbetes de Santiago, y para su Antuco también, que baila todavía sin estilo, ha expuesto su teoría sobre la danza popular chilena.

No hay que confundirla con vecinas zamacuecas, o "zambas cluecas", ha dicho en suma. Hemos conseguido nosotros una genuina nuestra, ya libre de sus orígenes remotos. Ni jotas y zapateos españoles, ni africanerías tórridas del virreinato peruano se deben reconocer en ella. En Lima, los negros crearon algo jocundo, jaranero, erótico y ardiente, con mucha cadera zafada y mucha nalga humedecida por el sudor tropical. Allá el bailarín ejecuta la rueda del gallo en torno a su gallina. Hasta las voces cloquean en la música. La cueca chilena, no; la vino componiendo el huaso por estilizado reflejo de su propia realidad campesina. Se ha de bailar, pues, interpretando lo que realiza el jinete nuestro cuando asedia y coge a la potranca elegida dentro de la medialuna. Representa la gloria de sus pasiones: china y caballo. Virilidad de domador y de galán hay en su continente y en sus intenciones. Los primeros pasos remedan el cambio de terreno: él ha "echado el ojo" a su presa y ella se le pone alerta y lo enfrenta desde suelo inverso. El brazo viril bornea el pañuelo como si borneara el lazo. Van y vienen, ella y él; primero en círculos opuestos; se diría que desde las dos mitades de aquel redondo corral, salón de sus mejores fiestas, cerca el uno, la otra repite la curva en fuga o defensa. El ataca siempre, y ella, encarándose, esquiva. Los movimientos del cuerpo masculino traducen los del jinete: la mano bornea lenta y a compás, los pies avanzan o retroceden, cambian el paso, se agitan como los remos del caballo, las espuelas cantan; pero entre brazo y pierna el tronco se mantiene inmóvil y elegante, con el equilibrio del equitador sobre su montura en la escuela criolla. Poco a poco, el amor ecuestre y el amor humano se confunden, transfiguran a los bailarines. El acecho se vuelve madrigal; la lucha, coloquio; el pañuelo quiere atar los pies de la elegida. Ya se comprenden, ya se aman. Si ella todavía rehuye, lo hace para seducir mejor. Si él acomete, brinda con la boca el beso. Al fin zapatean porque la conquista se ha consumado. Dominio, entrega, delirio. Una mujer, una ideal potranca, dos seres unidos, identificados en la pasión campesina.

Así, exactamente así, no lo hablaría don José Pedro; pero así, exactamente así, lo comprendió ella y lo comprendieron todos. Al punto que las cuecas redoblaron en frenesí.

Del cuadro conserva en las retinas la señora un efecto de resplandor. Ascua el cielo, ascuas el promontorio de gavillas al centro y la paja que pican los cascos en la era redonda y cercada por quinchas que también fulgen. Cincuenta yeguas giran dentro, desmelenando sus crines al viento. Las precede un caballo diestro, el puntero, por cuyas orejas horadadas pasa larga cinta tricolor para distinguirle rango de guía. Envuelve todo ese ardor amarillo una polvareda, también de oro, que se levanta del chancar mieses, y que va perforándose al grito insistente de los yegüerizos trilladores. Son voces a compás, que un jinete lanza para estimular la carrera y que su compañero como en eco responde:

—¡Ah, yegua!

—¡Ah, yegua!

Y que poco a poco menguan, conforme a la fatiga de las gargantas:

—¡Ah, ye...!

—¡Ah, ye...!

O varían en otra forma breve:

—¡... yeguá!

—¡... yeguá!

El diálogo siempre. Hasta concluir en mero "!...a!, ¡...a!", "¡...a!, ¡...a!", girando y girando, en su infinitud de vértigo.

Más allá, sobre las lomas, reverbera también el rastrojo, donde aguardan gavillas innumerables y desparramadas como corderos triscando. Y carretas repechan, a tres yuntas, para bajar luego cargadas a rellenar la era. Todo es fulgor. Sólo abajo, en la sombra de una quebrada, cerca del agua, las piaras de yeguas que descansan, vigiladas por su capataz, pacen.

Nunca negará misia Marisabel la belleza de aquel cuadro, por antipático que los celos lo hayan presentado alguna vez. Y menos aún cuando, entre horqueteros y otros peones que reposan sus turnos, se yergue rodeado y en charla el patrón.

¡En cuántas ocasiones lo ha contemplado así ella, envanecida! Lo ve al centro del corro. Algunos gañanes mantienen todavía entre las manazas su vahante lebrillo de charquicán y, suspenso el comer, escuchan igual que los otros al amo. Lo saben señor temible, pero también padre.

Y cuando él posa la mano sobre un mocetón —que se inmoviliza enrojeciendo, con los brazos colgantes y una sonrisa emocionada que nace allí en el hombro donde la palma tibia del patrón se apoya—, hasta el último se siente acariciado. Reciben así, corazón adentro, el apretón de manos que la jerarquía veda.

Esa tarde misia Marisabel evoca por contraste, mientras deja el huerto y se dirige a ver su comedor, el continente de los dos novios de sus niñas. Allí han estado, agradables y finos, pero con la cabeza echada siempre atrás, en el gesto algo forzado de quien se ajusta la corbata. Con harta razón a don José Pedro le mueven a risa.

Al comedor se presentan los donceles capitalinos de punta en blanco esa noche, sin prever que los demás continuarían con sus ropas del día. Don Joaquín, que ha concurrido con sus yeguas a la trilla, reprime a duras penas una de sus chirigotas al verlos aparecer. Pero a tiempo se inclina delante de Chepita y Rosa, que han temblado ante la inminencia:

—Perdonenmé, patroncitas, el susto. Pero háganse cargo: contener las bromas me cuesta a mí más que a un curao cortar los tragos.

A salvo entonces el buen humor, la comida fluye confiada. El huaso, en esmero de desagravio, dedícase a satisfacer solícito las curiosidades de los "futres".

—Sí, claro, el patrón está descontento con lo que la sementera va rindiendo.

—Siempre lo mismo: la cosecha borra las cuentas de la planta en verde.

—¿Y cuándo de lejos las arrobas no han parecido quintales?

A poco hablan todos, hasta las niñas, instruyendo a los jovencitos.

—Se desgrana mucha espiga, porque como no es cosa de atollar las eras, hay que aguardar demasiado.

—Yo compraré máquinas sobre todo por lo que ahora se tarda en aventar. Años de poco viento, hasta cuatro meses. Con la trilladora, de la espiga pasa el trigo al saco. ¡Y al molino, señor, antes del mes!

—¿Resulta más barata la trilladora mecánica?

—Desde luego, no tala pastos. Apenas si el motor devora un poco de paja.

—En cambio, para trillar a yeguas, un fundo ha de mantener cien chúcaras y recurrir además a doscientas ajenas. Por algo en estos contornos, sólo entre Mallarauco y Culiprán, mi señor, se calcula que hay en estos días dos mil bestias de trilla.

Transcurre la comida en cálculos y reconocimientos de ventajas. Lo único adverso a la máquina resulta su tristeza en la faena. Si antes toda labor de campo fue mezcla de trabajo y fiesta, en lo venidero sólo habrá esfuerzo y monotonía, fatiga. Con las yeguas se irán esas carreras finales "de las cocineras", con los jinetes metidos en la era todos y cada cual con su mujer al anca. Se acabarán las meriendas con arpa y guitarra, y las cuecas a era barrida...

Se recogen, sin embargo, todos alegres a dormir.

Pero está de Dios que termine la jornada con una sorpresa de mayor gracia para misia Marisabel. Siente desde su cuarto trajinar a don José Pedro en el patio. Va y viene con el llavero. Cuando han apagado el farol y entra el caballero al dormitorio, se oye de pronto un graznar.

—¿Qué? —pregunta la señora—. ¿Los gansos en el patio?

—Así es. Los gansos en el patio —responde riendo entre sus bigotes él.

—No entiendo. Pueden graznar en la noche.

—Pues por lo mismo.

—Nos despertarán.

—Si se alarman, sí.

—Cada vez te comprendo menos.

El cambia su reir por explicar resignado:

—Oigamé, hija. Esos dos muchachos se alojan en la pieza que sale al patio.

—¿Y?

—Que no quiero que salgan.

—¿Te imaginas que saldrían a malos pasos?

—Hombre precavido...

—Pero si son jóvenes decentes, decentísimos, de grandes familias, formadas en la santa religión...

—Mejor que la mía, Marisabel, no reconozco familia en Chile; con más religión que yo no se ha formado nadie... Entre curas..., ¡figúrate! Y, sin embargo... Si tu madre hubiera encerrado gansos todas las noches en su patio de San Nicolás, ni yo, ni Chepita, ni tú...

Perpleja, no sabe misia Marisabel si protestar o reir.

—En todo caso —arguye—, para eso están los perros.

—Los perros conocen a las visitas. Los gansos, a nadie. Le graznarían al mismísimo Santo Padre. ¡A mí mismo!

—No se le ocurre al diablo. No hay nada que hacer contigo —concluye la señora, en carcajada franca.

El la besa y se acuestan.

Luego tratan de dormirse; pero intermitentes borbollones de risa los desvelan por mucho rato aún.

*

* *

—¡Mamá!... ¡Mamá!...

Se repiten los llamados de Rosita por los corredores, y se alejan alterando la paz casera de la media tarde.

Los oye, sin embargo, misia Marisabel sin concederles importancia; pues ella, en la franja de sol que baja por la lumbrera y corta la penumbra verdosa de la despensa, está muy abstraída releyendo una carta que le ha escrito el capellán y que la tiene muy contenta. Concluye, guarda en su sobre la esquela cuidadosamente, la coloca encima del mesón, y, tarareando, mira una vez aún sus cuelgas de uva. Por lo menos cien racimos, atados al pentagrama de alambres que circunda el cuarto, quedarán allí para regalo de don José Pedro y Antuco en el invierno. Se siente satisfecha también de su hacendosidad.

Pero los llamados insisten. Vienen retumbando por el interior del caserón ahora:

—¡Mamá! ¿Dónde se ha metido?

La voz de una sirvienta contesta desde el patio:

—En la despensa, misia Rosita.

—Aquí, niña. ¿Qué pasa?

Violenta y demudada irrumpe Muñeca, Rosa, la hija menor. De primeras, apenas puede hablar; mas al fin suelta el chorro de su verba colérica y lacrimosa:

—Es una insolencia, una grosería sin nombre, un proceder rotuno.

—¿El de quién? ¿Cuál?

—Ya no es posible soportar la conducta de Antuco. Usted, mamá, debe ponerle atajo.

—Veamos. ¿Qué sucede ahora, hija?

—Que Demetrio y yo entramos denantes a la medialuna, y porque Antuco, el precioso, estaba corriendo una vaquilla y nosotros tal vez lo estorbamos en su carrera, le pegó un caballazo a Demetrio, o a su yegua, y le gritó: "¡Quítate, mierda!" Y sin que le respondiera el otro sino que había mejores maneras, se le acercó, casi cruzándole furioso el caballo, y le dijo: "¡Maneras! ¿Maneras de pije maricueca querís?" Delante de todo el huaserío, mamá, que soltó la carcajada.

—Violento, hijo de su padre. ¡Ave María!

—Y tuvimos que venirnos, porque de aquí y de allá, como a hurtadillas, salían después unos grititos aflautados: "Maneras. Maneras y circunstancias, caballero". Usted sabe, mamacita, lo pícaros, lo burlones que son los huasos...

—¡Pero quién hace cuestión por eso!

—Yo. Yo la hago, mamá. No aguanto groserías, y burlas encima, para mi novio.

—En fin, habla con tu padre.

—Ya lo hice. Pero el huacho ese tiene aquí todos los privilegios.

—¿Huacho? ¿Qué palabra es ésa? Basta. Y cálmate. ¿Qué dijo tu padre?

—Nos quedó mirando, a Demetrio y a mí, primero mudo, como cuando acumula rabia. Después, con los ojos como agazapados debajo de las cejas, que parecía que iban a saltarnos encima, se dirigió a Demetrio: "¿Y qué hizo usted?" "Yo, señor —explicó el pobre—, por prudencia, me retiré con Muñeca". "Pero volverá solo, supongo. Si no le pegó entonces, debe volver a buscarlo", fue la respuesta de mi papá. ¡Imagínese!

—¡Válgame el cielo! Claro que Demetrio evitará camorras.

—Así me parece.

—Pues la tienen ustedes perdidas con tu padre.

—¡Cómo!

Entra don José Pedro en ese instante, cual si hubiera estado escuchando la vociferación de Rosita, y al verla con las pupilas extraviadas aún, le inquiere irónico:

—¿Y tu futre? ¿Habrá ido a su desafío?

—No se burle, papá. No diga eso, por María Santísima.

—¡Ah! No ha ido. Pues entonces, criatura, bien estuvo Antuco.

—Usted debía...

—Yo estoy siempre del lado de los hombres. Hay que saber pegar en el momento preciso —corta el caballero.

Y se marcha.

Sola con su madre, sigue Rosita porfiando:

—Intolerable ya. Este barrabás se maneja como le da la gana. A nadie respeta. Mi papá le encuentra todo bien, y hasta gracioso. ¡Adónde vamos a parar!

—Bueno, bueno. Cálmate.

—Por eso la gente murmura, por eso lo corren con más derechos que nosotras...

—Calla, niña, calla.

—No callo, mamá. ¡Hasta cuándo! Es un huacho alzado, que no aprende a situarse dentro de su condición, como se comportan otros. ¡Huacho, bastardo, chino!

—¡Cierra la boca, te digo! No te quiero volver a oir esas palabras para con tu hermano. Es de tu sangre.

—A medias, con sangre sucia, seguro.

—¡No!

—¡Miren que no!

—¡No! Hijo legítimo y, por vientre y lomo, lleva en las venas tu misma sangre. Oyelo bien. Y te muerdes la lengua o pierdo la paciencia y cometo la barbaridad que no quiero, no debo cometer.

Desconcertada, la niña guarda silencio entonces. Pero la disputa queda latiendo. Ha puesto a misia Marisabel fuera de sí.

—Sal —dice a Rosita.

Ella coge su carta y sale también. Echa llave a la despensa y se dirige a su dormitorio.

Muñeca deja que los pasos la lleven, sin rumbo. Por su mente, veloces, vertiginosos, desfilan recuerdos, escenas, comentarios. Tienen que ser fundadas las murmuraciones; tiene que ser huacho Antuco. Ese cuento sobre la tía Chepita está plagado de mentiras, de datos que no calzan. Todo allí se contradice. ¡Pero qué amor hay para él! Y cómo lo imponen, al intruso. Aquella vez, hace años, cuando Chepita, la chica, que con la vivacidad de su madre ha heredado ese orgullo duro de Valverde, tuvo aquel incidente con Antuco y pronunció también la palabra huacho, el caballero le dio un revés en la boca. Y pudo terminar mal aquel conflicto si no toma después un sesgo cómico. Porque al preguntar en su alegato el viejo quién, si no Antuco, le sucedería como hacendado y jinete famoso, Chepita le había respondido con énfasis: "Yo". Con lo que rodó hacia la broma todo. Halagado ante rasgo de tanto carácter, más por convencer a la chiquilla que por castigarla probablemente, o quizá sólo por una de las diabólicas ocurrencias de su buen humor, la montó sobre un caballo muy brioso y la sometió a diversas pruebas. ¡Pobre Chepita! ¡En qué apuros se vio! Pero de todo salió airosa, incluso de aquella carrera desenfrenada. El puntillo de familia se impuso entonces a los desagrados y todo fue plácemes y aplaudir. Pues bien, eso mismo ¿qué significado encierra?, se pregunta Muñeca hoy. Y misia Marisabel, por su parte, ¿no parece derretirse de ternura y chochera contemplando a veces al muchacho? Explican algunos que se recrea en él como en la imagen rediviva de su José Pedro en la mocedad. No sería raro: tan enamorada todavía... Porque, la verdad, ese demonio de Antuco fluye la misma seductora simpatía del viejo. Cuando llega del campo, se desmonta, cuelga en la vara las riendas, se descalza en el corredor las espuelas y entra en el salón por fin, la señora debe de ver una reaparición de su galán de los años románticos. Sí, el muy tunante de Antuco es buen mozo. Imposible negarlo. Y como don José Pedro, intrépido además y lleno de fe ante cualquiera de sus lances. Posee, sin duda, ese algo de triunfo anticipado que se palpa en la atmósfera de los seres con buena estrella. Por último, cultiva los mismos gustos del caballero; para vestir, para cortarse el pelo... Son idénticas sus pupilas verdiazules, con algo de cruel y de acariciador, de infantil y de audaz. Emana su persona un no sé qué sojuzgador. Desgraciadamente, rabioso y violento como su padre también es... ¡En fin, en fin! Pero en cuanto a nacimiento, hijo natural. ¿Quién lo dudaría?...

Aquella noche, al dar la hora de acostarse, don José Pedro llamó a sus dos hijas.

—Su madre quiere hablarles. En su pieza las espera —les dijo. Y fumando bajó al parque. Las hijas lo vieron perderse por entre la sombra densa. Tan obscura estaba la noche, que todo tenía el color de las araucarias.

Las dos acudieron al cuarto de su madre.

—Siéntense. Quiero verlas muy serenas en este momento —empezó la señora—. ¿Se ha tranquilizado ya Demetrio? Por lo que observé durante la comida, todo malentendido pasó. Bien. Ahora, juntas, lean esta carta. Juntas y en silencio.

Les alargó el pliego recibido de su capellán y confesor, volvió a descansar las manos sobre la falda y aguardó suspirante.

Allegadas las cabezas y llenas de ansia, Chepita y Rosa pusiéronse a leer.

Cuando la señora calculó que llegaban a determinado punto, las detuvo:

—Este párrafo, hija, prefiero que lo lean en alta voz.

Decía:

...y si pecado hubo, con el santo sacramento del matrimonio quedó redimido. Por el mismo sacramento, legítimo resulta el niño José Antonio. Amén de que usted, mi señora doña Marisabel, aunque ya no lo recordase, había recibido del Cielo la providencial inspiración de pedir, cuando en la Parroquia de San Isidro se bautizó a la criatura, que se pusiera en la partida "hijo legítimo de José Pedro Valverde y de María Isabel Lazúrtegui..."

Ahogó aquí el llanto la voz de las niñas. Largo rato lloraron en seguida unidas las tres mujeres.

No hubo comentario alguno. Sólo al separarse, misia Marisabel quiso advertir:

—Esto, hijas, constituye un secreto que no ha de salir de nosotras. Si Dios, en su clemencia infinita, nos redime por medio de sus santos sacramentos, la sociedad no perdona jamás. Esos jóvenes, por lo tanto, hasta que se hayan casado y hayamos muerto José Pedro y yo tal vez, deben ignorarlo también. Tampoco él, Antuco, lo sospecha todavía. Su padre se lo explicará en el momento debido. Entretanto, a quererse y respetarse, que de otro modo no se podrá sentir esta madre perdonada por ustedes, a quienes Dios preserve de igual caída.

AGUILA VIEJA

Iba solo en su potro don José Pedro. Solo por el camino solitario. Pasaba horas de abatimiento. Transitorias, excepcionales para él; pero tenía corazón y las pasaba. Días antes había muerto don Joaquín, muy viejecito; él había quedado triste, irremediablemente. Y como para entibiar una tristeza nada vale tanto como encenderla de pensamientos ordenados, de los cuales fluyen las conclusiones que armonizan en paz el sentir con la experiencia, y puesto que a caballo era como él mejor discernía, quiso montar esa mañana, y andar, andar, con su emoción, a solas por un solitario camino.

Buen Valverde, jamás fuera de los que al dolor se doblan. Pero algunas pérdidas, en la vejez, cargan el corazón de repente con peso mal llevadero. Y así —camina, medita y concluye— vino a reconocer don José Pedro en tales instantes, excedidos ya los setenta, que de los males que la vejez trae consigo el peor es la soledad. No la material y exterior; esa otra en que al envejecido deja la muerte de todos sus mayores. Descúbrese que la vida tuvo hasta entonces una mitad presente hacia el futuro y hacia el pasado la otra mitad, y que cuando los mayores mueren, y eran ellos los últimos con quienes se contaba, el hombre más duro suele sentirse de súbito como desamparado. Pueden seguir acompañando a ese hombre la esposa, muy amante y muy amada, y los hijos y aun los nietos, en quienes la sangre reflorece; pero no basta: hay un desolado llorar de raíces amputadas, y éste, aunque fuerte sea el espíritu, parece suspender en el vacío medio corazón.

Una sensación de soledad deprimía, pues, a don José Pedro por aquellos días. Muerto su padre, muerto el cura, resultaba don Joaco, aunque simple amigo, ser el último de sus mayores. Venía el caballero a comprenderlo ahora, y cuando ya él a su vez reconocíase viejo. Vivía misia Marisabel más a su lado que antes, desde que se casaron las niñas y con sus maridos, meritísimos empleados de Relaciones Exteriores que se habían colocado en la diplomacia, residían en Europa. Tenía nietos, chicos que desde allá solían garrapatear cartitas al "querido tata"; pero se acompañaba él con su vieja Marisabel apenas. Antuco salió andariego. Enamorado de la cordillera, se ausentaba por largos meses y a menudo.

Allá cifraba propias esperanzas, emprendía negocios. Descubría el muchacho cierto afán de crear fundos él también. Valverde al fin, y ya partía en pos de ganados argentinos, ya exploraba serranías y urdía compras de campos embrollados o sin dueño legal. En suma, ya de setenta y dos años, don José Pedro volvíase a encontrar casi tan a solas como a los veinticinco. Se habían deslizado los últimos tiempos entre menesteres de los que no alzan hitos en la historia. Máquinas para el fundo, ferrocarril que prolonga el Fisco hasta el mar y que favorece a La Huerta con paradero propio, matrimonios desabridos de las hijas, nietecillos que nacen en el extranjero... ¿Qué más?... Envejecer. Eso sí. ¡Ah el deslizarse de los años por la cuesta que baja la madurez a la ancianidad!

"¡Qué hacerle! ¡Qué hacerle, pues!", decía una tonada. Y el viejo repetíase aquel estribillo al ritmo de los trancos de su caballo esa mañana. "Porque, al fin y al cabo, todo en la vida sucede como debe suceder". concluyó.

La muerte de don Joaquín se produjo conforme con la existencia del buen huaso. Acaeció dentro de una tonalidad serena y hasta con sus puntillos risueños. Sin drama, sin fúnebres tribulaciones; sencilla, casi amena. En ello estuvo cabalmente lo conmovedor, y lo fértil. Quiso expirar don Joaco entre don Eliecer, ya como él anciano, y su "patrón don Pepe", y los llamó antes de su agonía. Porque había testado ante notario, dejando sus bienes por iguales partes, "a su compadre inseparable y al gran caballero que le supiera comprender, aceptar por amigo y encariñarlo".

—No es mucho lo que conmigo deja el rico —les dijo al entregarles copia del testamento—. Salvo algunos pesos para sepultura y misas y para dos o tres legados a mis yegüerizos, apenas esta casa y ciento y tantas yeguas. Todo para ustedes. Sí, sí, sé que no lo necesitan. No importa. Desde que el mundo es mundo, se mea siempre la bestia donde no hace falta humedad.

De modo que así, con final de adagio y chascarrillo, supo despedirse aquel criollo refranero y chistoso.

Luego, si tuvo ratos de precomatoso trastorno, en otros habló entre delirante y lúcido.

A medida que andaba, en los tímpanos de don José Pedro repetíanse las frases pintorescas de aquellos monólogos:

—Claro que como trabajé yo para el rico, para él dejo lo ganado. Siempre los que me han oído mentar al rico se han reído. "Es él mesmo", se cuchicheaban. No. Yo era rico mientras tanto no más. Y usted, patrón, y usted, compadre, también mientras tanto. El rico no es una persona. No muere; sigue. Y así ha de ser. Hay que distinguir.

Y en otro momento excitado:

—Se piensan algunos que ha de guardar uno para dejarles a los pobres. ¡Buena cosa! Lo dispersaríamos todo, malbaratado a migajitas. ¡Y adiós riqueza que necesita el mundo! Los infelices pobres..., ¡uy! Todo este mundo de los hombres viene a resultar, señor, como un animal completo que tuviera cabeza, y patas, y cola, y lo necesario. Hablan mucho esos que gritan por los choclones políticos, y también otros que remedan a los santos. ¡Pamplinas! Como si al animal le fuésemos a poner la cola por cabeza. Ya veo a la bestia con la cola pará por delante y la cabeza a la rastra.

Revuelto y confuso, aquel afiebrado divagar de moribundo descubría empero toda la línea de una vida y un irónico realismo.

Hasta mediodía no estuvo don José Pedro de regreso.

Al avistar las casas, divisó a su Marisabel aguardándolo en el jardín. La visión le apretó de ternura el pecho. Al sol, aquella cabeza era ya una concha de nácar. ¡Qué vieja estaba! Sin embargo, él seguía siendo su mayor. Ella, como una menor, teníale aún. "Así es —se repitió precisando—; a los mayores los tenemos, contamos con ellos. La mujer, los hijos, ellos nos tienen."

—Por eso —articuló al fin en alta voz—, ¡a ser fuerte! ¡Siempre, rabiosamente fuerte, Caballo Pájaro!

Y ardió de nuevo la energía en sus entrañas. La depresión de la tristeza sólo habíale durado algunas horas.

*
* *

—¿De dónde sales tú? No recuerdo haberte visto —gruñe don José Pedro con el vozarrón que algo le cascan ya los años.

Y es que, al detenerse para tomar un respiro en su marcha por el callejón, ha descubierto, seis pasos a su derecha, un ser desconocido e hirsuto que lo mira. Le ha venido a la zaga, sin que lo advirtiera, y ahora también ha hecho alto.

—Debes de haber sido valiente, hasta feroz, apostaría —agrega el caballero—. Ya sólo resultas cómico.

Escruta luego esas pupilas que se cobijan entre la pelambrera. Los perros que nos siguen tienen siempre los ojos dulces. El cariño de sus miradas es temerosa e implorante.

De manera que termina don José Pedro por soltar unos borbotones de risa, que le humedecen y le nublan un poco la vista, y por acoger, cariñoso a su vez, al improvisado compañero:

—Sí; no pareces mal sujeto. Bien. Vamos junto. Conque... andando, a pie los dos... ¿Ah?

Conforme le hablan, va el perro soslayando unas cabezadas, soltando con ellas cierta especie de estornudos que significarían gracias o afabilidades. Mueve ya confiado el rabo y, a las voces o rezongos del señor, concluye por tomar la delantera.

El caballero camina y observa su animal. Es un perrazo viejo, estrafalario, de hombros flacos que se le juntan en la cruz, con lanas de varios colores entreverados, encanecidos más bien, y vago, seguramente allegado a cualquier ruca hoy, al primer caminante mañana. "En fin —piensa don José Pedro—, como los hombres de la comarca entera, por afecto, por temor o por hábito de acatamiento y reverencia, también los perros me reconocen patrón."

Y así, halagado su amor propio, continúa esa mañana entre las dos filas de gigantes eucaliptos. Sus plantas huellan la greda parda y apretada donde las hojas caídas péganse como corvos cuchillos chilenos.

A tal hora, rayando el mediodía, pasa el tren de Santiago hacia el puerto, y en el paradero le deja los diarios y el correo. Ya envejecido y algo perezoso para las muchas faenas agrícolas de antaño, gústanle ahora estos cotidianos paseos a pie, al encuentro de las noticias del mundo, de las cartas en que nietos le ponen posdatas, del incansable Antuco que tanto anuncia regresos de repente. Suelta con ello además las piernas y conversa de rancho en rancho. Conversa porque a medida que remonta la edad le nace mayor apego a sus rústicos. Le divierten y los admira: poseen esa gracia compuesta de ingenuidad y malicia que sólo por excepción milagrosa el arte criollo consigue reproducir.

Pero ese día, de improviso, el acompañante, hasta entonces tan lerdo y senecto, yergue la cola y parte veloz hacia la ruca de ño Ramitos. Bajo la higuera que sombrea la vivienda, cuelga la mancha roja de una res recién carneada.

Acude también a prisa el caballero. ¿Qué puede haber ocurrido? ¿Algún buey quebrado acaso?...

Ramón Ramos, alias Ramitos, es uno de los peones de La Huerta que más recrean a su señor.

Pequeño y peludo, montaraz, algo contrahecho, todo él renegrido y de indecisa edad, más que ser humano semeja alimaña. Tiene algo de gallinácea y más de caprino, de chivo salvaje, y negro. Sus barbas, de cerdas ralas poco crecidas, entenebrecen más las gredas ahumadas de su máscara inmóvil. De los pantalones a media pierna le bajan a las ojotas unas extremidades de caprípedo, y las manos flacas y pellejudas recuerdan las patas de un pavo.

No da Ramitos ejemplo de la gracia campesina, de aquella mixtura de ingenuidad y malicia; pero sóbrale uno de sus elementos, el ingenuo, para regocijar a don José Pedro más que un ingenuo agudo.

Desde luego, jamás óyesele ocurrencia o mero pensamiento propio. Limítase a repetir cuanto le dicen, variando a lo sumo el tono, ya se le suponga expresar duda, ya el objeto de asentir, o para negar humildemente.

—¡Ajá! Sembraste cebada en tu cerco, Ramitos.

—Sembré cebada en mi cerco, patrón.

—Pero amarillona la veo.

—Así es, patrón. Amarillona.

—Le faltará riego.

Vacila unos segundos, se rasca la pelambrera de la cabeza, o la del pecho cabruno, y repite:

—¡Hem! Le faltará riego.

Pero don José Pedro, que ha escarbado entretanto con el pie la tierra y la descubre húmeda, se corrige:

—No, mira, no está seco el suelo. Puede que tenga demasiada agua. Por agua de más también amarillea la cebada.

—También amarillea, patrón, por agua de más la cebada.

Y si en otra oportunidad se ofrece pronosticar el tiempo, vuelve a reaccionar apenas como un eco el paupérrimo cerebro de Ramitos.

—Este invierno promete ser llovedor

—Llovedor, patrón, promete ser este invierno.

—Se ve mucha chicharra en el monte. Y es la señal.

—La señal es. Hay porción de chicharra en el monte.

Exasperaría Ramitos a cualquiera. Pero a don José Pedro le hace tanta gracia, que más bien juega con sus preguntas al acertijo, y se despide triunfante cuando el eco funciona sin la menor falla.

Pues bien, alguna vez debía Ramitos decir algo por su cuenta, dar alguna respuesta propia.

Y el fenómeno se produce aquella mañana.

—¿Qué ha pasado, Ramos? —pregunta el caballero, tan pronto llega delante del animal desollado bajo la higuera.

—El burro, patrón.

—¿Tu burro?

—El mesmo, patrón.

—¿Y qué fue...?

—Me lo desculó el tren.

—¡Cómo!

—Se dentró a la línea, vino la máquina chica, la que anda trajinando de acá p'allá, le pegó un topón y lo desculó.

—¿Quedó vivo?

—Sí, patrón.

—Entonces, tendría remedio, quizá. Eso de precipitarse y matarlo...

—No, patrón. Yo tiré a hacerlo andar, pero el culo no lo acompañaba.

Nunca olvidará don José Pedro esta escena, única en que Ramón Ramos, Ramitos, se ha revelado al fin capaz de dialogar con recursos de criterio y palabras personales.

*
* *

"Este niño quiere mucho a su padre, pero le tiembla", se dijo misia Marisabel en conclusión, después de haber conversado mucho y repetido con Antuco durante aquellos días.

El "niño" era ya todo un hombre, por cierto, un hombronazo, aunque para las ternuras maternas se revistiera siempre de infancia. Tres semanas había pasado en La Huerta y acababa de partir a la cordillera otra vez.

—Ya estará helando por esas serranías, hijo. Quédate aquí ya para el invierno —le pidió la señora.

Pero él adujo que cabalmente, a causa de los ganados, que con las primeras escarchillas exigían traslado a posturas de invernada, su presencia resultaba por allá más precisa en otoño. Y, si bien bajo promesa de volver por junio, se marchó.

Pronto hubo de suponer misia Marisabel muy simple aquella su conclusión sobre la psicología del joven y quiso meditar mejor el asunto. Porque varia y compleja veníale pareciendo la entraña de los diálogos sostenidos con Antuco a lo largo de su última visita.

De modo que, como siempre que deseaba esclarecer emociones y presentimientos, se dirigió al pequeño bosque de pinos fronterizo a la casa.

Amaba la dama ese pinar. Y además, sus rumores suavísimos, como seres de misterio que de la sombra viniesen a ella, estimulábanle la mente. Eran como pensamientos ellos mismos, que llamaran y reunieran a los de la señora. En el centro había un espacio umbrío, sin vegetación menor. Allí los rayos del sol jamás llegaban; apenas una luz difusa. Sobre un colchón de agujas desprendidas de los pinos apagábanse los pasos, y una olvidada tinaja se recostaba sobre su panza. Dentro metía ella las piñas que al andar tropezaba por el suelo, en acto maquinal de hacendosidad.

Misia Marisabel tomó, pues, asiento en su habitual escaño de tronquillos y diose a devanar y retejer sospechas.

¿Temía y nada más Antuco a don José Pedro? Más bien le asustaba la idea de reñir con él. Los caracteres de ambos, tan semejantes, prometían para cualquier choque demasiada violencia. De aquí que apareciérase de cuando en cuando, henchido de cariño y efusión, a ver, admirar a su viejo y ufanarse de él, a estrechar a su madre con ternezas de infante, pero que también se fuera luego. No sólo por tener empresas que lo llamaran se iba. Verdad que se rumoreaban ciertos amores. ¡Ah Valverde, Valverde! Algo más se presentía, más hondo y complicado. Y triste. Ciertos atisbos de la señora, fundados en diversos síntomas elocuentes, sugerían un resentimiento social que por razones de altivez lo alejaría del hogar paterno. Por sentimental mandato de arrepentida, y también por enfermiza inclinación a crearse motivos de dolor, habíase creído ella en la necesidad de revelarle su secreto, y el muchacho, de seguro, había sufrido tras las iniciales alegrías. Orgulloso como su padre, su soberbia no podía tolerar que por prejuicios de una sociedad pacata, injusta, despiadada y cobarde, el hijo de padres ya casados tuviérase que ocultar, como personificación de la vergüenza, o disimularse a lo menos. ¿De modo que su presencia constituía para su madre constante acusación de pecado bochornoso? El quería mucho a sus progenitores, pero debía serle duro a cada rato vivir con ellos. Tenía que impedírselo su vanidad de Valverde. Sí, misia Marisabel lo había observado: toda vez que de parte de "personas de sociedad" se producían esas afabilidades, superfluas, afectadas, que involucran un "Yo sé, no obstante perdono; mira cuán amplio y bueno soy", el mozo ardía y seguramente sentía ímpetus de patear. Ella lo comprendía. "¡Y con cuánta razón rabia el muchacho, Dios mío!", suspiraba.

Suspirar a solas, por lo demás, se le había hecho con la vejez costumbre y dulce placer.

No la preocupaba sólo esto, sin embargo. Apenas lograda su cuenta cabal sobre la cruel situación de Antuco, le cogió el sufriente corazón una novedad surgida días antes: doña Carmela, que desde años atrás residiera en Santiago, demasiado vieja ya para moverse de su poltrona, había muerto. Don José Pedro asistiera de luto riguroso al sepelio, y con visos de serio pesar. ¡Conformidad! Ella no había dejado traslucir la tortura de celos que aquello le produjera. Mas he aquí que horas atrás llegara carta del albacea de aquella octogenaria, misiva en la cual comunicábase que la viuda de Burgos había legado a don José Pedro, "cuya compañía fuérale inolvidable" —así rezaría la cláusula testamentaria—, el potrero de La Mielería denominado El Infiel, y con encargo expreso de que se le llamara El Fiel en adelante.

Esto tuvo que removerle antiguos dolores. Removérselos y exacerbárselos, pues su imaginación de celosa le dictaba intencionadas y hasta diabólicas interpretaciones sobre aquella "fidelidad" que simbolizaría en su nuevo nombre aquel terreno. Don José Pedro, él sí, por supuesto, estaba contentísimo. ¡Ah Señor, Señor! Proyectaba él plantar allí una viña nueva, que ya envejecía la otra.

Pero cuando aún no trazaba sus planes bien, al caballero se le había presentado cierto inspector de impuestos, quien investido de la severidad de la ley, venía para sellar el alambique y la vasija del aguardiente.

Don José Pedro se negó, desde luego, a obedecer el precepto legal. Desconocía este nuevo disparate de los legisladores, de "los eternos inconscientes enemigos de la producción". Entre agresivo y sarcástico, dijo al funcionario que mandaba él y sólo él en su fundo. Era dueño y señor de sus tierras y de cuanto en ellas poseía. Por último, su heredad era inviolable. La ceguera de su cólera, bien lo vio la señora, lo tuvo lívido en ese momento, con la diestra sobre sus cadenas, cual si la posara encima del legendario derecho de asilo materializado allí en hierro. Sin la menor cortesía para con el inspector, volvió en seguida la espalda.

Aquel hombre se retiró molesto.

El caballero andaba de humor insoportable desde tal escena.

La pobre señora tenía, pues, motivos para inquietarse y sufrir. Sólo que la sabia clemencia que conduce por la vida las almas había tocado a esta mujer con su dedo de virtud: habíale otorgado el placer de lo dramático. Así, sus penas, si no tantas ni tan intolerables, eran por ella misma primero agigantadas, hasta formas dolorosas, próximas a la tragedia, y saboreadas luego. Contemplando su desgracia, componiéndola como un artista compone su obra, asistía por fin misia Marisabel a sus dolores transida de goce. La vida solía reunir algunas crueldades para ella, sí; pero, aderezadas para ese teatro, ella las amaba y se amaba en ellas como heroína. No se hubiese cambiado por nadie, a no dudarlo. Adoraba siempre a su marido. ¿Lo adoraba por culto y sumisión de romántica enamorada, por virtud y obediencia cristianas, por el hechizo de don Juan, inextinguible? Sí, apuesto y seductor veíalo aún: si los años habíanle velado el brío juvenil, le habían compensado con majestad. Prestancia por prestancia. Pero... acaso le amara más por haberle traído este interés del sufrimiento con grandeza...

De fijo que su capellán y confesor, el mercedario, descubría en este fenómeno de su feligresa la mano de Dios. Siendo tan buena y humilde ante la Divina Voluntad, ¿por qué no recibía del Altísimo liberación de penas y torturas? Mejor sabía El premiar: más que quitarlas, valía convertirlas en placer.

*
* *

Traía don José Pedro de la capital una esperanza fingida. Tal fue la convicción de la señora cuando salió a recibirlo en el coche al paradero del tren. Ella sabía leer en aquel semblante.

—¿Hablaste con Felipe Toledo?

—Hablé, hija.

—¿Se hizo cargo de la demanda y todo?

—Naturalmente. Le di poder. También le firmé un escrito para los tribunales. Y cambia ese ánimo, nada temas.

—¿Y de casa? ¿Cómo anda eso?

—Todo normal. Antuco aloja cuando baja de la cordillera y siguen cuidando los sirvientes.

Ya en el comedor, misia Marisabel cebó por manos propias el mate que a su marido gustábale sorber en llegando. Dentro de su mente bullían los conflictos en agitada mezcla: la mansión santiaguina, al arbitrio de la servidumbre; aquel "niño", suelto y sin regresar ahora que su padre podía necesitarlo; la tal inspección de alcoholes, convertida en amenaza... ¡Qué tiempos, estos modernos!

Observaba entretanto al caballero, con tino y disimulo. Sí, aquella tranquilidad era sólo comedia. En cada silencio se ponía ceñudo, y aunque charlase como quien se distrae, no tardaba en recaer sobre su tema:

—¡Hem! Tengo afilado el cacho; así es que si se me tiran encima, se ensartan.

—¿Qué piensa, en suma, Felipe?

—Dilatar. Ganar tiempo. Me reuní también con mis amigos de la Sociedad Nacional de Agricultura. En fin, ya veremos.

Había hecho ese viaje a Santiago porque, tras la visita de aquel inspector, y sin que mediase un mes, llegó al fundo un receptor judicial a notificarlo. Debía facilitar el sellado del alambique y de la vasija de alcoholes destilados. Habíalo despedido él, por cierto, de mala manera, y como se repitiesen los exabruptos una vez aún, el juez de San Antonio había concluido por citarlo para comparecer a estrados, bajo apercibimiento de prisión. Iracundo, rompió él entonces la cédula, en las narices del rábula, y partió a la capital.

Ahora, en virtud del poder extendido, comparecería Felipe. Y él, plantado en su soberanía, encogíase de hombros.

Mas aquel gesto era fingimiento y nada más para la señora. En realidad, dentro de don José Pedro se conjugaban ideas contradictorias. Sus consocios de la Nacional indujéronle al optimismo; los jurisconsultos, al respeto a la ley. Según los unos, con influencias todo se dejaría dormir y fenecer en el sueño; a juicio de los otros, no cabía excepción. Los amigos, empero, acaso lo alentaran por adulones: eran criadores de caballos chilenos, y como él había fundado en la Sociedad el registro para los equinos criollos y presidía su jurado, tales señores, con miras a ganarle la voluntad para inscribir sus potros y sus yeguas entre lo fino, lógico resultaba que lo animasen y hasta le ofrecieran sus empeños. En cambio, Toledo... El buen Felipe, abogado ya de nota, sólo habíale hablado de conjurar consecuencias, pero sin prometer medios cómo eludir para lo venidero la inspección de alcoholes.

Así, pues, misia Marisabel estaba en lo cierto al estimar fingida la esperanza que su marido traía de Santiago.

Como que al rodar los días el aplomo se fue trocando en irascibilidad. Terminó el hombre su vendimia ese otoño y, aun cuando cabizbajo y sin fe, dispuso lo menester para que se destilasen no sólo caldos, también orujos, con fines industriales. Cabalmente haría, pues, a su albedrío, lo que la ley exigía vigilar.

Entretanto, deambulaba nervioso, cejijunto. "Antes arranco la viña", le oyó mascullar misia Marisabel a raíz de la lectura de una carta enviada por Toledo. A las preguntas de la señora, en esta ocasión como en las otras en que le traicionaran burbujas de sus monólogos interiores, él respondió sonriente y tranquilizador. Ella, no obstante, aquilataba síntomas. Aquel genio, aquel "geniazo", parecía ir templando todas sus cuerdas con acumulada ira.

En adelante misia Marisabel observa sin cesar.

La tarde de un domingo, mientras el fundo descansa de faenas, el patrón ha citado a su viejo pelotón bravo. Pascualote, Bruno, Cachafaz, aunque ya envejecidos, fuertes todavía, se agrupan con él. Los tres tienen hijos ahora, grandes y robustos como ellos antes, y los padres los han traído consigo. Por lo que se colige, les van a enseñar el manejo de las *pívoris*. Además, revisan la barra que se construyera cuanto ha, cuando se temieron salteos a La Huerta y se previó el evento de aherrojar presos.

—¿A qué tan raros preparativos, hijo? —inquiere la dama.

—Merodean por ahí algunos cuatreros, vieja. No se alarme.

Sospecha la señora que don José Pedro siente una espada suspendida por ese asunto de los aguardientes. Pero ha de callar con prudencia. A diario le interpreta pasos y actitudes. Vive iracundo, por dentro de su aparente serenidad. Y a veces también por fuera. Todo ahora le irrita.

Una mañana, no bien le han ensillado la más joven de sus yeguas, el animal cae repentinamente muerto a sus pies. El alboroto que la sorpresa levanta se complica en seguida por mil ingenuos comentarios de los huasos. Porque abierta la bestia, en autopsia, nada particular acusan sus entrañas, y ello sugiere a los rústicos un evidente mal de ojo.

—¿Brujería?

—¡Brujería, está claro!

—El machi, él, él lo ha hecho.

—¿Cuál? ¿Venancito?

—No; ése no es sino curandero, el pobre. El indio que se aloja donde Toro, el abocador de la trilladora.

Don José Pedro nunca prestó mucho crédito a estos maleficios; mas tan incomodado vive, tanta violencia se le ha venido acumulando que, subconscientemente, se coge a la oportunidad de un desahogo.

—Pascualote.

—¿Patrón?

—Tráeme aquí ese machi. Y a Toro con él.

Hacia mediodía, Pascual conduce, como a dos reses, al hechicero y su huésped.

¡El machi! Se trata de un viejecillo infeliz. Lo ve llegar el patrón, que apronta la chicotera, y su cólera se derrumba en desengaño. Viene descolorido. Camina rápido, con esos pasitos muy menudos que sólo se articulan de las rodillas a los pies. Sobre tal mañoso mecanismo de la senectud, su busto se giba; le cuelgan largos los brazos encima del pantalón; bajo la chupalla, tiene amarrada la cabeza con un pañuelo carmesí muy sucio, del que asoman y penden junto a las orejas dos tufos de pelo indio, sustitutos de patillas para el araucano lampiño. Color de polvo entre sus ropas color de polvo, tiembla en cuanto se halla delante del anciano patrón. Toro se contagia de temblores y livideces.

—¿Cómo te llamas?

—Huenchu, su mercé.

—¿A qué has venido al fundo?

El machi mira indeciso a Toro, que responde por él:

—Yo lo recogí, patrón. No tenía dónde parar.

—Le has hecho daño a la yegua.

—¿Yo? No, su mercé. ¡Cómo se le ocurre, su mercé! —gime, más que niega, el asustado.

—Por si acaso —decide don José Pedro, más bien riendo, y con más repugnancia que dureza— pónganlo en la barra a ver si confiesa.

Caminan todos hacia la bodega en que se halla el cepo, largo barrote con argollas empotrado en la pared.

Aherrojado por ambos tobillos, medio colgante sobre la greda del suelo, el vejete llora.

—Esas patillas, patrón —dice alguien—. ¿Se fija? Ehi tienen el poder éstos.

—Y cuando se las rapan —agrega otro mirón— lo pierden al tiro.

—Se las cortamos, entonces. Pascual, tú.

En la rueda de curiosos que han invadido el bodegón circulan secreteos, reprimidas risas y murmullos de superstición.

De pronto callan todos, suspensos. Pascual ha cercenado los cerdudos tufos y ha corrido un escalofrío entre las almas.

—Aura hay que untarle aceite con ceniza en la reiz del pelo —sentencia un experto.

—Claro. Así, aunque le crezcan de nuevo los colgajos, la virtú le muere pa siempre al machi.

Don José Pedro, a cada minuto más incómodo, no quisiera ya mirar aquello. El cuadro le repugna. Encoleriza de veras ahora, de vergüenza. No sabe qué ácido intolerable le roe las entrañas. Si ese indio fuera mozo, lo azotaría. Pero... tan inerme...

Vuelve la espalda y, al oído de Pascual, ordena:

—Tenlo así una media hora, para escarmiento de todos, y lárgalo después.

En esto percibe que Toro, el abocador, protesta solapadamente. Le ha entendido decir "ricos de la gran perra".

Y, entonces sí, su iracundia se desata. La chicotera se descarga en golpe seco y retumbante sobre la boca del atrevido.

Pero a la vez el caballero reconoce a misia Marisabel en la puerta iluminada de la bodega, y en lugar de seguir castigando se reprime y sale al encuentro de su viejecita.

Se lleva dentro cólera y bochorno, algo que quiso estallar y persiste opreso. Opreso y opresor. Hay un fracaso en esto, y algo más que no le ofrece solución.

Afuera ya, rodea con el brazo los hombros de la señora.

—Vamos, Marisabel.

—Vamos, hijo. Tranquilícese.

Camina el anciano señor. Sin que su rostro se altere, dos lágrimas le ruedan sobre la barba, ya tan escarchada.

—¡Qué lamentable, hija!

—Calma, polvorita, calma.

Días después le advierten que Toro, el abocador, habla de irse de La Huerta.

—¿Se irá? —pregunta el caballero a Sebastián.

—Y si se va, luego vuelve.

—Así es el peón.

El viejo mayordomo baja la cabeza, se ladea el sombrero sobre la ceja izquierda y se rasca según su costumbre.

—¿Lo dudas?

—Al contrario. ¡Y cómo ha de ser, pues, patrón, el pobre! Pasto blanco. Lo pisotean, pero él se levanta, y a la tarde ya está fresco, creciendo pa que se lo coman.

No habla con intención, no. Es el antiguo campesino que ha identificado al amo con el sol, la vida con los cambios del tiempo. De nublado a despejo, de siembra a cosecha, de trabajo a reposo. Regresará el abocador, si es que se aleja. En el campo, una sabiduría humilde crea un ánimo natural que la ciudad desconoce. Un vivir claro, cristiano y manso. Con esa claridad se asiste a misa, con ella se viven largos años y se muere. En paz, siempre, en la paz de las bienaventuranzas.

*

* *

Así, en aquella inquietud sumergida pero que a todos, a cuál más, a cuál menos, algo se contagiaba, el año dio su vuelta completa.

Don José Pedro hacía esfuerzos para mostrarse distraído y seguro, aunque a menudo su cara, repentinamente torva, escondiérase bajo el ala del ancho sombrero; aunque uno que otro inopinado estallido delatase su irascibilidad, y aun cuando tal cual vez alguna frase de su monólogo interior, que alguien por azar percibía siempre, sugiriese que para el caballero había cierta puerta sobre un abismo, que temiera él de pronto ver abrirse a conflictos de mala consecuencia.

Como que una vez Antuco y misia Marisabel oyéronle decir:

—Nunca puede uno echar del todo al ente asustadizo que los viejos forman a uno dentro mientras es muy niño.

Si bien había luego añadido:

—Mejor, quizá. Porque se pone uno alerta y se precave con planes meditados a tiempo.

Con lo cual, si al pronto inquietaba, infundía fe después.

Lo cierto es que aquel año destiló también sus aguardientes a gusto y gana, dejando los cuidados a la diligencia de Felipe Todelo en tribunales, y cumplió los afanes agrícolas de las cuatro estaciones.

Las faenas habíanse abreviado mucho, por lo demás. La trilladora reducía la duración de las cosechas, pues trigos, cebadas y porotos eran por la máquina desgranados y metidos dentro de los sacos en rápidas semanas; con la vía férrea en el fundo mismo, se aligeraban los transportes, puesto que lanas y productos de todas las recolecciones no iban ya en lentas caravanas de carretas y mulas a Melipilla o al puerto; por último, la vendimia, ya que la dotación carretera sobraba y los peones disponían de mayor tiempo, se hacía más expedita. Y como Antuco venía en ayuda para esquilas, rodeos, siembras y barbechos, don José Pedro vivía con bastante alivio.

Pero los viajes del mozo a La Huerta no sólo le daban liviandad en el trabajo y el humor; con él cabía consultarse sin desmedro del amor propio. "Mucho acompaña el hombre al hombre —decía—, sobre todo cuando ni acompañado ni acompañante se asustan por los problemas y las complicaciones de una estúpida ley de alcoholes."

Solía, sí, Antuco, pedir demasiado dinero y acaso con excesiva frecuencia. Lo solicitaba, verdad, para sus inversiones cordilleranas, de futura riqueza; pero a don José Pedro le producían sobresaltos aquellos iniciales gastos. No obstante, tras de inquirir y justipreciar el costo de toda empresa en tiempos modernos, giraba siempre. A lo sumo, repetíale al muchacho la sentencia que a él en la juventud le había sujetado a tino: "No es cosa de quemar toda la leña en el mero desayuno". Luego abría la bolsa.

Y abríala de buen grado, porque lo guiaba otra intención aún: mejorar al hijo en vida y compensarle así las desventajas de su "pecado original". Todavía otra razón había: las visitas de Antuco le robustecían el optimismo. Su actitud joven, confiada y valiente, su extraordinaria dinámica frente a cualquier situación, hasta sus ademanes y su manera de hablar, encendiéndose y poniéndose de pie o dando grandes zancadas, le parecían su propia mocedad resurrecta, y entonces las noticias que de Toledo recibía, cada día peores, perdían toda virtud alarmante, se quemaban cual simple hojarasca en la llama de la confianza impetuosa. Y se ponía de tan buen humor el caballero, que aun en horas de zozobras era frecuente oírle tararear y verlo sentarse a escribir largas y chistosas cartas a los nietos, a cuyo pie firmaba ya *Tata José Pedro,* ya *Caballo Pájaro,* con divertido semblante.

Misia Marisabel, a pesar de no tenerlas todas consigo, pasó ese año en relativo sosiego. A no ser por su prurito de llevar al drama todo asunto, las cuitas no habrían significado mucho para ella. Por las noches, cuando hacía buen tiempo, se paseaba un rato sola por el parque. Don José Pedro fumaba enfrente, en el corredor obscuro. Ella, desde antaño, tenía este goce de la noche antes de acostarse, rezago de idos romanticismos. Apenas concluían de comer, bajaba ella las gradas de la casa y se perdía por entre los árboles. A veces soplaba un poco helado el noroeste; pero ella sabía que aquello era cuestión de minutos. Un rumor en las copas, sostenido y bravío; luego, bruscamente, cesaba el viento y el parque entero quedaba quieto y mudo. Parecíale a la señora que algo iba entonces a sobrevenir. El misterioso mutismo de las arboledas en la noche inmóvil había puesto en su espíritu, desde niña, propensión a los temores de lo sobrenatural. Temblaba por esto su alma un fugaz instante, y luego, sosegada ya, sentíala ella como crecer, y salirse del cuerpo, lenta, y expandirse confundiéndose con el aire. Era un alma que entraba entonces entre los troncos y los matorrales, vagabunda y flotante. Poco a poco, este vibrar en armonía perfecta le daba la sensación de un contacto con el infinito. Y soñaba. Si no ya sueños propiamente como antaño, la vejez al menos repetíale una lejana y deliciosa emoción de la adolescencia.

Cuando Antuco estaba en el fundo, dirigíase la señora después a conversar con él un rato en maternal intimidad. Primero, desde la umbría, lo divisaba con su padre, paseándose por el corredor. Y sus ojos los seguían. Ellos, sin lugar a dudas, sabían que la señora los acompañaba con la vista. Los dos puntos de fuego de sus cigarrillos iban y venían en la obscuridad, y las bocanadas de humo salían de bajo del alero y azuleaban en la noche hasta desmenuzarse.

Misia Marisabel esperaba que los hombres se despidiesen, y no bien don José Pedro recogíase a su cuarto, ella tomaba rumbo hacia el de su hijo.

Se hospedaba el muchacho, ya desde tiempo atrás, en un dormitorio del ala nueva de la casa, junto al salón. Se le quiso probar deferencia con aquel cuarto amueblado ex profeso para él. Las habitaciones del caserón eran altas del techo, con la viguería descubierta en negruzco entrevero. A las del ala nueva, empero, habíaseles puesto cielo raso de tablas. Mas el entretecho así formado, antes que en comodidad y decencia, redundó en grave molestia: se pobló de ratones. En tropeles que corrían como manadas de ovejas, asustaban de repente con sus carreras de espanto. Porque también, con el obscurecer, introducíanse allí lechuzas cazadoras a librar batalla contra las ratas, que se imaginaban enormes y cerdudas. Por ello ni misia Marisabel ni su marido habían querido mudarse a tales piezas. Preferían la tradicional de tejavana, aunque solieran algunas palomas hacer nido entre muros y vigas. Lejos de molestar, más bien favorecían con sus arrullos el sueño de la siesta, meciéndoles acaso en el recuerdo de sus infancias con ama y cuna.

Buscaba la señora confidencias y no mero placer de charla en la pieza de Antuco a tales horas. El "niño" había pasado de largo, y bastante, los treinta, y, sin embargo, no se casaba.

—Ten cuidado, hijo, con los amoríos. No sabe un hombre cuándo ni cómo lo pesca una mujerzuela de tres al cuarto.

Antuco sonreía y su sonrisa despejaba recelos.

Lo que acaso temiera más misia Marisabel se agazapaba en esa vieja historia con la hija de Cipriano Correa. Multimillonaria ya, tenía los cortejantes por docenas, y no obstante a todos volvíale la espalda. No había logrado la pobre olvidar a su galán de la madreselva. Así, maduraba en soltería.

—¡Ya es uva de cuelga, entrando a pasa! —exclamó una noche Antuco.

Y ello tranquilizó a la señora.

—¡Jesús! —limitóse a decir, conteniendo la risa.

—¿Por qué pone, mamita, esa cara tan sugestiva?

Era que habíanle traído en cierta ocasión el chisme de que Cipriano rabiaba de ver mustiarse a la hija empecinada.

—Me la fatalizó el tal Antuquito —habría jurado el viejo, agregando—: ¡Ese jote costino!

—¡Hubieras visto a tu padre! —advirtió la señora.

—Y oído.

—Así es. Visto y oído. Soltó primero una de sus carcajadas. Después comentó: "¡Jote! Si cargara con el muerto ahora, claro que resultaría jote. Cuando la metía bajo la madreselva era otra cosa la criatura. Conténstenle de mi parte a ese imbécil de Cipriano que jote que sólo come carne fresca no es jote aunque le parezca".

Conversaban así, madre e hijo, antes de acostarse.

Hasta que llegaban al mozo fechas de urgencia y partía.

*

* *

Había, en efecto, una puerta cerrada sobre un abismo, y esta puerta se abrió al cabo, conforme a las sospechas del caballero.

Cierto atardecer de otoño, dispuesto ya por Antuco su regreso a la cordillera y en vísperas de que don José Pedro repitiese las destilaciones como el año anterior, se presentó de nuevo el funcionario de alcoholes. Padre e hijo, montados en dos bayos idénticos, volvían de la viña y entraban a las casas por la tranquera del huerto, cuando les vino al encuentro, muy alarmado, el viejo Pascualote:

—El inspector, patrón. Aura se aparece con tinterillo y pacos. Muy guapazos los diantres.

—¿Pacos, dijiste?

—Dos, patrón. De San Antonio.

El caballero se desmontó lentamente.

—¿Dónde están? —preguntó mientras entregaba las riendas a Pascual.

—En la puerta grande, al lado de afuera, con los niños del pelotón...

—¡Ah! Ellos...

—Sí, listos, cumpliendo como su mercé quería.

El sirviente descalzó en silencio a sus amos las espuelas, juntó las bridas de ambos caballos en un solo puño, y tirando, caminó también detrás.

Habían tomado rumbo al portón. Pero a medio trayecto el caballero detuvo al muchacho:

—No vengas conmigo. Anda y acompaña tú a tu madre, que ya me la figuro sufriendo presentimientos de tragedia.

En la portada con que se abría el patio de carretas a la trocha vecinal, estaban el funcionario de impuestos, un receptor y dos guardianes de policía. Bruno, el cabo Bruno, veterano de la guerra y sin más prestancias ahora que las de su carácter vencedor de la vejez, y tres mocetones fornidos, carabinas al brazo los cuatro, guardaban la entrada.

El inspector saludó solemne. Era el mismo de siempre, aunque muy metido esta vez en gravedad.

—¡Hola! ¿De nuevo aquí, joven?

—De nuevo, señor. Sírvase leer.

Leyó don José Pedro el pliego que había temblado en la mano del empleado y resumió, irónico:

—¡Ajá! Una orden judicial en regla, y en cuyo cumplimiento debe don José Pedro Valverde Aldana facilitar al inspector de alcoholes la selladura del alambique y de la correspondiente vasija. "Lo que se cumplirá, pone por último el juez, ante ministro de fe y con el auxilio de la fuerza pública si fuere menester."

—Yo —adelantó un vejete raído— soy el receptor...

—...de menor cuantía, sí. Así lo llama la orden. No se me afarole.

—Ministro de fe, señor.

—Cállese, hombre. Nada tiene que hablar usted. Viene a presenciar tan sólo. Por lo demás, será todo breve y rápido. Ya lo verá.

Y sin meditación previa, como acto muy de antemano decidido, invitó al caballero en seguida:

—Adelante conmigo, inspector. Pase usted también, señor ministro, y presencie la conclusión de este asunto que ya dura...

Se interrumpió ante cierto movimiento de los policías. Su diestra velluda, tendida y con la palma abierta, los contuvo:

—Alto. Ustedes no. Pacos no pisan mi casa. ¡No faltaba más!

En el acto los mozos del pelotón, como quien ejecuta previsión militar, se interpusieron entonces entre su señor y los polizontes. Y trémulos, el empleado de impuestos y su ministro de fe siguieron a don José Pedro.

Desde aquel momento se sintió ya vibrar la violencia en la atmósfera.

En cuanto se hallaron delante del alambique, sin que mediaran pausas, el patrón puso en práctica sus determinaciones:

—Pascual, el hacha. La grande, la de monte.

—¿Hacha? —murmuró extrañado el inspector, que sacaba ya de su maletín sellos, lacres y ligamentos.

Por toda respuesta, le clava la vista el caballero. Su mirada es terrible: fulgura, cambia, se aguza, se enfría, se reenciende. Cuando el hacha llega, la nariz del anciano se afila, blanca de cólera, y los ojos la llenan de reflejos. Diríase un hacha todo aquel perfil tajante. Todo fue ya cosa de momentos. De pronto, cogida la herramienta con ambos puños, se alza con los brazos formidables y cae, corta, insiste, golpea, derriba, muele, hace añicos serpentín, caldero, tinajas. Sin tregua ni respiro, se descarga una y otra vez. Minutos bastan para que la furia demasiado tiempo reprimida convierta en virutas de cobre, cascotes de greda y escombros, dentro de una nube de polvo y hollín, cuanto fuera fogón, vasija y alambique.

—¡Servidos! Cuenten a sus amos ahora que ya don José Pedro Valverde no destila más y que pueden, por lo tanto, guardarse sus sellos y sus lacres donde... menos les incomoden.

Aún rugió la voz al mayordomo que acababa de asomar:

—Tú, mi viejo, en cuanto la gente se vaya desocupando, la irás poniendo a que arranquen la viña. Toda, hasta la última planta, y lo más pronto posible, ¿oyes?

—Sí, patrón.

—Y puesto que nada les queda por hacer a ustedes aquí, lacayos, sigan a mi llavero, que los dejará otra vez en la calle.

Mudos y sin aliento se retiraron los comisionados de gobierno y justicia.

Todo había sido, en realidad, breve y rápido.

Se había hecho un gran silencio en las casas.

Al salir de la bodega solo, hacia el patio interior, divisó don José Pedro la dulce figura de su Marisabel, allá, viejecita y blanca entre dos granados frondosos y enrojecidos de frutos. No supo cómo le resurgió entonces en la mente aquella lejana infancia en que de las granadas labraba él coronitas para la Virgen María. Está la señora con Antuco y ambos sonríen. Una ternura, en ola de paz que cubre y aquieta las emociones violentas, le invade entonces el pecho, le sube a la garganta y le pone a riesgo de sollozar.

Pero llegan de pronto voces a sus oídos. Son airadas y evidentemente se alzan en el portón de las carretas. Algo se ha suscitado allá. Por último, suena un disparo.

—No; tú, junto a ella, hijo —dice don José Pedro al mozo, que ha corrido a su lado—. ¿Cómo se te ocurre ahora dejarla?

Y acude solo.

Frente a la portada, en efecto, hay un tumulto. Se ha reunido mucha peonada. Vocifera el receptor en medio. Los polizontes, que al parecer han sido desarmados, forcejean, sujetos por los hombres del pelotón. Y como una rata, el empleado de alcoholes huye despavorido a su tílburi.

—¡A ver, ...ajo! ¿Qué insolencia es ésta?

La gritería se acalla como por ensalmo, y explica Bruno:

—La indiaa, patrón, que se les desató a los pacos estos. De balde les dije que si no veidan las cadenas, que si no sabían que la casa suya no la puede atropellar ni la mesma autoridá. Inútil. A la bulla de golpes que salía de la bodega, figurándose sabe Dios qué, quisieron meterse no más pa adentro. Ya se habían enrabiado cuando su mercé los trató de pacos. Y contimás que, aquí, los niños los paquearon también su poco... Total, patrón, que uno largó un tiro al aire y se armó la de paire y señor mío.

Avanzó, entonces, don José Pedro hasta los policías. Le ardía en el ceño toda la fiereza.

—¡Basta! ¡Largo de aquí!

—Es que...

—¡Largo de aquí o...!

—Es que las armas... —se atrevió a rezongar un polizonte.

—Claro. Sin las armas no nos vamos —lo secundó el otro.

—¿Conque no? Mejor. Métanlos adentro.

No se hicieron repetir la orden los muchachos. Agarraron a los furibundos y se los llevaron al bodegón de los castigos.

Entretanto, los dos civiles, ya trepados en su tílburi, medían peligros, empuñaban riendas, hacían virar el coche y, azotando, emprendían galope hacia el paradero del ferrocarril.

De larga recordación serían aquellos sucesos en La Huerta y en la comarca toda. Cuando se perdieron de vista los fugitivos, don José Pedro mandó colgar a los polizontes en la barra. La policía, pues, fue puesta presa y en cepo.

Y hubo de permanecer allí hasta el día siguiente, en que se apersonó al rescate, muy respetuoso por cierto, un oficial.

Sabedoras del geniazo de aquel gran señor, las autoridades habían escogido un hombre prudente para desempeñar la misión. Traía este oficial carta del gobernador, un correligionario del partido, que debía el cargo a su cacique don José Pedro Valverde.

Lo recibió el caballero en el salón, con todos los honores del señorío. Aun le sirvió unas copas de aquel aguardiente que ya nunca destilaría, cambió con él ironías y bromas acerca de "legisladores y gobernantes a la moderna", y, tras de disponer que le fueran entregados sus "infelices", lo despidió con el más afectuoso de sus saludos para "su discreto y digno amigo el gobernador".

Misia Marisabel, que presidiera en la sala todas las finezas, tuvo mucho de qué reir después, a solas con su hijo, en análisis y recuento de arrebatos y bizarrías de aquel su "señor del trueno y de la galanura". Pero también, más que jamás antes de tales días, envolvió a su marido en las sedas de su cariño; porque no transcurrieron muchas semanas sin que la orden de arrancar la viña se pusiera en vigor.

Y porque junto con desaparecer aquellas parras con tanta ilusión y tanto amor plantadas, empezó don José Pedro real y efectivamente a envejecer.

*

* *

Nada de cuanto hiciera en su larga brega creadora, nada, ni el haber perforado cerros para convertir los míseros secanos en regadíos, ni el limpiar de bandoleros la región, nada le había ufanado tanto como su viña. Si en algún momento voló su espíritu engreído hasta las vanidades y llegó a sentirse como con la frente laureada, ello fue mientras recorría esos viñedos. Arrancarlos, perderlos de improviso, teníalo que amargar, hundirlo en exasperante amargura. Y todo por... ¿Por qué?

—Porque no has querido adaptarte a los tiempos —le objetaba Felipe.

Sí; Felipe Toledo, aunque como abogado lo defendiera con todas sus artes, en cuanto amigo lo acusaba de soberbio.

—¡Qué soberbia ni qué moledera, hombre! Los famosos tiempos modernos, ellos tienen dentro la locura. Y sus modernistas, que sin distingos dictan leyes contra el sentido de los hombres que hemos hecho de Chile un país. Esos políticos de hoy, envenenadores sociales por ambición egoísta, ellos, sobre todo ellos, tienen la culpa. Cuando menos lo pensemos no se podrá trabajar. No hay gobierno, no hay autoridad, no hay moral pública. Todo es ganarse mañosamente a la chusma con teorías. ¡Si al menos fueran teóricos estos tipos! ¡Bonita teoría la que pregonan! Bien lo dijo don Joaco al morir: "la bestia con la cola pará por delante y la cabeza a la rastra". Así estamos de absurdos hasta la tusa. Y aguante usted. Porque tampoco hay partidos de orden. Al mío, lo desconozco. Dice que "evoluciona". ¡Mentira! Se ensucia en los fundillos de miedo, desde que se viene dejando vencer. ¡Cobardes! mis correligionarios. No seré yo quien mueva un dedo por ellos en adelante. Que se vayan a la porra.

Y de sus vociferaciones, don José Pedro caía en acibarados desalientos. No podía soportar el nuevo siglo. Su ánimo alternaba los estallidos de cólera con momentos en los cuales una como cansada y hosca disposición a morir lo invadía. Su razón perdíase al no hallar asidero confortable, y tras los reniegos volvíase a Dios. Era que además cierto miedo católico, al pensar en la muerte, levantábale pequeños pavores por antiguas y persistentes dudas acerca de algunos dogmas. Solía entonces, oscuramente angustiado, coger su rosario y ponerse a rezar, diciéndose que sólo hay una manera de tener fe: creyendo sin discurrir. Hasta enflaquecido estaba; se le habían cargado los hombros, perdía el apetito.

—¡Y ese dolor de cintura! —suspiraba misia Marisabel a solas.

Pero tampoco reconocía él ni falta de vigor ni mala salud.

—No me mires así, chiquillo de miércoles. Me recuerdas cómo miraba yo a mi tío cuando empezó a arrastrar la pierna. Nadie tiene que compadecerme.

—Ya lo creo, papá.

En realidad, tanto la esposa como el hijo se alarmaban por el quebranto físico. El invierno, desde luego, le trajo aquella ciática —él seguíale llamando dolor de cintura, a la antigua— que le impedía montar. Misia Marisabel, seis años menor, y mejor conservada ya que la Providencia le convirtiera en placer de sufrir todo penar, cambiaba opiniones con Antuco, y entre ambos convinieron al fin llevarlo a Santiago para que un buen médico lo examinara. Si bien resistiéndose al principio, cedió luego él, pues deseaba urgir a Toledo en aquel asunto pendiente con la jefatura de los alcoholes, aún sin término y amenazante de formalidades majaderas.

Allá un internista de fama no sólo habló de ciática y lumbagos, también de anemia y arteriosclerosis, y recetó píldoras y linimentos.

—Friegas, sí. Todo es fregar —acotaba él entre aburrido y chistoso.

Y tras de arreglar con Toledo que su proceso fuera trasladado al juez de Melipilla, en razón de hallarse una parte de La Huerta dentro del departamento de San Antonio y en el de Melipilla el resto, y sobre todo porque en este último él continuaba con su antiguo nombramiento de consejero de policía en vigencia, regresó al fundo.

Aquí llamóse a Venancito, el curandero. Según él, este dolor de cintura se quitaría con un "secreto de naturaleza". Consistía en aplicar las plantas de los pies, desnudas, contra el tronco de una higuera y en tajar alrededor de ellos el contorno en la corteza. Cuando la herida cicatrizara en el árbol, desaparecería el dolor.

Mucho hizo reir y distrajo el tal remedio al caballero; pero se sometió a él. Entretúvole más el personaje, que además prometía devolver las fuerzas físicas perdidas.

Nombrábanlo Venancito, no por pequeño, que más que hombre resultaba gigantón, sino por ser hijo del "finado ño Venancio", meico también del inquilinaje. Había que distinguirlo con el diminutivo. Gordo, lampiño, con una carota más ancha que larga, una gran barriga y una voz de tonalidades reflexivas, Venancito, más que un curandero, era el creador de una teoría sobre la vida. A su ver y entender, Dios había imbuido en el mundo una determinada cantidad de fuerza vital, que necesaria y fatalmente se tenían que repartir los seres animados. Así, el suprimir la vida en muchas criaturas superfluas producía un sobrante que las demás absorbían, vivificándose, vigorizándose para triunfar sobre la enfermedad y la vejez, afianzando su existencia y aun prolongándola. Cuando a Venancito se le pedía, pues, la curación de un enfermo grave, comenzaba por exterminar todo bicho que hallase a su alcance, desde moscas, cucarachas y gusanos hasta ratones, pájaros, alimañas y sabandijas. Emprendía verdaderas cacerías. En relación con la fortuna y la credulidad del cliente, estas matanzas alcanzaban mayor o menor grado. No faltó, por cierto, quien diera muerte a corderos, bueyes resabiados, caballos mañeros y aun al propio perro, a trueque de tonificación para sí. Mientras más robusto el animal sacrificado, mayor fluido vital dejaba libre, naturalmente, para el sujeto en necesidad. A las matanzas industriales de ganados y demás actos en que se privase de vivir a los brutos, Venancito asistía de rigor. Daba siete vueltas en torno al moribundo, masculla que masculla extraños conjuros, y al expirar la víctima, él aseguraba recoger la vitalidad escapada y transmitida en virtud de su poder al enfermo. La teoría, simpáticamente, incluía los vegetales en sentido inverso: árboles, plantas y hierbas no consumían vida; la retenían para el ambiente, eran como depósitos de reserva y como acumuladores y focos de distribución. De ahí que residir en el campo fuese garantía de salud, fuerza y vigor.

Intrigado y risueño, burlón aunque por momentos inclinado a creer en las posibilidades de tal teoría, don José Pedro dejó a Venancito hacer. ¿Qué se perdía con ello?

Mientras resoldaba la corteza de la higuera y se veían los resultados de la tesis de Venancito, el caballero hubo sí de reducir sus actividades a ciertas inspecciones próximas, y ello a pie. Cuanto implicase rudeza quedó encomendado al muchacho.

Pero él madrugaba siempre. Obscuro todavía, misia Marisabel sentíalo inquieto en la cama.

—Ya enyugan —decía de pronto.

En efecto, tras una de las ventanas que daba sobre un callejoncillo del corral, se oían los trancos pesados de algún buey sobre los barros. Se adivinaba el hocico vahante dentro del aire neblinoso del alba. Y no mucho después el caballero estaba chapuzándose para salir.

Misia Marisabel y Antuco le servían a lo largo del día, supliéndolo el uno, acompañándolo ella con sus ojos cariñosos. Porque su andar se ha envarado, en pasos cuyos movimientos, de viejo equitador, parten de las caderas y lanzan las piernas adelante cual si aún estuviesen dentro de las altas botas huasas. ¡Qué diferentes de los pasos de cuando era mozo y andaba elásticamente, a flexiones de muslo, pierna y tobillo, y se le acusaba la musculatura bien ajustada sobre los huesos de coyunturas lubricadas de juventud! Ella compara los andares, mide y suspira.

Parte de la mañana pasábala el caballero en el amor de sus caballos, revisando pesebreras. Luego, del galpón de ordeño íbase a la quesería. En seguida desde la puerta del parque, afirmado en sus cadenas, ve regresar de la lechería las vacas tardas, el toro solemne de narices rosadas y goteantes, los terneros trotadores. Muge de vez en vez una, para llamar al hijo rezagado, y su voz sale, nube azul, del hocico alzado a la horizontal del testuz. Si el recental no acude, dobla ella el pescuezo para mirar atrás y ronronea sobre su costillar panzudo. El capataz apura con un silbido largo y trémulo; al andar picado de su rosillo, arrea. Si una res detiene la marcha o se desvía, el caballejo parte al toque de la rodaja. Un pechazo, y la vaca vuelve al piño apresurada. Su gran barriga zangolotea y las tetas van azotando los ijares.

—¡Ooooh!... —repite el vaquero.

Hasta que han desfilado todos y resuenan como un adiós sus trotes encima del puente de tablones roncos. El patrón los ha visto y contado. Echó de menos la "Cachimba" y la "Bandera". ¿Por qué? Con una ordeñadora conversa de ubres endurecidas y terneros grandes que señalan la merma en la leche de sus madres.

Así emplea la mañana don José Pedro.

Casi nunca sale al campo, a causa de aquella ciática; de modo que ve las ovejas tan sólo cuando las cambian de loma y las pasan delante de las casas ex profeso. El siente desde lejos cuando se aproximan: sus tímpanos distinguen el enérgico redoble de cien mil pisotones que es la marcha de los lanares. Y si no las cuenta por lo presuroso del tropel, las calcula. A la oración, si hay faenas distantes y Antuco las ha dirigido solo, al menos vigila él la vuelta de las carretas. Los carreteros delante, al hombro la picana y muy derechos guían, y siempre, sea porque llueva o porque mucho quemen los soles, bajo cada carreta camina un perro de lanas apelotonadas, a la sombra, más cómodo él que su gañán. Cuando hay que vender engordas, ahora va en tren a las ferias de Melipilla, con Antuco. Suelen visitar ambos al ya inválido compadre don Eliecer y atravesar las calles que conocieron a Pepito Valverde. Anda él ya doblado ahora; pero si alguna mujer asoma por puerta o ventana, en el acto se yergue airoso, se acomoda el chamanto al hombro, se atusa el mostacho y adquiere continente.

Así corren los meses.

Tras de las siestas, suele charlar con su vieja, que cose o zurce junto a la ventana.

—Ese Toledo está viejo de veras. No ha sabido defenderme. Ya lo ves. Ahora se dice por Melipilla que los impuestos quieren venir a comprobar si en realidad arranqué la viña, si tengo existencia de alcoholes destilados y qué sé yo qué más. Felipe decae. ¡Eh! ¡Pobre, también!

—No podrá él hacer más.

—Nada, hija. Decae. Carece de ascendiente, además. No ha logrado sujetar a esa prensa demagógica que me insulta en cada ocasión.

—Y sin ocasión. ¡Ave María!

—Ni más ni menos. Me dicen señor feudal, tirano de horca y cuchillo.

¡Qué saben esos mocosos y babosos de lo que Chile ha exigido de nosotros los que lo pusimos en orden! ¿Cómo habría yo arreado a los bandidos en otra forma? ¿Cómo habría creado en estas peonadas, con tendencia al pillaje todas hábitos de trabajo y honradez? Ahora debería yo poder hacer lo mismo con esos facinerosos de la administración pública.

—Pero a esa prensa le debes contestar.

—No, vieja. *Aquila non capit muscas,* decía mi tío. El águila no caza moscas.

Era el avance democrático de la legislación lo que a él lo exasperaba. El régimen y él habían ido en dirección divergente, como van siempre las generaciones extremas. Don José Pedro Valverde quisiera volverles a los tiempos la espalda.

—Si por lo menos a uno le dejaran en su fundo un retazo de su viejo Chile...

*

* *

A misia Marisabel se le desliza entre intimidades el tiempo. Aparte de los viejos celos, que la persiguen en el recuerdo y recrudecen cada vez que divisa chinas o huachos, su vida es más bien mansa. Aún goza las sensaciones con su fina sensibilidad y su cariño a la existencia campesina. Ya cosiendo en el patio, ya disfrutando en paz las horas, atiende a cada ofrenda de las estaciones como a regalos de Dios. Si el invierno se anuncia, ella mira tras los cristales cómo se arquean los árboles, cómo sus follajes se peinan todos hacia el mismo lado con el viento. No siente desde su tibio salón el ruido; las ráfagas pasan, pasan mudas, pero sin fin ni descanso. Una dulce tristeza —para ella todas las tristezas tienen dulzura— traen los primeros fríos. Otros días llueve a cielo desatado. Su marido, bajo el poncho, de pie dentro del hueco de la ventana, contempla incansable la llanura velada de gris. Durante los crepúsculos ella prefiere, por más recogido, el dormitorio. Allí le anochece. Llueve, llueve; mas al fin la lluvia para, se abre un desgarrón en el toldo de la noche y asoman las platas de la luna. Entonces en la estancia empiezan a resurgir los objetos que se habían borrado: el jarro y la palangana, blancos, y las toallas, y el espejo de cristal acuoso y reflejos arrugados, que también habla de charcas bajo el viento, y la vela en su palmatoria de cobre, y sobre todo aquel cuadro de San Jerónimo, en el cual cae también un tenue raudal de luz celeste desde un nublado tormentoso hasta la cara del santo en oración.

Se va marcando el calendario con novenas, cuaremas y misas por los difuntos. Hasta que se reanima la primavera y madura el verano, y el aire de parques y jardines desde la mañana se hace almibarado y ardiente, como las flores que calientan sus mieles al sol, y los perfumes se retardan en la atmósfera, y cacarean las gallinas y vienen las frutas, y no se sabe por momentos si aquella clueca es un duraznero lleno de duraznos amarillos entre el follaje, o si aquel duraznero es una clueca llena de pollitos entre las plumas.

A media tarde hay espectáculo doméstico. Laura, la ex llavera, ya viuda y valetudinaria, sorda, enlutada y seca, trajina sin cesar de patio a patio. Tiene manía de quejidos. Escúchanse constantes sus ayes suspirados. Cuando se dirige a la noria y saca el agua, cuando tira el grano a las palomas, cuando recoge un leño, cuando no hace nada y se acuclilla como mendicante al sol, se queja, exhala su "¡ay Señor!" de ánima en pena.

—¿Qué te duele, Laura?

—Nada, señora.

—Como te quejas tanto...

—Es que descansa mucho el cuerpo cuando una se queja.

Ella previene así dolores y fatigas, acopia bienestar de antemano.

Un día recibe don José Pedro una visita inesperada. Es el tonelero de Melipilla, aquel que tanto le divirtió siempre y cuya simpatía se manifestara con admiración fanática, aquel a quien apodaban Ganas de Mear y cuyo timbre de orgullo consistía en *pegarle al perro*.

Con su andar a rodillas juntas, origen del sobrenombre, se apareció en las casas un mediodía, minutos después de pasado el tren. Lo enviaba don Eliecer en misión confidencial. Porque al enterarse de noticias peligrosas para "el patrón don Pepito", había buscado al hombre más insospechable y más fiel para llevar su recado. Tratábase de avisarle que la fiscalización de impuestos volveríalo a molestar. Azuzada por la prensa y los caciques de izquierda y sabedora de que don José Pedro negábase a permitir que se le revisaran las bodegas para comprobar que no guardaba alcoholes y aun para establecer en forma oficial que viña ya no existía, recurrió esta vez a la gendarmería melipillana. No a la policía misma, sino a los llamados ya carabineros, cuerpo del que había un piquete allá desde que los gendarmes del sur constituyeran para los campos un regimiento paralelo a la institución policial.

Atendió el caballero a Ganas de Mear y, aun cuando se alarmara con la nueva, quiso mostrarse altivo y siempre admirable para su admirador.

Se portó el tonelero de acuerdo con su carácter, pintoresco y entusiasta. Dentro del salón, extrañado y molesto ante las finuras con que le trataba misia Marisabel, escupió en el suelo, se aclaró ruidosamente la garganta y apagó las colillas sobre los mármoles de las consolas. Luego, a mitad del almuerzo, a pretexto de hallarse incómodo con la ropa dominguera, hizo de su chaqueta un lío y lo puso bajo la silla. Deliberadamente, de sonajera de mandíbulas a regüeldos, no dejó pequeña grosería por cometer. Y sus ojos saltábanse de asombro porque la señora, lejos de inmutarse, proseguía fina y afable.

Y era que oportuno, en un aparte, don José Pedro había ya prevenido a la dama:

—No te asustes. Incurre adrede en todas esas atrocidades. A todo esto lo llama también *pegarle al perro.* Es uno de los tipos curiosos con que Dios quiere amenizar el mundo. Donde tú lo ves, pertenece a la buena familia. Hijo de grandes personas, hermano de gentes decentísimas, él ha querido contradecir cuna y convenciones de urbanidad. Nació con espíritu de contradicción, ¡qué quieres! Y raya en lo estrafalario por *pegarle al perro.* Hasta se casó con su lavandera. Se hizo tonelero en lugar de administrar las tierras que legó su padre, y comete inconveniencias por el puro gusto de ver escandalizarse a su familia. Pero en el fondo resulta un buen sujeto. *Le pega al perro,* nada más.

—Será loco, hijo.

—Quizá. Un loco simpatiquísimo para mí.

Después de haber detallado sus noticias, Ganas de Mear pareció desencantado. Aunque seguro de que don José Pedro le pegaría al perro, él quería presenciar las reacciones coléricas. Quiso entonces acicatearlo. Hablóle de cuánto lo quieren y admiran en toda la comarca por su estupendo carácter, de cómo ha indignado el saber que fuerzas del orden público, a él, veterano del 79, a quien todavía se le considera consejero de comisarías, por más que no quiere ejercer ya, se le pretenda vejar de buenas a primeras.

—Si hasta orden de prisión van a traer ésos, señor.

Don José Pedro, en silencio, se alejó a su ventana predilecta. Misia Marisabel llamó a un lado al tonelero.

—Como Antuco anda en la cordillera en estos momentos —le dijo—, quiero pedirle a usted un favor: vaya y búsquelo. Tendría que ir primero a Puente Alto; de allí, por tren, a un pueblecito que nombran Melocotón. Si no en el caserío mismo, por los alrededores lo encuentra. Entérelo y exíjale que se venga en el acto.

Don José Pedro vuelve pálido de su ventana y sonríe. Resume cuanto le ha dicho el tonelero, mordiéndose la ira, y al término encarga:

—A don Eliecer, que muchas gracias. Con tanta o más razón se las doy a usted. Y el uno o el otro, si encuentra medio de hacerlo sin comprometerse, adviértales a esos mequetrefes que no vengan a meterse aquí, porque los recibiré a tiros.

*

* *

—¡Ah! Pero juré recibirlos a tiros y a tiros los recibí —fueron las primeras palabras del caballero cuando lo bajaron malherido del coche y lo condujeron a su dormitorio.

—Basta ya de bravezas, hijo. Empapado en sangre y...

—En el coche hay un charco.

—¡Ave María! Llamen a Venancito. Corran.

El curandero, anticipado, esperaba sólo venia para entrar.

—Sobre la cama, así. Pero no te muevas tanto, José Pedro.

—Lo hago para probar si... ¡Caballo Pájaro! Nada. En los huesos no tengo nada. ¡Grandísimos...!

—Bien. Quieto y sin rabiar ahora.

—¡Pedazos de...! Dicen que cuando el águila está vieja cualquier tiuque le caga la cabeza. ¡Sí, cómo no! ¡A mí!

Costó sosegarlo, pero al fin lo consiguieron. Venancito, con pericia, examinó, lavó, ligó la pierna, fuerte, por arriba y por abajo de la zona herida, y puso emplastos de perejil sobre ambas bocas sangrantes para estancar la hemorragia. Había penetrado el proyectil por un músculo delantero y, atravesando la pantorrilla, había salido por la corva.

Pero tan pronto como se halló acostado y con la pierna quieta, hizo venir el caballero a sus hombres. Quería pormenores. Como no pudo actuar él sino a distancia, debían referírselo todo. Desde que recibieron el aviso de lo fraguado por las vengativas autoridades de impuestos, él habíase prevenido. Ancha tranquera cerraba ya el callejón de La Huerta en su empalme con el camino público. Al término de la perspectiva delineada por las dos hileras de eucaliptos, divisábase, pues, desde muchos días atrás, aquella defensa de las tierras señoriales contra peligrosos accesos, y los veteranos del pelotón, ahora con sus hijos fornidos, por rigurosos turnos montaron allí guardia.

—Si me buscan —había dispuesto el patrón—, que den su recado; porque sin mi permiso nadie pasa. Y si llegan a forzar la entrada, una vez en terreno mío, bala con ellos. ¿Entienden? Primero déjenlos faltar, violar la propiedad privada.

Y habíanse cumplido suposición y consigna; pues esa mañana, cuando se presentaron nuevo inspector y nuevo ministro de fe con tres carabineros, hubo gresca.

—La cosa se nos encrespó al tiro, patrón. Venían con la lección aprendida. A las primeras palabras echaron abajo las tranqueras, y, dar y dar culatazos, se metieron no más. Ehi fue la grande. Su mercé lo vido.

No era preciso explicar más, en realidad. A misia Marisabel, sin embargo, quiso el caballero exponerle lo sucedido. Mientras vigilaba él un ajuste de llantas frente a la fragua, una bala rasgó el aire con largo maullido. Primer indicio. Luego el oído alerto percibió las detonaciones distantes. Sin más que un iracundo "¡Caballo Pájaro!", más que articulado mordido, se fue a su bestia, siempre lista en la vara, y apretó cinchas, montó y tendió el trote hacia el callejón. En seguida tuvo a la vista la refriega. Un carabinero y uno de los muchachos, anudados como perros en lucha, se revolcaban ya por el suelo. Tendidos hacían fuego los otros dos gendarmes, y los veteranos del pelotón aprovechaban su puntería parapetados tras los eucaliptos. Las balas de ambos bandos partían de humillos azules y al rebotar en la tierra levantaban otros humillos, pardos, de polvo. El sol quemaba como un ascua y parecía destellar a cada disparo. A pesar de su cintura, tan adolorida, él emprendió carrera entonces; pero antes de alcanzar el terreno del combate, se sintió rodar con caballo y todo por tierra. La misma bala que fulminó a la bestia, seguramente, le perforó a él la pierna derecha.

—¡Virgen Santísima! Ni moverte podrías.

—Conseguí enderezarme apenas y, con el cadáver del animal por mampuesto, disparé todos los tiros de mi revólver.

—¡Había que ver! —intervino Cachafaz—. Nos gritaba el patrón "¡Caballo Pájaro! ¡No aflojen, niños!"

Sí, no cesó de dar voces. Bien lo recordaba. Y arrebatado por sus propios gritos, las pupilas empañadas por lágrimas de coraje ante su impotencia, vio el fin de aquel tiroteo; allá, en la carretera, iba un gendarme arrastrando a sus dos compañeros, heridos, acaso muertos, y corriendo de árbol en árbol, cautos, se aproximaban a su patrón en desgracia los bravos del pelotón. Después... Sí, recuerda luego haber divisado el coche que partía en su busca desde las casas... De pronto, un desvanecimiento, la hemorragia tibia encharcándole pantalón y zapato. ¿Qué más? ¡Ah!, los brazos de su viejecita, que le remueven amor propio y bríos...

Y reacciona:

—¿Habrá muertos, Bruno?

—Entre los pacos, puede.

—¿Y entre los nuestros?

—Fuera de su mercé, dos heridos; pero en puras carnes brutas, patrón.

Venancito lo tranquilizó:

—Pierda cuidado, patrón. A los tres días andarán dándose facha por ehi.

—¿Y el inspector? ¿Y el tinterillo?

—Esos... desaparecieron de una sola arrancá.

—A los primeros tiros, los maricas.

Hubo un intervalo festivo.

Por la tarde llegaron en tren especial desde Santiago, con un médico de Melipilla, Toledo, Antuco y el diputado por el departamento, correligionario que mucho debía por cierto al cacique don José Pedro Valverde. Arrojó el cirujano emplastos y perejiles, sondó y desinfectó la herida. No había hueso comprometido, pero sí la arteria tibial; de ahí la hemorragia.

—Tuvo, doctor, un desvanecimiento muy largo a mediodía.

El facultativo meneó la cabeza. En la pérdida de sangre, considerando el estado anémico, anterior ya, veía él lo peligroso, y en la urea, causa de aquella ciática. Los colapsos podían repetirse. En fin, vendó y recetó.

Pero al enfermo lo preocupaba sólo el conflicto.

—¿Crees tú, Felipe, que seguirán adelante su inquina esos canallas?

—Proceso habrá. Dos carabineros malheridos. ¡Figúrate! Veremos. Yo apelaré a todo recurso, porque los sucesos se produjeron después de haber violado ellos tu propiedad.

—En terreno mío, mío y cerrado. Ahí están los charcos de sangre. Y aquí estamos los heridos.

El parlamentario juró intervenir, ante el gobierno, en la Cámara, con una interpelación si fuere procedente.

—Pero te debes calmar —le aconsejó Toledo—. No empeores las cosas con tu violencia contra los tiempos y la legislación moderna. Yo soy viejo también, contemporáneo tuyo, y, sin embargo...

—Déjate de majaderías, hombre.

—Incorregible.

—Genio y figura...

—Pero es que tú deliras. Tú has delirado mucho. Ha sido ése tu mal.

El anciano sonrió, convino en que todos cambiaran también sonrisas. Pero:

—¡Eh! —dijo al cabo de una pausa reflexiva—. ¡Y qué grande no ha delirado! No se rían. No hablo por vanidad. A la grandeza llega el hombre por dos caminos: por el vuelo de sus virtudes y por la exaltación de sus defectos. Y es grande mayor aquel que por ambas vías ha podido ascender al delirio.

Luego miró a su hijo, que no reía, y cambió el tema:

—Mejor que no estuvieras tú aquí.

Se cogieron de la mano, y otro desvanecimiento, esta vez por emoción, sobrevino.

—Basta de tertulias —dispuso el médico.

Y solo con misia Marisabel quedó auxiliándolo.

*

* *

No necesitaba de imaginaciones ahora misia Marisabel para sentirse atribulada. Como los grandes vientos se anuncian palpitando anticipados en el aire quieto, flotaba ya en el ambiente de La Huerta el fin de su señor.

—Temo, José Antonio —se atrevió a decir a su hijo en determinado momento, y con la gravedad que imponía el pronunciar el nombre así, completo y sin diminutivo—, temo que si junto con arrancar la viña se le vinieron a tu padre los años encima, estos sucesos marquen el principio de su muerte.

Antuco también lo creía. Y acaso todos lo supusieran, porque las casas del fundo se veían a diario y a toda hora pobladas de multitud. Durante años tan largos había preocupado a los vecinos de la comarca entera, que resultaba lógico y natural que no sólo peonada y servidumbre, sino gentes de todo el contorno acudiesen alarmadas. Unos porque hubieran vivido temiéndole o sufriéndole, algunos porque hasta le odiasen, muchos por admirarlo y quererlo con fanatismo, el total porque ya no sabían vivir sin unirlo a sus pensamientos, a sus actos y aun a sus destinos, el hecho era que no faltaba nadie allí y que tanta presencia formaba como un pulso de augurio en el aire.

Por lo demás, los colapsos continuaron para el enfermo, desapareció el apetito, la sangre perdida no se recuperaba. De nada servían tónicos e inyecciones, ni que Venancito deambulara ferviente y sin descanso por campos, bodegas y dependencias, matando animales a fin de captar más y más fluido vital para su patrón. Anemia y urea sumíanlo ya en olvidos y nieblas, ya en francos trastornos mentales. Acometíanle repentinas cóleras, máxime al recaer en su fobia para con los tiempos modernos. Entonces, tras de renegar contra "la canalla actual", se tranquilizaba sólo con inmersiones en su sentimiento pío: tal como el cura durante sus días postreros diérase a la contemplación mística y a los contactos con Dios, él buscaba paz en su yo religioso, en aquella zona o tonalidad donde la secreta raíz de su ser conseguía entonar dentro del gran arcano. Rezaba, pues, horas y horas. El rosario, empero, bajo su mirada fuerte y entre sus dedos recios, parecía siempre una rienda, una de sus cadenas de soberbia y dominio, un arma o un grillete.

Entre la plebe aglomerada en la plazoleta de la llavería, un grupo había como nadie constante. Lo formaban viejas, muchachas y también mocetones y hasta hombres maduros. Eran aquellas chinas que de mozas lo amaran, eran los hijos y las hijas naturales, todos corazones suyos, con resentimiento o sin él, sujetos al poder del pasado y de la sangre. Toledo, que desde que se declarara la gravedad pasaba sus días alternándose entre viajes por el proceso a juzgados o cortes y permanencias en La Huerta, habló una vez al viejo amigo de aquella familia bastarda. Y él, emocionado, repuso como quien hubiese aguardado la oportunidad:

—¿Sabes que acaso sea tiempo de pensar en mi testamento?

—Tiempo de testar son todos para hombres de nuestra edad.

—Así es. Y como yo he pensado mucho el mío, redáctamelo, Felipe.

Quiero que se cumpla lo legítimo sin favores ni desigualdades; pero dentro de la cuarta de libre disposición deseo mejorar disimuladamente a José Antonio. Se lo debo. Desde luego, todos los caballos de mi montura, para él. Prohibo que los monten yernos.

—Hombre...

—Bromas a un lado, continuemos: de la misma cuota, lo que sea de uso masculino, para él también, y de dineros efectivos, cosechas por cobrar o productos liquidables en el día, reparte a esa gente. No la recuerdo a toda, me perdonarás...

—Son tantas, Pepe... Pepito Valverde...

Hubo para un desahogo de risas, que atinó a cortar el caballero:

—Pero Antuco, me parece, los conoce a todos. Y a mis sirvientes, sin excepción, cuanto juzgues tú generoso dar. Generoso, ¿entiendes? Interprétame, ponte como albacea con tus honorarios, redacta y tráeme para firmar. No temas que falte fortuna. Yo habré pasado crujías, hoy mismo puedo verme sin medios para muchos compromisos; pero a mi muerte... Tú sabes, los agricultores somos como las papas: damos el producto cuando nos entierran.

Más adelante, los días lúcidos, en charlas sucesivas, cuando misia Marisabel dormía y lo cuidaba en turno Antuco, fue completando disposiciones.

—Si Dios me llama, hijo, y lo presiento cerca, te pido acomodar mejores viviendas a las personas de quienes te hablará Felipe. Y a los demás, súbeles el salario. Con tino y mesura, eso sí. Nunca engordes al gato, que mientras más lleno menos caza.

Pero las horas de lucidez disminuyeron, aunque paulatina, rápidamente. Se declaró además muy crudo y torrencial el invierno, al punto de ralear las visitas. Sentíase, verdad, siempre la atmósfera cual si permaneciera cargada por la preocupación de los contornos todos por el gran señor en peligro; mas ello y la decadencia del enfermo hicieron más penosas las jornadas para misia Marisabel. A su hijo, que se fatigaría sin duda labrando en faenas, echábalo a dormir temprano, y ella velaba, sin otra compañía que alguna sirvienta siempre lista por las habitaciones próximas. Estábase, pues, quieta, guardándole a él su sueño, ya entre sustos y pensamientos sin fin, ya mascullando rogativas y plegarias.

Empezaba la verdadera noche para la señora cuando todos habíanse recogido ya en la casa y pasaba el llavero por patios y corredores en su ronda final. Su sombra oscilaba sobre los vidrios y las paredes conforme al balanceo del farol con que se alumbraba. Pronto sentíase un último portazo, luego el rechinar de un cerrojo y el caer de cierta barrera sobre sus encajes de hierro. Al fin se borraba la luz columpiante, alejándose al compás de los pasos en los ladrillos. Y solía entonces descargarse la lluvia. Si escampaba, con el escampar se ahuecaba nuevo silencio en el patio. Diríase que se había hecho allí el vacío y que tampoco el tiempo era entonces registrable. Sólo poco a poco venían después, y uno a uno, pequeños rumores: de gatos, murciélagos y lechuzas, dueños de las galerías tenebrosas, o el gemido de un desagüe, o uno de esos vientecillos que baten lentamente la puerta olvidada y alargan su rechinar como débil voz que se queja y que luego el aullido de algún perro distante prolonga.

Sola en el dormitorio, misia Marisabel meditaba, las manos encima del regazo y la vista en sus imágenes. ¿Cuándo llegarían sus hijas? Habían zarpado ya en sus barcos, en viaje de urgencia, con sus maridos llamados por conducto de la cancillería, y con los nietos. Pero ¿alcanzarían a ver a su padre vivo? La tortura corrosiva se la dan, sin embargo, esas mujeres que permanecen, incesantes casi, en la plazoleta y que hacen abrir la capilla para rezar novenas, rosarios y trisagios. Aunque todas las preces imploren por el enfermo, desatinan a la señora. Sus celos resucitan y, como esa multitud agrupada, se agolpan dentro de su corazón. La imaginación delira. Tal cual instante las fantasmagorías lindan en lo cómico, y aun ella se burla un poco de sus desazones, porque se pregunta si, después de muerto, en el otro mundo, rodearán a su José Pedro desde doña Carmela Burgos hasta la última de las chinas que lo han amado en éste. ¿Podrá ella entonces ahuyentarlas? ¿Cuál será la conducta posible allá? No lo sobrevivirá mucho ella, tampoco. Y pensando en defender su amor hasta en la vida eterna contra esas ánimas de pasión, aun desea con vehemencia morirse pronto. "Cuanto antes", suele decirse, como en prisa de llegar a tiempo. A la postre se burlaba, en verdad, de sí misma. Pero sufría, sufría de antemano aquellos celos de ultratumba.

Y se alargaban, se alargaban sus noches. Entristecida solía clavar la vista en las ventanas. No cerrarían jamás bien aquellos postigos ya vencidos por el peso de tantos años y tantas capas de repintura. Los goznes corroídos desplomaban los batientes hacia el centro, y una T se calaba siempre a la luz lívida de las auroras. Alguna noche de tormenta, los relámpagos metían por allí su explosión azul. Si era extraordinario el trueno, despertaba don José Pedro, se santiguaba ella y venía la sirvienta que pernoctaba en las piezas contiguas.

—¡Jesús, María y José! ¡Qué trarcas, señora! —decía la mujer, asomando la cabeza trasnochada y repitiendo la señal de la cruz.

—¿Siente frío, hija?

—No, señora. Tengo brasas.

Y ambas volvían, cada cual a su puesto y actitud, a cruzar los antebrazos encima de las faldas, a dormitar a ratos, mientras el enfermo se perdía de nuevo dentro de su profundo sueño anémico.

Más livianos eran algunos atardeceres de tiempo claro. Declinaba manso el crepúsculo. De pronto el vuelo silencioso de un pájaro solitario rayaba el cielo arrebolado. Y ella mecía sus melancolías conversando con su hijo.

—Muy mal veo a tu padre. Si lo trasladásemos a Santiago...

—El no quiere. Yo se lo insinué ayer. La casa en la ciudad se le antoja una anticipación de la tumba. ¿Y cómo vamos a quitarle sus recreos de aquí? Sus mañanas...

Las mañanas eran, cierto, el espacio risueño del día para don José Pedro. Entonces actuaba un poco aún. Se le abría bien la puerta sobre el jardín; los yegüerizos le paseaban delante, por los senderos amarillos, sus caballos predilectos, y entre inspección y comentario, él vibraba por media hora o más.

De repente, sí, colérico, volvíase hacia la pared. Aunque trataran de tocarle motivos alegres —que si habían cablegrafiado Chepita y Rosita, que si venían con los niños, que si alborotaríase la casa como una pajarera—, él no entregaba la cara. Y al dominio de la anemia, poco después dormía su desconsuelo.

Una de tales mañanas, empero, se quedó mirando a misia Marisabel y empezaron a rodársele las lágrimas.

—Mi viejo, ¿lloras? ¿Tú lloras?

—Lloro porque no sé decir ternezas, las ternezas que a ti desearía decirte. Me crié sin madre, qué quieres, y no aprendí esas cosas. Lo más tierno que logré decir en mi niñez fue "Caballo Pájaro", ¡figúrate!

—Pues dímelo.

—Pero una verdad has de saber: sólo dos amores he tenido en mi vida, uno desgraciado y otro feliz. El desgraciado, Chepita. No te pongas celosa. Ella fue más mi hija que mi mujer. El feliz, tú, que todo lo fuiste para mí. Que te baste con esto, porque no deja de ser.

Los sollozos ahogaban a la viejecita. A él siguió fluyéndole mudo el llanto sobre las barbas.

*

* *

Una ley oculta permite que algunos intuyan sus horas. Amaneció así otra mañana; pero en ella, aun cuando el médico al retirarse hubiese respondido a los ojos interrogantes: "Hay una reacción manifiesta", don José Pedro, tras de reposar las fatigas del tratamiento sobre las heridas, llamó:

—Marisabel, hija, que me traigan al capellán. Quiero confesarme. Hoy me voy a morir.

—¡Qué ocurrencia! Si cabalmente hoy te halló el doctor mejor que nunca. Se fue muy satisfecho.

—Llámame al confesor, vieja. Y que venga con el viático y los santos óleos.

Tan serena y terminante fue la orden, que la señora, pasando del estupor a la angustia, salió en actitud de obedecer.

En el salón lleno de gente lloraba momentos después, reclinada sobre el pecho de su hijo. Cuantos habían acudido como a diario, rodearon al grupo entonces, inquiriendo. Y enterados, unos tras otros pasaron a visitar al enfermo. Habíanse propuesto reanimarlo y cada cual preparó sus frases.

El caballero los escuchó inalterable. Pero cuando prometían insistir, y al parecer Felipe Toledo esperaba respuesta, tuvo él uno de sus gestos de irritada impaciencia y terminó, perentorio:

—Basta. Yo me muero cuando me da la gana.

Sólo quedaba temblar. Y asentir. Porque todos creyeron entonces que de veras aquel voluntarioso indomable, don José Pedro Valverde, se moriría esa tarde.

En efecto, como entre cuatro y cinco, ya oleado y sacramentado, fijó el caballero la vista en un haz de sol que metía su franja llena de corpúsculos encendidos por la ventana, y pareció ausentarse del mundo.

De pronto, sin embargo, sin cambiar de postura, habló:

—Antuco, si tú plantas otra viña, hijo, hazlo en El Fiel. Es tierra inmejorable para la uva.

Sonó su voz como tantas veces había sonado cuando, ya en el estribo el pie, dejaba órdenes el patrón para sus temporales ausencias.

Y el asombro inmovilizó los semblantes.

Asombro y palabras serían emblema y divisa para el vástago de aquel hombre creador hasta la hora de su muerte.

Después el caballero no habló más. Clavados los ojos, muy abiertos, en la muriente lista de luz, agonizó. Fue una sobria, austera y breve agonía, sin horrores. Se apagó el sol. Habíase nublado de improviso y empezó a llover con ira y estrépito.

Lavado y vestido el cadáver, misia Marisabel juntó aquellas grandes y amadas manos y cayó sollozante y convulsa sobre ellas.

Antuco abrió de par en par la ventana del patio. El aguacero violento había cesado al hacerse la noche. Ahora llovía misteriosamente en las tinieblas.

FIN

DE "GRAN SEÑOR Y RAJADIABLOS".

LOS HOMBRES DEL HOMBRE

DEDICATORIA

Tres públicos reciben la obra de arte: el superior, uno de segunda, y de tercera el otro.

Sólo deben interesarnos el primero y el último; pues el de primera es la sensibilidad refinada y la conciencia, y el de tercera, la frescura y la espontaneidad.

El otro... ¡Ah, mi desesperanza frente a las almas detenidas a medio camino!... Agrupa este público de segunda, sí, la medianía: la indigestión de los semiversados, las ínfulas de la petulancia, la costra erudita de quienes por haber estudiado creen saber, a veces, la hiel de cuantos desearon ser alguien y no lo consiguieron, a menudo también cierto viscoso gris de algunos que mezclan sus odios a sus juicios... ¿Y contaremos, por último, a ese que, incapaz de purificación estética, se proclama iconoclasta revolucionario?

En esta senda nuestra, pues, como en la vida, hemos de darnos, con amor y respeto, a la sabiduría y a la inocencia. Para los demás, decidamos volver un poco la espalda.

Pero hay alguien aún: cuando en un lector el sabio y el niño se reúnen, ese lector es grande. A él —no sé si humilde o altivamente— quiero dedicar este libro, porque nadie podrá, mejor, enseñarme algo con sus reacciones.

E. B.

Jamás imaginé verme tan atribulado. Una noticia, triste, aunque vulgar al fin y al cabo; pero con ella, una mala, venenosa idea que asoma cual si hubiera estado agazapada y en acecho. Pronto, dos o tres más, que se ligan y crecen como ronda de fantasmas. Y así, poco a poco, la sospecha llena de pavor el corazón.

Cien días han corrido y permanezco igual. Cien días.

¿Hasta cuándo seguiré así? ¿Ya para siempre? No. Vivir años y años estremecido sobre la onda pavorosa de unas palabras que brotan en un instante y que se proyectan emponzoñando todo el recuerdo de un regalado ayer, y todo un presente, y todo un porvenir... No. Imposible.

¿Pues bien?

Siempre me dije que retirarse a la soledad es quedar al margen de la vida, pero que también es resolverse a sí mismo. Bien estará eso dentro de una desengañada pero serena existencia; no cuando se nos asesta un golpe de tal modo trastornador.

Y, sin embargo, apenas si me queda otra cosa que recogerme así, no sé si desolado irremediablemente u orgulloso en mi desolación. Orgullo... El valor del orgullo no está en que nos yergue, sino en que, erguidos, miramos lejos. Es lo que yo necesito ahora. Buen orgullo de solitario que sin soberbia mide y se mide.

Quiere decir, entonces, que hice bien en venirme aquí, al amparo de mi vieja casa cordillerana. Para divisar en las distancias, para oir y oírme, y entender en sosiego y resolver con equilibrio. Porque nunca tuve tanta necesidad de apaciguamiento y comprensión.

Bien. Ya estoy entre mis pobres y antiguas paredes empinadas sobre un recuesto de los Andes, lejos de todas esas gentes, de los míos, cuya presencia hoy me martiriza y ofusca. En altura, sí. Cuando nos hallamos confundidos y desesperados, debemos elevarnos. Lo aprendí de muy pequeño en este caserón, junto a esta chimenea: Pulgarcito, perdido en la obscuridad y la maraña del bosque, subió a la cima de un árbol y desde allí descubrió una lucecita en medio de su noche.

Porque no se trata sólo de sufrir mi cruel, crudelísimo conflicto; hay más: he de meditar bien lo acaecido y descifrar su enigma, y saber si presentimiento y sospecha son fundados o no lo son, y sobre todo he de buscar solución justa y digna.

Así, pues, calma. Paso uno de esos momentos en los cuales el susto por lo que sobreviene apaga el dolor de lo sucedido y de lo que sucede. La fuerza del presagio vence pasado y presente. Nada tan horrible como sufrir el futuro. Muchas veces, cuando todo ha caído a nuestro rededor, aún guarda el corazón cierto ángulo escondido al que podemos retirarnos; y si hay en nosotros una fuente vital de ternura, en ese vértice recóndito volvemos a tomar posesión de nuestras raíces y nos reconocemos intactos y salvos. Todavía: suele acompañarnos allí algún otro corazón sobre quien nuestra ternura se reclina. Sí, tal ocurre cuando un golpe sólo derrumba el pasado. Mas cuando el futuro es fantasma de sufrimiento...

Calma, Fernando. Eres mi sentimental. Y yo he venido aquí a recogerme, si bien con mi corazón inevitablemente, a la vez necesariamente con mi juicio y mi cordura. Contigo he llegado, Fernando, pero también con Juan, y con... Leí en alguna parte que a los griegos se les ponían siempre dos nombres, el que les elegía la familia y el que los dioses por destino les asignaban. ¿Sería eso bastante? Me parece que no. Más acertados anduvieron sin duda conmigo mis padres y mis padrinos. Acaso porque su instinto había pasado a través de más generaciones y era flor de mayores experiencias. Me bautizaron Juan, Rafael, Fernando... y Jorge, y Francisco, y Luis, y Mauricio...

Y puede que tampoco siete nombres sean suficientes.

Tranquilo, pues, Fernando. Calla. Eres mi sentimental y corres tras el espejuelo de la felicidad. Para ti, la felicidad consiste en vivir subiendo de una esperanza en otra. La esperanza de los sentimentales tiene siempre ávidos los brazos y la boca blanca de anhelo. Y yo ignoro si espero algo todavía. ¿Quién? ¿Yo?... Juan, Rafael, Fernando, Jorge, Francisco, Luis, Mauricio... y...

Basta. Se hace menester una limpia soledad en el espíritu innominado. Quiero apagar la luz, dejar esta galería, que me cerca. Saldré un poco al aire. Hace un rato, la noche me insinuó recuerdos que tal vez resulten esclarecedores.

En efecto, veo aquella noche que hoy tanto me duele. Asombrosamente igual a ésta. Como ahora, en el patio un grillo hace añicos su nota de metal. Sobre las estrellas pasa el viento, y todas las llamitas azules tiemblan. Conversamos sentados en las mecedoras. Ella me anuncia que ha quedado encinta... ¡Oh!, me parece más pálida entonces. Yo le hablo con la mano puesta sobre su antebrazo... Lo veo. Clavo los ojos y lo veo todo. Luego, los años de mi ternura para el niño, de mi larga, sostenida y dulcísima ternura, que son hoy, de repente, martirio... ¡Cómo resurgen las visiones bajo mis párpados! Hace poco aún, esforzaba la memoria en vano; mas de pronto ese grillo y ese vacilar de luminarias lo han alzado todo resurrecto. Es así. Algo recuerda la mente, mucho la sensibilidad.

¡Eh! Vamos afuera. Debo ver en la sombra.

* * *

No sé qué blando y mecido reposo, Jacinta, me procuran tus trajines. Y me recreas, con tu viejo corpachón redondo. Juraría que no andas sino que ruedas bajo esa pollera de pliegues bíblicos, cuyo color de trigo pasa y repasa entre los muebles negros y las paredes blancas. Me hace bien tu caraza morena, bola también, puesta encima de la de tu cuerpo. Luego, esos tus párpados abultados... El niño suele decir: "Tiene los ojos gordos, la Jacinta".

Mientras me fomento decisión para ir volcando en este papel tantos laberintos como hay dentro de mi cabeza, te observo. Caminas de aquí para allá, sin ruido, y limpias y ordenas las cosas con tus dedos juiciosos.

Sigue, prosigue. Tú y tus dedos son iguales.

Me decías esta mañana:

—El caballero está enfermo.

—¿Yo? —te pregunté sorprendido.

—Usted. Como casi lo he criado y siempre lo he seguido con mi cariño, apuesto a que todo eso le viene de no vivir ahora como el buen cristiano que antes era.

—¿Cómo, Jacinta? No me hagas reir.

—Perdóneme, señor. Pero... todos se portan así hoy día y...

—El cristianismo, mujer...

Contuve los argumentos. Enmudecí. Pueril resultaba discurrir sobre creencias. Ella no habría razonado, ni lo hubiera querido. Además, en ese su cariño y en su piedad por mí, sólo piensa que "no vivo" como buen cristiano. Eso únicamente.

Mucho sabes, Jacinta, pues que has aprendido a limitarte. ¿Dogmas? ¿Metafísica? Selva obscurecedora. Tú alcanzas más, vieja: el cristianismo es una conducta. Siempre me lo advierte Francisco. Ahora mismo me lo está dictando.

Sí, mi vieja. Mucho espero de ti en estas horas. Algo me simplificará tu proximidad. Tienes el genio suave, un poco vacío, pero surte alivios. Hallo en ti al menos un alma benigna y sosegada. Contigo me acompañaré, pues, de silencio en silencio, aunque no lo sospeches. Y acaso así, y aquí, como en caracol rodado hasta un rincón de la vida, resuene más sereno dentro de mi pecho el universo, y en especial este complejo universo de mi multitud interior, en el cual me agito y me pierdo.

Tampoco, Jacinta, careces de alguna razón. Me reconozco un espíritu moroso, que se detiene a cada paso vacilando entre los medios tonos, y distingue sordinas, y persigue transiciones de sinuosa sutileza. Da todo en presentárseme como transubstanciación continua, entonces. Y esto... puede que linde con la enfermedad. Quizás, más bien que estar enfermo, sea un enfermo. Pero creo extenderme más allá de lo que llama el hombre la salud psíquica. Me veo en conflicto, cogido por un vórtice maléfico, sin duda; mas tal estado de ánimo también sitúa frente a umbrales que parecen abrirse a perspectivas inconmensurables. ¿Sano, entonces, con apariencia de enfermo? En último caso, poseo ese carácter desigual de que con necia liviandad parlotean los "tipos de una pieza".

Sin embargo, felices quienes logran fijar los pensamientos. Aun cuando ello implique al cabo embalsamarlos, para construirse con ellos amparos y muletas.

Yo no eludo el atender a todas mis voces.

—Así pecas por el otro extremo. Escuchas todas tus voces a la vez, y eso te confunde.

—Vuelves a opinar tú, Juan, mi sensato. Bien, hablemos. Pero, hermano, ¿cómo deslindar en otra forma responsabilidades?

—¡Oh! Recaes en el tema pernicioso. Tira lejos ese lastre de la responsabilidad. O de repente vas a suponerte responsable de lo que nos han hecho.

—¡Quién sabe! Dicen que nada en el mundo sucede por un solo culpable. Ni dentro de cada hombre, añadiría yo.

—Desconfías de nosotros.

—O de alguno, tal vez.

—¿De cuál?

—Eso es lo que deberemos averiguar.

—De modo que tendremos que habérnoslas contigo, ¿eh?

—Por supuesto. De ti, Juan, y de Fernando, y de Francisco, y de no sé cuántos me compongo; pero cuando digo "yo", me refiero a este con el cual todos tienen que habérselas en última instancia.

—Convengo. Sólo que..., que sea para ver claro.

—Eso quiero. Y que ustedes me ayuden.

—Pues oye: apóstol no falta por ahí cuya teoría pretende que alguna responsabilidad nos toca en cierta proporción a todos de cuanto el género humano sufre. ¡Paradoja! Tranquilicémonos. ¡La responsabilidad! Es como el color del mar. ¿De qué color es el mar? ¿Azul? ¿Verde? ¿Acerado, cobrizo, gris? Coges un poco de él en el cuenco de las manos... y ya no tiene color. El color, acuérdate, lo da cierta luna que cada cual lleva dentro.

—Sí, me acuerdo, sí; tuvimos esa idea. Hay, pensábamos, lunas innumerables, como innúmeras son las almas; y a tono con el propio matiz, a cada hombre su luna le muestra la vida, le finge a los demás y le forja, sobre todo, el concepto que de sí mismo cada uno concluye por aceptar. Sólo que ya, Juan, no pensamos así. Crecimos y aquello nos quedó estrecho.

—Pues yo, de cuando en cuando, vuelvo a creerlo. ¿No vemos con qué mágica facilidad sigue por ahí sintiéndose veraz el embustero, y el ofensor ofendido, llano el tortuoso, hábil el torpe, o sólo recto el empecinado y apenas justiciero el cruel? Pues ocurrirá siempre porque cuando nuestra realidad personal no case con la externa, y ambas pugnen, choquen y nos violenten, poco tardará nuestra luna en teñir de su color los hechos y convencernos de que obramos justo y de buena fe.

—Claro, no todos madurarán igual. Y de eso se trata, Juan, ahora; de que no me vea llano yo, el complejo. ¿Comprendes? Por algo abandoné aquella teoría.

—A mí me cuesta mucho abandonarla.

—Y así necesariamente ha de ser. Como algo relativo, eso sirve y muchas veces servirá. Entre tanto, déjame solo, Juan.

—Harás bien, sin embargo, en objetivar tu conflicto. Nuestro conflicto, quiero recordártelo.

—Exacto. Justo y prudente considero establecer primero en términos fríos los hechos. Ya nos dará el proceso las conclusiones vivas de su embrollado asunto.

Veamos. Y mejor, en página impasible y aparte.

*

* *

Sí, anotemos los hechos, en forma imparcial, a ser posible neutra, y sin pormenores.

Me casé a los treinta y cinco, edad recomendable para el matrimonio. Acaba de pasar entonces la mocedad, ese tiempo en que la vida con fortuna suena en el mundo como charla ingeniosa, sin mayores honduras, y en que sucesos y estados de ánimo se tejen espontáneos en cadenetas con las cuales va urdiéndose una tela que viste y no pesa. A los treinta y tantos, sin embargo, amanece de repente otra mañana, diferente, como si algo se hubiese cumplido ya; y pesa entonces aquello que nunca pesó, y cierto dictado nos impone cambiar y definir rumbo. Así es y así fue. Yo rico, ella pobre, juntábamos además otro factor de buena norma. Y nos casamos.

Once años viví sin contratiempos, por lo menos en esa paz relativa de las gentes cuya existencia oscila sobre la báscula de lo normal. Rieló placentera nuestra luna de miel y, antes de caer en tibieza, viajamos. ¿Siempre felices? Yo creo que sí. Apenas un ansia nos impedía estar satisfechos: la de tener un hijo. Pero cuando amenazaba languidecer por ello nuestra convivencia, el niño vino.

Le pusimos, entre otros, el nombre de su padrino Charles Moore: Carlos. Así, Carlitos, y con frecuencia Charlie, lo llamamos habitualmente.

Conocimos a Charles Moore durante nuestro último viaje a Europa. Volvíamos del Mediterráneo, a Chile nosotros, él a Buenos Aires, donde presidía una empresa británica y disfrutaba cuantiosos bienes. Congeniamos con él. Declaro que yo, desde luego yo, logré quererlo. Generoso a lo gran caballero, cordial como buen muchachote anglosajón, habilísimo para los negocios, irónico ante lo convencional de las greyes humanas, al tanto de ciencias y filosofías y sensible frente a las artes todas, ¿cómo no abrirle nuestro mejor fundado cariño? Lo quise pronto, repito. Y él a nosotros, habrá que reconocerlo. Aunque sus asuntos lo radicaban en la Argentina, venía todos los veranos y era nuestro huésped. Ya revisaremos aquellos días de familiaridad. Hoy, atengámonos a los hechos concretos, conforme a lo decidido. ¡Ah, cómo me cuesta!

Sin embargo, adelante.

Pues bien, hace ya cien días —los ciento de mi tortura— se nos comunica sorpresivamente por el Consulado Británico la muerte de Charles Moore. Falleció en Buenos Aires y testó su fortuna entera en favor nuestro, de "los amigos a quienes amó en vida por sobre todo lazo y afecto", según la frase testamentaria. Pero las cláusulas detallan su voluntad: el cincuenta por ciento de sus millones para su ahijado Carlos, ya que, célibe y sin herederos directos, llegó a serle tan amado el niño como legítimo hijo. El remanente —la otra mitad, menos algunos legados— ha de beneficiarnos a mi mujer y a mí, por iguales partes. Hay para mí limitaciones, eso sí: debo sanear con ese dinero mis haberes quebrantados y jamás comprometer la parte de mi esposa... Luego, en caso de algún futuro mal entendimiento matrimonial, será ella sola quien elija curador para el chico.

Entiendo que, de acuerdo con nuestras leyes...

Pero ¿a qué perdernos entre los preceptos del código? Ni siquiera he intentado consultas. Bastó la noticia para que las envenenadas sospechas surgieran y su ronda de fantasmas me cercara. ¿Celosa imaginación? Acaso. Y muy posible. Hay también un hombre de honor en mí, y entra en peligro mi amor a esa criatura, y tengo una entraña sensible que tiembla cogida por el presagio, sobre cuya onda se tiende pavoroso el mañana.

En fin, serenidad. Analizaremos después. Por hoy, he aquí objetivado y escueto mi conflicto. Y punto. Me propuse no escribir con llanto ni con asustados distingos.

*

* *

Perfecta, perfectísimamente. Ya dejamos objetivado el problema. O, mejor, concreto y preciso.

Sólo que ahora, en seguida, y con acento burlón, viene a mi memoria la frasecita con que algunos señores nos conminan siempre: "Al grano, amigo; suprima las complicaciones". Y tras el recuerdo resuena el eco de no sé qué diabólica risilla. Porque..., ¡inocentes!..., ¿qué grano esperan? ¿La verdad cabal de los hechos? Pero, señores, si el grano es simiente, germen. Cuando las cosas ocurren muestran apenas apariencias; su verdad se oculta en la entraña, y el único medio de verla está en descubrir cómo, de qué modo esas cosas suceden. Más claro: no hay hechos concretos. Se los figura uno así cuando los aísla, los inmoviliza y como que los clava en un insectario. Valen tanto como cadáveres, entonces. Salvémosles el movimiento, que sigan vivos. Según se comportan, son.

De donde se concluye que, lejos de objetivar, es subjetivar lo sabio, y no definir sino indefinir, enrarecer hasta que lo diverso y múltiple trascienda su secreto.

¿Maraña, vértigo? Convenido, mi sensato Juan. Pero no vuelvas a pedirme que precise tanto. Como punto de partida, pase. Acepté por ello tu consejo. ¿Enmudeces? Ah, te siento dentro como reducido a un gesto que significara: "Pues yo creía que habíamos aprendido a vivir al cabo de tanto ajetreo por el mundo"... En efecto, habíamos aprendido. Sólo que..., ¡mira tú!..., lo que ahora de veras necesitamos es desaprender a vivir.

Y no te parezca locura esto, no. Al contrario. Cada día me asombra más, desde luego, esa petulancia de fijarse por norma el llamar al pan, pan, y al vino, vino. Palabras. Ah, y ésta es otra: ¿no hay momentos en los cuales descubrimos que ni las palabras nos sirven? Cuando más las necesitamos, y hasta perseguimos entre su multitud las más válidas, suelen irse desvirtuando todas, o por demasiado netas, o por insuficientes o tornadizas. Y ello porque lo que íbamos con ellas a decir pronto se polifurca, se subdivide, se matiza, se deforma, ya no es como era.

Mucho temo, por esto, no lograr en adelante sino negaciones, o a lo sumo perplejidades. ¡Qué hacer! No tengo más esperanza que mi soliloquio escrito en orden.

Un orden, sí, cualquiera, he de imponerme. A todo y a todos atenderé, por turnos. Ahondamientos y confrontaciones despejarán algunas dudas y acaso cierto día desvanezcan en serenidad esto angustiador que de todo enigma fluye.

Escribiré, pues. Sin la disciplina de los renglones, a nada llegaría.

Y no lo haré tan mal, pues también un escritor me traigo dentro. Como que no es nueva mi aptitud. La tuve desde..., ¿desde siempre? Veía y reflejaba, y no podía evitar el verterlo todo en frases interiores. Aún más: en mil ocasiones, durante mis lecturas, rehice mentalmente los giros débiles para conformarlos a mi gusto personal y a la expresión para mí más comunicativa. Reformas que jamás empero me di el trabajo de redactar sobre un papel. No había sufrido la urgencia de reflejarme y esclarecerme.

Ha de haber por la tierra no pocos escritores como yo, que por muchos años no escriben y, de buenas a primeras, lo necesitan y lo hacen.

—¿No resultarán ellos quienes de veras suben a la luz cosas genuinas?

*

* *

He pasado buen domingo. Si no alegre, ni despreocupado por completo, al menos como en un deslizarse hacia la despreocupación. Con cierto risueño aliento, con no sé qué apetito de disfrutar, aun mecido por algunas filosofías de acomodo un tanto canallas, como cuando el cansancio se cansa y... ¡en fin! Tendré que atribuirlo a Mauricio. Sí; gracias, Mauricio. Aunque no me convenzas, te debo el día.

Sin embargo, me siento así desde las primeras horas. Ya cuando Jacinta llega con el desayuno, que tomo en cama desde que han enfriado las mañanas, y le pregunto:

—¿Sacudes tú por fuera los cristales de la galería, vieja?

—Ya lo creo. Semanalmente. Para no molestar, espero a que usted salga.

—¿Entonces no eres tú quien da esos golpes contra la vidriera?

—¿Qué golpes?

—Unos que hace días me despiertan muy temprano.

—Yo le cuido el sueño, señor.

—¡Curioso! A poco de subir el sol..., ¡pum!, ¡pum!..., empiezan los puñetazos.

Jacinta, sorprendida, pestañea. Luego va y se asoma. Sus ojos y aun su boca se abren, revisando los bastidores encristalados. Por largo minuto su corpachón entero parece cavilar. De pronto la veo sonreir como al triunfo de un hallazgo. Se vuelve a mí, llena de risa la pelota de su cara. Le da saltitos el vientre a cada borbotoncillo, y explica:

—¡El zorzal! ¡Pájaro más idiota! Ya lo había notado yo poco antes de que usted llegara.

—¿Qué zorzal, Jacinta?

—Un tonto celoso. Viene a picar las uvas del parrón, se ve de repente como en un espejo y arremete contra el vidrio. Se le da que otro macho se le aparece ahí. Quiere reinar solo el caballero. Son celosos los zorzales.

—¿Oyes? Ahí volvió a la carga.

Me incorporo, meto los pies en las zapatillas y salgo a la galería. Con sigilo, yo y Jacinta observamos. En efecto, allí está, sobre una guía de la parra. Le fulgura el ojo de furia, se le aprieta la bocaza amarilla como terrible prolongación del pico duro y afilado. Mira su propia imagen reflejada, y embiste.

—¡Habrá imbécil igual! Así se lo pasa mucho rato, señor, asalto y asalto, choque y choque. Al fin se cambia el sol más allá y no le hace más espejo. Se va entonces muy orondo.

Me vuelvo riendo a la cama, cojo mi taza de café con natas; pero, mientras remojo la tostada, se me trueca el reir: me descubro, reflejo de reflejo, en ese pájaro rival y enemigo de sí mismo.

Mas desecho rápido este vicioso prurito que me viene dominando, este perseguir en todo símbolo para escarbar en mi propia turbulencia.

Y como en despejo, hablo:

—¿Qué voz extraña oí denantes, Jacinta?

—Ah, eso le quería contar. El mecánico de Santiago le trajo el auto. Dijo que se lo mandaba la señora porque se había comprado ella otro.

—¡Hem! Uno nuevo. ¡Vaya, vaya!

—Y porque no era posible que usted siguiese aquí solo y sin coche.

Comprendí. Ella empieza su nueva holgura. Natural. Y al fin de cuentas, me agrego, con este día luminoso también sopla sobre mí algo de optimismo.

Me levanto y me afeito de prisa, tarareando una de esas vulgares melodías cuyo destino definitivo está en los cuartos de baño. Concluyo, fresco y liviano. Andaré un poco entre los árboles, morderé algún durazno de los que nos meten su jugo como delicia de luz en el pecho, me asomaré al barranco lleno del estruendo del río. Del estruendo que se hace arriba espuma entre las copas balanceantes de los álamos. Y luego saldré a correr caminos en este mi coche ahora segundón.

Trazado el programa, lo cumplí. Dentro de mi rodante cabina, las manos en el volante y el acelerador bajo el pie, devoré kilómetros por entre serranías verdes, a la sombra de los montes roqueños, y el ánimo se me fue poniendo más y más ligero. Algo influía, sin duda, el considerar con cuán equilibrada salud inicia ella su nueva opulencia. Debe de haberse comprado un modelo 1950, y de gran marca. Muy bien.

Esto y la lección de ridículo que me dictó el zorzal determinaron probablemente para hoy la comparecencia de Mauricio.

Andaba ya Mauricio a revoloteos conmigo.

Nuestro diálogo, mientras volaba el auto sobre la carretera, fue un cínico susurro. Con reservas y distingos, es verdad, pero franco hasta lindar en el cinismo.

—No hay de qué asombrarse. Ella, por instinto, sabe dónde ajusta el zapato. Y procede sencilla y espontáneamente. No se le ocurrirán zorzalerías, por supuesto. Pues con absoluta razón. ¿No se nos ha presentado el más pingüe de los negocios? Hasta inverosímil es. Dejemos de lado escrúpulos y majaderías sentimentales. Mira tú, mira en torno. Todos estos cerros, con sus valles interiores, sus esteros, sus ganados y sus bellezas, te pertenecen, forman el fundo que tus abuelos dejaron y heredaste de tus padres. Son riqueza, tradición, señorío; son orgullo y amor. Por gastos más allá de las rentas se hallan en peligro. El servicio de las hipotecas, sus vencimientos a destiempos siempre, nos agobian. De la noche a la mañana, empero, adiós angustias. Una catarata de millones cae del cielo y todo sonríe.

—¡Hombre, pero con qué problema dentro!

—¡Psch!

—Como cuando se ha vendido al diablo el alma.

—Nada. Tontería sensiblera. Ríete. Sé hombre llano. Sigue al instinto, como ella. Cuestión de restregarse los párpados y aventar fantasmas.

—A puro instinto, como los animalitos que andan por ahí...

—No hagas gestos de superioridad. Vale más que nada el instinto. Te parece rudimentario y obscuro. Pues no; es un vidente, que se nos esconde para guiar mejor. Medio mundo, el que vive sano, lo presiente y lo deja obrar.

—Pero hay también sentimientos. Y las dudas...

—Eso. Las dudas te martirizan. Pero ¿qué es la duda? Ver dos términos en la misma cosa. ¿Y por qué se ha de creer en el peor? Se te pone de repente que Charlie no es tu hijo. ¿Por qué? Porque un amigo inglés, su padrino, muere sin herederos forzosos y le deja una millonada. Cualquiera se alegra y, a lo sumo, se dice: "¡Caramba, son harto excéntricos estos gringos!"

—No me hagas reir. Habla en serio.

—Pues en serio te digo, te grito: ¡Treinta y dos millones! Hay para brincar de gusto. Cuenta, suma, divide, reparte. Treinta y dos millones;

de ellos, dieciséis para el niño, ocho para ella y para ti otros ocho. ¡Dudas! Nadie las tendrá sino tú.

—El amor, el amor a esa criatura.

—Reacción inútil. ¿Vas a querer menos al chico? Jamás. Convéncete. El tampoco te querrá menos a ti. Lo esencial resulta el cariño. He ahí una verdad sin réplica. Como que sin amar a una criatura no hay paternidad. El verdadero hijo no es el muchachito; es el amor que se le tiene. Recuerda el caso de los adoptivos. ¡Qué les importan los factores de la sangre! Ahora, ella... Supón que dejó de quererte como antes. No lo demuestra. Pero, en fin, sienta esto como posible. ¿Pues qué? Tampoco tú la quieres ya igual que al principio. Diez veces la engañaste y diez la burlarás aún. Pensamientos te han cruzado, ahora, en vista de los medios más abundantes... Hipócrita, déjate de sensiblerías, quisquillosidades y pundonores. En el fondo, amor propio. Calla, no me argumentes con el honor. Habría para filosofar cien años. Temes, eso sí, que alguien murmure y te adorne la cabeza. Nadie murmurará. Conocemos el mundo. Te halagarán todos, danzando reverencias a los treinta y dos, hermano. Apuesto a que si alguna lengua envidiosa te comenta en ridículo en cualquier ocasión, ciento saltarán a desmentir y defenderte. Una gran fortuna constituye sistema planetario. El sol puede tener manchas, como que las tiene. ¡También él, considera tú! Lo dicho, goza de lo positivo; de Charlie, a quien adoras contra todo y por encima de todo; goza de ella, que siempre te gusta y es bonita y sensual. A menudo reconoces cuánto mayor placer disfrutas con ella que con las queridas que se te han entregado. Si ella se te negara... Pero no; comparte contigo la noche tal como antes, sin el menor gesto de repulsa escondida. De veras, hombre, no debes alentar una soberbia que te arruina y trueca en catástrofe un bello porvenir, el tuyo, el del niño, el de tu mujer. Tú, tú les volcarías el tiesto encima. Reflexiona. Por último, espera. Vacilas. Yo sé por qué. Si ese "mal entendimiento matrimonial" supuesto en el testamento se te alza como un acusador síntoma de la previsión de Charles Moore, míralo antes con calma. Dilucida sabiamente, sin pasión perturbadora. De todos modos, espera.

Sí, esperando estoy. ¡Ah Mauricio! Mauricio, Mauricio... ¿Por qué me pondrían también Mauricio? Entiendo que Mauricio es nombre judío. Aunque... no por fuerza. Hubo un santo cristiano y un emperador griego que se llamaron así. Luego, si algún hebreo fue mi antepasado, ello no ha de perjudicarme. Tal mixtura redunda en ganancia, ya lo creo: talento, energía, tenacidad incansable. Si además infiltra en la sangre ansia de dinero y espíritu agiotista... ¡Bah!, no lo hacen mal en esto los católicos. ¡Vaya! Conozco yo beatos más judaicos que cualquier Samuel, Isaac o Mauricio.

¿En suma? He de reconocer, a lo menos, que también llevo dentro algunos tipos nada dignos. Un sinvergüencilla suele hacerme piruetas tal cual vez, y aun cierto sujeto con intenciones de pícaro redomado. Lo sé por habérseme aparecido en alguna ocasión por sorpresa. Felizmente nunca les concedo turno en mi conducta. De algo sirve la educación, al fin y al cabo. Que si no, sepa Dios qué habrían hecho ya esos tipejos. ¡Buena cosa! Y su valor tienen, por lo demás, los tales granujas: si no los albergáramos, no comprenderíamos al prójimo desvergonzado y bribón.

Basta. Nada pesa todo esto sobre mí en definitiva. Sosiega un poco, en cambio. Distrae la turbulencia.

Pero estoy fatigado ya. Cerremos la carpeta por hoy. La tarde continúa lindísima. De los cerros enormes parecen bajar los árboles al llano como una muchedumbre que regresara para recogerse. Aun ese rodado de peñas molidas por las heladas a lo largo del tiempo, se tiende suave como delantal gris de su montaña. La transparencia del aire asombra en estas alturas; por ella las enormidades abruptas se funden con la ternura de los verdes y los azules celestes aquietan ranchos, torrentes y caminos. Es un paisaje inmóvil de porcelana, que aun sonaría notas claras si le diéramos con los nudillos.

* * *

Cierro, sí. Salgo a este silencio de música recién callada.

Me lo hubieran pronosticado y no lo habría creído. Aún no se desvanecen las reflexiones de ayer, cuando, hacia la mediatarde, oigo primero, acercándose por el camino, la insistencia de una bocina desconocida que se anuncia; y casi en el acto me sobresalta, delante de mi ventana, el desplazamiento de aire que produce un automóvil. Es una gran máquina, sin duda, de las que hasta en el frenar ostentan silencio. Mientras acudo, reconozco voces. Ella y el niño.

Han venido. Así, de sorpresa.

Tan pronto ha deslizado ella su coche bajo el parrón, salta Charlie por la portezuela y se prende a mis piernas. Me ha estirado luego el hocicquillo en demanda de mi beso. El me ha dado el suyo, bullicioso; pero yo no he podido devolvérselo igual. El corazón me latía, sordo y a retumbos que golpeaban mis tímpanos por dentro de la cabeza. Emoción y desconcierto me habían paralizado.

Por fin ella se baja también, con la mayor naturalidad. Me besa, en la mejilla; pues yo, cobarde, se la pongo disimulando el hurto de mi boca. Le poso a la vez la mano sobre la espalda, por encima del hombro, en simulacro de abrazo. Y no sé cómo, entre los vuelcos del pecho, que hasta los dedos me llegan hechos temblor, hablo, hablo, así, por hablar:

—¡Ah! Qué bien, el auto nuevo. ¿Un Lincoln?

—Lincoln.

—Y modelo 1950, ¡ya!

—*Special luxe*. Calefacción central, aire acondicionado, radio... ¿Ves?

—Magnífico.

—Negro. Es lo más serio y elegante.

—Para toda circunstancia.

—Pero, dime, ¿te has repuesto?

—¡Pse!

—¿Qué sientes? Los nervios, tus eternos enemigos.

—Con esta paz, y este aire, y este ambiente de mi infancia...

El niño me auxilia en la turbación. Se ha encaramado sobre mis brazos, me aprieta efusivo, alisa mi bigote. Y, en tanto, la charla se devana, correcta. Rebota de las líneas del nuevo coche a las novedades santiaguinas, de los siete años que acaba de cumplir Charlie a los trámites que según el abogado precisa iniciar cuanto antes. Yo atiendo, aunque más bien escucho su voz, tersa como su cutis. La esquivo; pero, aun sin mirarla, la veo con todos los detalles de su belleza: el óvalo del rostro, un poquitín estrecho; las mejillas de seda sin brillo, ligeramente cóncavas, desmayos tibios de una sensualidad que arde sobre la ojera y quema en los ojos de noche. Ahora, todavía, mientras escribo, mezclándose a las consideraciones de ayer, la evoco. No sé si enamorado. ¿Gimen las abstinencias de mi retiro? Acaso. El hecho es que me la represento entera y, lo peor, hasta desnuda. Su avispada esbeltez, sus carnes que la maternidad hizo más mórbidas, sus muslos largos y mullidos que le mullen el andar y el recibirme... Decíamos bien ayer: me gusta más que cuantas mujeres conocen mis sentidos. ¡Ah Beatriz, Beatriz!

Felizmente conversamos algo de prisa, mientras el chico allá, bajo el peral, cogido al columpio, se mecía.

—De modo que no entras. Una taza de té, siquiera...

—No, hijo. Voy de paso, ya te lo dije. Sigo a las casas del fundo, a ver si la Eugenia quiere suplir a la niñera por esta semana. Te dejo el niño, ¿quieres?

—¿Cuánto demorarás?

—Si prefieres, te lo dejo hasta mañana. Porque, oye, mañana, te aguarda el abogado. No pongas esa cara. No seas flojo. Te quedas con Charlie y, como ahora dispones del otro coche para ti solo, regresan los dos a Santiago. Mañana, sin falta.

Fue perentoria. Es tan dinámica, y yo estoy tan lacio de voluntad, que así quedó resuelto. La noto vehemente por recibir esa herencia. Esto de haberme dejado al niño es astucia. Para que no falte mañana. ¡Mujer! Por lo demás, no le advertí dolor ni emoción alguna por la muerte de Charles Moore. O se ha conformado, o, en realidad, jamás le importó él gran cosa. Despunta como una ironía el que yo en cambio casi lo llore. ¿Eh, Mauricio? El hecho es que se portó ella muy natural. Aun alegre. La he visto subir de nuevo a su Lincoln, muy suelta dentro de su falda gris y su blusa blanca, alborotados al viento los rizos negros. La voz clara y el adiós con la mano en alto, desde su asiento, al despedirse, permanecen extrañamente sobre mi sensibilidad. Se alejó el auto negro de cristales puros, soltó por el escape un leve soplo de humo violeta y me ha quedado el alma como envuelta en ese color de crepúsculo. Soy un pobre hombre. ¡Qué hacer!

Tampoco al niño, diríase, le ha importado ni poco ni mucho la muerte del padrino. Yo, con ingenuo romanticismo, pensaba en la voz de la sangre y en otros motivos de retorcimiento. Soy, no cabe duda, un pobre hombre. O no hubo entre ambos tales lazos de consanguinidad. Mientras tomábamos el té, a punto me hallé de interrogarlo, de inquirir en su corazoncito; pero luego sentí por ello repugnancia. No; habría sido bajo, deprimente, intolerable. Sin embargo, he orillado en complicada e indirecta conversación el tema. Pero nada. Ningún eco en él. Ha seguido, apostaría, en sus preocupaciones ordinarias. ¿Buen síntoma? O bien, el argumento de Mauricio vale: no reside la paternidad ni en la criatura ni en su progenitor, sino en el amor que nace, crece y los une.

¡Ah, bueno!

Me conformaría con esto, si no se me antojara casi como tener un hijo robado.

Ha empezado a soplar viento afuera. Una de esas mangas que poco duran en esta época del año. Pero ese chico, ¿dónde andará?

Me asomo. Llamo.

—Jacinta.

—Señor.

—¿Y Charlie?

—Jugando en la terraza. Mucho rato corrió, traveseó a sus anchas y, ahora, mírelo.

Lo descubro, absorto en afán. Ha encontrado quién sabe dónde un martillo mohoso, una tuerca y un candado viejo; y fingiéndose que trabaja, no los cambiaría por el mejor juguete.

Jacinta y yo nos miramos, vibrando en igual ternura.

Hasta que la pobre mujer no resiste más sus ímpetus. Va y arrebata en brazos al niño, lo estrecha con frenesí contra su seno rollizo y le regala con su epíteto máximo:

—¡Mi arzobispo!

¡Ah, cándida deliciosa!

Bajo un momento al jardín. El viento sopla largos minutos sobre mi rostro y lo enfría, como un agua una piedra. Cierro los ojos con los párpados refrescados. Descanso. Pero la cuita espera en la orilla del viento.

Y vuelvo.

*

* *

No bien he vuelto a la galería y he caído sobre mi poltrona, Charlie ha entrado también. Traía por cierto su tuerca, su candado y su martillo, y los ha puesto encima de la chimenea, como retorna un obrero al taller sus herramientas.

Enciendo mi pipa y a través de la bocanada gris observo a Charlie. Mira en redondo una por una todas las cosas. Como conozco su almita, sé que ha experimentado la misma sensación mía de cuando aquí llego tras de las ausencias. La casa con sus objetos, cerrada, nos ha estado esperando, ha dormido con paciencia y de pronto despierta con nosotros entre los brazos que se desperezan.

—Cuando pasé la última vez con mi mamá —me dice al fin—, muchas cosas estaban guardadas.

—Sí; pero yo las volví a su lugar.

—Claro.

Luego simulo escribir. Siento no sé qué desasosiego. No me quiero fijar mucho en él. Tiemblo de advertir algún parecido delator en sus facciones, en sus gestos o en sus movimientos.

Pero él, inopinadamente, se va.

Mis pupilas vagan entonces sobre cuadros, floreros y chismes predilectos. Fumo y la mente monologa para el chicuelo. Así es, hijo, así es; coloqué los amigos recluidos en las cómodas; muros y muebles entumecidos tuvieron otra vez el calor de mi afecto; y aunque mi corazón traía mucha fatiga, pronto me sentí acogido, envuelto por la mirada de mis retratos y por las menudencias familiares, que han recobrado su orden y devuelto al ambiente mi atmósfera, casi mi fisonomía.

Me reprocho sentimental y cursi. Afortunadamente suena otra vez la voz del niño. Se acerca. El sol se ha ocultado como siempre de improviso, tras el cerro enorme de enfrente, y la galería toma una luz azulada. Cuando sacudo contra el cenicero el hornillo de la pipa concluida, entra Charlie de regreso. Lo llamo y lo siento sobre mis rodillas. La penumbra es propicia, él ha de tener un suave cansancio de tanto jugar; de manera que se somete a mis caricias mudas: mi mano vehemente, nostálgica de él, hunde los dedos en su argollada pelambrerita negra.

—¿Te acuerdas? —le pregunto—. Antes, por este pelito siempre revuelto, yo te decía Cabecita Despeinada.

—Sí, de veras.

—¿Quieres que te llame siempre así?

No responde. Pero ha sido una idea. Algo se resistía en mí a nombrarlo Charlie, como al otro.

Para mimarlo, cojo entonces la cachimba, ya fría, y se la ofrezco:

—Toma. Juega. Fuma tú también, a ver.

Hace una mueca de rechazo.

—¿Te repugna? Me tienes asco...

El sigue callando, y resuelve la situación: parte, a escape.

No tarda empero en reaparecer. Oigo un carraspeíto. Es él. Hago girar un poco mi sillón y observo. Allí está, en la puerta del fondo, que se abre al patio de las dependencias. Allí está. Se recorta sobre un retazo de cielo arrebolado. Hay una sonoridad de estío maduro en el aire de la tarde. Y en el umbral, apoyado el hombro contra una de las jambas, él.

Yo desde mi poltrona y él desde allí, podríamos dialogar. No obstante, mantengo mi silencio.

Pero hace ya rato, y allá lejos, ha empezado a mugir una vaca, con angustia. Charlie... Cabecita Despeinada, digo, sigue ahí, afirmado y mudo. Tiene la vista fija y uno de sus pies monta el empeine del otro. De tiempo en tiempo, y coincidiendo con los mugidos, da unos sorbetones con la nariz. Hasta que, sin contenerse, me pregunta:

—Cuando a una vaca se le muere su ternerito, papá, ¿sufre mucho?

—Sufre, naturalmente, la vaca. El ternero es su hijo. ¡Cómo no ha de sufrir!

El pobre vuelve a su silencio, preocupado. Ahora el animal no muge; brama. Y la patita montada ya no sólo pisa; frota el otro empeine. Y se multiplican los sorbetones.

En verdad, yo también he comenzado a imaginar, allá, en el establo, un padecer ignorado.

Miro al niño. Continúa inmóvil. No le distingo el rostro, ahora vuelto hacia la sombra de la galería; pero de todo su cuerpecito la emoción sale, como el vaho de un cofre que arde cerrado.

Mas de repente suspira y dice:

—¡Eh! ¡Qué importa! Después pone otro.

Contengo la risa, o río a obscuras, sin ruido. Tampoco me parece delicado averiguar ese su concepto de que las vacas pongan terneros como las gallinas ponen huevos.

Pero él, como resumiendo el pensamiento callado, murmura:

—Porque harto más grande que la gallina es la vaca.

Cuánto me cuesta entonces ahogar una carcajada.

Opto por hablarle de lo primero que se me ocurre:

—Comeremos temprano, Cabecita Despeinada.

—Bueno.

—Y a la cama después.

—Hace calor.

—¿Te has estado acostando tarde?

—Cuando refresca. Mi pieza en Santiago se pone como un horno.

—Aquí te acostarás en mi dormitorio. Te hará la cama la Jacinta frente a la mía.

—Mucho mejor.

La vaca plañe todavía. Pero... él ha cancelado. Es personita de resoluciones. ¡Cuánto daría yo por serlo! ¿De quién habrá heredado ese carácter? Vamos, vamos; no recomencemos con las amarguras.

En seguida hubo que prender la luz.

No logré ya evitar el analizarle semblante y facciones; éstas, una por una. Pues bien, nada en limpio. Sólo a su madre se parece. Los mismos ojos ardientes, aunque los suyos con cierto halo de ensueño. Es soñador. Beatriz dice que poeta. Moore no tenía de tal ni asomos. Luego, el pelo, negro y no rubio, y crespo como el de Beatriz, aunque más que ondeando, en anillos. Cuestión de la edad. Y el óvalo, y los carrillos, y la frente... A ella lo sacó todo. No sabría decir si esto me consuela o me inquieta más. Para Mauricio, espléndido factor. Pero ¿por qué no se parece un poco, un poquito a mí siquiera?

Le doy la caja del ajedrez para que se distraiga. Lo veo manejando las piezas y atisbo los movimientos de sus dedos. ¿De quién son esas manos? Ni mías, ni de Beatriz, ni de... La verdad, no recuerdan las de nadie. Habrá que ponerse a examinarlas de cerca, minuciosamente. Después, cuando se duerma. ¿Cómo eran los dedos de Moore? No guardo la menor memoria... ¡Eh, basta!

—Señor, está la comida en la mesa.

—Gracias, Jacinta. Vamos, Cabecita.

Comimos y llegó para él la hora de recogerse. Jacinta lo llevó en brazos desde el comedor. Lo adora la pobre vieja. Lo acostó entre mimos. Oí como rezaba con él.

Me llamaron para el beso de buenas noches.

Conversamos tras el beso:

—Ya tendrás sueño, hijo.

—Y usted, ¿tiene sueño?

—Yo... me fumaré un cigarro y...

—¿Le gusta dormir, papá? A mí me da miedo a veces quedarme dormido. En cuanto uno se duerme, ya no es nadie, se muere.

—¡Oh! No tanto.

—Parece, ¿no?

—Sin embargo, es agradable.

—Claro. También me gusta irme quedando dormido, ir sintiendo que me voy quedando. Pero de repente, un poquito antes, cuando todavía sé, me acuerdo de que me voy, y me asusto.

Entonces río... y no río.

—Duérmase, mi lindo, ya —ruega Jacinta.

El se acurruca. Pero saca luego una mano, coge la mía y me habla muy bajo:

—Papá, ¿usted creyó que yo le tuve asco? No. Cuando usted no estaba después ahí, yo me puse la cachimba en la boca.

Estuve a punto de sollozar.

¿De quién ha heredado esta delicadeza? Mía puede ser, también de Beatriz... Pero no la concibo en un chicuelo británico. Los gringuitos han de tener, se me figura, una sensibilidad más juguetona. No me los imagino con tales cargos de conciencia ni con tal finura para descargarse. Sólo que tú, hijo, escondas también tu multitud...

Se durmió al fin. Le guardé la mano bajo las ropas. Me levanto del asiento a su cabecera, lleno de respeto, y salgo. ¿Haber retenido esa manito entre las mías, haberla examinado, palma, yemas, falanges? Hoy no habría sido capaz. Después, despues... Cuando yo solo sufra la crueldad, cuando no lo mancille a él.

*

* *

Ante la fosa recién cerrada, encima de la tierra todavía suelta que cubria el cuerpo del difunto, conversaron cierta vez un filósofo, el sepulturero y un abogado.

El filósofo dijo, sentencioso:

—La vida es un pleito que al fin siempre se pierde.

—Verdad. Me consta —confirmó el sepulturero, la mano sobre su azada como sobre un testigo.

Y el abogado concluyó:

—¡Eh! La cuestión es ir ganando uno a uno los incidentes a lo largo del proceso.

Desde aquel día, el sepulturero piensa con el filósofo, pero actúa con el abogado.

Concebí ayer esta pequeña fábula —se me ocurre que dictada por mi astuto y práctico Mauricio—, porque me convencí de que, sutilezas aparte, no podremos prescindir de los señores doctores de la ley mientras hayamos de vivir en este mundo. De modo que fue también un desahogo para mi antipatía y mi molestia; ya que necesitaba sosegar tanto disturbio promovido en mi ánimo por los escritos, legalizaciones y aprestos procesales que hube de soportar, horas y horas, entre bufetes, consulados y cancillerías, sumiso a nuestro leguleyo asesor. ¡Cuánta previsión de la suspicacia, cuánta experiencia del egoísmo, qué de cánones y engorros! Todo ello inevitable, mas para mí hostil; y además, mortificante por las resurrecciones de Charles Moore que motivaba. Como que al final, enervado, hubiera yo perdido de buena gana en la muerte los incidentes uno a uno.

Pero, dócil, me dejé conducir, y como triste sonrisa de mi pena y mi repugnancia, brotó esa fábula.

Otra fuerza, empero, empujaba mis pasos: ella, Beatriz. Era un imperativo a mi espalda, timón magnético que dirigía. Ella obraba contra las inercias del descorazonado. Desde que partí a Santiago la traía dominándome. ¿Cómo? ¡Ay! Seré sincero: hecha vértigo sensual. Mi erótico —lo identifico Luis, por su vecindad con Mauricio en la cadena de mis nombres— había cogido turno e impulsaba mi sangre con violencia, de venas a corazón, de arterias a vasos y por la carne toda. Giró Beatriz así, promesa obscura, insistente, dulce y terrible; mi dolor, mis celos y mi deseo, confundidos en torbellino, alcanzaron intensidad tal, que ya en el trayecto ensordecieron la charla clara de mi niño, mi Cabecita Despeinada.

Aún ocurriría más: la obsesión había de inflamarse cuando llegáramos a casa, ¿verdad, Luis? Todavía no se nos borra la visión: al entreabrir cautelosos la puerta de su dormitorio esta mañana, ella dormía sobre la cama revuelta. Las ropas le ocultaban el rostro, los brazos y las piernas; pero, como por intervención de la fatalidad, tenía desnudos el vientre, medio pecho y uno de sus costados pulidos. Esa carne de caliente blancura me hizo temblar. Una ceguera, con no sé qué de sensación dolorosa en los ojos, me ofuscó la vida. Trémulo, sin otro ruido que mi pulso, junté de nuevo la puerta y me alejé.

Me detuve después, moroso, entre las cortinas de su salita. Cosas, colores y atmósfera, todo languidecía enfermizamente voluptuoso allí: el tapiz tendido encima del ancho sofá, rara estofa de tornasoles marchitos; algunos azules de humo; cierto rosa de aurora velada de niebla, y flotando, mezcla de ausencia y presencia, ella con su palidez.

Sí, Luis; nos habríamos quedado.

Pero salí, en fuga, a la calle, a la materialidad de los trámites impuestos por el famoso testamento.

Sólo que ya el vértigo no soltó su presa. Los trajines absorbieron las horas. A toda exigencia obedecí, febril y de prisa. Extraño ritmo me urgía, la impaciencia me hormigueaba en el cerebelo. Y, hondo, ella; ella siempre, su magnetismo, su vórtice carnal, ese algo que gira y envuelve, que no se ve y sin embargo es lo único presente, que los ojos rechazan y los poros reciben con ansia.

¿Tanto, tanto la quise antes?, me pregunto con extrañeza. ¡Ah Luis, está en ti el misterio!

Porque ha sido éste un día de locura. Terminaron los afanes de la jornada y llegó la noche. Acostamos juntos al niño, que se adurmió en nuestras ternuras unidas; pero esto, a pesar de su pureza, creó de minuto en minuto entre ella y yo el clima de la intimidad peligrosa. Pronto fue Charlie postergado. Para mí, a lo menos. Tan sólo ella parecía existir; el fluido de su persona envolvía mi ser entero en porfiada espiral. Si evitaba yo mirarla, más viva la veía. Mis sentidos codiciaban hallazgos en los furtivos contactos. Todo era verla, oírla, palparla con las antenas de la sensibilidad afinada: cuando, en determinado instante, de las telas claras cayeron sobre su cutis luces para matizarlo, y cuando su perfume se convirtió en calor, y cuando la voz del niño repitió la suya en tierno. Lo insólito fue que, paralelamente, me invadió la timidez. Esquivé roces y miradas, vacié de significado mis palabras, temblé tanto del hacer como del no hacer; pero iba comprendiendo a la vez que, de límite a límite, se resolvía todo en signos delatores.

Como que lo percibió ella. Son muy sensibles las mujeres. Sí, supo segundo a segundo cuanto en mí sucedía. Me atrevo aun a decir que se le habían comunicado las llamas de mi deseo, que sus entrañas se habían encendido. Se lo descubrí en un encuentro casual con sus ojos. En la mujer así acometida, el celo fluye de las pupilas, se prende a las pestañas, sobre la ojera flota y permanece allí como un empañamiento que oscila.

Si durante los cien días de mi desconfianza no la hubiera yo separado interiormente de mi corazón, entonces me le habría podido acercar sin más, para besarla, con la traviesa naturalidad de antes, en el nido de la oreja, y conducirla.

Pero... no; tras de abandonar al niño a su sueño, permito que se vaya sola.

Torno, pues, a vagar por habitaciones. Recaigo a su salita, me asomo al balcón abierto, miro la calle solitaria. La luna, baja y amarilla, diríase que refuerza el calor de la noche; enfrente, la sombra de un poste, arrojada contra una casa, se quiebra en el ángulo de acera y muro. Tiempo incalculable transcurre. Todo el barrio tremola, respira, late como un cuerpo. De repente, lejos, palpita una campana; su pulso acelerado acelera el mío, y las campanadas me hacen pensar en una vena que se ha roto y gotea. Once campanadas caen. Hasta que pasa ella, a mi espalda. Sin volverme, la siento. Sigue de largo y luego escucho su voz: habla con alguien de la servidumbre. No sabría decir por qué volición me dirijo entonces a su dormitorio. Ha entrado ella en su pieza de baño. Yo, el marido, el dueño, me hallo en su cuarto como quien espera de visita en un salón. Toso en el puño ahuecado, no tomo asiento; para calmar los nervios, vago entre sillas y mesas, observo los cuadros cual si jamás los viera, uno tras otro, y las fotografías sonrientes que nada expresan. Me domina en cambio el olor, su olor, que todo lo impregna y anima. Es terrible y enloquecedoramente delicioso el tiempo. ¿Habrá hombre que no haya sufrido ese azote de la sensualidad que sobresalta la carne, da vahído en la cabeza y angustia las vísceras en el silencio de un dormitorio femenino del que la dueña está ausente?

Al cabo, se acercan sus chinelas encima del *parquet*, como sobre mi respiración, y...

Grata, verdad, muy grata hora sobrevino, Luis, y te la debo agradecer.

Mas, pasada la medianoche, desapareciste. Duran siempre tus presencias lo que tarda el celo en cumplir su parábola.

Y fue Rafael, mi celoso, quien..., ¡ya, tan pronto!..., acudió entonces a imponerme su turbulencia.

*

* *

No decimos: "Poseo, estoy poseyendo a esta mujer", y si conseguimos observarla desde los comienzos del acto, a través de sus apremios graduales y hasta el instante convulso, llegamos a la convicción de que se ha entregado sólo a su propio placer. Aislada y egoísta, gozó, nos tuvo apenas como instrumento de su goce. Nada más.

Cierto, muy cierto.

Aunque, ¿ha de causarnos esto mucha extrañeza? En tales trances, ¿adónde no se irán, relegados, sentimiento y conciencia? El animal domina cuando el cuerpo disfruta.

Pero Rafael ahora reproduce otros pasos aún, ante mis ojos perturbados por los celos; pues vengo a recordar que antes, a raíz del espasmo, a ella le acometían arrebatos de cariño. Dulces, tiernos arrebatos, que no tuvo anoche. Y rememorando caigo en la cuenta: no los tiene desde hace mucho tiempo. Si casi había olvidado yo esa dignificadora reacción de la mujer que de veras ama. Es como un estallar de gratitud conmovida, cual si la dicha de haber sido así amada le despertase la necesidad de darse integralmente a su dueño. Satisfechos los sentidos, sale su corazón en demanda de supremacía. Ella es más nuestra entonces; sabemos con seguridad que la hemos poseído. Como una pequeña, se nos anida, la cara sobre nuestro pecho, sobre nuestro brazo la cabeza desmelenada, y entre humilde y ansiosa de eternidad, parece decir: "Tuya soy, amor mío, total y para siempre". He ahí entonces la seña del perfecto amor.

Pero anoche nada hubo de tal.

¿Y anoche únicamente? Reando el devenir de mis uniones con ellas. Se han enfriado en estos años. No cabe duda. ¿En cuántas ocasiones creí notar sólo una como sumisa pasividad? Hasta recuerdo haber pensado alguna vez: "Te deja obrar. Mansa, te soporta". Sólo que al advertirlo no paraba yo en ello muchas mientes. A poco ardor de su natural solía yo atribuir aquello, y por ese instinto de la felicidad que alienta en el ser humano siempre, interpretaba tal actitud como delicadeza suya, como paciencia femenina, casi como blanda tolerancia de madre para con su protegido.

Pues bien, ¿por qué no había de ocurrir hoy lo mismo? La edad apaga muchos fuegos, además; la maternidad desvía gustos y devociones. Acaso tú, Rafael, desvirtúes la lógica de la vida por excesivo amor propio.

—Si el honor no hubiese gritado...

—Llamas honor, decencia, pulcritud moral a ese código que sostienes con tanta soberbia. Código apasionado no compila buenas leyes.

—¡Qué quieres, analizo!

—Eres tortura, cólera, violencia y creas a menudo visiones mentirosas.

—Reviso el pasado, nada más.

—El tono de la vida cambia para todos paulatinamente. No podemos estar volviendo al pasado siempre, y comparar sin tino.

—No podemos volver al pasado; pero el pasado ennoblece el presente y debe prolongar en el porvenir su nobleza.

—Sin desventura.

—¿Temes? Cobarde no querrás ser, supongo.

—Tanto como eso, no.

—Detén inculpaciones, entonces. No te precipites. Y acuérdate: antes era ella celosa, y eso te complacía. En aquella oportunidad... Haz memoria. Claudina, su amiga del colegio, empezó a gustarte. Coqueteaba contigo, y tú ibas deslizándote hacia la posible aventura. ¿Qué hizo Beatriz entonces? Astuta, para reencenderte, decidió ella darte celos a ti. Creyó así frustrar la traición. Tú, experto en mujeres, maliciaste la farsa. Como celoso también, vislumbraste la treta, y comprender y ufanarte por ello, todo fue uno. ¡Hem!, pero he aquí a la vez otro punto dudoso: ¿con quién te dio celos? Precisamente con Charles Moore.

Con Charles Moore. Exacto. Ocurrió en uno de sus veraneos con nosotros.

Al menos hoy, no hay yo alguno en mí, capaz de seguir dialogando con Rafael. Nadie más ha cogido hasta el momento una pista. El, el único. Porque... lo veo, con evidencia: viene a resultar que acaso aquello no fue ardid, que se me representó comedia con un hecho real, y yo me tranquilicé, y aun me inflé de ufanía... Si hasta juraría que, muy risueño, se lo conté a Moore en confidencia. ¡Qué humillación! Cuando abofetearlo debí. Porque poco después, justo poco después de aquel veraneo, quedó ella encinta. ¡Horrible! Y, sin embargo, verosímil, de posibilidad muy lógica. Ilumíname, Rafael. Buena, buena hebra coges. ¿Cómo imaginas tú lo sucedido? Empieza ella por maña, táctica o estrategia; el otro se lo cree y se va enamorando, si no lo estaba ya; insiste, sufre, conmueve, y ella termina presa en su propia red. Consecuencia, el adulterio. Y el adulterio con la concepción de un hijo. ¿Por qué antes no lo concibió de mí? ¿Carezco de fecundidad? Puede bien ser. Habría que convencerse. Pero ¿cómo, cómo?... ¡Ah, si mañana, por ejemplo, me anunciara ella nuevo embarazo, fruto de nuestra noche reciente!

¡Bah! Estoy enloqueciendo. Calma.

A ver, en frío, revisemos. Cuando él nos anunciaba su visita desde Buenos Aires, lo esperábamos como en promesa de fiesta. Yo lo quería, sinceramente. Ella, también; esto nada ofrece de particular. Eso sí que yo, vendado tal vez por mi cordialidad, nunca sospeché nada. Había confianza entre los tres; mucha, de familia; pero se me ocurre ahora que algo encuadraba mal en el conjunto de aquella conducta. Era una familiaridad excesiva, que, sin embargo, nunca se excedía. Así habría que decirlo, sí; o mejor, "excesiva familiaridad, que se cuida de no excederse". Bueno, yo me entiendo. Como entre brumas, se me reaparece tal cual momento. Había duplicidades afables, de naturalidad bien lograda pero de interior falso, disimulos, repentinos descuidos que instantáneamente se recogían. Las palabras afectadas y los gestos furtivos pasaron inadvertidos para mí a cada rato; pero resurgen hoy, cargados de significación. Es curioso el fondo de la memoria: una sombra en la que hay muchas cosas que se repliegan y se despliegan, como seres que se manejasen allí por su cuenta, con voliciones propias, y que asoman y se ocultan a no sé qué órdenes o llamados inconscientes del anhelo. Ahora distingo mucho entre los velos de la distancia. Ellos, me refiero a Beatriz y Charles, comportábanse como quienes andan sobre un cristal que puede romperse.

¡Y yo no lo reconocía!

Además, había en ella, constante, cierto accederle que era obediencia. Como aquel asunto del *fox-terrier*. Charles, buen inglés, tenía debilidad por los perros. Le trajo uno de regalo a Charlie... ¡Dios mío, leer estos dos nombres, puestos uno en pos del otro y de mi puño y letra, me resulta impúdico! Viene a ser como la presentación del padre y el hijo, a traición y con guiño de ojo. En fin, cordura, cordura; prosigamos. Sí, sí; lo del animalito ese. Siempre detestó ella los perros; decía que pegaban lombrices a las criaturas; de modo que comenzó rechazando éste. Bien; él pareció no insistir; pero luego, después de cierto paseíllo por el jardín hecho por ambos, quedó tácitamente aceptado el can. Ni se habló más del asunto. Y el niño tuvo el *fox-terrier* a su lado para jugar inseparable. Me acometen impulsos de matar a ese animal ahora. Y a ella. A ella, cuando menos, de pegarle.

Algo hubo entre los dos. ¡A qué cegarse!

¡Ah, le daría de bofetadas a la infame! Si no me hubiese vuelto a mi reclusión cordillerana, le propinaría cien sopapos en este mismo momento. Le buscaría camorra y le rompería esas carnes prostituidas, esas carnes que tanto me gustan, pero que odio ya. Me gustan, sí. Ayer las besé, las besé, largo, repetido... ¿El amor gusto, llaman a eso? Bestial forma de amar. Estoy enloqueciendo. Basta. Pero es que me figuro la lujuria de aquel hombre. La siento allegarse al cuerpo de Beatriz, como husmeando. Sus carnes, que yo recibí castas, que yo desperté, que yo enseñé, que yo tuve sobre mi pecho como una brazada de rosas aquella noche primera, se han retorcido, adiestradas por mí, entre los brazos de aquel tipo. La lujuria del extraño, extraño en todo, hasta en raza, me salpica el alma igual que baba verde y pestilente. Y por último, vil epílogo, ahora ese intruso la paga. Peor: nos paga. ¡Abofetear, sí; abofetearía el cadáver, si a mano lo tuviera!

Estoy loco. También los celos bestializan.

No debo seguir escribiendo.

*
* *

Recaigo sobre mi cuaderno. He andado al aire, para normalizarme, y releo lo escrito. Vergüenza, trastorno... Cosas de ser elemental, instintivo. Me porfiaba Mauricio que juzgamos rudimentario y oscuro el instinto, pero que es un vidente que se esconde para guiar mejor. Quizá. Quizá nos haya sido dado a manera de brújula; mas ocurre, por lo común, que su aguja nos señala por norte magnético el destino. Después creemos que nuestro rumbo estaba errado. ¿Por qué, si nuestro sino era equivocarnos? Esta es, acaso, la razón oculta de que luego muchos hombres se resignen. Y es que otro destino ha venido inopinadamente a trenzarse con el nuestro. El de una Beatriz, verbigracia. Y nuestro derrotero ya no sólo está perdido; es un desvío, una senda de travesía, cuyo término se hunde en la turbiedad ajena. Cesa el albedrío, algo se decide más allá, en el misterio, ya no vale haber combinado planes. Nuestra existencia traía oculto su designio, y lo cumple por ley de tiniebla.

¡Oh, qué inútiles mis esfuerzos para tranquilizarme! ¡Hasta declamo! He de cerrar, pues, las páginas en cuyos renglones ordenados esperé ordenarme.

Nada, nada en limpio. Sólo confusión.

A pesar de todo, mantengo la imperativa esperanza. Y sigo con toda mi sensibilidad fluctuante, pero tendida sin remedio hacia la certidumbre que se me niega.

*
* *

Endulzado vuelvo a mi refugio. Amar a los niños será una dulzura siempre. Siempre y a pesar de los pesares. También cuando bajo el amor algún drama nos ensombrezca. O más, todavía más en ese cuando, pues derramará el corazón entonces benignidad sobre los infortunios y por encima del pecado y su malicia sonreirá la cara de la inocencia. Acabo de comprobarlo: he debido pasar varios días en Santiago y bastaron los contactos con el mío, con mi adorable Cabecita Despeinada, para que los dolores se me fueran diluyendo uno a uno en ternura, dulcemente.

¡Mi chicuelo, mi chicuelo! Se trataba de ponerlo en el colegio ya. Beatriz había elegido para ello un establecimiento inglés, y yo, por este roer perenne de mi suspicacia, corrí a desviar el propósito. No porque haya cobrado ahora odio hacia los ingleses; tan sólo porque para él, a quien ni llamar por su nombre soporto ya, nada quiero que lo acerque a la raza de quien me ha envenenado.

Pero... tan blando me dejó luego el trato con la criatura, que terminé accediendo.

No cedí por cierto a causa de argumentos que me convencieran. El lugar común de que la pedagogía británica vigoriza el carácter, no sólo no podía valer para mí, aun debía por fuerza obrar con antipatía sobre mi maltrecha sensibilidad. Acepté por..., ya lo dije, por voluntad dulcemente diluida. Y además porque sé bien a qué atenerme respecto de la educación. Como un proceso de formación de hábitos la definen. Yo, ¡ay!, enmendaría el concepto así: es un esfuerzo sistemático para uniformar las costumbres y las inclinaciones de la humanidad. Y hecha la enmienda, condenaría tan menguado fin. Tan menguado y tan vano. ¿Indiferenciar a los hombres? Jamás alcanzó esto el pedagogo, por suerte. Salvo con los ya indistintos. Siempre seguirán los otros peleándose dentro del mundo. Y lo más inevitable: sin cesar viviremos riñendo en la obscuridad interior con nosotros mismos. El hombre cabal, múltiple por naturaleza, no tolera reducirse a uno solo. Y razón le sobra: rehusa empobrecer.

Así, pues, he transigido. Que vaya el niño a esa escuela. O a cualquiera otra. Le convendrá en cambio para cotejarse. Porque se va formando en soledad y eso no está bien. Sus juegos todos son de infante solitario. Sucede toda su vida en la imaginación. Y si cualquier estímulo de fuera viene a excitarlo, su mente linda con el delirio y hasta con la enfermedad. Lo llevé, por ejemplo, el domingo al teatro infantil y, como consecuencia, no durmió esa noche tranquilo. Afiebrado, habló en sueños hasta el amanecer.

Me preocupa este su vivir figurado: cada día se supone un ser diferente. No hay niño, se me dirá, que no se finja hoy ser el operario que compone cerraduras o cañerías, y mañana el sacerdote o el médico, y después el padre mientras en sus progenitores ve hijos. Sí, los pequeños juegan así; pero en mi Cabecita Despeinada la persistencia del fenómeno y de manera casi exclusiva, no me gusta, no. Experimentado en mi propia vida lo tengo. Yo también fui chico solitario durante largo período. Me transmutaba en seres de mi fantasía y, ¡oh complicación!, nacieron demasiados yoes en mí. Perturban y desvían desde la infancia estos fantasmas que se nos incorporan. Sobre todo algunos, esos que representan a hombres que hubiéramos querido ser y nunca fuimos, y que perduran embrollando nuestra pluralidad de suyo numerosa. Sin duda unas veces nos acompañan, siemprevivas de la ilusión; pero suelen también angustiarnos como el gemido insistente de la esperanza frustrada. Nuestro yo soñador los acoge y los sustenta y con ellos nos puebla el espíritu de anhelos desorbitados. ¡Ah, yo bien lo sé!

Y por esto creo muy a menudo a Cabecita hijo mío, genuino.

De aquí también que Beatriz le descubra dones de poeta. Y que se los atisbe yo además. Durante los últimos días, desde luego, le reconocí dos condiciones: fantasía e hiperestesia. No quiero exagerar, aunque... Veamos. Dos impresiones aún frescas.

Primero, paseándome por el jardín, lo encuentro absorto ante el agua quieta de la pila que refleja la tarde azul. De pronto él me advierte, sonríe y me dice:

—Mire. Le han puesto vidrio y marco al cielo.

Y avanzado ya el crepúsculo me lo topo en el vestíbulo. Está solito, ceñudo y trémulo. Su expresión contrasta con la placentera del pasado momento ingenioso. Como siento voces dentro del salón, me asomo, y diviso allí en la penumbra dos mujeres, dos viejas enredadoras que siempre amargan con chismes malévolos el ánimo de Beatriz. Ella escucha, muda, y yo murmuro:

—¡Hem! Ya tenemos otra vez a ésas.

El acota entonces mi desagrado:

—¡Pobre mamá! No dirá palabra; pero hasta aquí se le siente sufrir.

Mío, sí, mío reconozco a este niño. Su delicadeza es mi delicadeza crecida, hecha vena de arte por avance de la generación. Sensibilidad e ingenio se alían para dar el artista. ¡Qué importa que se llame Charlie! Porque lo habrán de nombrar así en ese colegio anglosajón... Nada, nada importa. En cambio, lo forjarán algo más dinámico, enérgico, varoncito de acción. Lo necesita.

Endulzado he vuelto, pues, a mi retiro. Sonríe sobre pecados y malicias la cara de la inocencia.

*
* *

Salí de Chile una de las postreras mañanas de abril. En las alamedas quemaban la hojarasca barrida, una bruma tenue mezclábase a los humos que ascendían de las piras, y ambos grises, confundidos, enroscábanse a los árboles, para subir después a velar más el azul del cielo. Olía todo el barrio no sé si a niebla, si a ceniza, si a paz o si a melancolía. Y he vuelto a mi tierra cuando han reflorecido los cerezos de parques y jardines, cuando las ráfagas, en vez de hojas muertas, echan a volar pétalos rosados por el aire y cuando los álamos se prenden ya los primeros moños verdes. Y ahora, ya en mi aislado caserón desde anoche, uno ha sido levantarme, salir al patio y aparecérseme de súbito el peral todo blanco de flores. Los cinco sentidos se refunden. Huele a gérmenes y a sol, a cantos, a colores, a leches y a niñez.

Aquí me recobro.

El invierno entero estuve ausente. Cuatro meses. Y los cuatro, cabales, bajo la potestad de Mauricio. Mucho tiempo, excesivo me parece. Guiado por la listeza, por el tino en la brida, por las prácticas ocurrencias, he logrado buenos frutos de mi viaje; pero se me rindieron al cabo los nervios. Regreso, pues, cansado, cansadísimo; peor: detenido al fin mi tren de actividades, sentía ya como si me hubieran cavado en el alma un hueco, y suspenso en su vacío me angustiaba.

De la noche a la mañana hube de hacer ese viaje. Fue perentorio el llamado desde la Argentina. La recepción de la herencia era inaplazable ya y debíamos llenar allá formalidades legales. Aunque no haga falta registrar pormenores económicos —siempre me propuse omitirlos en este cuaderno—, el encarar mi cuita, hoy resurrecta con más vigor, impone a lo menos revisión de ciertos factores. Porque, de nuevo en el ambiente habitual, pensamientos, emociones y deseos, los espíritus internos todos, se reorganizan en torno a la inquietud íntima. Era fatal. Así tenía que ocurrir.

Desde luego, veamos: ¿procedí bien al partir solo? Indudable. Pensamos al principio que necesitaríamos acudir a Buenos Aires los tres, quiero decir ella, el niño y yo. Sin embargo, pronto rechacé la idea. Me repugnó esa presentación en trío. Rafael trajo a escena sus celos, Fernando sus lastimaduras, Juan sus cautelas, un tumulto se produjo, y se me plantó enfrente la trinidad heredera convertida en comparsa de vergüenza. Encendería malicias en los ojos de las gentes. Aquellos extraños, envidiosos posiblemente, verían en la mujer bonita elemento de sospecha, cuerpo de infamia en el chico y figurón de oprobio en mí. A la inversa, yendo solo, sería yo el señor que cobra y nada más, la jurídica persona que basta, el gestor legítimo para percibir, liquidar, reponer y, en último término, el hombre de fortuna, el gran cliente, respetable y libre de sugerencias canallas. Beatriz, por muchas ganas de pasear que tuviera, entendió con medias palabras. Acaso haya espectros en su conciencia... En fin, el hecho es que fui solo. Y, repito, mis prestancias de Mauricio inspiraron la conducta sabiamente; de suerte que para todo hubo acierto y provecho. Fincas, valores, rentas, nada permaneció sin solución, mejora o custodia; y como se prohibe hoy exportar dinero de allá, el sino judaico —¿verdad, Mauricio?— nos condujo a la bolsa negra. Sí, sí; una cuenta corriente bancaria en Buenos Aires, otra en Santiago y la firma Turexchange como corredora componen ya para nosotros, con mínimo esfuerzo, la rotativa mágica de los cheques con ganancia pingüe y continua.

Lo dicho, eliminemos de estas páginas lo pecuniario, mas reconozcamos que me porté bien. Y activo; pues una vez aún se cumplió en mí el fenómeno de los irresolutos: nos cuesta mucho emprender algo, pero tanto y acaso más difícil nos resulta luego detenernos. Veremos si en el arreglo de mi conflicto se comprueba esta ley.

Y ahora, a cambiar. Paso y postura. Mudar madrina, como decía ese rústico esta mañana. ¡Cuánto nos enseña el vulgo! Mucho más, claro está, de lo que él sabe. Al final de nuestra conversación, Clodomiro, el arriero del fundo, que me trajo leña para la chimenea, se quedó repitiendo: "Hay que mudar madrina de tiempo en tiempo, hay que mudar madrina..."

Prolongaba en imaginarios suspensivos el estribillo. ¿Por qué? Sépalo el diablo. Pero habló cual si calara mi sinsabor y me dispensara consejo.

—¿Te va bien con la tropa, Clodomiro? —le pregunto.

—Da que batallar. Son muchas las mulas, y se juntan de todo genio, buenas, malas y regulares.

—¿Cuántas?

—Tres piaras manejo, de a once, de a doce, hasta de a quince.

—Nuevas, fuertes.

—Pero costales de mañas, ideáticas, testarudas, y lerdas también.

—Tú las entiendes. Menos mal.

—Ellas obedecen a las madrinas, al cencerro más que a nada, y cuando no, al látigo.

—Yeguas madrinas, entonces, ¿hay varias?

—Varias, que se alternan. Y según la yegua se porta la tropa. Cuando les viene capricho, uno cambia. La carga que hay que acarrear avisa también cuál madrina conviene.

Jacinta, mientras enjuaga un paño azul en la pileta, sonríe; y atisbándonos de reojo, refuerza:

—Como pasa con los cristianos, señor. Lo mesmo.

Yo no habría relacionado conmigo este diálogo si Clodomiro y Jacinta no hubieran insistido en sus ecos esotéricos: "Hay que mudar madrina de tiempo en tiempo". "Con las criaturas de Dios, lo mesmo." ¿Algo les bullía entre pecho y espalda? ¿O es que yo lo traduzco todo a los términos de mi autoanálisis?

De sobra sé que llevamos una tropa dentro. Sólo que no había puesto atención en que las madrinas han de guiar cada cual en su oportunidad. Completemos, pues, el concepto, y resumamos. Las tropillas, las pobres y simples, con la misma yegua se manejan siempre; son los hombres de personalidad definida, fieles a su constante anímica; sabemos a qué atenernos con ellos y no se pierden su ruta. En cambio, las piaras numerosas, como la mía, las de múltiples y complicados, las del ser de carácter desigual, expuesto a vacilar y contradecirse, requieren madrinas diversas, que asuman turno y conduzcan en su debida ocasión. Las requieren y las tienen.

Bien, muy bien. Clodomiro afirma mi convencimiento. Yo me lo había dicho intuitivamente ya: A cambiar madrina. En tropel, así como vengo hasta hoy, no; no más. Una vez Juan, otra Rafael, otra Fernando, y luego Jorge, Francisco, Luis, Mauricio y... los demás, todos, los ocultos, los solapados, los entrevistos, los fantasmas, los abortos, los ficticios... Cada uno a su tiempo y en su jerarquía. Hasta lograr certeza y solución.

¡Vaya, vaya! ¡Lo que ha venido a mostrarme Clodomiro en limpio! Nos enseña mucho el vulgo; mucho más, eso sí, repitamos, de lo que él sabe.

Pero todo esto, que yo por cierto no ignoraba, ¿qué pretendo que me responda hoy? Ah, sí; me había preguntado: Ella, ¿cómo es ella?, ¿quién es ella en resumidas cuentas? Por el camino pasa la tropa, de regreso al monte; oigo el cencerro, alejándose, y de rato en rato el *¡Hey, muula!* del arriero. Como si desearan renovarme su alerta. Método, sí, revisemos con orden y sistema. Ella, Beatriz, mujer... ¿Supondremos que las mujeres tienen menos multitud? Como nosotros, ni menos ni más. Con la diferencia de que a menudo en ellas el afectivo sojuzga y conduce arrebatadamente a sus demás. De ahí que suelan parecer de una pieza. Otra cosa es que se comporten como tales.

A ver, a ver, analicemos a Beatriz.

Pero dejémoslo para mañana, mejor. Estoy fatigado y la fatiga enreda. Mañana, mañana.

*
* *

Apresuremos la encuesta. Hoy mismo, ahora, en la paz de la noche. No he podido esperar hasta mañana. Voces, casi todas mis voces, coro vehemente, me han estado hablando, y precisa que las reúna y las oiga en su espontáneo concierto. Ella..., ¿quién viene a resultar ella, por último? Desde luego, mientras arreglaba yo esas cosas en Buenos Aires, ¿qué conducta observó ella en Chile?

—Se atuvo a lo suyo, como era natural.

—Natural, sí; pero ¿en qué consiste lo suyo, lo suyo genuino y significativo? He aquí algo por lo cual convendría empezar. Deduciríamos luego qué irá siendo ella después, a lo largo del devenir.

—Durante aquellos días se condujo Beatriz, al parecer, como ahora. Se la ve moverse mucho, muy activa, con cierta euforia, que antes no solía encenderla. Se junta con esa tal Chela Garín, que la excita. ¡Calamidad de criatura, la tal Chela! Superficial, aturdida, chiflada. ¿Por virtud de qué magnetismo seduce a tal punto a Beatriz? Si es una tonta.

—Un tonto, condimentado con un poco de locura, parece inteligente.

—¿De modo que Beatriz nos sale dinámica de buenas a primeras?

—Lo fue siempre.

—Dinámica.

—Y gastadora se ha puesto. La limitación de medios en que vivimos cuando los bienes se hallaban tan gravados, diríase que hoy la induce al desquite. Compra, compra sin tasa. Vestidos, joyas, fruslerías, cuanto se le antoja. Revela futilidad. Eso. Es dilapidadora y fútil.

—Pues antes no lo era.

—El dinero pierde a las mujeres cuando les falta hondura.

—Al niño lo colma de regalos. No da paso por ahí sin que algo le compre. A través de él miran sus ojos el mundo. ¡Qué idolatría! Nadie le negará un inmenso amor maternal, el ser madre por encima de todo.

—Alguien siquiera la defiende. Menos mal. Porque la dignifica esa fuerte maternidad, creo yo.

—Y habrá de salvarla de mucho.

—El amor a su marido, en cambio, ha bajado. Lo que indicaría inconstancia.

—Inconstancia, claro está. Pero corresponde, corresponde siempre. Ni atención, ni finezas le faltan. Ni ardor.

—Aunque, si bien se piensa, no pasaría esto más allá de acusar carne flaca. La tientan y vibra.

—No, no. Evitemos exageraciones; impidamos que los celos enturbien el juicio.

—¡Bah! ¿No es también celosa ella?

—¡Ojalá! Donde hay celos hay amor.

—Eso... ¡Hem! Yo la considero celosa e infiel al mismo tiempo.

—Contradictoria y absurda.

—Absurda, no. Contradictoria... ¿Quién no lo es? Miramos a la mujer como un enigma. Como un enigma nos mira ella también. Y no; sólo existe la multitud que desconcierta. Por esto, cuando acusamos de celosa e infiel a Beatriz, hemos de convenir en que no está reñido lo uno con lo otro. Yo, celoso, lo entiendo bien. Celamos y burlamos a la vez; todos, hembras y varones, ingenuos y listos. El fenómeno se comprueba diariamente. ¡Niéguenmelo a mí!

—Un poco de cinismo no calza mal ahora, ¿eh?

—Franqueza, hombre, nada más. Estamos en horas de sinceridad obligada.

—Bien. Adelante. Pero ¿no le anotaremos también algunas virtudes? Por ejemplo, su condición de amiga, de buena y fraternal amiga, querendona de veras, corazón sensible, rico en piedades, hasta el exceso, muy a menudo. Hace suyos los conflictos sentimentales ajenos con tanta frecuencia y a tal punto, que su vida emocional está casi siempre agitada.

—En efecto.

—Pues, ese don de corazón solidario debe alcanzar a su marido.

—Como que alcanza.

¿Alcanza? De meses a esta parte, la verdad, se nota esmero en su trato, me colma de cuidados. ¿Habrá presentido mis dudas y mis angustias? He creído varias veces advertir en sus ojos esfuerzo por leer en los míos; y en algunas de sus pausas cavilosas se me ha ocurrido entrever algo como un anhelo de interpretar mis silencios, mis disimuladas esquiveces y mis repetidos retiros a esta casa. Estudia mis modales, y, aunque yo cuido mucho que nada revelen, indicios recibo de que me supone triste, y se inquieta, quizá dolorosamente. Aun he tenido atisbos de que la mera sospecha de mi tribulación la conmueve, y me ha nacido entonces una vaga esperanza de que me consolaría si yo le abriera mi corazón. Sólo que ¿de qué serviría esto? ¿Iba por ello a desaparecer de los hechos un adulterio anterior? ¿Se convertiría en mío el niño ajeno? Llego a concebir, por instantes, la idea de reaccionar hacia el acercamiento; no para rendirme, pues no lo permitiría mi altivez, pero sí con el fin de impedir a mi coro vehemente y atropellado el perturbarme. Porque...

Porque hay que ver claro, y, lo acabamos de palpar, las voces en tropel ofrecen apenas un confuso resumen: ella sería dinámica, fútil y derrochadora, sin hondura, y no obstante buena madre, algo veleta y de carne flaca, simultáneamente infiel y celosa, contradictoria y aun absurda, pero amiga segura y abnegada, por último capaz de conmoverse y consolar a su marido. ¿Y qué? Aun cuando se arrepintiera y enmendase, ¿cuál sería la ganancia, el enigma descifrado?

Lo dicho: las tales voces arrojan un total mísero, que no despeja nada. Y esto, cuando hay tanto esencial por averiguar.

Basta de convocatorias a la multitud. No más tropa en desorden. Venga una buena madrina, como diría Clodomiro. Juan, la sensata voz de Juan, sola. Juan, hablemos.

—¡Al fin, hombre, al fin! Pues bien, te pediría que por media docena de apariencias no juzgásemos a Beatriz. También alberga ella sus títeres pecho adentro. Es necesario distinguir que viven dentro de nosotros algunos personajes falsos o semifalsos, artificiales, muñecos que nos hemos incorporado, trayéndolos desde fuera. No existían en nuestro mundo interno; los vimos entre los extraños, nos cayeron en gracia, quizá los envidiamos, por imprevistos nos sedujeron, y les dimos cabida y terminaron por vivir entre nuestra multitud. A la mujer se le cuelan con frecuencia estos fantoches, digámoslo de paso. Pero no hay que tomarlos demasiado en cuenta. Suelen durar poco, tras de haber actuado en forma esporádica. Un buen día nos convencemos de que fueron apenas fantasmones, actores a lo sumo, y nada nos cuesta despreciarlos, porque no porfían. Recuerda, para no buscar más lejos, las cosas que hiciste no ha mucho en Buenos Aires. Locuras provocadas por aquella comparsa de vividores que te rodeó, agasajándote y te quiso conquistar para mayor éxito de sus negocios. ¿Recuerdas? Resultó que había dentro de ti un actor, y este monigote irrumpió de improviso. ¡Qué bien, qué pintoresco! ¿Verdad? Lo estimuló Mauricio, seguramente, deseoso de que las negociaciones marchasen impulsadas por la simpatía. Funambulesco estuviste. Haz memoria. Tras la cena en aquel restaurante, fueron en grupo alegre a una sala filarmónica. Tocaban allí buena música, y no era lugar ése para risas; pero tú probaste ingenio allí, a costa de algunos ejecutantes de la orquesta. Cuando tocaba el violinista un solo, dijiste: "Miren a ése, cómo se empina. Se figura que así alarga el arco".

—Cierto. Nos reímos de buena gana.

—Y porque te celebraron, la tomaste luego con el contrabajo: "¿No es un borracho que se ha puesto a orinar abrazado a un poste?" Comediante, histrión, eso fuiste aquella noche. ¿Y eres tú eso? Claro que no. Tienes tu actor, y nada más. Pues otro llevas aún, otro sujeto, un espectador escondido, con quien además contamos. Y ése te aplaudió. Y ahora mismo te ríes, porque te aplaude. ¡Qué arrebatos de jolgorio! Recuerda, recuerda. Pasaron después a una *boîte,* y allí...

—¿A qué seguir? No precisa rememorar bellacadas.

—Así es. Yo sólo quería llevarte a distinguir adónde se llega por artes ocultas de nuestros granujas interiores, muchos de ellos falsos, comediantes mal adquiridos, pero adquiridos al fin; y además, a comparar y comprender cuán posible y excusable se ha de juzgar este fenómeno en los demás. En una mujer de mundo, desde luego. Aparte de que a ella sus actrices no suelen arrastrarla demasiado lejos.

Mucho de cierto hay en cuanto ha dicho Juan. Pero, actores o muñecos, transitorios o no, si acuden los tales en coyuntura peligrosa, maldita la excusa que merece quien les permite delinquir. ¿Que obran ellos por su cuenta? Mañosa razón, ya que así también nos comportamos, integralmente, nosotros en el trance. Y delinque la esposa, cuando por el contrario debíase a la moral y al limpio juicio, a la integridad de la honra puesta a prueba. Así es como una incongruencia, por inopinada y postiza que sea, malogra toda una conducta. No, no y no. En ella no lo tolero.

Y a la postre, nada me aclara esto. ¿Es buena? ¿Es pérfida? ¿Me amó y me ama? ¿Nunca, ni en el más fugaz cuarto de hora, dejó de amarme? ¿Con dualismos o sin ellos, fue adúltera? ¿El hijo es mío? He aquí lo fundamental, arrancar la verdad que huye de tan precisas preguntas. Es lo único necesario. ¿Cómo? No lo sé. ¿La llamo a cuentas, la interrogo severo, la conmino a confesión o prueba de inocencia?

Hay para enloquecer. Habrá que variar el rumbo, mudar acaso de madrina. Calma, calma. Otros caminos me quedan. Otras voces callan todavía. La de Jorge, por ejemplo. Tú, suave y soñador, ¿por qué no te has hecho presente? ¡Ah!, ni Jorge, ni el humilde y místico Francisco, saben atropellar y cogerse por sí mismos el turno.

—Aguardamos. Aguardamos siempre. Nuestra oportunidad se halla en los días de paz.

—Quiero, necesito que me hablen. Tú, Jorge, primero.

—No es hora ésta para mí. Unicamente quisiera que te fijaras en algo muy decidor: cuando el ingenio del niño, ante la pila que reflejaba el azul aquella tarde, se figuró que le habían puesto vidrio y marco al cielo, ¿no repitió la imaginación tuya? ¿No pertenece su gráfica imagen a la misma estirpe de aquellas otras tuyas frente al violín y al contrabajo de la orquesta bonaerense?

—Quieres sugerir que señala esto un indicio, que tiende a probar una herencia. ¿Es hijo mío, entonces? Habla, habla. Toma voz ahora, y habla.

—No. Paciencia. Recógete hoy, será mejor. La noche avanzó mucho ya, y te ha revuelto. Que lo que acabas de oir entre y cumpla su obra en tu ánimo, y le permita soñar. Yo sólo puedo servir durante las horas en que nos deslizamos hacia la paz forjadora del ensueño. Me hallarás cuando hayas abrigado aún otras sugerencias, cuando hayas pensado en el porqué de tantas semejanzas entre tu Cabecita Despeinada y tú, cuando te detengas frente a la comprobación de que lo entiendes hasta identificarte con su almita y sentir cómo vives sus silencios y aun las vaguedades de su intimidad. Cuando todo esto haya prendido la primera llamita de tu fe, entonces me hallarás y me tendrás preponderando. Ahora, recógete, anda. Pon un poco de belleza en tus ámbitos interiores. No temas no encontrar belleza en cuanto está pasando. En todo hay belleza cuando el alma se hace bella. Bellas se vuelven las cosas que miramos entonces; pues la belleza no es sino el espejo de quien la ama, y su grado, el grado en que en ella el contemplador se reconoce. Anda, recógete. Mudo iré yo saliéndote al encuentro mientras duermas.

*

* *

Pues cumplió su promesa mi buen soñador: "Mudo iré yo saliéndote al encuentro mientras duermas".

Sí, debo de haber dormido una noche muy fecunda en siembras calladas; noche de misterio tan activo e influyente, que luego, en la vigilia ya, pensamientos y diálogos interiores se me ocurren su mera continuación.

Pero algo tienen además estos diálogos y estos conceptos, algo de inseguridad y delirio. Soñar vale casi como delirar. Caminemos entonces con tino y prudencia. Así como supe contener esta mañana ese loco arranque de subir al coche y correr a Santiago en romántica precipitación, lograré ahora reprimirme; y si anoche todo fue revuelto y sin lucidez, un repaso tranquilo de las nuevas voces puede darme verdadera luz ahora.

Cuanto hemos hablado esta mañana, Jorge, por buen influjo lo cuento. Revisémoslo, sin embargo. Comenzaste por evocar aquel ayer lejano de nuestro noviazgo y de nuestra luna de miel, cuando Beatriz y yo, huérfanos y sin próxima parentela, refugiamos, ella su corazón virgen y yo el mío cansado, en aquel idilio que los recibió como regazo de ternura y ensueño, y nos dispusimos a viajar. Cursis me sonaron por momentos esas evocaciones; mas tuvieron no sé qué temblor de belleza que hacía mucha falta para dulcificarme.

—¿Cursis? ¿De veras cursis?

—No tanto, tal vez; porque las hundía el tiempo en una como perspectiva brumada, muy distante, algo melodiosa; y la música más trivial, si llega de lejos, toma sentido y nos afina el alma en poesía.

—Y porque lo cursi está, no en dejarse mecer por tales emociones, sino en no cubrirlas con nuestro pudor.

—Hay que disimularlas, para los demás y para nosotros mismos.

—Evitar el espectáculo y la mofa consiguiente.

Y desde luego, no escribirlas, aun cuando muy íntimas y hasta secretas sean las páginas que las reciban. Olvidémoslas, pues, aquí.

Pero distingamos valores. Lo decisivo, Jorge, convengo, sería recuperar la intimidad emotiva. ¿Cómo conseguir, en efecto, una certeza sobre sus actuales sentimientos, si continuamos abandonándola? A ella misma le causará un día extrañeza este vivir a espaldas vueltas, misteriosamente taimado, hecho enigma triste y defendido por disimulos y fórmulas de urbanidad. También ella..., no sólo hemos de suponerlo sino que lo sabemos..., también ella posee su soñadora pecho adentro, y horas tendrá en las cuales su atmósfera se poblará de añorados romanticismos. Recordemos, por ejemplo, los días de amor pasados en Italia, cuando suponíamos que los sonetos del Petrarca nos identificaban con el poeta y su Laura de Noves, cuando los creímos a éstos reencarnados en nosotros.

—Hoy me suena eso a pueril.

—¿Le sonará igual a ella?

—Más adelante, ¡quién sabe! También llevamos cadáveres a cuestas.

—No sea que la cursilería que ves hoy en algunas cosas y la puerilidad que ves en otras revelen que dentro de ti sólo queda de poeta un cadáver.

—¡Pse! De poeta jamás presumí.

—Bueno, bueno, bueno. Gestos aparte, nuestro corazón se resiste a que la esposa, aquella novia, aquella amada, la compañera que perdura, guarde apenas huesas de cuanto embelleció su amor. No me interrumpas. Acalla el amor propio. Toda esta inquietud, todo lo que discurrimos ahora prueba que aun con nuestra paz pagamos el anhelo de conservar intacto aquello. Por risible que nos parezca en un momento dado, es adorable. Ocurre lo que frente a los niños: precisamente porque nos mueven a risa, quisiéramos no verlos crecidos nunca.

—Acertado el símil. Algo hay de todo eso.

—Por lo demás, alerta: malas influencias pueden intervenir de repente y alejarla en definitiva.

Me he levantado. Sufría ya fatiga y turbulencia otra vez. He vagado un poco por el jardín. Me han distraído allí las abejas y Jacinta. Cómo se asemejan: laboran sin discutir ni discutirse. Me ha cantado al oído la simplicidad. ¿Francisco?

Mas cuando he vuelto y he releído tanta disquisición, tanto distingo y tanta cuita, cierta desalentadora ironía me ha tambaleado nuevamente. ¿Mauricio?

¿Cómo juzgará el objetivista Mauricio este achaque?

Si los enfrento a los dos...

Pues ya los tengo en la controversia:

—Ríete, Mauricio, ríete, que de ti me río yo —le oigo decir a Jorge

—¡Pero cómo diablos se analiza, se persiguen resultados cabales, si no se objetivan las cosas!

—Te lo diré, analista sesudo. Te falta eso, ver venir las cosas, presintiéndolas en sus horizontes, desde la verdad de su origen, descubriéndoles el paso silencioso en el camino que las aproxima. Puestas bajo la lente, objetivadas, tú las analizas, las describes y crees que las sabes. Mentira, hermano. La verdad de las cosas, en particular cuando pertenecen a la vida sentimental, se manifiesta como en una anunciación, fluye desde cuando ellas nacen y las acompaña iluminándolas no sé qué lirismo en su trayectoria. La sensibilidad capta la onda; la razón, *a posteriori*, a lo sumo comprueba.

—¿Pretendes que razonablemente no se fija la verdad? Más: ¿niegas que así quepa también el amarla? Más aún: ¿supones que yo no la hago mía?

—Permíteme: lo dudo. Ella y tú se me figuran esos prometidos de salón o cámara que conversan frente a frente y cada cual a un lado de la mesa. El tablero está de por medio siempre. Ella será suya, pero sin contacto. Y es el contacto la verdadera posesión, el efectivo conocimiento.

—¡Hombre paradojal!

—Lo mismo pienso de ti, ente microscopio.

Nada. Que han disputado así, Jorge y Mauricio, hasta provocarme bostezos. Los demás permanecíamos en silencio, ya en el desgano.

Pero Jorge sonríe a Fernando, mientras los otros bajan la vista.

Y yo, yo..., este último y real señor... Algo suave y maltratado, sobrevivo. Cual si este yo fuera una imagen que se descolora y se desdibuja en un espejo enturbiado. Yo, yo... ¿Quién, pues? ¿Un espectro borroso al fondo de una luna opaca?

Menos mal que al cabo la voz del soñador ha decidido:

—Anda, vete a Santiago y acércate a ella, si quieres descubrir quién es ahora, si ha cambiado, si algo queda en ella de la cándida, soñadora, romántica y por ello digna de ser defendida en tu corazón.

Y guardo mis papeles en el maletín. Me calzaré los guantes y... a Santiago, ya, sí, en seguida.

*

* *

La cordillera me despide limpia y soleada, en una de sus tardes cristalinas, y minutos después me recibe Santiago con tiempo frío y gris.

Me recrea sin embargo repasar los primeros momentos de mi arribo, porque me han henchido el pecho.

No bien he guardado el auto, Cabecita corre a mi encuentro. Me deja su abrazo y sus besos, efusivo pero aprisa, y se vuelve, siempre a carrera, para seguir jugando en el jardín con sus amigos. Sus condiscípulos. Ya tiene condiscípulos el colegial. Son dos, más o menos de su edad, dos muñecos rubios: una chica muy blanca, los ojos de un azul casi negro, y un pequeño demonio de pestañas y pecas doradas.

Me les acerco y me saludan ellos también. Me tienden la mano, correctísimos, y prosiguen.

Yo permanezco algunos momentos mirando aquel retozar vespertino de alumnos que regresan del colegio. No entiendo a qué juegan. Pero... ¿no basta en realidad el sonido de sus voces, que pone destellos en el nublado atardecer? Y me divierte observar a la niña, sobre todo: a cada buena prueba de los otros chicos, ella da un brinquito atrás, breve como su risilla nerviosa; y entonces la trenza, doblada en dos y atada por una cinta crema, le pega un golpecito en la espalda.

La niñera, con su mueca inmóvil, los bolsones de cuero y los sombreros de paja entre las manos colgantes sobre la falda verde, espera.

Travesea Cabecita con frenesí. Lo cual de veras me regocija.

De modo que muy contento subo a la casa.

—¿La señora? —pregunto a la empleada una vez arriba.

—En su salita, indispuesta.

—Pero no enferma, supongo...

—No, señor. La jaqueca.

Por el gesto reticente de la muchacha, comprendo: la jaqueca, su jaqueca mensual. Y tras de asearme un poco, voy en su busca.

La encuentro reclinada entre cojines.

—Nada serio, hijo. Y tú ¿has reposado ya bastante? Largo reposo llevas. Adoras tu refugio.

—Pues no te creas —me disculpo—, que sólo estuve ahora por descansar del viaje. Hay que atender el fundo, el administrador me tiene allí a la mano para sus consultas, han empezado las siembras de chacarería, etcétera.

—Yo, con este dolor...

—¿Quieres alguna tableta? ¿Cafiaspirina?

—Me deprime, tú sabes.

Sí, lo sé. Tiene baja la presión arterial, del corazón murió su madre y es aprensiva. En fin, yo insisto en la cuerda cariñosa. La hora y su penumbra se me ofrecen propicias para emprender el premeditado rumbo. Llevo y traigo frases, preparo el ritmo que hará emerger emociones antiguas, acaso algún romántico recuerdo.

El niño concurre a entonar el clima. Entra sin hacer ruido, mimoso a su vez.

—¿Se fueron esos amigos?

—¡Cómo chillaban!

El sonríe, calladito y delicado; coge una piel de oso, la tiende a los pies de Beatriz, se sienta encima y coloca la cabeza entre las rodillas de su madre. Hay sobre la mesa un florero de porcelana color ceniza con un mazo de dalias encendidas, y enfrente la chimenea llena de brasas repite los mismos tonos del rojo y del gris. Veo cómo las pupilas del niño se van embebiendo. Se aquieta, juraría yo que sueña. Callamos, los tres callamos, largo rato. Ha hundido Beatriz la mano en aquel pelito anillado, y acaricia mientras mira por la ventana el cielo denso.

Pero sin duda él ha estado imaginando, porque dice de pronto:

—Mamá, ¿cómo se ven? Tus dedos. ¿Cómo se ven?

—Lindos, hijo —me adelanto a responderle yo—. Se ven muy pálidos, muy finos y muy tiernos.

Y volviéndome a ella digo aún:

—Y románticos. Me recuerdan aquellos días de Italia. ¿Tú los has olvidado?

Ella me dirige una mirada lenta, que no descifro, suspira y vuelve a callar. Luego se inclina, sus labios bajan hasta los rizos del niño y allí besan, como las mujeres besan un ramo.

Nada más. Pero empieza a parecerme que Jorge nos conduce adonde anhelábamos ir.

Cuando en esto se devana la hebra de una voz, allá, por la escalera:

—¡Lará, lará! ¡Larará, lará!

Chela Garín. Su tarareo nasal y eufórico.

Violento, inicio ademán de marcharme a tiempo.

—Paciencia, hijo. No la quieres...

—Me revienta.

—Sin embargo, es alegre, activa, servicial, útil...

—Y antipática.

—¡Bah! La odias.

—Bien, sí; y en esto puede consistir la utilidad de la infeliz. Es útil que haya entre las gentes que nos rodean algún ser antipático, para que absorba la porción de odio que a todos se nos ha puesto en las entrañas y que de otro modo nos exponemos a dirigir contra personas que no lo merecen.

Dejo a Beatriz oprimiéndose las sienes. La carcajada que no ha logrado evitar le ha repercutido en pulso doloroso. Y antes de toparme con la intrusa paso al balcón.

No tarda Cabecita en reunírseme.

—¿También tú, hijo?

—A mí también, papá, me carga.

Después de una pausa, que deliberadamente no he querido llenar, agrega:

—Como dice mi mamá que soy poeta, se le ha metido a ella entre ceja y ceja enseñarme a hacer versos.

—¿Y tú?...

—A mí me entra una vergüenza...

—Ríete.

—Sí, me río..., pero con pena.

He cambiado tema entonces, cauteloso, a fin de que palabras imprudentes no inculquen al chico aversión a la poesía. Hemos charlado, pues, de asuntos baladíes.

Entre tanto se ha venido apagando el crepúsculo. Las sombras han caído sobre toda la ciudad, y de súbito se han encendido los focos de la calle, lo que despierta en Cabecita una entusiasta sorpresa.

—¡Bravo! —exclama.

—Esto sí, ¿verdad?, esto sí es poesía. Porque a esta hora el día se encierra en su dormitorio y la noche abre los ojos en todos los faroles.

—¡Claro!

Piensa un poco aún, y añade:

—Y eso... ¿es poesía?

—¡Eh, bueno! Poesía... moderna.

Espero así que la buena risa —porque mucho nos hemos reído— haya salvado a la poesía su reputación.

Bien dije al comenzar: los primeros momentos de Santiago me han esponjado el pecho. Luego... ya veremos, Jorge.

*

* *

No parece, Jorge, sino que los soñadores nos figurásemos que la realidad del mundo es una ensoñación común, concierto de los sueños individuales. De seguir tu flaqueza, a tal idea llegaríamos, ¿eh?

Pues, te pregunto ahora, después de los pasos recientes: ¿Y las circunstancias? Circunstancias: circun, preposición inseparable, según el diccionario, quiere decir alrededor, y a estancia no hay para qué aclararle significado. Pero he aquí que las tales circunstancias, hechos y cosas que circundándonos están, resultan más bien topes con los cuales se ataja y desvía lo forjado por el soñador. No siempre concurren, pues, a ese concierto; a menudo lo frustran.

Ya lo vimos hoy.

Sí, lo vimos y lo sufrimos. Al regresar a casa, tras horas de afanes impuestos por los intereses económicos, hallé a Beatriz en el salón. No entraba yo allí desde hacía meses. Ella tocaba el piano. El crepúsculo esfumaba en penumbra muebles y objetos. Unica mancha clara, novedad para mí, cuelga de la pared, a la espalda de Beatriz, algo que mis ojos no precisan.

—¿Y eso? —inquiero.

—La mascarilla de Beethoven. Regalo de Chela.

—La inevitable mascarilla.

Beatriz sonríe.

—Charlie —explica— la llama "esa cara cerrada".

—¡Qué bien, qué gráfico!

Celebramos la ocurrencia. Insistimos en las expresiones del niño, concordes ambos en que revela facultades literarias, y la charla diríase que busca hebra.

—¿Vuelves a estudiar tu piano?

—Así es. Lo abandoné demasiado y...

—Y no conviene.

—Por supuesto. Una debe realizarse.

—Pues, no te interrumpas por mí.

Tornan los dedos a las teclas, repasando, persiguiendo plasticidad, colorido. Se trata de *La fille aux cheveux de lin,* aquella piececita de cuando nuestro noviazgo. La melodía canta y se adelgaza. Debussy pinta la imagen ingrávida y blonda. Me siento a escuchar, un sí es no es nostálgico.

Mas inesperadamente, pues no se percibió antes el gangoso *lará, lará,* irrumpe Chela Garín.

Entra borboteando risitas y palabras, como siempre arrebatada por su dicha presurosa.

—Vengo —dice— de pasar una tarde magnífica. El *ballet.* ¡Qué maravilla! Asistí al ensayo general. ¡Divino! ¡Formidable! ¿Prendo la luz? ¿Cómo pueden estar a oscuras? —Prende y sigue, sin pausa—: Estoy feliz. Es algo que a una se le adentra en el alma, ¿comprenden?, que la enriquece, que le abre horizontes. Yo los ayudo, a esos muchachos, diseñándoles trajes. No sé cómo viví antes, durante mi matrimonio. Ahora, desde que conseguí anularlo, vivo de veras. Me realizo. Porque una mujer necesita realizarse, ¿comprenden?...

Se me repite como un eco aquel "una debe realizarse" de Beatriz.

Pero la otra no se ha detenido:

—...Yo aprovecho todas mis horas. Entro a la plenitud, ¿comprenden? Es maravillosa, la vida plena. Sigo mi curso vespertino de croquis, en la Escuela de Bellas Artes, y los martes y los jueves, otro de cerámica; estudio teoría y solfeo en el Conservatorio algunas mañanas... Porque yo debí haber cantado. Si me toca otro marido. En fin, ese tiempo ya lo perdí.

—¡Qué actividad!

—¡Psch! No es nada. Luego, las conferencias, el encanto de recorrer librerías y exposiciones, esa campaña pro voto femenino, ya victoriosa, por suerte... ¿Y Charlie?

—Ahí, en su colegio.

—¡Qué amor! ¡Qué amoroso! Y todo un poeta, la criatura. No se descuiden.

—También, también debe realizarse —acoto irónico, en tanto pienso para mí: "Si supieras cómo le fastidias"...

—¡Qué intensa puede ser la vida, qué plena de contenido! Contenido humano, contenido social, contenido artístico. La gente no sabe vivir, estoy convencida. Yo no desperdicio minuto, ¿comprenden? ¡Maravilla, maravilla!

No me contengo:

—¿O tarabilla, Chela?

—No se burle, no sea pesado. Tampoco usted sabe vivir.

Se da un respiro, picada. Respiro que aprovecha en su manía de arrancarse vellos de la sotabarba. Palpita en el aire que no nos queremos.

Pero ella reanuda pronto el charloteo.

Yo pierdo el hilo. Mientras parla y parla con su voz de cántaro que gorgorea, sin más descansos que los brevísimos para sus "¿comprenden?", la observo: cuarentona, bien plantada, bonitas piernas, sobre las cuales sus adiposidades se sostienen, para moverse ágiles. Una faja y un sostén muy flojos permiten a sus turgencias esa soltura de las gordas deportivas y trotacalles. Sin mirarle la cara, puede que guste; pero encima del cuello con papada y bajo el pelo teñido color caoba, se repantiga su antipatía: ese mentón sumido y esa dentadura saliente. Siempre me rechazó su expresión de roedor bien cebado. Cómo contrasta ese rostro con el de Beatriz, serenidad blanca donde fulgen los azabaches de los ojos y, arriba, el pelo se encrespa negrísimo y tranquilo.

Mas debía surgir otra circunstancia, que me irritaría de sorpresa: descubro un retrato de Charles Moore presidiéndonos desde la chimenea. Verdad es que hace años lo tenemos en casa; pero se ha colocado ahora en ostentoso marco de plata, y reina dentro del salón, protector de nuestros reforzados lujos, celador de nuestra millonaria riqueza.

—¡Bah! —exclamo—. No lo había visto.

—Iniciativa de Chela —murmura Beatriz—. Lo compramos juntas, la semana pasada.

—Es que, ¡caramba!, un homenaje le debían ustedes a ese hombre magnífico. Después de lo que hizo al morir... ¡Uy! De oro debería ser ese marco. No era posible menos. Su foto como un cartón cualquiera rodando por encima de los muebles... No, no era posible.

—¿Ha sido una lección, Chela? —le interrogo, amoscado.

Y mudo, me grito, colérico: "¡Necia, qué tendrás tú que meterte!" A la vez que le clavo las pupilas. También la mirada insulta, y su vibración quema y flota en el silencio que sobreviene.

En fin, que se acaban mis restos de bienestar así. Me derrumbo, en el esfuerzo para reprimirme. Ya ni oigo ni veo. Empiezo a corroerme. Mi celoso, mi hombre de honor, mi sentimental, a una me acosan y me remecen. Caigo en amargura furiosa. No escucho ya el ruido de la palabrería sino como provocación al estallido. Siento ganas además —además y sobre todo— de patear esa fotografía presidente. Pero el pudor de mi propio agravio me silencia. El astuto Mauricio, el sensato Juan, ellos de fijo, se sobreponen. ¿Acaso no habría que hacer lo mismo con la herencia? ¿Escarnecerlo a él en efigie y guardarse su dinero? Aplastadora reflexión, y por lógica, humillante.

Desde aquel trastorno, casi no me doy cuenta de cuanto sucede fuera de mí. La cháchara me aturde con su runrún. Se me ocurre, sin embargo, que así gano tiempo, siquiera para cuidar los modales y no desatarme a demasías. Pero sepan las furias qué ola se me agranda interiormente, y sube, y me pone de pie, colmado y sin disimulo ya para mi cólera.

Me aparto a un extremo, sin otra excusa que la que podría fluir de observar un cuadro.

A mis espaldas —y siento cómo estas mis espaldas expresan desprecio— las voces han bajado. ¿Qué hablarán ellas ahora? ¿Por qué tal secreteo? ¿Confidencia? No alcanzo a entender las palabras. Apenas comprendo al cabo que la Chela se despide. Creo que me ha dicho adiós, aunque muy apagada ya su euforia. Se va, y hago como si no lo advirtiera.

Sólo cuando la imagino lejos, me vuelvo a Beatriz. Necesito algún desahogo.

—¡Qué detestable majadera!

—Pues, tú no has estado muy prudente.

—Sincero.

—¿Por qué la odias, no me dirás?

—Por funesta, Beatriz, por funesta. Me llena de malos presentimientos.

—¡Qué raro! ¡Y funesta!

—Funesta, sí, funesta. Cuantas parejas han convivido con ella, se han separado. Contemos. Cuatro..., cinco matrimonios ha deshecho ya.

—No se avenían, y...

—Y como ella interviene, la intrusa, y aconseja, y se cree la elegida para enmendar yerros y enseñar a vivir, y como en el fondo se guía por no sé qué perfidia...

—¡Oh!

—¿Entonces no lo ves?

—Lo que veo es que tú no me conoces a mí. Por lo demás, Chela me ayuda mucho, me anima para disfrutar lo que la vida ofrece y muchas no sabemos reconocer. Desde luego, gracias a ella he vuelto al piano.

—¡Hem! Hay que realizarse...

—Pero es claro.

—La emancipación de la mujer. Todo maravilla. "Es maravillosa, la vida plena, ¿comprenden?" —le remedo—. ¡Plenitud! ¡Libertad! Libertinaje, digamos mejor.

—Eres injusto.

—No.

—El masculino egoísmo. ¿Deseas ahuyentarla? Te portas intolerante con ella, mi mejor amiga, y hasta mal educado te pones. Al volver la espalda, denantes, cometiste una grosería.

—Beatriz, Beatriz..., no me exasperes.

—Exasperarte. ¿Cómo?

—No hagas que te suponga...

—¿Qué?

—Culpable.

—¿Culpable? ¿De qué culpable?

—De..., por ejemplo, desamor.

—Me ofendes ahora. Medita esas palabras. Sugieren demasiado.

—En fin, basta. Excúsame, pero...

Temeroso de malograr los propósitos de acercamiento que me trajeron a Santiago, callo entonces; y a fin de no abrir cabe a exabruptos irreparables, me retiro del salón.

Fui a encerrarme al escritorio. No asistí después a la mesa; me habría sido imposible comer. Tampoco hubiera recuperado allí ecuanimidad.

Más tarde nos hemos encontrado ante la cama del niño. La cordialidad que allí fingimos, comedia influyente sobre mis nervios, favoreció el que saliéramos juntos, hacia la salita esta vez.

Ella se arrinconó en su diván.

—¿No comerías algo? —me pregunta, entre solícita y altiva.

—Perdí el apetito, qué quieres

—Eso de faltar al comedor... ¿Qué habrá dicho la servidumbre? Estas actitudes trascienden.

—Punto, hija. Punto final. No es cosa de que a nosotros también nos empiece a divorciar ésa.

Nos hemos distraído luego en pequeños temas diversos. Y al fin he resuelto sentarme a su lado.

Entonces...

*
* *

¿Para qué registrar aquí ahora todo cuanto hablamos entonces? ¿Para qué, si no estuvo en las palabras el sentido, sino en los silencios? Me guiaba Fernando, mi sentimental, y siempre busca él los derroteros de la emoción callada.

Me había sentado junto a ella, sí, sobre su diván de la estofa desvaída. Pues me le fui acercando, como quien emprende una dulce aventura. No tuvieron así mis primeras frases otro valor que la mera preparación para que mi mano se posara una vez más encima de su antebrazo. Mi pobre gesto favorito. Como nunca, en esta oportunidad esperaba yo transmitirle con él un poco de tibieza, que debía ser ahora sedativa y amorosa. Las escenas recientes habían dejado en ella pulso de agitación, acaso de ira y ofensa, y con recursos íntimos y conciliatorios me proponía yo sacarla de su disturbio. Pero el éxito no vino. Espaciaban nuestro diálogo mutismos tercos, y en cada uno insistía yo en mi aventura: con inclinación de la cabeza, de manera que mi sien se reclinara sobre la suya, suavemente quería yo estimular la reconciliación, que quizá fuese absoluta y fecunda. Pronunciaría yo, humilde y aun contrito, las palabras eficaces entonces. Pero nada se produjo. Nada. Antes de que la voz cariñosa paliara irritaciones, cuando me prometía ya inmediato el instante preciso para restablecer la cordialidad, sentía yo reencenderse muda la violencia en ella. Lo sentía en la rigidez que de pronto adquiría su cuello inmóvil. Aquello no iba más allá de una ínfima contracción muscular, sin previo movimiento, perceptible apenas como el cesar de un calor, pero perceptible, y elocuente: cabría decir que aquello acusaba un alerta de la esquivez. Si la tensión cedía, a lo sumo quería significar cierto armarse de paciencia para soportar la impaciencia. ¿Qué hacer, así? Por último, como tales actitudes se repitieran, llegué a presentir otro peligro: al provocar yo cualquiera explicación, de su boca saldría, espada cortante, algo capaz de desunirnos más.

De modo que hube de abandonar la fe inicial. Desistí. Alguien vino con no recuerdo qué doméstico recado, y me resigné sin esfuerzo a verla levantarse y acudir a las dependencias interiores. Quedó en mi corazón una desolada fatiga, un desgano de la esperanza y la certeza de que, aun cuando sus labios no hubieran porfiado para condenar mi conducta, ni la menor transigencia se habría producido.

¿A qué proseguir, pues?

Pero..., aquella dureza, ¿era circunstancial o fruto del desamor? He aquí la pregunta que me formulé después y todavía me formulo. No sé. El hecho es que la llama de mi alma osciló entonces, como a riesgo de apagarse, para sumirme luego en esta sombra doliente. Doliente y afinada, porque del sofá me levanté agudizadamente sensible.

Antes de recurrir al amparo de mi escritorio y a las válvulas de estas páginas, pasé a besar al niño ya dormido. Exacto, aprobaba sin duda Fernando, consolémonos: tendremos quizá una esposa sin amor, pero no un hogar sin hijo; de modo que si ella se aleja, el corazón hallará camino siempre.

Exacto, sí, exacto; pues en seguridad o en incertidumbre, padre seré, sin remedio ya, de mi Cabecita Despeinada.

*

* *

Conque, Jorge, ¿te cercioras? Por eso te decía en las primeras líneas que hoy escribí: No parece sino que los soñadores nos figurásemos que la realidad del mundo es una ensoñación común, concierto de los sueños individuales. Para en seguida preguntarte: ¿Y las circunstancias? Aun más, Jorge: ¿Y las cosas?, añado ahora.

—También. Las cosas también sueñan.

—Pero..., entendámonos.

—Entendámonos.

—Pero sin espejismos, soñador. Intervienen las cosas en nuestra vida con cierta ilusión y cierta voluntad propias, independientes de nosotros. Te habrás convencido.

—Algunas veces el concierto resulta de armonía, otras de contrapunto. Llamemos concertación de cosas o circunstancias a todo, al acuerdo y la pugna de los ajenos con nosotros y entre sí, y entremos en ese todo como en una bella ensoñación.

—Porfiado, vicioso. Las cosas, digo Beatriz, el niño, la herencia, ese retrato vejatorio, Chela Garín con su mala sombra, los brutos con sus ánimas elementales, hasta la piedra que en el cerro se parte y se desmorona y hasta el agua que viene filtrándose y surge y se vierte, anega o se desvía, las cosas, todas ellas, aun cuando se nos ocurran sólo materia, están en la vida tramadas en una complicidad que no siempre nos permite la tal bella ensoñación. Ya nos halagan, ya nos enfrentan. Por mucho que las acojamos con imagen y color acomodados a nuestros sueños, ellas nos preparan a menudo una batalla, una rebeldía y con mucha frecuencia una mala partida que nos juegan a traición.

—Pues el ensueño las une y nos embellece y salva.

—Cándido.

—Ya lo descubrirás un día.

—No, soñador, no. Ni el hombre dócil y fraternal suele servirnos. Tú me das tu verdad, y tu verdad se hace realidad mía por virtud de mi sueño, bien; pero eso no es todo. Hay además otra realidad sustancial y amorfa, o tan multiforme que no alcanzamos de ella sino trozos y momentos que se plasman y cambian sin cesar, con ajeno albedrío.

—Insisto: no distingas sin unir a continuación.

¡Ta, ta, ta! Evitemos perdernos. Yo necesito ahora diversificar, distinguir. El niño, ella, Charles Moore y todas las consecuencias, ¿qué representan en la duda que me trastorna? ¡Soñar! Nada de sueños. Corren los días, las semanas, los meses y nada se despeja. Mauricio filosofa que no cabe a la postre venganza más completa que disfrutar de los bienes del traidor, como quien se paga. ¡Cínico! Fernando, Juan y aun Francisco sufren, cada cual por su cuerda. ¡Desgraciados! Jorge sueña. ¡Hombre en las nubes! Rafael quisiera patear esa fotografía... ¿Y si fuera ésta la gran prueba? Romper marco y retrato, pisotearlos, escupirlos, todo ello en acceso de rabia y a vista y presencia de Beatriz, permitiría observar reacciones y descubrir la luz al fin, como al resplandor de un relámpago.

Sólo que... cualquiera se atreve...

En todo caso, Jorge, has fracasado tú también. No te ciegues. Déjame solo. ¿Conformes?

*

* *

—¡Jacinta! ¡Mujer! ¿Tú aquí, en Santiago?

—Aquí, señor.

Sentada en la terraza de la cocina, me sonríe con todo el regocijo de sus mofletes. Un cachorrillo ceniciento y asustadizo, que seguramente vino con ella, me mira un instante y luego se le arrima, busca su amparo.

Cambio entonces de rumbo: ya no sigo hacia el coche, aunque peligren mis diligencias matinales de día sábado.

—¿Qué te ha traído, vieja?

—La despensa, que ya está muy pobre. A ver qué piensa la señora mandar.

—¿Y cómo llegaste aquí?

—Me trajo Fabián en su carretela. Como él tenía que venir a comprar semillas para la quinta, yo aproveché su viaje.

—Pero regresas hoy.

—A la oración quedó en pasar Fabián por mí.

Se ha vestido Jacinta con la dignidad que a su juicio la capital impone: muy aseñorada, entera de negro, con un paletó que le cubre casi hasta el ruedo el traje, y sobre la blanca pechera de pliegues almidonados se ha puesto su prendedor, su joya de gala, guardapelo de oro y corales, recuerdo de mi madre. Se ha empolvado, además, y por cierto que sin quitarse los polvos de sobre cejas y pestañas.

Siempre me complace verla; pero en esta oportunidad me ha causado particular alegría. Después de largas semanas detenido en la ciudad, Jacinta..., ¿cómo diría yo?..., me restituye a la meditación fecunda. Si aun ese can, que tan tímido se porta, me hace bien. Todo esto es como si mi casona viniese a rescatarme, celadora de mis nervios y mis rompecabezas, y a devolverme la visión sensible.

Olvido así los quehaceres y me doy a conversar, sin más motivo acaso que mi contento. Charlo y charlo con Jacinta, de minucias, aunque sin languidecer.

El perro, huraño, ha concluido por metérsele bajo la falda; pero dejándose afuera el rabo, ese rabo largo y tonto de los cachorros.

Proseguimos hasta que Cabecita llega del colegio.

—¡Qué grande está m'hijo! ¿Aprendió a leer?

—Y también a escribir, por supuesto.

—¿Y ya en la muda? ¡Qué dientazos, Dios mío!

El niño muestra sus dos incisivos mayores, los nuevos, que bajan a llenar su espacio, ellos a su vez con dientecillos en el filo.

—¡De serrucho!

Reímos hasta que Jacinta se hace conducir por su regalón:

—Vamos a ver a la mamá, Cabecita.

¡Ella también le llama Cabecita! Tiene un instinto para satisfacerme... Pero no habría yo necesitado ni este gusto ni cambiar tantas palabras con Jacinta para recibir su beneficio. Siempre me fue menester sólo sentirla cerca. Como el agua limpia que corre callando, estimula sin hacerse ostensible los buenos ritmos de la vida.

Desde luego, en las varias semanas transcurridas a continuación de mi fracaso ante Beatriz, no había yo intentado siquiera poner dos líneas en estas páginas, y hoy reanudo el soliloquio a conciencia súbitamente iluminada, más aún, a esperanza resurrecta. El mero contacto con Jacinta hizo el milagro. Milagro, quién lo duda; pues confío de nuevo en el ensueño. Unos domésticos pasos de la querida vieja con el niño diríase que han prendido nueva lumbre, y me revelan de repente que Jorge, oculto y alerta, se mantuvo activo mientras deambulé ciego entre días descorazonados.

Ya no puedo, soñador, desahuciarte. Que me dejaras, te había pedido;

mas he aquí que hoy, de pronto, al influjo de una sencillez propicia, mi desconsuelo ha girado los ojos hacia el niño y se ha reencendido el ensueño. Con qué claridad distingo ahora que la vida de mi criatura estuvo reflejándose dentro de mi corazón, aun cuando yo no lo pesara.

Los pasos que sobrevinieron, sin dimensiones exteriores, habrían carecido de valor si no me hubiesen hallado ya con la mente alumbrada. Dudaba yo si permanecer en casa por lo tarde que se hacía o si correr en el auto a fin de alcanzar los bancos aún abiertos, cuando bajaron Cabecita y Jacinta.

Los veo encaminarse a la esquina y les pregunto festivo:

—¿Adónde va esa pareja?

—A comprar los víveres en el almacén.

Ignoro qué me sujeta; pero resuelvo entonces pasearme bajo los árboles de la calle y mantenerme observando.

Durante aquellos minutos comencé a traer a conciencia el cúmulo de contactos logrados con el alma del niño en las turbias semanas recientes. Todo, a partir de ahí, se levantó en mi memoria, ya con valor de identificación.

Evoquemos. Que se proyecten aquí esos minutos.

Poco tarda el chico en abandonar a Jacinta en las compras, para reaparecer y plantarse frente a la vidriera exterior. Observo entonces y comprendo por qué a Cabecita le gusta su calle, como siempre lo dice. Le gusta, no porque termine nuestra cuadra en una plazuela verde y clara, donde las veredas dibujan graciosos caprichos amarillos y donde los rocíos rebrillan sobre los prados al sol; le gusta principalmente porque tiene un magnífico "emporio" de provisiones. Para él, como para los infantes de todos los barrios, esos escaparates guardan sojuzgadores encantos. Y éste de nuestra esquina es para Cabecita un arca de fantasías. Hay ristras de candados, y cartones en los cuales trofeos de lápices rodean un *cowboy* que apunta con una pistola cuya boca persigue a quien la mira, como los ojos de algunos retratos al óleo; hay rimeros de platos coronados por montes de bolitas de piedra y multicolores; y cajas de pasas, y plegadizos metros para carpinteros, y pequeños trenes de hojalata, y, sobre todo, un maravilloso navío de tres palos incomprensiblemente apresado en una botella. Yo sé que a Cabecita lo pierde a menudo en muchos pensamientos ese barquito allí metido. Con los antebrazos apoyados en el marco de la vidriera, la frente pegada contra el cristal y un pie siempre montado sobre el empeine del otro, ha pasado, no sólo hoy sino muchas mañanas, larguísimos ratos de contemplación y ensueño. Lo sé, sí; y me atrevería también a decir que cuando algunas tiranías de las gentes mayores le oprimen o cuando él sufre cierta inconformidad misteriosa consigo mismo, se le representa esta navecita velera cogida como por maleficio dentro de una botella vulgar. ¡Ah, yo lo sé, lo sé!

No hubo más, esta mañana. Pero sí lo bastante, Jorge, para que devuelva toda fe a tus palabras. "Me hallarás —dijiste, lo repito de memoria— cuando hayas pensado en el porqué de tantas semejanzas entre tu Cabecita Despeinada y tú, cuando te detengas frente a la comprobación de que lo entiendes hasta identificarte con su almita y sentir cómo vives sus silencios y aun las vaguedades de su intimidad." ¿Por qué me distraje de tan sagaz advertencia? ¡Pretendí, mi noble soñador, descalificarte! Obcecado por Beatriz, inerme tras el choque con las circunstancias, extravié la senda. No conseguí concertar el alma de Beatriz con la mía porque cada vez que fui hacia ella la inseguridad iba conmigo, y porque ante un adulto con el cual nuestro lazo de amor se afloja en desconfianza, nos encontramos como ante ciertas perspectivas nocturnas, hondas y aventuradas. Al revés, frente a los caminos del niño me siento a pleno día y avanzo por ellos cual si en mí mismo entrara.

Es por todo esto, Jorge, por lo que hoy te rehabilitas. Y porque me has rehabilitado. Furtiva pero sabiamente pusiste belleza en mis ámbitos interiores, tal como lo preconizabas necesario. Fiel a ti entonces, en esa belleza hoy me reconozco; a tal punto, que ya empiezo a creer, con fuerzas que nunca me supuse antes, en que de veras basta el ensueño al hombre para que sus límites desaparezcan.

Reabro, pues, hoy este cuaderno tan abandonado. Anotaré cuanto he visto vivir a mi chicuelo en el último tiempo. Debí hacerlo a medida de observar y comprender. ¿Por qué no lo hice? La desconfianza me presentaba cuanto atisbé como un conjunto de verdades presuntas. Pero ¿no son presuntas todas las verdades? ¿En qué consiste la comprensión, si no en presumir con acierto lo que dentro de otro ser sucede? Y entre comprender y descubrir hay poca o ninguna diferencia. Todo está en que nos alumbre el amor. Entonces acertaremos. El novelista, cuando nos describe una vida interior, también así procede: amándola, descubre la entraña del laberinto, y su figura se levanta y anda, viva de toda humanidad. Sólo hace falta identificación; y esto, con mi niño, me sobra.

Seguro estoy de que si Cabecita supiera hilvanar sus momentos, componer y escribir, pondría en estas páginas algo tan equivalente a lo que voy a poner, que bien podría llamarse idéntico.

Si de mis descubrimientos surgiera por lo menos la presunta certeza de mi paternidad...

*

* *

A solas, pues, me hundo en el agua del recogimiento y dejo que los recuerdos floten sumergidos, pasando, yendo y viniendo como peces sin afán.

Sabrá mi ternura tender la red y pescar algunos, enfocarlos y recomponerlos de modo que revelen su significación.

Una tarde, por ejemplo, cuando el crepúsculo demora sus luces dentro de las habitaciones, Cabecita está inclinado sobre unos cuadernos. Cumple tareas para las clases del día siguiente. Lo diviso al fondo de su cuarto. Veo sus pies bajo la mesa, con las puntas un poco hacia dentro. Me divierte la frecuencia con que frota su goma de borrar contra números y letras.

Como luego se queda suspenso, y se despeja el pelo de la frente, y un ascua de alegría enciende sus pupilas, me intriga. Y voy y paso junto a él, como quien cruza por azar.

Y con igual fingimiento, digo:

—¡Hem! Mucha picardía descubro en esos ojos.

El calla primero, vacila, sonríe; pero al fin confiesa:

—La *mam'selle,* papá, la profesora nueva que ha llegado para enseñarnos conversación francesa...

—¿Qué, qué hay con *mam'selle*?

—Nos exige que hagamos gargaritas con las erres, ¡y hay que oir la bulla que armamos!

—¿Algo ridículo, *mam'selle*?

—Al contrario, muy simpática. Tiene una cara..., ¿cómo le diré?..., una cara que a uno le recuerda algo de que no se acuerda...

Guardo silencio, sorprendido.

Y él continúa, en ingenuo esfuerzo por definir su agudeza:

—Pero algo de que tampoco se podrá uno acordar nunca.

Luego se abstrae. Pronto, diríase que ha olvidado mi presencia.

Ya entonces, como un viento entra en una casa y la llena de improviso, retornó a mí todo un pasado, una lejanía de mi niñez, y se quedó en mí, latiendo. Fue aquella la primera identificación sutil que me coloreó la esperanza.

Poco después —ha obscurecido ya— entran visitas al salón. Es la hora en que acostumbra él buscar las caricias de su madre. Ahora, sin embargo, no se mueve; permanece a obscuras en el dormitorio. Se ha olvidado de mí, puedo asegurarlo. Han prendido allá la luz y él, absorto, continúa mirando el cuadro iluminado que la puerta enmarca. Hay allí dos damas, vueltas hacia el lado en que Beatriz se sienta. A ella no alcanzamos a verla. Muy animadas hablan las señoras, a juzgar por lo mucho que la una mueve un brazo cuya mano empuña una cartera roja y por las veces que la otra se apoya en las ventanillas de la nariz el pañolito hecho un copo blanco.

Pero nada se oye de cuanto allí conversan.

Cabecita, empero, parece gozar. ¿Imaginando ahora también *lo que nunca se sabrá*?

Para cerciorarme, apunto con maña:

—¡Cómo charlan! En fin, ya nos contará Beatriz esa conversación.

—No, no —me ataja él con viveza, y como para sí, concluye—: ¡Se acabaría todo!

Me asombro. Mas obtengo la seguridad de que sería esta criatura capaz aun de rogar a su madre que nada repitiera después. Prefiere, indudablemente, que sus retinas conserven un cuadro y su imaginación un sentido impreciso.

Le llevo, me digo, treinta y ocho años a este niño; pero a cada instante se los lleva él también a sí mismo.

Y se me aclara el espejo, me veo en él idéntico, yo cuando tenía su edad, y me abrazo más ilusionado aún a mi esperanza de paternidad.

Apenas se despiden las dos visitantes y mientras Cabecita guarda lápices y cuadernos en su mochila escolar, entro yo al salón. Me acerco a Beatriz y, sin mayores comentarios, la entero de las delicadezas de nuestro muchachito.

—Es de una precocidad que abisma.

—Temperamento finísimo.

—Sensible, sutil.

—Poeta. Bien lo dices tú.

Ella baja los párpados, los aprieta, cual si así guardara la imagen querida o la enviase a su corazón, y sólo vuelve a desplegarlos cuando supone haber escondido bien seguro su tesoro.

Pero entonces..., ¡ah Rafael! Celoso y, como celoso, excesivamente alerto, me amarga el momento. Le ha parecido sorprender una mirada de Beatriz al retrato de Charles Moore. Y en el preciso instante de plegar los párpados.

¿Celos? ¿Nada más que una de las visiones con que los celos mienten?

Basta, Rafael. Déjame. Ahora déjame. Aguarda. Después. Ya dilucidaremos aquello más adelante. Atengámonos al niño entre tanto. ¿No vemos cómo él nos acerca paso a paso a su verdad?

Maldito Rafael...

*
* *

Paciencia. Serenidad. La ira no conduce a nada positivo.

Pero cómo evitar el disturbio colérico, si Rafael me ha trastornado por completo. Me regó el ánimo de bilis. Nuestro envenenador, deberíamos todos llamar a este celoso que porfía incontinente dentro de nuestra multitud y atina sólo a emponzoñarnos los mejores momentos.

¿No estaba yo —¡caramba!— viviendo ilusionadas mis horas? Jorge había impreso al ensueño rumbo hacia el horizonte promisorio de mi Cabecita Despeinada. En marcha la sistemática evocación de mis contactos con la criatura en el curso de las últimas semanas, ya me prometía yo convertir estas páginas en el mapa donde cada síntoma ubicaría su hito de prueba, y se me anunciaba el corolario de una paternidad indiscutible. Tuve míos los comienzos de la evidencia. Pero el muy venenoso intervino con la suspicacia de interpretar aquella mirada de Beatriz al retrato, que bien pudo ser casual, y...

Y se nos quiebra, hijo mío, el feliz derrotero. La grieta se ahonda y te vuelves a situar incierto en las tinieblas.

Sin embargo, ¡qué de vivencias iban alzándose desde las lejanías de mi niñez! Resurrecto, cada día más redivivo, sentía yo al niño que a mi turno fui. Cabecita y yo, poco a poco, resultábamos iguales. El hijo idéntico al padre. Hasta creí mi enigma resuelto.

Luego, de repente, la intromisión de Rafael todo lo esfuma, y aun me induce a temer fenecido aquel infante.

No, no, no. ¡Ay de aquel a quien este niño que fuimos ya no acude! Es él quien retorna y se nos presenta en ciertas crisis de la vida, muchas veces para salvarnos, en todo caso para poner frescura y pureza sobre las turbulencias y las crueldades. No, repito, no. Calma. Juicio. A lo menos contigo, mi sentimental Fernando, y contigo, mi sensato Juan, y contigo también, mi humilde y místico Francisco, en mutuo apoyo, abramos un paréntesis de reflexión, cordura y templanza.

Distingamos. Verdad es que también llevamos algunos cadáveres dentro. Todos, todos conducimos a cuestas algunos; pero ellos, sepultos o no, permanecen. Inesperadamente asoman, e influyen, ignoro si desde fuera de la memoria o si desde muy adentro, acaso transfigurados, a lo mejor derivando en otros nuevos. De aquel iluso de mis veinte años, verbigracia, ¿qué perdura? ¿Se habrá convertido en este mi sapientísimo que hoy aprende a disfrutar los antes insospechados goces de la mediaría? El hecho es que, cadáveres o moribundos, entes o fantasmas, retornan en muchos trances; traen a presente sus modalidades idas, se mezclan a los sobrevivientes y con sus tintes nos matizan la existencia.

Y no divago, no. El niño que fui yo no ha muerto en mí. Ni Dios lo quiera. Aún ha de acudir mucho en mi auxilio.

Sólo que, ¡ay!, en el dolor reaparece más a menudo ese niño. Y es él quien rompe a llorar entonces, no el hombre. La buena mujer lo sabe por instinto y en su ocasión se hace madre para nosotros. ¿Tú no, Beatriz? Pues.... aquí te lo confieso: he llorado ayer. Y me hallo en un tris, a pesar de mi cólera y mi torbellino, de soltar ahora el llanto.

En fin, en fin. Sobreponerse. Hay tantas esperanzas fallidas...

Por lo demás, hace tiempo que me acostumbro a esta orfandad. Allá cuando los años empezaron a cansarme, dio en despertar esta nostalgia de un regazo abrigado. Pero acogidas, mimos o consuelos —de sobra he llegado a saberlo— nadie nos los puede ya un día prodigar. Situaciones hay en las cuales cierto deseo vehemente de hablar sobre nuestra infancia nos acomete; y callamos, porque nadie habría de oírnos. Ni nuestra madre, que supo tan sólo qué sintió ella por nosotros, mas apenas vislumbró cómo vivimos interiormente aquellos chicos. Si mi santa vieja viviera todavía, no intentaría yo por cierto conversarle de mis postraciones, de mis tristezas frente al esfuerzo vano, mucho menos de ansias de ternura como éstas, inútiles por lo demás como el vacío en que al cabo me desploman.

¡Eh, qué hacer! Paciencia.

Y basta. Se me ocurre que hoy, si no he divagado, he perdido el equilibrio que tanto cuido siempre. Además, si bien se piensa, desahogos hay que humillan. Así, pues, punto. Y esperar, que también las horas curan.

*
* *

—Este nació de pie.

—Hombre, reconócele virtudes, no lo atribuyas todo a la suerte.

—Astucia, ojo certero para el negocio... Sí, claro.

—Pero tipo con mejor estrella no se ha visto.

Frases y comentarios por el estilo me prodigaron ciento anoche, algunos amigos en el Club. No creo que hubiera en ello la menor alusión a la herencia. No. Son gente sana, recta y afectuosa de veras. Y en cierto modo, motivos tienen para envidiarme así, porque me conocen ellos en cuanto Mauricio y con esta personalidad opero en el mundo mercantil y gano bastante. Ayer, por ejemplo. La utilidad sube de los trescientos mil. Bien; acreciento la fortuna de los míos.

Mauricio, eso sí, no está conforme, y no por la cifra, sino por mi gesto. Según su voz, debo incrementar lo mío personal. Pero si aventuré dinero de Beatriz y del niño, reflexiono, las ganancias les corresponden a ellos.

—¡Habrá simple, habrá cándido! —le oí soplarme.

No me aprueba. El me inspiró ese negocio, él me condujo y piensa en el propio peculio con toda la fuerza de su egoísmo. Fernando, a la inversa, todo corazón, lo mira de través y me aplaude.

Por último, Francisco, desde su siempre alerto recogimiento, me recuerda:

—El cristianismo es una conducta.

De suerte que Mauricio se ve forzado a ceder. Nunca se obstina, por lo demás. Tampoco se remuerde rencoroso. A lo sumo, de antemano lo sé, de cuando en cuando, al rememorar esta resolución, apuntará dentro de mi conciencia para decirme: "Tonto, más que tonto. Debiste ganarlo tú, enriquecerte más, nivelar bienes con ellos, reunir una buena fortuna por si llega el caso previsto en ese testamento".

Pero no pasará Mauricio de aquí.

Y entre la multitud cesó la discordia.

Por lo tanto, anoche, tras de aceptar esos elogios de los amigos, hasta mi actor asomó: con su vanilocuencia y aun con chistes, representó su comedia. Concluí considerándome feliz, y como siempre queremos más al prójimo cuando acabamos de hacerle un bien, corrí a casa, junto a Beatriz, con la buena noticia.

Menos mal, sí, que Mauricio con sus triunfos me recalienta el ánimo en repetidas oportunidades. Empleo la palabra oportunidad y hablo justo; porque vino esto a suceder a raíz de las horas de humor gimiente y un tanto mísero en que me hundí al desahogar mis últimas emociones. El nuevo éxito de Mauricio me predispuso, pues, a la confianza en el camino.

Reanudé la marcha unido a Jorge otra vez.

Y el miércoles, día onomástico del Presidente y por ello de asueto para colegiales, volví a los reconocimientos, a descubrir a Cabecita en mí, a verme yo en él reproducido, a sospechar una misma nuestras sangres, a entrever, presunta o como fuere, la verdad que busco y necesito.

De mañana entramos en comunión. Vino él a mi encuentro cuando me disponía yo a salir.

—¿Adónde va, papá?

—Por ahí, a los bancos, hijo.

—¿Me lleva?

—Si tu madre...

Sin más, trepa corriendo escaleras, advierte a Beatriz, regresa y salta dentro del auto, a mi lado.

Hubo de soportar después algunas esperas, solo en el coche, hasta mi última diligencia; mas al cabo arrancamos libres, hacia..., hacia nosotros.

Descendimos del auto en el Forestal, dispuestos a deambular a pie, como nos agrada tanto hacerlo siempre.

Era entre once y doce, a la hora parsimoniosa en que los parques y los jardines parecen aislarse milagrosamente del ajetreo ciudadano, cuando los funcionarios jubilados desploman su ocio sobre los escaños, un diario bajo las manos aburridas, y cuando chicos y niñeras discurren de prados a frondas. Mi alma estaba en paz, el niño conmigo, no hablábamos casi. Diríase que se había enrarecido la mañana y pasaba por mi pecho como el aire pasa por una caña verde.

Anduvimos, vagamos, lentos, en silencio, cual si nos hubiéramos propuesto sólo recibir el ambiente unidos. En los parques, vienen de lejos pedacitos de voz. No importa qué digan, cabalmente su valor está en que no se entienden, en que son fragmentos de un todo cuyo sentido nos place imaginar a gusto y de mil maneras, ya remecedoras, ya sedantes. Salen de bocas invisibles que parece tener la brisa y se cuelan por oídos secretos formados de atmósfera. Un tímpano hay sin duda enfrente de cada laringe misteriosa.

Pero algo, sin embargo, suele por ahí extraviarse, de aquellos recortes de voz, y...

Y Cabecita —lo atisbé— se inquieta. Percibe de repente un sonido y vuelve la cara, buscándolo. ¿Está del otro lado de la espesura? Voló en una ráfaga, soltó dos sílabas y ahora se ha cortado. Poco después, la misma voz acaso, disloca otra palabra en dirección opuesta, y calla también, y se oculta. El siente cómo ese algo queda palpitando entonces en el parque; no atiende a las demás cosas ya: son concretas. Prefiere apresar, retener aquella trunca sensación cuya permanencia resulta dulce desconocer. Ocurre alguna vez que se aparecen de pronto, por entre unos arbustos, las personas que hablaban, y a la vera de Cabecita pasan, y le rompen el encanto. Lo cual le duele. Resuelve por esto cerrar los ojos cuando escucha el retazo, para que viva en él independiente, como aquellas conversaciones de las visitas con su madre, allá en el salón contiguo a su cuarto.

Yo, por semejanza, por medias palabras, porque ya mi gimnasia en el indagar su interior me ha hecho diestro, viví esta mañana uno a uno sus instantes y sus silencios activos.

Ya me convenceré después. Recibiré pruebas.

Bien. Magnífico. Estas observaciones han perdurado el día entero dentro de mí. Jorge, como nunca eficaz, me ilusiona, y escribo con la fe de quien sorprende ante sí abiertas las puertas del anhelo.

*

* *

En efecto, no tardó la prueba. Ya la tengo. Antes de cumplirse veinticuatro horas.

Llega la noche, ayer. Porque Beatriz ha comido afuera y el niño se recoge temprano, ha quedado a obscuras la casa. Me sofoca el bochorno de las habitaciones. Abro de par en par mi ventana, la que da sobre tejados; me recuesto en el diván y me parece que mi espíritu se tiende sobre la noche tibia y abierta. Viene desde la calle, por el aire quieto, el eco de las herraduras de un caballo que marcha sobre la calzada. Sin duda ronda un carabinero. Cantan algunos gallos, muy lejos; el nuestro responde, sobresaltándome. Luego, el silencio, que por lo absoluto es como un vacío, en el cual entra entonces para llenarlo esa melancolía inmotivada y suave por la cual, en las noches frescas que siguen a un día caluroso, nuestra sensibilidad se acuna y quisiera dormirnos vestidos encima del primer sofá solitario.

Por mis conversaciones con Cabecita puedo deducir, aun recomponer, su vivir sensorial paralelo al mío. ¿Estaría despierto él todavía? En su dormitorio hay un tragaluz en alto, cuyos cristales reflejan sobre un trozo de techo, como en una pantalla, visiones de la calle. Presiento ya entonces la prueba, más bien diré que la premedito, que forjo plan y forma para mi superchería. Los domingos por la mañana —me lo ha contado él—, mientras huelga un rato sin levantarse, ve la vecindad de afuera. De seguro imagina cosas soleadas, tonos fuertes, colores de bandera o de día festivo. Además, por los vidrios del tragaluz...

Entonces fue cuando se me ocurrió el ardid.

Y resultó eficaz no sólo para verificar cuanto supuse de sus sensaciones frente al salón de su madre aquel anochecer y después ayer en el parque, sino para cerciorarme sobre todo de cuán perfectamente casan nuestros caracteres. Aún más: recibí de él, explícito, el reconocimiento de mi paternidad.

No quiero precipitarme; pero vamos a verlo, porque más que nada esto merece registrarse.

Me le acerco, pues, hoy; enciendo poco a poco a fuego íntimo nuestra charla, y al cabo le digo:

—Miraba yo, hijo, ahora, esa ventana en alto que tiene tu pieza y recordé una que también había en mi dormitorio cuando yo era chico.

—¿Ya vivía usted en esta casa?

—No; pero tuve allá una ventana igual. Anoche la recordé. Hacía calor, me había desvelado y me puse a escuchar los alrededores.

—¿Anoche?

—Anoche.

—¡Qué curioso! Yo hice lo mismo.

—¿Tú también escuchas?

—¡Siempre! —respondió con vehemencia.

Fingí que me distraía, para enardecerlo más.

Pero él insistió entonces:

—Cuénteme, cuénteme.

—Pues te decía que me vino a la memoria mi pieza de la infancia, con su tragaluz y su techo, gracias a los cuales presenciaba yo, como en un cine borroso, todo reducido a siluetas diminutas y mal recortadas, hechas como con ligeros tiznes, cuanto pasaba por la calle.

—Igual, igual a mí era usted.

Se allegó a mí tanto en seguida, de tal modo me cogió la mano y con tal amor me dijo: "Papacito", que hube de abrir una pausa, dar a mi emoción respiro.

Mas ello mismo inflamó en mí no sé qué inusitada elocuencia. Estuve feliz. Las evocaciones acudían una tras otra, en vertiginoso proceso, y, frutos vivos, caían sobre aquel espíritu de niño vehemente, que se maravillaba por sorpresa.

Debo de haber dicho, aunque sin tanta literatura, pero tampoco sin ella, puesto que conozco la magia de las palabras que obran por simple cadencia, sobre poco más o menos:

—Acostado ya, cuando mi lamparilla eléctrica cerraba su párpado violento y se tragaba de golpe toda la luz, aguardaba yo, antes de dormir, a que mis pensamientos se dispersaran. Porque los pensamientos se duermen primero, ¿verdad?

—Cierto. Cierto.

—Bien. Aquel techo no era entonces sino el cuadrito luminoso proyectado por el tragaluz, espejo gastado y medio ciego donde apenas había un presentimiento de las formas de la calle nocturna. Pero asistía yo en cambio a otro desfile, que también interesa mucho: el de los sonidos. ¿Oyes tú eso, Cabecita Despeinada?

—Claro, siempre.

—En vez de figuras, pues, pasan ecos diminutos, recortados también como siluetas. Todo toma el tono y el color de la noche y las notas chispean lo mismo que las estrellas. Uno ve, los ecos, más que los oye. Se mueven, huyen, se detienen. Al carabinero que yo escuché anoche, y que también tú escuchaste, ¿no le vimos espejear las herraduras al picotear sobre los adoquines, no distinguimos cómo entrechocaban sable y arneses, y no saltaron centellas de los toques del acero?

—Yo vi pararse al caballo en la esquina.

—Claro. Y piafar. Y al jinete, mirar hacia las cuatro vías, moverse un poco en la montura, y al animal sacudir la cabezota, bajar el hocico hasta las rodillas, con las orejas echadas atrás. Todo en sonidos, pero en su dibujo exacto.

—Pasó también ese automóvil, calladito.

Justo, como un silbido áfono, pasó aquel coche.

—Y casi cerramos los ojos —digo— porque sopló el polvo de la calzada, ¿viste?

Con una carcajada me reprocha:

—¡Oh, exagerado!

Pero agrega otro recuerdo:

—Y alguien llamó.

—Sí —prosigo la broma—, suele soltarse algún quejido, que sube y se acuesta sobre las tejas.

Ya en risa los dos, extremo la fantasía:

—O una tos da en abofetear las tinieblas. Por último, no falta el neumático: estalla, corre su contratiempo encima de los vidrios del tragaluz y borra todas las figuras.

—Revienta cuando ya uno estaba durmiéndose.

—Pero nosotros nos decimos: "Fue una rueda", y cambiamos de postura, nada más. Luego, el silencio se hace poco a poco muy ancho, muy ancho, inmenso; el sueño viene por las venas, sigiloso y dulce, zumba fino en los oídos, vocecita de grillo lejano...

...evaporación leve de la vida, estuve a punto de concluir. Mas por mucho que a Cabecita le diviertan las metáforas —como que a su vez las inventa—, aquello, por serio, me habría excedido.

Por lo demás, entre broma y risa, la magia de las palabras había dado su fruto, me había probado cuán seguros fueron mis atisbos y mis anteriores suposiciones.

Y callábamos ya, del todo acordes, muy risueños, compañeros bien unidos, cuando surgió, en serio, la prueba esperada.

—Papá —me pregunta de pronto él—, ¿todos los hijos salen como yo, tan iguales a su padre? Yo pienso que no, porque mis amigos del colegio..., hay que ver cómo se llevan la contraria con el papá y con la mamá...

Ignoro qué dijo aún. La emoción me había ensordecido. Mudo, lo cogí en brazos. Y sólo sé que ahora, como entonces, mi júbilo, mi ternura, mis lágrimas lo besan.

Gracias, Jorge. Contigo, a lo menos contigo, ya entro en la fe.

*

* *

Mientras tanto, mi mujer "se realiza"...

¡Los dioses confundan a la famosa Chela!

Me complace ver a Beatriz aplicarse de nuevo al piano: tocó bastante bien y ello justifica el reponer lo perdido en años de abandono. Ya lo he dicho Perfectísimamente. Pero... "realizarse"... ¿Hay necesidad de tan presumido verbo?

Eso la influencia de Chela Garín es lo que me contraría. Me saca de quicio, la criatura. ¡Qué vértigo!

Hará ya media hora, y larga —desde que nosotros acabamos de almorzar y ella se nos apareció—, habla por teléfono. Padece manía telefónica. No bien llega se apodera del aparato. Llama sin respiro. Al Instituto de Extensión Musical, a su peluquera, a la Escuela de Bellas Artes, a unos refugiados españoles "muy artistas", al *Ballet,* al Automóvil Club, al

Conservatorio... Incansable. Y parla, borbotea, desde luego en tono de quien imparte lecciones, da órdenes o insinúa rumbos; y su voz canta, modula, contenta, rápida y seductora. Por lo general, su frenesí aplaude: no se corta entonces el chorro sino en las breves pausas destinadas a intercalar: ¡Magnífico! ¡Regio! ¿Comprendes? ¡Formidable! ¡Qué amor!

Ahí sigue. No para. Como su cháchara me marea ya, voy a suspender mis anotaciones. Rondaré un poco y me divertiré observando. Ella se reunirá por fin con Beatriz y, eufórica siempre, la urgirá para irse juntas a sus muy altos quehaceres. Así ocurre a diario. Feliz y aprisa viene, feliz y aprisa parte. Yo he concluido por llamarla Doña Dicha Presurosa. Me da risa, pero me revienta. Sobre todo por ese "Adiós" con que se despide, un "Adiós" muy cantadito a la francesa, que según ha de pensar ella deja el encanto tras de sí.

Pues bien, recobro mi cuaderno. Estuve rondando, hecho un espía entretenido. Del teléfono pasó al salón. Beatriz tocaba y ella tomó asiento para escuchar. Digo mal, se tendió semiacurrucada en el sofá, con mucha pierna descubierta, su actitud medio de artista en holgura, medio de odalisca. Y así atendió, hasta intervenir con sus críticas:

—Mira, el *touché,* ¿comprendes?, hazlo más breve, a lo Gieseking, a lo Rosita Renard, con dedo firme pero liviano. Lo demás, sí, amplio.

Beatriz, al parecer, no la oye.

Pero ella, tras de sumir el mentón más y echar más afuera los dientes, y a párpados caídos en gesto de aguda percepción, interrumpe luego:

—Sólo con la mano, hija, no. No, por Dios, no. Acuérdate de Arrau. Ya nadie toca de muñeca, sino a todo brazo, ¿comprendes? Eso da sonido grande.

Beatriz repite, se corrige.

Y aprueba la maestra:

—Eso, eso. ¿Comprendes?

Sonrío y la examino desde mi punto estratégico. ¡Qué facha! Cada día exagera más el escote, de traje a traje lo prolonga más en el centro, de modo que la separación de los pechos —de sus pechazos, que deja ella descolgarse algo sueltos deliberadamente— refuerce la nota sensual y canalla.

¡Lástima de Beatriz! Ella, tan fina, recibiendo tan grotesca influencia. Ya se le nota en los afeites.

De manera indirecta se lo dije ayer:

—Ten cuidado. Tienes una belleza distinguida, tranquila, de señorío. Manténla. No la conviertas en una brillante de peluquería, como se ven muchas ahora desgraciadamente por ahí.

—¿Crees que me maquillo demasiado?

—Se me ocurre temerlo... Quizá vayas tras un mal ejemplo...

—No. Lo indispensable, nada más. Porque los cuarenta, qué quieres, no se defienden solos.

—Más defiende un porte aristocrático, de digna moderación. Lo demás corresponde al cine o al *snob*.

Aunque se amostazó algo, espero que me atienda.

Creo haber concluido esta glosa, cuando siento que llaman al niño. Como sábado en la tarde, no asiste al colegio y debe de andar vagando por la casa.

—¡Charlie, Charlie! —grita la Chela Garín.

Oigo al chico subir la escalera. Luego pasa delante de mi escritorio. Cambio yo de asiento, para fisgar.

—Anda, corre, péinate un poco esos crespos y vente con nosotras —le dice Chela, de pie ante la puerta del vestíbulo.

—¿A la calle?

—Por supuesto. Al ensayo de *Copelia*, ese *ballet* que tanto te agrada.

—Pero...

—Rápido, rápido. Ya Beatriz fue por su sombrero.

Muy remiso advierto a mi buen Cabecita Despeinada. Sus ojos primero suspiran: "¡Estoy perdido!", y me dan ganas de reir. Pero luego esas pupilas diríase que adquieren voz y gritan su angustia.

Por lo cual ya la situación me interesa en serio.

—¿Qué aguardas, niño, por Dios? —lo apura Chela.

Siempre remiso, gira él sobre sus taloncitos entonces. Obedece, va caminando, lento.

El corazón me sugiere auxiliarlo. Si esa loca le fastidia, convendría interceder. ¿Alego, por ejemplo, un previo compromiso conmigo y me lo llevo de paseo?... ¿Qué haría yo?

Mas todavía vacilo, cuando él ha regresado.

—Traerás el cuaderno, supongo.

—¿El de las poesías? No.

—¡Cómo!

—Por favor. Hoy no tengo paciencia.

—¡Es posible! Todo un poeta como eres... Tienes que ir aprendiendo con tiempo. Se asimilan de chico fácilmente cosas que después, cuando grande, cuestan más, ¿comprendes? ¿O te figuras que serás toda la vida un chiquillo? No, señor; cuando menos te pienses, un hombre.

Cabecita calla un instante; pero en seguida en la cara le resplandece no sé qué súbita luz que se le ha encendido interior, y:

—Natural —afirma—; no he de ser siempre niño...

—¡Ah! Bien.

—Ya lo creo, ya lo creo —se repite, cual si la iluminación se le hubiera hecho más violenta—. Seré un hombre y...

—¿Y?

—Y..., en fin, seré un hombre.

A ella le debería yo decir ahora: "¿Comprendes? Seré un hombre, adulto, y disfrutaré libertad para echarte con viento fresco, majadera —reflexiona él".

Ya no cabe duda. Se le ha puesto a esa maniática "realizar" al niño también. Lo importuna con su métrica y su poética, lo cansa, lo mortifica. Muy a tiempo, este alerta.

¡No faltaba más!

*

* *

Para no enturbiar la situación más de como por sí sola se presenta, objetivaré primero bien el hecho. Así lo dicta la cordura. Mi multitud no sabría sino complicarlo, si a ella se lo sometiera desde luego a juicio. Cada cual, proyectando su luz peculiar, confundiría este cuadro que, sospecho, esconde una pista.

Lo sucedido, todo ello es, en resumidas cuentas, nuestro diálogo de anoche. Reconstruyámoslo entonces con estricta veracidad. A lo taquígrafo.

Duró mucho ese aperitivo danzante de la embajada. Regresamos después de medianoche. Y ya en el trayecto a casa empezó la conversación significativa.

—¿Sabes? —la inicia Beatriz—. Me suscribí con diez mil pesos para ese auxilio de Navidad que proyecta la embajadora enviar a los niños europeos.

—Lo supe allá, sí. Por mi parte ofrecí otros diez mil.

—A propósito: algo más quiero advertirte. Tú estás edificando en el fundo casas nuevas y confortables a tus trabajadores, y haces bien; pero yo, sin gente a mi servicio, debo remediar otras miserias, y, primer paso, he destinado las ganancias que me obtuviste con el negocio de días atrás, a obras de beneficencia. Repartí a varias instituciones ya, es decir, autoricé para que te cobren. Son sumas iniciales, únicamente. Y como no entiendo de números, deseo que tú calcules cuánto sería prudente asignar a manera de cuotas anuales. Se trata de gotas de leche, de hospederías para indigentes, de colonias escolares, de policlínicas de la Cruz Roja... En fin, tú lo verás. ¿Qué te parece?

—Muy bien, hija, cómo había de parecerme.

—Otra cosa: no me agrada la ostentación, tú me conoces; así es que, para no figurar con mi nombre, pedí que anotaran eso como "Asignaciones Charles Moore".

Estuve a punto de soltar el volante y quizá estrellar el coche.

—¿Cómo? —interrogué abismado—. Pero..., pero... ¡qué ocurrencia!

—¿Por qué?

—Por... ¡Qué sé yo! No me lo esperaba. La verdad, nada más lejos de mi mente.

—La gratitud, una elemental justicia... ¿Te asombra? Nadie ignora de dónde me viene tanto dinero. Verán que honro su memoria, que soy agradecida. ¿No lo crees tú así?

—Como creerlo... ¡qué diablos!..., lo creo, y hasta muy lógico lo encuentro. Sólo que...

—¿Qué?

No atiné a responder. Habíamos llegado, por suerte, y el trajín de guardar el auto me sirvió para encubrir la contrariedad, contener la violencia que al pecho se me agolpaba y pensar algún recurso.

Ya de vuelta, y reunido a Beatriz en el piso alto, le opiné:

—Mira, yo, esas dádivas a su nombre las haría más bien a instituciones argentinas. Allá vivió él, allá fue conocido, allá deben recordarlo.

—¡Qué tenemos que ver nosotros con los pobres de Buenos Aires!

—Para la pobreza no hay fronteras.

—Pero la caridad empieza por casa.

—Convengo, sí. Yo haría donaciones en Chile a tu nombre, o a nombre del niño, si lo prefieres; luego, allá, otras como te plazca.

—Raro me resulta.

—Dime: ¿quién te sugirió esa idea?

—¿Cuál?

—¿Cómo cuál? Esa tan peregrina de que se anoten las limosnas como "Asignaciones Charles Moore". Apostaría que la ocurrentísima Chela Garín.

Vacilante, me contesta:

—Yo lo pensé.

—Pero en su compañía, ¿verdad?

—No recuerdo. Tal vez, sí, algo hablamos juntas...

—Ya me lo figuraba.

—¡Cómo la odias, hijo! Te obsesiona.

—Sabes que la juzgo funesta.

—¡Oh! Un poco chiflada, la pobre, y nada más.

—Loca, y de mala locura. En el consciente o en el subconsciente, lleva siempre perfidia su conducta.

—No exageres. Tiene sus manías; eso es todo. El psicoanalista espera corregírselas.

—¡El psicoanalista! Si es médico de talento, habrá descubierto ya que lo consulta ella por seguir la moda intelectual. Oí decir que le lleva patrañas, complejos inventados que la presentan interesante, y que se dedica más a enseñarle a él cómo ha de hacerse genialmente un psicoanálisis, que a confesarse y curar.

—Eres terrible.

—¿Lo dudas, conociéndola como la conocemos?

—Probable, sí —acepta Beatriz, y ya sonríe.

—Sufren algunos complejo de inferioridad. De superioridad llamaría yo al suyo.

—Su manía de saberlo todo y enseñar a los demás...

—No sonrías con tan complacido perdón, hija. No lo merece. Funesta es. Con ese afán de rectificarle a todo el mundo el vivir, y "emancipar" mujeres, y "realizar" a las personas llanas y modestas, ¿qué ha conseguido hasta hoy? Divorciar a cinco parejas, ensombrecer vidas espontáneas y, en el propio matrimonio, aburrir y desesperar a su marido.

—Buena pieza el tal marido. A él habrá que cargarle mucha culpa. Veinte años le llevaba cuando se casaron, y, en lugar de formarla, en Europa..., en fin, creo que a punto de pervertirla estuvo.

—No lo conozco. Sin embargo, lo pintan como anciano ejemplar.

—Ahora, viejo y solitario.

—Medio místico, aseguran.

—¡Un santo! Recuerdo haberte oído a ti mismo que una santa vejez suele ser el fruto de una juventud endemoniada.

—Basta. Eso no me atañe. Pero sí me incumbe, y mucho, la intromisión de la Garín en lo nuestro. ¿Qué majadería tiene ahora con el niño? Entre angustia y tedio llevaba el pobrecito ayer cuando ella lo arrastraba con ustedes. ¿En qué lo trae?

—En nada malo, hijo. Al contrario, lo beneficia. Ejercicios de versificación, ritmo, rima... Como él es poeta, sin lugar a dudas, irá poco a poco asimilando y más tarde puede que agradezca el haber dominado, sin sentirlo, reglas o principios.

—Pero lo mortifica. El día menos pensado intervengo, aunque tu te molestes.

—¡Oh, por Dios! Hazme un servicio: no provoques disgustos. Ella, loca y todo, me acompaña, me distrae, me sirve, me ayuda en mis inquietudes culturales o artísticas. Reconocerás, supongo, que son muy poca cosa mis demás amigas, y las damas de sociedad en general. Tanto, que a la postre vale más una loca.

—Y esta idea de los donativos Moore...

Beatriz, que ha venido inquietándose con mi actitud, reprime aquí apenas un exabrupto. Se demuda. ¿Temerosa, colérica? Pero noto que se sobrepone; y al cabo sonríe.

—Tengo sed —suspira tras una pausa inteligentemente medida—. Tú también estás acalorado.

Pasamos al comedor, donde prepara ella un refresco.

Hemos cambiado allí algunas frases baladíes, sobre los embajadores y su fiesta, sobre tal o cual ocurrencia. Después, cuando se ha restablecido la calma, se me acerca ella, mimosa —pienso ahora que acaso astuta—, y me hunde los dedos en el pelo, como cuando al niño se lo esponja. Luego me alisa el bigote, pone más intención en la sonrisa y, los ojos golosos y fijos en mi boca, me ofrece un beso.

Por último, se coge de mi brazo y:

—Anda —me dice—. Vamos, celosillo, vamos.

—¡Celoso!

—¿No? ¿Ilusión mía?

¿Quién confiesa los celos? Pero, también, ¿cuándo dejan ellos de revelarse?

Lo cierto es que, variado el tema, nos fuimos juntos, apagando luces por el trayecto.

Luis había despertado en mí. Luis, el débil y tentado Luis..., no sé si conjuró el peligro de un agrio desenlace o si tan sólo pospuso mi necesidad de reducir algunas cosas a su lugar. Por lo pronto, había marcado al momento pulso sensual, ritmo de placer, y seguir en discusiones ya no era oportuno.

De lo único, pues, que respondo ahora es de que, si al principio me desvelé un rato, luego la dulce fatiga del amor me sumió en sueño profundo.

Bien poco. Empero, hubo mucho.

Mañana veremos si los agudos de mi multitud, acallados hoy, analizan y hallan clave al enigma.

*

* *

Mi multitud, aquí todos, conmigo.

Conmigo y en mí. De los sustantivos por lo menos, que no falte nadie. Como adjetivos abandonemos a los demás, ya que muy a lo lejos valen de algo en serio. Surjan, pues, las voces. Juan, Rafael, Fernando, Jorge, Francisco, Mauricio, Luis... Ojalá ninguno calle. Unidos y, al cabo, uno solo.

¿Cómo no ha descubierto antes el ser humano que una muchedumbre lo forma? Empezamos a saberlo, sin embargo. No en vano corren los tiempos: el espíritu avanza. Me pregunto a veces si ésta es la causa de que nazca en el hombre la conciencia colectiva, este verdadero progreso del siglo, gracias a lo cual esperamos entendernos, y no sólo dentro de la sociedad, también dentro del individuo, sociedad en potencia. Exacto: sociedad en potencia. ¿La única real, la sola fecunda? Sí; acaso reconociéndonos como multitud interior comprendamos la de los prójimos en convivencia y, viendo cuán poco armonizamos dentro de la persona, perdonemos su constante disputar a la especie. Yo y la humanidad..., ¿lo mismo?

—¡Caramba, caramba! ¿Somos comunistas?

—No tanto. Pero fuimos algo por el estilo cuando muchachos.

—¡Ah! ¡Entonces!

—Durante la primera juventud hay que vivir en el futuro, para que a la vejez podamos acomodarnos en el presente. De otro modo nos exponemos a formar entre los viejos espectros, que van con la cara siempre nostálgica y vuelta llorosamente hacia el pasado.

—Y en ese porvenir ideal, tal vez tú, Mauricio, ya no existas.

—Error. Craso error. Yo existiré siempre.

—Alto. Nos alejamos. Todos existiremos siempre, mientras haya hombres. Concretémonos a lo que hoy importa.

Suspira Mauricio, irónico, y en tono que remeda un guiño, advierte:

—Pues aquí, sobre la mesa, contemplamos ya un recibo que ostenta el nuevo rubro para nuestra contabilidad: "Asignación Charles Moore". ¿Eh? ¿Qué tal?

—Es el primero que llega.

—¿Lo pagaremos así? —pregunta Rafael con alarma iracunda.

—Indudable. Pierde cuidado. Se cubrirá con las utilidades de aquel negocio. ¿Ven? Tú, soñador, y tú, escrupuloso, y ustedes, don sentimental, don sensato y don cristiano, ¿lo están viendo? Me desoyeron por vil egoísta. Yo quería guardarme la platita ganada, se opusieron ustedes y ella viene a servir a la postre para exacerbar los celos de Rafael, herir el sentimentalismo de Fernando y obscurecer la ilusión de Jorge. ¡Magnífico premio a la nobleza!

—Esto nos ofende, la verdad.

—¡Naturalmente!

—No resulta muy discreto, que digamos, inscribir ese nombre sobre...

—Sobre nuestra paciencia, dilo claro.

—Calma, Rafael. Opina, pero sin exaltarte.

—Pero ¿no comprenden que así provocaremos las conjeturas de las malas lenguas? Que por qué legaría ese gringo millonario a éstos su fortuna entera, que por qué prevería en su testamento el caso de una separación de cónyuges, que para calcular un efecto precisa poseer una causa, etcétera. No me parece menester que nos repitamos la cantilena que nos persigue y encocora, ¡caramba! Y entre interrogación e interrogación hará sus morisquetas la malicia.

—¡Oh! ¿Se ha visto, se ha oído acaso algo concreto?

—Yo he leído en semblantes, he interpretado silencios, y con eso me sobra.

—¿Qué persigues tú, entonces?

—Llamar a cuentas de una vez, pedir explicación a tanta cosa extraña.

—¿Inculpando así, sin más?

—Afrontando. Para empezar, cogería, del cogote a ser posible, a esa Chela Garín y le haría soltar la pepa. Se me ocurre la confidente, que maneja hilos porque los tiene. Y a ella misma, a Beatriz, la iría inquietando, confundiendo, hasta el martirio, hasta que confesara o se vendiese.

—Tú das por sentado que hay culpa.

—Pues si no, que haya certeza.

—¿Qué te parece a ti, Francisco?

—A mí las violencias de Rafael me entristecen. En especial esa tendencia de todo celoso a causar daño, esa como furia de apuñalar, siempre dispuesta.

—¡No seas mentecato!

—¡Chist! El celoso delira entre visiones. Lo ciega la cólera. Pensemos, démonos fundamento antes de asumir actitudes irreparables. ¿Quién es ella? Sin definirla, no descubriremos las posibilidades de su conducta, y sin este conocimiento previo, nos exponemos a un paso en falso.

—En falso y contraproducente.

—Anoche se reveló astuta, pérfida, y además muy serena, muy dueña de sí. Cuando se te acercó para engatusarte, se le notó un airecillo de superioridad y victoria, bastante decidor. Pasó inadvertido en ese momento, y era lógico, porque despertó Luis, predominó y no hubo ya sino libido.

—Tú, Luis, di lo tuyo.

—Pues yo la encuentro espléndida. Y siempre mía, plena y encendidamente mía.

—¡Miren qué gracia! El carnal.

No acierto a precisar qué mixto de risa, bochorno y piedad nos invade a los demás entonces. ¿Por qué los personajes de nuestra multitud que nos dan placer nos dejan pena?

Entre lastimado y risueño, algo deprimido el espíritu y cual si toda la tristeza de la carne gimiera en mis entrañas, reacciono:

—Esto degenera. Basta.

Y me levanto, suspendo el diálogo.

Cuando reanudo mi empeño, Juan propone:

—Revisemos la experiencia. Escuchemos su dictado en orden.

—Eso que llamas dictado de la experiencia —objeta Fernando— no me convence. Hay experiencias parciales, no una total; experiencias que polifurcan el camino, y a tal extremo, que a menudo concluimos eligiendo el rumbo del fracaso. Paz. ¿Eso buscamos? Paz, sí, bien positivo. Yo me guío por mi ternura. Tú estás conmigo, Francisco, ¿verdad? Así guiados, al menos conducimos a los nuestros hacia nuestro corazón.

—Y esto significa salvarlos y salvarnos —completa Francisco—. Hay reconquistas más valiosas que toda conquista primera.

Y Jorge añade:

—Esa es la ruta, ésa. Con ilusión, ésa es la ruta.

—Pero tú, soñador, fracasaste.

—Sólo con Beatriz, y porque nos detuvimos, débiles, entibiados por circunstancias. Con amor, con activo amor, habría el ensueño ardido, habríamos triunfado, como con el niño. El amor y el ensueño han de ir juntos.

Me suena todo esto un poco a lucubración. ¿A qué tanto concepto?

Mauricio asoma tras mis vacilaciones:

—Eso digo yo. Beatriz no es mala, como no lo eres tú, a pesar de tus caídas, tus claudicaciones y tus culpas. Tampoco veo motivo para excesivos tormentos. Seamos prácticos. Beatriz representa bastante. Una consorte que se quisieran muchos. Si llegó sin un centavo al matrimonio, si causó derroches en Europa más allá de lo debido y se comprometieron así los bienes, trajo en cambio la buena suerte.

—¡Ay!, tú eres otro de los que dejan pena.

—Bien; allá ustedes, entonces. Pero insisto: Beatriz no resulta peor que nosotros. Se comporta como gran dama, no da que hablar, su situación social mejora día por día. Nosotros..., ¡buenas piezas hemos sido!

—Así puede haberlo sido ella, siquiera una vez, y ahí está lo que nos preocupa.

—Pse. Después de todo, fuera de la sospecha por la herencia, no hay dato alguno más.

—Salvo aquel incidente del *fox-terrier* —apunta Rafael—, cuando Beatriz se oponía, ella, y bastó un paseíto por el jardín con Moore para que se quedara el niño con el animal.

—Pero eso apenas siembra una mala idea. Y no hay nada más.

—¡Cómo! ¿Y el marco de plata, y los cuchicheos con la Garín cuando yo me alejé al fondo del salón?

—Todo ello pertenece a la fantasmagoría del celoso.

—¿Y esto de las asignaciones?

—Eso se arregla, hombre. Con energía. Se va por allá, o se manda una circular concisa, o se habla por teléfono y se pide que supriman ese renglón de los recibos.

—Debía exigírsele a ella. Que vaya ella misma y enmiende su torpeza. Que se humille y se confunda.

—Siempre tú con tu crueldad. Parece que sólo pasos crueles te consuelan. Además, incurres en mal gusto. Prefiero a Jorge con sus ensueños y sus cursilerías.

—Aunque me mires en menos —replica Jorge a Mauricio—, el niño está por mí con nosotros.

Tembló en mi pecho la felicidad un instante, con la evocación. Pero el veneno del celoso había de infiltrarse fatal y nuevamente:

—¿Muy seguro te sientes de tu éxito? ¿No habrás conseguido apenas ganarte a la criatura? ¿No consideras suficiente una casual afinidad de temperamentos para que la identificación de dos se produzca?

¡Celoso demoníaco! Se yerguen sus tres preguntas, afiladas, como los tres clavos con que fueran a crucificarme.

La piedad de mi cristiano Francisco entiende la imagen y me auxilia.

—Moderémonos —pide.

—Sí —apoya Juan—, recapitulemos. Base de todo juicio y todo cálculo es conocer el carácter de Beatriz. Ya en otra ocasión la definimos en parte: dinámica, fútil, sensual, sin gran hondura pero buena madre, susceptible de infidelidades y celos simultáneamente, contradictoria y hasta un poco absurda, y sin embargo amiga segura y abnegada; por último, capaz de conmoverse y consolar a su marido... ¿Qué más? Si la memoria no me falla, reuniendo síntomas á esto arribamos. Ahora, tras de revisar aquello y añadir las observaciones nuevas, le sumaríamos astucia, cautela, disimulo, dominio de sí, tino, sensibilidad fina y aun artística, mesura para sus actos, don de gentes, corazón caritativo...

—En suma, que tiene su multitud.

—¿Y cómo no ha de tenerla?

—Conque... ¡nos hemos lucido!

Mauricio y Luis, sólo ellos permanecen sin la menor angustia. Pero mientras el uno vuelve la espalda y diríase que se ausenta, el otro insiste:

—No acepto, sin embargo, que me desprecien ustedes. Y ¿por qué me desprecian?, vamos a ver. ¿Porque ni falta que me hace creer o no en tanta sutileza? ¿Porque soy el carnal a ojos ciegos? Sin mí no estarían ustedes completos. No habría sin mí varón cabal. Cuando hablo y a ustedes los paraliza la extrañeza o la benevolencia los mueve a reir, yo bien sé lo que me digo. Mi animalidad potente no podrá suprimirse cuando se busque toda la dicha que atesora el amor. Bestial pareceré tal cual vez. ¡Bestial! Bien, bien; me obligan a una franqueza cruda. Pues crudo hablaré. ¿Qué hombre sano y entero no ha sufrido el azote de la sensualidad? Azote llaman ustedes a esto. Y lo acepto yo, como ven. Pues reuniría yo a todos los hombres robustos del planeta para preguntarles: "¿No habéis sufrido ese azote, por ejemplo, mientras atravesabais al anochecer una calleja solitaria? ¡Ah, yo sé que sí! Porque habéis descubierto entonces, de repente, una mujer sola en la puerta de una casita silenciosa y obscura, y os habéis sentido capaces de violar a esa mujer, que a pesar de vuestra moderación y vuestro dominio perfecto del impulso, os ha entendido y ha tenido miedo al primer encuentro con vuestros ojos turbados en la sombra". No. Nadie puede menospreciarme, nadie hacer mofa de mí. Sin mí se acabaría la especie sobre la tierra. Esto va en serio; pues convengo en la cultura, en el afinamiento de los hábitos, en el marco de la decencia para nuestros actos. Y por esto actúo dentro de márgenes legítimos, y soy moral. Cuando exclamo: "Beatriz es deliciosa, y mía, plena y encendidamente mía", no hay que reírse del enamorado sexual; hay que respetarme. Yo la quiero de modo más leal y santo que todos, me comporto con pureza, con la corrección máxima del ente civilizado. Soy monógamo, por último. Ya no creo en eso de que "en la variedad está el gusto". Eso es elemental, primitivo, para mí caduco, inferior. Porque a ciertas alturas se torna falso. Se acostumbra el sexo a una, y luego ya no quiere otra. ¿Cuántas veces, ante una nueva, con la cual no tenemos costumbre, nuestra virilidad fracasa? No, pues, no; carecen ustedes de todo derecho a menospreciarme, mucho menos a la mofa y a sentir pena por mis obediencias físicas. Este lascivo, de amor obediente a la carne, este dominado por el vértigo del sexo, guarda su nobleza, y la defiende.

Al enardecerse así la voz de Luis, hemos enmudecido los demás, inclinados ante la compleja e indivisible unidad de nuestra multitud.

Pero la reunión que debía poner en claro la conducta de Beatriz y señalar la ruta de un enigma, sólo ha servido para que nos reconozcamos nosotros. Todo continúa por lo tanto en pie. ¿No habrá más verdad que la íntima nuestra? ¿Será Jorge quien mejor lo entiende? ¡El ensueño! La ternura, el acercarse con ilusión, el reconquistar, en último término, que valdría más que toda conquista primera...

Mas todo esto ¿cómo, de qué manera? Si algo impreciso flota dentro de mi atmósfera. Si dudo, desconfío y sufro. Porque, violento, visionario, como sea, sus razones le asisten a Rafael. Quede lo del *fox-terrier* como un mero parecer. Asimismo que si hablaron o no en voz baja y como cómplices Beatriz y la Chela cuando lo del marco de plata y mi retiro al extremo del salón. ¿Sabrá la Garín algo? ¿Y desde antes o de ahora? En lo posible cabe que se haya ganado la confianza de su íntima y posea su secreto. Si se obtuviera una declaración de la intrusa... Como los celos aconsejan, ganas acometen de agarrarla del cuello y arrancarle cuanto sepa. Y lo peor, lo peor: si basta una casual afinidad de caracteres para que la identificación se produzca, ¿en qué para la prueba de mi paternidad? Afines son a menudo los extraños, no es indispensable la misma sangre. ¡Oh Dios mío! ¡Dios mío, nada en limpio, nada! Sólo un final derrumbamiento.

He permanecido largo rato inmóvil en la soledad de la noche. Es ya muy tarde. Se ha hecho un silencio que se me ocurre de infinito y de vacío. Ha caído sobre la confusión de mis voces y lo siento como cuando la lluvia cesa y es substituida por el mudo caer de la nieve. ¡Qué desolado! Yo, silente a mi vez y como un enfermo que humeara su quejido, lloro sin lágrimas. Los minutos pasan. Este silencio compacto me hace pensar en un abismo relleno de niebla. Está húmeda y caliente la atmósfera y ensordece los tímpanos. Me pesa la cabeza, cual si fuera una esponja henchida de agua. Pasan los minutos, pasan. La pluma se me suelta de los dedos.

De pronto se ha sentido un grito de angustia, lejos. Me ha estremecido un temblor como un calofrío. ¿Por qué? ¿Tan enfermo estoy? Partió ese grito, solo, enloquecido, vagó por el espacio negro, alma escapada que busca, sin encontrar, compañía y amparo. Lo ha seguido mi mente con sobresalto. Ascendió en el aire, osciló allá arriba, descendió sin aliento, se cortó jiras entre los alambres, dio tumbos en las azoteas, tropezó en torres y miradores, rodó por los tejados, y al fin me parece que se ha quedado quieto pegado a los vidrios de una ventana, mirando desesperado al interior de algún cuarto impasible y sin nadie. Lo he visto, porque así está mi alma. Ese grito es ella.

—Tú, Francisco, al menos tú, ¿no me hablas ahora?

—Yo espero. En tus momentos abatidos no reconoces mi presencia. Perdiste la fe. Pero siempre, al cabo de los cabos, has esperado. Yo espero. Espera.

¡Ah, mi humilde, mi religioso Francisco!

Pero... tampoco. Muy lejos me hallo de ti. Hace tiempo. Lejos, lejos. No me suenan tus palabras. Hoy nada me suena. Tribulación, amargura cansada y confusa. Me voy. A recogerme, sí, ojalá en sueño profundo. ¡Ah, ese grito me persigue! Soy yo ese grito, no cabe duda. Vamos a dormir. Solo, sin multitud. Para dormir, precisa quedarse solo, acostar a los otros, igual que a niños o parientes.

Pero... ¿cuál es este que se queda solo? Uno que al fin se sosiega y se va como vaciando. También él se duerme por último, pero en el sueño permanece vigilante. A fin de no dormirse del todo, a fin de no morir, se mantiene soñando. Los sueños sirven de juguetes para no despertar ni dejar de seguir despierto. Sólo después, mañana, volverán los otros, a inmiscuirse en lo que ocurre. El vacío que nos habíamos procurado se poblará entonces de nuevo.

Y así la vida continúa.

¡Oh, no! No quisiera que continuase. ¡Basta, basta, basta! Deliro, hueco, desierto, nulo. Cansancio, desolación sin orillas. A dormir, a dormir como a morir. No ser por lo menos el grito pegado a la ventana que nada tiene adentro.

*
* *

Los días transcurren y nada resuelvo sobre las malhadadas asignaciones.

¿Pero resuelvo sobre algo acaso? Descontados los negocios de Mauricio, lo demás flota en la irresolución.

O hay también cierto abúlico en mí, o la multitud en contrapunto se neutraliza, o... ¿o contaré además, entre mis segundones emboscados, con el ente de amor propio contumaz, a quien asusta el más leve peligro de yerro, ridículo y vergüenza?

De veras, me repugnan los trámites para que borren ese nombre de los recibos. Porque... reflexionemos: si yo lo pido, no importa en qué forma lo haga, se renuevan las conjeturas; se preguntan desde luego por qué me opongo yo a ese honrar la memoria de Charles Moore, y se responden que mi rechazo acusa celos. Y el estar celoso les confirmará el supuesto motivo: mi sospecha de cargar infamantes adornos en la cabeza. Como resumen, humillación, mancha y escarnio. Así, me horrorizan las consecuencias y me abstengo. ¡Ah, el prudente, cobarde irresoluto!

Y pensar que oso en tal cual instante considerarme un hombre superior... ¿En qué me fundo? ¿En que me compruebo múltiple? Pero si cabalmente por numerosa mi multitud se contrapesa y equilibra demasiado.

He supuesto, al revisarla, que tal abundancia de personas me completa; mas empiezo a temer que el pretendido ser completo no sirva, máxime cuando las partes, como en mí, se niegan turno de acción apenas juzgan el conflicto grave. Contara yo con uno capaz de sobreponerse y gobernar, y veríamos. Cuando alguno de nuestros sujetos predomina siempre, "se tiene carácter". Las gentes prefieren y estiman a quien vive conducido sin cesar por un prepotente. A éste le reconocen personalidad. ¡Qué relativo esto! ¿Cuál será la personalidad perfecta? ¿La del desequilibrio que significa el uno sometiendo tiránico y anulador a los demás, o aquellas en la cual toda la interioridad concurre y armoniza? Se colige que sin armonía no cabe perfección. No sé si empleo bien o mal estas palabras.

De todas maneras, ¡ay!, el desequilibrio parece activo, y la perfección, inerte.

Antes no era yo así. De muchacho, cuando la "tropilla", como me indujo a llamarla el arriero aquel, no se me había desarrollado mucho todavía, cuando una "madrina" iba de ordinario delantera y dueña, yo conseguía en cada evento decidir y obrar. Pero sucede que luego los otros crecen y participan, y todo se pone a vacilar, y día llega en el cual resulta imposible recuperar la brújula de una voluntad firme. Mala ventaja, esta de completarse.

Se hace dramático el ser consciente de la conciencia.

Y he aquí algo perturbador aún: el tiempo. Nunca permanece igual nuestro conjunto; cambia, madura, crece o disminuye. Dentro del uno las pasiones se inflaman, se amortiguan dentro del otro; al cerebral se le agrandan las ideas, hasta se le hipertrofian, vale decir se le complican. El quid estribaría en que le progresaran simplificándose. El tiempo influye, claro está, factor importante, y así como suele abrir cabida para los turnos, acaso cualquier día decida un predominio en mí durable hasta la muerte.

¡Qué desorden! ¡Qué desorden!

Pero el hecho es que si ordenamos mucho los elementos, se desvirtúan, terminan por formar un complejo inmóvil, que ya degenera en mentira; pues la verdad palpita mientras hay movimiento, cambio. Mutación incesante; como tal existe la verdad humana.

El genio de Beatriz, entonces, no se ofrece analizable. Si ella también posee su multitud y sus personajes varían de condición y conducta, equivocamos él procedimiento al paralizarlos, escondemos lo perseguido. La vida del hombre no es más que una sucesión de momentos, muchos contradictorios, consecuentes algunos, otros largos, breves los más. La duración y el modo de cada uno de ellos, en su edad, en su medio, a solas o bajo la intervención ajena, eso va diseñando el retrato cabal. Cierto, certísimo. Deducción lógica, por lo tanto: habría que conocer todas las "madrinas" de Beatriz y haberlas observado, a cada cual durante sus períodos de turno.

Si al menos se me hubiera ocurrido esto antes, en el ayer ya enigmático por su lejanía, o si me fuera dado leer en ella como leo en el niño... ¡Mi pobre Cabecita Despeinada! ¡Tan pequeño y tan personita ya!

Entre la piedad y la tortura estoy viviendo ahora frente a él. Dejemos a Beatriz un rato; él sí que me absorbe conmovidamente. Y en grado imperioso. Como que constituye clave y meta de mis inquietudes y zozobras. Fuera de la duda renovada por esas tres interrogaciones malditas del celoso, hay esto de verlo ahora, de repente, sufrir.

Sufre; lo he comprobado. De semanas a esta parte, se le observan horas de preocupación y ensimismamiento extraño.

La primera vez que lo noté así, lo supuse alejado en el ensueño, en el ensoñar infantil y delicioso a que lo transporta la caza de sensaciones. Luego, al medir su inmovilidad y su callar, tan prolongados, me le acerqué, suave, cariñoso pero natural como un compañero distraído.

—¿En qué piensas, hijo? —pregunto como al azar.

El se ruboriza. Diríase cogido en falta. Quisiera reprimir esa delatora rojez que le sube a las mejillas; pero el bochorno vence, la sangre le afluye hasta hincharle las orejas. Por suerte se halla sentado de espaldas a mí, en la sombra del vestíbulo, y así los cabellos alborotados le tapan algo los pabellones rojos. A responder, sin embargo, no atina.

—Creí que te habías dormido —digo.

—No. Es decir, sí, me iba entrando un sueño... Si usted no me habla...

Turbado, enmudece. Su almita le impide llevar las excusas más allá del disimulo. No quiere mentir. Tampoco lograría contestarme la verdad. Las verdades más inocentes suelen ser para los íntimos y delicados las más difíciles de confesar. Y esta suya la presiento yo inconfesable además porque lo prende a cierta cuita de su corazón: está descontento y en su disgusto se complica el amor a su madre.

Si lo presumí entonces, ya hoy no lo dudo.

Otra tarde, llega del colegio, cuelga su sombrero en la percha del pasadizo, entra en su cuarto y allí deja su mochila sobre la mesa. Luego se interna por las habitaciones solitarias en busca de Beatriz.

—¡Mamá!... ¡Mamá! —llama de pieza en pieza.

Nadie. Apenas los espejos de los roperos le van respondiendo con su propia imagen, que surge como del fondo de una conciencia. Los espejos son la conciencia de una casa. Yo, dispuesto a observar, callo y hasta corro mi cortina para que él no me descubra.

—¡Mamá! ¡Mamacita! —siguen las voces, alejándose.

—Ha salido —responde una sirvienta desde la cocina.

Sale tanto Beatriz ahora...

El ha pasado al comedor entonces. Allí registra los aparadores, coge no sé qué golosina, la mete dentro de un gran pedazo de pan y se pone a comer con su apetito de colegial de regreso a casa. Se tiende por último en el sofá y allí mastica, voraz, con la vista en el trozo de cielo que la ventana encuadra y por cuyo azul sonrosado cruza en ese instante un avión. De pronto se levanta. Permanece de pie. ¿Adónde irá?, expresa su actitud. A él mucho le gusta estar solo, pero con los suyos cerca. La soledad del vacío lo desasosiega, lo perturba con leve angustia, como un desamparo inminente. Conozco el alma de los niños y la del mío en particular. Emprende camino, al fin. Yo, por minutos lo diviso, por minutos me valgo de la imaginación. Arrastrando los pies —lo escucho—, en paso de vagar, llega fatalmente al repostero. Allí conversa la servidumbre, a frases muy espaciadas, ensordecidas por el son melancólico de un desagüe.

Pero irrumpe de improviso una criada, que viene iracunda del comedor. He mudado puesto y me asomo, atisbo y la oigo. Cómo rabia la majadera. Que si el niño dejó todos los cajones abiertos, que si ha esparcido migas y hasta un goterón de mermelada pringa el suelo. Protesta, ella protesta. Y lo riñe, lo amenaza con acusarlo.

Cabecita la mira, digno y en silencio. No se altera: piensa, nada más. Y tal es su aire, sus ojos establecen tan bien la jerarquía y tan denso trasciende su pensamiento, que la mujer cierra la boca, se reduce a su plano. El caballerito no ha sido violento, ni áspero siquiera; sólo ha sido superior. Me sorprende su prudente señorío y lo admiro. Ella en cambio se ha derrumbado, calla vencida. Entra el zafio en su animal humildad cuando siente pensar al superior.

Entonces el señor Cabecita Despeinada se retira. Sale a la puerta de calle, donde mientras devora su pan y su dulce mira pasar las gentes, los carruajes y la tarde. Hasta que —lo entiendo— se le anegan las pupilas de crepúsculo y a su almita retorna el sinsabor persistente que lo trae preocupado.

En un arresto, de repente, va y saca su bicicleta. Parte veloz, corre frenético, a lo largo de las aceras, luego por la plaza, donde caracolea sobre las veredas rubias de gravilla.

Se me pierde a intervalos; pero yo medito entonces sobre su ánimo actual. Desde mi ventana clavo la vista en la pila del jardín. Las aguas, verdes y espesas, tienen una lenta, pesada ondulación de aceite. Así me lo imagino a él ahora, desde que lo veo caer en esas quietudes atribuladas.

Porque las tiene. Yo podría jurarlo. La identificación me permite vivir en él, y lo sigo. Como tanto lo quiero, me conduelo y le pertenezco. La piedad y el amor no son fuerzas que poseemos y damos a nuestro placer; ellas nos poseen y nos dan.

Continuaré mi observación. Aunque sospecho las causas de su nuevo estado, las verificaré para remediarlas. No importan las tres interrogaciones de Rafael. Vuelvo a sentirlo mío desde su dignidad frente a la sirvienta.

*
* *

Cuidado, Fernando. Moderémonos. Tu emoción ha venido creciendo hasta invadirme. Ahora, cuando aquí llego por las tardes, cruzo el pasillo sin hacer ruido. La casa en que ha entrado el pesar nos exige andar en ella sobre las puntas de los pies, como en donde se vela un enfermo. Exacto. Pero exageramos. Exageramos un poco, ¿no te parece?

También convengo en tu norma: guiados por la ternura, conducimos a los nuestros hacia nuestro corazón. Debemos serenarnos, empero. Sabes cuánto me gusta penetrar en la meditación como en una noche clara. Seguiré contigo, pues, previo acuerdo de no incurrir en el exceso sentimental que obscurece.

Distingamos con claridad.

Nuestro chicuelo sufre. Ha cambiado, manifiestamente, y en sufrimientos radica la causa. Hay, a no dudarlo, mucho de la nostalgia del niño mimado a quien se abandona en cierta medida y casi de improviso. El tenía ya muy hondo el hábito de adormirse con las caricias de su madre, la rizada cabecita sobre las blandas rodillas, todos los atardeceres. Jugaba primero largo rato por el jardín, a menudo en compañía de algunos chicos con quienes volvía del colegio; por lo menos corría en su bicicleta y gastaba el excedente de actividad propio de la infancia; pero luego, sin falta, iba en pos de los mimos maternos que siempre aguardaban al regalón. Ahora Beatriz pasea mucho y regresa tarde a comer. ¿Sugestiones de su amiga Chela, consecuencias del dinero muy abundante? Con qué facilidad cogen las mujeres temas y embelecos y se inflaman hasta entregarse a ellos con una especie de pasión excluyente de lo demás. Esta, que tiene idolatría por su hijo, concurre a diario al "té canasta" de moda, presencia desfiles de modelos o maniquíes, asiste a conciertos, estrenos vespertinos y demás actividades en que su "realizadora" la mezcla. A tales actos va, como es natural, sin su Cabecita Despeinada; lo lleva sólo cuando él no tiene clases, temprano, y justo a reuniones a las cuales, por culpa de Chela Garín, a él no le agrada concurrir. Y de todo esto ha resultado algo bastante contradictorio: mientras por un lado echa él de menos a su madre, por otro rehuye salir con ella.

Se le ha creado así, pues, un conflicto.

Era fatal que concluyera el pobre chico por entristecerse.

En muchas ocasiones lo veo atender al divertirse de sus amiguitos con muy afable mueca, pero inmóvil o desganado, sin participar en los juegos sino de manera muy pasiva. Entre tanto, sus ojos miran hacia dentro, siguen algo ausentes el retozar infantil.

¿Qué hacer? ¿Suplir yo con mimos de padre aquellos maternales que se le niegan? Imposible casi. Varonilmente juzgado, esto sería debilitador, funesto.

Hay más. Lo irritante se desprende para mí del hecho de comprobar que le lastiman las ausencias de Beatriz y a la vez evita su compañía en las otras salidas. Otro lo habría interrogado sobre tamaño absurdo; yo, no:

sé de antemano que así no hablará jamás. Silencia su queja porque así cubre a su madre. Si no cometería para ella la deslealtad de mostrarla inconsciente de su voluble o enfriada conducta, mucho menos incurriría en la ligereza de confesarme, a sabiendas de que yo arremetería contra la Garín, cuánto le hostigan y amargan esas porfiadas enseñanzas de versificación. No, yo nunca osé ofender su delicadeza demostrándole hasta qué punto he comprendido cuanto le pasa.

Era necesario empero cerciorarse a fin de poner término a la molestia, a la majadería de Chela Garín siquiera. Y apelé a un ardid.

Vagaba él solo por la casa. Fui entonces a su encuentro, con un tomo de poesías en la mano.

—Ven, hijo, ven a oir algo bonito —le dije.

Mas apenas me dispuse a leerle, sus pupilas me miraron sorprendidas y con un dolor de animalito castigado de improviso. "¿Tú también?", parecían preguntarme. Sólo por un instante, sin embargo. Pronto leí en ellas la reacción del cariño: "¡Bueno! ¡Qué diablos! Viniendo de ti... Un poco más o un poco menos de tortura..." Y me reanimaron a proseguir.

Yo cerré mi libro, lo metí en el bolsillo, cual si me hubiese distraído, y hablé de otra cosa.

¡Ah!, pero él, de cuando en cuando, aunque mi charla lo entretuviese, dirigía una mirada de soslayo al volumen, que asomaba por mi chaqueta. Mantenía su gesto de urbanidad; pero, apenado, pensaba.

Comprendí que lo iba mortificando. No se me ocurría en cambio nada lo bastante festivo para desvanecer sus temores, y decidí caminar con él hasta mi escritorio y aquí, en su presencia, guardar los versos en su anaquel.

Quedó siempre un tanto preocupado, aunque muy cariñoso conmigo. Recordé aquel episodio con la cachimba, ocurrido nueve meses atrás, y me conmoví. A fuerza de bromas y alegría conseguí borrar las impresiones del momento.

No hubo más ese día.

Pero el ardid sólo debía ser aplazado.

Continué preparándole mayor éxito en el curso de la semana.

Desde luego me ingenié para trabarme con Cabecita en charla cotidiana, siempre hacia el crepúsculo y como en providencial reemplazo a la hora de las caricias maternas.

Todo era no obstante unírmele y comprobar que su primer, inevitable movimiento consistía en una disimulada observación de mis manos. El pecado se me hincaba entonces en la conciencia, y tanto me afligía por demostrar que no guardaba conmigo libro alguno, que, aun a riesgo de ridículo, movía los brazos, abría los dedos y hasta giraba el cuerpo a diestro y siniestro, como quien se siente vigilado en una tienda y desea establecer que nada se lleva encima.

Componíamos, en realidad, una pareja de comediantes.

Y en varias insistencias repetí la comedia. Sin ton ni son se tejía y destejía el diálogo; pero... ambos entre tanto nos captábamos los pensamientos.

Al cabo, en una de tantas, no resistió él más su inquietud y me dijo:

—Nunca me leyó, papá, esos versos.

Solté la risa.

—¿Te figuras, hijo, que también yo voy a majaderearte?

—¡Cómo!

—¡Bah, bah! Eso fue una broma. Yo sé, mi pobre Cabecita Despeinada, que muchas personas mayores, aun algunas que sienten amor por sus niños, suelen presentarse como si hubieran nacido para fastidiarlos. Por ejemplo...

Me interrumpí, mañoso.

—¿Quién? —urgió él, con alarma ingenua.

Volví a reir, a carcajadas ahora, y:

—Adivino en quién estás pensando —lo desafié.

Tampoco él pudo reprimir la risa entonces.

—En la Chela Garín —dije.

¡Pobre mi chicuelo! ¡Qué conmoción tuvo! Aún me parece verlo en el trance. Sus ojos me penetran, un rápido segundo, y en el acto giran a un lado, para caer luego sobre sus manos, que sobre la blusa se oprimen y hacen sonar las coyunturas. Ha bajado la cabeza, confeso. Ya no lograría la más leve sonrisa. Se ha puesto serio, y un poco triste, y por último, en tono de remordimiento, aduce:

—Mi mamá la quiere tanto...

—¿A la Chela?

—Y me quiere tanto a mí...

—¡Quién lo duda! Por eso, cuando te hablé hace un momento, dije también que suelen fastidiar a los niños aun algunas personas que mucho amor les tienen.

—Pero mi mamá no me fastidia.

—Claro que no. En cambio, dime, con entera franqueza: ¿te gustan a ti los versos?

Calla. Está compungido.

—¿O cuando la Chela declama y acciona como las actrices tú te mueres de vergüenza, y si oyes a tu mamá repetir embelesada los tales renglones sublimes te dan ganas de que la tierra se abra y te trague? Y a ti, ¿te hacen recitar también?

—A veces.

—¿Y te molesta?

No reacciona con el menor ademán. Pero su silencio y su inmovilidad asienten.

—Si tú quieres, hablo con Beatriz.

—¡No, papá, por Dios!

A la sola idea de que yo intervenga, se le agolpa el pánico a los ojos. Trémulo, maldice acaso la infidencia que se le ocurre haber cometido. Se le han encendido las orejitas.

Y como temo que rompa en llanto, suavizo:

—No te aflijas. Buscaremos alguna manera, sin pedir nada directo, de que tu mamá recapacite.

—No. Nada, papá. No haga nada, prométamelo —insiste con terror.

Yo lo tranquilizo:

—Como tú quieras.

Puede que haya ido yo demasiado lejos en aquella escena. Porque su vida se manifiesta muy alterada. El miedo a consecuencias con su madre lo enferma. No teme a irritaciones o cargos de Beatriz; le asustan la pena que le ocasionaría y lo difícil que le sería sincerarse. Anda, pues, retorcido entre sus nervios. Le observo todas las actitudes, espío sus horas y sé que ya presiente que todas las criaturas somos al fin y al cabo unos pobres seres aislados y muy débiles. Tendré que cumplir mi palabra y no dar el menor paso en este asunto.

En cambio, lo halago en cada oportunidad. Y logro además escrutarlo a fondo. Como nuestras multitudes se asemejan y me identifico así con él, fácil es para mí describir sus estados de alma como si fueran míos. Todo por identificación, pues él nada me contaría jamás. Nadie tiene como los niños el pudor de sus pensamientos y de sus emociones.

Apresé ya mucho de él, de la crisis en que vive desde mi ardid de prueba. Se me ha hecho transparente. Algunas mañanas, sin motivo particular o inmediato, amanece con un tedio anticipado por todos los actos en que se verá en el día. Sé que a gritos pediría no hacerlos. Pero tiene ya su almita silenciosa de hombre, y además está lindando en la edad en que la voluntad se somete por completo a lo cotidiano. Así es que se muerde y se traga su llanto mudo, y el hombrecito se levanta, desayuna y parte al colegio. Soy capaz de afirmar también que no estudia, ese día, y en clase no atiende, porque no lo puede conseguir. Ese día flota su espíritu entre brumas apagadas.

Pues bien, si tal situación coincide con una de las salidas en compañía de Beatriz y la Chela, con los espantables ejercicios poéticos, se crispa y se angustia. ¿Habrá una puerta para evadirse del mundo?, debe de interrogarse. No en frase concreta; ¿pero no se preguntan mejor los niños sin fórmulas de pensamiento sus emociones? Por suerte ha empezado él a crearse la fortaleza de los sufridos, y su angustia se le ordena en el corazón, y... Y el hombrecito sigue adelante, afrontando este laberinto de vivir.

¿Divago? No. Pienso. Pienso en él.

La repetición de semejantes apuros, por lo demás, le irá enseñando a disimular, a fingir, si es que no hay en todo niño un maestro del disimulo... En fin, digamos que ha de subir a la fantasía. La fantasía, Cabecita Despeinada, te abrirá pronto su placer. ¿No te lo abrió ya? Es la puerta para evadirse de la vida. Tú, aunque lo niegues, eres poeta.

Seguiré observándolo, sobre todo tendiéndole mi amparo silenciosamente. Aun cuando me hagas entrar en casa, Fernando, sobre las puntas de los pies, me valdré de ti. Y de Francisco. La sabiduría del corazón me guíe y la bondad me vigile.

*

* *

Esas tres preguntas del celoso indominable me persiguen. Me acosan, porfían por salirme al paso en toda encrucijada. Bien poco sirve que les niegue atención; ellas obran dentro de mis obscuridades. Aunque atienda sólo a lo inmediato y para lo demás cierre oídos, algo como la queja de un herido emboscado insiste y me retumba dentro. ¡Ah!, deseo que me pertenezca ese niño, puesto que lo amo irremediablemente, y resuelvo considerarlo hijo mío en definitiva; pero mis anhelos y mis resoluciones se asustan: manos ciegas y exasperadas, aun siguen buscando a tientas las hebras de la certeza.

¿Hasta cuándo?

¡Mi pobre Cabecita Despeinada! Sí; pobre mi chicuelo, pobrecito. Lo que le pasa no será una desgracia, pero sí una mortificación cruel, y he de posponer la mía. Contra todo egoísmo tengo ahora que dedicarme a él. Sin pérdida de tiempo. Queden para después las preguntas sordas de mi sorda angustia.

Y adelante.

Sin mayor investigación formal, sin esfuerzo casi, tan sólo con el trato sostenido, cuanto al cuitadito le sucede lo he ido viendo en el espejo límpido que ha llegado a ser para mí. Hemos dialogado, muy largo a veces, y hasta de modo embrollado, fragmentario y difuso; mas han surgido poco a poco e incesantes los síntomas o los datos elocuentes.

Y me admira su carencia de aires de víctima. Sufre sus contrariedades como un chico sano. Acaso las verdaderas víctimas sean éstas que lo son sin advertirlo.

En fin, lo esencial está en que reconstituyo su vida, en todas sus horas, cual si a todas ellas hubiera yo asistido, y en que lo siento en su interior como en sus pasos entre los demás.

Hace un rato, por ejemplo. Sin haber distinguido todas las palabras cambiadas entre su madre y él, sé lo que le ocurrió.

Beatriz imponíale algo, desde su dormitorio; él en la puerta resistía.

—No —dijo por último—. Me carga, mamá, me carga.

Ella, replicando desde adentro siempre, soltó una verbosa y airada retahíla. Alcancé a percibir el final:

—Taimado. Eso eres. Ni siquiera entiendes tu bien. Hemos concluido.

Me aproximo y espío entonces.

Cabecita, en el umbral todavía, espera un lapso prudente, a fin de no alardear de soberbio y despreciativo. Pero al cabo, firme, se retira.

Lo veo irse, lento primero, acelerando el paso después. Lleva la frente baja. Su pelambrerita revuelta descubre la nuca pálida, que acaba en dos tendoncitos abultados. Arrastra los pies al principio, sus características patitas de pisar oblicuo y siempre un tanto hacia adentro. Su blusa gris, su pantalón vacío en las posaderas, sus calcetines caídos parecen cosas doloridas y humilladas. Aquella figurita castigada y buena me arrastra. La sigo de lejos. Mi mano quisiera cogerla con cariño, posarse sobre la nuquita seca y tibia, subir hasta las sortijas negras...

El tiene, sin embargo, me lo prevengo a tiempo, el pudor de su tedio y sus penas. Así, pues, me abstengo.

Y él, en cuanto me divisa desde la terraza, disimula: se prende al columpio que improvisó en la mañana con una cuerda y un cojín, y se pone a mecerse, tarareando.

Pues a pesar de todo, aquel "me carga, mamá, me carga" lo entiendo en su íntegro porqué. No se refirió sino a la Chela Garín o a los versos. Lo digo porque mi observación acumulada me lo dicta. No he acompañado en balde al trío ese de Beatriz, su hijo y su "realizadora" delirante.

Una tarde, al dejarlos en mi coche a la puerta del teatro donde se desarrollan los ensayos del *ballet,* fingí humorada o antojo y entré con ellos. Preferiría saltar la evocación del momento, porque fue durante la tal visita cuando mi celoso Rafael tornó a plantear con ira sus tres preguntas afiladas; pero conviene fijarla en la memoria. Noté allí que la comparsa de bailarines nombra Charlie al niño, y aunque sea ello natural, me hirió la prueba. ¿No se ha impuesto la costumbre, similar a un tácito acuerdo, de sólo decirle Cabecita Despeinada? Bien, bien, prosigamos. En otras oportunidades me les he aparecido de sorpresa, bajo excusa del calor y la conveniencia de pasear al niño un rato por las afueras. De modo que mucho llevo visto y comprendido. Mis diálogos, con maña provocados, han hecho el resto.

Aseguro, pues, con fundamento, que si Cabecita dispusiera de mayor pericia en su lenguaje, cuando estalló en aquel "me carga" pudo haber añadido aún: "Me carga ya tu Chela por su voz, por su mirada, por su accionar a todo brazo. Me molestan sus juicios presuntuosos, su manera de quedarse como transportada mientras piensa, con la vista en el vacío y el índice de uña esmaltada escarbándose minuciosamente la nariz. Me revienta su entusiasmo absurdo por lo que le gusta y la forma rencorosa con que odia. Quisiera no verla nunca. Mi sensibilidad ya no la resiste. Cuando está en casa dueña del teléfono, me irrita, y cuando presiento que vendrá adonde yo estoy, huyo, rápido; las piernas se me agarrotan de la vehemencia con que quiero escapar".

Sé también que igual malquerencia cobra ya por la poesía. En cierto té, presencié cómo lucían al niño poeta. ¡Oh! Le hicieron declamar unas estrofas que, según ellas, él había compuesto. Versos que acusaban la colaboración adulta de Chela y Beatriz y cuya rememoración me repugna, por él y por mí, por nuestros dos pudores. Jamás olvidaré cuán dolorosas me fueron sus miradas de vergüenza, disimulo, complicidad y burla. Con ellas el pobrecito imploraba mi perdón y mi prudencia. Sé más aún, sé que advirtió aquella vez, al retirarse, cómo las mismas damas que lo aplaudieron lo compadecían y se mofaban a hurtadillas de su madre. Descubrí entonces que Cabecita, contra su cólera por tales actos, sufre una lancinante piedad hacia Beatriz; y que verla en ridículo lo induce a cubrirla, aun a ocultarla de sí misma. Le miente, pretende convencerla de que goza él con las grotescas declamaciones. Pobrecito. Cuando nos íbamos y ella por la calle lo felicitaba, orgullosa de tales triunfos, se desplomaba él con el peso del ridículo. Estuve yo a punto de reventar colérico. El haberle dado mi palabra de callar y el miedo de acrecer sus desazones, sólo esto me contuvo. Y mientras exultaban Chela y Beatriz, él y yo dejábamos instilar pecho adentro, como una gotera, nuestra lástima.

Ya en casa, nos sentimos muy cansados. Ignoro si era la suya o era la mía la tribulación mayor.

Además, lógicamente, ha de haber en él ya fermentos de odio y rebeldía. Sí; he aquí otra faz del asunto. Porque al observar ese frecuente burlarse de su madre, pulsa también el regocijo a que todos se preparan cuando esperan el espectáculo de verla encendida por el falso niño prodigio; y si entonces mide la flaqueza por que a él lo sacrifican, simultánea debe apuntarle la convicción de que la humanidad es cruel y abominable. No por diverso proceso se forman los misántropos.

Esto no puede continuar. No sé cuánto resista mi paciencia.

Hasta hoy, empero, Cabecita no descubre hiel. Se apena, eso sí, por su madre y, cosa rara que habla de su buen natural, también por la odiada Chela Garín. Tirándole la lengua he logrado imponerme de cómo suele sentir misericordia por ella. Si a menudo busca en repentinos impulsos a Beatriz y la besa y la colma de ternezas, también de vez en cuando encuentra qué decirle favorable a su tan querida Chela. Todavía más —me lo han revelado sus ojos—: cuando la Garín se luce hablando en tertulia y nota él que gusta, entretiene y aun conquista cierta simpatía, su pequeña conciencia remordida se alegra. De seguro se amonesta: "¿Ves? Tiene su gracia y su mérito. No es insoportable siempre. Ideas, exageraciones tuyas. Podrías muy bien quererla. Ya lo creo. O eres un mal chiquillo. Un mal hijo también, quizá". Y empieza, muy posible, a quererla.

¡Cómo te conozco, hijo, cómo te conozco! En alguna ocasión, ¿verdad?, hasta te le acercas, le correspondes las caricias y aun le hablas de salir con ella muy pronto. Luego de haber resbalado así, temblarás, lo imagino; pero no tardarás en dejarte conducir, a ojos cerrados.

¡Ah, cómo te conozco!

Tampoco faltan en los días de Cabecita los momentos en que retorna Beatriz a sus viejos hábitos de recogida maternidad. A él entonces lo electriza un feliz calofrío; piensa en el azar de que vuelva la época en la cual no había la Chela Garín asumido gobierno, y sueña con ver a su madre reconformarse a una conducta de sencilla dulzura.

Maltrecho, rendido por tan encontradas emociones, Cabecita se va con frecuencia, después de comer, so pretexto del calor de noviembre, a la terraza que se abre delante de la cocina. Quedo y solitario permanece allí. Empieza por fin a sentir sueño, ese sueño cansancio en el cual se incluyen y dominan el disgusto y la melancolía. Pero no se mueve, no desea recogerse; prefiere quedar en ese patio solo y obscuro, sintiendo enfriársele la piel de la cara, frescas las pupilas vueltas a las estrellas, mientras su emoción sube al espacio como un olor lento y delgado que arriba se deshace y extiende al infinito.

¿Presientes entonces que la vida suele sumirse de pronto en períodos de noche, períodos que se ignora si terminan o carecen de fin? Yo afirmaría que no lo presientes tan sólo, sino que tu almita lo sabe. ¿Por qué? ¿Dónde, cuándo lo aprendió? Ha de saberlo. Como también que en estos lapsos de tiniebla se camina a tientas, la razón ciega y el corazón más despierto que nunca, para sentir más. Sabe aun que entonces el corazón se agranda, que llega uno a ser sólo corazón. Y sabe que hay todavía huecos inesperados en el camino, en los cuales se cae y se está solo, o a lo sumo con otros caídos, también incapaces de salir.

Ignoro si todo esto lo presiente o si soy yo quien se lo atribuye como ancestral sabiduría. Pero sé que su corazoncito tiembla y su imaginación se pierde. Hay, sin duda, niebla en su espíritu y se ahoga su esperanza.

Una de tales noches lo espiaba yo desde la ventana. Habían sacado de la cocina un brasero, para dejarlo al aire. Se quedó él mirando las brasas, cómo se consumían. Es así, mi niño, mi hombrecito, le dije mentalmente; cuando el corazón lo invade todo, cuando se acaba por ser todo corazón, ocurre como cuando todo es fuego en el brasero: hombre y fuego se devoran a sí mismos.

Sucede alguna de tales noches que un perro de la vecindad rompe en aullidos. Así, con ese compás regular, insistente, como un rito sobrenatural del dolor, teme llorar el niño de repente. Y no puede soportar, y se va.

Al entrar en la casa llena de luz, cierra la puerta, de golpe, a los aullidos y a su melancolía.

Yo sigo, Cabecita, observándote luego que has entrado.

Y así, tras de todo esto, vengo a comprender también que deberé salvar de tus repugnancias a la poesía. Descubrirás que de cuanto experimentas, sumado a las sensaciones en tu cuarto con su tragaluz pantalla, y a las voces fragmentadas que vuelan por los parques, y aun a las frases de figuras ingeniosas que se te ocurren chiste o broma, se compone la poesía. Te alumbraré un camino, verás.

Lo haremos con ánimo feliz. Después de todo, ya lo dije, no es una desgracia lo que te sucede; aunque cruel, sólo una mortificación. Y a la larga, no perjudica el haber sufrido. El hombre inalterablemente feliz es como esos frutos carnosos, apretados de miel y violentos de aroma, pero sin almendra.

*

* *

Percibo murmullo de voces en el salón y entro.

Desde la penumbra, dos pares de ojos, cuatro destellos negros, idénticos, me miran.

Están, como antes, ella reclinada en el sofá, él encima de la piel de oso, con la pelambrerita sobre las rodillas de su madre. Cabecita, en este crepúsculo, vuelve a sentir gozoso cómo los dedos maternos se hunden por entre los anillos de su pelo.

—¡Qué milagro! —comento con alegría.

—¿Cuál es el milagro? —pregunta Beatriz.

—El de hallarte aquí a esta hora.

—La jaqueca.

—Ah, tu jaqueca —repito festivo.

—¿Te ríes? Muy sarcástico te veo.

—Nada, hija. Sólo que se me vino Quevedo a la memoria. *La culta latiniparla.* ¿Te acuerdas tú? "Calendas purpúreas".

La risa nos unió cordialmente. Nos habíamos reído tanto leyendo aquello juntos... Yo apago el cigarrillo, para no acrecer su malestar, y me siento.

Contemplo las dos caras desde mi sillón. Si no dos gotas de agua, resulta la del niño boceto en masculino tierno del rostro pálido y en óvalo largo de su madre. Igual contorno, las mismas cuencas, el conjunto marfileño por exacto duplicado.

Como hago siempre cuando tal compruebo, cambio de puesto, para situarme un poco atrás y diagonal a Cabecita. Es que sólo así, mirándolo por el cuarto de la oreja y al sesgo, encuentro en él cierto parecido conmigo: el perfil de carrillo, ceja y frente dibuja la línea que traza mi cabeza vista en el espejo de tres cuerpos.

No basta ese mezquino indicio, me digo entonces, y ahora también; pero algún consuelo me procura la observación siempre, y algo esperanzado quedo.

—¿Sabes? —hablo de pronto—, el niño no asistirá estos días al colegio.

—Por los exámenes —apunta él.

—Se han suspendido las clases hasta el lunes.

—Valientes exámenes darás tú, pichoncito.

—No crea, mamá. Tenemos que leer, en inglés y en castellano, y escribir, y sacar cuentas, y dibujar, todo delante del rector.

—¡Jesús, qué compromiso!

—Claro, no lo eche a la broma.

—Yo había pensado —intervengo— irme por el resto de la semana con él, a la casa vieja, y allí repasarle algo. Jacinta lo cuidará bien. Debo yo pasar al fundo, por unas horas. Aprovecharemos bien el viaje los dos.

A Cabecita lo alborota la idea.

—Sí, mamá.

—Perfectamente. Allá ustedes.

Adrede, alejo las pupilas. No quiero toparme con las suyas. Me consta que ambos bendecimos la ocurrencia que conjura el peligro de cinco tardes importunadas por versificaciones, vanidades y majaderías.

El se levanta, da unos pasos y enarca el pecho. ¿No significa eso la libertad?

Pero no alcanzamos a comentar el proyecto: por el pasillo venía revoloteando el gangoso *lará-lará* de Chela Garín.

Y huimos, Cabecita y yo.

Por la noche hicimos nuestras maletas y al día siguiente partimos antes de que acabara el sol con la frescura matinal.

Hasta mediodía estuvimos en el fundo. Allí, mientras atendía yo a las necesidades agrícolas e intercambiaba ideas con el administrador, él, trepado a un caballo, fue a presenciar los entrenamientos para ciertas carreras próximas. Sacudió así los miembros y, sudoroso y rojas las mejillas, vino a descalzarse las espuelas para meterse conmigo en el coche.

La casona nos esperaba con una nota nueva para él: habían mudado el viejo timbre por otro flamante.

—¿Se fija, papá? —me dice, oprimiendo el botón con entusiasmo—. Tiene sonido de tenedor.

Y se lanza luego a reconocer cosas y lugares.

Jacinta, que, avisada, nos preparó un gran puchero, conversa conmigo en tanto su "arzobispo" trajina y explora.

—¡Cómo crecen las criaturas, Virgen Santísima!

—Y en sólo nueve meses; ¿te das cuenta?

—Si no pude alzarlo en brazos.

—Lo traigo a repasar sus primeros estudios, para los exámenes.

—Dios lo guarde. ¡Cabecita, Cabecita! —lo llama.

Ella sí, ella lo nombra como yo deseo. ¡Qué seguro instinto, el del cariño, para darnos gusto!

—Ya, chiquillo —apuro yo—. Se nos enfría el guiso.

El acude corriendo, entonces, y se pone a la mesa.

Nuestra charla empieza infantil. Mucho le preocupa saber si los pájaros exhalan o aspiran al cantar. Quieto bajo los albaricoques, ha observado él a uno hace un momento, y le intrigó mucho esa garganta emplumada que se hincha, se llena de música.

—¿El aire les entra, en vez de salir, papá?

Medita luego, buen rato. Y yo siento el esfuerzo de sus amígdalas, que trabajan con los pensamientos y se cansan.

—Estoy seguro —porfía—. Cantan hacia adentro, al menos en los gorgoritos.

—Sin embargo, las notas las envían tan afuera, tan lejos.

—Y tan limpias. Parecen desnuditas.

—No es, a pesar de todo, una voz que se desnuda; más bien una que se viste. La voz del aire, que viene como un misterio, callando, y se va coloreada y vestida de plumas. Hecha poesía —concluyo recalcando, con intención.

El me mira de soslayo entonces, desconfiado. Y yo prefiero aplazar aún mis planes. No sea que me resulten al revés.

Nos hemos entretenido, pues, todo el almuerzo con temas livianos. Luego lo he abandonado a su albedrío.

No lo pierdo empero de vista.

En primer lugar, observo cómo recupera sus viejas sensaciones del caserón. Entra y sale por los cuartos sonoros. En la soledad, los muebles le fingen actitudes que ya él suponía olvidadas, o especie de movimientos ejecutados por ellos a su espalda y suspensos cuando él mira. ¿Qué vago temblor te recorre por un instante las entrañas entonces, Cabecita? Poco a poco, pues no te atreves a moverte con violencia en ese vacío silente, vas ganando las puertas, alerta la vista sobre las cosas también alertas. Te adivino, hijo, y me diviertes, algo festiva y algo conmovidamente. Sales del cuarto de tu madre y allí el vargueño marca el límite habitual de tu pasaje. Hay una tabla hundida, bajo la estera, ya junto al umbral; cuando en ella pisas, te consideras libre, y de un solo tranco alcanzas la galería. Pero te sigue allí, ¿verdad?, la última sensación: el tintineo de la botella del velador, anticuado rezago de nuestro menaje. Se te reproduce instantánea en la mente: una botellita de cristal opaco; tiene un pajecillo en esmalte blanco realzado, y el gollete cubierto por un vaso que repite, invertido, el paje.

Si habláramos, me confiaría sus pensamientos. Pero los hombres olvidamos no sé cuándo, en qué cruce de la vida, la libre actitud de hablar como el niño. En nuestra multitud, ya lo he dicho, el infante perdura baldado.

Si habláramos, Cabecita, me preguntarías desde luego: "¿Cómo las personas mayores pasan delante de las cosas sin reconocerlas?" Y agregarías: "Departen siempre y discuten llenas de palabras, perdidas en eso que titulan con pompa ideas. En cambio, las cosas, envueltas y animadas por callados encantos, no las ven". Te parece además que, afuera, no distinguen la intimidad, la vida personal que ocultan cada planta, cada chorrillo de agua, cada tronco panzudo, cada retazo de azul que se descubre allá lejos, entre ramas, reducido, individualizado. Ahora, reandando tu ayer de niño más pequeño, recuerdas muchas emociones entre las cosas, ¿verdad? ¡Ah!, si habláramos...

Pues bien, la fortuna me ayudó muy pronto. Al atardecer, hora propicia por corresponder a sus intimidades con Beatriz, lo divisé vagando por entre los arriates floridos. Y me dirigí a su lado.

Forcé, contra todo riesgo, el ingenio:

—¡Qué maravilla de amapolas, hijo! Por suerte aquí Jacinta no las corta para los floreros.

—¿A usted le gustan las flores así, en la planta?

—Por supuesto. Y las envidio.

—¡Las envidia! —exclama como ante una ocurrencia peregrina.

Yo prosigo, en serio:

—¿Tú no? ¿Nunca? Si eres como yo fui a tus años, y como ahora soy, apostaría que sí. Te diría: No sólo te agradan las flores, también las has envidiado alguna vez.

—No entiendo. ¿Por qué?

—Porque siendo vivas, siente uno que viven a una inacortable distancia de las gentes, ventaja que yo, y se me ocurre que tú, sabemos apreciar. También nosotros solemos hallarnos lejos. Sólo que la distancia nuestra es, por desgracia, salvable: de repente, a un grito, a la sacudida que nos dan en un brazo, volvemos de nuestra distancia. ¿No te pasa igual?

—En el colegio...

—En el colegio más a menudo, ¿ves? Sueles entonces sonreir; pero te queda una como tristeza de trizadura, no sabes en qué punto del alma, por estos regresos bruscos.

—Y ahora, ya hombre grande, ¿le sucede?

—No he perdido esa riqueza, hijo, y la conservo porque algunos poetas me la defienden. Los leo y mi razón confirma que cuanto en sueños se sufre y se ama como en la realidad, y aun ciertas emociones sin objeto, las que más en lo profundo remecen y huellan muchas veces, son poesía.

—¿Versos? ¡Qué raro!

—Poemas. La poesía, Cabecita, no siempre se halla en los versos, y menos en algunos delirios inventados y grandilocuentes o estrafalarios.

El calla, si no comprensivo, por la sensibilidad de su prudencia. Y como evoca probablemente las torpezas de Chela y Beatriz, yo, por no incurrir en la misma falta y por no lastimar su amor filial, callo también.

Pero abrigo la esperanza de haber sembrado respeto a la poesía en su balbuciente conciencia.

No vuelvo a orillar siquiera el tema. Por dos días me limito al repaso de sus lecturas y sus cuentas y luego a pasear y reir espontáneo con él.

*
* *

La víspera de nuestro retorno a Santiago, sin embargo, la casualidad sola insiste.

—Siento dejar mañana ya esta casona —suspiro—. Aquí me recobro. La soledad silenciosa...

—¡Oh! —exclama Cabecita.

Con un sobresalto de hallazgo, con gesto deslumbrado, me ha interrumpido al oir estas tres palabras: "la soledad silenciosa". Y apenas le ha vuelto el aliento, las repite, como el eco de una maravilla:

—La soledad silenciosa.

—Sí. ¿Qué hay con eso, Cabecita?

—Nada, sino que no me podía yo explicar antes una cosa y ahora la he visto de repente.

—A ver, di.

—No se entiende.

—Sí, ten confianza. Yo entiendo siempre lo tuyo. Habla.

—Espérese. ¿Cómo le diré? Soy más bruto... A veces, cuando hay muchas personas, me siento como perdido, y me canso, y me...

—Te abrumas. Sigue.

—Y me voy y me subo..., a mí se me ocurre que me subo a...

—¿A dónde?

—Ahora me figuro que a eso que usted ha dicho: a la soledad silenciosa.

—Te subes. Tienes razón. ¿Y?

—Y..., bueno, yo no sabía bien adónde me subo. Pero usted ahora, ¡zas!, me lo enseña. Yo soy raro. Oiga, papá: siento mucho tiempo algo y no lo veo. Sabe todo el mundo en el acto lo que le pasa. Yo, no. Me demoro, me demoro. Hasta que un día escucho dos palabras sueltas, en una conversación que nada tiene que hacer con mi asunto, y esas palabras son esa cosa mía. Debo de ser muy tonto. Las cosas que siento parece que no existen bien hasta que les encuentro las palabras.

—Te hablan desde lejos, te rondan, te cercan y te inquietan y obsesionan, pero no te dan a conocer su semblante.

—Mientras no les descubro sus palabras.

—Porque las palabras, hijo, ciertas palabras únicas que corresponden, son la verdadera cara de todo eso, de los sentimientos sobre todo, y no están siempre a la mano, ni para ti ni para nadie. ¿Sabes ahora lo que voy a decirte? Eres un poeta.

—¡Poeta! ¡Oh! ¿Usted también con ésa?

Se ha enfurruñado, el pobrecito. No atino, así de pronto, a justificarme. Vacila mi discreción. Y él inicia un ademán, como para libertarse de mí.

—Aguarda. No te vayas. No te subas a tu soledad silenciosa —le pido.

Sonríe y se queda. Mi espíritu se cohibe de respeto. ¿Cómo expresarle, con simples términos a su alcance, mi pensamiento? Imposible. Ya usé para con él expresiones conceptuosas, cual si hubiese hablado a un adulto; y aunque siento la certeza de que la sensibilidad de su mente precoz les ha captado el sentido, renuncio a seguir. Cavilo y el silencio se prolonga.

—¿Se ha incomodado, papá? —me pregunta él, arrepentido al cabo.

—Nada, hijo. Al contrario, temo haberte sido majadero yo. Anda, vive libre y espontáneo. Sólo pretendí revelarte que los poetas son como tú y no como la petulante Chela Garín te los presenta. Hallan su libertad en el espacio último y durante la soledad silenciosa. A ella *se suben* —recalco.

Le hubiese agregado aún: "Abajo, entre los hombres pardos, donde todo estrecha y confunde, buscan la palabra escondida. Para empinarse. Porque sin el verbo, ya lo anunció el Espíritu, nada nace de verdad. Y tú también lo has descubierto".

Pero, repito, ya excedí en mucho el lenguaje con que debemos hablar a un niño; de modo que me reduzco a desearle:

—Que sigas encontrando palabras, hijo.

Creo haber salvado el prestigio de la poesía para él. Eso basta. De modo que le acaricio la cabecita y, frescos y sencillos, nos vamos de paseo, a quebradas y arboledas, a la vera del río.

Escrito estaba que no había de durar mi contento. Cuando preparo nuestra maleta y digo a Cabecita: "Mañana, hijo, con la fresca, regresaremos a Santiago", él, desde su cama, donde Jacinta le ha hecho la señal de la cruz antes de recogerse, comenta risueño:

—Cómo se habrán extrañado los del *ballet* al no verme aparecer tantos días por allá.

—¿De tal modo te quieren?

—Quizá. Porque me buscan a cada rato mientras estoy en el teatro. Que "Ven, Charlie Moore", que "Baila tú también", que "Charlie Moore, ¿dónde te metes?"...

Se me hiela en las venas la sangre, se me agolpa luego al cerebro.

—¡Cómo! —inquiero—. ¿Así te llaman?

—Son muy cómicos.

—Pero ¿ignoran tu apellido?

—Me creen Moore.

Cuánto me costó refrenarme. Enmudecí. Hablar habría descubierto mi cólera. ¿Cómo, por qué puede ocurrir esto? Habrá concedido Beatriz también para ellos alguna donación bajo el nombre fatal, y esos muchachos, que me desconocen, deducirán que... ¡Intolerable! Esto sí que no lo soporto. Es un escarnio. A ver, pongamos las ideas en claro. Pero..., no, ni escribir conseguiré. He abierto mi cuaderno con el fin de ordenar cálculos y deducciones y... nada. Mi multitud entera, los unos violentos, atribulados los otros, confusos todos, se hallan yertos por el pánico, por... ¡qué sé yo!

Cerremos, cerremos estas pobres, inútiles, lamentables páginas. Hagámonos primero alguna lucidez.

¡Ah, qué noche me aguarda!

*
* *

Hagámonos primero un poco de lucidez, ¡así me dije! Vana pretensión. La noche pasada en vela y... Y nada. Violencia y disturbio únicamente.

Horas y horas, a vuelcos dentro de la cama, sofocado entre sábanas quemantes, pensé, pensé mucho. Pero pensar no siempre alumbra; con frecuencia, frente a casos como el mío, los pensamientos apenas consiguen alzar en tumulto las fuerzas del espíritu. Y entonces la multitud nos confunde y pesa. Pensar y pesar ¿no resultan lo mismo? En latín, todo ello es *pensare*. Bien lo dilucidó Alfonso el Sabio con su naturalidad ponderada, cuando puso en las Partidas que así "pesa el hombre todas las cosas de que le viene cuidado a su corazón". Tal función, pues, mucho arraiga en el sentimiento.

Y en tal virtud, yo, anoche, más que sentimental, apasionado, logré confusión y turbulencia nada más.

De madrugada no pude ya conmigo y me levanté.

Había resuelto escribir una carta para Beatriz. ¿Por qué? Se le ocurren a uno absurdos a menudo. Antes de iniciarla, ya sabía yo que no la remitiría. Pero la escribí, completa. No estaba mal. Fue de las que siempre se componen bien cabalmente porque no llegarán a su destinatario, y por no significar sino desahogo a solas de algo que nos congestiona y asfixia. Por lo demás, sólo Fernando, un corazón desollado, y Rafael, una llama colérica, la dictaron. Siempre nuestras cartas de circunstancias las dirige uno solo —a lo sumo dos— de nosotros. Y convencido de tal defecto la rompí.

También porque a la par gritaba el coro de mis voces en atropellado desorden.

Me pareció preferible volver a estas carillas íntimas, en busca de camino para entender o al menos entenderme. Gobernado y sujeto, el tumulto se disciplinaría. ¡Qué vociferante turbamulta empero ensordeció mi desvelo y aun ahora lo ensordece!

Aún necesito acallar mi multitud. Sí; es lo mejor. Ni me añadiría nuevas ideas, ni aportaría serenidad. Repetir lo argumentado ya cien veces tan sólo aniquila o enloquece. Basta. Como rasgué la carta, creo que destrozaría estas páginas si compilara en ellas con majadera insistencia tanta voz indignada. Si hasta el goloso Luis, mohíno y como confinado, concordó en la general protesta.

—¿Qué me dices? —le pregunté—. ¿La deseas ahora?

—No; ahora me repugna —repuso cortante.

Y en la repulsa entraba Francisco, aún él. Doliente, pero sin mansedumbre ya, calló en todo momento. Y en su mutismo se adivina empuñado el santo látigo del *dies irae*.

Sí; todos, sin excepción, estamos en el día de la ira.

Mauricio, el único, se atreve a insinuar prudencia.

—¡Qué a destiempo, qué a destiempo se ha producido esto! —murmura.

Lo dijo ya en el primer instante de la insufrible sorpresa. Lo siento alarmado: hay negocios pendientes, recién pactados, y el dinero para ellos pertenece más que a mí a Beatriz.

Pero ya entonces, a una, las demás voces lo condenaron:

—¡Puerco!

—Por unos miles de pesos.

—¡Cobarde!

Y no bien lo recuerdan, lo siguen repudiando.

Lástima de Mauricio, la verdad. Pero..., no sé..., mi subconsciente algo lo escucha. También egoístas codiciosos hay en nuestra multitud. El caballero, los caballeros diré, no los aceptan; pero... ¡qué hacer!

Por eso, más bien me mueve un poco a risa cuando, allá, escondido, suspira: "¡Qué a destiempo, qué a destiempo!" Nunca falta el chiste a mitad de la situación dramática.

Esto, después de todo, me alivia. Pero junta los labios, mejor, listo Mauricio.

Y hagamos por fin silencio los demás también. Hasta el último, este con quien hay que habérselas en término postrero, debe al cabo enmudecer.

Cese, por lo tanto, el escribir superfluo y redundante.

Amanece. Duerme tranquilo el niño. Un bracito, el derecho, le cuelga fuera de la cama. Observo su antebrazo y lo comparo con el mío. Falta mi lunar allí, esta lenteja parda que... Ah, pero no nací con ella. Recuerdo que me fue apareciendo, pintándose poco a poco, allá cuando contaría yo la edad de Cabecita. No; algo mayor estaba yo entonces. Debe haber sido entre los nueve y los diez. Exacto. Al niño le nacería, si de mí lo heredase, dentro de doce o catorce meses.

¡Oh, si le asomara mi lunar!

Estoy loco. Pobre de mí. ¿No he saltado a examinar la piel de su antebrazo?

Y ni la más leve sombra todavía.

¿Esperar? El porvenir. Extraña y clemente divinidad de la esperanza. ¡Quién lo previera! Solemos intuir un guiño suyo, una seña furtiva de su rostro siempre listo para esfumarse; mas en cuanto hemos esforzado la vista, él se ha escondido, porque su misión es de genio secreto e invisible. Los demás dioses le previnieron que dejarse conocer equivale para él a ser devorado por el presente, que lo persigue. Y que además el hombre no podría vivir sin futuro incógnito, el único ademán prometedor que tiene la vida para el exasperado.

Cabecita se mueve. Ya despierta.

—Papá, ¿será muy tarde?

Disponiéndome a cerrar mi carpeta le respondo:

—Tanto como tarde, hijo, no.

—Como lo veo en pie...

—Porque debemos partir temprano. Hoy te aguarda el colegio.

Y me apronto. Para el duelo. Esta hora se me ocurre así.

*

* *

Difícil era el trance, ya lo creo. Muy nervioso me tenían las ansias acumuladas. Trémulo, crepitante casi, esperé a que hijo y madre pusieran fin a sus efusiones y a que se hubiera marchado el niño a su colegio. Después... Después hube de recurrir un poco a mi agudo y aun a mi actor una pizca. Debía sumar fuerzas. Pena y flaqueza se habían de apoyar no sólo en mi cólera y mis razones; también sobre algunas ventajas de astucia y hasta de teatralidad.

Lo conseguí. Tuve aplomo. Era preciso, por lo menos para entrar en escena.

De modo que así, con paso preconcebido, tan luego calculé a Cabecita en la calle, y lejos, irrumpí en el dormitorio de Beatriz.

La pieza estaba obscura, herméticos los balcones, corridas las cortinas; tanto que debí andar a tientas.

—¿Abriremos un postigo? —consulto.

Ella rehusa:

—Más vale que no.

—Es que deseo hablarte.

—¿Ya, inmediatamente? Preferiría dormir unos minutos más. Me desvelé y tuve una noche pésima.

—No importa. Yo tampoco he pegado los ojos.

Se incorpora Beatriz en la cama entonces.

—¿Qué sucede?

He logrado mi efecto: crear atmósfera de alarma. Lo comprendo en las dos centellas negras que, sobre la palidez que blanquea en la penumbra, inquieren y me urgen:

—¿Qué, qué hay?

—Un momento —digo.

Acabo de distinguir entre las sombras a la criada.

Me dirijo a ella primero:

—Mercedes, haga el favor, deje por ahora esa ropa. Tráigame de la botica un tubo de cafiaspirina. Llévemelo al escritorio. No tiene para qué tomarse la molestia de volver acá.

El preámbulo inquieta más a Beatriz.

—¿Pero qué pasa, no me dirás?

Libre de la sirvienta ya, me siento y respondo:

—Bien. Es necesario que te pida tres cosas. Lo he pensado mucho antes de resolverme. Pero... es menester; más, es indispensable.

—¡Qué solemnidad!

—Sí. Además, precisa que no te resistas.

—Cada vez entiendo menos.

—Pues déjame hablar.

—Habla. Di. ¿De qué tres cosas se trata?

—Primera: que acabe ya ese mortificar al niño con versos y majaderías. Lo tienen hostigado, lo martirizan.

—No se le nota.

—Porque te quiere mucho, cree que te hace feliz con eso y disimula. Pero lo desesperan y sufre.

—¿No convienes tú en sus facultades de poeta? Procuramos que vaya ejercitándose, que aprenda cómo se hacen los versos.

—Odia los versos ahora. Puedo asegurártelo. Siente horror al sólo divisar un libro de poemas. Más aún, ese horror, el mismo, le causa ya Chela Garín. No me interrumpas, quiero que salgas de tu engaño. Justo porque Cabecita lleva la poesía dentro, debemos evitar que se le convierta en molestia. Ya llegará más adelante a las técnicas del arte, maduro y pleno. Yo lo conozco a fondo. Comprobé su tedio y luego me di a reconducirlo: estimulo siempre su incursionar por las intimidades de su temperamento. Así creo haber salvado el prestigio de la poesía en él, por supuesto que sin mermar el tuyo.

—Gracias. ¡Vaya, vaya! Muchas gracias.

Sin recoger su ironía, referí cuanto hice y alcancé. Beatriz pareció entrar en razón.

Aunque de súbito reaccionó irritado su amor propio:

—Así es que don Charlie resulta nada menos que un comediante.

—¿Por qué?

—Porque a mí me conversa en forma bien diversa. Se ufana con sus éxitos, me besa complacido...

—Te quiere. No toleraría que por contradicciones suyas te apenaras tú. Y porque teme que los espectadores extraños lo compadezcan y te culpen, juzga útil mostrarse feliz.

—¿Y es falso el contento?

—Falso. Piadoso y nada más.

—Habría que convencerse.

—Pues convéncete. No basta querer a los niños; hay que comprenderlos. Madres andan por ahí, mujercitas vulgares, para quienes los hijos prolongan sus muñecas de antes. Los visten con esmero y lujo, los miman, los adoran entre arrumacos, pero nunca les indagan el interior para nutrirles de amor las raíces vivas. De poco sirven a la larga esos cariños del pequeño cuando no se desarrollan sin cesar dentro de la creciente conciencia. Si persistes tú en esos empeños para él tediosos, créeme, comenzará el chico lamentando tus defectos, aun perdonándolos, y terminará menospreciándote por ellos, hasta reducir su amor a casi nada. Si aspiras a la constancia de su afecto, corrígete. No te fíes de las euforias de tu famosa Chela Garín.

—¡Ya saltó el tema de tu odio!

—Bueno. Dejémosla por ahora. No te indignes.

—El niño me adora.

—Por cierto. Y tú a él. Pero a causa de tanto embeleco en que tu amiga te distrae, lo estás abandonando. Ya en muy raro atardecer te halla en casa para sus goces de regalón. Oyeme, Beatriz: todas las tardes, no bien vuelve del colegio, te llama de pieza en pieza, aun cuando te supone ausente. Llama su alma, ¿comprendes? Voy a recordarte algo suyo que te alumbrará el corazón. Era todavía muy chico, no tendría cuatro años, ¿te acuerdas? Una noche, temprano, recién acostado, te llamó: "¡Mamá mamá!" Tú no habías vuelto aún. Acudí yo en cambio. "La mamá salió, hijito. ¿Qué quieres?" Me contestó: "A ella". Y reanudó el "mamá, mamá, mamá". Traté de hacerle conformidad y paciencia. Por último le rogué: "Duérmase, mi niño, mientras tanto. Ya vendrá ella y lo besará dormido". El, aunque algo conforme, continuó sin embargo: "Mamá, mamá, mamá, mamá". Insistí ya terminante: "Pero si no está en casa, hijo, ¿a qué porfías?" Y él, manso y como soñador, me replicó: "No importa. Yo la llamo". Y siguió, suavemente, como si cantara su almita nostálgica: "Mamá, mamá, mamá", hasta caer así, mecido, en el sueño. ¿Te acuerdas? Mucho te conmovió saberlo y no saliste más a esa hora. ¿Por qué no haces hoy día lo mismo? ¿Te imaginas que ya su almita no te busca y te llama?

Ella, enternecida, enmudece.

Sólo cuando yo agrego: "Merece más que tu Chela, sus arrastres y sus locuras", ella se irrita:

—¡Dale con la Chela!

Mas no pierdo yo la coyuntura:

—Es que..., verás..., mi segunda petición se refiere a ella. Y esto va muy en serio.

—¿A ella? ¿Cómo así?

—Te doy el encargo de hallar el recurso de alejarla. Del niño, de la casa y de ti. No podrás eludirlo.

—¿Qué? ¡Cómo!

—Como lo oyes. No se trata de mero capricho ni de antipatía personal. Pero no hay remedio. Lo he reflexionado y decidido inquebrantablemente. No acepto verla más aquí o mezclada con mi vida. Conque... elige: o se lo das a entender tú, o yo mismo la despido.

—¡Caramba! ¡Orden perentoria, dictadura!

—En esto sí, dictador soy.

—¡Y lo dices tan tranquilo!

—Comienzo, pruebo con serenidad.

—Y con frescura. ¡Estás loco! En cuanto a mí, que obedezca, ¿eh?

—Si no entiendes, obedecerás.

—Pero vienes hecho un energúmeno. ¡Tú, el caballero, el correcto! Te desconozco.

—Anda conociéndome.

Entonces fue cuando empezó a montar en cólera:

—¡Eh, basta! ¡Déjame en paz! ¡Y para esto me has interrumpido el sueño!

Se tumbó de nuevo en la cama tras la última exclamación. Pretendía demostrar que me volvía la espalda y se arrebujaba en su desprecio.

Yo me puse de pie. Mi celoso, mi violento, mi pasional, no sé cuántos en mi multitud se sintieron provocados. Colocándole una mano en el hombro, le dije:

—Siéntate, siéntate otra vez. Falta una petición todavía, la tercera, la más grave. Atañe a mi honor, a tu reputación y al buen nombre que ha de llevar el niño por el mundo.

Lívida, entre asombrada y desafiante, recobró su postura.

Yo, antes de que se repusiera, la notifiqué:

—Se acaban también, y esto sobre todo, esas "donaciones Charles Moore". Me vienen poniendo en ridículo, van dando pábulo a comidillas y echando a correr la especie de que Charlie es hijo de Charles.

—¡Qué infamia!

—No mía, por cierto.

—Sí, tuya también, puesto que la repites, o acoges, tal vez. ¡Infame!

—Calma.

—¡Infame, sí! Te atreves a dudar de mí. Me acusas.

—No te acuso yo. Al revés, te defiendo contra el escarnio.

—Yo soy una mujer honrada.

—Razón de más para que midas tu conducta y consideres las apariencias.

—¿Qué apariencias?

—Hija, por Dios. Se muere un amigo del hogar, lega su fortuna íntegra, y de millones, al niño de la casa en especial, la mitad para él, la cuarta parte para la madre y para el padre la otra cuarta, y prevé, por añadidura, que los esposos probablemente riñan y se divorcien, y para tal evento dispone la curaduría en manos de la mujer... Si todo esto no sugiere a los mal pensados un... un triángulo anterior, hay que canonizar al mundo social entero.

—Eso, para mentes sucias.

—Para ellas, la maledicencia. El alerta para...

—Para ti, dilo. ¡Más sucio!

—¡Oh!

—¿Alguien ha murmurado? ¿Has oído algo tú?

—El marido es el último en oír. A lo sumo, si teme, si pensamientos peregrinos le acometen, si encima observa a su mujer uña y carne con una especialista en ruptura de parejas, escruta semblantes...

—Cuando duda. Tú dudas.

—No se trata de mi duda ni de mi fe. Yo prevengo. Y cuando veo cómo se fijan ostensibles donaciones a nombre de un tipo en cuestión, tal imprudencia me corroe la piel de la honra. Lo menos que ha de sentir un caballero.

—¡Caballero! Cobarde, querrás decir. Ofendes a una mujer gratuitamente y enlodas a tu hijo.

—Celebro tu indignación. Pero aguarda. Vas a escuchar en qué me fundo. Las tales donaciones me acaban de causar la ira más bochornosa de mi vida. ¿No te dije que no había pegado anoche los ojos? Pues imponte del motivo. Conversando con Cabecita..., ¿te has fijado en que nunca lo llamo Charlie?... Conversando con él ayer, repito, él, de la manera más casual e inocente, suelta la lengua y revela que los muchachos del *ballet* lo nombran Charlie Moore.

Estalló Beatriz en llanto. ¿Un recurso? ¡Cuánto, cuánto cubre y disfraza el llanto en la mujer! Se puede leer en su rostro; en sus lágrimas toda expresión se diluye. Y era en ese momento cuando quería yo verle bien la cara.

Entre hipos y sollozos, fue argumentando:

—Resultas torpe, además. ¿No comprendes que pedir ahora un cambio en las donaciones aumentará los chismes?

—Según como se proceda. Tengo pensada la fórmula. Como el año termina este mes, advertiré que la donante seguirá pagando lo mismo el próximo, pero a nombre de otro de los varios muertos cuya memoria desea honrar. Y asunto concluido. Se neutraliza el mal efecto y... el olvido llega un día.

Llora, llora sin tregua, el rostro entre las palmas. Sólo cuando cito de nuevo a la Chela se yergue.

—Y quieres quitarme mi mejor amiga.

—Una majadera, loca de mala entraña. Siempre, donde actúa, "realizando" a la mujer acarrea la catástrofe. No me atrevo a decir si a plena conciencia o si subconsciente o inconscientemente. Pero a eso va siempre.

—No la conoces. Nunca la ves actuar, nunca la oyes en sus apreciaciones, en su cultura, en su noble amplitud.

—Sí; la conozco, la oigo, la veo. En su oportunidad, en sus oportunidades, que su instinto dañino atisba certero, se reviste de nobleza y obsequia con un bonito rasgo, con algún argumento de iluminada. Sabe maquillar su perversidad innata con dosis de bien para dañar mejor. A mí no me mixtifica.

—Eres tú el de ingenio perverso.

Vuelve a llorar. Por momentos me duele su compunción. Pero he resuelto mantener mi firmeza y la mantengo. Sobre todo porque no descubro su psicología.

—En fin —concluyo—, queda en pie lo dicho y decidido. Tómate plazo para cumplir. O para que cumplas tú o para que cumpla yo.

Y como es tarde ya y el niño vendrá para el almuerzo de un momento a otro, me despido:

—Serénate. Piénsalo bien. Yo, con tu permiso, me voy.

—Puedes irte al diablo.

¿Hay en su furia inocencia, despecho, sinceridad, comedia?

De nada me ha convencido. Hablarán los resultados.

¡Pero qué desahogo! ¡Al fin!

*
* *

Dos días ha estado Beatriz sin dirigirme la palabra. En ellos ha rendido Cabecita sus exámenes. Chela Garín parece que no ha vuelto. Un poco raro, esto. ¿Se hallarán de acuerdo? ¿Será cómplice Chela?

No quiero escribir. Mi multitud me agobia insistiendo en sus voces.

Me acerqué hoy en cambio a Cabecita para proponerle:

—Parto a Viña dentro de una hora por el fin de semana. El verano está encima y tu mamá querrá su mes de playa. ¿Vendrías conmigo? Veremos qué casa tomar.

El ha corrido alborotado a conseguir la venia de su madre.

A poco vuelve acezante y jubiloso:

—Acepta, papá. Me voy con usted.

Basta. No llevaré mis cuadernillos. ¿Para qué? No me interesa registrar ahora mis voces en pugna. Sólo descanso pide mi ser entero.

*
* *

No me hallé jamás ante dificultad mayor para narrar una escena. Por momentos renuncio a describirla. Porque además, ya se ha visto, es muy expuesto confiarlo todo a estas carillas. Un descuido cualquiera, la candidez en que aun el más avisado incurre y la catástrofe sobreviene.

Precisa empero que, redactándolos, me reproduzca los hechos con nitidez y en orden. A ver si me repongo de la sorpresa que me ha dado Beatriz y distingo la verdad posible, su entraña, sus consecuencias y la decisión que corresponde.

Pero los minutos vuelan y no atino a empezar.

Estoy desesperado.

¿Desesperado? No bien escribo esta palabra, me detengo. Es curioso. A falso me suena. La mano misma se paraliza y hasta la mueve no sé qué ímpetu de tachar el vocablo. ¿Por qué? ¿Y dónde se origina la provocación a la enmienda? ¿Quién me la dicta? Mauricio tal vez, mi egoísta defensor. Acaso Juan además, como buen reflexivo. Puede que aun cierto paradojal y chistoso que de cuando en cuando agita su cascabel a mi espalda, a esta espalda interior donde vive alerta el muy ladino con otros de su calaña. Lo cierto es que, a pesar de mi dolorosa incertidumbre, me choca esa frase, y su afirmación se desvirtúa.

Pero si no persisto en ponerla, tampoco la borro.

Y en tanto mis angustias se irritan y me revuelven.

—No estás desesperado.

—¿Qué?

¡Ah, multitud heterogénea! Ya empieza.

—No hay tal desesperación.

¡Tiene gracia! Las voces, o turnándose o confundidas, parecen dispuestas a sosegarme con un grano de humorismo.

—¿Cómo que no hay desesperación?

—Ya no se usa. Tanto abusaron sentimentales y románticos de la desesperación en el pasado, que han concluido por gastarla para el hombre moderno, muy sumiso al cabo por la cultura. No te asombres. Así como la prenda que ya nadie lleva se nos despega del cuerpo, resbalan también del alma ciertas actitudes.

—Paradoja.

—No, no. Decir "estoy desesperado" no calza con la verdad psicológica del mundano actual. Se dice por costumbre, por vicio, por comodidad, para expresar algo aproximado al malestar confuso que nos domina de repente y no acertamos a definir.

—Y por mal gusto.

—No me hagan reir hoy, por favor.

Mas, paradoja o sutileza, broma o advertencia, con ello me desconciertan. Porque a la vez Rafael, Fernando, varios a una se me alborotan dentro. En vano tratan, sin embargo, de crisparme con sus protestas: ahora sólo a falso me suena el "estoy desesperado". Como si en efecto ya la desesperación hubiera pasado de moda. Y mientras cascabelea la risa de los unos, quedan los otros cual si el piso les faltara. Diríase que así, en el aire, todos nos hallamos a punto de convenir en que, a lo menos, la expresión "estoy desesperado" pierde mucho prestigio. En realidad, mis pobres Rafael y Fernando, sufrimos un drama cruel, insoportable casi, que nos fatiga, nos agota las fuerzas y nos derrumba la esperanza; pero, más bien que desesperado, ¿no sería propio decir desesperanzado?

—Eso sí —asienten los irónicos—, se usa y resulta elegante.

Y Juan transige:

—Para descanso de los nervios, en fin, bien venido el chiste. Exacto. Descansemos.

Ha rendido fruto la chanza: me ha tranquilizado.

¡Ah!, esta multitud, aunque a menudo se neutraliza, no siempre anula. Sus controversias también nos equilibran.

Así pues, por dramática que fuera la escena con Beatriz, ahora puedo exponérmela para mejor obtener un juicio.

Vamos a ello.

Me hallaba, más por suerte que por desgracia, prevenido cuando recibí su recado; pues tan luego regresé de la playa con el niño, pasé al escritorio. Era mi propósito confrontar algunas observaciones anteriores sobre Cabecita con otras nuevas hechas durante nuestro viaje. Y bien, abrir mi cartapacio e intuir que habían hurgado en él y lo habían leído fue algo simultáneo. Su colocación dentro de la gaveta, el ajuste desigual de los pliegos, cierto aroma femenino que las páginas exhalaban y otros signos aún, hablaron hasta la evidencia. El descubrimiento me azotó el plexo, una espiral de vértigo partió de allí al cerebro, y se me aflojaron las corvas y las manos me temblaron. Veloz vino la certeza: Beatriz y la Chela Garín habían leído mis intimidades todas. Cuando imaginé a esa delirante, con su saliente dentadura y su barba sumida, recorriendo ávida mis glosas, reaccioné colérico, tuve ímpetus de correr hasta Beatriz, inquirir y tomar cuentas. Me moderó una elemental prudencia. Opté por un examen previo del manuscrito. Las puntas de algunas hojas, aunque vueltas a estirar cuidadosamente, acusaban dobleces, hechos de fijo para repaso de lecturas, y correspondían a pasajes tanto relativos a Beatriz como a su cómplice y acaso instigadora. Oliendo señales reconocí el perfume predilecto de la Chela. Ella leyó, seguro, en voz alta y recalcando significaciones. Me alarmó lo grave de las muestras. Esa loca, tras de verse así retratada, caricaturada, zaherida y puesta en vilipendio, ¿qué habría sugerido a mi mujer? Pues si la indujo —a cada momento lo dudo menos— a violar un legajo íntimo, por mero instinto pérfido, en seguida su prurito de romper matrimonios encontraría coyuntura. La conozco.

No sentí cómo transcurrió el tiempo. ¿Cuánto? Una hora quizá. El encuentro inmediato con Beatriz me habría dado una ventaja, la de los arrestos vivos. Pero el pensamiento diverso de mis hombres interiores, el medir y sopesar pros y contras, y más que nada los intentos de prever qué futuro derivaría del abuso de confianza, todo ello junto y caótico me deprimió paulatinamente y redujo mis energías. La contención debía por fuerza intimidarme. Porque también se me representaron uno a uno los trozos en los cuales exhibo mis propias flaquezas y aquellos con que a ella la ofendo. Así, presumí, no llegaré a su presencia con grandes ánimos. Hube de resignarme por último a sólo aspirar a serenidad y tino, y, en secreto, al propósito de no consentir un triunfo más para la disociadora Chela Garín.

Y meditaba yo, irresoluto, si afrontaría la entrevista próxima en actitud de queja o si esperaría que marcara ella el tono, cuando me trajeron su recado:

—Manda decir la señora que ya comió ella con el niño y lo acostó, y que cuando usted haya comido hable con ella en la salita.

Consulto mi reloj.

—Las diez. Sírvame a mí cualquier cosa, Mercedes —pido a la sirvienta.

La sigo al comedor, tomo rápido y sin ganas unos bocados. Luego, antes de acudir a la cita, paso a besar al niño, que duerme ya. Maquinalmente —se me ha hecho hábito— examino su bracito. No asoma ese lunar todavía. Y me dirijo a la sala entonces.

No está Beatriz allí aún. Modero mis nervios tosiendo en la mano ahuecada. Como hay dos lámparas encendidas, apago la mayor, dejo luz en la de pie, cuya pantalla verde colorea de apaciguamiento el aire, y por esta penumbra ella viene. Sin afeites, bajos los ojos que mucho lloraron, su rostro se cubre de una doliente dignidad.

—Buenas noches.

—Buenas. Asiento, si quieres.

Nos acomodamos, yo en la poltrona, ella en el diván de la estofa desvaída.

Y como el silencio se prolonga y embaraza, lo rompo:

—Tú dirás.

La observo. ¿Furiosa, lastimada, triste? Dramática sí está.

—En fin —empieza—, si no serán órdenes perentorias como las tuyas mis palabras, al mismo tema se van a referir. Porque yo, la fútil, la derrochadora, la madre sin hondura, la veleta y de carne flaca, la contradictoria y absurda, soy, a pesar de cuanto de mí piensas, una mujer limpia.

Ha renunciado a tapujos, colijo.

—No repites completo lo que leíste —observo en seguida—. Pero continúa.

Las lágrimas ruedan por sus mejillas de nuevo, ahora sin sollozos, en silencio, y diríase que la queman y la encienden.

—Sigue. Nunca me habías abierto una carta. Parece que te reservabas para un mayor abuso de confianza. La verdad, esto no cupo entre mis dudas jamás.

—Torpe. De mente y de corazón. Eso te revelas.

—No violaría sin embargo los papeles íntimos de nadie.

—¿Aunque lo necesitaras para defenderte?

—Ni aunque locos o delirantes me indujeran.

—Reconozco haber cometido una falta. ¡Eh!, peores las cargas tú encima.

—Mira, Beatriz, ¿quieres que aplacemos este aspecto de la cuestión? Porque me figuro que no me has llamado para esto, ya que ni sospechabas tú que yo hubiese descubierto la infidencia.

—Para defender mi honra te llamé.

—Bien.

—Contra tu inmundicia.

—Beatriz...

—Eres un pobre diablo, al fin y al cabo. Miserable y asqueroso, con tu sensual cochino y tu cínico negociante y tus otros granujas emboscados, como tú mismo lo dices. En resumen, sólo me has querido como a una concubina, por el vértigo sexual del "carnal Luis", y te has sometido por último al dinero que te parecía baldón. ¡Qué asco!

—¿Y mi sufrimiento, Beatriz? No te ciegues. Recapacita. Deja el amor propio ahora.

—Es mi honra la que me interesa.

—Eso es lo esencial. Tu honra, la mía y la del niño. Si no eres culpable, sincérate, despeja esas apariencias que te acusan.

—No acepto apariencias. Jamás dejé de cumplir, en todos los actos de mi vida, con los deberes de una esposa honrada. Oyelo bien. El niño es tuyo, y si más hijos hubiera tenido, tuyos habrían sido. ¡Yo, adúltera! No faltaba más. No sé cómo no te abofeteo.

—Pues..., calma y explícate.

Logré, conciliador, evitar que parásemos en altercado. Con paciencia, en tono más bien herido y suave, hice recuento de factores, presunciones e indicios. Larga y antipática relación que renuncio a repetir aquí por vez quincuagésima.

Ella, con impaciente altivez, declaró entonces:

—Sí, por amor a mí nos legó su fortuna Charles. ¿Eso querías tú saber? Pues se acabaron las conjeturas.

—¡Ah! ¿Ves?

—Pero sin que haya mediado pecado alguno.

—¿Lo probarías?

—Si tú quieres, lo crees. Si no, poco me importa.

—¡Valga la franqueza! En fin, continúa. No te interrumpiré. Soy todo oídos.

Hizo una pausa, ordenó así sus pensamientos y, ahora con altivez violenta, fue vaciándose de toda reserva:

—Lo vas a escuchar todo, cabal y sin cobardía, pierde cuidado. El estaba enamorado de mí. Yo lo venía sospechando y al cabo lo supe. Confieso que descubrirlo, si bien me trajo al principio contrariedad y trastorno, luego derivó en... en algo así como una risueña y no del todo ingrata sorpresa. Ya ves que soy franca. Y si había sufrido alarma, sobresalto, susto en cierto modo, me tranquilicé más o menos pronto. Segura de mí, ¿oyes?, muy segura, comprendí que jamás iría eso más allá de un secreto sentimiento suyo. Como ni a medias palabras me lo dijo nunca, como sólo en afectuosidades para con el niño me lo demostraba todo, como además para contigo seguía siendo el mismo amigo leal, permanecí en paz.

—Y dejándote querer.

—No me molestes con sarcasmos.

—Quiero decir que comprendo. Vanidad femenina, engreimiento.

—Como gustes. Llamémoslo así.

—O tolerancia fea, bastante impropia.

—Pero ¿qué reacción ostensible, ruda o grosera cabe ante un hombre fino, de una pieza, sin bajas "multitudes", que oculta intachable las penas de su romanticismo? Por indagaciones de Chela, que me resulta impúdico e innecesario referir ahora, supe cómo sufría.

—Y te compadeciste.

—Convengo. Me compadecí. Fui cobrando hacia él, no lo niego, cierto sentimiento conmovido, no sé qué piedad cariñosa... Excúsame. Basta. Ni sabría explicarme ni me agrada faltar al respeto de los muertos.

—¿Llegaste a quererlo, entonces?

—Llegué a quererlo, sí.

—¿Con amor?

—No.

—Amistad amorosa.

—Tampoco. Elimina tu suspicacia innoble. Lo admiré y lo quise con piedad, como ahora quiero y admiro con gratitud su recuerdo.

—Raro me parece que no llegaras a...

—Cállate ya. No habría podido, sábelo, llegar a enamorarme.

—¿Por qué?

—Lo vas a entender, si eres inteligente: no soy romántica, en primer lugar; luego, y sobre todo quizá, había excesiva diferencia de razas entre nosotros. Su amor carecía de fuego tanto como de esperanza; era comedido, británicamente comedido y sensato.

—Cómo sabes...

—En cierta ocasión, en confidencia con Chela, ella le insinuó compasiva que tal vez yo algún día enviudara o, por causas fortuitas, sobreviniera un divorcio. Pues bien, él se indignó: "Oh, cállese, Chela. El, mi amigo, un *gentleman*... No. *Is not*... No *es procedente*".

Me provocó a risa la expresión.

—Te ríes. También a mí, porque Chela imitó su pronunciación y su continente gringo, me hizo reir.

—El amor necesita el prestigio de las formas.

—Tú lo has dicho. ¿Comprendes ahora?

—Habría que convencerse.

—Ya te lo previne: si tú quieres, lo crees; si no, sin cuidado me tiene. Yo no vine aquí sino para sincerarme, para protestar de mi limpieza. Conque, si lo dudas, allá tú.

Dijo y, soberbia, se levantó y me volvió la espalda.

La vi entrar en su cuarto y...

Y aquí estoy. ¿Desesperado? No. ¿Sufro mucho, con exceso? Tampoco. Pienso en ella y siento muy adentro algo como la sensación de lo desunido desde antiguo. Como si estuviera viviendo en medio de lo que existe antes y después de nosotros. Como si se me hubiera enfriado la sangre y retornase a no sé qué obscuridad pura, de verdad y de nada.

¿Podría recomenzar la vida por el inactivo devenir de la nostalgia? ¿Es verdad cuanto ha dicho? Verosímil, sí... Pero ya jamás creerá que supe amarla.

¿Y Cabecita? Si es mío... Crece mi fe más y más. Aunque las pruebas físicas se me nieguen.

Si al menos le apareciera ese lunar...

Amanece. Perdí, escribiendo, la noción de las horas. Miro allá, por mi balcón, allá, cómo se platina el alba tras los cerros, allá, donde mi casa cordillerana se refugia. ¡Oh, vivir allá en paz! ¿Paz? Una paz entre cuyas quebradas andarán siempre Juan, Rafael, Fernando, Jorge, Luis, Francisco, Mauricio y los demás, en pena todos ellos, sin poder seguir el cencerro que no suena, pendiente del cuello cansado de mi último y recóndito yo inmerso en el misterio del cosmos. Una paz en la cual, a una hora siempre, aullará el perro del dolor desolado.

*

* *

Mientras Beatriz y el niño se refrescan en la playa, reposo yo al amparo de mis cerros. No me brinda esto mucha paz. Previsto lo tuve. Pero la melancolía es una voluptuosidad del espíritu, y mece y alivia.

Luego que... no me faltan quehaceres para gastar algunas horas: voy al fundo, a un paso, y atiendo. Saco ánimo y ejemplo de las manos de Jacinta, que van y vienen por entre las cosas, van y vienen, caballitos de servicio en incesante menester.

Echo de menos a mi chicuelo, sí, mucho. ¡Conformidad!

Y a cada rato pienso en Beatriz. La quiero, a pesar de todo. Aunque mi amor esté desairado y lacio de fracaso y ridículo. Llama de lámpara que amanece prendida inútilmente. Ardió alumbrando en la noche activa y luego, al nuevo sol indiferente, rayos y calor naufragan. Eso, poquedad hay en mi alma.

Sólo Mauricio conserva su vigor. El *modus vivendi* establecido lo conforma. En Rafael amainan los celos. La voz de Luis apenas es ahora un gemido entibiado de la carne. Late Fernando ya muy laxo. Si Jorge sueña, se guarda. Francisco tiene acaso la vista demasiado lejos. Y así todos: conjunto amorfo de discordias apagadas, languidecen.

Pero revisemos lo significativo que subsigue a la entrevista de ruptura. Lo necesito para bien apreciar mi nueva situación dentro del hoy y del mañana.

Veamos. Durante los primeros días, ambos eludimos el hablarnos. Era natural. Después, en tal o cual evento, ella me ha dirigido la palabra. En la mesa, por cierto, cuando el disimulo impone frente al niño visos de normalidad, y siempre bajo y parco, y midiendo el tono para no permitir dudas sobre su desengaño y su definitiva ruptura conmigo. Sé, pues, que ya no cuento con ella. Pero tampoco ha salido más como antes; se ha dedicado sólo a su hijo, y dentro de la casa. Menos mal. Ahora, lo mejor: Chela no ha vuelto y parece que no volverá. Me lo significó Beatriz en un oportuno apropósito: "Se han cumplido tus tres órdenes perentorias". Y por último lo confirma esa reciente comunicación telefónica entre las dos, tan cortante de noes, de fríos "me da lo mismo", de resueltos "¡qué haremos!" y "piensa lo que gustes". Han roto los viejos lazos. ¡Por fin! ¿Comprenderá ya que, por fas o por nefas, nos ha separado esa mujer?

A solas, hemos tenido un solo diálogo. Cuando iban ella y el niño a partir hacia Viña del Mar.

—Ahora —le dije irónico y digno— tú dirás cómo vamos a resolver la previsión del testamento ese.

—¿Cuál?

—La curaduría, etcétera.

—No he pensado ni pienso en divorcios o mayores inconveniencias y vergüenzas.

—Sin embargo, cualquiera que sea la forma de nuestra separación...

—Nada de eso me interesa. El dinero me tuvo y me tendrá siempre sin cuidado. No hay Mauricios en mí. En cambio sí una madre y una mujer de bien. De modo que nada propongo que se altere. Y esto, por nuestro Charlie. A la postre, una cosa debo agradecerte: me has enseñado a conocer su almita.

—Pues en obsequio, ¿no lo nombrarías de otra suerte?

—No. Como siempre, Charlie. Con la frente alta puedo usar ese nombre.

—En fin, da lo mismo.

—Por él, digo, creo que debemos continuar ante la sociedad como si nada hubiera pasado entre nosotros. Además, y volviendo al tema de los bienes, de ti se me ha caído todo menos la confianza en tu honradez.

Nada más hubo. Y he asentido. También yo anhelo que la criatura marche sin sombras hacia el porvenir y sin formularse jamás una pregunta sobre la conducta de sus padres.

Mauricio, así, queda satisfecho. Mas le doy la espalda. Invoco a los demás con insistencia. Desarticulada, flojamente responden.

—Me figuraré viudo —suspira Luis.

Un granuja le sopla:

—Claro. Viudo en libertad...

Nuevo desprecio. Los menguados por delante siempre. ¡El instinto de vivir!

Rafael, vengado de Chela Garín, ahora se reduce a dudar:

—¿Beatriz dice la verdad o sólo se defiende?

Juan y Fernando callan.

Apelo a Jorge y a Francisco:

—Ustedes...

Muy quedo, muy adentro, el uno declara:

—Yo espero confiado. Cuando la paz renace, la belleza sueña.

Y el otro, místico sin remedio:

—Y cuando el ensueño se tiende más allá del mundo, embellece todo el universo.

Poesía. Hoy tampoco me convence. ¡Oh, cuánto, cuánto cansancio!

¡Multitud, multitud! Hoy que no discutes ni atropellas, te mide mi melancolía. Desfilan tus hombres. Un cerebral que mucho discurre y mucho yerra, un violento y rencoroso, el sensual presa de los sentidos, y el llano frente al paradójico, y el irónico refinado y epicúreo, y el comediante con su espectador complaciente, y los diabólicos granujas que burlan la vergüenza, y hasta el infante que con el dolor despierta, busca madre y rompe a llorar. Pena, pena conmiserada por todos ustedes me debilita, y por los otros en germen que también el hombre lleva en sí, y por los cadáveres a cuestas, algunos cándidos y añorados, otros amargos, ante cuya evocación cerramos los ojos, y por los que agonizan y no acaban de morir, y por aquellos que hubiéramos querido ser y nunca fuimos. Habéis habitado en mí en concurso y discordia perenne. Y bien, a esto arribamos, porque más fácil resulta poner de acuerdo a cien extraños que a vosotros gemelos. A esto arribamos: un día, inopinadamente, una loca da su paso absurdo y nos impone su torpe solución. No supimos concebir la nuestra. Normas, reflexiones e impulsos propios han caído así en la ley de la loca, de la gran loca Doña Vida.

Resignarse ahora, y obedecer.

Saldré un rato, a caminar entre las plantas y las bestias. Ellas no tienen multitud.

*

* *

Insatisfecho, intranquilo siempre, vuelvo a mis páginas. No encuentro afuera descanso. El último de los míos ahora me inquieta y urge.

Quisiera escucharlo.

Pero él no habla; él penetra mucho la hondura, él toca el arcano, él, raíz de la multitud, sabe del ciego contacto cósmico; mas si para expresar algo se aísla, logra sólo sentirse trágicamente separado y solo. Así, pues, calla.

Hoy, me parece, alcanzo el límite de mí, esto es, como en la muerte, cuando todos nos apaguemos juntos; pues para vivir somos muchos y para morir uno solo. Sí, eso aún: hay un momento en el cual ya no son los hechos, los actores y su drama quienes disminuyen; es el tiempo el único que se consume, y lo sentimos acabándose para nosotros. Pues bien, cuando en mí se haya cumplido el plazo...

Divago. ¿A qué seguir? Pensamos todo lo pensable a lo largo de nuestra vida, y un día pretendemos ir hacia lo que no puede pensarse. A la manera de los metafísicos. Y no, yo no deseo filosofar. He visto cómo ellos adecuaron a sus teorías el pensamiento y no quiero acomodar así el mío. Agoté mis juicios y estoy ante la linde obscura, sin presumir ya nada. La posesión decepciona siempre. ¿No será también Dios un decepcionado? Alma del cosmos, *Deo ignoto,* tal como la multitud es la suma del hombre, eres la suma de la ley. Pues así como vemos que no permites predominar a una de tus reglas sola, en el ser humano más próximo a lo perfecto ninguno de sus personajes predomina. Y si al principio todos hablan y discrepan, cuando vencidos armonizan les quedan sólo expectación y silencio.

Si enmudezco yo ahora, pues ¿me lo reprocharé? No. Una paz agónicamente dulce me conforma, y no busco siquiera otra decisión que callar y soportar.

Por esto mi yo recóndito ahora tiembla como voz que viene a través de los siglos. Muy vaga, muy vieja, muy remota, ni modula ni suena; permanece allá en el confín del silencio.

¿Cómo, entonces, no sentirme arrodillado ante el fondo de los fondos? Nada me cabe hacer. Por sí se hará lo que haya de hacerse.

*
* *

Por vez primera la soledad me conturba. Me agobian los recuerdos y no quiero insistir más en estos papeles llenos de dolor. Tampoco necesito ya esclarecer nada.

Y siento vacío en el corazón. Lo siento porque me falta la presencia de Cabecita. Estoy desolado y quiero verlo. Eso es. Mi anhelo crece vehemente y me angustia. Me confortará el intuir sus inquietudes sensoriales frente al mar. Además, atando algunos cabos de la memoria, he caído en la cuenta de que a mí no me apareció el lunar entre los nueve y los diez. Entre los ocho y los nueve fue aquello. Por lo tanto, muy luego, de repente, puede asomarle a mi niño.

He resuelto ir. Cerrar en definitiva estas páginas que ya odio, y partir allá. Pues ¿qué haré ya el resto de mis años? Vivimos de nuestras emociones. Viviré yo de las mejores mías. Y él me las ofrecerá siempre.

Sí, cogeré a la madrugada el auto mañana y correré, a fin de llegar para el almuerzo.

Lo decidí hoy, al atardecer. Pasó una carretela por el camino. Llevaba en la trasera ese hombre a su hijo pequeño. Iba él conduciendo en el pescante y el chico atrás tirando por un cáñamo una carretilla de juguete que a su vez, como la grande, rodaba sobre la calzada. Y padre y niño, sintiéndose ambos igualmente conductores, tenían el mismo afán y la misma dignidad bajo el sol.

Entonces oí la voz de Francisco:

—Mira. ¿Ves bien? Así vivimos todos. Porque al cabo, las ilusiones de los hombres ¿diferirán para la mirada de los cielos?

Bendito Francisco. Sí, a mí una sola ilusión puede sostenerme ya: mi Cabecita Despeinada, suave y tibio refugio de mi ternura.

FIN

DE "LOS HOMBRES DEL HOMBRE"

Santiago, 21 de mayo a 24 de noviembre de 1949.